정답과 해설

써니 행정법총론
소방
단원별
모의고사

싣는 순서 CONTENTS

정답과 해설 — 소방 단원별 모의고사

제 1 회	6	제 9 회	100
제 2 회	17	제 10 회	112
제 3 회	28	제 11 회	123
제 4 회	40	제 12 회	136
제 5 회	53	제 13 회	148
제 6 회	64	제 14 회	159
제 7 회	76	제 15 회	172
제 8 회	87	제 16 회	184

2026 써니 행정법총론 소방 단원별 모의고사

부록   옳은 지문 워크북

제1회	198	제9회	243
제2회	204	제10회	249
제3회	209	제11회	255
제4회	215	제12회	261
제5회	221	제13회	267
제6회	226	제14회	273
제7회	232	제15회	279
제8회	237	제16회	285

정답과 해설

2026 써니 행정법총론 소방 단원별 모의고사

소방
단원별 모의고사
제1~16회

제1회 | 소방 단원별 모의고사 정답과 해설

출제 범위: 제1강 행정~제4강 행정법의 일반원칙

문제 p.8

01	02	03	04	05
①	③	④	③	③
06	**07**	**08**	**09**	**10**
①	③	④	④	②
11	**12**	**13**	**14**	**15**
①	④	②	④	②
16	**17**	**18**	**19**	**20**
②	④	④	②	③
21	**22**	**23**	**24**	**25**
③	②	③	③	④

01
정답 ①

형식적 의미의 행정, 입법, 사법 개념은 어느 '기관'에서 행한 작용인가라는 '기관'을 중심으로 개념을 파악하는 것인 반면에, 실질적 의미의 행정, 입법, 사법 개념은 '성질'과 '기능'을 중심으로 개념을 파악하는 입장이다.

㉮ ○ 국회사무총장의 직원임면은 형식적 의미에서는 입법이지만, 실질적 의미에서는 행정에 해당한다.

㉯ ○ 집회의 금지통지는 경찰서장이 행한다. 따라서 형식적 의미의 행정이며, 또한 법령의 제정작용도 아니고 법원의 재판에 준하는 절차도 아니므로 실질적 의미의 행정에 해당한다.

㉰ × 행정심판의 재결은 주로 행정부 소속 행정심판위원회가 행한다. 따라서 형식적 의미에서는 행정이지만, 재판과 유사한 작용이므로 실질적 의미에서는 사법(司法)에 해당한다.

㉱ × 부령의 제정은 형식적 의미에서는 행정이지만, 실질적 의미에서는 입법에 해당한다.

㉲ ○ 지방공무원의 임명은 형식적 의미의 행정, 실질적 의미의 행정에 해당한다.

㉳ ○ 일반법관의 임명은 대법원장이 행한다. 따라서 형식적 의미로는 사법(司法)이지만, 실질적 의미에서는 행정에 해당한다.

㉴ ○ 조세강제징수는 행정부 소속 세무관서에서 행한다. 따라서 형식적 의미의 행정이며, 국가의 조세행정작용이므로 실질적 의미의 행정에도 해당한다.

02
정답 ③

① × 헌법재판소는 통치행위 개념을 긍정하면서도, 다만 국민의 기본권 침해와 직접 관련되는 경우 통치행위라 하더라도 사법심사의 대상이 된다고 판시한다.

> 대통령의 금융실명제에 관한 긴급재정·경제명령은 통치행위에 속하나 비록 통치행위라 하더라도 국민의 기본권 침해와 직접 관련되는 경우에는 헌법재판소의 심판대상이 될 수 있다. 대통령의 긴급재정·경제명령은 국가긴급권의 일종으로서 고도의 정치적 결단에 의하여 발동되는 행위이고 그 결단을 존중하여야 할 필요성이 있는 행위라는 의미에서 이른바 통치행위에 속한다고 할 수 있으나, 통치행위를 포함하여 모든 국가작용은 국민의 기본권적 가치를 실현하기 위한 수단이라는 한계를 반드시 지켜야 하는 것이고, 헌법재판소는 헌법의 수호와 국민의 기본권 보장을 사명으로 하는 국가기관이므로 비록 고도의 정치적 결단에 의하여 행해지는 국가작용이라고 할지라도 그것이 국민의 기본권 침해와 직접 관련되는 경우에는 당연히 헌법재판소의 심판대상이 된다(헌재 1996. 2. 29, 93헌마186).

② ×

> 개성공단 전면중단조치가 고도의 정치적 결단을 요하는 문제이기는 하나, 조치 결과 개성공단 투자기업인 청구인들에게 기본권 제한이 발생하였고, 국민의 기본권 제한과 직접 관련된 공권력의 행사는 고도의 정치적 고려가 필요한 행위라도 헌법과 법률에 따라 결정하고 집행하도록 견제하는 것이 헌법재판소 본연의 임무이므로, 그 한도에서 헌법소원심판의 대상이 될 수 있다(헌재 2022. 1. 27, 2016헌마364).

③ ○

> 대통령의 비상계엄의 선포나 확대행위는 고도의 정치적·군사적 성격을 지니고 있는 행위라 할 것이므로, 그것이 누구에게도 일견하여 헌법이나 법률에 위반되는 것으로서 명백하게 인정될 수 있는 등 특별한 사정이 있는 경우라면 몰라도, 그러하지 아니한 이상 그 계엄선포의 요건 구비 여부나 선포의 당·부당을 판단할 권한이 사법부에는 없다고 할 것이나, 비상계엄의 선포나 확대가 국헌문란의 목적을 달성하기 위해 행해진 경우에는 법원은 그 자체가 범죄행위에 해당하는지 여부에 대해 심사할 수 있다(대판 1997. 4. 17, 96도3376).

④ × 학설상 서훈수여(영전수여)는 통치행위로 본다. 그러나 서훈취소는 통치행위가 아니라는 것이 판례의 입장이다.

> 서훈취소는 대통령이 국가원수로서 행하는 행위라고 하더라도 법원이 사법심사를 자제하여야 할 고도의 정치성을 띤 행위라고 볼 수는 없다(대판 2015. 4. 23, 2012두26920).

03   정답 ④

① ○ 국회의 동의를 얻어 대통령이 결정하는 국군의 외국 파견결정은 통치행위에 해당한다는 것이 판례의 입장이다.

> 자이툰부대(일반사병) 이라크 파병결정은 고도의 정치적 결단을 요하는 문제로서 헌법재판소가 사법적 기준만으로 이를 심판하는 것은 자제되어야 한다(사법자제설을 따르고 있는 판례).
> 외국에의 국군의 파견결정은 …… 국내 및 국제정치관계 등 제반 상황을 고려하여 미래를 예측하고 목표를 설정하는 등 고도의 정치적 결단이 요구되는 사안이다. 우리 헌법도 그 권한을 국민으로부터 직접 선출되고 국민에게 직접 책임을 지는 대통령에게 부여하고 그 권한 행사에 신중을 기하도록 하기 위해 국회로 하여금 파병에 대한 동의 여부를 결정할 수 있도록 하고 있는바, 현행 헌법이 채택하고 있는 대의민주제 통치구조하에서 대의기관인 대통령과 국회의 그와 같은 고도의 정치적 결단은 가급적 존중되어야 한다(헌재 2004. 4. 29, 2003헌마814).

② ○

> 사면은 국가원수의 고유권한으로서 권력분립의 원리에 대한 예외가 된다.
> 사면은 형의 선고의 효력 또는 공소권을 상실시키거나, 형의 집행을 면제시키는 국가원수의 고유한 권한을 의미하며, 사법부의 판단을 변경하는 제도로서 권력분립의 원리에 대한 예외가 된다(헌재 2000. 6. 1, 97헌바74).

③ ○

> ❶ 신행정수도건설이나 수도이전의 문제를 국민투표에 부칠지 여부에 관한 대통령의 의사결정이 사법심사의 대상이 될 경우 위 의사결정은 고도의 정치적 결단을 요하는 문제여서 사법심사를 자제함이 바람직하다고 할 수 있다.
> ❷ 그러나 대통령의 위 의사결정이 국민의 기본권 침해와 직접 관련되는 경우에는 헌법재판소의 심판대상이 될 수 있고, 이에 따라 위 의사결정과 관련된 법률(「신행정수도의 건설을 위한 특별조치법」)도 헌법재판소의 심판대상이 될 수 있다(헌재 2004. 10. 21, 2004헌마554 등).

④ ×

> ❶ 남북정상회담 개최는 고도의 정치적 성격을 지니고 있는 행위로서 그 당부를 심판하는 것은 사법권의 내재적·본질적 한계를 넘어서는 것이 된다.
> ❷ 남북정상회담의 개최과정에서 북한 측에 사업권의 대가 명목으로 송금(대북송금)한 행위는 사법심사의 대상이 된다.
> 남북정상회담의 개최과정에서 재정경제부장관(현 기획재정부장관)에게 신고하지 아니하거나 통일부장관의 협력사업승인을 얻지 아니한 채 북한 측에 사업권의 대가 명목으로 송금한 행위 자체는 헌법상 법치국가의 원리와 법 앞에 평등원칙 등에 비추어 볼 때 사법심사의 대상이 된다(대판 2004. 3. 26, 2003도7878).

04   정답 ③

① ○

> 국가가 국민의 생명·신체의 안전에 대한 보호의무를 다하지 않았는지 여부를 헌법재판소가 심사할 때에는 국가가 이를 보호하기 위하여 적어도 적절하고 효율적인 최소한의 보호조치를 취하였는가 하는 이른바 '과소보호금지원칙'의 위반 여부를 기준으로 삼아, 국민의 생명·신체의 안전을 보호하기 위한 조치가 필요한 상황인데도 국가가 아무런 보호조치를 취하지 않았든지 아니면 취한 조치가 법익을 보호하기에 전적으로 부적합하거나 매우 불충분한 것임이 명백한 경우에 한하여 국가의 보호의무의 위반을 확인하여야 하는 것이다(헌재 2009. 2. 26, 2005헌마764).

② ○

> ❶ 국가계약의 본질적인 내용은 사인 간의 계약과 다를 바가 없어 법령에 특별한 규정이 있는 경우를 제외하고는 사법의 규정 내지 법원리가 그대로 적용된다(대판 2016. 6. 10, 2014다200763·200770).
> ❷ 구 「국가를 당사자로 하는 계약에 관한 법률」상의 요건과 절차를 거치지 않고 체결한 국가와 사인 간의 사법상 계약은 무효이다.
> 구 「국가를 당사자로 하는 계약에 관한 법률」 제11조 규정내용과 국가가 일방당사자가 되어 체결하는 계약의 내용을 명확히 하고 국가가 사인과 계약을 체결할 때 적법한 절차에 따를 것을 담보하려는 규정의 취지 등에 비추어 보면, 국가가 사인과 계약을 체결할 때에는 국가를 당사자로 하는 계약에 관한 법령에 따른 계약서를 따로 작성하는 등 요건과 절차를 이행하여야 할 것이고, 설령 국가와 사인 사이에 계약이 체결되었더라도 이러한 법령상 요건과 절차를 거치지 아니한 계약은 효력이 없다(대판 2015. 1. 15, 2013다215133).

③ × 도로교통법은 음주운전을 운전면허취소사유로 규정하고 있으며, 「여객자동차 운수사업법」은 운전면허가 취소된 경우 개인택시사업면허를 취소할 수 있도록 규정하고 있다. 사안의 경우, 甲이 음주운전을 하다가 교통사고를 내어 즉사하였다. 이 경우 甲이 사망하여 甲에게 운전면허 취소처분을 할 수 없으므로, 甲의 개인택시사업면허도 취소할 수 없다는 것이 판례의 입장이다.

> ❶ 개인택시운송사업자에게 운전면허취소사유가 있으나 그에 따른 운전면허취소처분이 이루어지지 않은 경우 관할 관청이 개인택시운송사업면허를 취소할 수는 없다.
> ❷ 개인택시운송사업자가 음주운전을 하다가 사망한 경우 망인의 운전면허를 취소하는 것은 불가능하고, 음주운전 그 자체는 개인택시운송사업면허의 취소사유가 될 수는 없으므로, 음주운전을 이유로 한 개인택시운송사업면허의 취소처분은 위법하다(대판 2008. 5. 15, 2007두26001).

④ ○

> 어떠한 사안이 국회가 형식적 법률로 스스로 규정하여야 하는 본질적 사항에 해당되는지는, 구체적 사례에서 관련된 이익 내지 가치의 중요성, 규제 또는 침해의 정도와 방법 등을 고려하여 개별적으로 결정하여야 하지만, 규율대상이 국민의 기본권 및 기본적 의무와 관련한 중요성을 가질수록 그리고 그에 관한 공개적 토론의 필요성 또는 상충하는 이익 사이의 조정 필요성이 클수록, 그것이 국회의 법률에 의해 직접 규율될 필요성은 더 증대된다(대판 2020. 9. 3, 2016두32992 전합 ; 대판 2015. 8. 20, 2012두23808 전합).

05

정답 ③

㉮ ○ 법률유보의 원칙이란 일정한 행정권의 발동에는 법률의 근거가 있어야 한다는 원칙을 의미한다. 한편, 행정권의 발동에는 조직법적 근거가 반드시 필요하므로 법률유보의 원칙에서 말하는 법적 근거는 조직규범 외에 작용규범(권한규범, 근거규범)을 의미한다. 또한 법적 근거는 원칙적으로 개별법적 근거를 의미한다.

㉯ ×

> 예산은 일종의 법규범이고 법률과 마찬가지로 국회의 의결을 거쳐 제정되지만 법률과 달리 국가기관만을 구속할 뿐 일반국민을 구속하지 않는다(헌재 2006. 4. 25, 2006헌마409).

㉰ × 법률유보의 원칙은 '법률에 근거한' 규율을 요청하는 것이다.

> ❶ 법률유보의 원칙은 '법률에 의한' 규율만을 뜻하는 것이 아니라 '법률에 근거한' 규율을 요청하는 것이므로 기본권 제한의 형식이 반드시 법률의 형식일 필요는 없고 법률에 근거를 두면서 헌법 제75조가 요구하는 위임의 구체성과 명확성을 구비하기만 하면 위임입법에 의하여도 기본권 제한을 할 수 있다 할 것이다(헌재 2005. 2. 24, 2003헌마289).
> ❷ 기본권 제한에 관한 법률유보의 원칙은 '법률에 근거한 규율'을 요청하는 것이므로, 그 형식이 반드시 법률일 필요는 없다 하더라도 법률상의 근거는 있어야 할 것이다. 따라서 모법의 위임범위를 벗어난 하위법령에 의한 기본권 제한은 법률의 근거가 없는 것으로 법률유보의 원칙에 위반된다(헌재 2010. 4. 29, 2007헌마910).

㉱ ○

> ❶ 오늘날 '법률유보원칙'은 단순히 행정작용이 법률에 근거를 두기만 하면 충분한 것이 아니라, 국가공동체와 그 구성원에게 기본적이고도 중요한 의미를 갖는 영역, 특히 국민의 기본권 실현에 관련된 영역에 있어서는 행정에 맡길 것이 아니라 국민의 대표자인 입법자가 그 본질적 사항에 대해서 스스로 결정하여야 한다는 요구, 즉 의회유보원칙까지 내포하는 것으로 이해되고 있다.
> ❷ 텔레비전방송수신료는 기본권 실현과 관련된 영역이므로 입법자가 본질적 사항에 대해서 스스로 결정해야 한다.
> ❸ 수신료금액의 결정은 납부의무자의 범위 등과 함께 수신료에 관한 본질적인 중요한 사항이므로 국회가 스스로 행하여야 하는 사항이다(헌재 1999. 5. 27, 98헌바70).

06

정답 ①

① ×

> 지방의회의원에 대하여 유급보좌인력을 두는 것은 지방의회의원의 신분·지위 및 그 처우에 관한 현행 법령상의 제도에 중대한 변경을 초래하는 것으로서, 이는 개별지방의회의 조례로써 규정할 사항이 아니라 국회의 법률로써 규정하여야 할 입법사항이다(대판 2013. 1. 16, 2012추84).

② ○

> 헌법 제37조 제2항, 제38조, 제59조, 제75조에 비추어 보면, 국민에게 납세의 의무를 부과하기 위해서는 조세의 종목과 세율 등 납세의무에 관한 기본적·본질적 사항은 국민의 대표기관인 국회가 제정한 법률로 규정하여야 하고, 법률의 위임 없이 명령 또는 규칙 등의 행정입법으로 과세요건 등 납세의무에 관한 기본적·본질적 사항을 규정하는 것은 헌법이 정한 조세법률주의원칙에 위배된다. 특히 법인세, 종합소득세와 같이 납세의무자에게 조세의 납부의무뿐만 아니라 스스로 과세표준과 세액을 계산하여 신고하여야 하는 의무까지 부과하는 경우에는 신고의무 이행에 필요한 기본적인 사항과 신고의무 불이행시 납세의무자가 입게 될 불이익 등은 납세의무를 구성하는 기본적·본질적 내용으로서 법률로 정하여야 한다(대판 2015. 8. 20, 2012두23808 전합).

③ ○

> 토지 등 소유자가 도시환경정비사업을 시행하는 경우 …… 사업시행인가 신청시 요구되는 토지 등 소유자의 동의정족수를 정하는 것은 국민의 권리와 의무의 형성에 관한 기본적이고 본질적인 사항으로 법률유보 내지 의회유보의 원칙이 지켜져야 할 영역이다(헌재 2011. 8. 30, 2009헌바128).

④ ○

> 수신료 징수업무를 한국방송공사가 직접 수행할 것인지 제3자에게 위탁할 것인지, 위탁한다면 누구에게 위탁하도록 할 것인지, 위탁받은 자가 자신의 고유업무와 결합하여 징수업무를 할 수 있는지는 징수업무 처리의 효율성 등을 감안하여 결정할 수 있는 사항으로서 국민의 기본권 제한에 관한 본질적인 사항이 아니라 할 것이다. 따라서 방송법 제64조 및 제67조 제2항은 법률유보의 원칙에 위반되지 아니한다(헌재 2008. 2. 28, 2006헌바70).

07

정답 ③

㉮ × 법률의 유보에 있어서 법률은 원칙적으로 국회에서 법률제정의 절차에 따라 만들어진 형식적 의미의 법률을 의미한다. 따라서 국회의 의결을 거치지 않은 명령이나 불문법원으로서의 관습법은 법률유보의 원칙에서 말하는 '법률'에 포함되지 않는다.

㉯ ○

> 헌법상 법치주의의 한 내용인 법률유보의 원칙은 국민의 기본권 실현에 관련된 영역에 있어서 국가 행정권의 행사에 관하여 적용되는 것이지, 기본권 규범과 관련 없는 경우에까지 준수되도록 요청되는 것은 아니라 할 것이다(헌재 2010. 2. 25, 2008헌바160).

㉰ ○ 공법상 계약은 당사자의 자유로운 의사합치를 요소로 한다는 점에서, 행정지도는 행정지도에 따를 것인지가 상대방의 임의적 결정에 달려 있는 비권력적 사실행위라는 점에서 법률의 근거 없이 가능하다는 것이 일반적 견해이다. 그러나 양자 모두 행정작용인 이상 법률우위의 원칙을 지켜야 하므로 비례의 원칙을 포함한 행정법의 일반원칙을 위반하지 않아야 한다.

> **행정기본법 제27조【공법상 계약의 체결】** ① 행정청은 법령 등을 위반하지 아니하는 범위에서 행정목적을 달성하기 위하여 필요한 경우에는 공법상 법률관계에 관한 계약(이하 '공법상 계약'이라 한다)을 체결할 수 있다. 이 경우 계약의 목적 및 내용을 명확하게 적은 계약서를 작성하여야 한다.

> **행정절차법 제48조 【행정지도의 원칙】** ① 행정지도는 그 목적 달성에 필요한 최소한도에 그쳐야 하며, 행정지도의 상대방의 의사에 반하여 부당하게 강요하여서는 아니 된다.

㉣ ×

> 병의 복무기간은 국방의무의 본질적 내용에 관한 것이어서 이는 반드시 법률로 정하여야 할 입법사항에 속한다(대판 1985. 2. 28, 85초13).

08　　　　　　　　　　　　　　　　　　　　　　정답 ④

① × 법률이나 국가의 중앙행정관청이 제정한 명령(대통령령, 총리령, 부령)은 대한민국의 전 영토에 걸쳐 효력을 가지고, 지방자치단체의 조례·규칙은 당해 자치단체의 구역 내에서만 효력을 가지는 것이 원칙이다. 그러나 이러한 원칙에 대한 예외로 국가의 법률 또는 명령이면서 영토 내의 일부 지역 내에서만 적용되는 경우가 있는데, 「제주특별자치도 설치 및 국제자유도시 조성을 위한 특별법」, 수도권정비계획법 등이 그 예이다.

② ×

> **헌법 제6조** ① 헌법에 의하여 체결·공포된 조약과 일반적으로 승인된 국제법규는 국내법과 같은 효력을 가진다.

> 「남북 사이의 화해와 불가침 및 교류협력에 관한 합의서」는 국가 간의 조약이 아니므로, 국내법과 동일한 효력이 없다(대판 1999. 7. 23, 98두14525).

③ × 헌법재판소법은 법률의 위헌결정은 법원 및 기타 국가기관이나 지방자치단체를 기속한다는 명문규정을 두고 있으므로 헌법재판소의 위헌결정은 법원(法源)으로서의 성격을 갖는다. 다만, 법령의 해석·적용권한은 대법원을 최고법원으로 하는 법원(法院)에 전속하므로 헌법재판소가 행한 법률의 위헌결정이 아니라 헌법재판소가 법률의 위헌 여부를 판단하기 위하여 한 법률해석에는 법원(法院)이 구속되는 것은 아니라는 것이 판례의 입장이다.

> **헌법재판소법 제47조 【위헌결정의 효력】** ① 법률의 위헌결정은 법원과 그 밖의 국가기관 및 지방자치단체를 기속한다.

> 헌법재판소가 법률의 위헌 여부를 판단하기 위하여 한 법률해석에 법원이 구속되는 것은 아니다.
> 합헌적 법률해석을 포함하는 법령의 해석·적용권한은 대법원을 최고법원으로 하는 법원에 전속하는 것이며, 헌법재판소가 법률의 위헌 여부를 판단하기 위하여 불가피하게 법원의 최종적인 법률해석에 앞서 법령을 해석하거나 그 적용범위를 판단하더라도 헌법재판소의 법률해석에 대법원이나 각급 법원이 구속되는 것은 아니다(대판 2009. 2. 12, 2004두10289).

④ ○

> **행정기본법 제7조 【법령 등 시행일의 기간 계산】** 법령 등(훈령·예규·고시·지침 등을 포함한다. 이하 이 조에서 같다)의 시행일을 정하거나 계산할 때에는 다음 각 호의 기준에 따른다.
> 1. 법령 등을 공포한 날(훈령·예규·고시·지침 등은 고시·공고 등의 방법으로 발령한 날을 말한다. 이하 이 조에서 같다)부터 시행하는 경우에는 공포한 날을 시행일로 한다.
> 2. 법령 등을 공포한 날부터 일정 기간이 경과한 날부터 시행하는 경우 법령 등을 공포한 날을 첫날에 산입하지 아니한다.
> 3. 법령 등을 공포한 날부터 일정 기간이 경과한 날부터 시행하는 경우 그 기간의 말일이 토요일 또는 공휴일인 때에는 그 말일로 기간이 만료한다.

09　　　　　　　　　　　　　　　　　　　　　　정답 ④

① ×

> ❶ 지방자치단체가 제정한 조례가 「1994년 관세 및 무역에 관한 일반협정(General Agreement on Tariffs and Trade 1994)」이나 「정부조달에 관한 협정(Agreement on Government Procurement)」에 위반되는 경우, 그 조례는 무효이다.
> ❷ 학교급식을 위해 국내 우수농산물을 사용하는 자에게 식재료나 구입비의 일부를 지원하는 것 등을 내용으로 하는 지방자치단체의 조례안은 「1994년 관세 및 무역에 관한 일반협정(General Agreement on Tariffs and Trade 1994)」에 위반되어 그 효력이 없다(대판 2005. 9. 9, 2004추10).

② × 원칙적으로 관습법은 성문법의 결여시 성문법을 보충하는 한도에서 적용될 뿐 성문법을 개정 또는 폐지하는 효력은 없다는 것이 통설과 판례의 입장이다.

> 관습법은 제정법에 대해 열후(劣後)적·보충적 성격을 가진다.
> 원심인정의 관습이 관습법이라는 취지라면 관습법의 제정법에 대한 열후적·보충적 성격에 비추어 그와 같은 관습법의 효력을 인정하는 것은 관습법의 법원으로서의 효력을 정한 위 민법 제1조의 취지에 어긋나는 것이다(대판 1983. 6. 14, 80다3231).

③ ×

> 회원국 정부의 반덤핑 부과처분이 WTO 협정 위반이라는 이유만으로 사인(私人)이 직접 국내 법원에 그 처분의 취소를 구하는 소를 제기할 수 없으며, 협정 위반을 처분의 독립된 취소사유로 주장할 수는 없다.
> 위 협정은 국가와 국가 사이의 권리·의무관계를 설정하는 국제협정으로, 그 내용 및 성질에 비추어 이와 관련한 법적 분쟁은 위 WTO 분쟁해결기구에서 해결하는 것이 원칙이고, 사인에 대하여는 위 협정의 직접효력이 미치지 아니한다고 보아야 할 것이다(대판 2009. 1. 30, 2008두17936).

④ ○

> **법원조직법 제8조 【상급심재판의 기속력】** 상급법원 재판에서의 판단은 해당 사건에 관하여 하급심(下級審)을 기속(羈束)한다.

> 대법원의 판례가 사안이 다른 유사한 사건을 재판하는 하급심법원을 직접 기속하는 효력이 있는 것은 아니다.
> 대법원의 판례가 법률해석의 일반적인 기준을 제시한 경우에 유사한 사건을 재판하는 하급심법원의 법관은 판례의 견해를 존중하여 재판하여야 하는 것이나, 판례가 사안이 서로 다른 사건을 재판하는 하급심법원을 직접 기속하는 효력이 있는 것은 아니다(대판 1996. 10. 25, 96다31307).

10

정답 ②

㉮ ✕ 부진정소급적용은 엄밀한 의미에서의 소급적용이 아니어서 소급적용금지의 원칙이 적용되지 않으므로, 법규효력발생일 이전에 발생하여 법령의 시행일에도 종결되지 않고 계속되는 사실관계 또는 법률관계에는 새로운 법령을 적용함이 원칙이다.

> 과세연도 진행 중에 세율 등을 인상하는 세법을 제정하여 당해 연도에 적용하는 경우 부진정소급으로서 원칙적으로 허용된다(대판 1983. 4. 26, 81누423).

㉯ ◯ ㉰ ✕

> ❶ 부진정소급입법은 원칙적으로 허용되나 국민의 신뢰보호의 관점이 입법자의 입법형성권에 제한을 가하게 된다(신뢰보호이익이 우월한 경우 부진정소급입법이 제한된다는 취지이다).
> ❷ 진정소급입법은 원칙적으로 금지되나 일정한 경우, 즉 신뢰보호에 우선하는 심히 중대한 공익상의 사유가 있는 경우 등에는 예외적으로 진정소급입법이 허용된다.
> 소급입법은 새로운 입법으로 이미 종료된 사실관계 또는 법률관계에 작용하게 하는 진정소급입법과 현재 진행 중인 사실관계 또는 법률관계에 작용케 하는 부진정소급입법으로 나눌 수 있는 바, 부진정소급입법은 원칙적으로 허용되지만 소급효를 요구하는 공익상의 사유와 신뢰보호의 요청 사이의 교량과정에서 신뢰보호의 관점이 입법자의 형성권에 제한을 가하게 되는 데 반하여(㉰), 기존의 법에 의하여 형성되어 이미 굳어진 개인의 법적지위를 사후입법을 통하여 박탈하는 것 등을 내용으로 하는 진정소급입법은 개인의 신뢰보호와 법적 안정성을 내용으로 하는 법치국가원리에 의하여 특단의 사정이 없는 한 헌법적으로 허용되지 아니하는 것이 원칙이고, 다만 일반적으로 ㉠ 국민이 소급입법을 예상할 수 있었거나 ㉡ 법적 상태가 불확실하고 혼란스러워 보호할 만한 신뢰이익이 적은 경우와 ㉢ 소급입법에 의한 당사자의 손실이 없거나 아주 경미한 경우 그리고 ㉣ 신뢰보호의 요청에 우선하는 심히 중대한 공익상의 사유가 소급입법을 정당화하는 경우 등에는 예외적으로 진정소급입법이 허용된다(㉯)(헌재 1999. 7. 22, 97헌바76 등).

㉱ ◯

> 헌법재판소의 헌법불합치결정에 따른 개선입법의 소급적용 여부는 입법자의 재량이다.
> 어떠한 법률조항에 대하여 헌법재판소가 헌법불합치결정을 하여 그 법률조항을 합헌적으로 개정 또는 폐지하는 임무를 입법자의 형성재량에 맡긴 이상, 그 개선입법의 소급적용 여부와 소급적용의 범위는 원칙적으로 입법자의 재량에 달린 것이다(대판 2008. 1. 17, 2007두21563).

11

정답 ①

㉮ ◯ ㉰ ✕

> 「법령 등 공포에 관한 법률」 제11조【공포 및 공고의 절차】
> ① 헌법개정·법률·조약·대통령령·총리령 및 부령의 공포와 헌법개정안·예산 및 예산 외 국고부담계약의 공고는 관보(官報)에 게재함으로써 한다(㉮).
> ② 국회법 제98조 제3항 전단에 따라 하는 국회의장의 법률 공포는 서울특별시에서 발행되는 둘 이상의 일간신문에 게재함으로써 한다(㉮).
> ③ 제1항에 따른 관보는 종이로 발행되는 관보(이하 '종이관보'라 한다)와 전자적인 형태로 발행되는 관보(이하 '전자관보'라 한다)로 운영한다.
> ④ 관보의 내용 해석 및 적용 시기 등에 대하여 종이관보와 전자관보는 동일한 효력을 가진다(㉰).
> 제12조【공포일·공고일】제11조의 법령 등의 공포일 또는 공고일은 해당 법령 등을 게재한 관보 또는 신문이 발행된 날로 한다.

㉯ ◯

> 지방자치법 제33조【조례와 규칙의 공포방법 등】① 조례와 규칙의 공포는 해당 지방자치단체의 공보에 게재하는 방법으로 한다. 다만, 제32조 제6항 후단에 따라 지방의회의 의장이 조례를 공포하는 경우에는 공보나 일간신문에 게재하거나 게시판에 게시한다.

㉱ ✕

> 법령이 전문개정된 경우, 종전 법률의 부칙의 경과규정도 소멸한다. 법령의 전부개정은 기존법령을 폐지하고 새로운 법령을 제정하는 것과 마찬가지여서 특별한 사정이 없는 한 새로운 법령이 효력을 발생한 이후의 행위에 대하여는 기존법령의 본칙은 물론 부칙의 경과규정도 모두 실효되어 더는 적용할 수 없지만, 법령이 일부개정된 경우에는 기존법령 부칙의 경과규정을 개정 또는 삭제하거나 이를 대체하는 별도의 규정을 두는 등의 특별한 조치가 없는 한 개정법령에 다시 경과규정을 두지 않았다고 하여 기존법령 부칙의 경과규정이 당연히 실효되는 것은 아니다(대판 2014. 4. 30, 2011두18229).

12

정답 ④

㉮ ◯

> 「법령 등 공포에 관한 법률」 제13조【시행일】대통령령, 총리령 및 부령은 특별한 규정이 없으면 공포한 날부터 20일이 경과함으로써 효력을 발생한다.
> 제13조의2【법령의 시행유예기간】국민의 권리 제한 또는 의무 부과와 직접 관련되는 법률, 대통령령, 총리령 및 부령은 긴급히 시행하여야 할 특별한 사유가 있는 경우를 제외하고는 공포일부터 적어도 30일이 경과한 날부터 시행되도록 하여야 한다.
> 지방자치법 제32조【조례와 규칙의 제정절차 등】⑧ 조례와 규칙은 특별한 규정이 없으면 공포한 날부터 20일이 지나면 효력을 발생한다.

㉯ ◯ ㉰㉱ ✕

> 행정기본법 제7조【법령 등 시행일의 기간 계산】법령 등(훈령·예규·고시·지침 등을 포함한다. 이하 이 조에서 같다)의 시행일을 정하거나 계산할 때에는 다음 각 호의 기준에 따른다.
> 1. 법령 등을 공포한 날(훈령·예규·고시·지침 등은 고시·공고 등의 방법으로 발령한 날을 말한다. 이하 이 조에서 같다)부터 시행하는 경우에는 공포한 날을 시행일로 한다(㉯).
> 2. 법령 등을 공포한 날부터 일정 기간이 경과한 날부터 시행하는 경우 법령 등을 공포한 날을 첫날에 산입하지 아니한다(㉰).
> 3. 법령 등을 공포한 날부터 일정 기간이 경과한 날부터 시행하는 경우 그 기간의 말일이 토요일 또는 공휴일인 때에는 그 말일로 기간이 만료한다(㉱).

13
정답 ②

① ○ 관습법으로 인정되었더라도 사회구성원들이 그러한 관행의 법적 구속력에 대해 더 이상 확신을 갖지 않게 되었다면, 그러한 관습법은 더 이상 법적 효력을 가질 수 없다.

② × 소급적용금지의 원칙은 진정소급적용에만 적용될 뿐 부진정소급적용에는 적용되지 않는다. 따라서 신법의 효력발생일에 진행 중인 사건에는 신법을 적용함이 원칙이다.

> 법령불소급의 원칙은 법령의 효력발생 전에 완성된 요건사실에 대하여 당해 법령을 적용할 수 없다는 의미일 뿐, 계속 중인 사실이나 그 이후에 발생한 요건사실에 대한 법령적용까지를 제한하는 것은 아니다(대판 2014. 4. 24, 2013두26552).

③ ○

> 기존의 법에 의하여 형성되어 이미 굳어진 개인의 법적 지위를 사후입법을 통하여 박탈하는 것 등을 내용으로 하는 진정소급입법은 개인의 신뢰보호와 법적 안정성을 내용으로 하는 법치국가원리에 의하여 특단의 사정이 없는 한 헌법적으로 허용되지 아니하는 것이 원칙이고, 다만 일반적으로 ⊙ 국민이 소급입법을 예상할 수 있었거나 ⓒ 법적 상태가 불확실하고 혼란스러워 보호할 만한 신뢰이익이 적은 경우와 ⓒ 소급입법에 의한 당사자의 손실이 없거나 아주 경미한 경우 그리고 @ 신뢰보호의 요청에 우선하는 심히 중대한 공익상의 사유가 소급입법을 정당화하는 경우 등에는 예외적으로 진정소급입법이 허용된다(헌재 1999. 7. 22, 97헌바76 등).

④ ○

> 성적불량을 이유로 한 학생징계처분에 있어서 수강신청 이후 징계요건을 완화한 학칙개정은 부진정소급으로서 허용된다.
> 대학이 성적불량을 이유로 학생에 대하여 징계처분을 하는 경우에 있어서 수강신청이 있은 후 징계요건을 완화하는 학칙개정이 이루어지고 이어 당해 시험이 실시되어 그 개정학칙에 따라 징계처분을 한 경우라면 이는 이른바 부진정소급효에 관한 것으로서 구 학칙의 존속에 관한 학생의 신뢰보호가 대학당국의 학칙개정의 목적 달성보다 더 중요하다고 인정되는 특별한 사정이 없는 한 위법이라고 할 수 없다(대판 1989. 7. 11, 87누1123).

14
정답 ④

① ×

> 폐기물처리업 사업계획에 대한 적정통보 중에 토지에 대한 형질변경신청을 허가하는 취지의 공적 견해표명이 있다고 볼 수 없다(대판 1998. 9. 25, 98두6494).

② ×

> 폐기물처리업에 대하여 관할 관청의 사전적정통보를 받고 막대한 비용을 들여 허가요건을 갖춘 다음 허가신청을 하였음에도 청소업자의 난립으로 효율적인 청소업무의 수행에 지장이 있다는 이유로 한 불허가처분은 신뢰보호의 원칙 및 비례의 원칙에 반하는 것으로서 재량권을 남용한 위법한 처분이다(대판 1998. 5. 8, 98두4061).

③ ×

> 자동차운수사업법(현 「여객자동차 운수사업법」) 제31조 제1항 제5호 소정의 중대한 교통사고를 이유로 사고로부터 1년 10개월 후 사고택시에 대하여 한 운송사업면허의 취소는 신뢰보호의 원칙에 위반되지 않는 적법한 처분이다.
> 교통사고가 일어난 지 1년 10개월이 지난 뒤 그 교통사고를 일으킨 택시에 대하여 운송사업면허를 취소하였더라도 …… 택시운송사업자로서는 자동차운수사업법의 내용을 잘 알고 있어 교통사고를 낸 택시에 대하여 운송사업면허가 취소될 가능성을 예상할 수도 있었을 터이니, 자신이 별다른 행정조치가 없을 것으로 믿고 있었다 하여 바로 신뢰의 이익을 주장할 수는 없으므로 그 교통사고가 자동차운수사업법 제31조 제1항 제5호 소정의 중대한 교통사고로 인하여 많은 사상자를 발생하게 한 때'에 해당한다면 그 운송사업면허의 취소가 행정에 대한 국민의 신뢰를 저버리고 국민의 법생활의 안정을 해치는 것이어서 재량권의 범위를 일탈한 것이라고 보기는 어렵다(대판 1989. 6. 27, 88누6283).

④ ○

> 도시계획구역 내 생산녹지로 답(畓)인 토지에 대하여 종교회관 건립을 이용목적으로 하는 토지거래계약의 허가를 받으면서 담당공무원이 관련 법규상 허용된다 하여 이를 신뢰하고 건축준비를 하였으나, 그 후 토지형질변경허가신청을 불허가한 것은 신뢰보호의 원칙에 반한다.
> 토지거래계약의 허가과정에서 이 사건 토지형질변경이 가능하다는 피고 측의 견해표명은 원고의 요청에 의하여 우연히 피고의 소속 담당공무원이 은혜적으로 행정청의 단순한 정보제공 내지는 일반적인 법률상담차원에서 이루어진 것이라고 보이기보다는, 이 사건 토지거래계약의 허가와 같이 그 이용목적이 토지형질변경을 거쳐 건축물을 건축하는 것인 경우 그러한 이용목적이 관계 법령상 허용되는 것인지를 개별적·구체적으로 검토하여 그것이 가능할 경우에만 거래계약허가를 하여 주도록 하는 것이 당시 피고 시청의 실무처리 관행이거나 내부업무처리지침이어서 그에 따라 이루어진 것으로 볼 여지가 더 많고, 나아가 위 토지거래허가신청과정에서 그 허가담당공무원으로부터 이용목적대로 토지를 이용하겠다는 각서까지 제출할 것을 요구받아 이를 제출한 원고로서는 피고 측의 위와 같은 견해표명에 대하여 더 고도의 신뢰를 갖게 되었다고 할 것이다(대판 1997. 9. 12, 96누18380).

15
정답 ②

① ×

> **행정기본법 제12조 【신뢰보호의 원칙】** ① 행정청은 공익 또는 제3자의 이익을 현저히 해칠 우려가 있는 경우를 제외하고는 행정에 대한 국민의 정당하고 합리적인 신뢰를 보호하여야 한다.

② ○

> 문화관광부장관(현 문화체육관광부장관)의 지방자치단체장에 대한 회신은 사인의 신뢰이익을 보호하기 위한 공적 견해표명에 해당되지 않는다(대판 2006. 4. 28, 2005두6539).

③ ✕

> 헌법재판소의 위헌결정은 개인에 대해 공적인 견해를 표명한 것이라고 볼 수 없다.
> 헌법재판소의 위헌결정은 행정청이 개인에 대하여 신뢰의 대상이 되는 공적인 견해를 표명한 것이라고 할 수 없으므로 그 결정에 관련한 개인의 행위에 대하여는 신뢰보호의 원칙이 적용되지 아니한다(대판 2003. 6. 27, 2002두6965).

④ ✕ 확약 또는 공적인 의사표명이 있은 후에 사실적·법률적 상태가 변경되었다면, 그와 같은 확약 또는 공적인 의사표명은 행정청의 별다른 의사표시를 기다리지 않고 실효된다는 것이 판례의 입장이다.

> 행정청의 확약 또는 공적인 의사표명이 있은 후 사실적·법률적 상태가 변경되었다면 확약은 행정청의 별다른 의사표시를 기다리지 않고 실효된다.
> 행정청이 상대방에게 장차 어떤 처분을 하겠다고 확약 또는 공적인 의사표명을 하였다고 하더라도, 그 자체에서 상대방으로 하여금 언제까지 처분의 발령을 신청하도록 유효기간을 두었는데도 그 기간 내에 상대방의 신청이 없었다거나 확약 또는 공적인 의사표명이 있은 후에 사실적·법률적 상태가 변경되었다면, 그와 같은 확약 또는 공적인 의사표명은 행정청의 별다른 의사표시를 기다리지 않고 실효된다(대판 1996. 8. 20, 95누10877).

16   [정답] ②

① ✕ 선행조치는 반드시 법적인 효력을 갖는 형식으로 행하여질 필요는 없다. 선행조치에는 법령, 행정행위, 확약, 행정지도 등 사실행위, 기타 국민이 신뢰를 가지게 될 일체의 조치가 포함된다. 또한 명시적·묵시적 표시, 적극적·소극적 조치를 불문한다는 것이 다수의 견해이다.

② ○ 재량준칙이 공표된 것만으로는 신청인이 보호가치 있는 신뢰를 갖게 된 것이라고 볼 수 없다는 것이 판례의 입장이다.

> 행정규칙인 재량준칙의 공표만으로는 신청인이 보호가치 있는 신뢰를 갖게 되었다고 볼 수 없다.
> 시장이 농림수산식품부(현 농림축산식품부)에 의하여 공표된 '2008년도 농림사업시행지침서'에 명시되지 않은 '시·군별 건조저장시설개소당 논 면적' 기준을 충족하지 못하였다는 이유로 신규 건조저장시설 사업자 인정신청을 반려한 사안에서, 위 지침이 되풀이 시행되어 행정관행이 이루어졌다거나 그 공표만으로 신청인이 보호가치 있는 신뢰를 갖게 되었다고 볼 수 없다(대판 2009. 12. 24, 2009두7967).

③ ✕

> 병무청 담당부서의 담당공무원에게 공적 견해의 표명을 구하는 정식의 서면질의 등을 하지 아니한 채 총무과 민원팀장에 불과한 공무원이 민원봉사차원에서 상담에 응하여 안내한 것을 신뢰한 경우, 신뢰보호원칙이 적용되지 아니한다(대판 2003. 12. 26, 2003두1875).

④ ✕

> ❶ 과세관청이 납세의무자에게 부가가치세 면세사업자용 사업자등록증을 교부하거나 고유번호를 부여한 행위는 부가가치세를 과세하지 아니함을 시사하는 언동이나 공적인 견해표명을 한 것으로 볼 수 없다.

> 부가가치세법상의 사업자등록은 과세관청이 부가가치세의 납세의무자를 파악하고 그 과세자료를 확보하는 데 입법취지가 있고, 이는 단순한 사업사실의 신고로서 사업자가 소관 세무서장에게 소정의 사업자등록신청서를 제출함으로써 성립하며, 사업자등록증의 교부는 이와 같은 등록사실을 증명하는 증서의 교부행위에 불과한 것으로 과세관청이 납세의무자에게 부가가치세 면세사업자용 사업자등록증을 교부하였다고 하더라도 그가 영위하는 사업에 관하여 부가가치세를 과세하지 아니함을 시사하는 언동이나 공적인 견해를 표명한 것으로 볼 수 없으며, 구 부가가치세법 시행령 제8조 제2항에 정한 고유번호의 부여도 과세자료를 효율적으로 처리하기 위한 것에 불과한 것이므로 과세관청이 납세의무자에게 고유번호를 부여한 경우에도 마찬가지이다(대판 2008. 6. 12, 2007두23255).
> ❷ 과세관청이 납세의무자에게 면세사업자등록증을 교부하고 수년간 면세사업자로서 한 부가가치세 예정신고 및 확정신고를 받은 행위는 납세의무자에게 부가가치세를 과세하지 아니함을 시사하는 언동이나 공적인 견해표명이 아니다(대판 2002. 9. 4, 2001두9370).

17   [정답] ④

① ✕

> 법적으로 혼인한 상태가 아닌 대한민국 국적인 부와 중화인민공화국 국적인 모 사이에 출생한 甲과 乙이 출생신고에 따라 주민등록번호를 부여받고 가족관계등록부에 등록되었으며 각각 17세 때 주민등록증을 발급받았는데, 관할 행정청이 '외국인 모와의 혼인외자 출생신고'라며 가족관계등록부를 말소하고 출입국관리 행정청이 부모들에게 甲과 乙에 대한 국적 취득절차를 안내했음에도 이를 진행하지 않다가 성년이 된 후 국적법 제20조에 따라 국적보유판정을 신청했으나, 법무부장관이 대한민국 국적 보유자가 아니라는 이유로 甲과 乙에게 국적비보유판정을 하는 것은 정당화될 수 없다(대판 2024. 3. 12, 2022두60011).

② ✕

> 국세기본법 제15조, 제18조 제3항의 규정이 정하는 신의칙 내지 비과세관행이 성립되었다고 하려면 장기간에 걸쳐 어떤 사항에 대하여 과세하지 아니하였다는 객관적 사실이 존재할 뿐만 아니라 과세관청 자신이 그 사항에 대하여 과세할 수 있음을 알면서도 어떤 특별한 사정에 의하여 과세하지 않는다는 의사가 있고 이와 같은 의사가 대외적으로 명시적 또는 묵시적으로 표시될 것임을 요한다고 해석되며, 특히 그 의사표시가 납세자의 추상적인 질의에 대한 일반론적인 견해표명에 불과한 경우에는 위 원칙의 적용을 부정하여야 한다(대판 1993. 7. 27, 90누10384).

③ ✕

> (원고가 행정청에 개발부담금 부과 여부에 대해 특정하여 질의한 것이 아니고 예식장·대형 할인매장 등을 건축하는 것이 관계 법령상 가능한지 여부를 질의한 사건에서)「개발이익환수에 관한 법률」에 정한 개발사업을 시행하기 전에, 행정청이 민원예비심사에 대하여 관련 부서 의견으로 '저촉사항 없음'이라고 기재하였다고 하더라도, 이후의 개발부담금 부과처분에 관하여 신뢰보호의 원칙을 적용하기 위한 요건인, 신뢰의 대상이 되는 공적인 견해표명을 한 것이라고는 보기 어렵다(대판 2006. 6. 9, 2004두46).

④ ○

> 행정상 법률관계에 있어서 특정의 사항에 대해 신뢰보호의 원칙상 처분청이 그와 배치되는 조치를 할 수 없다고 할 수 있을 정도의 행정관행이 성립되었다고 하려면 상당한 기간에 걸쳐 그 사항에 대해 동일한 처분을 하였다는 객관적 사실이 존재할 뿐만 아니라, 처분청이 그 사항에 관해 다른 내용의 처분을 할 수 있음을 알면서도 어떤 특별한 사정 때문에 그러한 처분을 하지 않는다는 의사가 있고 이와 같은 의사가 명시적 또는 묵시적으로 표시되어야 한다 할 것이므로, 단순히 착오로 어떠한 처분을 계속한 경우는 이에 해당되지 않는다 할 것이고, 따라서 처분청이 추후 오류를 발견하여 합리적인 방법으로 변경하는 것은 신뢰보호의 원칙에 위배되지 않는다(대판 1993. 6. 11, 92누14021).

18 [정답] ④

㉮ ○ 헌법상 원칙인 법치주의의 원리는 법률적합성의 원리와 법적 안정성의 원리로 구성되어 있는데, 신뢰보호의 원칙의 근거를 이러한 법치주의의 원리인 법적 안정성에서 찾는 것이 통설과 판례의 입장이다.

> 국민이 종전의 법률관계나 제도가 장래에도 지속될 것이라는 합리적인 신뢰를 바탕으로 이에 적응하여 법적 지위를 형성하여 온 경우 국가 등은 법치국가의 원칙에 의한 법적 안정성을 위하여 권리·의무에 관련된 법규·제도의 개폐에 있어서 국민의 기대와 신뢰를 보호하지 않으면 안 된다(헌재 2014. 4. 24, 2010헌마747).

㉯ ○

> [지방세에 대한 권한이 없는 보건사회부장관(현 보건복지부장관)이 병원운영자 신청공고를 하면서 국세 및 지방세에 대해 비과세하겠다고 발표한 경우에도 과세관청의 견해표명과 동일하게 신뢰보호원칙은 적용된다고 판시하면서] 과세관청의 공적 견해표명이 있었는지의 여부를 판단하는 데 있어 반드시 행정조직상의 형식적인 권한분장에 구애될 것은 아니고 담당자의 조직상의 지위와 임무, 당해 언동을 하게 된 구체적인 경위 및 그에 대한 납세자의 신뢰가능성에 비추어 실질에 의하여 판단하여야 한다(대판 1996. 1. 23, 95누13746).

㉰ ○

> 신뢰보호의 원칙은 행정청이 공적인 견해를 표명할 당시의 사정이 그대로 유지됨을 전제로 적용되는 것이 원칙이므로, 사후에 그와 같은 사정이 변경된 경우에는 그 공적 견해가 더 이상 개인에게 신뢰의 대상이 된다고 보기 어려운 만큼, 특별한 사정이 없는 한 행정청이 그 견해표명에 반하는 처분을 하더라도 신뢰보호의 원칙에 위반된다고 할 수 없다(대판 2020. 6. 25, 2018두34732).

㉱ ○

> 행정청이 앞서 표명한 공적인 견해에 반하는 행정처분을 함으로써 달성하려는 공익이 행정청의 공적 견해표명을 신뢰한 개인이 그 행정처분으로 인하여 입게 되는 이익의 침해를 정당화할 수 있을 정도로 강한 경우에는 신뢰보호의 원칙을 들어 그 행정처분이 위법하다고는 할 수 없다(대판 1998. 11. 13, 98두7343).

19 [정답] ②

① ○

> 귀책사유란 사기 등 부정행위에 의한 것뿐만 아니라 행정청의 견해표명에 하자가 있음을 알았거나 중대한 과실로 알지 못한 경우까지 포함한다.
> 귀책사유라 함은 행정청의 견해표명의 하자가 상대방 등 관계자의 사실은폐나 기타 사위의 방법에 의한 신청행위 등 부정행위에 기인한 것이거나 그러한 부정행위가 없다고 하더라도 하자가 있음을 알았거나 중대한 과실로 알지 못한 경우 등을 의미한다고 해석함이 상당하다(대판 2002. 11. 8, 2001두1512).

② ×

> 과세관청의 행위에 대하여 신의성실의 원칙 또는 신뢰보호의 원칙을 적용하기 위해서는, 과세관청이 공적인 견해표명 등을 통하여 부여한 신뢰가 평균적인 납세자로 하여금 합리적이고 정당한 기대를 가지게 할 만한 것이어야 한다. 비록 과세관청이 질의회신 등을 통하여 어떤 견해를 표명하였다고 하더라도 그것이 중요한 사실관계와 법적인 쟁점을 제대로 드러내지 아니한 채 질의한 데 따른 것이라면 공적인 견해표명에 의하여 정당한 기대를 가지게 할 만한 신뢰가 부여된 경우라고 볼 수 없다(대판 2013. 12. 26, 2011두5940).

③ ○

> 운전면허취소사유에 해당하는 음주운전을 적발한 경찰관의 소속 경찰서장이 사무착오로 위반자에게 운전면허정지처분을 한 상태에서 위반자의 주소지 관할 지방경찰청장(현 시·도경찰청장)이 위반자에게 운전면허취소처분을 한 것은 선행처분에 대한 당사자의 신뢰 및 법적 안정성을 저해하는 것으로서 허용될 수 없다.
> 동일한 사유에 관하여 보다 무거운 면허취소처분을 하기 위하여 이미 행하여진 가벼운 면허정지처분을 취소하는 것은 선행처분에 대한 당사자의 신뢰 및 법적 안정성을 크게 저해하는 것이 되어 허용될 수 없다 할 것이다(대판 2000. 2. 25, 99두10520).

④ ○

> 과세관청이 납세자에게 신뢰의 대상이 되는 공적인 견해를 표명하였다는 사실에 대한 주장·입증책임은 납세자(원고)에게 있다(대판 1992. 3. 31, 91누9824).

20 [정답] ③

① ×

> 국립공원 관리권한을 가진 행정청이 실제의 공원구역과 다르게 경계측량 및 표지를 설치한 십수 년 후 착오를 발견하여 지형도를 수정한 조치는 신뢰보호의 원칙에 위배되거나 행정의 자기구속의 법리에 반하는 것이라 할 수 없다(대판 1992. 10. 13, 92누2325).

② ×

> 음주운전으로 인한 운전면허취소처분의 재량권 일탈·남용 여부를 판단할 때, 운전면허의 취소로 입게 될 당사자의 불이익보다 음주운전으로 인한 교통사고를 방지하여야 하는 일반예방적 측면이 더 강조되어야 한다.

자동차가 대중적인 교통수단이고 그에 따라 자동차운전면허가 대량으로 발급되어 교통상황이 날로 혼잡해짐에 따라 교통법규를 엄격히 지켜야 할 필요성은 더욱 커지는 점, 음주운전으로 인한 교통사고 역시 빈번하고 그 결과가 참혹한 경우가 많아 대다수의 선량한 운전자 및 보행자를 보호하기 위하여 음주운전을 엄격하게 단속하여야 할 필요가 절실한 점 등에 비추어 보면, 음주운전으로 인한 교통사고를 방지할 공익상의 필요는 더욱 중시되어야 하고 운전면허의 취소는 일반의 수익적 행정행위의 취소와는 달리 그 취소로 인하여 입게 될 당사자의 불이익보다는 이를 방지하여야 하는 일반예방적 측면이 더욱 강조되어야 한다(대판 2019. 1. 17, 2017두59949).

③ ○ 행정법상 신청을 할 수 없게 한 장애사유를 행정청이 만든 경우에 행정청이 원인이 된 장애사유를 근거로 그러한 신청을 인정하지 않는 것은 신의성실의 원칙에 반하여 허용될 수 없다는 것이 판례의 입장이다.

❶ 직업능력개발훈련과정 인정제한처분에 대한 쟁송절차에서 해당 제한처분이 위법한 것으로 판단되어 취소되거나 당연무효로 확인된 경우, 사업주가 해당 제한처분 때문에 관계 법령이 정한 기한 내에 하지 못했던 훈련과정 인정신청과 훈련비용 지원신청을 사후적으로 할 수 있는 기회를 주어야 한다.

❷ 사업주에 대한 직업능력개발훈련과정 인정제한처분과 훈련비용 지원제한처분이 쟁송절차에서 위법한 것으로 판단되어 취소되거나 당연무효로 확인된 후에 사업주가 그 인정제한기간에 실제로 실시한 직업능력개발훈련과정의 비용에 대하여 사후적으로 지원신청을 하는 경우, 관할 관청이 사업주가 해당 훈련과정에 대하여 미리 훈련과정인정을 받아 두지 않았다는 형식적인 이유만으로 훈련비용지원을 거부할 수 없다(대판 2019. 1. 31, 2016두52019).

④ ✕

과세관청이 비과세대상에 해당하는 것으로 잘못 알고 일단 비과세결정을 하였으나 그 후 과세표준과 세액의 탈루 또는 오류가 있는 것을 발견한 때에는, 이를 조사하여 다시 경정결정을 할 수 있다. 소득세법 제127조는 과세표준과 세액의 조사결정에 탈루 또는 오류가 있음을 발견하면 징세기관은 즉시 경정결정을 하도록 규정하고 있으므로 피고가 일단 비과세결정을 하였다가 이를 번복하고 다시 과세처분을 하였다는 사실만으로 피고의 과세처분이 신의성실의 원칙에 반하는 위법한 것이라 할 수 없다(대판 1989. 1. 17, 87누681).

21 [정답] ③

① ✕

법률에 따른 개인의 행위가 단지 법률이 반사적으로 부여하는 기회의 활용을 넘어서 국가에 의하여 일정 방향으로 유인된 것이라면 특별히 보호가치가 있는 신뢰이익이 인정될 수 있다.
개인의 신뢰이익에 대한 보호가치는 ㉠ 법령에 따른 개인의 행위가 국가에 의하여 일정 방향으로 유인된 신뢰의 행사인지, ㉡ 아니면 단지 법률이 부여한 기회를 활용한 것으로서 원칙적으로 사적 위험부담의 범위에 속하는 것인지 여부에 따라 달라진다. 만일 법률에 따른 개인의 행위가 단지 법률이 반사적으로 부여하는 기회의 활용을 넘어서 국가에 의하여 일정 방향으로 유인된 것이라면 특별히 보호가치가 있는 신뢰이익이 인정될 수 있고, 원칙적으로 개인의 신뢰보호가 국가의 법률개정이익에 우선된다고 볼 여지가 있다. 그런데 이 사건 법률조항의 경우 국가가 입법을 통하여 개인의 행위를 일정 방향으로 유도하였다고 볼 수는 없고, 따라서 청구인의 징집면제연령에 관한 기대 또는 신뢰는 단지 법률이 부여한 기회를 활용한 것으로서 원칙적으로 사적 위험부담의 범위에 속하는 것이다(헌재 2002. 11. 28, 2002헌바45).

② ✕

지방공무원 임용신청 당시 잘못 기재된 호적상 출생연월일을 생년월일로 기재하고, 이에 근거한 공무원인사기록카드의 생년월일 기재에 대하여 처음 임용된 때부터 약 36년 동안 전혀 이의를 제기하지 않다가, 정년을 1년 3개월 앞두고 호적상 출생연월일을 정정한 후 그 출생연월일을 기준으로 정년의 연장을 요구하는 것은 신의성실의 원칙에 반하지 않는다(대판 2009. 3. 26, 2008두21300).

③ ○

행정기본법 제12조【신뢰보호의 원칙】② 행정청은 권한 행사의 기회가 있음에도 불구하고 장기간 권한을 행사하지 아니하여 국민이 그 권한이 행사되지 아니할 것으로 믿을 만한 정당한 사유가 있는 경우에는 그 권한을 행사해서는 아니 된다. 다만, 공익 또는 제3자의 이익을 현저히 해칠 우려가 있는 경우는 예외로 한다.

④ ✕

어떤 행정처분이 실효의 법리를 위반하여 위법한 것이라고 하더라도, 이러한 하자의 존부는 개별·구체적인 사정을 심리한 후에야 판단할 수 있는 사항이어서 객관적으로 명백한 것이라고 할 수 없으므로, 이는 행정처분의 취소사유에 해당할 뿐 당연무효사유는 아니다(대판 2021. 12. 30, 2018다241458).

22 [정답] ②

㉮ ✕

근로복지공단의 요양불승인처분에 대한 취소소송을 제기하여 승소확정판결을 받은 근로자가 요양으로 인하여 취업하지 못한 기간의 휴업급여를 청구한 경우, 그 휴업급여청구권이 시효완성으로 소멸하였다는 근로복지공단의 항변은 신의성실의 원칙에 반하여 허용될 수 없다.
채무자의 소멸시효에 기한 항변권의 행사도 우리 민법의 대원칙인 신의성실의 원칙과 권리남용금지의 원칙의 지배를 받으므로, 채무자가 시효완성 전에 채권자의 권리 행사나 시효중단을 불가능 또는 현저히 곤란하게 하였거나 그러한 조치가 불필요하다고 믿게 하는 행동을 하였거나, 객관적으로 채권자가 권리를 행사할 수 없는 사실상의 장애사유가 있었거나, 일단 시효완성 후에 채무자가 시효를 원용하지 아니할 것 같은 태도를 보여 채권자로 하여금 그와 같이 신뢰하게 하였거나, 채권자를 보호할 필요성이 크고 같은 조건의 그 채권자들 중 일부가 이미 채무의 변제를 수령하는 등 채무이행의 거절을 인정함이 현저히 부당하거나 불공평하게 되는 등의 특별한 사정이 있는 경우에는, 채무자가 소멸시효의 완성을 주장하는 이 신의성실의 원칙에 반하여 권리남용으로서 허용될 수 없다. 근로자가 입은 부상이나 질병이 업무상 재해에 해당하는지 여부에 따라 요양급여 신청의 승인, 휴업급여청구권의 발생 여부가 차례로 결정되고, 따라서 근로복지공단의 요양불승인처분의 적법 여부는 사실상 근로자의 휴업급여청구권 발생의 전제가 된다고 볼 수 있는 점 등에 비추어, 근로자가 요양불승인에 대한 취소소송의 판결확정시까지 근로복지공단에 휴업급여를 청구하지 않았던 것은 이를 행사할 수 없는 사실상의 장애사유가 있었기 때문이라고 보아야 하므로, 근로복지공단의 소멸시효 항변은 신의성실의 원칙에 반하여 허용될 수 없다(대판 2008. 9. 18, 2007두2173 전합).

㉯ ○

동사무소 직원이 행정상 착오로 국적이탈을 사유로 주민등록을 말소한 것을 신뢰하여 만 18세가 될 때까지 별도로 국적이탈신고를 하지 않았던 사람이, 만 18세가 넘은 후 동사무소의 주민등록 직권 재등록사실을 알고 국적이탈신고를 하자 "병역을 필하였거나 면제받았다는 증명서가 첨부되지 않았다."라는 이유로 반려한 처분은 신뢰보호의 원칙에 반하여 위법하다(대판 2008. 1. 17, 2006두10931).

㉰ ○

법원이 비송사건절차법에 따라서 하는 과태료재판은 관할 관청이 부과한 과태료처분에 대한 당부를 심판하는 행정소송절차가 아니라 법원이 직권으로 개시·결정하는 것이므로 원칙적으로 과태료재판에서는 행정소송에서와 같은 신뢰보호의 원칙 위반 여부가 문제로 되지 아니한다(대결 2006. 4. 28, 2003마715).

㉱ ✕

같은 정도의 비위를 저지른 자들 사이에서도 그 직무의 특성 등에 비추어 개전의 정이 있는지 여부에 따라 징계의 종류의 선택과 양정을 달리할 수 있다.

같은 정도의 비위를 저지른 자들 사이에 있어서도 그 직무의 특성 등에 비추어, 개전의 정이 있는지 여부에 따라 징계의 종류의 선택과 양정에 있어서 차별적으로 취급하는 것은, 사안의 성질에 따른 합리적 차별로서 이를 자의적 취급이라고 할 수 없는 것이어서 평등원칙 내지 형평에 반하지 아니한다(대판 1999. 8. 20, 99두2611).

23

[정답] ③

(가)는 비례의 원칙, (나)는 평등의 원칙, (다)는 실권의 법리에 대한 설명이다.

① ✕

비례의 원칙은 법치국가원리에서 당연히 파생되는 헌법상의 기본원리로서, 모든 국가작용에 적용된다. 행정목적을 달성하기 위한 수단은 목적 달성에 유효·적절하고, 가능한 한 최소침해를 가져오는 것이어야 하며, 아울러 그 수단의 도입에 따른 침해가 의도하는 공익을 능가하여서는 안 된다(대판 2019. 7. 11, 2017두38874).

행정기본법 제10조 【비례의 원칙】 행정작용은 다음 각 호의 원칙에 따라야 한다.
1. 행정목적을 달성하는 데 유효하고 적절할 것
2. 행정목적을 달성하는 데 필요한 최소한도에 그칠 것
3. 행정작용으로 인한 국민의 이익침해가 그 행정작용이 의도하는 공익보다 크지 아니할 것

② ✕

수입녹용 중 일정 성분이 기준치를 0.5% 초과하였다는 이유로 수입녹용 전부에 대해 전량폐기 또는 반송처리를 지시한 처분이 비례원칙을 위반한 것이 아니다(대판 2006. 4. 14, 2004두3854).

③ ○

지방의회의 조사·감사를 위해 채택된 증인의 불출석 등에 대한 과태료를 그 사회적 신분에 따라 차등 부과할 것을 규정한 조례는 헌법상 평등원칙에 위배되어 무효이다.

조례안이 지방의회의 감사 또는 조사를 위하여 출석요구를 받은 증인이 5급 이상 공무원인지 여부, 기관(법인)의 대표나 임원인지 여부 등 증인의 사회적 신분에 따라 미리부터 과태료의 액수에 차등을 두고 있는 경우, 그와 같은 차별은 증인의 불출석이나 증언거부에 대하여 과태료를 부과하는 목적에 비추어 볼 때 그 합리성을 인정할 수 없고 지위의 높고 낮음만을 기준으로 한 부당한 차별대우라고 할 것이어서 헌법에 규정된 평등의 원칙에 위배되어 무효이다(대판 1997. 2. 25, 96추213).

④ ✕ 실권의 법리는 신뢰보호의 원칙의 파생법리로서 학설상 설명되고 있는 데 비해 대법원은 실권의 법리를 신의성실의 원칙의 파생원칙으로 보고 있었다. 이에 실권의 법리에 대한 독자적 규정의 필요성이 있었던 바, 행정기본법 제21조에서는 신뢰보호의 원칙하에 실권의 법리를 명문으로 규정하고 있다. 한편, 실권의 법리는 권력관계에도 적용된다는 것이 판례의 입장이다.

실권의 법리는 법의 일반원리인 신의성실의 원칙에 바탕을 둔 파생원칙으로 공법관계 가운데 관리관계는 물론이고 권력관계에도 적용되어야 한다.

실권 또는 실효의 법리는 법의 일반원리인 신의성실의 원칙에 바탕을 둔 파생원칙인 것이므로 공법관계 가운데 관리관계는 물론이고 권력관계에도 적용되어야 함을 배제할 수는 없다 하겠으나 그것은 본래 권리 행사의 기회가 있음에도 불구하고 권리자가 장기간에 걸쳐 그의 권리를 행사하지 아니하였기 때문에 의무자인 상대방은 이미 그의 권리를 행사하지 아니할 것으로 믿을 만한 정당한 사유가 있게 되거나 행사하지 아니할 것으로 추인케 할 경우에 새삼스럽게 그 권리를 행사하는 것이 신의성실의 원칙에 반하는 결과가 될 때 그 권리 행사를 허용하지 않는 것을 의미하는 것이다(대판 1988. 4. 27, 87누915).

행정기본법 제12조 【신뢰보호의 원칙】 ② 행정청은 권한 행사의 기회가 있음에도 불구하고 장기간 권한을 행사하지 아니하여 국민이 그 권한이 행사되지 아니할 것으로 믿을 만한 정당한 사유가 있는 경우에는 그 권한을 행사해서는 아니 된다. 다만, 공익 또는 제3자의 이익을 현저히 해칠 우려가 있는 경우는 예외로 한다.

24

[정답] ③

(가)는 신뢰보호의 원칙, (나)는 평등의 원칙, (다)는 자기구속의 원칙에 대한 설명이다.

㉮ ○ 신뢰보호의 원칙과 관련하여, 위법한 행정행위도 선행조치가 될 수 있다. 한편, 위법한 행위를 신뢰한 국민의 이익과 위법한 행위를 취소하여 적법성을 회복하고자 하는 행정청의 공익이 충돌하는 경우 양자의 이익을 비교·형량하여야 한다는 것이 통설과 판례의 입장이다.

💬Tip 평등의 원칙과 자기구속의 원칙은 위법한 선례의 경우에는 적용되지 않는다는 것을 비교해서 기억하기 바란다.

제1회 **15**

㉯ ✗ 해당 사안은 비례의 원칙 위반이라는 것이 판례의 입장이다.

> 단 1회 훈령에 위반하여 요정출입을 하다가 적발된 경우 이에 대해 파면처분을 한 것은 재량권의 범위를 넘은 위법한 처분이다.
> 원고가 단지 1회 훈령에 위반하여 요정출입을 하다가 적발된 것만으로는 공무원의 신분을 보유케 할 수 없을 정도로 공무원의 품위를 손상케 한 것이라 단정하기 어려운 한편, 오히려 원고의 비행 정도라면 이보다 가벼운 징계처분으로서도 능히 위 훈령의 목적을 달할 수 있다고 볼 수 있는 점, 이 사건 파면처분은 이른바 비례의 원칙에 어긋난 것으로서 …… 심히 그 재량권의 범위를 넘어서 한 위법한 처분이라고 아니할 수 없다(대판 1967. 5. 2, 67누24).

㉰ ○ 평등의 원칙은 행정작용에 있어서 특별히 합리적인 차별사유가 없는 한 국민을 공평하게 처우하여야 한다는 원칙으로 헌법에 근거를 둔 원칙이며, 행정기본법에서도 평등의 원칙을 규정하고 있다. 여기서의 평등은 절대적 평등을 의미하는 것이 아니라 합리적인 근거가 없는 차별을 배제하는 상대적 평등을 말한다.

> 헌법 제11조 ① 모든 국민은 법 앞에 평등하다. 누구든지 성별·종교 또는 사회적 신분에 의하여 정치적·경제적·사회적·문화적 생활의 모든 영역에 있어서 차별을 받지 아니한다.
> 행정기본법 제9조【평등의 원칙】행정청은 합리적 이유 없이 국민을 차별하여서는 아니 된다.

> 일반직 직원의 정년을 58세로 규정하면서 전화교환직렬 직원만은 정년을 53세로 규정한 것은 합리성이 있으므로 평등원칙 위반이 아니다(대판 1996. 8. 23, 94누13589).

㉱ ○

> 청원경찰의 인원감축을 위하여 초등학교 졸업 이하 학력소지자 집단과 중학교 중퇴 이상 학력소지자 집단으로 나누어 집단별로 같은 감원비율의 인원을 선정한 것은 평등의 원칙에 위반된다(대판 2002. 2. 8, 2000두4057).

㉲ ○ 판례는 평등의 원칙이나 신뢰보호의 원칙을 근거로 자기구속의 원칙을 인정한다.

> 행정규칙인 재량준칙이 정한 바에 따라 행정관행이 이룩되게 되면 평등원칙이나 신뢰보호원칙에 따라 행정기관은 그 규칙에 따라야 할 자기구속을 당하게 되고 그러한 경우 행정규칙은 대외적 구속력을 가지게 된다.
> 행정규칙이 법령의 규정에 의하여 행정관청에 법령의 구체적 내용을 보충할 권한을 부여한 경우, 또는 재량권 행사의 준칙인 규칙이 그 정한 바에 따라 되풀이 시행되어 행정관행이 이룩되게 되면, 평등의 원칙이나 신뢰보호의 원칙에 따라 행정기관은 그 상대방에 대한 관계에서 그 규칙에 따라야 할 자기구속을 당하게 되고, 그러한 경우에는 대외적인 구속력을 가지게 된다 할 것이다(헌재 1990. 9. 3, 90헌마13).

25 정답 ④

㉮ ✗ 헌법상 원칙인 법치주의원리는 법률적합성의 원리와 법적 안정성의 원리로 구성되어 있는데, 신뢰보호원칙의 근거를 이러한 법치주의원리인 법적 안정성에서 찾는 것이 통설과 판례의 입장이다.

> 국민이 종전의 법률관계나 제도가 장래에도 지속될 것이라는 합리적인 신뢰를 바탕으로 이에 적응하여 법적 지위를 형성하여 온 경우 국가 등은 법치국가의 원칙에 의한 법적 안정성을 위하여 권리·의무에 관련된 법규·제도의 개폐에 있어서 국민의 기대와 신뢰를 보호하지 않으면 안 된다(헌재 2014. 4. 24, 2010헌마747).

㉯ ✗

> 귀책사유란 사기 등 부정행위에 의한 것뿐만 아니라 행정청의 견해 표명에 하자가 있음을 알았거나 중대한 과실로 알지 못한 경우까지 포함한다.
> 귀책사유라 함은 행정청의 견해표명의 하자가 상대방 등 관계자의 사실은폐나 기타 사위의 방법에 의한 신청행위 등 부정행위에 기인한 것이거나 그러한 부정행위가 없다고 하더라도 하자가 있음을 알았거나 중대한 과실로 알지 못한 경우 등을 의미한다고 해석함이 상당하다(대판 2002. 11. 8, 2001두1512).

㉰ ✗ 귀책사유의 유무는 상대방뿐만 아니라 상대방과 그로부터 신청행위를 위임받은 수임인 등 관계자 모두를 기준으로 판단하여야 한다는 것이 판례의 입장이다.

> 행정행위의 상대방인 건축주뿐만 아니라 그로부터 위임을 받은 건축설계사 등 관계자에게 귀책사유가 있는 경우에도 신뢰보호원칙이 적용되지 아니한다.
> 귀책사유의 유무는 상대방과 그로부터 신청행위를 위임받은 수임인 등 관계자 모두를 기준으로 판단하여야 한다. 건축주와 그로부터 건축설계를 위임받은 건축사가 상세계획지침에 의한 건축한계선의 제한이 있다는 사실을 간과한 채 건축설계를 하고 이를 토대로 건축물의 신축 및 증축허가를 받은 경우, 그 신축 및 증축허가가 정당하다고 신뢰한 데에 귀책사유가 있다(대판 2002. 11. 8, 2001두1512).

제 2 회 | 소방 단원별 모의고사 정답과 해설

출제 범위 : 제4강 행정법의 일반원칙~제9강 사인의 공법행위

문제 p.29

01	02	03	04	05
④	①	②	②	③
06	07	08	09	10
③	①	①	④	④
11	12	13	14	15
②	④	②	③	④
16	17	18	19	20
④	③	④	②	④
21	22	23	24	25
②	②	③	②	②

01
정답 ④

㉮ × 자기구속의 원칙은 통설에 따르면 평등의 원칙에서 유래하는 것이므로 자기구속원칙 역시 선행행정작용이 위법한 경우에는 인정되지 않는다. 사례의 경우 A기업에 대한 도로점용허가는 위법한 것이므로 甲기업은 자기구속의 원칙을 주장할 수 없다.

> 평등의 원칙은 본질적으로 같은 것을 자의적으로 다르게 취급함을 금지하는 것이고, 위법한 행정처분이 수차례에 걸쳐 반복적으로 행하여졌다 하더라도 그러한 처분이 위법한 것인 때에는 행정청에 대하여 자기구속력을 갖게 된다고 할 수 없다(대판 2009. 6. 25, 2008두13132).

㉯ × 자기구속의 원칙이 적용되기 위해서는 선례가 필요하다는 것이 다수설과 판례의 입장이다.

㉰ ○ 귀책사유가 없어 상대방이 신뢰보호의 원칙을 주장할 수 있는 경우 위법한 점용허가를 취소하여야 하는 행정의 법률적합성의 원칙과의 충돌문제가 발생한다. 그런데 신뢰보호의 원칙과 법률적합성의 원칙은 모두 법치주의의 내용으로서 동등한 효력을 가지므로 두 원칙이 충돌하는 경우 이익형량을 하여 결정하여야 한다. 이 경우 이익형량을 하여 법률적합성의 원칙보다 상대방의 신뢰보호가 더 중요한 경우에는 점용허가를 취소하지 않을 수 있다.

㉱ ○

> 도로점용허가는 특허행위로서 상대방의 신청 또는 동의를 요하는 쌍방적 행정행위이며, 권리를 설정하여 주는 행위로서 자유재량행위이다(헌재 2007. 12. 27, 2004헌바98).

02
정답 ①

① ○

> 개발제한구역 훼손부담금의 부과율을 규정함에 있어서 전기공급시설 등과는 달리 집단에너지공급시설에 차등을 두는 구 「개발제한구역의 지정 및 관리에 관한 특별조치법 시행령」제35조 제1항 제3호의 규정은 헌법상 평등원칙에 위배된 것으로 무효이다(대판 2007. 10. 29, 2005두14417 전합).

② ×

> LPG는 석유에 비하여 화재 및 폭발의 위험성이 훨씬 커서 주택 및 근린생활시설이 들어설 지역에 LPG충전소의 설치금지는 불가피하다 할 것이고 석유와 LPG의 위와의 차이를 고려하여 연구단지 내 녹지구역에 LPG충전소의 설치를 금지한 것은 합리적 이유에 근거한 것이므로 이 사건 시행령 규정이 평등원칙에 위배된다고 볼 수 없다(헌재 2004. 7. 15, 2001헌마646).

③ ×

> 세무조사가 과세자료의 수집 또는 신고내용의 정확성 검증이라는 본연의 목적이 아니라 부정한 목적을 위하여 행하여진 것이라면 이는 세무조사에 중대한 위법사유가 있는 경우에 해당하고 이러한 세무조사에 의하여 수집된 과세자료를 기초로 한 과세처분 역시 위법하다(대판 2016. 12. 15, 2016두47659).

④ ×

> 정책의 주무부처인 중앙행정기관이 그 소관 사항에 대하여 입안한 법령안은 법제처 심사 등의 절차를 거쳐 공포함으로써 확정되므로, 법령이 확정되기 이전에는 법적 효과가 발생할 수 없다. 따라서 입법예고를 통해 법령안의 내용을 국민에게 예고한 적이 있다고 하더라도 그것이 법령으로 확정되지 아니한 이상 국가가 이해관계자들에게 위 법령안에 관련된 사항을 약속하였다고 볼 수 없으며, 이러한 사정만으로 어떠한 신뢰를 부여하였다고 볼 수도 없다(대판 2018. 6. 15, 2017다249769).

03
정답 ②

① ○

> 정구장시설을 설치한다는 도시계획결정을 하였다가 정구장 대신 청소년수련시설을 설치한다는 도시계획변경결정 및 지적승인을 한 경우, 정구장시설의 도시계획사업시행자로 지정받을 것을 예상하고 정구장 설계비용 등을 지출한 자의 신뢰이익을 침해한 것으로 볼 수 없다(대판 2000. 11. 10, 2000두727).

② ✕ 재량준칙이 공표된 것만으로는 자기구속의 원칙이 적용될 수 없고 재량준칙이 되풀이 시행되어 행정관행이 성립한 경우에 자기구속의 원칙이 적용될 수 있다는 것이 판례의 입장이다.

> 재량준칙이 되풀이 시행되어 행정관행이 이루어졌다고 볼 수 없다면 자기구속의 원칙을 위반한 것이 아니다.
> 위 지침이 되풀이 시행되어 행정관행이 이루어졌다거나 그 공표만으로 신청인이 보호가치 있는 신뢰를 갖게 되었다고 볼 수 없고, 쌀시장 개방화에 대비한 경쟁력 강화 등 우월한 공익상 요청에 따라 위 지침상의 요건 외에 '시·군별 건조저장시설 개소당 논 면적 1,000ha 이상' 요건을 추가할 만한 특별한 사정을 인정할 수 있어, 그 처분이 행정의 자기구속의 원칙 및 행정규칙에 관련된 신뢰보호의 원칙에 위배되거나 재량권을 일탈·남용한 위법이 없다(대판 2009. 12. 24, 2009두7967).

③ ○

> 고속국도 관리청이 고속도로 부지와 접도구역에 송유관 매설을 허가하면서 상대방과 체결한 협약에 따라 송유관시설을 이전하게 될 경우 그 비용을 상대방에게 부담하도록 한 경우 위 협약에 포함된 부관이 부당결부금지의 원칙에 반하지 않는다(대판 2009. 2. 12, 2005다65500).

④ ○

> 주택사업계획승인을 하면서 주택사업과는 아무런 관련이 없는 토지를 기부채납하도록 하는 부관을 붙인 경우 그 부관은 부당결부금지원칙에 위반되어 위법하다. 부당결부금지의 원칙에 위반한 위법한 부관이라도 그 하자가 중대하고 명백하지 않은 경우 당연무효사유라고 볼 수 없다(대판 1997. 3. 11, 96다49650).

04
정답 ②

① ○

> 운전면허취소사유에 해당하는 음주운전을 적발한 경찰관의 소속 경찰서장이 사무착오로 위반자에게 운전면허정지처분을 한 상태에서 위반자의 주소지 관할 지방경찰청장(현 시·도경찰청장)이 위반자에게 운전면허취소처분을 한 것은 선행처분에 대한 당사자의 신뢰 및 법적 안정성을 저해하는 것으로서 허용될 수 없다.
> 동일한 사유에 관하여 보다 무거운 면허취소처분을 하기 위하여 이미 행하여진 가벼운 면허정지처분을 취소하는 것은 선행처분에 대한 당사자의 신뢰 및 법적 안정성을 크게 저해하는 것이 되어 허용될 수 없다 할 것이다(대판 2000. 2. 25, 99두10520).

② ✕ ③④ ○ 판례는 복수의 운전면허의 경우 이를 취소·정지함에 있어서도 서로 별개의 것으로 취급하는 것이 원칙이나, 그 취소나 정지사유가 다른 면허와 공통된 것이거나 운전면허를 받은 사람에 관한 경우에는 여러 운전면허를 취소·정지할 수 있다고 본다.

> ❶-1. 한 사람이 여러 종류의 자동차운전면허를 취득한 경우 이를 취소 또는 정지할 때 서로 별개의 것으로 취급하는 것이 원칙이다(②).
> ❶-2. 취소사유가 특정 면허에 관한 것이 아니고 다른 면허와 공통된 것이거나 운전면허를 받은 사람에 관한 것일 경우, 여러 면허를 전부 취소할 수 있다(대판 2012. 5. 24, 2012두1891)(③).

> ❷ 제1종 보통면허로 운전할 수 있는 차량을 음주운전한 경우에 이와 관련된 면허인 제1종 대형면허와 원동기장치자전거면허까지 취소할 수 있다(제1종 보통면허의 취소에는 원동기장치자전거의 운전까지 금지하는 취지가 포함되어 있다고 본다)(②)(대판 1994. 11. 25, 94누9672).
> ❸ (이륜자동차로서 제2종 소형면허를 가진 사람만이 운전할 수 있는 오토바이는 제1종 대형면허나 보통면허를 가지고서도 이를 운전할 수 없는 것이어서 이와 같은 이륜자동차의 운전은 제1종 대형면허나 보통면허와는 아무런 관련이 없는 것이므로) 제2종 소형면허로만 운전할 수 있는 이륜자동차를 음주운전한 사유만으로 제1종 대형면허나 보통면허의 취소·정지를 할 수 없다(④)(대판 1992. 9. 22, 91누8289).

05
정답 ③

① ✕

> 예산회계법(현 「국가를 당사자로 하는 계약에 관한 법률」)상 입찰보증금의 국고귀속조치는 민사소송의 대상이 된다.
> 예산회계법에 따라 체결되는 계약은 사법상의 계약이라고 할 것이고 동법 제70조의5의 입찰보증금은 낙찰자의 계약체결의무 이행의 확보를 목적으로 하여 그 불이행시에 이를 국고에 귀속시켜 국가의 손해를 전보하는 사법상 손해배상예정의 성질을 갖는 것이므로 입찰보증금의 국고귀속조치는 국가가 사법상 재산권의 주체로서 행위하는 것이지 공권력을 행사하는 것이거나 공권력작용과 일체성을 가진 것이 아니므로 이에 관한 분쟁은 행정소송이 아닌 민사소송의 대상이 될 수밖에 없다고 할 것이다(대판 1983. 12. 27, 81누366).

② ✕

> 수도법에 의하여 지방자치단체인 수도사업자가 그 수돗물의 공급을 받는 자에게 하는 수도료의 부과·징수와 이에 따른 수도료의 납부관계는 공법상의 권리·의무관계이다(대판 1977. 2. 22, 76다2517).

③ ○

> 한국공항공단이 정부로부터 무상사용허가를 받은 행정재산을 구 한국공항공단법 제17조에서 정한 바에 따라 전대하는 경우에 미리 그 계획을 작성하여 건설교통부장관에게 제출하고 승인을 얻어야 하는 등 일부 공법적 규율을 받고 있다고 하더라도, 한국공항공단이 그 행정재산의 관리청으로부터 국유재산관리사무의 위임을 받거나 국유재산관리의 위탁을 받지 않은 이상, 한국공항공단이 무상사용허가를 받은 행정재산에 대하여 하는 전대행위는 통상의 사인 간의 임대차와 다를 바가 없다(대판 2004. 1. 15, 2001다12638).

④ ✕

> 한국전력공사의 수신료 부과행위는 공법관계이다.
> 수신료의 법적 성격, 피고 보조참가인(한국방송공사)의 수신료 강제징수권의 내용(구 방송법 제66조 제3항) 등에 비추어 보면 수신료 부과행위는 공권력의 행사에 해당하므로, 피고(한국전력공사)가 피고 보조참가인(한국방송공사)으로부터 수신료의 징수업무를 위탁받아 자신의 고유업무와 관련된 고지행위와 결합하여 수신료를 징수할 권한이 있는지 여부를 다투는 이 사건 쟁송은 민사소송이 아니라 공법상의 법률관계를 대상으로 하는 것으로서 행정소송법 제3조 제2호에 규정된 당사자소송에 의하여야 한다고 봄이 상당하다(대판 2008. 7. 24, 2007다25261).

06   정답 ③

① ✗

> 행정관청이 국유재산을 매각하는 것은 사법상의 매매계약일 수도 있으나 귀속재산처리법에 의하여 귀속재산을 매각하는 것은 행정처분이지 사법상의 매매가 아니다(대판 1991. 6. 25, 91다10435).

② ✗

> 농지개량조합과 그 직원(조합원을 의미한다)의 관계는 공법상의 특별권력관계로서 농지개량조합이 조합직원에 대하여 행한 징계처분은 행정소송의 대상이다(대판 1995. 6. 9, 94누10870).

③ ○

> 국가를 당사자로 하는 계약이나 공공기관운영에 관한 법률의 적용 대상인 공기업이 일방당사자가 되는 계약(이하 편의상 '공공계약'이라 한다)은 국가 또는 공기업이 사경제주체로서 상대방과 대등한 위치에서 체결하는 사법상 계약으로서 본질적인 내용은 사인 간의 계약과 다를 바가 없으므로, 법령에 특별한 정함이 있는 경우를 제외하고는 서로 대등한 입장에서 당사자의 합의에 따라 계약을 체결하여야 하고 당사자는 계약의 내용을 신의성실의 원칙에 따라 이행하여야 하는 등(구 「국가를 당사자로 하는 계약에 관한 법률」제5조 제1항) 사적 자치와 계약자유의 원칙을 비롯한 사법의 원리가 원칙적으로 적용된다(대판 2020. 5. 14, 2018다298409).

📑 **관련판례**

> 지방자치단체가 일방당사자가 되는 이른바 '공공계약'이 사경제의 주체로서 상대방과 대등한 위치에서 체결하는 사법상 계약에 해당하는 경우 그에 관한 법령에 특별한 정함이 있는 경우를 제외하고는 사적 자치와 계약자유의 원칙 등 사법의 원리가 그대로 적용된다(대판 2018. 2. 13, 2014두11328).

④ ✗

> 사법인(私法人)인 학교법인과 학생의 재학관계는 사법상 계약에 따른 법률관계에 해당한다. 지방자치단체가 학교법인이 설립한 사립중학교에 의무교육대상자에 대한 교육을 위탁한 때에 그 학교법인과 해당 사립중학교에 재학 중인 학생의 재학관계도 기본적으로 마찬가지이다(대판 2018. 12. 28, 2016다33196).

07   정답 ①

① ○

> 구 「국가를 당사자로 하는 계약에 관한 법률」(이하 '국가계약법'이라 한다) 제2조는 그 적용범위에 관하여 국가가 대한민국 국민을 계약상대자로 하여 체결하는 계약 등 국가를 당사자로 하는 계약에 대하여 위 법을 적용한다고 규정하고 있고, 제3조는 국가를 당사자로 하는 계약에 관하여는 다른 법률에 특별한 규정이 있는 경우를 제외하고는 이 법에서 정하는 바에 의한다고 규정하고 있으므로, 국가가 수익자인 수요기관을 위하여 국민을 계약상대자로 하여 체결하는 요청조달계약에는 다른 법률에 특별한 규정이 없는 한 당연히 국가계약법이 적용된다(대판 2017. 12. 28, 2017두39433).

② ✗

> ❶ 한국증권거래소는 일반사인인 증권회사를 회원으로 설립되어 유가증권시장의 개설과 유가증권의 상장, 매매거래, 공시 등에 관한 업무에 종사하는 기관으로서, 그 기본적인 성격은 민법상 사단법인에 준하는 것이다.
> ❷ 한국증권거래소의 상장폐지결정 및 상장폐지확정결정은 사법상의 계약관계를 해소하려는 일방적인 의사표시라고 봄이 상당하다고 할 것이다. 따라서 한국증권거래소의 상장폐지확정결정은 헌법소원의 대상이 되는 공권력의 행사에 해당하지 않는다(헌재 2005. 2. 24, 2004헌마442).

③ ✗

> ❶ 공유재산의 관리청이 행하는 행정재산의 사용·수익에 대한 허가는 순전히 사경제주체로서 행하는 사법상의 행위가 아니라 관리청이 공권력을 가진 우월적 지위에서 행하는 행정처분으로서 특정인에게 행정재산을 사용할 수 있는 권리를 설정하여 주는 강학상 특허에 해당한다.
> 행정재산의 사용·수익허가처분의 성질에 비추어 국민에게는 행정재산의 사용·수익허가를 신청할 법규상 또는 조리상 권리가 있다고 할 것이므로 공유재산의 관리청이 행정재산의 사용·수익에 대한 허가신청을 거부한 행위 역시 행정처분에 해당한다(대판 1998. 2. 27, 97누1105).
> ❷ 국유재산의 관리청이 행정재산의 사용·수익을 허가한 다음, 그 자에 대하여 한 사용료의 부과는 우월적 지위에서 행한 것으로서 행정처분에 해당한다(대판 1996. 2. 13, 95누11023).

④ ✗

> 국유잡종재산(현 일반재산) 대부행위의 법적 성질은 사법상 계약이고, 그 대부료 납부고지의 법적 성질은 사법상의 이행청구에 불과하다.
> 국유잡종재산을 대부하는 행위는 국가가 사경제주체로서 상대방과 대등한 위치에서 행하는 사법상의 계약이고, 행정청이 공권력의 주체로서 상대방의 의사 여하에 불구하고 일방적으로 행하는 행정처분이라고 볼 수 없으며, 국유잡종재산에 관한 대부료 납부고지 역시 사법상의 이행청구에 해당하고, 이를 행정처분이라고 할 수 없다(대판 2000. 2. 11, 99다61675).

08   정답 ①

㉮ ○ 공법관계

> (국가나 지방자치단체에 근무하는 청원경찰은 국가공무원법이나 지방공무원법상의 공무원은 아니지만, …… 그 외 임용자격, 직무, 복무의무 내용 등을 종합하여 볼 때, 그 근무관계를 사법상의 고용계약관계로 보기는 어려우므로) 국가나 지방자치단체에 근무하는 청원경찰에 대한 징계처분의 시정을 구하는 소는 행정소송의 대상이지 민사소송의 대상이 아니다(대판 1993. 7. 13, 92다47564).

㉯ ○ 공법관계

> 사립중학교에 대한 중학교 의무교육의 위탁관계는 초·중등교육법 제12조 제3·4항 등 관련 법령에 의하여 정해지는 공법적 관계이다(대판 2015. 1. 29, 2012두7387).

㉢ × 사법관계

> 「공익사업을 위한 토지 등의 취득 및 보상에 관한 법률」에 의한 협의취득은 사법(私法)상의 법률행위이다(사법행위).
> 공익사업을 위한 토지 등의 취득 및 보상에 관한 법령에 의한 협의취득은 사법상의 법률행위이므로 당사자 사이의 자유로운 의사에 따라 채무불이행책임이나 매매대금 과부족금에 대한 지급의무를 약정할 수 있다(대판 2012. 2. 23, 2010다91206).

㉣ × 사법관계

> 낙찰자의 결정으로 바로 계약이 성립된다고 볼 수는 없어 낙찰자는 지방자치단체에 대하여 계약을 체결하여 줄 것을 청구할 수 있는 권리를 갖는 데 그치고, 이러한 점에서 위 법률에 따른 낙찰자 결정의 법적 성질은 입찰과 낙찰행위가 있은 후에 더 나아가 본계약을 따로 체결한다는 취지로서 (편저자 주 : 사법상) 계약의 예약에 해당한다(대판 2006. 6. 29, 2005다41603).

09 [정답] ④

① × 사법관계

> 개발부담금 부과처분이 취소된 경우, 그 과오납금에 대한 부당이득 반환청구의 법률관계는 사법관계이다(사법행위).
> 개발부담금 부과처분이 취소된 이상 그 후의 부당이득으로서의 과오납금 반환에 관한 법률관계는 단순한 민사관계에 불과한 것이고, 행정소송절차에 따라야 하는 관계로 볼 수 없다(대판 1995. 12. 22, 94다51253).

② × 사법관계

> 구 「공익사업을 위한 토지 등의 취득 및 보상에 관한 법률」 제91조에 규정된 환매권은 상대방에 대한 의사표시를 요하는 형성권의 일종으로서 재판상이든 재판 외이든 위 규정에 따른 기간 내에 행사하면 매매의 효력이 생기는바, 이러한 환매권의 존부에 관한 확인을 구하는 소송 및 구 「공익사업을 위한 토지 등의 취득 및 보상에 관한 법률」 제91조 제4항에 따라 환매금액의 증감을 구하는 소송 역시 민사소송에 해당한다(대판 2013. 2. 28, 2010두22368).

③ × 사법관계

> 지방자치단체의 관할 구역 내에 있는 각급 학교에서 학교회계직원으로 근무하는 것을 내용으로 하는 근로계약은 사법상 계약이다(대판 2018. 5. 11, 2015다237748).

④ ○ 공법관계

> 국립의료원 부설주차장에 관한 위탁관리용역운영계약은 계약이라는 용어에도 불구하고 행정재산의 사용허가로서 강학상 특허에 해당한다.
> 국립의료원 부설주차장에 관한 위탁관리용역운영계약의 실질은 행정재산인 위 부설주차장에 대한 국유재산법 제24조 제1항에 의한 사용·수익허가로서 이루어진 것임을 알 수 있으므로, 이는 위 국립의료원이 원고의 신청에 의하여 공권력을 가진 우월적 지위에서 행한 행정처분으로서 특정인에게 행정재산을 사용할 수 있는 권리를 설정하여 주는 강학상 특허에 해당한다 할 것이고 순전히 사경제주체로서 원고와 대등한 지위에서 행한 사법상의 계약으로 보기 어렵다고 할 것이다(대판 2006. 3. 9, 2004다31074).

10 [정답] ④

① ×

> 지방자치단체가 사인과 체결한 시설(자원회수시설) 위탁운영협약은 사법상 계약에 해당한다.
> 甲지방자치단체가 乙주식회사 등 4개 회사로 구성된 공동수급체를 자원회수시설과 부대시설의 운영·유지관리 등을 위탁할 민간사업자로 선정하고 乙회사 등의 공동수급체와 위 시설에 관한 위·수탁 운영협약을 체결하였는데, 민간위탁 사무감사를 실시한 결과 乙회사 등이 위 협약에 근거하여 노무비와 복지후생비 등 비정산비용 명목으로 지급받은 금액 중 집행되지 않은 금액에 대하여 회수하기로 하고 乙회사에 이를 납부하라고 통보하자, 乙회사 등이 이를 납부한 후 회수통보의 무효확인 등을 구하는 소송을 제기한 사안에서, 위 협약은 甲지방자치단체가 사인인 乙회사 등에 위 시설의 운영을 위탁하고 그 위탁운영비용을 지급하는 것을 내용으로 하는 용역계약으로서 상호 대등한 입장에서 당사자의 합의에 따라 체결한 사법상 계약에 해당한다(대판 2019. 10. 17, 2018두60588).

② ×

> 교육부장관(당시 문교부장관)의 권한을 재위임받은 공립교육기관의 장에 의하여 공립유치원의 임용기간을 정한 전임강사로 임용되어 지방자치단체로부터 보수를 지급받으면서 공무원복무규정을 적용받고 사실상 유치원교사의 업무를 담당하여 온 유치원교사의 자격이 있는 자에 대한 해임처분의 시정 및 수령지체된 보수의 지급을 구하는 소송은 행정소송의 대상이다(대판 1991. 5. 10, 90다10766).

③ ×

> 국유일반재산의 대부료 등의 지급을 원칙적으로 민사소송의 방법으로 구할 수는 없다.
> 국유재산법 제42조 제1항, 제73조 제2항 제2호에 따르면, 국유일반재산의 관리·처분에 관한 사무를 위탁받은 자는 국유일반재산의 대부료 등이 납부기한까지 납부되지 아니한 경우에는 국세징수법 제23조(현 제10조)와 같은 법의 체납처분에 관한 규정을 준용하여 대부료 등을 징수할 수 있다. 이와 같이 국유일반재산의 대부료 등의 징수에 관하여는 국세징수법 규정을 준용한 간이하고 경제적인 특별구제절차가 마련되어 있으므로, 특별한 사정이 없는 한 민사소송의 방법으로 대부료 등의 지급을 구하는 것은 허용되지 아니한다(대판 2014. 9. 4, 2014다203588).

④ ○

> 서울특별시립무용단원의 해촉은 공법상 계약의 해지이므로 공법상 당사자소송으로 무효확인을 청구할 수 있다.
> 지방자치법 제9조 제2항 제5호 (라)목 및 (마)목 등의 규정에 의하면, 서울특별시립무용단원의 공연 등 활동은 지방문화 및 예술을 진흥시키고자 하는 서울특별시의 공공적 업무수행의 일환으로 이루어진다고 해석될 뿐 아니라, …… 서울특별시립무용단원이 가지는 지위가 공무원과 유사한 것이라면, 서울특별시립무용단원의 위촉은 공법상의 계약이라고 할 것이고, 따라서 그 단원의 해촉에 대하여는 공법상의 당사자소송으로 그 무효확인을 청구할 수 있다(대판 1995. 12. 22, 95누4636).

11 정답 ②

㉮ ○ 공무수탁사인은 수탁받은 공무를 수행하는 범위 내에서는 행정주체이고, 행정기본법, 행정절차법이나 행정심판법과 행정소송법상으로는 행정청이기도 하다. 즉, 공무수탁사인이 공무를 수행한 경우 그 행위의 법적 효과는 공무수탁사인에게 귀속된다. 또한 행정소송의 피고도 공무를 위임한 행정청이 아니라 공무수탁사인이 된다(행정소송법 제2·13조).

> **행정소송법 제2조【정의】** ② 이 법을 적용함에 있어서 행정청에는 법령에 의하여 행정권한의 위임 또는 위탁을 받은 행정기관, 공공단체 및 그 기관 또는 사인이 포함된다.
> **제13조【피고적격】** ① 취소소송은 다른 법률에 특별한 규정이 없는 한 그 처분 등을 행한 행정청을 피고로 한다.

㉯ × 공무수탁사인은 행정소송법상 행정청이므로, 공무수탁사인이 자기의 이름으로 처분을 한 경우 위임행정청이 아니라 공무수탁사인이 피고가 된다.

㉰ ○

> 「도시 및 주거환경정비법」상 주택재건축정비사업조합은 공법인으로서 그 목적범위 내에서 행정주체의 지위를 갖는다.
> 「도시 및 주거환경정비법」에 따른 주택재건축정비사업조합은 관할 행정청의 감독 아래 위 법상의 주택재건축사업을 시행하는 공법인(동법 제18조)으로서, 그 목적범위 내에서 법령이 정하는 바에 따라 일정한 행정작용을 행하는 행정주체의 지위를 갖는다(대판 2009. 10. 15, 2008다93001).

㉱ ○ 「공익사업을 위한 토지 등의 취득 및 보상에 관한 법률」상 사인이 사업시행자로서 토지를 수용하는 경우는 공무수탁사인에 포함된다.

㉲ ○

> 원천징수의무자의 원천징수행위는 공권력 행사로서 한 행정처분이 아니다.
> 원천징수하는 소득세에서는 납세의무자의 신고나 과세관청의 부과결정이 없이 법령이 정하는 바에 따라 그 세액이 자동적으로 확정되고, 원천징수의무자는 소득세법 제142·143조의 규정에 의하여 이와 같이 자동적으로 확정되는 세액을 수급자로부터 징수하여 과세관청에 납부하여야 할 의무를 부담하고 있으므로, 원천징수의무자가 비록 과세관청과 같은 행정청이더라도 그의 원천징수행위는 법령에서 규정된 징수 및 납부의무를 이행하기 위한 것에 불과한 것이지, 공권력 행사로서의 행정처분을 한 경우에 해당되지 아니한다(대판 1990. 3. 23, 89누4789).

㉳ × 공무수탁사인과 공무를 위탁한 행정주체는 특별행정법관계의 일종인 특별감독관계에 놓이게 된다고 볼 수 있다. 이 경우 국가가 공무수탁사인의 공무수탁사무수행을 감독하는 경우 수탁사무수행의 합법성뿐만 아니라 합목적성(타당성)까지도 감독할 수 있다.

12 정답 ④

행정개입청구권의 인정에 대한 문제이다.

㉮ × 개괄주의를 채택하고 있는 현행 행정소송법 구조하에서는 공권이 성립되기 위하여 법률에 소구가능성이 규정되어 있을 필요는 없다.

㉯ × 오늘날의 통설은 공권의 성립요건으로 강행법규에 의한 의무 부과, 관련 법규의 사익보호성의 두 가지 요건을 들고 있다. 따라서 개인적 공권이 성립하기 위해서는 관련 법규가 개인의 사익보호를 목적으로 하는 것이어야 한다. 즉, 법규가 특정인의 이익을 보호하는 경우는 물론 공익과 더불어 특정인의 이익보호(사익보호)를 목적으로 하는 경우에도 사익보호목적은 존재하는 것이 되어 공권이 성립할 수 있다. 사례에 해당하는 행정개입청구권 역시 공권이므로 이와 같은 사익보호성 요건을 충족하여야 한다. 한편, 관련 법규가 공익만을 보호하고 있는 경우 개인이 얻는 이익은 공권이 아닌 반사적 이익에 불과하다.

㉰ × 행정심판법은 행정심판의 종류로서 취소심판, 무효등확인심판, 의무이행심판에 대해서만 규정하고 있으며 부작위위법확인심판에 관한 규정은 두고 있지 않다. 한편, 판례는 의무이행소송(행정청에 대하여 일정한 행정행위를 해줄 것을 청구하는 행정소송)을 인정하지 않고 있다(대판 1997. 9. 30, 97누3200). 사례에서는 행정청의 부작위가 문제되는 경우이므로, 행정심판으로는 의무이행심판을 제기하여야 하고, 행정소송으로는 부작위법확인소송을 제기하여야 한다.

㉱ ○ 부작위에 대한 의무이행심판의 경우에는 청구기간의 제한이 없다.

> **행정심판법 제27조【심판청구의 기간】** ① 행정심판은 처분이 있음을 알게 된 날부터 90일 이내에 청구하여야 한다.
> ② 청구인이 천재지변, 전쟁, 사변(事變), 그 밖의 불가항력으로 인하여 제1항에서 정한 기간에 심판청구를 할 수 없었을 때에는 그 사유가 소멸한 날부터 14일 이내에 행정심판을 청구할 수 있다. 다만, 국외에서 행정심판을 청구하는 경우에는 그 기간을 30일로 한다.
> ③ 행정심판은 처분이 있었던 날부터 180일이 지나면 청구하지 못한다. 다만, 정당한 사유가 있는 경우에는 그러하지 아니하다.
> ④ 제1항과 제2항의 기간은 불변기간으로 한다.
> ⑤ 행정청이 심판청구기간을 제1항에 규정된 기간보다 긴 기간으로 잘못 알린 경우 그 잘못 알린 기간에 심판청구가 있으면 그 행정심판은 제1항에 규정된 기간에 청구된 것으로 본다.
> ⑥ 행정청이 심판청구기간을 알리지 아니한 경우에는 제3항에 규정된 기간에 심판청구를 할 수 있다.
> ⑦ 제1항부터 제6항까지의 규정은 무효등확인심판청구와 부작위에 대한 의무이행심판청구에는 적용하지 아니한다.

㉲ × 개선명령을 요청할 권리는 이른바 행정개입청구권에 해당하는바, 기속행위에 대해서는 특정 행위에 대한 의무가 행정청에 있으므로 행정개입청구권이 당연히 인정될 수 있다. 반면에 재량행위의 경우에는 원칙적으로 하자 없는 재량 행사를 청구할 수 있을 뿐, 특정 처분을 청구할 수 있는 권리가 인정되는 것은 아니지만, 이 경우에도 재량권이 영(0)으로 수축되는 경우에는 특정 처분을 청구할 수 있는 행정개입청구권이 인정될 수 있다. 즉, ㉠ 사람의 생명, 신체 및 재산 등 중요한 법익에 급박하고 현저한 위험이 존재하고, ㉡ 그러한 위험이 시정명령 등 행정권의 발동에 의해 제거될 수 있는 것이며, ㉢ 피해자의 개인적인 노력만으로는 권익 침해를 막기 어려운 경우라는 요건들이 충족되면 재량권이 영(0)으로 수축되어 행정청은 특정한 내용의 처분을 하여야 할 의무를 지게 된다. 따라서 사례의 경우처럼 법령상 재량행위라고 하더라도 그 재량권이 영(0)으로 수축하는 경우에는 무하자재량행사청구권은 특정한 내용의 처분을 하여 줄 것을 청구할 수 있는 실체적 권리인 행정개입청구권으로 전환되므로, 甲에게 개선명령을 요청할 청구권이 인정될 수 있다.

13
정답 ②

① × 개인적 공권은 처분의 근거법률규정의 해석에 의해 도출되는 것이 일반적이지만 공법상 계약을 통해서도 당연히 성립될 수 있다. 그 밖에 불문법인 관습법, 조리 등에 의해서도 성립될 수 있다.

② ○

> ❶ 구 산림법령상 채석허가를 받은 자가 사망한 경우, 상속인이 그 지위를 승계한다.
> ❷ 산림을 무단형질변경한 자가 사망한 경우, 원상회복명령에 따른 복구의무는 타인이 대신하여 행할 수 있는 의무로서 일신전속적 성질을 갖는 것이 아니므로 당해 토지의 소유권 또는 점유권을 승계한 상속인이 그 복구의무를 부담한다(대판 2005. 8. 19, 2003두9817·9824).

③ ×

> 환경영향평가대상지역 밖에 거주하는 주민에게 헌법상의 환경권 또는 환경정책기본법에 근거하여 공유수면매립면허처분과 농지개량사업시행인가처분의 무효확인을 구할 원고적격이 없다(부정 판례(헌법상 환경권으로부터 원고적격이 도출될 수 없다))(대판 2006. 3. 16, 2006두330 전합).

④ ×

> ❶ 환경영향평가에 관한 자연공원법령 및 환경영향평가법령의 규정들의 취지는 환경공익을 보호하려는 데에 그치는 것이 아니라 환경영향평가대상지역 안의 주민들이 개발 전과 비교하여 수인한도를 넘는 환경침해를 받지 아니하고 쾌적한 환경에서 생활할 수 있는 개별적 이익까지 보호하는 데 있다.
> ❷ 국립공원 용화집단시설지구개발사업으로 인하여 직접적이고 중대한 환경피해를 입으리라고 예상되는 환경영향평가대상지역 안의 주민에게 환경영향평가대상사업에 관한 변경승인 및 허가처분의 취소를 구할 원고적격이 있다(대판 1998. 4. 24, 97누3286).

14
정답 ③

㉮ ○ 헌법상의 기본권 중 그 자체로 구체적인 내용을 갖고 있어 법률에 의해 구체화되지 않아도 법률관계에 직접 적용될 수 있는 경우에는 행정법상 개인적 공권이 된다. 그 예로는 자유권적 기본권을 들 수 있다.

㉯ ○

> 행정소송에 있어서 소권은 개인의 국가에 대한 공권이므로 당사자의 합의로써 이를 포기할 수 없다(대판 1995. 9. 15, 94누4455).

> **관련판례**
> 당사자 사이에 석탄산업법 시행령 제41조 제4항 제5호 소정의 재해위로금에 대한 지급청구권에 관한 부제소합의가 있었다고 하더라도 그러한 합의는 무효라고 할 것이다(대판 1999. 1. 26, 98두12598).

㉰ × 경원관계에 있는 경우에는 각 경원자에 대한 인·허가 등이 배타적인 관계에 있으므로 자신의 권익을 구제하기 위해서는 타인에 대한 인·허가 등을 취소할 법률상 이익이 있다고 보아야 한다. 한편, 경원관계에서 경원자에 대한 수익적 처분의 취소를 구하지 않고 자신에 대한 거부처분만의 취소를 구하는 것도 허용된다는 것이 판례의 입장이다.

> ❶ (법학전문대학원 설치인가에서 탈락한 대학은 설치인가처분에 대한 취소를 구할 원고적격이 있다고 판시하면서) 경원관계에서 경원자에 대하여 이루어진 허가 등 처분의 상대방이 아닌 자도 원칙적으로 그 처분의 취소를 구할 원고적격이 있다.
> 행정소송법 제12조는 취소소송은 처분 등의 취소를 구할 법률상 이익이 있는 자가 제기할 수 있다고 규정하고 있는바, 인·허가 등의 수익적 행정처분을 신청한 수인이 서로 경쟁관계에 있어서 일방에 대한 허가 등의 처분이 타방에 대한 불허가 등으로 귀결될 수밖에 없는 때(이른바 경원관계에 있는 경우로서 동일대상지역에 대한 공유수면매립면허나 도로점용허가 혹은 일정지역의 영업허가 등에 관하여 거리제한규정이나 업소개수제한 규정 등이 있는 경우를 그 예로 들 수 있다), 허가 등의 처분을 받지 못한 자는 비록 경원자에 대하여 이루어진 허가 등 처분의 상대방이 아니라 하더라도 당해 처분의 취소를 구할 당사자적격이 있다 할 것이고, 다만 구체적인 경우에서 그 처분이 취소된다 하더라도 허가 등의 처분을 받지 못한 불이익이 회복된다고 볼 수 없을 때에는 당해 처분의 취소를 구할 정당한 이익이 없다고 할 것이다(대판 2009. 12. 10, 2009두8359).
> ❷ 인·허가 등 수익적 행정처분을 신청한 여러 사람이 서로 경원관계에 있는 경우, 허가 등 처분을 받지 못한 사람은 원칙적으로 자신에 대한 거부처분의 취소를 구할 원고적격과 소의 이익이 있다.
> 인·허가 등 수익적 행정처분을 신청한 여러 사람이 서로 경원관계에 있어서 한 사람에 대한 허가 등 처분이 다른 사람에 대한 불허가 등으로 귀결될 수밖에 없을 때 허가 등 처분을 받지 못한 사람은 신청에 대한 거부처분의 직접 상대방으로서 원칙적으로 자신에 대한 거부처분의 취소를 구할 원고적격이 있다(대판 2015. 10. 29, 2013두27517).

㉱ ×

> ❶ 헌법 제32조 제1항이 규정하는 근로의 권리는 사회적 기본권으로서 국가에 대하여 직접 일자리를 청구하거나 일자리에 갈음하는 생계비의 지급청구권을 의미하는 것이 아니라 고용증진을 위한 사회적·경제적 정책을 요구할 수 있는 권리에 그치며, 근로의 권리로부터 국가에 대한 직접적인 직장존속청구권이 도출되는 것도 아니다.
> ❷ 근로자가 퇴직급여를 청구할 수 있는 권리도 헌법상 바로 도출되는 것이 아니라 법률이 구체적으로 정하는 바에 따라 비로소 인정될 수 있는 것이다(헌재 2011. 7. 28, 2009헌마408).

㉲ ○

> 석탄산업법 시행령 제41조 제4항 제5호 소정의 재해위로금청구권은 개인의 공권으로서 그 공익적 성격에 비추어 당사자의 합의에 의하여 이를 미리 포기할 수 없다(대판 1998. 12. 23, 97누5046).

15
정답 ④

㉮ ○ 자유권적 기본권은 구체적인 개인적 공권이 될 수 있다. 이에 반해 사회권적 기본권은 법률에 의한 형성이 필요하다.

> 사회권적 기본권의 성격을 갖는 공무원연금수급권은 헌법규정만으로는 이를 실현할 수 없고 그 구체적인 내용, 즉 수급요건, 수급권자의 범위 및 급여금액 등은 법률에 의하여 비로소 확정된다.

공무원연금수급권과 같은 사회보장수급권은 "모든 국민은 인간다운 생활을 할 권리를 가지고, 국가는 사회보장·사회복지의 증진에 노력할 의무를 진다."라고 규정한 헌법 제34조 제1항 및 제2항으로부터 도출되는 사회적 기본권 중의 하나로서, 이는 국가에 대하여 적극적으로 급부를 요구하는 것이므로 헌법규정만으로는 이를 실현할 수 없어 법률에 의한 형성이 필요하고, 그 구체적인 내용, 즉 수급요건, 수급권자의 범위 및 급여금액 등은 법률에 의하여 비로소 확정된다(헌재 2013. 9. 26, 2011헌바272).

㉯ ○

일반적으로 면허나 인·허가 등의 수익적 행정처분의 근거가 되는 법률이 해당 업자들 사이의 과당경쟁으로 인한 경영의 불합리를 방지하는 것도 목적으로 하고 있는 경우, 다른 업자에 대한 면허나 인·허가 등의 수익적 행정처분에 대하여 미리 같은 종류의 면허나 인·허가 등의 수익적 행정처분을 받아 영업을 하고 있는 기존의 업자는 경업자에 대하여 이루어진 면허나 인·허가 등 행정처분의 상대방이 아니라고 하더라도 당해 행정처분의 무효확인 또는 취소를 구할 이익(편저자 주 : 원고적격)이 있다(대판 2020. 4. 9, 2019두49953).

㉰ ○

기존 시내버스업자(특허업자)는 시외버스사업을 하는 자에 대해 시내버스로 전환함을 허용하는 사업계획변경인가처분의 취소를 구할 법률상 이익이 있다.
자동차운수사업법(현 「여객자동차 운수사업법」) 제6호 제1호 규정의 목적이 자동차운수사업에 관한 질서를 확립하고 자동차운수의 종합적인 발달을 도모하여 공공의 복리를 증진함과 동시에 업자 간의 경쟁으로 인한 경영의 불합리를 미리 방지하자는 데 있다 할 것이므로 기존 시내버스업자로서는, 다른 운송업자가 운행하고 있는 기존 시외버스를 시내버스로 전환함을 허용하는 사업계획변경인가처분에 대하여 그 취소를 구할 법률상 이익이 있다고 할 것이다(대판 1987. 9. 22, 85누985).

㉱ ×

❶ 일반적인 시민생활에 있어 도로를 이용만 하는 사람은 도로용도폐지를 다툴 법률상 이익이 없다.
❷ 도로의 용도폐지처분에 관하여 직접적인 이해관계를 가지는 사람이 개별적이고 구체적인 이익을 현실적으로 침해당한 경우에는 그 취소를 구할 법률상 이익이 있다(대판 1992. 9. 22, 91누13212).

㉲ × 무하자재량행사청구권과 행정개입청구권도 개인적 공권의 일종이다. 따라서 그 권리가 성립하기 위해서는 법규의 사익보호성 요건이 필요하다.

16 [정답] ④

① ○

사관생도는 군 장교를 배출하기 위하여 국가가 모든 재정을 부담하는 특수교육기관인 육군3사관학교의 구성원으로서, 학교에 입학한 날에 육군 사관생도의 병적에 편입하고 준사관에 준하는 대우를 받는 특수한 신분관계에 있다. 따라서 그 존립목적을 달성하기 위하여 필요한 한도 내에서 일반국민보다 상대적으로 기본권이 더 제한될 수 있으나, 그러한 경우에도 법률유보원칙, 과잉금지원칙 등 기본권 제한의 헌법상 원칙들을 지켜야 한다(대판 2018. 8. 30, 2016두60591).

② ○

조세법률주의의 원칙상 과세요건이거나 비과세요건 또는 조세감면요건을 막론하고 조세법규의 해석은 특별한 사정이 없는 한 법문대로 해석할 것이고, 합리적 이유 없이 확장해석하거나 유추해석하는 것은 허용되지 아니하고, 특히 감면요건 규정 가운데에 명백히 특혜규정이라고 볼 수 있는 것은 엄격하게 해석하는 것이 조세공평의 원칙에도 부합한다(대판 2004. 5. 28, 2003두7392).

③ ○

군인사법 제47조의2는 '군인의 복무에 관하여는 이 법에 규정한 것을 제외하고는 따로 대통령령이 정하는 바에 의한다'고 규정하여 기본권 침해에 관하여 아무런 규율도 하지 아니한 채 이를 대통령령에 위임하고 있으므로, 그 내용이 국민의 권리관계를 직접 규율하는 것이라고 보기 어렵다. …… 이 사건 복무규율조항이 법률유보원칙을 준수하였는지를 살펴보면, 군인사법 제47조의2는 헌법이 대통령에게 부여한 군통수권을 실질적으로 존중한다는 차원에서 군인의 복무에 관한 사항을 규율할 권한을 대통령령에 위임한 것이라 할 수 있고, 대통령령으로 규정될 내용 및 범위에 관한 기본적인 사항을 다소 광범위하게 위임하였다 하더라도 포괄위임금지원칙에 위배된다고 볼 수 없다. 따라서 이 사건 복무규율조항은 이와 같은 군인사법 조항의 위임에 의하여 제정된 정당한 위임의 범위 내의 규율이라 할 것이므로 법률유보원칙을 준수한 것이다(헌재 2010. 10. 28, 2008헌마638).

④ × 특별행정법관계(특별권력관계)의 구성원에 대한 기본권 제한도 헌법 규정 또는 헌법 제37조 제2항의 기본권 제한의 원칙에 따라 법률에 근거하여서만 가능하다.

17 [정답] ③

㉮ × 울레(Ule)의 견해에 따르면 상급자의 하급자에 대한 서류작성명령은 직무명령으로서 특별권력관계의 목표를 실현하는 데 필요한 관계로서 내부질서를 유지하기 위한 관계인 경영관계에 해당한다. 따라서 사법심사의 대상이 되지 않는다.

㉯ ○ 현행 헌법은 이른바 특별한 신분을 가진 자의 기본권 제한의 특례를 인정하고 있다. 예를 들어, 일반직 공무원은 노동운동의 일부(단체행동)가 금지되고, 군인의 경우에는 이중배상금지의 원칙이 적용된다.

㉰ ○

구청장과 동장의 관계는 이른바 특별권력관계로서 이러한 특별권력관계의 행위에 의해 권리를 침해당한 자는 행정소송법에 따라 취소소송을 제기할 수 있다(대판 1982. 7. 27, 80누86).

㉱ ×

서울특별시지하철공사의 임원과 직원의 근무관계의 성질은 지방공기업법의 모든 규정을 살펴보아도 공법상의 특별권력관계라고는 볼 수 없고 사법관계에 속할 뿐만 아니라, 위 지하철공사의 사장이 그 이사회의 결의를 거쳐 제정된 인사규정에 의거하여 소속 직원에 대한 징계처분을 한 경우 위 사장은 행정소송법 제13조 제1항 본문과 제2조 제2항 소정의 행정청에 해당되지 않으므로 공권력 발동주체로서 위 징계처분을 행한 것으로 볼 수 없고, 따라서 이에 대한 불복절차는 민사소송에 의할 것이지 행정소송에 의할 수는 없다(대판 1989. 9. 12, 89누2103).

18
정답 ④

① ○ 기간의 계산방법에 관한 규정은 일종의 법기술적 약속으로서 공·사법관계에서 별다른 차이가 없으므로, 민법의 기간 계산에 관한 규정은 특별한 규정이 없는 한 행정법상의 기간 계산에도 적용된다.
기간을 시·분·초로 정한 경우에는 즉시로부터 기산한다. 다만, 기간을 일·주·월·연으로 정한 경우 초일을 산입하지 않고 다음 날(익일)부터 기산함이 원칙이다.

> **행정기본법 제6조【행정에 관한 기간의 계산】** ① 행정에 관한 기간의 계산에 관하여는 이 법 또는 다른 법령 등에 특별한 규정이 있는 경우를 제외하고는 민법을 준용한다(①).
> ② 법령 등 또는 처분에서 국민의 권익을 제한하거나 의무를 부과하는 경우 권익이 제한되거나 의무가 지속되는 기간의 계산은 다음 각 호의 기준에 따른다. 다만, 다음 각 호의 기준에 따르는 것이 국민에게 불리한 경우에는 그러하지 아니하다(②).
> 1. 기간을 일, 주, 월 또는 연으로 정한 경우에는 기간의 첫날을 산입한다.
> 2. 기간의 말일이 토요일 또는 공휴일인 경우에도 기간은 그 날로 만료한다(②).
>
> **민법 제156조【기간의 기산점】** 기간을 시, 분, 초로 정한 때에는 즉시로부터 기산한다.
>
> **제157조【기간의 기산점】** 기간을 일, 주, 월 또는 연으로 정한 때에는 기간의 초일은 산입하지 아니한다(①). 그러나 그 기간이 오전 영시로부터 시작하는 때에는 그러하지 아니하다.

② ○ 행정기본법은 국민의 권익 제한이나 의무 부과와 같이 국민에게 불리한 경우 일정한 기간을 계산할 때에는 민법과 별도로 기산일과 만료일에 관하여 특칙을 규정하고 있다. 즉, 법령 등 또는 처분에서 국민의 권익을 제한하거나 의무를 부과하는 경우의 기간의 계산은 기간의 일, 주, 월, 또는 연으로 정한 경우에는 기간의 첫날을 산입하고 기간의 말일이 토요일 또는 공휴일인 경우에도 기간은 그 날로 만료한다(위 ① 해설 조문 참조).

③ ○ 국가재정법상 금전급부를 목적으로 하는 권리라는 표현이 있을 뿐 금전급부의 발생원인에 대해서는 아무런 규정이 없으므로 사법상 행위에서 발생한 국가의 채권에도 국가재정법의 시효에 관한 규정이 적용된다.

> **국가재정법 제96조【금전채권·채무의 소멸시효】** ① 금전의 급부를 목적으로 하는 국가의 권리로서 시효에 관하여 다른 법률에 규정이 없는 것은 5년 동안 행사하지 아니하면 시효로 인하여 소멸한다.
> ② 국가에 대한 권리로서 금전의 급부를 목적으로 하는 것도 또한 제1항과 같다.

> 금전의 급부를 목적으로 하는 국가의 권리인 이상 국가의 사법상 행위에서 발생한 권리도 포함된다.
> 예산회계법(현 국가재정법) 제71조는 금전의 급부를 목적으로 하는 국가의 권리로서 시효에 관하여 다른 법률에 규정이 없는 것은 5년간 행하지 아니할 때에는 시효로 인하여 소멸한다고 규정하고 있는바, 금전의 급부를 목적으로 하는 국가의 권리라 함은 금전의 급부를 목적으로 하는 국가의 권리인 이상, 금전급부의 발생원인에 관하여는 아무런 제한이 없으므로 국가의 공권력 발동으로 하는 행위는 물론 국가의 사법상 행위에서 발생한 국가에 대한 금전채무도 포함한다고 해석함이 타당하다 할 것이다(대판 1967. 7. 4, 67다751).

④ ✕

> 국세징수법 시행령 제74조 제1항은 제3자가 국세징수법 제71조 제1항에 따라 체납자의 체납액을 납부할 때에는 체납자의 명의로만 하도록 규정하고 있고, 국세징수법 시행령 제74조 제2항은 제3자가 체납자의 명의로 납부를 한 경우에 국가에 대하여 그 반환을 청구할 수 없도록 규정하고 있다. 이와 같이 제3자가 체납자가 납부하여야 할 체납액을 체납자의 명의로 납부한 경우에는 원칙적으로 체납자의 조세채무에 대한 명의로 납부한 경우에는 원칙적으로 체납자의 조세채무에 대한 만족을 얻어 소멸하므로, 국가가 체납액을 납부받은 것에 법률상 원인이 없다고 할 수 없고, 제3자는 국가에 대하여 부당이득반환을 청구할 수 없다. 이는 세무서장 등이 체납액을 징수하기 위하여 실시한 체납처분압류가 무효인 경우에도 다르지 아니하다(대판 2015. 11. 12, 2013다215263).

19
정답 ②

① ○

> 甲주식회사 소유의 유조선에서 원유가 유출되는 사고가 발생하자 乙주식회사가 피해 방지를 위해 해양경찰의 직접적인 지휘를 받아 방제작업을 보조한 사안에서, 乙회사는 사무관리에 근거하여 국가에 방제비용을 청구할 수 있다.

사무관리가 성립하기 위하여는 우선 그 사무가 타인의 사무이고 타인을 위하여 사무를 처리하는 의사, 즉 관리의 사실상 이익을 타인에게 귀속시키려는 의사가 있어야 하며, 나아가 사무의 처리가 본인에게 불리하거나 본인의 의사에 반한다는 것이 명백하지 아니할 것을 요한다. 다만, 타인의 사무가 국가의 사무인 경우, 원칙적으로 사인이 법령상 근거 없이 국가의 사무를 수행할 수 없다는 점을 고려하면, 사인이 처리한 국가의 사무가 사인이 국가를 대신하여 처리할 수 있는 성질의 것으로서, 사무처리의 긴급성 등 국가의 사무에 대한 사인의 개입이 정당화되는 경우에 한하여 사무관리가 성립하고, 사인은 그 범위 내에서 국가에 대하여 국가의 사무를 처리하면서 지출된 필요비 내지 유익비의 상환을 처리할 수 있다(대판 2014. 12. 11, 2012다15602).

② ✕

> 국립대학의 기성회가 기성회비를 납부받은 것은 '법률상 원인 없이' 타인의 재산으로 이익을 얻은 경우에 해당한다고 볼 수 없다(대판 2015. 6. 25, 2014다5531 전합).

③ ○

> ❶ 행정재산이 기능을 상실하여 본래의 용도에 제공되지 않는 상태에 있다 하더라도 관계 법령에 의하여 용도폐지가 되지 아니한 이상 당연히 취득시효의 대상이 되는 잡종재산이 되는 것은 아니다.
> ❷ 공용폐지의 의사표시는 묵시적인 방법으로도 가능하나 행정재산이 본래의 용도에 제공되지 않는 상태에 있다는 사정만으로는 묵시적인 공용폐지의 의사표시가 있다고 볼 수 없으며, 또한 공용폐지의 의사표시는 적법한 것이어야 하는바, 행정재산은 공용폐지가 되지 아니한 상태에서는 사법상 거래의 대상이 될 수 없으므로 관재당국이 착오로 행정재산을 다른 재산과 교환하였다 하여 그러한 사정만으로 적법한 공용폐지의 의사표시가 있다고 볼 수도 없다(대판 1998. 11. 10, 98다42974).

④ ○

> 입증책임은 시효취득을 주장하는 자에게 있다.
> 원래의 행정재산이 공용폐지되어 취득시효의 대상이 된다는 사실에 대한 입증책임은 시효취득을 주장하는 자에게 있다(대판 1994. 3. 22, 93다56220).

20 [정답] ④

①② ○ ④ ×

> 행정기본법 제6조【행정에 관한 기간의 계산】① 행정에 관한 기간의 계산에 관하여는 이 법 또는 다른 법령 등에 특별한 규정이 있는 경우를 제외하고는 민법을 준용한다(①).
> ② 법령 등 또는 처분에서 국민의 권익을 제한하거나 의무를 부과하는 경우 권익이 제한되거나 의무가 지속되는 기간의 계산은 다음 각 호의 기준에 따른다. 다만, 다음 각 호의 기준에 따르는 것이 국민에게 불리한 경우에는 그러하지 아니하다(②, ④).
> 1. 기간을 일, 주, 월 또는 연으로 정한 경우에는 기간의 첫날을 산입한다(②).
> 2. 기간의 말일이 토요일 또는 공휴일인 경우에도 기간은 그 날로 만료한다(④).

③ ○

> 행정기본법 제7조의2【행정에 관한 나이의 계산 및 표시】행정에 관한 나이는 다른 법령 등에 특별한 규정이 있는 경우를 제외하고는 출생일을 산입하여 만(滿) 나이로 계산하고, 연수(年數)로 표시한다. 다만, 1세에 이르지 아니한 경우에는 월수(月數)로 표시할 수 있다.

21 [정답] ②

① ○

> 오납금에 대한 납부자의 부당이득반환청구권은 납부 또는 징수시에 발생하여 확정되며 그때부터 소멸시효가 진행된다.
> 지방재정법 제87조 제1항에 의한 변상금 부과처분이 당연무효인 경우에 이 변상금 부과처분에 의하여 납부자가 납부하거나 징수당한 오납금은 지방자치단체가 법률상 원인 없이 취득한 부당이득에 해당하고, 이러한 오납금에 대한 납부자의 부당이득반환청구권은 처음부터 법률상 원인이 없이 납부 또는 징수된 것이므로 납부 또는 징수시에 발생하여 확정되며, 그때부터 소멸시효가 진행한다(대판 2005. 1. 27, 2004다50143).

② ×

> 변상금 부과처분에 대한 취소소송이 진행되는 동안에도 그 부과권의 소멸시효가 진행된다.
> 소멸시효는 객관적으로 권리가 발생하여 그 권리를 행사할 수 있는 때로부터 진행하고 그 권리를 행사할 수 없는 동안만은 진행하지 아니하는데, 여기서 권리를 행사할 수 없는 경우라 함은 그 권리 행사에 법률상의 장애사유가 있는 경우를 말한다. 변상금 부과처분에 대한 취소소송이 진행 중이라도 그 부과권자로서는 위법한 처분을 스스로 취소하고 그 하자를 보완하여 다시 적법한 부과처분을 할 수도 있는 것이어서 그 권리 행사에 법률상의 장애사유가 있는 경우에 해당한다고 할 수 없으므로, 그 처분에 대한 취소소송이 진행되는 동안에도 그 부과권의 소멸시효가 진행된다(대판 2006. 2. 10, 2003두5686).

③ ○

> 납입고지에 의한 시효중단의 효력은 그 납입고지에 의한 부과처분이 취소되더라도 상실되지 않는다.
> 구 예산회계법(현 국가재정법) 제98조에서 법령의 규정에 의한 납입고지를 시효중단사유로 규정하고 있는바, 이러한 납입고지에 의한 시효중단의 효력은 그 납입고지에 의한 부과처분이 취소되더라도 상실되지 않는다(대판 2000. 9. 8, 98두19933).

④ ○

> 세무공무원이 체납자의 재산을 압류하기 위해 수색을 하였으나 압류할 목적물이 없어 압류를 실행하지 못한 경우에도 시효중단의 효력이 발생한다.
> 구 국세기본법 제28조 제1항은 국세징수권의 소멸시효의 중단사유로서 납세고지, 독촉 또는 납부최고, 교부청구 외에 '압류'를 규정하고 있는바, 여기서의 '압류'란 세무공무원이 국세징수법 제24조(현 제31조) 이하의 규정에 따라 납세자의 재산에 대한 압류절차에 착수하는 것을 가리키는 것이므로, 세무공무원이 국세징수법 제26조(현 제35조)에 의하여 체납자의 가옥·선박·창고 및 기타의 장소를 수색하였으나 압류할 목적물을 찾아내지 못하여 압류를 실행하지 못하고 수색조서를 작성하는 데 그친 경우에도 소멸시효중단의 효력이 있다(대판 2001. 8. 21, 2000다12419).

22 [정답] ②

㉮ ×

> 조세에 관한 소멸시효가 완성되면 국가의 조세 부과권과 납세의무자의 납세의무는 당연히 소멸한다 할 것이므로 소멸시효완성 후에 부과된 부과처분은 납세의무 없는 자에 대하여 부과처분을 한 것으로서 그와 같은 하자는 중대하고 명백하여 그 처분의 효력은 당연무효이다(대판 2001. 4. 24, 2000다57856).

㉯ ○

> 일정한 권리에 관하여 법률이 규정한 존속기간을 뜻하는 제척기간은 권리관계를 조속히 확정시키기 위하여 권리의 행사에 중대한 제한을 가하는 것이어서 모법인 법률에 의한 위임이 없는 한 시행령이 함부로 제척기간을 규정할 수는 없다고 할 것이므로, 구 근로기준법 제38조가 그 단서에서 사용자가 노동위원회의 승인을 받아 휴업수당을 지급하지 않을 수 있는 예외를 규정하고 있을 뿐 그 승인을 받을 수 있는 기간을 제한하는 데 관하여 직접 규정하지 않고 있음은 물론 시행령에 위임하지도 아니하였음에도 불구하고, 같은 법 시행령 제21조가 정하고 있는 사용자의 노동위원회에 대한 휴업수당지급의 예외승인신청기간은 제척기간으로 볼 수는 없고 훈시규정으로 보아야 한다(대판 1990. 9. 28, 89누2493).

㉰ ○

> 제척기간은 권리자로 하여금 권리를 신속하게 행사하도록 함으로써 그 권리를 중심으로 하는 법률관계를 조속하게 확정하려는 데에 그 제도의 취지가 있는 것으로서, 소멸시효가 일정한 기간의 경과와 권리의 불행사라는 사정에 의하여 그 효과가 발생하는 것과는 달리 관계 법령에 따라 정당한 사유가 인정되는 등 특별한 사정이 없는 한 그 기간의 경과 자체만으로 곧 권리 소멸의 효과를 발생시킨다.

따라서 추상적 권리 행사에 관한 제척기간은 권리자의 권리 행사 태만 여부를 고려하지 않으며, 또 당사자의 신청만으로 추상적 권리가 실현되므로 기간 진행의 중단·정지를 상정하기 어렵다. 이러한 점에서 제척기간은 소멸시효와 근본적인 차이가 있다(대판 2021. 3. 18, 2018두47264 전합).

㉣ × 소멸시효는 권리를 행사할 수 있는 때를 기산점으로 하고, 제척기간은 권리가 발생한 때를 기산점으로 한다.

> 소멸시효는 객관적으로 권리가 발생하고 그 권리를 행사할 수 있는 때로부터 진행하고 그 권리를 행사할 수 없는 동안에는 진행하지 아니한다. 여기서 '권리를 행사할 수 없다'라고 함은 그 권리 행사에 법률상의 장애사유, 예컨대 기간의 미도래나 조건불성취 등이 있는 경우를 말하는 것이고, 사실상 그 권리의 존부나 권리 행사의 가능성을 알지 못하였거나 알지 못함에 과실이 없다고 하여도 이러한 사유는 법률상 장애사유에 해당한다고 할 수 없다(대판 2010. 9. 9, 2008다15865).

23 [정답] ③

㉮ × 자기완결적 신고의 경우 적법한 신고가 있으면 행정청의 수리 여부와 무관하게 신고서가 접수기관에 도달한 때 신고의무가 이행된 것으로 본다. 따라서 적법한 신고가 있은 후라면 행정청이 수리를 하지 않았더라도 신고의 대상이 되는 행위를 한 것이 행정벌의 대상이 되지 않는다.

> (피고인이 숭실대학교 정문으로부터 90m 떨어진 곳에서 법정시설요건을 갖추어 관할 행정청에 '당구장 신고'를 했으나 행정청이 학교보건법상의 이유를 들어 수리를 거절하였는데, 신고 후 수리거부 전 피고인이 10일간 영업을 하자 무신고영업으로 형사재판이 청구된 사건에서 당구장 신고는 자기완결적 신고로서 신고접수 후 수리 전에 영업을 하였더라도 무신고영업이 되는 것은 아니라고 판시하면서) 자기완결적 신고의 경우 요건미비의 신고를 한 후 영업행위를 하는 것은 무신고영업에 해당할 것이지만 적법한 요건을 갖춘 신고를 한 후에는 행정청의 수리 등 별도의 조치를 기다릴 것 없이 신고의 효과가 발생하므로 행정청의 수리가 거부되었다고 하여 무신고영업이 되는 것은 아니다(대판 1998. 4. 24, 97도3121).

㉯ ○

> 행정절차법 제17조 【처분의 신청】 ⑤ 행정청은 신청에 구비서류의 미비 등 흠이 있는 경우에는 보완에 필요한 상당한 기간을 정하여 지체 없이 신청인에게 보완을 요구하여야 한다.

> 건축불허가처분을 하면서 그 사유의 하나로 소방시설과 관련된 소방서장의 건축부동의 의견을 듣고 있으나 그 보완이 가능한 경우, 보완을 요구하지 아니한 채 곧바로 건축허가신청을 거부한 것은 재량권의 범위를 벗어난 것이다(위법하다는 의미)(대판 2004. 10. 15, 2003두6573).

㉰ ○

> 건축법 제14조 【건축신고】 ① 제11조에 해당하는 허가 대상 건축물이라 하더라도 다음 각 호의 어느 하나에 해당하는 경우에는 미리 특별자치시장·특별자치도지사 또는 시장·군수·구청장에게 국토교통부령으로 정하는 바에 따라 신고를 하면 건축허가를 받은 것으로 본다.
> 1. 바닥면적의 합계가 85제곱미터 이내의 증축·개축 또는 재축. 다만, 3층 이상 건축물인 경우에는 증축·개축 또는 재축하려는 부분의 바닥면적의 합계가 건축물 연면적의 10분의 1 이내인 경우로 한정한다.

❶ 구 건축법 제9조(현 제14조)상의 신고를 함으로써 허가를 받은 것으로 간주되는 경우의 건축신고는 자기완결적 신고이다.
구 건축법 제9조 제1항에 의하여 신고를 함으로써 건축허가를 받은 것으로 간주되는 경우에는 건축을 하고자 하는 자가 적법한 요건을 갖춘 신고만 하면 행정청의 수리행위 등 별다른 조치를 기다릴 필요 없이 건축을 할 수 있는 것이다(대판 1999. 10. 22, 98두18435).

❷ 건축신고 반려행위는 항고소송의 대상이 된다.
건축주 등으로서는 신고제하에서도 건축신고가 반려될 경우 당해 건축물의 건축을 개시하면 시정명령, 이행강제금, 벌금의 대상이 되거나 당해 건축물을 사용하여 행할 행위의 허가가 거부될 우려가 있어 불안정한 지위에 놓이게 된다. 따라서 건축신고 반려행위가 이루어진 단계에서 당사자로 하여금 반려행위의 적법성을 다투어 그 법적 불안을 해소한 다음 건축행위에 나아가도록 함으로써 장차 있을지도 모르는 위험에서 미리 벗어날 수 있도록 길을 열어주고, 위법한 건축물의 양산과 그 철거를 둘러싼 분쟁을 조기에 근본적으로 해결할 수 있게 하는 것이 법치행정의 원리에 부합한다. 그러므로 이 사건 건축신고 반려행위는 항고소송의 대상이 된다고 보는 것이 옳다(대판 2010. 11. 18, 2008두167).

㉱ ×

> 행정기본법 제34조 【수리 여부에 따른 신고의 효력】 법령 등으로 정하는 바에 따라 행정청에 일정한 사항을 통지하여야 하는 신고로서 법률에 신고의 수리가 필요하다고 명시되어 있는 경우(행정기관의 내부업무처리절차로서 수리를 규정한 경우는 제외한다)에는 행정청이 수리하여야 효력이 발생한다.

24 [정답] ②

① ○ 사인의 공법행위에는 민법의 비진의의사표시의 무효에 관한 규정은 적용되지 않는다.

> 이른바 1980년의 공직자숙정계획의 일환으로 일괄사표의 제출과 선별수리의 형식으로 공무원에 대한 의원면직처분이 이루어진 경우, 사직원 제출행위가 강압에 의하여 의사결정의 자유를 박탈당한 상태에서 이루어진 것이라고 할 수 없고 민법상 비진의의사표시의 무효에 관한 규정은 사인의 공법행위에 적용되지 않으므로 그 의원면직처분을 당연무효라고 할 수 없다(대판 2001. 8. 24, 99두9971).

> 민법 제107조 【진의 아닌 의사표시】 ① 의사표시는 표의자가 진의 아님을 알고 한 것이라도 그 효력이 있다. 그러나 상대방이 표의자의 진의 아님을 알았거나 이를 알 수 있었을 경우에는 무효로 한다.

② × 사인의 공법행위는 상대방에게 도달한 후에도 그에 의거한 행정행위가 성립하기 전에는 철회할 수 있음이 원칙이며, 우리 행정절차법도 이와 관련한 규정을 두고 있다. 다만, 법률에 명문규정이 있거나 성질상 불가능한 경우(예 선거 등), 신의칙상 허용될 수 없는 경우에는 철회가 인정되지 않는다.

행정절차법 제17조 【처분의 신청】 ⑧ 신청인은 처분이 있기 전에는 그 신청의 내용을 보완·변경하거나 취하(取下)할 수 있다. 다만, 다른 법령 등에 특별한 규정이 있거나 그 신청의 성질상 보완·변경하거나 취하할 수 없는 경우에는 그러하지 아니하다.

> 공무원의 사직 의사표시의 철회나 취소는 의원면직처분(사표수리)이 있기 전에는 허용된다.
> 공무원이 한 사직 의사표시의 철회나 취소는 그에 터 잡은 의원면직처분이 있을 때까지 할 수 있는 것이고, 일단 면직처분이 있고 난 이후에는 철회나 취소할 여지가 없다(대판 2001. 8. 24, 99두9971).

③ ○

> ❶ 공무원이 감사기관이나 상급관청 등의 강박에 의하여 사직서를 제출한 경우, 사직의 의사표시는 그 강박의 정도에 따라 무효 또는 취소가 된다.
> ❷ 사직서의 제출이 감사기관이나 상급관청 등의 강박에 의한 경우에는 그 정도가 의사결정의 자유를 박탈할 정도에 이른 것이라면 그 의사표시가 무효로 될 것이다(대판 1997. 12. 12, 97누13962).

④ ○

> 영업장 면적이 신고사항이 아니었다가 법령개정으로 변경신고사항이 된 경우, 영업장 면적 변경행위를 한 후 변경신고를 하지 않은 채 영업을 계속하면 처벌대상이 된다(대판 2022. 8. 25, 2020도12944).

25
[정답] ②

㉮ ✕

> ❶ 납골당설치신고는 이른바 '수리를 요하는 신고'라 할 것이므로 이에 대한 행정청의 수리처분이 있어야만 신고한 대로 납골당을 설치할 수 있다.
> ❷ 수리를 요하는 신고에서 수리란 신고를 유효한 것으로 판단하고 법령에 의하여 처리할 의사로 이를 수령하는 수동적 행위이므로 수리행위에 신고필증 교부 등 행위가 꼭 필요한 것은 아니다.
> 납골당설치신고는 이른바 '수리를 요하는 신고'라 할 것이므로, 납골당설치신고가 구 장사법 관련 규정의 모든 요건에 맞는 신고라 하더라도 신고인은 곧바로 납골당을 설치할 수는 없고, 이에 대한 행정청의 수리처분이 있어야만 신고한 대로 납골당을 설치할 수 있다. 한편, 수리란 신고를 유효한 것으로 판단하고 법령에 의하여 처리할 의사로 이를 수령하는 수동적 행위이므로 수리행위에 신고필증 교부 등 행위가 꼭 필요한 것은 아니다(대판 2011. 9. 8, 2009두6766).

비교판례

> 의료법 시행규칙 제22조 제3항 소정의 신고필증 교부는 신고사실의 확인행위로서 신고필증의 교부가 없다 하여 개설신고의 효력을 부정할 수 없다.
> 의료법에 의하면 의원, 치과의원, 한의원 또는 조산소의 개설은 단순한 신고사항으로만 규정하고 있고 또 그 신고의 수리 여부를 심사·결정할 수 있게 하는 별다른 규정도 두고 있지 아니하므로 의원의 개설신고를 받은 행정관청으로서는 별다른 심사·결정 없이 그 신고를 당연히 수리하여야 한다. 의료법 시행규칙에 의하면 의원개설신고서를 수리한 행정관청이 소정의 신고필증을 교부하도록 되어 있다 하여도 이는 신고사실의 확인행위로서 신고필증을 교부하도록 규정한 것에 불과하고 그와 같은 신고필증의 교부가 없다 하여 개설신고의 효력을 부정할 수 없다 할 것이다(대판 1985. 4. 23, 84도2953).

㉯ ○

> 의료법에 따라 정신과의원을 개설하려는 자가 법령에 규정되어 있는 요건을 갖추어 개설신고를 한 때에, 행정청은 원칙적으로 이를 수리하여 신고필증을 교부하여야 하고, 법령에서 정한 요건 이외의 사유를 들어 의원급 의료기관 개설신고의 수리를 거부할 수는 없다. …… 원심판결 이유 중 원고의 개설신고가 '수리를 요하지 않는 신고'라는 취지로 판시한 부분은 적절하지 않으나, 피고가 법령에서 정하지 않은 사유를 들어 위 개설신고 수리를 거부할 수 없다고 보아 이 사건 반려처분이 위법하다고 판단한 원심의 결론은 정당하다(대판 2018. 10. 25, 2018두44302).

㉰ ○

> 수산업법 제44조(현 제47조)에 따른 어업신고는 행위요건적 신고(수리를 요하는 신고)이다.
> 어업의 신고에 관하여 유효기간을 설정하면서 그 기산점을 '수리한 날'로 규정하고, …… 어업의 신고를 한 자가 공익상 필요에 의하여 한 행정청의 조치에 위반한 경우에 어업의 신고를 수리한 때에 교부한 어업신고필증을 회수하도록 하고 있는 규정취지에 비추어 보면, 개정 수산업법 제44조 소정의 어업의 신고는 행정청의 수리에 의하여 비로소 그 효과가 발생하는 이른바 '수리를 요하는 신고'라고 할 것이다(대판 2000. 5. 26, 99다37382).

㉱ ✕ 자기완결적 신고의 경우 적법한 신고가 있으면 행정청의 수리 여부와 무관하게 신고서가 접수기관에 도달한 때 신고의무가 이행된 것으로 본다.

> 골프장이용료 변경신고와 같은 「체육시설의 설치·이용에 관한 법률」 제18조(현 제20조)에 의한 행정청에 대한 신고에는 행정청의 수리행위가 필요 없다.
> 행정청에 대한 신고는 일정한 법률사실 또는 법률관계에 관하여 관계 행정청에 일방적으로 통고를 하는 것을 뜻하는 것으로서 법에 별도의 규정이 있거나 다른 특별한 사정이 없는 한 행정청에 대한 통고로써 그치는 것이고 그에 대한 행정청의 반사적 결정을 기다릴 필요가 없는 것이므로, 「체육시설의 설치·이용에 관한 법률」 제18조에 의한 변경신고서는 그 신고 자체가 위법하거나 그 신고에 무효 사유가 없는 한 이것이 도지사에게 제출하여 접수된 때에 신고가 있었다고 볼 것이고, 도지사의 수리행위가 있어야만 신고가 있었다고 볼 것은 아니다(대결 1993. 7. 6, 93마635).

제 3 회 | 소방 단원별 모의고사 정답과 해설

출제 범위 : 제9강 사인의 공법행위~제11강 행정규칙　　　　　　　　　　　문제 p.47

01	02	03	04	05
③	②	③	③	②
06	07	08	09	10
④	②	③	④	③
11	12	13	14	15
②	③	①	④	④
16	17	18	19	20
③	④	③	④	④
21	22	23	24	25
②	②	①	②	②

01　　　　　　　　　　　　　　　　　　　　　　　　　　정답 ③

㉮ ×

> 체육시설의 회원을 모집하고자 하는 자의 '회원모집계획서 제출'은 수리를 요하는 신고이며 이에 대한 시·도지사 등의 검토결과 통보는 수리행위로서 행정처분에 해당한다(대판 2009. 2. 26, 2006두16243).

㉯ ○

> ❶ 원격평생교육신고의 반려행위는 항고소송의 대상이 되는 행정처분이다.
> ❷ 통신매체를 이용하여 학습비를 받고 불특정 다수인에게 원격평생교육을 실시하기 위해 구 평생교육법 제22조 등에서 정한 형식적 요건을 모두 갖추어 신고한 경우, 행정청이 실체적 사유를 들어 신고수리를 거부할 수 없다.
>
> 구 평생교육법 제22조 제1·2·3항, 구 평생교육법 시행령 제27조 제1·2·3항에 의하면, 정보통신매체를 이용하여 학습비를 받지 아니하고 원격평생교육을 실시하고자 하는 경우에는 누구든지 아무런 신고 없이 자유롭게 이를 할 수 있고, <u>다만 위와 같은 교육을 불특정 다수인에게 학습비를 받고 실시하는 경우에는 이를 신고하여야 하나</u>, 법 제22조가 신고를 요하는 제2항과 신고를 요하지 않는 제1항에서 '학습비' 수수 외에 교육대상이나 방법 등 다른 요건을 달리 규정하고 있지 않을 뿐 아니라 제2항에서도 학습비 금액이나 수령 등에 관하여 아무런 제한을 하고 있지 않은 점에 비추어 볼 때, <u>행정청으로서는 신고서 기재사항에 흠결이 없고 정해진 서류가 구비된 때에는 이를 수리하여야 하고, 이러한 형식적 요건을 모두 갖추었음에도 신고대상이 된 교육이나 학습이 공익적 기준에 적합하지 않는다는 등 실체적 사유를 들어 신고수리를 거부할 수는 없다</u>(대판 2011. 7. 28, 2005두11784).

㉰ ×

> 장기요양기관의 폐업신고와 노인의료복지시설의 폐지신고는, 행정청이 관계 법령이 규정한 요건에 맞는지를 심사한 후 수리하는 이른바 '수리를 필요로 하는 신고'에 해당한다. 그러나 행정청이 그 신고를 수리하였다고 하더라도, 신고서 위조 등의 사유가 있어 신고행위 자체가 효력이 없다면, 그 수리행위는 유효한 대상이 없는 것으로서, 수리행위 자체에 중대·명백한 하자가 있는지를 따질 것도 없이 당연히 무효이다(대판 2018. 6. 12, 2018두33593).

㉱ ○ 보완의 대상이 되는 흠은 보완이 가능한 경우이어야 하고 그 내용도 형식적·절차적 요건이어야 하며, 실질적인 요건에 대하여는 원칙상 보완 또는 보정 요구를 하여야 하는 것은 아니다. 그러나 실질적인 요건에 흠이 있는 경우라도 그것이 민원인의 단순한 착오나 일시적인 사정에 의한 것이라면 보완의 대상이 된다.

> **행정절차법 제17조【처분의 신청】** ⑤ 행정청은 신청에 구비서류의 미비 등 흠이 있는 경우에는 보완에 필요한 상당한 기간을 정하여 지체 없이 신청인에게 보완을 요구하여야 한다.

> 위 규정 소정의 보완의 대상이 되는 흠은 보완이 가능한 경우이어야 함은 물론이고, 그 내용 또한 형식적·절차적인 요건이거나, 실질적인 요건에 관한 흠이 있는 경우라도 그것이 민원인의 단순한 착오나 일시적인 사정 등에 기한 경우 등이라야 한다. 건축불허가처분을 하면서 그 사유의 하나로 소방시설과 관련된 소방서장의 건축부동의 의견을 들고 있으나 그 보완이 가능한 경우, 보완을 요구하지 아니한 채 곧바로 건축허가신청을 거부한 것은 재량권의 범위를 벗어난 것이다(위법하다는 의미)(대판 2004. 10. 15, 2003두6573).

02　　　　　　　　　　　　　　　　　　　　　　　　　　정답 ②

㉮ ○

> 식품위생법에 따른 식품접객업의 영업신고요건을 갖추었으나, 그 영업신고를 한 당해 건축물이 무허가건물일 경우 영업신고는 부적법하다.
> 식품위생법과 건축법은 그 입법목적, 규정사항, 적용범위 등을 서로 달리하고 있어 식품접객업에 관하여 식품위생법이 건축법에 우선하여 배타적으로 적용되는 관계에 있다고는 해석되지 않는다. 그러므로 식품위생법에 따른 식품접객업(일반음식점영업)의 영업신고의 요건을 갖춘 자라고 하더라도, 그 영업신고를 한 당해 건축물이 건축법 소정의 허가를 받지 아니한 무허가건물이라면 적법한 신고를 할 수 없다(대판 2009. 4. 23, 2008도6829).

㈏ ✕

> 건축허가권자는 건축신고가 건축법, 「국토의 계획 및 이용에 관한 법률」 등 관계 법령에서 정하는 명시적인 제한에 배치되지 않는 경우에도 건축을 허용하지 않아야 할 중대한 공익상 필요가 있는 경우에는 건축신고의 수리를 거부할 수 있다(대판 2019. 10. 31, 2017두74320).

㈐ ○

> ❶ 건축법 제14조 제2항에 의한 인·허가 의제효과를 수반하는 건축신고는 일반적인 건축신고와는 달리 행정청이 그 실체적 요건에 관한 심사를 한 후 수리하여야 하는 이른바 '수리를 요하는 신고'에 해당한다.
> ❷ 「국토의 계획 및 이용에 관한 법률」상의 개발행위허가로 의제되는 건축신고가 개발행위허가의 기준을 갖추지 못한 경우, 행정청이 수리를 거부할 수 있다(대판 2011. 1. 20, 2010두14954 전합).

㈑ ✕

> ❶ 주민등록전입신고에 대하여 시장은 그 수리 여부를 심사할 수 있다.
> ❷ 시장 등의 주민등록전입신고 수리 여부에 대한 심사는 주민등록법의 입법목적의 범위 내에서 제한적으로 이루어져야 할 것이다.
> ❸ (무허가건축물을 실제 생활의 근거지로 삼아 10년 이상 거주해 온 사람의 주민등록전입신고를 거부한 사안에서) 투기나 이주대책 요구 등을 방지할 목적으로 주민등록전입신고를 거부하는 것은 주민등록법의 입법목적과 취지 등에 비추어 허용될 수 없다.
> 전입신고를 받은 시장·군수 또는 구청장의 심사대상은 전입신고자가 30일 이상 생활의 근거로 거주할 목적으로 거주지를 옮기는지 여부만으로 제한된다고 보아야 한다. 따라서 전입신고자가 거주의 목적 이외에 다른 이해관계에 관한 의도를 가지고 있는지 여부, 무허가건축물의 관리, 전입신고를 수리함으로써 당해 지방자치단체에 미치는 영향 등과 같은 사유는 주민등록법이 아닌 다른 법률에 의하여 규율되어야 하고, 주민등록전입신고의 수리 여부를 심사하는 단계에서는 고려대상이 될 수 없다. 그러므로 주민등록의 대상이 되는 실질적 의미에서의 거주지인지 여부를 심사하기 위하여 주민등록법의 입법목적과 주민등록의 법률상 효과 이외에 지방자치법 및 지방자치의 이념까지도 고려하여야 한다고 판시하였던 대법원 2002. 7. 9, 선고 2002두1748 판결은 이 판결의 견해에 배치되는 범위 내에서 변경하기로 한다(대판 2009. 6. 18, 2008두10997 전합).

🔖 관련판례

> 주민등록신고는 수리를 요하는 신고로서 주민등록의 신고는 행정청에 도달하기만 하면 신고로서의 효력이 발생하는 것이 아니라 행정청이 수리한 경우에 비로소 신고의 효력이 발생한다(대판 2009. 1. 30, 2006다17850).

03

[정답] ③

① ✕

> 행정청의 건축법상 착공신고 반려행위는 항고소송의 대상이 되는 처분이다.
> 건축주 등으로서는 착공신고가 반려될 경우, 당해 건축물의 착공을 개시하면 시정명령, 이행강제금, 벌금의 대상이 되거나 당해 건축물을 사용하여 행할 행위의 허가가 거부될 우려가 있어 불안정한 지위에 놓이게 된다. 따라서 착공신고 반려행위가 이루어진 단계에서 당사자로 하여금 반려행위의 적법성을 다투어 법적 불안을 해소한 다음 건축행위에 나아가도록 함으로써 장차 있을지도 모르는 위험에서 미리 벗어날 수 있도록 길을 열어주고, 위법한 건축물의 양산과 철거를 둘러싼 분쟁을 조기에 근본적으로 해결할 수 있게 하는 것이 법치행정의 원리에 부합한다. 그러므로 행정청의 착공신고 반려행위는 항고소송의 대상이 된다고 보는 것이 옳다(대판 2011. 6. 10, 2010두7321).

② ✕

> 숙박업을 하고자 하는 자가 법령이 정하는 시설과 설비를 갖추고 행정청에 신고를 하면, 행정청은 공중위생관리법령의 관련 규정에 따라 원칙적으로 이를 수리하여야 한다.
> 행정청이 법령이 정한 요건 이외의 사유를 들어 수리를 거부하는 것은 위 법령의 목적에 비추어 이를 거부해야 할 중대한 공익상의 필요가 있다는 등 특별한 사정이 있는 경우에 한한다. 이러한 법리는 이미 다른 사람 명의로 숙박업 신고가 되어 있는 시설 등의 전부 또는 일부에서 새로 숙박업을 하고자 하는 자가 신고를 한 경우에도 마찬가지이다. 기존에 다른 사람이 숙박업 신고를 한 적이 있더라도 새로 숙박업을 하려는 자가 그 시설 등의 소유권 등 정당한 사용권한을 취득하여 법령에서 정한 요건을 갖추어 신고하였다면, 행정청으로서는 특별한 사정이 없는 한 이를 수리하여야 하고, 단지 해당 시설 등에 관한 기존의 숙박업 신고가 외관상 남아 있다는 이유만으로 이를 거부할 수 없다(대판 2017. 5. 30, 2017두34087).

③ ○

> 구 유통산업발전법 제12조의2 제1·2·3항은 기존의 대규모점포의 등록된 유형 구분을 전제로 '대형마트로 등록된 대규모점포'를 일체로서 규제대상으로 삼고자 하는 데 취지가 있는 점, …… 등을 고려할 때 대규모점포의 개설 등록은 이른바 '수리를 요하는 신고'로서 행정처분에 해당한다(대판 2015. 11. 19, 2015두295 전합).

④ ✕ 수리를 요하는 신고의 경우 신고의 수리 또는 거부는 항고소송의 대상이 되는 처분이다.

> 구 「체육시설의 설치·이용에 관한 법률」 제20·27조에 의한 영업양수신고나 문화체육관광부령으로 정하는 체육시설업의 시설기준에 따른 필수시설인수신고를 수리하는 관계 행정청의 행위는 항고소송의 대상이 되는 행정처분이다(대판 2012. 12. 13, 2011두29144).

04
정답 ③

㉮ ○

> 행정절차법 제40조【신고】① 법령 등에서 행정청에 대하여 일정한 사항을 통지함으로써 의무가 끝나는 신고를 규정하고 있는 경우 신고를 관장하는 행정청은 신고에 필요한 구비서류와 접수기관 기타 법령 등에 의한 신고에 필요한 사항을 게시(인터넷 등을 통한 게시를 포함한다)하거나 이에 대한 편람을 비치하여 누구나 열람할 수 있도록 하여야 한다.
> ② 제1항의 규정에 의한 신고가 다음 각 호의 요건을 갖춘 경우에는 신고서가 접수기관에 도달된 때에 신고의 의무가 이행된 것으로 본다.
> 1. 신고서의 기재사항에 흠이 없을 것
> 2. 필요한 구비서류가 첨부되어 있을 것
> 3. 기타 법령 등에 규정된 형식상의 요건에 적합할 것

㉯ × 자기완결적 신고(행정절차법 제40조에서 규정하고 있는 신고)의 경우 부적법한 신고에 대해 행정청이 이를 수리하였더라도 신고의 효과가 발생하지 않는다. 따라서 요건미비의 부적법한 신고를 하고 신고영업을 영위한다면 수리 여부와 관계없이 그러한 영업은 무신고영업으로 불법 영업에 해당한다.

㉰ ×

> 구 관광진흥법 제8조 제4항에 의한 지위승계신고를 수리하는 허가관청의 행위는 단순히 양도·양수인 사이에 이미 발생한 사법상 사업양도의 법률효과에 의하여 양수인이 그 영업을 승계하였다는 사실의 신고를 접수하는 행위에 그치는 것이 아니라, 영업허가자의 변경이라는 법률효과를 발생시키는 행위이다(대판 2012. 12. 13, 2011두29144).

㉱ ○

> 특별소비세는 원칙적으로 신고에 의하여 그 과세표준과 세액이 확정되는 신고납세방식에 의한 조세이고, 다만 납세의무자가 법정기한 내에 자진신고납부를 하지 아니하거나 납부세액이 납부하여야 할 세액에 미달하는 경우에 비로소 부과납세방식에 의한 조세로 볼 수 있다 할 것이므로 납세의무자가 특별소비세 및 방위세를 자진신고납세방식에 의하여 납부하였다면 과세관청이 이를 수령한 행위는 단순한 사실행위에 불과하고 확인적 과세처분으로 볼 수 없다(대판 1990. 2. 27, 88누1837).

05
정답 ②

① ○

> 건축법 제14조 제2항에 의한 인·허가 의제효과를 수반하는 건축신고는 일반적인 건축신고와는 달리 행정청이 그 실체적 요건에 관한 심사를 한 후 수리하여야 하는 이른바 '수리를 요하는 신고'에 해당한다(대판 2011. 1. 20, 2010두14954 전합).

② ×

> 의료법 시행규칙 제22조 제3항 소정의 신고필증 교부는 신고사실의 확인행위로서 신고필증의 교부가 없다 하여 개설신고의 효력을 부정할 수 없다(대판 1985. 4. 23, 84도2953).

③ ○

❶ 부가가치세법상의 사업자등록은 과세관청으로 하여금 부가가치세의 납세의무자를 파악하고 그 과세자료를 확보하게 하려는 데 입법취지가 있는 것으로서, 이는 단순한 사업사실의 신고로서 사업자가 소관 세무서장에게 소정의 사업자등록신청서를 제출함으로써 성립되는 것이다.
❷ 부가가치세법상의 사업자등록은 단순한 사업사실의 신고로서 과세관청이 직권으로 등록을 말소한 행위는 행정처분이 아니다(대판 2000. 12. 22, 99두6903).

④ ○

> 구 노인복지법에 의한 유료노인복지주택의 설치신고를 받은 행정관청은 유료노인복지주택의 시설 및 운영기준이 위 법령에 부합하는지와 아울러 그 유료노인복지주택이 적법한 입소대상자에게 분양되었는지와 설치신고 당시 부적격자들이 입소하고 있지는 않은지까지 심사하여 그 신고의 수리 여부를 결정할 수 있다(대판 2007. 1. 11, 2006두14537).

06
정답 ④

① ×

❶ 납골당설치신고는 이른바 '수리를 요하는 신고'라 할 것이므로 이에 대한 행정청의 수리처분이 있어야만 신고한 대로 납골당을 설치할 수 있다.
❷ 수리를 요하는 신고에서 수리란 신고를 유효한 것으로 판단하고 법령에 의하여 처리할 의사로 이를 수령하는 수동적 행위이므로 수리행위에 신고필증 교부 등 행위가 꼭 필요한 것은 아니다(대판 2011. 9. 8, 2009두6766).

② ×

> 축산물위생관리법상 축산물판매업에 대한 신고는 자기완결적 신고이다. 따라서 부적법한 신고가 있었다면 그 신고를 행정청이 수리하였더라도 신고의 효과가 발생하지 않는다(대판 2010. 4. 29, 2009다97925).

③ ×

> 악취방지법상 악취배출시설 설치·운영신고는 수리를 요하는 신고로서 대도시의 장 등 관할 행정청은 악취배출시설 설치·운영신고의 수리 여부를 심사할 권한이 있다(대판 2022. 9. 7, 2020두40327).

④ ○

> 구 건축법 제9조 제1항에 의하여 신고를 함으로써 건축허가를 받은 것으로 간주되는 경우에는 건축을 하고자 하는 자가 적법한 요건을 갖춘 신고만 하면 행정청의 수리행위 등 별다른 조치를 기다릴 필요 없이 건축을 할 수 있는 것이므로, 행정청이 위 신고를 수리한 행위가 건축주는 물론이고 제3자인 인근 토지소유자나 주민들의 구체적인 권리·의무에 직접 변동을 초래하는 행정처분이라 할 수 없다(대판 1999. 10. 22, 98두18435).

07
정답 ②

㉮ ○ 사실상 영업이 양도·양수되었지만 아직 수리처분이 있기 전에는 종전 영업자인 양도인이 영업허가자이므로, 일정한 경우 양수인의 영업 중 발생한 위반행위에 대한 행정적인 책임은 양도인에게 귀속된다는 것이 판례의 입장이다. 따라서 취소처분의 상대방은 양도인 乙이 된다.

> 사실상 영업이 양도·양수되었지만 아직 승계신고 및 수리처분이 있기 이전인 경우, 양수인의 영업 중 발생한 위반행위에 대한 행정적인 책임은 영업허가자인 양도인에게 귀속된다(대판 1995. 2. 24, 94누9146).

㉯ ×

> 채석허가를 받은 자에 대한 관할 행정청의 채석허가취소처분에 대하여, 수허가자의 지위를 양수한 양수인에게 그 취소처분의 취소를 구할 법률상 이익이 있다.
> 산림법 제90조의2 제1항, 제118조 제1항, 같은 법 시행규칙 제95조의2 등 산림법령이 수허가자의 명의변경제도를 두고 있는 취지는, …… 허가자의 지위를 사실상 양수한 양수인의 이익을 보호하고자 하는 데 있는 것으로 해석되므로, 수허가자의 지위를 양수받아 명의변경신고를 할 수 있는 양수인의 지위는 단순한 반사적 이익이나 사실상의 이익이 아니라 산림법령에 의하여 보호되는 직접적이고 구체적인 이익으로서 법률상 이익이라고 할 것이고, 채석허가가 유효하게 존속하고 있다는 것이 양수인의 명의변경신고의 전제가 된다는 의미에서 관할 행정청이 양도인에 대하여 채석허가를 취소하는 처분을 하였다면 이는 양수인의 지위에 대한 직접적 침해가 된다고 할 것이므로 양수인은 채석허가를 취소하는 처분의 취소를 구할 법률상 이익을 가진다(대판 2003. 7. 11, 2001두6289).

㉰ ○ 채석허가 수허가자 명의변경신고는 행정청이 수리한 경우에 비로소 신고의 효력이 발생하는 행위요건적 신고(수리를 요하는 신고)로서 사인의 공법행위에 해당한다. 사인의 공법행위는 공권력 발동행위가 아니므로 행정행위에 인정되고 있는 특수한 효력(구속력)인 공정력, 집행력 등이 인정되지 않는다는 점에서 행정주체의 공법행위와 차이점이 있다.

> 채석허가 수허가자 명의변경신고는 수리를 요하는 신고에 해당한다(대판 2005. 12. 23, 2005두3554).

㉱ × 행정절차법은 수리를 요하는 신고가 아니라 자기완결적 신고에 관한 규정을 두고 있다.

08
정답 ③

㉮ × 육아휴직급여 신청기간을 정한 조항은 강행규정으로 훈시규정이라고 볼 수 없다.

> ❶ 구 고용보험법 제70조 제2항에서 정한 육아휴직급여 신청기간은 추상적 권리의 행사에 관한 '제척기간'이라고 봄이 타당하다.
> ❷ 육아휴직급여 신청기간을 정한 이 사건 조항(구 고용보험법 제70조 제2항("제1항에 따른 육아휴직급여를 지급받으려는 사람은 육아휴직을 시작한 날 이후 1개월부터 육아휴직이 끝난 날 이후 12개월 이내에 신청하여야 한다. 다만, 해당 기간에 대통령령으로 정하는 사유로 육아휴직급여를 신청할 수 없었던 사람은 그 사유가 끝난 후 30일 이내에 신청하여야 한다."))은 강행규정으로 훈시규정이라고 볼 수 없다(대판 2021. 3. 18, 2018두47264 전합).

㉯ ○

> 행정절차법 제17조 제5항이 행정청으로 하여금 신청에 대하여 거부처분을 하기 전에 반드시 신청인에게 신청의 내용이나 처분의 실체적 발급요건에 관한 사항까지 보완할 기회를 부여하여야 할 의무를 정한 것은 아니다.
> 행정절차법 제17조에 따르면, 행정청은 신청에 구비서류의 미비 등 흠이 있는 경우에는 보완에 필요한 상당한 기간을 정하여 지체 없이 신청인에게 보완을 요구하여야 하고(제5항), 신청인이 그 기간 내에 보완을 하지 않았을 때에는 그 이유를 구체적으로 밝혀 접수된 신청을 되돌려 보낼 수 있으며(제6항), 신청인은 처분이 있기 전에는 그 신청의 내용을 보완·변경하거나 취하할 수 있다(제8항 본문). 이처럼 행정절차법 제17조가 '구비서류의 미비 등 흠의 보완'과 '신청내용의 보완'을 분명하게 구분하고 있는 점에 비추어 보면, 행정절차법 제17조 제5항은 신청인이 신청할 때 관계 법령에서 필수적으로 첨부하여 제출하도록 규정한 서류를 첨부하지 않은 경우와 같이 쉽게 보완이 가능한 사항을 누락하는 등의 흠이 있을 때 행정청이 곧바로 거부처분을 하는 것보다는 신청인에게 보완할 기회를 주도록 함으로써 행정의 공정성·투명성 및 신뢰성을 확보하고 국민의 권익을 보호하려는 행정절차법의 입법목적을 달성하고자 함이지, 행정청으로 하여금 신청에 대하여 거부처분을 하기 전에 반드시 신청인에게 신청의 내용이나 처분의 실체적 발급요건에 관한 사항까지 보완할 기회를 부여하여야 할 의무를 정한 것은 아니라고 보아야 한다(대판 2020. 7. 23, 2020두36007).

㉰ ×

> **행정절차법 제17조【처분의 신청】** ⑤ 행정청은 신청에 구비서류의 미비 등 흠이 있는 경우에는 보완에 필요한 상당한 기간을 정하여 지체 없이 신청인에게 보완을 요구하여야 한다.

㉱ ○

> **행정절차법 제17조【처분의 신청】** ① 행정청에 처분을 구하는 신청은 문서로 하여야 한다. 다만, 다른 법령 등에 특별한 규정이 있는 경우와 행정청이 미리 다른 방법을 정하여 공시한 경우에는 그러하지 아니하다.
> ② 제1항에 따라 처분을 신청할 때 전자문서로 하는 경우에는 행정청의 컴퓨터 등에 입력된 때에 신청한 것으로 본다.

09
정답 ④

① × 법규명령의 제정에는 법률의 법규창조력의 원칙과 법률유보의 원칙이 적용되므로 법적 근거가 필요하다. 이에 반해 행정규칙은 법규가 아니므로 그 제정에는 법적 근거가 필요하지 않다. 행정규칙의 제정권은 상급기관의 감독권한에 포함되어 있다고 할 수 있다. 한편, 법규명령은 공포함으로써 성립하지만 행정규칙은 법규명령과 달리 공포라는 형식이 필요한 것은 아니고 관보 게재, 복사본 교부 등 적당한 방법으로 수명기관에 도달하면 효력이 발생한다.

② × 위임명령은 법률 또는 상위명령에서 구체적으로 범위를 정하여 위임한 사항을 규정하는 명령을 말하며, 위임된 범위 내에서는 새로이 국민의 권리·의무에 관한 사항을 규정할 수 있다. 이에 반해, 집행명령은 법률 또는 상위법령의 집행을 위하여 필요한 세부적·기술적 사항을 규정하는 명령으로, 신고서의 양식과 법령을 시행하기 위한 세부적 사항을 규정할 뿐 새로이 국민의 권리·의무에 관한 사항을 규정할 수는 없다. 또한 집행명령은 위임명령과 달리 새로운 국민의 권리·의무에 관한 사항을 규정하는 것은 아니므로 개별적·구체적 법적 근거는 필요하지 않다.

③ ✕

❶ 국회입법에 의한 수권이 입법기관이 아닌 행정기관에 법률 등으로 구체적인 범위를 정하여 위임한 사항에 관하여는 당해 행정기관에 법정립의 권한을 갖게 되고, 입법자가 규율의 형식도 선택할 수 있다 할 것이다.

❷ 따라서 헌법이 인정하고 있는 위임입법의 형식은 예시적인 것으로 보아야 할 것이고, 그것은 법률이 행정규칙에 위임하더라도 그 행정규칙은 위임된 사항만을 규율할 수 있으므로, 국회입법의 원칙과 상치되지도 않는다.

❸ 법률이 입법사항을 대통령령이나 부령이 아닌 고시와 같은 행정규칙의 형식으로 위임하는 것은 헌법 제40·75·95조 등과의 관계에서 일정한 한계 내에서 허용된다.

❹ 고시와 같은 형식으로 입법위임을 할 때에는 적어도 법령이 전문적·기술적 사항이나 경미한 사항으로서 업무의 성질상 위임이 불가피한 사항에 한정된다 할 것이고, 그러한 사항이라 하더라도 포괄위임금지의 원칙상 법률의 위임은 반드시 구체적·개별적으로 한정된 사항에 대하여 행하여져야 한다(헌재 2006. 12. 28, 2005헌바59).

행정규제기본법 제4조【규제 법정주의】 ② 규제는 법률에 직접 규정하되, 규제의 세부적인 내용은 법률 또는 상위법령에서 구체적으로 범위를 정하여 위임한 바에 따라 대통령령·총리령·부령 또는 조례·규칙으로 정할 수 있다. 다만, 법령에서 전문적·기술적 사항이나 경미한 사항으로서 업무의 성질상 위임이 불가피한 사항에 관하여 구체적으로 범위를 정하여 위임한 경우에는 고시 등으로 정할 수 있다.

④ ○

❶ 처벌법규나 조세법규와 같이 국민의 기본권을 직접적으로 제한하거나 침해할 소지가 있는 영역에서는 일반적인 급부행정의 영역에서보다 위임의 구체성·명확성의 요구가 강화된다(헌재 2002. 8. 29, 2000헌바50 등).

❷ 보건위생 등 급부행정영역에서는 침해영역보다 구체성 요구가 다소 약화되어도 무방하다(대결 1995. 12. 8, 95카기16).

10 [정답] ③

① ○

❶ 법률에서 위임받은 사항을 전혀 규정하지 않고 전면적으로 재위임하는 것은 금지되나 위임받은 사항에 관하여 대강을 정하고 그중의 특정 사항을 다시 하위법령에 위임하는 것은 허용될 수 있다(헌재 1996. 2. 29, 94헌마213).

❷ 법령불소급의 원칙은 법령의 효력발생 전에 완성된 요건사실에 대하여 당해 법령을 적용할 수 없다는 의미일 뿐, 계속 중인 사실이나 그 이후에 발생한 요건사실에 대한 법령적용까지를 제한하는 것은 아니다(대판 2014. 4. 24, 2013두26552).

② ○

위임명령이 위임내용을 구체화하는 단계를 벗어나 새로운 입법을 한 것으로 평가할 수 있다면, 이는 위임의 한계를 일탈한 것으로서 허용되지 않는다.

법률이 특정 사안과 관련하여 시행령에 위임을 한 경우 시행령이 위임의 한계를 준수하고 있는지를 판단할 때는 당해 법률규정의 입법목적과 규정내용, 규정의 체계, 다른 규정과의 관계 등을 종합적으로 살펴야 한다. 법률의 위임규정 자체가 그 의미내용을 정확하게 알 수 있는 용어를 사용하여 위임의 한계를 분명히 하고 있는데도 시행령이 그 문언적 의미의 한계를 벗어났다든지, 위임규정에서 사용하고 있는 용어의 의미를 넘어 그 범위를 확장하거나 축소함으로써 위임내용을 구체화하는 단계를 벗어나 새로운 입법을 한 것으로 평가할 수 있다면, 이는 위임의 한계를 일탈한 것으로서 허용되지 않는다(대판 2012. 12. 20, 2011두30878 전합).

③ ✕ 법률에서 포괄위임금지 등 위임의 한계를 준수하여 대통령령에 위임하였음에도, 대통령령이 그 한계를 넘어 헌법에 위반되는 사항을 정한 경우를 생각해 보자. 이 경우 비록 대통령령이 위헌이라고 하더라도 모법인 법률이 위헌이 되는 것은 아니며 판례 또한 동일한 입장이다.

위임입법의 법리는 헌법의 근본원리인 권력분립주의와 의회주의 내지 법치주의에 바탕을 두는 것이기 때문에 행정부에서 제정된 대통령령에서 규정한 내용이 정당한 것인지 여부와 위임의 적법성은 직접적인 관계가 없다. 따라서 대통령령으로 규정한 내용이 헌법에 위반될 경우라도 그 대통령령의 규정이 위헌으로 되는 것은 별론으로 하고 그로 인하여 정당하고 적법하게 입법권을 위임한 수권법률조항까지 위헌으로 되는 것은 아니다(헌재 1997. 9. 25, 96헌바18).

④ ○ 대통령령은 법제처 심사와 국무회의 심의를 거쳐야 하며, 총리령과 부령은 국무회의 심의를 거칠 필요는 없고 법제처의 심사를 거치면 된다.

헌법 제89조 다음 사항은 국무회의의 심의를 거쳐야 한다.
3. 헌법개정안·국민투표안·조약안·법률안 및 대통령령안

정부조직법 제23조【법제처】 ① 국무회의에 상정될 법령안·조약안과 총리령안 및 부령안의 심사와 그 밖에 법제에 관한 사무를 전문적으로 관장하기 위하여 국무총리 소속으로 법제처를 둔다.

11 [정답] ②

㉮ ○

(중학교 의무교육의 단계적 실시에 관해 대통령령에 위임한 것과 관련하여) 다양한 사실관계를 규율하거나 사실관계가 수시로 변화할 수 있는 사안에 대해서는 그 성격상 명확성의 요구가 좀 더 완화될 수 있다.

다양한 사실관계를 규율하거나 사실관계가 수시로 변화될 것이 예상될 때에는 위임의 명확성의 요건이 완화되어야 한다. 따라서 중학교는 의무교육의 구체적인 실시시기와 절차 등을 하위법령에 위임하여 정하도록 함에 있어서는 막대한 재정지출을 수반하는 무상교육의 수익적 성격과 규율대상의 복잡다양성을 고려하여 위임의 명확성의 요구 정도를 완화하여 해석할 수 있는 것이다(헌재 1991. 2. 11, 90헌가27).

㉯ ✕

행정각부의 장이 정하는 고시가 비록 법령에 근거를 둔 것이라고 하더라도 그 규정내용이 법령의 위임범위를 벗어난 것일 경우에는 법규명령으로서의 대외적 구속력을 인정할 여지는 없다(대결 2006. 4. 28, 2003마715).

㉰ ✕

> 법률의 시행령이나 시행규칙의 내용이 모법의 입법취지와 관련 조항 전체를 유기적·체계적으로 살펴보아 모법의 해석상 가능한 것을 명시한 것에 지나지 않거나 모법 조항의 취지에 근거하여 이를 구체화하기 위한 것인 경우, 모법에 직접 위임하는 규정을 두지 않았다고 하여 무효라고 볼 수는 없다(대판 2014. 8. 20, 2012두19526).

㉱ ○

> 「도시 및 주거환경정비법」 제28조 제4항 본문이 사업시행인가 신청시의 동의요건을 조합의 정관에 포괄적으로 위임하고 있다고 하더라도 헌법 제75조가 정하는 포괄위임입법금지의 원칙이 적용되지 아니하므로 이에 위배된다고 할 수 없다(대판 2007. 10. 12, 2006두14476).

12 [정답] ③

① ✕

> 입법부가 법률로써 행정부에게 특정한 사항을 위임했음에도 불구하고 행정부가 정당한 이유 없이 이를 이행하지 않는다면 권력분립의 원칙과 법치국가 내지 법치행정의 원칙에 위배되는 것으로서 위법함과 동시에 위헌적인 것이 된다(대판 2007. 11. 29, 2006다3561).

② ✕ 법률이 집행되기 위해서 시행규칙 등 행정입법이 제정되어야 하는 경우에 행정청은 행정입법을 제정할 의무가 있으나, 법률의 규정이 그 내용에 있어 충분히 명확한 경우에는 행정입법의 제정의무는 없다고 할 것이다.

> 행정입법부작위의 위헌·위법성과 관련하여 하위행정입법의 제정 없이 상위법령의 규정만으로도 집행이 이루어질 수 있는 경우라면 하위행정입법을 제정하여야 할 작위의무는 인정되지 아니한다고 할 것이다(헌재 2005. 12. 22, 2004헌마66).

③ ○ 헌법소원의 대상은 공권력의 행사 또는 불행사인데 시행령 등 행정입법을 제정할 법적 의무가 있는 경우에, 입법의 거부나 부작위는 공권력의 불행사에 해당하므로 헌법소원의 대상이 된다. 또한 행정입법부작위는 행정소송의 대상이 아니므로 다른 구제절차가 없는 경우에 해당하여 헌법재판소법 제68조 제1항 단서의 보충성원칙에 대한 예외에 해당한다.

> 행정입법부작위도 헌법소원의 대상이 될 수 있다.
> 헌법에서 기본권 보장을 위해 법령에 명시적인 입법위임을 하였음에도 입법자가 이를 이행하지 않을 때, 그리고 헌법해석상 특정인에게 구체적인 기본권이 생겨 이를 보장하기 위한 국가의 행위의무 내지 보호의무가 발생하였음이 명백함에도 불구하고 입법자가 전혀 아무런 입법조치를 취하고 있지 않은 경우가 여기에 해당될 것이며, 이때에는 입법부작위가 헌법소원의 대상이 된다고 봄이 상당할 것이다(헌재 1998. 7. 16, 96헌마246).

> **헌법재판소법 제68조【청구사유】** ① 공권력의 행사 또는 불행사(不行使)로 인하여 헌법상 보장된 기본권을 침해받은 자는 법원의 재판을 제외하고는 헌법재판소에 헌법소원심판을 청구할 수 있다. 다만, 다른 법률에 구제절차가 있는 경우에는 그 절차를 모두 거친 후에 청구할 수 있다.

④ ✕ 행정입법부작위로 인해 손해가 발생한 경우 손해배상청구의 요건을 충족하면 손해배상청구권이 인정될 수 있다.

> ❶ 법률에서 군법무관의 보수의 구체적 내용을 시행령에 위임했음에도 불구하고 행정부가 정당한 이유 없이 시행령을 제정하지 않은 것은 불법행위에 해당하여 국가배상청구가 가능하다.
> ❷ 행정입법부작위로 인하여 손해가 발생한 경우에 과실이 인정되는 경우에는 국가배상청구가 가능하다(대판 2007. 11. 29, 2006다3561).

13 [정답] ①

㉮ ✕ 부작위위법확인소송의 대상은 행정소송법의 조문을 고려할 때 '처분'의 부작위이지 '입법'의 부작위는 아니다. 따라서 행정입법부작위의 경우 부작위위법확인소송의 대상이 되지 않는다는 것이 판례의 입장이다.

> 추상적인 법령의 제정 여부 등은 부작위위법확인소송의 대상이 될 수 없다.
> 행정소송은 구체적 사건에 대한 법률상 분쟁을 법에 의하여 해결함으로써 법적 안정을 기하자는 것이므로 부작위위법확인소송의 대상이 될 수 있는 것은 구체적 권리·의무에 관한 분쟁이어야 하고 추상적인 법령에 관하여 제정의 여부 등은 그 자체로서 국민의 구체적인 권리·의무에 직접적 변동을 초래하는 것이 아니어서 그 소송의 대상이 될 수 없다(대판 1992. 5. 8, 91누11261).

> **행정소송법 제2조【정의】** ① 이 법에서 사용하는 용어의 정의는 다음과 같다.
>   2. '부작위'라 함은 행정청이 당사자의 신청에 대하여 상당한 기간 내에 일정한 처분을 하여야 할 법률상 의무가 있음에도 불구하고 이를 하지 아니하는 것을 말한다.
> **제4조【항고소송】** 항고소송은 다음과 같이 구분한다.
>   3. 부작위위법확인소송 : 행정청의 부작위가 위법하다는 것을 확인하는 소송

㉯ ✕

> 부진정입법부작위를 대상으로 헌법소원을 제기하려면 그것이 평등의 원칙에 위배된다는 등 헌법 위반을 내세워 적극적인 헌법소원을 제기하여야 하며, 이 경우에는 헌법재판소법 소정의 제소기간(청구기간)을 준수하여야 한다(헌재 1996. 10. 31, 94헌마204).

㉰ ○

> ❶ 국회가 법률로 행정청에 특정한 사항을 위임했음에도 불구하고 행정청이 정당한 이유 없이 이를 이행하지 않는다면 권력분립의 원칙과 법치국가 또는 법치행정의 원칙에 위배되는 것으로서 위법함과 동시에 위헌적인 것이 되고, 이는 행정청이 법률에서 대통령령으로 정하도록 위임받은 사항을 전혀 입법하지 않은 경우는 물론 그 법률이 위임한 사항을 불충분하게 규정함으로써 법률이 위임한 행정입법의무를 제대로 이행하지 않은 경우도 마찬가지로 국가배상법 제2조 제1항에서 정한 요건이 인정되면 국가배상책임이 인정될 수 있다.
> ❷ 행정입법의무의 불이행으로 인해 장애인의 접근권이 침해된 경우, 그로 인하여 장애인이 입게 되는 정신적 손해에 대한 국가의 위자료 지급의무가 인정된다.
> 국가배상법 제2조 제5항이 생명, 신체의 침해에 따른 위자료의 지급을 규정하고 있을 뿐이라 하더라도, 이는 생명, 신체 외의 다른 권리의 침해에 따른 위자료의 지급의무를 배제하는 것이라고

볼 수 없다. 장애인의 접근권이 침해된 경우에도 그로 인하여 장애인이 입게 되는 정신적 손해에 대한 국가의 위자료 지급의무가 배제되지 않는다(대판 2024. 12. 19, 2022다289051 전합).

㉣ ○

입법부가 행정부에 시행령의 제정이나 개정을 위임하면서 제시하고 있는 기준이 일의적이지 않고 구체적인 시행시기나 그 내용에 대하여 행정부에 광범위한 재량을 부여한 경우에, 행정부가 법의 위임 기준에 따른 행정입법을 이행하려 노력하였으나 이를 이행하는 것이 헌법상의 평등원칙 위반 등의 문제를 야기할 수밖에 없어 행정입법을 지체하고 있다면, 이러한 경우 역시 행정부가 위임입법에 따른 시행명령을 제정하지 못한 것에 정당한 이유가 있다고 할 것이다(헌재 2023. 10. 26, 2020헌마93).

14 정답 ④

① × 내부위임은 행정청의 권한이 내부적으로만 이전되고 대외적으로는 위임행정청이 권한을 가지고 있으며, 법적 근거가 불필요한 반면, 행정권한의 위임은 권한의 법적인 귀속을 변경하는 것이므로 법률이 위임을 허용하고 있는 경우에 한하여 인정된다.

② ×

행정관청 내부의 사무처리규정에 불과한 전결규정에 위반하여 원래의 전결권자 아닌 보조기관 등이 처분권자인 행정관청의 이름으로 행정처분을 한 경우, 그 처분은 무효가 아니다.
전결과 같은 행정권한의 내부위임은 법령상 처분권자인 행정관청이 내부적인 사무처리의 편의를 도모하기 위하여 그의 보조기관 또는 하급행정관청으로 하여금 그의 권한을 사실상 행사하게 하는 것으로서 법률이 위임을 허용하지 않는 경우에도 인정되는 것이므로, 설사 행정관청 내부의 사무처리규정에 불과한 전결규정에 위반하여 원래의 전결권자 아닌 보조기관 등이 처분권자인 행정관청의 이름으로 행정처분을 하였다고 하더라도 그 처분이 권한 없는 자에 의하여 행하여진 무효의 처분이라고는 할 수 없다(대판 1998. 2. 27, 97누1105).

③ ×

구 「청소년 보호법」 제49조 제1·2항의 위임에 따른 같은 법 시행령 제40조 [별표 6]의 위반행위의 종별에 따른 과징금처분기준은 법규명령이나, 처분기준에 규정된 금액은 정액이 아닌 최고한도액이라고 할 것이다(대판 2001. 3. 9, 99두5207).

④ ○

위헌·위법한 시행령의 무효를 선언한 대법원 판결이 없는 상태에서 그러한 시행령에 근거하여 이루어진 처분은 원칙적으로 당연무효라고 할 수 없다.
일반적으로 시행령이 헌법이나 법률에 위반된다는 사정은 그 시행령의 규정을 위헌 또는 위법하여 무효라고 선언한 대법원의 판결이 선고되지 아니한 상태에서는 그 시행령 규정의 위헌 내지 위법 여부가 해석상 다툼의 여지가 없을 정도로 명백하였다고 인정되지 아니하는 이상, 객관적으로 명백한 것이라 할 수 없으므로, 이러한 시행령에 근거한 행정처분의 하자는 취소사유에 해당할 뿐 무효사유가 되지 아니한다(대판 2007. 6. 14, 2004두619).

💡Tip 위 판례는 시행령에 관한 판례이지만 조례의 경우도 마찬가지이다(대판 2009. 10. 29, 2007두26285 참조).

15 정답 ④

① ×

특정 사안과 관련하여 법률에서 하위법령에 위임을 한 경우에 모법의 위임범위를 확정하거나 하위법령이 위임의 한계를 준수하고 있는지 여부를 판단할 때에는, 하위법령이 규정한 내용이 입법자가 형식적 법률로 스스로 규율하여야 하는 본질적 사항으로서 의회유보의 원칙이 지켜져야 할 영역인지, 당해 법률규정의 입법목적과 규정내용, 규정의 체계, 다른 규정과의 관계 등을 종합적으로 고려하여야 하고, 위임규정 자체에서 의미내용을 정확하게 알 수 있는 용어를 사용하여 위임의 한계를 분명히 하고 있는데도 문언적 의미의 한계를 벗어났는지나, 하위법령의 내용이 모법 자체로부터 위임된 내용의 대강을 예측할 수 있는 범위 내에 속한 것인지, 수권규정에서 사용하고 있는 용어의 의미를 넘어 범위를 확장하거나 축소하여서 위임내용을 구체화하는 단계를 벗어나 새로운 입법을 한 것으로 평가할 수 있는지 등을 구체적으로 따져보아야 한다(대판 2015. 8. 20, 2012두23808 전합).

② × 하자 있는 행정행위가 무효 또는 취소할 수 있는 행위가 되는 것과 달리, 하자 있는 법규명령은 무효가 된다는 것이 통설의 입장이다.

③ ×

노인복지법 제13조 제2항에 따른 노인복지법 시행령 제17조, 제20조 제1항은 노령수당의 지급대상자의 연령범위에 관하여 위 법 조항과 동일하게 '65세 이상의 자'로 반복하여 규정한 다음 소득수준 등을 참작한 일정 소득 이하의 자라고 하는 지급대상자의 선정기준과 그 지급대상자에 대한 구체적인 지급수준(지급액) 등의 결정을 보건사회부장관(현 보건복지부장관)에게 위임하고 있으므로, …… 보건사회부장관이 정한 1994년도 노인복지사업지침은 노령수당의 지급대상자를 '70세 이상'의 생활보호대상자로 규정함으로써 당초 법령이 예정한 노령수당의 지급대상자를 부당하게 축소·조정하였고, 따라서 위 지침 가운데 노령수당의 지급대상자를 '70세 이상'으로 규정한 부분은 법령의 위임한계를 벗어난 것이어서 그 효력이 없다(대판 1996. 4. 12, 95누7727).

④ ○

산업재해보상보험법 시행령 [별표 3] '업무상 질병에 대한 구체적인 인정기준'은 '뇌혈관 질병 또는 심장 질병', '근골격계 질병'의 업무상 질병 인정 여부 결정에 필요한 사항은 고용노동부장관이 정하여 고시하도록 위임하고 있다(제1호 (다)목, 제2호 (마)목). 위임근거인 산업재해보상보험법 시행령 [별표 3] '업무상 질병에 대한 구체적인 인정기준'이 예시적 규정에 불과한 이상, 그 위임에 따른 고용노동부 고시가 대외적으로 국민과 법원을 구속하는 효력이 있는 규범이라고 볼 수는 없고, 상급행정기관이자 감독기관인 고용노동부장관이 그 지도·감독 아래 있는 근로복지공단에 대하여 행정내부적으로 업무처리지침이나 법령의 해석·적용기준을 정해주는 '행정규칙'이라고 보아야 한다(대판 2020. 12. 24, 2020두39297).

16 [정답] ③

㉮ ○

> 법령의 규정이 특정 행정기관에게 법령내용의 구체적 사항을 정할 수 있는 권한을 부여하면서 권한 행사의 절차나 방법을 특정하지 아니한 경우에는 수임행정기관은 행정규칙이나 규정형식으로 법령 내용이 될 사항을 구체적으로 정할 수 있다. 이 경우 행정규칙 등은 당해 법령의 위임한계를 벗어나지 않는 한 대외적 구속력이 있는 법규명령으로서 효력을 가지게 되지만, 이는 행정규칙이 갖는 일반적 효력이 아니라 행정기관에 법령의 구체적 내용을 보충할 권한을 부여한 법령규정의 효력에 근거하여 예외적으로 인정되는 것이다. 따라서 <u>그 행정규칙이나 규정이 상위법령의 위임범위를 벗어난 경우에는 법규명령으로서 대외적 구속력을 인정할 여지는 없다. 이는 행정규칙이나 규정 '내용'이 위임범위를 벗어난 경우뿐 아니라 상위법령의 위임규정에서 특정하여 정한 권한 행사의 '절차'나 '방식'에 위배되는 경우도 마찬가지이므로, 상위법령에서 세부사항 등을 시행규칙으로 정하도록 위임하였음에도 이를 고시 등의 행정규칙으로 정하였다면 그 역시 대외적 구속력을 가지는 법규명령으로서 효력이 인정될 수 없다</u>(대판 2012. 7. 5, 2010다72076).

㉯ × 형식은 행정규칙이지만 내용적으로는 법률을 보충하는 법규명령의 성질을 띤 <u>행정규칙(법령보충규칙)</u>에 대해 수권법령(상위법령)과 결합하여 대외적인 구속력이 있는 법규명령으로서의 효력을 갖는다는 것이 판례의 입장이다.

> ❶ <u>법령보충적 행정규칙은 그 자체로서 직접적으로 대외적인 구속력을 갖는 것은 아니나 상위법령과 결합되어 일체가 되는 한도 내에서 상위법령의 일부가 됨으로써 대외적 구속력이 발생된다.</u> 이른바 법령보충적 행정규칙이라도 그 자체로서 직접적으로 대외적인 구속력을 갖는 것은 아니다. 즉, 상위법령과 결합되어 일체가 되는 한도 내에서 상위법령의 일부가 됨으로써 대외적 구속력이 발생되는 것일 뿐 그 행정규칙 자체는 대외적 구속력을 갖는 것은 아니라 할 것이다(헌재 2004. 10. 28, 99헌바91).
>
> ❷ 법령의 규정이 특정 행정기관에 그 법령내용의 구체적 사항을 정할 수 있는 권한을 부여하면서 권한 행사의 절차나 방법을 특정하고 있지 않은 관계로 수임행정기관이 행정규칙의 형식으로 법령의 내용이 될 사항을 구체적으로 정하고 있는 경우, 그러한 행정규칙, 규정은 행정조직 내부에서만 효력을 가질 뿐 대외적인 구속력을 갖지 않는 행정규칙의 일반적 효력으로서가 아니라, 행정기관에 법령의 구체적 내용을 보충할 권한을 부여한 법령규정의 효력에 의하여 그 내용을 보충하는 기능을 갖게 되고, 따라서 당해 법령의 위임한계를 벗어나지 아니하는 한 그것들과 결합하여 대외적인 구속력이 있는 법규명령으로서의 효력을 갖게 된다(대판 1998. 6. 9, 97누19915).

㉰ ○

> (소득세법령에 따르면 부동산을 양도한 경우 양도차익계산을 기준시가에 의하도록 하면서 투기억제를 위해 필요한 경우 국세청장이 지정하는 거래에 있어서는 실거래가를 적용하여 양도차익을 계산하도록 위임하였으나 그 지정의 절차나 방법에 관해 아무런 제한을 두고 있지 않아서 국세청장이 훈령인 재산제세사무처리규정으로 투기거래 유형을 열거한 것과 관련하여) <u>국세청장훈령인 재산제세조사사무처리규정은 상위법령과 결합하여 법규명령으로서의 효력을 갖는다.</u>
> 국세청장으로 하여금 양도소득세의 실지거래가액이 적용될 부동산투기억제를 위하여 필요하다고 인정되는 거래를 지정하게 하면서 그 지정의 절차나 방법에 관하여 아무런 제한을 두고 있지 아니하고 있고 이에 따라 국세청장이 재산제세사무처리규정 제72조 제3항에서 양도소득세의 실지거래가액이 적용될 부동산투기억제를 위하여 필요하다고 인정되는 거래의 유형을 열거하고 있으므로 이는 비록 위 재산제세사무처리규정이 국세청장의 훈령 형식으로 되어 있다 하더라도 이에 의한 거래지정은 소득세법 시행령의 위임에 따라 그 규정의 내용을 보충하는 기능을 가지면서 그와 결합하여 대외적 효력을 발생하게 된다 할 것이고 그 보충규정의 내용이 위 법령의 위임한계를 벗어났다는 등 특별한 사정이 없는 한 양도소득세의 실지거래가액에 의한 과세의 법령상의 근거가 된다고 할 것이다(대판 1987. 9. 29, 86누484).

㉱ ○ 행정규칙 형식의 법규명령(이른바 법령보충규칙)도 법규명령에 해당하므로 포괄적 위임금지 등 위임입법의 한계를 준수하여야 한다.

> 행정규칙은 법규명령과 같은 엄격한 제정 및 개정절차를 요하지 아니하므로, 재산권 등과 같은 기본권을 제한하는 작용을 하는 법률이 입법위임을 할 때에는 대통령령, 총리령, 부령 등 법규명령에 위임함이 바람직하고, <u>고시와 같은 형식으로 입법위임을 할 때에는 적어도 행정규제기본법 제4조 제2항 단서에서 정한 바와 같이 법령이 전문적·기술적 사항이나 경미한 사항으로서 업무의 성질상 위임이 불가피한 사항에 한정된다 할 것이고, 그러한 사항이라 하더라도 포괄위임금지의 원칙상 법률의 위임은 반드시 구체적·개별적으로 한정된 사항에 대하여 행하여져야 한다</u>(헌재 2006. 12. 28, 2005헌바59).

㉲ × 법규성이 인정된다 하더라도 행정규칙의 형식으로 제정된 이상 법규명령의 형식과 같이 반드시 공포 등의 절차를 거칠 필요는 없다.

> 법령보충규칙은 상위법령과 결합하여 법규성을 가지나 그 자체가 법규명령은 아니므로 적당한 방법으로 일반인에게 표시 또는 통보함으로써 효력이 발생한다.
> 수입선다변화품목의 지정 및 그 수입절차 등에 관한 1991. 5. 13.자 상공부(현 산업통상자원부) 고시 제91-21호는 그 근거가 되는 대외무역법 시행령 제35조의 규정을 보충하는 기능을 가지면서 그와 결합하여 대외적인 구속력이 있는 법규명령의 효력을 가지는 것으로서 그 시행절차에 관하여 대외무역관리규정은 아무런 규정을 두고 있지 않으나, <u>그 자체가 법령은 아니고 행정규칙에 지나지 않으므로 적당한 방법으로 이를 일반인 또는 관계인에게 표시 또는 통보함으로써 그 효력이 발생한다</u>(대판 1993. 11. 23, 93도662).

17 [정답] ④

㉮ × 해당 조항이 위헌·위법인지에 따라 그 사건을 담당하는 법원이 다른 판단을 하게 될 것까지 요한다는 것이 판례의 입장이다.

> <u>법원이 법률 하위의 법규명령, 규칙, 조례, 행정규칙 등(이하 '규정'이라 한다)이 위헌·위법인지를 심사하려면 그것이 '재판의 전제'가 되어야 한다. 여기에서 '재판의 전제'란 구체적 사건이 법원에 계속 중이어야 하고, 위헌·위법인지가 문제된 경우에는 규정의 특정 조항이 해당 소송 사건의 재판에 적용되는 것이어야 하며, 그 조항이 위헌·위법인지에 따라 그 사건을 담당하는 법원이 다른 판단을 하게 되는 경우를 말한다. 따라서 법원이 구체적 규범통제를 통해 위헌·위법으로 선언할 심판대상은, 해당 규정의 전부가 불가분적으로 결합되어 있어 일부를 무효로 하는 경우 나머지 부분이 유지될 수 없는 결과를 가져오는 특별한 사정이 없는 한, 원칙적으로 해당 규정 중 재판의 전제성이 인정되는 조항에 한정된다</u>(대판 2019. 6. 13, 2017두33985).

④ ✕ 대법원은 유신헌법상의 대통령이 발동하는 긴급조치는 국회가 관여하는 것이 아니므로 법률이라고 볼 수 없으므로 최종적으로 대법원이 심사할 수 있다고 판시한 바 있으나, 헌법재판소는 위헌법률심사의 대상이 되는 '법률'인지 여부는 그 제정 형식이나 명칭이 아니라 규범의 효력을 기준으로 판단하여야 한다고 보면서 법률과 동일한 효력을 가지는 유신헌법상의 긴급조치의 위헌 여부 심사권한은 헌법재판소에 전속한다고 보았다.

㉲ ○

> (두밀분교폐지조례 사건에서) 조례가 집행행위의 개입 없이도 그 자체로서 직접 국민의 구체적인 권리·의무나 법적 이익에 영향을 미치는 등의 법률상 효과를 발생하는 경우 그 조례는 항고소송의 대상이 되는 행정처분에 해당한다(대판 1996. 9. 20, 95누8003).

㉳ ○

> 법규명령 등이 별도의 집행행위를 기다리지 않고 직접 기본권을 침해하는 것인 때에는 헌법소원심판의 대상이 될 수 있다.
> 헌법 제107조 제2항이 규정한 명령·규칙에 대한 대법원의 최종심사권이란 구체적인 소송 사건에서 명령·규칙의 위헌 여부가 재판의 전제가 되었을 경우 법률의 경우와는 달리 헌법재판소에 제청할 것 없이 대법원이 최종적으로 심사할 수 있다는 의미이며, 동법 제111조 제1항 제1호에서 법률의 위헌여부심사권을 헌법재판소에 부여한 이상 통일적인 헌법해석과 규범통제를 위하여 공권력에 의한 기본권 침해를 이유로 하는 헌법소원심판청구 사건에 있어서 법률의 하위규범인 명령·규칙의 위헌여부심사권이 헌법재판소의 관할에 속함은 당연한 것으로서 동법 제107조 제2항의 규정이 이를 배제한 것이라고는 볼 수 없다. …… 헌법재판소법 제68조 제1항이 규정하고 있는 헌법소원심판의 대상으로서의 '공권력'이란 입법·사법·행정 등 모든 공권력을 말하는 것이므로 입법부에서 제정한 법률, 행정부에서 제정한 시행령이나 시행규칙 및 사법부에서 제정한 규칙(편저자 주 : 대법원규칙인 구 법무사법 시행규칙) 등은 그것들이 별도의 집행행위를 기다리지 않고 직접 기본권을 침해하는 것일 때에는 모두 헌법소원심판의 대상이 될 수 있는 것이다(헌재 1990. 10. 15, 89헌마178).

18   정답 ③

① ✕

> ❶ 일반적으로 법률의 위임에 의하여 효력을 갖는 법규명령의 경우, 구법에 위임의 근거가 없어 무효였더라도 사후에 법개정으로 위임의 근거가 부여되면 그때부터는 유효한 법규명령이 된다.
> ❷ 그리고 구법의 위임에 의한 유효한 법규명령이 법개정으로 위임의 근거가 없어지게 되면 그때부터 무효인 법규명령이 된다.

② ✕

> 법규명령의 위임근거가 되는 법률에 대하여 위헌결정이 선고되면 그 위임에 근거하여 제정된 법규명령도 원칙적으로 효력을 상실한다(대판 2001. 6. 12, 2000다18547).

③ ○

> 법률의 시행령이 형사처벌에 관한 사항을 규정하면서 법률의 명시적인 위임범위를 벗어나 처벌의 대상을 확장하는 것은 죄형법정주의의 원칙에도 어긋나는 것이므로, 그러한 시행령은 위임입법의 한계를 벗어난 것으로서 무효이다(대판 2017. 2. 16, 2015도16014 전합).

④ ✕

> ❶ 상위법령의 시행에 필요한 세부적 사항을 정한, 이른바 집행명령은 근거법령인 상위법령이 폐지되면 특별한 규정이 없는 한 실효된다.
> ❷ 그러나 상위법령이 개정됨에 그친 경우에는 성질상 이와 모순·저촉되지 아니하는 한 개정된 상위법령의 시행을 위한 집행명령이 새로 제정·발효될 때까지는 여전히 그 효력을 유지한다(대판 1989. 9. 12, 88누6962).

19   정답 ④

① ○

> 법령의 위임이 없음에도 법령에 규정된 처분요건에 해당하는 사항을 부령에서 변경하여 규정한 경우에는 그 부령의 규정은 행정청 내부의 사무처리기준 등을 정한 것으로서 행정조직 내에서 적용되는 행정명령의 성격을 지닐 뿐 국민에 대한 대외적 구속력은 없다.
> 어떤 행정처분이 그와 같이 법규성이 없는 시행규칙 등의 규정에 위배된다고 하더라도 그 이유만으로 처분이 위법하게 되는 것은 아니라 할 것이고, 또 그 규칙 등에서 정한 요건에 부합한다고 하여 반드시 그 처분이 적법한 것이라고 할 수도 없다. 이 경우 처분의 적법 여부는 그러한 규칙 등에서 정한 요건에 합치하는지 여부가 아니라 일반국민에 대하여 구속력을 가지는 법률 등 법규성이 있는 관계 법령의 규정을 기준으로 판단하여야 한다(대판 2013. 9. 12, 2011두10584).

② ○ 하위법령의 규정이 상위법령의 규정에 저촉되는지 여부가 명백하지 않고 하위법령의 의미를 상위법령에 합치하도록 해석하는 것이 가능한 경우에는 하위법령이 상위법령에 위반된다는 이유로 무효를 선언할 것은 아니라는 것이 판례의 입장이다(대판 2020. 3. 26, 2017두41351).

> 어느 시행령의 규정이 모법에 저촉되는지의 여부가 명백하지 아니하는 경우에는 모법과 시행령의 다른 규정들과 그 입법취지, 연혁 등을 종합적으로 살펴 모법에 합치된다는 해석도 가능한 경우라면 그 규정을 모법 위반으로 무효라고 선언하여서는 안 된다(대판 2001. 8. 24, 2000두2716).

③ ○

> 형벌법규의 경우 보충성(특히 긴급한 필요가 있거나 미리 법률로써 자세히 정할 수 없는 부득이한 사정이 있는 경우), 구성요건의 구체성, 형벌의 종류 및 상한과 폭의 명확성을 조건으로 위임입법이 허용된다.
> 형벌법규에 대하여도 특히 긴급한 필요가 있거나 미리 법률로써 자세히 정할 수 없는 부득이한 사정이 있는 경우에 한하여 수권법률(위임법률)이 구성요건의 점에서는 처벌대상인 행위가 어떠한 것일 거라고 이를 예측할 수 있을 정도로 구체적으로 정하고, 형벌의 점에서는 형벌의 종류 및 그 상한과 폭을 명확히 규정한 것을 조건으로 위임입법이 허용되며, 이러한 위임입법은 죄형법정주의에 반하지 않는다(헌재 1996. 2. 29, 94헌마213).

④ ✕

> ❶ 법률이 행정부가 아니거나 행정부에 속하지 않는 공법적 기관의 정관에 특정 사항을 정할 수 있다고 위임하는 경우 포괄적인 위임입법의 금지는 원칙적으로 적용되지 않는다(헌재 2006. 3. 30, 2005헌바31).

- ❷-1. 법률이 공법적 단체 등의 정관에 자치법적 사항을 위임한 경우 헌법 제75조가 정하는 포괄위임입법금지의 원칙은 적용되지 않는다.
- ❷-2. 법률이 공법적 단체 등의 정관에 자치법적 사항을 위임한 경우 국민의 권리·의무에 관한 기본적이고 본질적인 사항까지 정관에 위임할 수는 없으며, 국회가 정해야 한다.
- ❷-3. 「도시 및 주거환경정비법」 제28조 제4항 본문이 사업시행인가 신청시의 동의요건을 조합의 정관에 포괄적으로 위임하고 있다고 하더라도 헌법 제75조가 정하는 포괄위임입법금지의 원칙이 적용되지 아니하므로 이에 위배된다고 할 수 없다(대판 2007. 1. 12, 2006두14476).
- ❸ 법률이 자치적인 사항을 정관에 위임할 경우 원칙적으로 관련법상의 포괄위임입법금지의 원칙이 적용되지 않는다 하더라도, 그 사항이 국민의 권리·의무에 관련되는 것일 경우에는, 적어도 국민의 권리와 의무의 형성에 관한 사항을 비롯하여 국가의 통치조직과 작용에 관한 기본적이고 본질적인 사항은 반드시 국회가 정하여야 한다는 법률유보 내지 의회유보의 원칙이 지켜져야 한다(헌재 2001. 4. 26, 2000헌마122).

20　　　　　　　　　　　　　　　　　　　　　　　[정답] ④

㉮ ○

> 법외노조 통보는 적법하게 설립된 노동조합의 법적 지위를 박탈하는 중대한 침익적 처분으로서 원칙적으로 국민의 대표자인 입법자가 스스로 형식적 법률로써 규정하여야 할 사항이고, 행정입법으로 이를 규정하기 위하여는 반드시 법률의 명시적이고 구체적인 위임이 있어야 한다. 그런데 「노동조합 및 노동관계조정법 시행령」 제9조 제2항은 법률의 위임 없이 법률이 정하지 아니한 법외노조 통보에 관하여 규정함으로써 헌법상 노동3권을 본질적으로 제한하고 있으므로 그 자체로 무효이다. …… 법외노조 통보에 관한 「노동조합 및 노동관계조정법 시행령」 제9조 제2항은 헌법상 법률유보의 원칙에 위반되어 그 자체로 무효이므로 그에 기초한 위 법외노조 통보는 법적 근거를 상실하여 위법하다(대판 2020. 9. 3, 2016두32992 전합).

㉯ ○

- ❶ 일반적으로 법률의 위임에 의하여 효력을 갖는 법규명령의 경우, 구법에 위임의 근거가 없어 무효였더라도 사후에 법개정으로 위임의 근거가 부여되면 그때부터는 유효한 법규명령이 된다.
- ❷ 그리고 구법의 위임에 의한 유효한 법규명령이 법개정으로 위임의 근거가 없어지게 되면 그때부터 무효인 법규명령이 된다(대판 1995. 6. 30, 93추83).

㉰ ×

> 자치조례에 대한 법률의 위임은 법규명령에 대한 법률의 위임과 같이 반드시 구체적으로 범위를 정하여야 할 필요가 없으며 포괄적인 것으로 족하다고 할 것이다(헌재 1995. 4. 20, 92헌마264 등).

㉱ ×

> 법률의 시행령은 모법인 법률에 의하여 위임받은 사항이나 법률이 규정한 범위 내에서 법률을 현실적으로 집행하는 데 필요한 세부적인 사항만을 규정할 수 있을 뿐, 법률에 의한 위임이 없는 한 법률이 규정한 개인의 권리·의무에 관한 내용을 변경·보충하거나 법률에 규정되지 아니한 새로운 내용을 규정할 수는 없다(대판 2020. 9. 3, 2016두32992 전합).

21　　　　　　　　　　　　　　　　　　　　　　　[정답] ②

㉮ ×

> 주택건설촉진법 시행령(현 주택법 시행령)상의 처분기준은 법규성이 있어서 대외적으로 국민이나 법원을 구속하므로, 행정청은 이러한 처분기준에 따라 처분을 하여야 하고 달리 재량의 여지는 없다. 한편 이 사건 처분의 기준이 된 시행령 제10조의3 제1항 [별표 1]은 법 제7조 제2항의 위임규정에 터 잡은 규정 형식상 대통령령이므로 그 성질이 부령인 시행규칙이나 또는 지방자치단체의 규칙과 같이 통상적으로 행정조직 내부에 있어서의 행정명령에 지나지 않는 것이 아니라 대외적으로 국민이나 법원을 구속하는 힘이 있는 법규명령에 해당한다고 할 것이다(대판 1995. 10. 17, 94누14148). 관할 관청으로서는 위 [별표 1]의 규정에 의하여 3개월간의 영업정지처분을 하여야 할 뿐 달리 그 정지기간에 관하여 재량의 여지가 없다고 할 것이다(대판 1997. 12. 26, 97누15418).

㉯ ○ 법규명령의 위헌·위법 여부가 구체적 사건을 해결하기 위한 전제문제로 되는 경우 헌법 제107조 제2항에서는 대법원이 최종적으로 심사한다고 규정함으로써 대법원 외에 지방법원·고등법원도 모두 심사주체가 될 수 있음을 밝히고 있다. 따라서 규범통제의 주체는 각급 법원이 모두 될 수 있다.

> **헌법 제107조** ② '명령·규칙' 또는 처분이 헌법이나 법률에 위반되는 여부가 재판의 전제가 된 경우에는 대법원은 이를 최종적으로 심사할 권한을 가진다.

㉰ ×

> 법원이 법률 하위의 법규명령, 규칙, 조례, 행정규칙 등(이하 '규정'이라 한다)이 위헌·위법인지를 심사하려면 그것이 '재판의 전제'가 되어야 한다. 여기에서 '재판의 전제'란 구체적 사건이 법원에 계속 중이어야 하고, 위헌·위법인지가 문제된 경우에는 규정의 특정 조항이 해당 소송 사건의 재판에 적용되는 것이어야 하며, 그 조항이 위헌·위법인지에 따라 그 사건을 담당하는 법원이 다른 판단을 하게 되는 경우를 말한다. 따라서 법원이 구체적 규범통제를 통해 위헌·위법으로 선언할 심판대상은, 해당 규정의 전부가 불가분적으로 결합되어 있어 일부를 무효로 하는 경우 나머지 부분이 유지될 수 없는 결과를 가져오는 특별한 사정이 없는 한, 원칙적으로 해당 규정 중 재판의 전제성이 인정되는 조항에 한정된다(대판 2019. 6. 13, 2017두33985).

㉱ ○ 명령 등이 위법하다고 대법원이 판단한 경우, 통설적 견해는 당해 행정입법은 일반적으로 그 효력을 상실하는 것은 아니고, 당해 사건에 한하여 그 법규명령이 적용되지 않는 것으로 본다.

㉲ ×

> **행정소송법 제6조【명령·규칙의 위헌판결 등 공고】** ① 행정소송에 대한 대법원 판결에 의하여 명령·규칙이 헌법 또는 법률에 위반된다는 것이 확정된 경우에는 대법원은 지체 없이 그 사유를 행정안전부장관에게 통보하여야 한다.
> ② 제1항의 규정에 의한 통보를 받은 행정안전부장관은 지체 없이 이를 관보에 게재하여야 한다.

22
정답 ②

① ○ 재량권이 인정되는 영역에서 재량권 행사의 기준이 되는 지침은 일종의 행정규칙으로서(이를 재량준칙이라고 한다), 행정규칙을 제정하는 경우에는 법률의 근거가 필요 없다는 것이 일반적 견해이다.

② ×

> 상급행정기관이 하급행정기관에 대하여 업무처리지침이나 법령의 해석·적용에 관한 기준을 정하여 발하는 이른바 행정규칙은 일반적으로 행정조직 내부에서만 효력을 가질 뿐 대외적인 구속력을 갖는 것은 아니다(대판 1998. 6. 9, 97누19915).

③ ○

> 「국토의 계획 및 이용에 관한 법률 시행령」 제56조 제4항에 따라 국토교통부장관이 국토교통부훈령으로 정한 '개발행위허가운영지침'은 세부적인 검토기준으로 이 지침의 법적 성격은 행정규칙에 불과하여 대외적 구속력이 없다(대판 2023. 2. 2, 2020두43722).

④ ○ 행정규칙은 대외적 효력이 없으므로 성립요건을 갖추어 유효하게 성립한 행정규칙은 공포를 요하지 아니하며, 관보 게재와 같이 적당한 방법으로 수명기관에 도달한 때부터 내부적 효력이 발생한다.

> 국세청훈령은 국세청장이 구 소득세법 시행령 제170조 제4항 제2호에 해당할 거래를 행정규칙의 형식으로 지정한 것에 지나지 아니하므로 적당한 방법으로 이를 표시 또는 통보하면 되는 것이지, 공포하거나 고시하지 아니하였다는 이유만으로 그 효력을 부인할 수 없다(대판 1990. 5. 22. 90누639).

23
정답 ①

㉠ × 「청소년 보호법 시행령」이 정한 과징금 부과기준은 정액이 아니라 최고한도액이라는 것과 구별하기 바란다.

> 행정청에 「국토의 계획 및 이용에 관한 법률 시행령」 제124조의3 제3항에서 정한 토지이용의무를 위반한 자에게 부과할 이행강제금 부과기준과 다른 이행강제금액을 결정할 재량권은 없다.
> 「국토의 계획 및 이용에 관한 법률」 및 「국토의 계획 및 이용에 관한 법률 시행령」이 정한 이행강제금의 부과기준은 단지 상한을 정한 것에 불과한 것이 아니라, 위반행위 유형별로 계산된 특정 금액을 규정한 것이므로 행정청에 이와 다른 이행강제금액을 결정할 재량권이 없다고 보아야 한다(대판 2014. 11. 27, 2013두8653).

㉡ ×

> 법령보충규칙 또는 재량준칙이 그 정한 바에 따라 되풀이 시행되어 행정관행이 이룩되게 되면, 평등의 원칙이나 신뢰보호의 원칙에 따라 행정기관은 그 상대방에 대한 관계에서 그 규칙에 따라야 할 자기구속을 당하게 되는 경우에는 대외적인 구속력을 가지게 되며, 이러한 경우에는 헌법소원의 대상이 될 수도 있다(헌재 2001. 5. 31, 99헌마413).

㉢ ○ 판례는 부령 형식으로 정해진 제재적 처분기준(영업허가의 취소·정지기준 등)은 행정규칙의 성질을 가지며 대외적으로 국민이나 법원을 구속하는 것은 아니라고 보는 한편, 제재적 처분기준이 대통령령의 형식으로 정해진 경우 당해 처분기준은 법규명령으로 본다.

㉣ ○

> 구 「여객자동차 운수사업법」 제11조 제4항의 위임에 따라 시외버스운송사업의 사업계획변경에 관한 절차, 인가기준 등을 구체적으로 규정한 구 「여객자동차 운수사업법 시행규칙」 제31조 제2항 제1·2·6호는 대외적인 구속력이 있는 법규명령이라고 할 것이고, 그것을 행정청 내부의 사무처리준칙을 규정한 행정규칙에 불과하다고 할 수는 없다(대판 2006. 6. 27, 2003두4355).

24
정답 ②

① ○

> ❶ 행정처분이 법규성이 없는 내부지침 등의 규정에 위배된다고 하더라도 그 이유만으로 처분이 위법하게 되는 것은 아니고, 또 내부지침 등에서 정한 요건에 부합한다고 하여 반드시 그 처분이 적법한 것이라고 할 수도 없다.
> ❷ 처분의 적법 여부는 그러한 내부지침 등에서 정한 요건에 합치하는지 여부가 아니라 일반국민에 대하여 구속력을 가지는 법률 등 법규성이 있는 관계 법령의 규정을 기준으로 판단하여야 한다(대판 2018. 6. 15, 2015두40248).

② ×

> 법령의 규정이 특정 행정기관에게 법령내용의 구체적 사항을 정할 수 있는 권한을 부여하면서 권한 행사의 절차나 방법을 특정하지 아니한 경우에는 수임행정기관은 행정규칙이나 규정 형식으로 법령내용이 될 사항을 구체적으로 정할 수 있다. 이 경우 행정규칙 등은 당해 법령의 위임한계를 벗어나지 않는 한 대외적 구속력이 있는 법규명령으로서 효력을 가지게 되지만, 이는 행정규칙이 갖는 일반적 효력이 아니라 행정기관에 법령의 구체적 내용을 보충할 권한을 부여한 법령규정의 효력에 근거하여 예외적으로 인정되는 것이다. 따라서 그 행정규칙이나 규정이 상위법령의 위임범위를 벗어난 경우에는 법규명령으로서 대외적 구속력을 인정할 여지는 없다. 이는 행정규칙이나 규정 '내용'이 위임범위를 벗어난 경우뿐 아니라 상위법령의 위임규정에서 특정하여 정한 권한 행사의 '절차'나 '방식'에 위배되는 경우도 마찬가지이므로, 상위법령에서 세부사항 등을 시행규칙으로 정하도록 위임하였음에도 이를 고시 등 행정규칙으로 정하였다면 그 역시 대외적 구속력을 가지는 법규명령으로서 효력이 인정될 수 없다(대판 2012. 7. 5, 2010다72076).

③ ○ 법규정이 인정된다고 하더라도 행정규칙 형식으로 제정된 이상, 법규명령 형식과 같이 반드시 공포 등의 절차를 거칠 필요는 없다.

> 법령보충규칙은 상위법령과 결합하여 법규성을 가지나 그 자체가 법규명령은 아니므로, 적당한 방법으로 일반인에게 표시 또는 통보함으로써 효력이 발생한다(대판 1993. 11. 23, 93도662).

④ ○

> 행정규칙의 내용이 상위법령에 반하는 것이라면 법치국가원리에서 파생되는 법질서의 통일성과 모순금지원칙에 따라 그것은 법질서상 당연무효이고, 행정내부적 효력도 인정될 수 없다. 이러한 경우 법원은 해당 행정규칙이 법질서상 부존재하는 것으로 취급하여 행정기관이 한 조치의 당부를 상위법령의 규정과 입법목적 등에 따라서 판단하여야 한다(대판 2019. 10. 31, 2013두20011).

25

정답 ②

㉮ ○ 시행규칙(부령 또는 총리령) 형식으로 정해진 제재적 처분기준은 행정규칙에 불과하다는 것이 판례의 입장이다.

> 구 식품위생법 시행규칙 제89조에서 [별표 23]으로 구 식품위생법 제75조에 따른 행정처분의 기준을 정하였다 하더라도, 이는 행정기관 내부의 사무처리준칙을 규정한 것에 불과한 것으로서 보건복지부장관이 관계 행정기관 및 직원에 대하여 직무권한 행사의 지침을 정하여 주기 위하여 발한 행정명령의 성질을 가지는 것이지 같은 법 제75조 제1항의 규정에 의하여 보장된 재량권을 기속하는 것이라고 할 수 없고, 대외적으로 국민이나 법원을 기속하는 힘이 있는 것은 아니다(대판 2014. 6. 12, 2014두2157).

㉯ ○

> 행정규칙이 이를 정한 행정기관의 재량에 속하는 사항에 관한 것인 때에는 그 규정내용이 객관적 합리성을 결여하였다는 등의 특별한 사정이 없는 한 법원은 이를 존중하는 것이 바람직하다(대판 2020. 5. 28, 2017두66541 ; 대판 2019. 10. 31, 2013두20011).

㉰ × 사안의 경우 위반 횟수에 따라 가중처분을 하도록 규정되어 있으므로 제재처분기간이 경과한 경우에도 소의 이익이 있다.

> 제재적 행정처분이 그 처분에서 정한 제재기간의 경과로 인하여 그 효과가 소멸되었다 하더라도 그 처분이 후행처분의 가중적 요건사실이 되는 경우 선행처분의 취소를 구할 소의 이익이 있다.
> 제재적 행정처분이 그 처분에서 정한 제재기간의 경과로 인하여 그 효과가 소멸되었으나, 부령인 시행규칙 또는 지방자치단체의 규칙(이하 '규칙'이라고 한다)의 형식으로 정한 처분기준에서 제재적 행정처분(이하 '선행처분'이라고 한다)을 받은 것을 가중사유나 전제요건을 삼아 장래의 제재적 행정처분(이하 '후행처분'이라고 한다)을 하도록 정하고 있는 경우, 제재적 행정처분의 가중사유나 전제요건에 관한 규정이 법령이 아니라 규칙의 형식으로 되어 있다고 하더라도, 그러한 규칙이 법령에 근거를 두고 있는 이상 그 법적 성질이 대외적·일반적 구속력을 갖는 법규명령인지 여부와는 상관없이, 관할 행정청이나 담당공무원은 이를 준수할 의무가 있으므로 이들이 그 규칙에 정해진 바에 따라 행정작용을 할 것이 당연히 예견되고, 그 결과 행정작용의 상대방인 국민으로서는 그 규칙의 영향을 받을 수밖에 없다(대판 2006. 6. 22, 2003두1684 전합).

㉱ ○ 행정규칙은 내부적으로는 구속력이 있으므로 하급행정기관은 행정규칙을 준수할 의무가 있으며, 이를 위반할 경우 징계책임이나 징계벌을 받을 수 있다.

㉲ ○ 판례는 대통령령 형식으로 정해진 제재적 처분기준은 법규명령으로 본다. 식품위생법 시행령은 대통령령이므로 식품위생법 시행령에 제재적 처분의 기준이 정하여져 있다면 그와 같은 처분의 기준은 대외적으로 국민이나 법원을 구속한다.

제 4 회 | 소방 단원별 모의고사 정답과 해설

출제 범위 : 제12강 행정행위의 기초개념~제13강 행정행위의 내용   문제 p.70

01	02	03	04	05
①	①	③	②	④
06	07	08	09	10
③	①	②	④	④
11	12	13	14	15
②	①	③	④	④
16	17	18	19	20
②	④	②	④	①
21	22	23	24	25
②	①	④	②	②

01
정답 ①

㉮ ○ 행정조직 내에서 이루어지는 직무명령과 같은 행정조직의 내부행위는 행정행위가 아니다.

㉯ ○ 행정행위는 구체적 사실에 관한 행위이어야 하므로 행정부에 의한 일반적·추상적인 법령제정활동인 행정입법은 행정행위가 아니다. 그러나 행정행위는 반드시 개별적이어야 할 필요는 없으므로 불특정 다수인을 대상으로 하는 구체적 규율, 즉 일반적·구체적 작용인 이른바 일반처분도 행정행위라는 것이 일반적 견해이다.

> 지방경찰청장(현 시·도경찰청장)이 횡단보도를 설치하여 보행자의 통행방법 등을 규제하는 것은, 행정청이 특정 사항에 대하여 의무의 부담을 명하는 행위이고 이는 국민의 권리·의무에 직접 관계가 있는 행위로서 행정처분이라고 보아야 할 것이다(다만, 동 판결은 횡단보도설치행위에 대해 처분성을 긍정하면서도 횡단보도가 설치된 도로 인근에서 영업활동을 하는 자의 원고적격을 부정한 바 있다).
> 도로교통법 제24조 제1항은 모든 차의 운전자는 보행자가 횡단보도를 통행하고 있는 때에는 그 횡단보도 앞에서 일시정지하여 보행자의 횡단을 방해하거나 위험을 주어서는 아니 된다고 …… 규정하는 도로교통법의 취지에 비추어 볼 때, 지방경찰청장(현 시·도경찰청장)이 횡단보도를 설치하여 보행자의 통행방법 등을 규제하는 것은, 행정청이 특정 사항에 대하여 의무의 부담을 명하는 행위이고 이는 국민의 권리·의무에 직접 관계가 있는 행위로서 행정처분이라고 보아야 할 것이다(대판 2000. 10. 27, 98두8964).

㉰ ✕

> 건설부장관(현 국토교통부장관)이 행한 국립공원지정처분에 따라 공원관리청이 행한 경계측량 및 표지의 설치 등은 공원구역의 효율적인 보호·관리를 위하여 이미 확정된 경계를 인식·파악하는 사실상의 행위로 행정처분이 아니다(대판 1992. 10. 13, 92누2325).

㉱ ✕ 행정행위는 외부에 대하여 직접적인 법적 효과가 발생하는 행위이어야 한다. 따라서 그 자체로는 아무런 법적 효과를 발생시키지 않는 단순한 조사, 도로청소나 도로보수 등을 하는 행위는 사실행위일 뿐 행정행위가 아니다.

02
정답 ①

① ✕ 법률행위적 행정행위란 행정청의 의사표시(효과의사)를 구성요소로 하고 그 표시된 효과의사의 내용에 따라 법적 효과가 발생하는 행위를 말한다. 이에 반해 준법률행위적 행정행위란 행정청의 의사표시(효과의사) 이외의 정신작용(판단, 인식 등)을 구성요소로 하고 행위자의 의사와는 무관하게 법규가 정한 바에 따라 법적 효과가 발생하는 행위를 의미한다.

② ○ 행정지도로서 행정행위에 해당하지 않는다. 행정지도는 법적 의무를 부과하는 것이 아니라 상대방의 임의적 협력을 전제로 하는 비권력적 사실행위로서 그 자체로는 아무런 법적 효과가 발생하지 않는다.

> 세무당국이 특정 회사에 대하여 원고의 주류거래를 일정 기간 중지하여 줄 것을 요청한 행위는 항고소송의 대상이 될 수 없다(대판 1980. 10. 27, 80누395).

③ ○ 행정행위가 공법상의 행위라는 것은 그 행위의 근거가 공법적이라는 것이지 행위의 효과까지 공법적이라는 것을 의미하는 것은 아니다. 어업권을 설정하는 행위는 수산업법에 근거하여 시장, 군수, 구청장이 행하는 것인데 수산업법은 공법이므로 어업권을 설정하는 행위의 근거는 공법적이다. 따라서 비록 어업권은 사권의 성질을 가지지만 어업권을 설정하는 행위는 행정행위에 해당한다.

④ ○ 교도소장이 수형자의 서신을 검열하는 행위는 법적 행위가 아니라 사실행위에 해당하므로 행정행위에 해당하지 않는다. 다만, 판례는 항고소송의 대상이 되는 처분 개념에 권력적 사실행위도 포함된다고 보고 있으므로 항고소송의 대상이 되는 처분 개념에는 포함된다.

> 수형자의 서신을 교도소장이 검열하는 행위는 이른바 권력적 사실행위로서 행정심판이나 행정소송의 대상이 되는 행정처분으로 볼 수 있다.
> 수형자의 서신을 교도소장이 검열하는 행위는 이른바 권력적 사실행위로서 행정심판이나 행정소송의 대상이 되는 행정처분으로 볼 수 있으나, 위 검열행위가 이미 완료되어 행정심판이나 행정소송을 제기하더라도 소의 이익이 부정될 수밖에 없다(헌재 1998. 8. 27, 96헌마398).

03
정답 ③

① ○

> 주류판매업면허는 강학상의 허가로 해석되므로 주세법에 열거된 면허제한사유에 해당하지 아니하는 한 면허관청으로서는 임의로 그 면허를 거부할 수 없다.
> 주류판매업면허는 설권적 행위가 아니라 주류판매의 질서유지, 주세보전의 행정목적 등을 달성하기 위하여 개인의 자연적 자유에 속하는 영업행위를 일반적으로 제한하였다가 특정한 경우에 이를 회복하도록 그 제한을 해제하는 강학상의 허가로 해석되므로 주세법 제10조 제1호 내지 제11호에 열거된 면허제한사유에 해당하지 아니하는 한 면허관청으로서는 임의로 그 면허를 거부할 수 없다(대판 1995. 11. 10, 95누5714).

② ○ 주된 인·허가가 기속행위인 경우라도 의제되는 인·허가가 재량행위인 경우에는 인·허가가 의제되는 한도 내에서 재량행위로 보아야 한다. 예를 들어 건축허가 등에 의하여 의제되는 인·허가가 재량행위인 경우에는 그 한도 내에서 재량권이 인정된다.

③ ×

> 처분의 근거법령이 행정청에 처분의 요건과 효과 판단에 일정한 재량을 부여하였는데, 행정청이 자신에게 재량권이 없다고 오인한 나머지 처분으로 달성하려는 공익과 그로써 처분상대방이 입게 되는 불이익의 내용과 정도를 전혀 비교·형량하지 않은 채 처분을 하였다면, 이는 재량권 불행사로서 그 자체로 재량권 일탈·남용으로 해당 처분을 취소하여야 할 위법사유가 된다(대판 2019. 7. 11, 2017두38874).

④ ○

> ❶ 구 국민건강보험법 제85조 제1항 제1호에 따른 요양기관업무정지처분은 요양기관의 업무 자체에 대한 것으로서 대물적 처분이다.
> ❷ 속임수나 그 밖의 부당한 방법으로 보험자에게 요양급여비용을 부담하게 한 요양기관이 폐업한 경우, 그 요양기관 및 폐업 후 그 요양기관의 개설자가 새로 개설한 요양기관에 대하여 업무정지처분을 할 수는 없다(대판 2022. 1. 27, 2020두39365).

04

[정답] ②

① ○

> 출입국관리법상 체류자격 변경허가는 설권적 처분(특허)의 성격을 가지며 허가권자는 허가 여부를 결정할 재량을 가진다.
> 출입국관리법 제10조 등의 문언, 내용 및 형식, 체계 등에 비추어 보면, 체류자격 변경허가는 신청인에게 당초의 체류자격과 다른 체류자격에 해당하는 활동을 할 수 있는 권한을 부여하는 일종의 설권적 처분의 성격을 가지므로, 허가권자는 신청인이 관계 법령에서 정한 요건을 충족하였더라도, 신청인의 적격성, 체류목적, 공익상의 영향 등을 참작하여 허가 여부를 결정할 수 있는 재량을 가진다(대판 2016. 7. 14, 2015두48846).

② ×

> 야생동·식물보호법(현 「야생생물 보호 및 관리에 관한 법률」) 제16조 제3항에 의한 용도변경승인행위 및 용도변경의 불가피성 판단에 필요한 기준을 정하는 행위는 재량행위이다.
> 야생동·식물보호법 제16조 제3항과 같은 법 시행규칙 제22조 제1항의 체제 또는 문언을 살펴보면 원칙적으로 국제적 멸종위기종 및 그 가공품의 수입 또는 반입목적 외의 용도로의 사용을 금지하면서 용도변경이 불가피한 경우로서 환경부장관의 용도변경승인을 받은 경우에 한하여 용도변경을 허용하도록 하고 있으므로, 위 법 제16조 제3항에 의한 용도변경승인은 특정인에게만 용도 외의 사용을 허용해 주는 권리나 이익을 부여하는 이른바 수익적 행정행위로서 법령에 특별한 규정이 없는 한 재량행위이다(대판 2011. 1. 27, 2010두23033).

③ ○

> 구 출입국관리법 제2조 제3호, 제76조의2 제1·3·4항, 구 출입국관리법 시행령 제88조의2, 난민의 지위에 관한 협약 제1조, 난민의 지위에 관한 의정서 제1조의 문언, 체계와 입법취지를 종합하면, 난민인정에 관한 신청을 받은 행정청은 원칙적으로 법령이 정한 난민요건에 해당하는지를 심사하여 난민인정 여부를 결정할 수 있을 뿐이고, 이와 무관한 다른 사유만을 들어 난민인정을 거부할 수는 없다(대판 2017. 12. 5, 2016두42913).

④ ○

> 복합민원에 있어서 필요한 인·허가를 일괄하여 신청하지 아니하고 그중 어느 하나의 인·허가만을 신청한 경우에도 그 '근거법령에서 다른 법령상의 인·허가에 관한 규정을 원용'하고 있거나 그 대상행위가 '다른 법령에 의하여 절대적으로 금지'되고 있어 그 실현이 객관적으로 불가능한 것이 명백한 경우에는 이를 고려하여 그 인·허가 여부를 결정할 수 있다(대판 2000. 3. 24, 98두8766).

05

[정답] ④

① ×

> ❶ 행정행위가 그 재량성의 유무 및 범위와 관련하여 이른바 기속행위 내지 기속재량행위와 재량행위 내지 자유재량행위로 구분된다고 할 때, 그 구분은 당해 행위의 근거가 된 법규의 체재·형식과 그 문언, 당해 행위가 속하는 행정 분야의 주된 목적과 특성, 당해 행위 자체의 개별적 성질과 유형 등을 모두 고려하여 판단하여야 한다(대판 2001. 2. 9, 98두17593).
> ❷ 대기환경보전법상 배출시설설치허가는 기속행위이다.
> 구 대기환경보전법 제2조 제9호, 제23조 제1·5·6항, 같은 법 시행령 제11조 제1항 제1호, 제12조, 같은 법 시행규칙 제4조 [별표 2]와 같은 배출시설설치허가와 설치제한에 관한 규정들의 문언과 그 체제·형식에 따르면 환경부장관은 배출시설설치허가신청이 구 대기환경보전법 제23조 제5항에서 정한 허가기준에 부합하고 구 대기환경보전법 제23조 제6항, 같은 법 시행령 제12조에서 정한 허가제한사유에 해당하지 아니하는 한 원칙적으로 허가를 하여야 한다. 다만, 배출시설의 설치는 국민건강이나 환경의 보전에 직접적으로 영향을 미치는 행위라는 점 …… 등을 고려하면, 환경부장관은 같은 법 시행령 제12조 각 호에서 정한 사유에 준하는 사유로서 환경기준의 유지가 곤란하거나 주민의 건강·재산, 동식물의 생육에 심각한 위해를 끼칠 우려가 있다고 인정되는 등 중대한 공익상의 필요가 있을 때에는 허가를 거부할 수 있다고 보는 것이 타당하다(대판 2013. 5. 9, 2012두22799).

비교판례

> 구 「수도권 대기환경개선에 관한 특별법」 제14조 제1항에서 정한 대기오염물질 총량관리사업장 설치의 허가 또는 변경허가는 특정인에게 인구가 밀집되고 대기오염이 심각하다고 인정되는 수도권 대기관리권역에서 총량관리대상 오염물질을 일정량을 초과하여 배출할 수 있는 특정한 권리를 설정하여 주는 행위로서 그 처분의 여부 및 내용의 결정은 행정청의 재량에 속한다(대판 2013. 5. 9, 2012두22799).

② ×

> 기속행위의 경우 법원이 일정한 결론을 도출한 후 그 결론에 비추어 행정청이 한 판단의 적법 여부를 독자의 입장에서 판정하는 방식에 의한다. 재량행위의 경우 법원은 독자의 결론을 도출함이 없이 당해 행위에 재량권의 일탈·남용이 있는지 여부만을 심사하게 된다.

행정행위가 그 재량성의 유무 및 범위와 관련하여 이른바 기속행위 내지 기속재량행위와 재량행위 내지 자유재량행위로 구분된다고 할 때, 그 구분은 당해 행위의 근거가 된 법규의 체재·형식과 그 문언, 당해 행위가 속하는 행정 분야의 주된 목적과 특성, 당해 행위 자체의 개별적 성질과 유형 등을 모두 고려하여 판단하여야 하고, 이렇게 구분되는 양자에 대한 사법심사는, 전자(편저자 주 : 기속행위)의 경우 그 법규에 대한 원칙적인 기속성으로 인하여 법원이 사실인정과 관련 법규의 해석·적용을 통하여 일정한 결론을 도출한 후 그 결론에 비추어 행정청이 한 판단의 적법 여부를 독자의 입장에서 판정하는 방식에 의하게 되나, 후자(편저자 주 : 재량행위)의 경우 행정청의 재량에 기한 공익판단의 여지를 감안하여 법원은 독자의 결론을 도출함이 없이 당해 행위에 재량권의 일탈·남용이 있는지 여부만을 심사하게 되고, 이러한 재량권의 일탈·남용 여부에 대한 심사는 사실오인, 비례·평등의 원칙 위배, 당해 행위의 목적 위반이나 동기의 부정 유무 등을 그 판단대상으로 한다(대판 2001. 2. 9, 98두17593).

③ ×

「가축분뇨의 관리 및 이용에 관한 법률」(이하 '가축분뇨법'이라 한다)의 입법목적, 가축분뇨법 제11조 제1·2항, 「가축분뇨의 관리 및 이용에 관한 법률 시행령」 제7조 제1·2항, 구 「가축분뇨의 관리 및 이용에 관한 법률 시행규칙」 제5조 제1항 제4호의 체제·형식과 문언, 특히 가축분뇨법 제11조 제1·2항에서 배출시설 설치허가와 변경허가의 기준을 따로 구체적으로 정하고 있지는 않은 사정 등을 종합하면, 가축분뇨법에 따른 처리방법 변경허가는 허가권자의 재량행위에 해당한다. 허가권자는 변경허가신청내용이 가축분뇨법에서 정한 처리시설의 설치기준(제12조의2 제1항)과 정화시설의 방류수 수질기준(제13조)을 충족하는 경우에도 반드시 이를 허가하여야 하는 것은 아니고, 자연과 주변환경에 미칠 수 있는 영향 등을 고려하여 허가 여부를 결정할 수 있다(대판 2021. 6. 30, 2021두35681).

④ ○

재외동포에 대한 사증발급은 행정청의 재량행위에 속한다.
재외동포에 대한 사증발급은 행정청의 재량행위에 속하는 것으로서, 재외동포가 사증발급을 신청한 경우에 출입국관리법 시행령 [별표 1의2]에서 정한 재외동포체류자격의 요건을 갖추었다고 해서 무조건 사증을 발급해야 하는 것은 아니다. 재외동포에게 출입국관리법 제11조 제1항 각 호에서 정한 입국금지사유 또는 재외동포법 제5조 제2항에서 정한 재외동포체류자격 부여 제외사유(예컨대 '대한민국 남자가 병역을 기피할 목적으로 외국국적을 취득하고 대한민국 국적을 상실하여 외국인이 된 경우')가 있어 그의 국내 체류를 허용하지 않음으로써 달성하고자 하는 공익이 그로 말미암아 발생하는 불이익보다 큰 경우에는 행정청이 재외동포체류자격의 사증을 발급하지 않을 재량을 가진다(대판 2019. 7. 11, 2017두38874).

06 〔정답〕③

① ○

(육아휴직과 관련하여) 복직명령은 기속행위이므로 휴직사유가 소멸하였음을 이유로 신청하는 경우 임용권자는 지체 없이 복직명령을 하여야 한다.
구 교육공무원법 제44조 제1항 제7호는 '만 6세 이하의 초등학교 취학 전 자녀'를 양육대상으로 하여 '교육공무원이 그 자녀를 양육하기 위하여 필요한 경우'를 육아휴직의 사유로 규정하고 있으므로, 육아휴직 중 그 사유가 소멸하였는지는 해당 자녀가 사망하거나 초등학교에 취학하는 등으로 양육대상에 관한 요건이 소멸한 경우뿐만 아니라 육아휴직 중인 교육공무원에게 해당 자녀를 더 이상 양육할 수 없거나, 양육을 위하여 휴직할 필요가 없는 사유가 발생하였는지 여부도 함께 고려하여야 하고, 국가공무원법 제73조 제2항의 문언에 비추어 복직명령은 기속행위이므로 휴직사유가 소멸하였음을 이유로 신청하는 경우 임용권자는 지체 없이 복직명령을 하여야 한다(대판 2014. 6. 12, 2012두4852).

② ○

❶ 민원사무를 처리하는 행정기관이 민원1회방문처리제를 시행하는 절차의 일환으로 민원사항의 심의·조정 등을 위한 민원조정위원회를 개최하면서 민원인에게 회의일정 등을 사전에 통지하지 아니하였다 하더라도, 이러한 사정만으로 곧바로 민원사항에 대한 행정기관의 장의 거부처분에 취소사유에 이를 정도의 흠이 존재한다고 보기는 어렵다.
❷ 다만, 행정기관의 장의 거부처분이 재량행위인 경우에, 위와 같은 사전통지의 흠결로 민원인에게 의견진술의 기회를 주지 아니한 결과 민원조정위원회의 심의과정에서 고려대상에 마땅히 포함시켜야 할 사항을 누락하는 등 재량권의 불행사 또는 해태로 볼 수 있는 구체적 사정이 있다면, 거부처분은 재량권을 일탈·남용한 것으로서 위법하다(대판 2015. 8. 27, 2013두1560).

③ ×

❶ 행정청이 제재처분 양정을 하면서 공익과 사익의 형량을 전혀 하지 않았거나 이익형량의 고려대상에 마땅히 포함하여야 할 사항을 누락한 경우 또는 이익형량을 하였으나 정당성·객관성이 결여된 경우에는 제재처분은 재량권을 일탈·남용한 것이라고 보아야 한다.
❷ 처분상대방에게 법령에서 정한 임의적 감경사유가 있는 경우에, 행정청이 감경사유까지 고려하고도 감경하지 않은 채 개별처분기준에서 정한 상한으로 처분을 한 경우에는 재량권을 일탈·남용하였다고 단정할 수는 없으나, 행정청이 감경사유를 전혀 고려하지 않았거나 감경사유에 해당하지 않는다고 오인하여 개별처분기준에서 정한 상한으로 처분을 한 경우에는 마땅히 고려대상에 포함하여야 할 사항을 누락하였거나 고려대상에 관한 사실을 오인한 경우에 해당하여 재량권을 일탈·남용한 것이라고 보아야 한다(대판 2020. 6. 25, 2019두52980).

④ ○

❶ 마을버스운송사업면허는 재량행위이며, 마을버스 한정면허시 확정되는 마을버스노선을 정함에 있어서 기존 일반노선버스의 노선과의 중복 허용 정도에 대한 판단 또한 행정청의 재량에 속한다.
마을버스운송사업면허의 허용 여부는 사업구역의 교통수요, 노선결정, 운송업체의 수송능력, 공급능력 등에 관하여 기술적·전문적인 판단을 요하는 분야로서 이에 관한 행정처분은 운수행정을 통한 공익실현과 아울러 합목적성을 추구하기 위하여 보다 구체적 타당성에 적합한 기준에 의하여야 할 것이므로 그 범위 내에서는 법령이 특별히 규정한 바가 없으면 행정청의 재량에 속하는 것이라고 보아야 할 것이고, 마을버스 한정면허시 확정되는 마을버스노선을 정함에 있어서도 기존 일반노선버스의 노선과의 중복 허용 정도에 대한 판단도 행정청의 재량에 속한다고 할 것이며, 노선의 중복 정도는 마을버스노선과 각 일반버스노선을 개별적으로 대비하여 판단하여야 한다(대판 2002. 6. 28, 2001두10028).

> ❷-1. 「여객자동차 운수사업법」에 의한 개인택시운송사업면허는 재량행위이며 그 면허기준 설정행위도 행정청의 재량에 속한다.
> ❷-2. 행정청이 개인택시운송사업의 면허를 하면서, 택시운전경력이 버스 등 다른 차종의 운전경력보다 개인택시의 운전업무에 더 유용할 수 있다는 점 등을 고려하여 '개인택시운송사업면허 사무처리지침'에 따라 택시의 운전경력을 다소 우대하는 것이 객관적으로 합리적이 아니라거나 타당하지 않다고 볼 수 없다(대판 2009. 11. 26, 2008두16087).

07   [정답] ①

① × 재량권의 일탈 또는 남용은 법원의 심사대상이 된다(행정소송법 제27조). 그러나 재량권의 한계 내에서의 행정청의 판단, 즉 합목적성 내지 공익성의 판단 등은 위법의 문제가 아니라 당·부당의 문제로서 행정심판의 대상은 되지만 법원의 심사대상은 되지 않는다.

> **행정소송법 제27조【재량처분의 취소】** 행정청의 재량에 속하는 처분이라도 재량권의 한계를 넘거나 그 남용이 있는 때에는 법원은 이를 취소할 수 있다.
>
> **행정심판법 제5조【행정심판의 종류】** 행정심판의 종류는 다음 각 호와 같다.
> 1. 취소심판 : 행정청의 위법 또는 부당한 처분을 취소하거나 변경하는 행정심판

② ○
> 「건설기술 진흥법」제53조 제1·2항의 형식이나 체계, 문언과 개정 경위 및 내용, 건설공사 부실 방지의 중요성 및 부실공사에 대한 제재 필요성 등을 종합하여 보면, 「건설기술 진흥법」제53조 제1항(국토교통부장관, 발주청과 인·허가기관의 장은 부실공사가 발생하였거나 발생할 우려가 있는 경우 건설공사에 대한 수요 예측을 고의 또는 과실로 부실하게 하여 발주청에 손해를 끼친 경우에는 부실의 정도를 측정하여 벌점을 주어야 한다)은 '부실공사가 발생하거나 발생할 우려가 있는 경우' 행정청이 벌점을 의무적으로 부과해야 한다는 의미로 해석되어야 한다. 그러므로 「건설기술 진흥법」제53조 제1항에서 규정한 벌점 부과처분은 부과 여부에 관한 한 행정청의 재량이 인정되지 않는 기속행위이다(대판 2024. 4. 25, 2023두54242).

③ ○
> (마을버스 운수업자 甲이 유류사용량을 실제보다 부풀려 유가보조금을 과다 지급받은 데 대하여 관할 시장이 甲에게 부정수급기간 동안 지급된 유가보조금 전액을 회수하는 내용의 처분을 한 사안에서) 구 「여객자동차 운수사업법」제51조 제3항에 따라 국토해양부장관(현 국토교통부장관) 또는 시·도지사는 여객자동차 운수사업자가 '거짓이나 부정한 방법으로 지급받은 보조금'에 대하여 반환할 것을 명하여야 하고, 위 규정을 '정상적으로 지급받은 보조금'까지 반환하도록 명할 수 있는 것으로 해석하는 것은 문언의 범위를 넘어서는 것이며, 규정의 형식이나 체재 등에 비추어 보면, 위 환수처분은 국토해양부장관 또는 시·도지사가 지급받은 보조금을 반환할 것을 명하여야 하는 기속행위라고 본 원심판단은 정당하다(대판 2013. 12. 12, 2011두3388).

④ ○
> 귀화신청인이 구 국적법 제5조 각 호에서 정한 귀화요건을 갖추지 못한 경우 법무부장관은 귀화 허부에 관한 재량권을 행사할 여지없이 귀화불허처분을 하여야 한다(대판 2018. 12. 13, 2016두31616).

08   [정답] ②

㉮ × ㉯ ○ 재량과 판단여지를 구별하는 견해에 따르면 판단여지는 법률요건의 포섭단계에서 관련되는 문제이며 재량은 법률효과의 결정 내지 선택과 관련되는 문제가 된다는 점에서 양자는 구별된다고 한다. 따라서 이 견해에 따른 경우 요건 부분에 불확정개념이 사용되면 재량이 아니라 판단여지가 인정될 수 있는 것이다.

㉰ × 판례는 판단여지 긍정설이 판단여지의 문제로 보는 각종의 시험평가와 독립된 위원회의 결정과 관련하여 판단여지를 재량과 구별되는 별도의 개념으로 인정하지 않으며, 판단여지가 인정될 수 있는 경우에도 재량권이 인정되는 것으로 본다.

> 교과서검정은 재량권의 범위를 일탈한 것이 아닌 이상 위법하다고 할 수 없다(재량으로 본다)(대판 1992. 4. 24, 91누6634).

㉱ ○
> 공무원임용을 위한 면접전형에서 임용신청자의 능력이나 적격성 등에 관한 판단은 면접위원의 자유재량에 속한다.
> 공무원임용을 위한 면접전형에서 임용신청자의 능력이나 적격성 등에 관한 판단은 면접위원의 고도의 교양과 학식, 경험에 기초한 자율적 판단에 의존하는 것으로서 오로지 면접위원의 자유재량에 속하고, 그와 같은 판단이 현저하게 재량권을 일탈 내지 남용한 것이 아니라면 이를 위법하다고 할 수 없다(대판 1997. 11. 28, 97누11911).

09   [정답] ④

① ×
> 하천법 제33조에 의한 하천의 점용허가는 특정인에게 하천이용권이라는 독점적 권리를 설정하여 주는 처분(편저자 주 : 특허)에 해당하므로, 그러한 점용허가를 받은 자는 일반인에게 허용되지 않는 특별한 공물사용권을 설정받아 일정 기간 이를 배타적으로 사용할 수 있다(대판 2018. 12. 27, 2014두11601).

② × 상업지역에서의 유흥주점영업허가는 허가에 해당한다. 한편, 학교환경위생정화구역 내에서의 유흥주점영업허가는 예외적 허가에 해당한다. 보통의 허가는 예방적 금지의 해제이며 일반적으로 기속행위인 반면, 예외적 허가는 억제적 금지의 해제이며 일반적으로 재량행위이다.

> 학교보건법 제6조 제1항 단서의 규정에 의한 학교환경위생정화구역 안의 금지행위 및 시설을 해제하거나 해제를 거부하는 조치는 행정청의 재량행위에 속한다(대판 1996. 10. 29, 96누8253).

③ ×
> 법령상 토사채취가 제한되지 않는 산림 내에서의 토사채취에 대하여 국토와 자연의 유지, 환경보전 등 중대한 공익상 필요를 이유로 그 허가를 거부할 수 있다.
> 산림 내에서의 토사채취는 국토 및 자연의 유지와 환경의 보전에 직접적으로 영향을 미치는 행위이므로 법령이 규정하는 토사채취의 제한지역에 해당하는 경우는 물론이거니와 그러한 제한지역에 해당

하지 않더라도 허가관청은 토사채취허가신청 대상 토지의 형상과 위치 및 그 주위의 상황 등을 고려하여 국토 및 자연의 유지와 환경보전 등 중대한 공익상 필요가 있다고 인정될 때에는 그 허가를 거부할 수 있다(대판 2007. 6. 15, 2005두9736).

④ ○

도로교통법 제78조 제1항 단서 제8호의 규정에 의하면, 술에 취한 상태에 있다고 인정할 만한 상당한 이유가 있음에도 불구하고 경찰공무원의 측정에 응하지 아니한 때에는 필요적으로 운전면허를 취소하도록 되어 있어 처분청이 그 취소 여부를 선택할 수 있는 재량의 여지가 없음이 그 법문상 명백하므로, 위 법조의 요건에 해당하였음을 이유로 한 운전면허취소처분에 있어서 재량권의 일탈 또는 남용의 문제는 생길 수 없다(대판 2004. 11. 12, 2003두12042).

10 [정답] ④

① ✕

한의사면허는 강학상 허가로서 한의사의 영업상 이익은 사실상 이익에 불과하므로 한의사에게 한약조제시험을 통해 한약조제권을 인정받은 약사에 대한 합격처분의 효력을 다툴 원고적격이 없다.
한의사면허는 경찰금지를 해제하는 명령적 행위(강학상 허가)에 해당하고, 한약조제시험을 통하여 약사에게 한약조제권을 인정함으로써 한의사들의 영업상 이익이 감소되었더라도 이러한 이익은 사실상의 이익에 불과하고 약사법이나 의료법 등의 법률에 의하여 보호되는 이익이라고는 볼 수 없으므로, 한의사들이 한약조제시험을 통하여 한약조제권을 인정받은 약사들에 대한 합격처분의 무효확인을 구하는 당해 소는 원고적격이 없는 자들이 제기한 소로써 부적법하다(대판 1998. 3. 10, 97누4289).

② ✕ 개발제한구역 내의 건축허가는 예외적 허가로서 억제적 금지의 해제에 해당하며, 운전면허는 강학상 허가로서 예방적 금지의 해제에 해당한다. 따라서 개발제한구역 내의 건축허가와 운전면허는 금지의 해제라는 점에서 동일하다.

개발제한구역 안의 건축허가는 재량행위이다.
도시계획법령 등을 종합하여 보면 개발제한구역 안에서는 구역 지정의 목적상 건축물의 건축 등의 개발행위는 원칙적으로 금지되고, 다만 구체적인 경우에 이와 같은 구역 지정의 목적에 위배되지 아니할 경우 예외적으로 허가에 의하여 그러한 행위를 할 수 있게 되어 있음이 그 규정의 체제와 문언상 분명하고, 이러한 예외적인 건축허가는 그 상대방에게 수익적인 것에 틀림이 없으므로 그 법률적 성질은 재량행위 내지 자유재량행위에 속하는 것이다(대판 2003. 3. 28, 2002두11905).

③ ✕ 판례는 신청의 내용과 다른 허가도 당연무효는 아니라고 판시한 바 있다.

개축허가신청에 대해 착오로 행한 용도변경허가는 무효가 아니다.
개축허가신청에 대하여 행정청이 착오로 대수선 및 용도변경허가를 하였다고 하더라도 취소 등 적법한 조치 없이 그 효력을 부인할 수 없음은 물론, 더구나 이를 다른 처분으로 볼 근거도 없다(대판 1985. 11. 26, 85누382).

④ ○ 허가의 효과는 당해 허가를 한 행정청의 관할 구역 내에서만 미치는 것이 원칙이나, 법령의 규정이 있는 경우 또는 허가의 성질상 관할 구역 외에까지 그 효과가 미치는 경우가 있는바, 그 예로 운전면허를 들 수 있다.

11 [정답] ②

① ○

건축허가권자는 신청이 법령상 요건을 구비한 경우 원칙적으로 건축허가를 하여야 하고, 중대한 공익상의 필요가 없는데도 관계 법령에서 정하는 제한사유 이외의 사유를 들어 요건을 갖춘 자에 대한 허가를 거부할 수는 없다.
건축허가권자는 건축허가신청이 건축법 등 관계 법규에서 정하는 어떠한 제한에 배치되지 않는 이상 당연히 같은 법조에서 정하는 건축허가를 하여야 하고, 중대한 공익상의 필요가 없음에도 불구하고, 요건을 갖춘 자에 대한 허가를 관계 법령에서 정하는 제한사유 이외의 사유를 들어 거부할 수는 없다(대판 2006. 11. 9, 2006두1227 ; 대판 2009. 9. 24, 2009두8946).

② ✕

건축허가는 대물적 성질을 갖는 것이어서 행정청으로서는 허가를 할 때에 건축주 또는 토지소유자가 누구인지 등 인적 요소에 관하여는 형식적 심사만 한다.
건축허가는 대물적 성질을 갖는 것이어서 행정청으로서는 허가를 할 때에 건축주 또는 토지소유자가 누구인지 등 인적 요소에 관하여는 형식적 심사만 한다. 건축주가 토지소유자로부터 토지사용승낙서를 받아 그 토지 위에 건축물을 건축하는 대물적 성질의 건축허가를 받았다가 착공에 앞서 건축주의 귀책사유로 해당 토지를 사용할 권리를 상실한 경우, 건축허가의 존재로 말미암아 토지에 대한 소유권 행사에 지장을 받을 수 있는 토지소유자로서는 건축허가의 철회를 신청할 수 있다고 보아야 한다. 따라서 토지소유자의 위와 같은 신청을 거부한 행위는 항고소송의 대상이 된다(대판 2017. 3. 15, 2014두4119).

③ ○

도로법 제50조 제1항에 의하여 접도구역으로 지정된 지역 안에 있는 건물에 관하여 같은 조 제4·5항에 의하여 도로관리청으로부터 개축허가를 받았다 해도 건축법 제5조 제1항에 의한 건축허가를 다시 받아야 한다.
도로법과 건축법에서 각 규정하고 있는 건축허가는 그 허가권자의 허가를 받도록 한 목적, 허가의 기준, 허가 후의 감독에 있어서 같지 아니하므로 구 도로법 제50조 제1항에 의하여 접도구역으로 지정된 지역 안에 있는 건물에 관하여 같은 법 제4·5항에 의하여 도로관리청인 도지사로부터 개축허가를 받았다고 하더라도 구 건축법 제5조 제1항에 의하여 시장 또는 군수의 허가를 다시 받아야 한다(대판 1991. 4. 12, 91도218).

④ ○

건축허가 명의자가 아닌 실제로 건물을 건축한 자가 건물의 소유권을 취득한다.
건축허가는 행정관청이 건축행정상 목적을 수행하기 위하여 수허가자에게 일반적으로 행정관청의 허가 없이는 건축행위를 하여서는 안 된다는 상대적 금지를 관계 법규에 적합한 일정한 경우에 해제하여 줌으로써 일정한 건축행위를 하여도 좋다는 자유를 회복시켜 주는 행정처분일 뿐 수허가자에게 어떤 새로운 권리나 능력을 부여하는 것이 아니고, 건축허가서는 허가된 건물에 관한 실체적 권리의 득실변경의 공시방법이 아니며 추정력도 없으므로 건축허가서에 건축주로 기재된 자가 건물의 소유권을 취득하는 것은 아니므로(대판 1997. 3. 28, 96다10638 참조), 자기 비용과 노력으로 건물을 신축한 자는 그 건축허가가 타인의 명의로 된 여부에 관계없이 그 소유권을 원시취득한다(대판 2002. 4. 26, 2000다16350).

12
[정답] ①

㉮ ✕ 허가의 신청시와 처분시의 법령이 다른 경우 처분시의 법령을 적용함이 원칙이다.

> 신청 후 허가기준이 변경된 경우에는 원칙적으로 신청시가 아닌 처분시의 법령과 기준에 의해 처리되어야 한다.
> 허가 등의 행정처분은 원칙적으로 처분시의 법령과 허가기준에 의하여 처리되어야 하고 허가신청 당시의 기준에 따라야 하는 것은 아니며, 비록 허가신청 후 허가기준이 변경되었다 하더라도 그 허가관청이 허가신청을 수리하고도 정당한 이유 없이 그 처리를 늦추어 그 사이에 허가기준이 변경된 것이 아닌 이상 변경된 허가기준에 따라서 처분을 하여야 할 것이다(대판 1996. 8. 20, 95누10877).

> 행정기본법 제14조 【법 적용의 기준】 ② 당사자의 신청에 따른 처분은 법령 등에 특별한 규정이 있거나 처분 당시의 법령 등을 적용하기 곤란한 특별한 사정이 있는 경우를 제외하고는 처분 당시의 법령 등에 따른다.

㉯ ✕

> 식품위생법상 일반음식점영업허가신청에 대하여 관계 법령에서 정하는 제한사유 외에 공공복리 등의 사유를 들어 거부할 수 없으며 위 법리는 일반음식점허가사항의 변경허가의 경우에도 적용된다.
> 식품위생법상 일반음식점영업허가는 성질상 일반적 금지의 해제에 불과하므로 허가권자는 허가신청이 법에서 정한 요건을 구비한 때에는 허가하여야 하고 관계 법령에서 정하는 제한사유 외에 공공복리 등의 사유를 들어 허가신청을 거부할 수는 없고, 이러한 법리는 일반음식점허가사항의 변경허가에 관하여도 마찬가지이다(대판 2000. 3. 24, 97누12532).

㉰ ◯ 건축허가의 경우 일반적으로 기속행위이나 건축법 제11조 제4항의 위락시설이나 숙박시설용 건축물에 대한 건축허가의 경우 교육환경과 주거환경과의 이익형량을 하여야 하므로 이 한도 내에서는 재량행위가 된다. 그리고 건축허가 등에 의하여 의제되는 인·허가가 재량행위인 경우에는 그 한도 내에서 재량권이 인정된다고 할 것이다. 또한 토지의 형질변경행위를 수반하는 건축허가처럼 기속행위인 허가가 재량행위인 허가를 포함하는 경우에는 그 한도 내에서 재량행위가 된다.

> 「국토의 계획 및 이용에 관한 법률」에 의하여 지정된 도시지역 안에서 토지의 형질변경행위를 수반하는 건축허가는 재량행위이다.
> 「국토의 계획 및 이용에 관한 법률」에서 정한 도시지역 안에서 토지의 형질변경행위를 수반하는 건축허가는 건축법 제8조 제1항의 규정에 의한 건축허가와 「국토의 계획 및 이용에 관한 법률」 제56조 제1항 제2호의 규정에 의한 토지의 형질변경허가의 성질을 아울러 갖는 것으로 보아야 할 것이고, 같은 법 제58조 제1항 제4호, 제3항, 같은 법 시행령 제56조 제1항 [별표 1] 제1호 (가)목 (3), (라)목 (1), (마)목 (1)의 각 규정을 종합하면, 같은 법 제56조 제1항 제2호의 규정에 의한 토지의 형질변경허가는 그 금지요건이 불확정개념으로 규정되어 있어 그 금지요건에 해당하는지 여부를 판단함에 있어서 행정청에 재량권이 부여되어 있다고 할 것이므로, 같은 법에 의하여 지정된 도시지역 안에서 토지의 형질변경행위를 수반하는 건축허가는 결국 재량행위에 속한다(대판 2005. 7. 14, 2004두6181).

㉱ ◯

> 담배 일반소매인으로 지정되어 영업을 하고 있는 기존업자의 '신규 구내소매인'에 대한 이익은 반사적 이익으로서 기존업자는 신규 구내소매인 지정처분의 취소를 구할 원고적격이 없다.
> 일반소매인으로 지정되어 영업을 하고 있는 기존업자의 신규 구내소매인에 대한 이익은 법률상 보호되는 이익이 아니라 단순한 사실상의 반사적 이익이라고 해석함이 상당하므로, 기존 일반소매인은 신규 구내소매인 지정처분의 취소를 구할 원고적격이 없다(대판 2008. 4. 10, 2008두402).

비교판례

> 담배 일반소매인으로 지정되어 영업을 하고 있는 기존업자의 '신규업자(일반소매인)'에 대한 이익은 '법률상 보호되는 이익'에 해당한다.
> 담배 일반소매인의 지정기준으로서 일반소매인의 영업소 간에 일정한 거리제한을 두고 있는 것은 담배유통구조의 확립을 통하여 국민의 건강과 관련되고 국가 등의 주요 세원이 되는 담배산업 전반의 건전한 발전 도모 및 국민경제의 이바지라는 공익목적을 달성하고자 함과 동시에 일반소매인 간의 과당경쟁으로 인한 불합리한 경영을 방지함으로써 일반소매인의 경영상 이익을 보호하는 데에도 그 목적이 있다고 보이므로, 일반소매인으로 지정되어 영업을 하고 있는 기존업자의 신규 일반소매인에 대한 이익은 단순한 사실상의 반사적 이익이 아니라 법률상 보호되는 이익이라고 해석함이 상당하다(대판 2008. 3. 27, 2007두23811).

💬Tip 두 판례는 서로 모순되는 것처럼 보인다. 그런데 일반소매인 간에는 법률에서 영업소 간의 거리제한규정을 두고 있으나, 구내소매인과 일반소매인 간에는 법률에서 영업소 간의 거리제한규정을 두고 있지 아니하다는 점 등을 고려하여 서로 다르게 판시한 것으로서 모순되는 판결이 아니다.

13
[정답] ③

① ✕ 기부금품모집규제법상 기부금품모집허가는 허가이다. 허가는 그 근거가 된 법령에 의한 금지를 해제할 뿐이고 다른 법령에 의한 금지까지 해제하지는 않는 것이 원칙이다. 허가는 기속행위인 것이 일반적이나 공익상 필요가 있다고 인정되어 허가 여부에 대한 이익형량이 요구되는 경우(예 산림훼손허가, 숙박시설에 대한 건축허가, 입목벌채허가 등)에는 재량행위로 본다. 한편, 법령의 근거 없이 행정권이 독자적으로 허가요건을 추가하는 것은 원칙적으로 허용되지 않는다.

> 기부금품모집허가는 허가로서 기속행위이다(대판 1999. 7. 23, 99두3690).

② ✕ 공유수면의 점용·사용허가는 특허로서 재량행위에 해당한다. 행정행위로서의 특허는 그 개념상 허가와 달리 불특정인에 대해서는 행해질 수 없고 특정인에 대해서만 가능하며, 특정인에게 법률상의 힘을 부여하는 행위로서 언제나 신청이 필요하다. 또한 특허가 가지는 독점적 효력으로 인해 양립할 수 없는 이중의 특허가 있게 되면 후행특허는 무효가 된다.

> 구 공유수면관리법에 따른 공유수면의 점용·사용허가는 특정인에게 공유수면이용권이라는 독점적 권리를 설정하여 주는 처분으로서 그 처분의 여부 및 내용의 결정은 원칙적으로 행정청의 재량에 속한다고 할 것이다(대판 2004. 5. 28, 2002두5016).

③ ㅇ '조합설립추진위원회' 구성승인처분은 강학상 인가에 해당한다. 인가는 법률행위를 대상으로 하고, 사실행위에 대한 인가란 있을 수 없으며, 인가의 대상인 법률행위는 사법(私法)행위인 경우도 있으나 공법(公法)행위인 경우도 있다. 또한 인가는 효력발생요건으로서 인가를 받지 않으면 기본행위는 효력이 발생하지 않는다. 한편, 기본행위에 하자가 있는 경우 인가를 받았다 하여도 그 하자가 치유되는 것은 아니다.

> '조합설립추진위원회' 구성승인처분은 조합의 설립을 위한 주체인 추진위원회의 구성행위를 보충하여 그 효력을 부여하는 처분(인가)이다(대판 2013. 1. 31, 2011두11112).

④ × 불법광고물의 철거명령은 작위하명에 해당한다. 하명은 개인의 자유를 제한하거나 의무를 부과하는 것을 내용으로 한다는 점에서 침익적 행위의 성질을 가지므로, 법률유보의 원칙이 적용되어 하명을 함에 있어서는 법령의 근거가 필요하다. 그 대상은 통행금지나 교통장애물 제거 등의 사실행위가 일반적이나, 총포거래금지·영업행위금지 등과 같은 법률행위일 수도 있다. 또한 하명을 위반하여 행해진 사법(私法)상 효력은 무효가 되지 않는 것이 일반적이며, 하명은 특정인에 대해서뿐만 아니라 도로통행금지와 같이 불특정 다수인에 대해서 행해지는 경우도 있다.

14 [정답] ④

㉮ ×

> 귀화허가는 외국인에게 대한민국 국적을 부여함으로써 국민으로서의 법적 지위를 포괄적으로 설정하는 행위에 해당한다. 법무부장관은 귀화신청인이 법률이 정하는 귀화요건을 갖추었다고 하더라도 귀화를 허가할 것인지 여부에 관하여 재량권을 가진다(대판 2010. 7. 15, 2009두19069).

㉯ ×

> 토지거래허가는 인가적 성질을 띠는 것이다.
> 허가가 규제지역 내의 모든 국민에게 전반적으로 토지거래의 자유를 금지하고 일정한 요건을 갖춘 경우에만 금지를 해제하여 계약체결의 자유를 회복시켜 주는 성질의 것이라고 보는 것은 위 법의 입법취지를 넘어선 지나친 해석이라고 할 것이고, 규제지역 내에서도 토지거래의 자유가 인정되나, 다만 위 허가를 허가 전의 유동적 무효 상태에 있는 법률행위의 효력을 완성시켜 주는 인가적 성질을 띤 것이라고 보는 것이 타당하다(대판 1991. 12. 24, 90다12243).

㉰ ㅇ

> 보세구역의 설영특허는 특허로서 특허의 부여 여부 및 기간 갱신은 행정청의 재량에 속한다.
> 관세법 제78조 소정의 보세구역의 설영특허는 보세구역의 설치·경영에 관한 권리를 설정하는 이른바 공기업의 특허로서 그 특허의 부여 여부는 행정청의 자유재량에 속하며, 특허기간이 만료된 때에 특허는 당연히 실효되는 것이어서 특허기간의 갱신은 실질적으로 권리의 설정과 같으므로 그 갱신 여부도 특허관청의 자유재량에 속한다(대판 1989. 5. 9, 88누4188).

㉱ ㅇ

> 산림훼손(산림형질변경) 금지 또는 제한지역에 해당하지 않더라도 중대한 공익상 필요가 있다고 인정될 때에는 산림훼손허가(산림형질변경허가)를 거부할 수 있고 그 경우 법규에 명문의 근거가 없더라도 거부처분을 할 수 있으며, 이는 산림훼손기간을 연장하는 경우에도 마찬가지이다.

> 산림훼손행위는 국토의 유지와 환경의 보전에 직접적으로 영향을 미치는 행위이므로 법령이 규정하는 산림훼손 금지 또는 제한지역에 해당하는 경우는 물론 금지 또는 제한지역에 해당하지 않더라도 허가관청은 산림훼손허가신청 대상토지의 현상과 위치 및 주위의 상황 등을 고려하여 국토 및 자연의 유지와 환경의 보전 등 중대한 공익상 필요가 있다고 인정될 때에는 허가를 거부할 수 있고, 그 경우 법규에 명문의 근거가 없더라도 거부처분을 할 수 있는 것이며, 이는 산림훼손기간을 연장하는 경우에도 마찬가지이다(대판 1997. 9. 12, 97누1228).

15 [정답] ④

㉮ ㅇ

> 행정기본법 제24조【인·허가 의제의 기준】 ③ 주된 인·허가 행정청은 주된 인·허가를 하기 전에 관련 인·허가에 관하여 미리 관련 인·허가 행정청과 협의하여야 한다.
> ④ 관련 인·허가 행정청은 제3항에 따른 협의를 요청받으면 그 요청을 받은 날부터 20일 이내(제5항 단서에 따른 절차에 걸리는 기간은 제외한다)에 의견을 제출하여야 한다. 이 경우 전단에서 정한 기간(민원처리 관련 법령에 따라 의견을 제출하여야 하는 기간을 연장한 경우에는 그 연장한 기간을 말한다) 내에 협의 여부에 관하여 의견을 제출하지 아니하면 협의가 된 것으로 본다.
> 제25조【인·허가 의제의 효과】 ① 제24조 제3항·제4항에 따라 협의가 된 사항에 대해서는 주된 인·허가를 받았을 때 관련 인·허가를 받은 것으로 본다.
> ② 인·허가 의제의 효과는 주된 인·허가의 해당 법률에 규정된 관련 인·허가에 한정된다.

㉯ ㅇ 인·허가 의제제도의 경우 절차는 집중되므로 주된 허가에 규정된 절차만 거치면 충분하다. 행정기본법도 이러한 전제하에, 개별법률에서 인·허가 의제시 관련 인·허가에 필요한 심의, 의견청취 등 절차를 거친다는 명시적인 규정을 둔 경우에만 이를 거치도록 하고 있다. 반면에 실체적 요건은 집중되지 않으므로 의제되는 법률에 규정된 요건까지 모두 구비된 경우에 한하여 주된 허가가 가능하다.

> 건설부장관(현 국토교통부장관)이 관계 기관의 장과 협의를 거쳐 주택건설사업계획승인을 한 경우 별도로 도시계획법(현 「국토의 계획 및 이용에 관한 법률」) 소정의 중앙도시계획위원회의 의결이나 주민의 의견청취 등의 절차가 필요한 것은 아니다. - 절차집중 긍정설
> 주택건설촉진법의 목적 및 기본원칙(제1·2조)에 비추어 보면 건설부장관이 촉진법 제33조에 따라 관계 기관의 장과 협의를 거쳐 사업계획승인을 한 이상 같은 조 제4항의 허가, 인가, 결정, 승인 등이 있는 것으로 볼 것이고, 그 절차와 별도로 도시계획법 제12조 등 소정의 중앙도시계획위원회의 의결이나 주민의 의견청취 등의 절차를 거칠 필요는 없는 것이다(대판 1992. 11. 10, 92누1162).

> 행정기본법 제24조【인·허가 의제의 기준】 ⑤ 제3항에 따라 협의를 요청받은 관련 인·허가 행정청은 해당 법령을 위반하여 협의에 응해서는 아니 된다. 다만, 관련 인·허가에 필요한 심의, 의견청취 등 절차에 관하여는 법률에 인·허가 의제시에도 해당 절차를 거친다는 명시적인 규정이 있는 경우에만 이를 거친다.

> 채광계획인가로 공유수면점용허가가 의제될 경우, 공유수면점용불허결정을 사유로 들어 채광계획을 인가하지 아니할 수 있다. - 실체집중 부정설

채광계획이 중대한 공익에 배치된다고 할 때에는 인가를 거부할 수 있고, 채광계획을 불인가하는 경우에는 정당한 사유가 제시되어야 하며 자의적으로 불인가를 하여서는 아니 될 것이므로 채광계획인가는 기속재량행위에 속하는 것으로 보아야 할 것이나, 구 광업법 제47조의2 제5호에 의하여 채광계획인가를 받으면 공유수면점용허가를 받은 것으로 의제되고, 이 공유수면점용허가는 공유수면관리청이 공공위해의 예방 경감과 공공복리의 증진에 기여함에 적당하다고 인정하는 경우에 그 자유재량에 의하여 허가의 여부를 결정하여야 할 것이므로, 공유수면점용허가를 필요로 하는 채광계획인가신청에 대하여도, 공유수면관리청이 재량적 판단에 의하여 공유수면점용의 허가 여부를 결정할 수 있고, 그 결과 공유수면점용을 허용하지 않기로 결정하였다면, 채광계획인가관청은 이를 사유로 하여 채광계획을 인가하지 아니할 수 있는 것이다(대판 2002. 10. 11, 2001두151).

관련판례

건축법에서 인·허가 의제제도를 둔 취지는, 인·허가 의제사항과 관련하여 건축허가의 관할 행정청으로 창구를 단일화하고 절차를 간소화하며 비용과 시간을 절감함으로써 국민의 권익을 보호하려는 것이지, 인·허가 의제사항 관련 법률에 따른 각각의 인·허가 요건에 관한 일체의 심사를 배제하려는 것으로 보기는 어려우므로, 도시계획시설인 주차장에 대한 건축허가신청을 받은 행정청으로서는 건축법상 허가요건뿐 아니라 국토의 계획 및 이용에 관한 법령이 정한 도시계획시설사업에 관한 실시계획인가요건도 충족하는 경우에 한하여 이를 허가해야 한다(대판 2015. 7. 9, 2015두39590).

㉰ ✕

❶ 주된 인·허가에 관한 사항을 규정하고 있는 甲법률에서 주된 인·허가가 있으면 乙법률에 의한 인·허가를 받은 것으로 의제한다는 규정을 둔 경우에는, 주된 인·허가가 있으면 乙법률에 의한 인·허가가 있는 것으로 보는 데 그치는 것이고, 그에서 더 나아가 乙법률에 의하여 인·허가를 받았음을 전제로 한 乙법률의 모든 규정들까지 적용되는 것은 아니다.
❷ 건축법 제8조 제4항은 건축허가를 받은 경우, 구 도시계획법 제25조의 규정에 의한 도시계획사업 실시계획의 인가를 받은 것으로 본다는 인가의제규정만을 두고 있을 뿐, 구 건축법 자체에서 새로이 설치한 공공시설의 귀속에 관한 구 도시계획법 제83조 제2항을 준용한다는 규정을 두고 있지 아니하므로, 구 건축법 제8조 제4항에 따른 건축허가를 받아 새로이 공공시설을 설치한 경우, 그 공공시설의 귀속에 관하여는 구 도시계획법 제83조 제2항이 적용되지 않는다(대판 2004. 7. 22, 2004다19715).

㉱㉲ ✕

건축불허가처분을 하면서 건축불허가사유 외에 형질변경불허가사유나 농지전용불허가사유를 들고 있는 경우, 그 건축불허가처분에 관한 쟁송에서 형질변경불허가사유나 농지전용불허가사유에 관하여도 다툴 수 있다.
건축불허가처분을 하면서 그 처분사유로 건축불허가사유뿐만 아니라 형질변경불허가사유나 농지전용불허가사유를 들고 있다고 하여 그 건축불허가처분 외에 별개로 형질변경불허가처분이나 농지전용불허가처분이 존재하는 것이 아니다(㉲). 따라서 그 건축불허가처분을 받은 사람은 그 건축불허가처분에 관한 쟁송에서 건축법상의 건축불허가사유뿐만 아니라 도시계획법상의 형질변경불허가사유나 농지법상의 농지전용불허가사유에 관하여도 다툴 수 있는 것이지, 그 건축불허가처분에 관한 쟁송과는 별개로 형질변경불허가처분이나 농지전용불허가처분에 관한 쟁송을 제기하여 이를 다투어야 하는 것은 아니며(㉱), 그러한 쟁송을 제기하지 아니하였어도 형질변경불허가사유나 농지전용불허가사유에 관하여 불가쟁력이 생기지 아니한다(대판 2001. 1. 16, 99두10988).

16 〔정답〕 ②

㉮ ✕ 인·허가 의제제도는 주된 인·허가를 담당하는 기관이 의제되는 인·허가(관련 인·허가)에 관한 심사도 담당한다는 점에서 행정기관의 권한에 변경을 가져오므로 법률에 명시적 근거가 있어야 하며, 의제되는 인·허가의 범위도 법령에 명시되어 있어야 한다. 행정기본법도 인·허가 의제 법정주의를 취하고 있다.

> **행정기본법 제24조【인·허가 의제의 기준】**① 이 절에서 '인·허가 의제'란 하나의 인·허가(이하 '주된 인·허가'라 한다)를 받으면 법률로 정하는 바에 따라 그와 관련된 여러 인·허가(이하 '관련 인·허가'라 한다)를 받은 것으로 보는 것을 말한다.

인·허가 의제제도는 관련 인·허가 행정청의 권한을 제한하거나 박탈하는 효과를 가진다는 점에서 법률 또는 법률의 위임에 따른 법규명령의 근거가 있어야 한다(대판 2022. 9. 7, 2020두40327).

㉯ ○ 판례는 주된 인·허가(창업사업계획승인)로 의제된 인·허가(산지전용허가)는 통상적인 인·허가와 동일한 효력을 가지므로, 의제된 인·허가의 취소나 철회가 허용되며, 의제된 인·허가의 직권취소나 철회는 항고소송의 대상이 되는 처분에 해당한다고 본다. 이에 반하여 주된 인·허가에 대한 거부처분이 있는 경우에는 주된 거부처분만이 존재할 뿐이며 의제되는 인·허가의 거부처분은 실재(實在)하는 것은 아니라는 것이 판례의 입장임을 주의하여야 한다.

의제된 산지전용허가를 주된 인·허가인 사업계획승인처분과 별도로 취소할 수 있으며 의제된 인·허가의 취소는 항고소송의 대상이 되는 처분에 해당한다.
사업계획승인으로 의제된 인·허가는 통상적인 인·허가와 동일한 효력을 가지므로, 그 효력을 제거하기 위한 법적 수단으로 의제된 인·허가의 취소나 철회가 허용될 필요가 있다(대판 2018. 7. 12, 2017두48734).

비교판례

건축불허가처분을 하면서 그 처분사유로 건축불허가사유뿐만 아니라 형질변경불허가사유나 농지전용불허가사유를 들고 있다고 하여 그 건축불허가처분 외에 별개로 형질변경불허가처분이나 농지전용불허가처분이 존재하는 것이 아니다(대판 2001. 1. 16, 99두10988).

㉰ ○

주택건설사업계획 승인처분에 따라 의제된 지구단위계획결정에 하자가 있음을 이해관계인이 다투고자 하는 경우, 주된 처분(주택건설사업계획 승인처분)이 아니라 의제된 인·허가(지구단위계획결정)를 항고소송의 대상으로 삼아야 한다.
구 주택법 제17조 제1항에 따르면, 주택건설사업계획 승인권자가 관계 행정청의 장과 미리 협의한 사항에 한하여 승인처분을 할 때에 인·허가 등이 의제될 뿐이고, 각 호에 열거된 모든 인·허가 등에 관하여 일괄하여 사전협의를 거칠 것을 주택건설사업계획 승인처분의 요건으로 규정하고 있지 않다. 따라서 인·허가 의제대상이 되는 처분에 어떤 하자가 있더라도, 그로써 해당 인·허가 의제의 효과가 발생하지 않을 여지가 있게 될 뿐이고, 그러한 사정이 주택건설사업계획 승인처분 자체의 위법사유가 될 수는 없다. 또한 의제된 인·허가는 통상적인 인·허가와 동일한 효력을 가지므로, 적어도 '부분 인·허가 의제'가 허용되는 경우에는 그 효력을 제거하기 위한 법적 수단으로 의제된 인·허가의 취소나 철회가 허용될 수 있고, 이러한 직권취소·철회가 가능한 이상 그 의제된 인·허가에 대한 쟁송취소 역시 허용된다. 따라서 주택건설사업계획 승인처분에 따라 의제된 인·허가가 위법함을 다투고자 하는 이해관계인은, 주택건설사업계획 승인처분의 취소를 구할 것이 아니라 의제된 인·허가의 취소를 구하여야 하며, 의제된 인·허가는 주택건설사업계획 승인처분과 별도로 항고소송의 대상이 되는 처분에 해당한다(대판 2018. 11. 29, 2016두38792).

㉣ ✕

지구단위계획결정이 의제되려면 주택법에 의한 관계 행정청과의 협의절차 외에 「국토의 계획 및 이용에 관한 법률」상 지구단위계획 입안을 위한 주민의견청취절차를 별도로 거쳐야 하는 것은 아니다. 구 주택법 제17조 제1항에 인·허가 의제규정을 둔 입법취지는, 주택건설사업을 시행하는 데 필요한 각종 인·허가 사항과 관련하여 주택건설사업계획 승인권자로 그 창구를 단일화하고 절차를 간소화함으로써 각종 인·허가에 드는 비용과 시간을 절감하여 주택의 건설·공급을 활성화하려는 데에 있다. 이러한 인·허가 의제규정의 입법취지를 고려하면, 주택건설사업계획 승인권자가 구 주택법 제17조 제3항에 따라 도시·군관리계획 결정권자와 협의를 거쳐 관계 주택건설사업계획을 승인하면 같은 조 제1항 제5호에 따라 도시·군관리계획결정이 이루어진 것으로 의제되고, 이러한 협의절차와 별도로 「국토의 계획 및 이용에 관한 법률」 제28조 등에서 정한 도시·군관리계획 입안을 위한 주민의견청취절차를 거칠 필요는 없다(대판 2018. 11. 29, 2016두38792).

17 [정답] ④

㉮ ○ 주된 인·허가에 의해 의제되는 인·허가는 원칙적으로 주된 인·허가로 인한 사업을 시행하는 데 필요한 범위 내에서만 그 효력이 유지되는 것이므로, 주된 인·허가로 인한 사업이 완료된 이후에는 효력이 없다는 것이 판례의 입장이다.

구 택지개발촉진법 제11조 제1항 제9호에서는 사업시행자가 택지개발사업 실시계획승인을 받은 때 도로법에 의한 도로공사시행허가 및 도로점용허가를 받은 것으로 본다고 규정하고 있는바, 이러한 인·허가 의제제도는 목적사업의 원활한 수행을 위해 행정절차를 간소화하고자 하는 데 그 취지가 있는 것이므로 위와 같은 실시계획승인에 의해 의제되는 도로공사시행허가 및 도로점용허가는 원칙적으로 당해 택지개발사업을 시행하는 데 필요한 범위 내에서만 그 효력이 유지된다고 보아야 한다(대판 2010. 4. 29, 2009두18547).

㉯ ○

어떤 개발사업의 시행과 관련하여 인·허가의 근거법령에서 절차간소화를 위하여 관련 인·허가를 의제 처리할 수 있는 근거규정을 둔 경우, 원칙적으로 사업시행자가 인·허가를 신청하면서 반드시 관련 인·허가 의제 처리를 신청할 의무가 있는 것은 아니다.

어떤 인·허가의 근거법령에서 절차간소화를 위하여 관련 인·허가를 의제 처리할 수 있는 근거규정을 둔 경우에는, 사업시행자가 인·허가를 신청하면서 하나의 절차 내에서 관련 인·허가를 의제 처리해 줄 것을 신청할 수 있다. 관련 인·허가 의제제도는 사업시행자의 이익을 위하여 만들어진 것이므로, 사업시행자가 반드시 관련 인·허가 의제 처리를 신청할 의무가 있는 것은 아니다(대판 2020. 7. 23, 2019두31839).

㉰ ○

행정기본법 제24조【인·허가 의제의 기준】② 인·허가 의제를 받으려면 주된 인·허가를 신청할 때 관련 인·허가에 필요한 서류를 함께 제출하여야 한다. 다만, 불가피한 사유로 함께 제출할 수 없는 경우에는 주된 인·허가 행정청이 별도로 정하는 기한까지 제출할 수 있다.

㉱ ○

주된 인·허가에 관한 사항을 규정하고 있는 甲법률에서 주된 인·허가가 있으면 乙법률에 의한 인·허가를 받은 것으로 의제한다는 규정을 둔 경우에는, 주된 인·허가가 있으면 乙법률에 의한 인·허가가 있는 것으로 보는 데 그치는 것이고, 그에서 더 나아가 乙법률에 의하여 인·허가를 받았음을 전제로 한 乙법률의 모든 규정들까지 적용되는 것은 아니다(대판 2004. 7. 22, 2004다19715).

18 [정답] ②

㉮ ✕ 양도인의 위법행위로 제재처분이 내려진 경우, 그 제재처분(허가취소, 영업정지처분 또는 과징금 부과처분)의 효과는 이미 영업자의 지위에 포함된 것이므로 양수인에게 당연히 이전된다고 보아야 한다.

㉯㉰ ○

❶ 관할 관청은 개인택시운송사업의 양도·양수에 대한 인가를 한 후, 그 양도·양수 이전에 있었던 양도인에 대한 운송사업면허 취소사유를 들어 양수인의 사업면허를 취소할 수 있다(㉯).
❷ 양도·양수 당시에는 양도인에 대한 운송사업면허취소사유가 현실적으로 발생하지 않은 경우라도 그 원인이 되는 사실이 이미 존재하였다면, 관할 관청으로서는 그 후 발생한 운송사업면허취소사유에 기하여 양수인의 사업면허를 취소할 수 있는 것이다(㉰)(대판 2010. 4. 8, 2009두17018).

㉱ ✕

회사가 분할된 경우, 원칙적으로 신설회사에 대하여 분할하는 회사의 분할 전 법 위반행위를 이유로 과징금을 부과할 수는 없다.
회사 분할시 신설회사 또는 존속회사가 승계하는 것은 분할하는 회사의 권리와 의무이고, 분할하는 회사의 분할 전 법 위반행위를 이유로 과징금이 부과되기 전까지는 단순한 사실행위만 존재할 뿐 과징금과 관련하여 분할하는 회사에 승계대상이 되는 어떠한 의무가 있다고 할 수 없으므로, 특별한 규정이 없는 한 신설회사에 대하여 분할하는 회사의 분할 전 법 위반행위를 이유로 과징금을 부과하는 것은 허용되지 않는다(대판 2011. 5. 26, 2008두18335).

㉲ ✕ 대물적 처분(대물적 허가 등)의 경우 명문규정이 없더라도 영업양도가 가능하며, 이 경우 양도인의 위법행위를 이유로 양수인에게 제재를 할 수 있다는 것이 판례의 입장이다. 그러나 대인적 처분(대인적 허가 등)의 경우에는 일신전속적 성질을 가지므로 명문규정이 없으면 이론적으로 양도 자체가 허용되지 않는다.

석유판매업허가는 대물적 허가로서 양도가 가능하므로 석유판매업이 양도된 경우, 양도인의 귀책사유로 양수인에게 제재를 가할 수 있다.

석유판매업(주유소)허가는 소위 대물적 허가의 성질을 갖는 것이어서 그 사업의 양도도 가능하고 이 경우 양수인은 양도인의 지위를 승계하게 됨에 따라 양도인의 위 허가에 따른 권리·의무가 양수인에게 이전되는 것이므로 만약 양도인에게 그 허가를 취소할 위법사유가 있다면 허가관청은 이를 이유로 양수인에게 응분의 제재조치를 취할 수 있다 할 것이고, 양수인이 그 양수 후 허가관청으로부터 석유판매업허가를 다시 받았다 하더라도 이는 석유판매업의 양도·양수를 전제로 한 것이어서 이로써 양도인의 지위승계가 부정되는 것은 아니라 할 것이다(대판 1986. 7. 22, 86누203).

㉯ ✕

불법증차된 화물자동차를 양수한 화물자동차운송사업자에 대하여 유가보조금 환수처분을 할 수 있다.

(1) 화물자동차 운수사업법(이하 '화물자동차법'이라 한다) 제16조 제4항은 화물자동차운송사업을 양수하고 신고를 마치면 양수인이 양도인의 '운송사업자로서의 지위'를 승계한다고 규정하고 있다. 이러한 지위승계 규정은 양도인이 해당 사업과 관련하여 관계 법령상 의무를 위반하여 제재사유가 발생한 후 사업을 양도하는 방법으로 제재처분을 면탈하는 것을 방지하려는 데에도 그 입법목적이 있다. 화물자동차법에서 '운송사업자'란 화물자동차법 제3조 제1항에 따라 화물자동차운송사업허가를 받은 자를 말하므로(제3조 제3항), '운송사업자로서의 지위'란 운송사업허가에 기인한 공법상 권리와 의무를 의미하고, 그 '지위의 승계'란 양도인의 공법상 권리와 의무를 승계하고 이에 따라 양도인의 의무 위반행위에 따른 위법상태의 승계도 포함하는 것이라고 보아야 한다. 불법증차를 실행한 운송사업자로부터 운송사업을 양수하고 화물자동차법 제16조 제1항에 따른 신고를 하여 화물자동차법 제16조 제4항에 따라 운송사업자의 지위를 승계한 경우에는 설령 양수인이 영업양도·양수 대상에 불법증차 차량이 포함되어 있는지를 구체적으로 알지 못하였다 할지라도, 양수인은 불법증차 차량이라는 물적 자산과 그에 대한 운송사업자로서의 책임까지 포괄적으로 승계한다(헌재 2019. 9. 26, 2017헌바397 등 참조). 따라서 관할 행정청은 양수인의 선의·악의를 불문하고 양수인에 대하여 불법증차 차량에 관하여 지급된 유가보조금의 반환을 명할 수 있다.

(2) 다만, 그에 따른 양수인의 책임범위는 지위승계 후 발생한 유가보조금 부정수급액에 한정되고, 지위승계 전에 발생한 유가보조금 부정수급액에 대해서까지 양수인을 상대로 반환명령을 할 수는 없다. 유가보조금 반환명령은 '운송사업자 등'이 유가보조금을 지급받을 요건을 충족하지 못함에도 유가보조금을 청구하여 부정수급하는 행위를 처분사유로 하는 '대인적 처분'으로서, '운송사업자'가 불법증차 차량이라는 물적 자산을 보유하고 있음을 이유로 한 운송사업허가취소 등의 '대물적 제재처분'과는 구별되고, 양수인은 영업양도·양수 전에 벌어진 양도인의 불법증차 차량의 제공 및 유가보조금 부정수급이라는 결과 발생에 어떠한 책임이 있다고 볼 수 없기 때문이다(대판 2021. 7. 29, 2018두55968).

19 정답 ④

① ○ 사례에서의 신고는 지위승계신고로서 행정청이 수리하여야 효력이 발생하는 수리를 요하는 신고(행위요건적 신고)이다. 행정기본법 제34조는 수리를 요하는 신고에 대해 규정하고 있다.

식품위생법 제25조 제3항에 의한 영업양도에 따른 지위승계신고는 수리를 요하는 신고로서 이를 수리하는 행정청의 행위는 영업자의 변경이라는 법률효과를 발생시키는 행위이다.

식품위생법 제25조 제3항에 의한 영업양도에 따른 지위승계신고를 수리하는 허가관청의 행위는 단순히 양도·양수인 사이에 이미 발생한 사법상의 사업양도의 법률효과에 의하여 양수인이 그 영업을 승계하였다는 사실의 신고를 접수하는 행위에 그치는 것이 아니라, 영업허가자의 변경이라는 법률효과를 발생시키는 행위라고 할 것이다(대판 1995. 2. 24, 94누9146).

행정기본법 제34조【수리 여부에 따른 신고의 효력】 법령 등으로 정하는 바에 따라 행정청에 일정한 사항을 통지하여야 하는 신고로서 법률에 신고의 수리가 필요하다고 명시되어 있는 경우(행정기관의 내부업무처리절차로서 수리를 규정한 경우는 제외한다)에는 행정청이 수리하여야 효력이 발생한다.

② ○ 행위요건적 신고의 경우 신고만으로 완전한 법적 효과가 발생하지 않고, 행정청이 수리를 하여야 완전한 법적 효과가 발생하므로, 행정청의 수리 또는 수리의 거부는 준법률행위적 행정행위의 하나로서 행정소송법상의 처분 개념에 해당한다.

체육시설의 회원을 모집하고자 하는 자의 '회원모집계획서 제출'은 수리를 요하는 신고이며 이에 대한 시·도지사 등의 검토결과 통보는 수리행위로서 행정처분에 해당한다(대판 2009. 2. 26, 2006두16243).

③ ○ 사업의 양도·양수에 따른 지위승계신고와 같은 행위요건적 신고는 유효한 기본행위의 존재를 전제로 하는 수동적인 행위로서 수리대상인 기본행위가 존재하지 않거나 무효인 때에는 수리를 하였더라도 수리도 당연무효가 된다는 것이 통설과 판례의 입장이다.

지위승계신고의 수리대상인 사업양도·양수가 존재하지 아니하거나 무효인 때에는 수리를 하였다 하더라도 그 수리는 당연히 무효이다.

사업양도·양수에 따른 허가관청의 지위승계신고의 수리는 적법한 사업양도·양수가 있었음을 전제로 하는 것이므로 그 수리대상인 사업양도·양수가 존재하지 아니하거나 무효인 때에는 수리를 하였다 하더라도 그 수리는 유효한 대상이 없는 것으로서 당연히 무효라 할 것이다(대판 2005. 12. 23, 2005두3554).

④ ✕

사업의 양도행위가 무효라고 주장하는 양도자가 양도·양수행위의 무효를 구함이 없이 사업양도·양수에 따른 허가관청의 지위승계신고수리처분의 무효확인을 구할 법률상 이익이 있다.

사업양도·양수에 따른 허가관청의 지위승계신고의 수리는 적법한 사업양도·양수가 있었음을 전제로 하는 것이므로 그 수리대상인 사업양도·양수가 존재하지 아니하거나 무효인 때에는 수리를 하였다 하더라도 그 수리는 유효한 대상이 없는 것으로서 당연히 무효라 할 것이고, 사업의 양도행위가 무효라고 주장하는 양도자는 민사쟁송으로 양도·양수행위의 무효를 구함이 없이 막바로 허가관청을 상대로 하여 행정소송으로 위 신고수리처분의 무효확인을 구할 법률상 이익이 있다(대판 2005. 12. 23, 2005두3554).

20   정답 ①

㉮ ✗

> 영업자지위승계신고를 수리하는 처분은 종전의 영업자의 권익을 제한하는 처분으로서 종전 영업자에 대해 행정절차법 제21 · 22조 규정의 행정절차를 실시하고 처분을 하여야 한다.
> 그 영업자의 지위를 승계한 자가 관계 행정청에 이를 신고하여 행정청이 이를 수리하는 경우에는 종전의 영업자에 대한 영업허가 등은 그 효력을 잃는다 할 것인데, 위 규정들을 종합하면 위 행정청이 구 식품위생법 규정에 의하여 영업자지위승계신고를 수리하는 처분은 종전의 영업자의 권익을 제한하는 처분이라 할 것이고 따라서 종전의 영업자는 그 처분에 직접 그 상대가 되는 자에 해당한다고 봄이 상당하므로, 행정청으로서는 위 신고를 수리하는 처분을 함에 있어서 행정절차법 규정 소정의 당사자에 해당하는 종전의 영업자에 대하여 위 규정 소정의 행정절차를 실시하고 처분을 하여야 한다(대판 2003. 2. 14, 2001두7015).

㉯ ✗ 지위승계신고는 수리를 요하는 신고로서 신고만으로 완전한 법적 효과가 발생하지 않고, 행정청이 수리를 하여야 완전한 법적 효과가 발생한다.

㉰ ○ 대물적 처분(대물적 허가 등)의 경우 명문규정이 없더라도 영업양도가 가능하며, 이 경우 양도인의 위법행위를 이유로 양수인에게 제재를 할 수 있다는 것이 판례의 입장이다. 그러나 대인적 처분(대인적 허가 등)의 경우에는 일신전속적 성질을 가지므로 명문규정이 없으면 이론적으로 양도 자체가 허용되지 않는다.

> 석유판매업허가는 대물적 허가로서 양도가 가능하므로 석유판매업이 양도된 경우, 양도인의 귀책사유로 양수인에게 제재를 가할 수 있다.
> 석유판매업(주유소)허가는 소위 대물적 허가의 성질을 갖는 것이어서 그 사업의 양도도 가능하고 이 경우 양수인은 양도인의 지위를 승계하게 됨에 따라 양도인의 위 허가에 따른 권리 · 의무가 양수인에게 이전되는 것이므로 만약 양도인에게 그 허가를 취소할 위법사유가 있다면 허가관청은 이를 이유로 양수인에게 응분의 제재조치를 취할 수 있다 할 것이고, 양수인이 그 양수 후 허가관청으로부터 석유판매업허가를 다시 받았다 하더라도 이는 석유판매업의 양도 · 양수를 전제로 한 것이어서 이로써 양도인의 지위승계가 부정되는 것은 아니라 할 것이다(대판 1986. 7. 22, 86누203).

21   정답 ②

㉮ ✗

> 기한 경과 후 유효기간이 지나서 한 신청은 신규허가의 신청이므로 허가요건 적합 여부를 새로이 판단하여 허가 여부를 결정하여야 한다.
> 종전의 허가가 기한의 도래로 실효한 이상 원고가 종전 허가의 유효기간이 지나서 신청한 이 사건 기간연장신청은 그에 대한 종전의 허가처분을 전제로 하여 단순히 그 유효기간을 연장하여 주는 행정처분을 구하는 것이라기보다는 종전의 허가처분과는 별도의 새로운 허가를 내용으로 하는 행정처분을 구하는 것이라고 보아야 할 것이어서, 이러한 경우 허가권자는 이를 새로운 허가신청으로 보아 법의 관계 규정에 의하여 허가요건의 적합 여부를 새로이 판단하여 그 허가 여부를 결정하여야 할 것이다(대판 1995. 11. 10, 94누11866).

㉯ ○

> 유료직업소개사업의 갱신이 있은 후에도 갱신 전의 법 위반사실을 근거로 허가를 취소할 수 있다.
> 유료직업소개사업의 허가갱신은 허가취득자에게 종전 지위를 계속 유지시키는 효과를 갖는 것에 불과하고 갱신 후에는 갱신 전의 법 위반사항을 불문에 부치는 효과를 발생시키는 것이 아니므로 일단 갱신이 있은 후에도 갱신 전의 법 위반사실을 근거로 허가를 취소할 수 있다(대판 1982. 7. 27, 81누174).

㉰ ○ ㉱ ✗

> 허가에 붙은 기한이 그 허가된 사업의 성질상 부당하게 짧은 경우 그 기한을 허가 자체의 존속기간이 아닌 허가조건의 존속기간으로 볼 수 있다. 다만, 이 경우라도 허가기간이 연장되기 위해서는 종기가 도래하기 전에 기간의 연장에 관한 신청이 있어야 한다.
> 일반적으로 행정처분에 효력기간이 정하여져 있는 경우에는 그 기간의 경과로 그 행정처분의 효력은 상실되고, 다만 허가에 붙은 기한이 그 허가된 사업의 성질상 부당하게 짧은 경우에는 이를 허가 자체의 존속기간이 아니라 그 허가조건의 존속기간으로 보아 그 기한이 도래함으로써 그 조건의 개정을 고려한다는 뜻으로 해석할 수는 있지만(㉰), 그와 같은 경우라 하더라도 그 허가기간이 연장되기 위하여는 그 종기가 도래하기 전에 그 허가기간의 연장에 관한 신청이 있어야 하며, 만일 그러한 연장신청이 없는 상태에서 허가기간이 만료하였다면 그 허가의 효력은 상실된다(㉱)(대판 2007. 10. 11, 2005두12404).

㉲ ○

> 허가에 붙은 당초의 기한이 상당 기간 연장되어 허가된 사업의 성질상 부당하게 짧은 경우에 해당하지 아니하게 된 경우, 관계 법령의 규정에 따라 허가 여부의 재량권을 가진 행정청이 기간연장을 불허가하는 것은 가능하다(대판 2004. 3. 25, 2003두12837).

22   정답 ①

㉮ ○ ㉰ ✗

> ❶ 「도시 및 주거환경정비법」 등 관련 법령에 근거하여 행하는 조합설립인가처분은 단순히 사인들의 조합설립행위에 대한 보충행위로서의 성질을 갖는 것에 그치는 것이 아니라 법령상 요건을 갖출 경우 「도시 및 주거환경정비법」상 주택재건축사업을 시행할 수 있는 권한을 갖는 행정주체(공법인)로서의 지위를 부여하는 일종의 설권적 처분의 성격을 갖는다(㉮).
> ❷ 행정청의 조합설립인가처분이 있은 후에 조합설립결의에 하자가 있음을 이유로 소송을 제기하는 경우라면 조합설립인가처분에 대한 항고소송을 제기하여야 한다.
> ❸ 조합설립인가처분이 있은 후에 조합설립결의의 하자를 이유로 그 결의 부분만을 따로 떼어 내어 무효등확인의 소를 제기하는 것은 허용될 수 없다(㉰)(대판 2009. 9. 24, 2008다60568).

㉯ ○ 주택재건축정비사업조합의 설립인가는 학문상 특허에 해당하나, 조합이 설립인가를 통해 행정주체로서 성립된 후 조합이 수립한 사업시행계획의 인가, 관리처분계획의 인가는 보충행위로서 인가에 해당한다. 구별해서 이해하기 바란다.

㉰ ○

> 도시환경정비사업조합이 수립한 사업시행계획을 인가하는 행정청의 행위의 법적 성질은 인가이다.
> 구 「도시 및 주거환경정비법」에 기초하여 도시환경정비사업조합이 수립한 사업시행계획은 그것이 인가·고시를 통해 확정되면 이해관계인에 대한 구속적 행정계획으로서 독립된 행정처분에 해당하므로(대결 2009. 11. 2, 2009마596 참조), 사업시행계획을 인가하는 행정청의 행위는 도시환경정비사업조합의 사업시행계획에 대한 법률상의 효력을 완성시키는 보충행위에 해당한다(대판 2010. 12. 9, 2010두1248).

㉱ ○

> 기본행위인 사업시행계획이 무효인 경우 그에 대한 인가처분이 있다고 하더라도 그 기본행위인 사업시행계획이 유효한 것으로 될 수 없으며, 기본행위가 적법·유효하고 보충행위인 인가처분 자체에만 하자가 있다면 그 인가처분의 무효나 취소를 주장할 수 있다고 할 것이지만, 인가처분에 하자가 없다면 기본행위에 하자가 있다고 하더라도 따로 그 기본행위의 하자를 다투는 것은 별론으로 하고 기본행위의 무효를 내세워 바로 그에 대한 인가처분의 취소 또는 무효확인을 구할 수 없다(대판 2014. 2. 27, 2011두25173).

㉲ ✕

> 구 「도시 및 주거환경정비법」에 기초하여 주택재개발정비사업조합이 수립한 사업시행계획은 관할 행정청의 인가·고시가 이루어지면 이해관계인들에게 구속력이 발생하는 독립된 행정처분에 해당하고, 관할 행정청의 사업시행계획 인가처분은 사업시행계획의 법률상 효력을 완성시키는 보충행위에 해당한다. 따라서 기본행위인 사업시행계획에는 하자가 없는데 보충행위인 인가처분에 고유한 하자가 있다면 그 인가처분의 무효확인이나 취소를 구하여야 할 것이지만, 인가처분에는 고유한 하자가 없는데 사업시행계획에 하자가 있다면 사업시행계획의 무효확인이나 취소를 구하여야 할 것이지 사업시행계획의 무효를 주장하면서 곧바로 그에 대한 인가처분의 무효확인이나 취소를 구하여서는 아니 된다(대판 2021. 2. 10, 2020두48031).

㉳㉴ ✕

> ❶ 「도시 및 주거환경정비법」상의 주택재건축정비사업조합을 상대로 관리처분계획안에 대한 조합총회결의의 효력을 다투는 소송의 법적 성질은 행정소송법상 당사자소송이다(㉳).
> ❷ 「도시 및 주거환경정비법」상의 주택재건축정비사업조합이 같은 법 제48조에 따라 수립한 관리처분계획에 대하여 관할 행정청의 인가·고시가 있은 후에는 행정처분의 효력을 다투는 항고소송의 방법으로 관리처분계획의 취소 또는 무효확인을 구하여야 하고, 그 관리처분계획안에 대한 총회결의의 무효확인을 구할 수는 없다(㉴)(대판 2009. 9. 17, 2007다2428 전합).

23 [정답] ④

㉮ ✕

> 특허청장의 상표사용권설정등록행위는 사인 간의 법률관계의 존부를 공적으로 증명하는 준법률행위적 행정행위임이 분명하다(대판 1991. 8. 13, 90누9414).

㉯ ✕ 선거에 있어 당선인결정은 준법률적 행정행위 중 확인행위에 해당한다.
㉰ ○ 소득세 부과를 위한 소득금액의 결정은 준법률행위적 행정행위 중 확인행위에 해당한다.

㉱ ○

> 건설업면허증 및 건설업면허수첩의 재교부는 그 면허증 등의 분실, 헐어 못 쓰게 된 때, 건설업의 면허이전 등 면허증 및 면허수첩 그 자체의 관리상의 문제로 인하여 종전의 면허증 및 면허수첩과 동일한 내용의 면허증 및 면허수첩을 새로이 또는 교체하여 발급하여 주는 것으로서, 이는 건설업의 면허를 받았다고 하는 특정 사실에 대하여 형식적으로 그것을 증명하고 공적인 증거력을 부여하는 행정행위(강학상의 공증행위)이므로, 그로 인하여 면허의 내용 등에는 아무런 영향이 없이 종전의 면허의 효력이 그대로 지속하고, 면허증 및 면허수첩의 재교부에 의하여 재교부 전의 면허는 실효되고 새로운 면허가 부여된 것이라고 볼 수 없다(대판 1994. 10. 25, 93누21231).

24 [정답] ②

① ✕ 특허 – 허가 – 특허
광업허가와 구 「수도권 대기환경개선에 관한 특별법」 제14조 제1항에서 정한 대기오염물질 총량관리사업장 설치의 허가 또는 변경허가는 특허에 해당하며, 건축허가는 허가에 해당한다.

> 구 「수도권 대기환경개선에 관한 특별법」 제14조 제1항에서 정한 대기오염물질 총량관리사업장 설치의 허가 또는 변경허가는 특정인에게 인구가 밀집되고 대기오염이 심각하다고 인정되는 수도권 대기관리권역에서 총량관리대상 오염물질을 일정량을 초과하여 배출할 수 있는 특정한 권리를 설정하여 주는 행위로서 그 처분의 여부 및 내용의 결정은 행정청의 재량에 속한다(대판 2013. 5. 9, 2012두22799).

비교판례
대기환경보전법상 배출시설설치허가는 기속행위이다(대판 2013. 5. 9, 2012두22799).

② ○ 특허 – 특허 – 특허
행정재산에 대한 사용허가, 토지 등 소유자들이 조합을 따로 설립하지 않고 직접 시행하는 도시환경정비사업에서 사업시행인가, 어업면허는 모두 특허에 해당한다.

> ❶ 공유재산의 관리청이 행하는 행정재산의 사용·수익에 대한 허가는 순전히 사경제주체로서 행하는 사법상의 행위가 아니라 관리청이 공권력을 가진 우월적 지위에서 행하는 행정처분으로서 특정인에게 행정재산을 사용할 수 있는 권리를 설정하여 주는 강학상 특허에 해당한다(공법행위)(대판 1998. 2. 27, 97누1105).
> ❷ 토지 등 소유자들이 조합을 따로 설립하지 않고 직접 시행하는 도시환경정비사업에서 사업시행인가처분은 단순히 사업시행계획에 대한 보충행위로서의 성질을 가지는 것이 아니라 행정주체로서의 지위를 부여하는 일종의 설권적 처분의 성격을 가진다. 토지 등 소유자들이 그 사업을 위한 조합을 따로 설립하지 않고 직접 시행하는 도시환경정비사업에서 사업시행인가처분은 단순히 사업시행계획에 대한 보충행위로서의 성질을 가지는 것이 아니라 구 「도시 및 주거환경정비법」상 정비사업을 시행할 수 있는 권한을 가지는 행정주체로서의 지위를 부여하는 일종의 설권적 처분의 성격을 가진다(대판 2013. 6. 13, 2011두19994).

③ × 확인 - 허가 - 확인
행정심판의 재결은 확인, 주류판매업면허는 허가, 발명특허는 확인에 해당한다.

> 주류판매업면허는 강학상의 허가로 해석되므로 주세법에 열거된 면허제한사유에 해당하지 아니하는 한 면허관청으로서는 임의로 그 면허를 거부할 수 없다.
> 주류판매업면허는 설권적 행위가 아니라 주류판매의 질서유지, 주세보전의 행정목적 등을 달성하기 위하여 개인의 자연적 자유에 속하는 영업행위를 일반적으로 제한하였다가 특정한 경우에 이를 회복하도록 그 제한을 해제하는 강학상의 허가로 해석되므로 주세법 제10조 제1호 내지 제11호에 열거된 면허제한사유에 해당하지 아니하는 한 면허관청으로서는 임의로 그 면허를 거부할 수 없다(대판 1995. 11. 10, 95누5714).

④ × 인가 - 대리 - 대리
자동차관리법상 사업자단체조합의 설립인가는 인가, 행려병자의 유류품 처분은 대리, 행정주체가 행정작용의 실효성을 확보하기 위하여 행하는 행위인 강제징수절차에서 압류재산의 공매처분 역시 대리에 해당한다.

> 구 자동차관리법 제67조 제1·3·4·5항, 구 자동차관리법 시행규칙 제148조 제1·2항의 내용 및 체계 등을 종합하면, 자동차관리법상 자동차관리사업자로 구성하는 사업자단체인 조합 또는 협회의 설립인가처분은 국토해양부장관(현 국토교통부장관) 또는 시·도지사가 자동차관리사업자들의 단체결성행위를 보충하여 효력을 완성시키는 처분(인가)에 해당한다(대판 2015. 5. 29, 2013두635).

25
정답 ②

① ×
> ❶ 허가대상건축물의 양수인이 구 건축법 시행규칙에 규정되어 있는 형식적 요건을 갖추어 시장·군수에게 적법하게 건축주의 명의변경을 신고한 때에는 시장·군수는 그 신고를 수리하여야지 실체적인 이유를 내세워 신고의 수리를 거부할 수 없다.
> ❷ 다만, 건축물의 소유권을 둘러싸고 소송이 계속 중이어서 판결로 소유권의 귀속이 확정될 때까지 건축주명의변경신고의 수리를 거부함은 상당하다(대판 1993. 10. 12, 93누883).

② ○
> ❶ 가설건축물 존치기간을 연장하려는 건축주 등이 법령에 규정되어 있는 제반 서류와 요건을 갖추어 행정청에 연장신고를 한 때에는 행정청은 원칙적으로 이를 수리하여 신고필증을 교부하여야 하고, 법령에서 정한 요건 이외의 사유를 들어 수리를 거부할 수는 없다.
> ❷ 따라서 행정청으로서는 법령에서 요구하고 있지도 아니한 '대지 사용승낙서' 등의 서류가 제출되지 아니하였거나, 대지소유권자의 사용승낙이 없다는 등의 사유를 들어 가설건축물존치기간연장신고의 수리를 거부하여서는 아니 된다(대판 2018. 1. 25, 2015두35116).

③ ×
> 개발촉진지구 안에서 시행되는 지역개발사업에 관한 지정권자의 실시계획승인처분은 설권적 처분의 성격을 가진 독립된 행정처분이다. 관계 법령의 내용과 취지 등에 비추어 보면 지구개발사업에 관한 지정권자의 실시계획승인처분은 단순히 시행자가 작성한 실시계획에 대한 법률상의 효력을 완성시키는 보충행위에 불과한 것이 아니라 법령상의 요건을 갖춘 경우 법이 규정하고 있는 지구개발사업을 시행할 수 있는 지위를 시행자에게 부여하는 일종의 설권적 처분으로서의 성격을 가진 독립된 행정처분으로 보아야 한다(대판 2014. 9. 26, 2012두5602).

④ ×
> 재단법인의 임원취임이 사법인인 재단법인의 정관에 근거한다 할지라도 이에 대한 행정청의 승인(인가)행위는 법인에 대한 주무관청의 감독권에 연유하는 이상 그 인가행위 또는 인가거부행위는 공법상의 행정처분으로서, 그 임원취임을 인가 또는 거부할 것인지 여부는 주무관청의 권한에 속하는 사항이라고 할 것이고, 재단법인의 임원취임승인 신청에 대하여 주무관청이 이에 기속되어 이를 당연히 승인(인가)하여야 하는 것은 아니다(즉, 재단법인 임원취임인가는 재량행위이다)(대판 2000. 1. 28, 98두16996).

제 5 회 | 소방 단원별 모의고사 정답과 해설

출제 범위 : 제13강 행정행위의 내용~제15강 행정행위의 요건과 효력　　　　　문제 p.94

01	02	03	04	05
④	③	④	④	②
06	07	08	09	10
②	②	③	④	③
11	12	13	14	15
②	③	④	②	④
16	17	18	19	20
②	③	②	②	②
21	22	23	24	25
③	③	③	④	④

01
정답 ④

㉮ × 재단법인의 정관변경허가는 강학상 인가인 반면에, 주류판매업면허와 유흥주점영업허가는 강학상 허가에 해당한다.

> 민법상 재단법인(사회복지법인 등) 정관변경허가는 강학상 인가에 해당한다.
> 여기서(민법 제45·46조) 말하는 재단법인의 정관변경'허가'는 법률상의 표현이 허가로 되어 있기는 하나, 그 성질에 있어 법률행위의 효력을 보충해주는 것이지 일반적 금지를 해제하는 것이 아니므로 그 법적 성격은 인가라고 보아야 할 것이다. 이러한 견해와 저촉되는 종전의 대판 1979. 12. 26, 79누248과 대판 1985. 8. 20, 84누509 등은 이를 폐기하기로 한다(대판 1996. 5. 16, 95누4810).

㉯ × 인가는 항상 상대방의 신청을 요건으로 하는 행위라는 점에서 상대방의 신청이 없이도 가능한 허가와 구별된다.

㉰ × 명령적 행정행위란 주로 질서유지를 위해 국민에 대하여 일정한 작위·부작위·급부·수인 등의 의무를 명하거나 의무를 해제하는 행정행위를 말하며, 하명·허가·면제가 이에 해당한다. 이에 반해 형성적 행정행위란 국민에 대해 국민이 원래부터 가지고 있는 것이 아닌 새로운 권리·법률상의 지위 또는 포괄적 법률관계, 기타 법률상의 힘을 발생·변경·소멸시키는 행정행위를 말하며, 특허·인가·대리가 이에 해당한다.

㉱㉲ ○ 기본행위가 적법하고 인가에만 하자가 있는 경우에는 인가를 다툴 수 있다. 반면에 기본행위에 하자가 있는 경우 기본행위를 다투어야 하며, 기본행위의 하자를 이유로 인가처분의 취소 또는 무효를 소송으로 다툴 이익은 없다.

> 인가는 기본행위인 재단법인의 정관변경에 대한 법률상의 효력을 완성시키는 보충행위로서, 그 기본이 되는 정관변경결의에 하자가 있을 때에는 그에 대한 인가가 있었다 하여도 기본행위인 정관변경결의가 유효한 것으로 될 수 없으므로 기본행위인 정관변경결의가 적법·유효하고 보충행위인 인가처분 자체에만 하자가 있다면 그 인가처분의 무효나 취소를 주장할 수 있지만(㉱), 인가처분에 하자가 없다면 기본행위인 정관변경결의에 하자가 있는 경우 기본행위를 다투는 것은 별론으로 하고 기본행위의 무효를 내세워 인가처분의 취소 또는 무효확인을 구할 법률상 이익은 없다(㉲)(대판 1996. 5. 16, 95누4810).

02
정답 ③

㉮ ○ ㉯ × 기본행위가 성립하지 않거나 무효인 경우에 인가를 받더라도 기본행위가 유효로 되는 것은 아니며 인가 역시 무효로 된다. 즉, 인가는 기본행위의 하자를 치유하지 않는다.

> ❶ 사립학교법 제20조 제2항의 규정 및 학교법인의 정관에 의한 이사에 대한 감독청의 취임승인은 학교법인의 이사선임행위를 보충하여 그 법률상의 효력을 완성케 하는 보충적 행정행위(㉮)로서, 성질상 그 기본행위를 떠나 승인처분 그 자체만으로는 법률상 아무런 효력도 발생할 수 없다.
> ❷ 기본행위인 학교법인의 이사선임행위가 불성립 또는 무효인 경우에는 비록 그에 대한 감독청의 취임승인이 있었다 하여도 이로써 무효인 그 선임행위가 유효한 것으로 될 수는 없다(㉯)(대판 2007. 12. 27, 2005두9651).

㉰ × 신청의 내용과 다른 인가가 가능한가에 대해 법령의 명시적 근거가 없는 한 행정청은 인가 여부만 결정할 수 있을 뿐이고 수정인가는 할 수 없다는 것이 통설의 입장이다.

03
정답 ④

① ○

> 도로법 제40조 제1항에 의한 도로점용허가는 설권행위(편저자 주 : 특허)로서 재량행위이다.
> 도로점용허가는 특정인에게 일정한 내용의 공물사용권을 설정하는 설권행위로서, 공물관리자가 신청인의 적격성, 사용목적 및 공익상의 영향 등을 참작하여 허가를 할 것인지의 여부를 결정하는 재량행위이다(대판 2002. 10. 25, 2002두5795).

② ○

> 국립의료원 부설주차장에 관한 위탁관리용역운영계약은 계약이라는 용어에도 불구하고 행정재산의 사용허가로서 강학상 특허에 해당한다.
> 국립의료원 부설주차장에 관한 위탁관리용역운영계약의 실질은 행정재산인 위 부설주차장에 대한 국유재산법 제24조 제1항에 의한 사용·수익허가로서 이루어진 것임을 알 수 있으므로, 이는 위 국립의료원이 원고의 신청에 의하여 공권력을 가진 우월적 지위에서 행한 행정처분으로서 특정인에게 행정재산을 사용할 수 있는 권리를 설정하여 주는 강학상 특허에 해당한다 할 것이고 순전히 사경제주체로서 원고와 대등한 지위에서 행한 사법상의 계약으로 보기 어렵다고 할 것이다(대판 2006. 3. 9, 2004다31074).

③ ○

> 개인택시운송사업면허는 특허로서 특별한 규정이 없는 한 재량행위이다.

자동차운수사업법에 의한 개인택시운송사업면허는 특정인에게 권리나 이익을 부여하는 행정행위로서 법령에 특별한 규정이 없으면 행정청의 재량에 속하는 것이고, 그 면허를 위하여 정하여진 순위 내에서의 운전경력 인정방법에 관한 기준을 설정하는 것 역시 행정청의 재량이므로, 그 설정된 기준이 객관적으로 합리적이 아니라거나 타당하지 않다고 볼 만한 다른 특별한 사정이 없는 이상 이에 기하여 운전경력을 산정한 것을 위법하다고 할 수는 없다(대판 1995. 7. 14, 94누14841 ; 대판 1995. 11. 10, 95누8461 ; 대판 1996. 10. 11, 96누6172).

④ ×
구 「수도권 대기환경개선에 관한 특별법」 제14조 제1항에서 정한 대기오염물질 총량관리사업장 설치의 허가 또는 변경허가는 특정인에게 인구가 밀집되고 대기오염이 심각하다고 인정되는 수도권 대기관리권역에서 총량관리대상 오염물질을 일정량을 초과하여 배출할 수 있는 특정한 권리를 설정하여 주는 행위로서 그 처분의 여부 및 내용의 결정은 행정청의 재량에 속한다(대판 2013. 5. 9, 2012두22799).

04   정답 ④

① ○
대기환경보전법상 배출시설설치허가는 기속행위이다.
구 대기환경보전법 제2조 제9호, 제23조 제1·5·6항, 같은 법 시행령 제11조 제1항 제1호, 제12조, 같은 법 시행규칙 제4조 [별표 2]와 같은 배출시설설치허가와 설치제한에 관한 규정들의 문언과 그 체제·형식에 따르면 환경부장관은 배출시설설치허가신청이 구 대기환경보전법 제23조 제5항에서 정한 허가기준에 부합하고 구 대기환경보전법 제23조 제6항, 같은 법 시행령 제12조에서 정한 허가제한사유에 해당하지 아니하는 한 원칙적으로 허가를 하여야 한다. 다만, 배출시설의 설치는 국민건강이나 환경의 보전에 직접적으로 영향을 미치는 행위라는 점 …… 등을 고려하면, 환경부장관은 같은 법 시행령 제12조 각 호에서 정한 사유에 준하는 사유로서 환경기준의 유지가 곤란하거나 주민의 건강·재산, 동식물의 생육에 심각한 위해를 끼칠 우려가 있다고 인정되는 등 중대한 공익상의 필요가 있을 때에는 허가를 거부할 수 있다고 보는 것이 타당하다(대판 2013. 5. 9, 2012두22799).

② ○
토지 등 소유자들이 조합을 따로 설립하지 않고 직접 시행하는 도시환경정비사업에서 사업시행인가처분은 단순히 사업시행계획에 대한 보충행위로서의 성질을 가지는 것이 아니라 행정주체로서의 지위를 부여하는 일종의 설권적 처분의 성격을 가진다.
토지 등 소유자들이 그 사업을 위한 조합을 따로 설립하지 않고 직접 시행하는 도시환경정비사업에서 사업시행인가처분은 단순히 사업시행계획에 대한 보충행위로서의 성질을 가지는 것이 아니라 구 「도시 및 주거환경정비법」상 정비사업을 시행할 수 있는 권한을 가지는 행정주체로서의 지위를 부여하는 일종의 설권적 처분의 성격을 가진다(대판 2013. 6. 13, 2011두19994).

③ ○
구 자동차관리법 제67조 제1·3·4·5항, 구 자동차관리법 시행규칙 제148조 제1·2항의 내용 및 체계 등을 종합하면, 자동차관리법상 자동차관리사업자로 구성하는 사업자단체인 조합 또는 협회의 설립인가처분은 국토해양부장관(현 국토교통부장관) 또는 시·도지사가 자동차관리사업자들의 단체결성행위를 보충하여 효력을 완성시키는 처분(인가)에 해당한다(대판 2015. 5. 29, 2013두635).

④ ×
구 공유수면관리법에 따른 공유수면의 점용·사용허가는 특정인에게 공유수면이용권이라는 독점적 권리를 설정하여 주는 처분으로서 그 처분의 여부 및 내용의 결정은 원칙적으로 행정청의 재량에 속한다고 할 것이다(대판 2004. 5. 28, 2002두5016).

05   정답 ②

① ○
「친일반민족행위자 재산의 국가귀속에 관한 특별법」에 따른 친일반민족행위자재산조사위원회의 친일재산 국가귀속결정은 당해 재산이 친일재산에 해당한다는 사실을 확인하는 준법률행위적 행정행위에 해당한다.
「친일반민족행위자 재산의 국가귀속에 관한 특별법」 제3조 제1항 본문, 제9조 규정들의 취지와 내용에 비추어 보면, 같은 법 제2조 제2호에 정한 친일재산은 친일반민족행위자재산조사위원회가 국가귀속결정을 하여야 비로소 국가의 소유로 되는 것이 아니라 특별법의 시행에 따라 그 취득·증여 등 원인행위시에 소급하여 당연히 국가의 소유로 되고, 위 위원회의 국가귀속결정은 당해 재산이 친일재산에 해당한다는 사실을 확인하는 이른바 준법률행위적 행정행위의 성격을 가진다(대판 2008. 11. 13, 2008두13491).

② × 합격증서의 발급, 영수증의 교부는 확인이 아니라 공증에 해당한다.

③ ○
국가공무원법상 당연퇴직의 결격사유가 있어 행하여진 당연퇴직의 인사발령은 항고소송의 대상이 되는 처분에 해당하지 않는다.
국가공무원법 제69조에 의하면 공무원이 제33조 각 호의 1에 해당할 때에는 당연히 퇴직한다고 규정하고 있으므로, 국가공무원법상 당연퇴직은 결격사유가 있을 때 법률상 당연히 퇴직하는 것이지 공무원관계를 소멸시키기 위한 별도의 행정처분을 요하는 것이 아니며, 당연퇴직의 인사발령은 법률상 당연히 발생하는 퇴직사유를 공적으로 확인하여 알려주는 이른바 관념의 통지에 불과하고 공무원의 신분을 상실시키는 새로운 형성적 행위가 아니므로 행정소송의 대상이 되는 독립한 행정처분이라고 할 수 없다(대판 1995. 11. 14, 95누2036).

④ ○
❶ 허가대상건축물의 양수인이 구 건축법 시행규칙에 규정되어 있는 형식적 요건을 갖추어 시장·군수에게 적법하게 건축주의 명의변경을 신고한 때에는 시장·군수는 그 신고를 수리하여야지 실체적인 이유를 내세워 신고의 수리를 거부할 수 없다.
❷ 다만, 건축물의 소유권을 둘러싸고 소송이 계속 중이어서 판결로 소유권의 귀속이 확정될 때까지 건축주명의변경신고의 수리를 거부함은 상당하다(대판 1993. 10. 12, 93누883).

06

정답 ②

① ○

> 준공검사처분은 확인의 성격을 가진다.
> 준공검사처분은 건축허가를 받아 건축한 건물이 건축허가사항대로 건축행정목적에 적합한가의 여부를 확인하고, 준공검사필증을 교부하여 줌으로써 허가받은 자로 하여금 건축한 건물을 사용·수익할 수 있게 하는 법률효과를 발생시키는 것이므로 허가관청은 특단의 사정이 없는 한 건축허가내용대로 완공된 건축물의 준공을 거부할 수 없다(대판 1992. 4. 10, 91누5358).

② ×

> 국민건강보험공단이 甲 등에게 한 '직장가입자 자격상실 및 자격변동 안내' 통보 및 '사업장 직권탈퇴에 따른 가입자 자격상실 안내' 통보는 항고소송의 대상이 되는 처분이 아니다.
> 국민건강보험 직장가입자 또는 지역가입자 자격변동은 법령이 정하는 사유가 생기면 별도 처분 등의 개입 없이 사유가 발생한 날부터 변동의 효력이 당연히 발생하므로, 위 통보는 처분성이 인정되지 않는다(대판 2019. 2. 14, 2016두41729).

③ ○ 수리대상인 기본행위가 존재하지 않거나 무효인 때에는 수리를 하였더라도 수리도 당연무효가 된다는 것이 통설과 판례의 입장이다.

> 지위승계신고의 수리대상인 사업양도·양수가 존재하지 아니하거나 무효인 때에는 수리를 하였다 하더라도 그 수리는 당연히 무효이다.
> 사업양도·양수에 따른 허가관청의 지위승계신고의 수리는 적법한 사업의 양도·양수가 있었음을 전제로 하는 것이므로 그 수리대상인 사업양도·양수가 존재하지 아니하거나 무효인 때에는 수리를 하였다 하더라도 그 수리는 유효한 대상이 없는 것으로서 당연히 무효라 할 것이다(대판 2005. 12. 23, 2005두3554).

④ ○

> 지적공부 소관청의 지목변경신청 반려행위는 항고소송의 대상이 되는 행정처분이다.
> 지목은 토지소유권을 제대로 행사하기 위한 전제요건으로서 토지소유자의 실체적 권리관계에 밀접하게 관련되어 있으므로 지적공부 소관청의 지목변경신청 반려행위는 국민의 권리관계에 영향을 미치는 것으로서 항고소송의 대상이 되는 행정처분에 해당한다(대판 2004. 4. 22, 2003두9015).

07

정답 ②

① ○

> 주택재건축사업시행의 인가는 재량행위로서 이에 대하여 법령상의 제한에 근거하지 않더라도 조건(부담)을 부과할 수 있다.
> 주택재건축사업시행의 인가는 상대방에게 권리나 이익을 부여하는 효과를 가진 이른바 수익적 행정처분으로서 법령에 행정처분의 요건에 관하여 일의적으로 규정되어 있지 아니한 이상 행정청의 재량행위에 속하므로, 처분청으로서는 법령상의 제한에 근거한 것이 아니라 하더라도 공익상 필요 등에 의하여 필요한 범위 내에서 여러 조건(부담)을 부과할 수 있다(대판 2007. 7. 12, 2007두6663).

② × 부관 중 부담은 주된 행정행위와 독립하여 소송대상으로 삼을 수 있으나 부담 이외의 부관에 대해서는 그렇지 않다는 것이 통설 및 판례의 입장이다. 그리고 부진정일부취소소송이란 부관이 붙은 행정행위 전체를 소송대상으로 하되 실질적으로는 부관만의 취소를 구하는 형태의 소송을 말하는바, 우리 판례는 부담 이외의 부관에 대해 부진정일부취소소송을 인정하고 있지 않다.

③ ○

> ❶ 객관적으로 처분상대방이 이행할 가능성이 없는 조건을 붙여 행정처분을 하는 것은 법치행정의 원칙상 허용될 수 없다.
> ❷ 하나 이상의 필지의 일부를 하나의 대지로 삼으려는 건축허가신청에서 토지분할이 관계 법령상 제한에 해당되어 명백히 불가능하다고 판단되는 경우, 건축행정청은 토지분할 조건부 건축허가를 거부하여야 한다(대판 2018. 6. 28, 2015두47737).

④ ○

> 기선선망어업의 허가를 하면서 운반선, 등선 등 부속선을 사용할 수 없도록 제한한 부관은 그 어업허가의 목적 달성을 사실상 어렵게 하여 그 본질적 효력을 해하는 것이다.
> 수산업법 제15조에 의하여 어업의 면허 또는 허가에 붙이는 부관은 그 성질상 허가된 어업의 본질적 효력을 해하지 않는 한도의 것이어야 하고 허가된 어업의 내용 또는 효력 등에 대하여는 행정청이 임의로 제한 또는 조건을 붙일 수 없다고 보아야 할 것이며 수산업법 시행령 제14조의4 제3항의 규정 내용은 기선선망어업에는 그 어선규모의 대소를 가리지 않고 등선과 운반선을 갖출 수 있고, 또 갖추어야 하는 것이라고 해석되므로 기선선망어업의 허가를 하면서 운반선, 등선 등 부속선을 사용할 수 없도록 제한한 부관은 그 어업허가의 목적 달성을 사실상 어렵게 하여 그 본질적 효력을 해하는 것일 뿐만 아니라 위 시행령의 규정에도 어긋나는 것이며, 더욱이 어업조정이나 기타 공익상 필요하다고 인정되는 사정이 없는 이상 위법한 것이다(대판 1990. 4. 27, 89누6808).

08

정답 ③

① ×

> 법정부관은 부관과는 구별되는 것이어서 부관의 한계에 관한 일반원칙이 적용되지 않는다.
> 고시에 정한 허가기준에 따라 보존음료수 제조업의 허가에 붙여진 전량수출 또는 주한외국인에 대한 판매에 한한다는 내용의 조건은 이른바 법정부관으로서 행정청의 의사에 기하여 붙여지는 본래의 의미에서 행정행위의 부관은 아니므로, 이와 같은 법정부관에 대하여는 행정행위에 부관을 붙일 수 있는 한계에 관한 일반적인 원칙이 적용되지는 않는다(대판 1994. 3. 8, 92누1728).

② ×

> 행정청이 종교단체에 대하여 기본재산전환인가를 함에 있어 인가조건을 부가하고 그 불이행시 인가를 취소할 수 있도록 한 경우, 인가조건의 의미는 철회권을 유보한 것이다(대판 2003. 5. 30, 2003다6422).

③ ○ ④ ×

> ❶ 행정처분에 붙인 부담인 부관이 무효가 되더라도 그 부담의 이행으로 한 사법상 법률행위가 당연히 무효가 되는 것은 아니다(③).

> ❷ 행정처분에 붙인 부담인 부관에 제소기간 도과로 불가쟁력이 생긴 경우에도 그 부담의 이행으로 한 사법상 법률행위의 효력을 다툴 수 있다(④).
> 행정처분에 부담인 부관을 붙인 경우 부관의 무효화에 의하여 본체인 행정처분 자체의 효력에도 영향이 있게 될 수는 있지만, 그 처분을 받은 사람이 부담의 이행으로 사법상 매매 등의 법률행위를 한 경우에는 그 부관은 특별한 사정이 없는 한 법률행위를 하게 된 동기 내지 연유로 작용하였을 뿐이므로 이는 법률행위의 취소사유가 될 수 있음은 별론으로 하고 그 법률행위 자체를 당연히 무효화하는 것은 아니다. 또한 행정처분에 붙은 부담인 부관이 제소기간의 도과로 확정되어 이미 불가쟁력이 생겼다면 그 하자가 중대하고 명백하여 당연무효로 보아야 할 경우 외에는 누구나 그 효력을 부인할 수 없을 것이지만, 부담의 이행으로서 하게 된 사법상 매매 등의 법률행위는 부담을 붙인 행정처분과는 어디까지나 별개의 법률행위이므로 그 부담의 불가쟁력의 문제와는 별도로 법률행위가 사회질서 위반이나 강행규정에 위반되는지 여부 등을 따져보아 그 법률행위의 유효 여부를 판단하여야 한다(대판 2009. 6. 25, 2006다18174).

09 [정답] ④

① ✕ 부담부 행정행위는 처음부터 행정행위의 효력이 발생하는 데 반하여, 정지조건부 행정행위는 일정한 사실, 즉 조건의 성취가 있어야 비로소 행정행위의 효력이 발생한다는 점에서 구별된다. 그러므로 부담부 영업허가는 아직 부담의 이행이 없다고 해도 허가의 효력이 발생한 상태이므로 그때 행한 영업이 무허가영업행위가 되지는 않으나, 정지조건 성취 전에 정지조건부 영업허가로 허가받은 영업을 한다면 무허가영업행위가 된다.

② ✕ 부담부 행정행위는 부담을 이행하지 않더라도 당연히 그 효력이 소멸되지는 않고, 행정청이 철회함으로써 행정행위의 효력이 소멸된다. 이 점에서 해제조건의 경우 조건이 성취되면 행정행위는 당연히 효력이 소멸되는 것과 구별된다.

③ ✕ 행정행위의 효과의 발생 또는 소멸을 장래 도래할 것이 확실한 사실에 의존시키는 부관을 기한이라 하며, 행정행위의 효과의 발생 또는 소멸을 장래 발생이 불확실한 사실에 의존시키는 부관을 조건이라고 한다. 종기인 기한이 도래하면 주된 행정행위는 행정청의 특별한 의사표시 없이도 당연히 효력을 상실(실효)한다는 점에서 해제조건이 성취된 경우의 효과와 동일하다고 볼 수 있다.

④ ○ 정지조건부 영업허가의 경우 조건이 성취되어야 비로소 허가의 효력이 발생한다. 이에 반해 부담부 영업허가의 경우 처음부터 허가의 효력이 발생한다. 따라서 부담과 조건의 구별이 명확하지 않은 경우에는 부담으로 보는 것이 행정행위의 상대방에게 유리하므로 행정청의 의사가 불분명한 경우 최소침해의 원칙에 따라 상대방에게 유리한 부담으로 보아야 한다.

10 [정답] ③

① ○

> 수익적 행정처분에 있어서는 법령에 특별한 근거규정이 없다고 하더라도 그 부관으로서 부담을 붙일 수 있고, 그와 같은 부담은 행정청이 행정처분을 하면서 일방적으로 부가할 수도 있지만 부담을 부가하기 이전에 상대방과 협의하여 부담의 내용을 협약의 형식으로 미리 정한 다음 행정처분을 하면서 이를 부가할 수도 있다(대판 2009. 2. 12, 2005다65500).

② ○

> ㉠ 법률에 명문규정이 있는 경우, ㉡ 변경이 미리 유보된 경우, ㉢ 상대방의 동의가 있는 경우에 허용되는 것이 원칙이지만 ㉣ 사정변경이 있는 경우에도 예외적으로 부관의 사후변경이 허용된다.
> 행정처분에 이미 부담이 부가되어 있는 상태에서 그 의무의 범위 또는 내용 등을 변경하는 부관의 사후변경은, 법률에 명문의 규정이 있거나 그 변경이 미리 유보되어 있는 경우 또는 상대방의 동의가 있는 경우에 한하여 허용되는 것이 원칙이지만, 사정변경으로 인하여 당초에 부담을 부가한 목적을 달성할 수 없게 된 경우에도 그 목적 달성에 필요한 범위 내에서 예외적으로 허용된다(대판 1997. 5. 30, 97누2627).

> **행정기본법 제17조【부관】** ③ 행정청은 부관을 붙일 수 있는 처분이 다음 각 호의 어느 하나에 해당하는 경우에는 그 처분을 한 후에도 부관을 새로 붙이거나 종전의 부관을 변경할 수 있다.
> 1. 법률에 근거가 있는 경우
> 2. 당사자의 동의가 있는 경우
> 3. 사정이 변경되어 부관을 새로 붙이거나 종전의 부관을 변경하지 아니하면 해당 처분의 목적을 달성할 수 없다고 인정되는 경우

③ ✕

> **행정기본법 제17조【부관】** ① 행정청은 처분에 재량이 있는 경우에는 부관(조건, 기한, 부담, 철회권의 유보 등을 말한다. 이하 이 조에서 같다)을 붙일 수 있다.
> ② 행정청은 처분에 재량이 없는 경우에는 법률에 근거가 있는 경우에 부관을 붙일 수 있다.

④ ○

> 재량행위에는 법령상 근거가 없더라도 그 내용이 적법하고 이행 가능하며 비례의 원칙 및 평등의 원칙에 적합하고 행정처분의 본질적 효력을 해하지 아니하는 한도 내에서 부관을 붙일 수 있다(대판 2021. 2. 4, 2020두48772).

11 [정답] ②

① ○

> 토지소유자가 토지형질변경행위허가에 붙은 기부채납의 부관에 따라 토지를 기부채납(증여)한 경우, 기부채납의 부관이 당연무효이거나 취소되지 않은 상태에서 그 부관으로 인하여 증여계약의 중요부분에 착오가 있음을 이유로 증여계약을 취소할 수 없다(대판 1999. 5. 25, 98다53134).

② ✕

> 기부채납은 기부자가 그의 소유재산을 지방자치단체의 공유재산으로 증여하는 의사표시를 하고 지방자치단체는 이를 승낙하는 채납의 의사표시를 함으로써 성립하는 증여계약이고, 증여계약의 주된 내용은 기부자가 그의 소유재산에 대하여 가지고 있는 소유권, 즉 사용·수익권 및 처분권을 무상으로 지방자치단체에게 양도하는 것이므로, 증여계약이 해제된다면 특별한 사정이 없는 한 기부자는 그의 소유재산에 처분권뿐만 아니라 사용·수익권까지 포함한 완전한 소유권을 회복한다(대판 1992. 12. 8, 92다4031).

③ ○

> 매립지 일부에 대해 국가에 소유권을 귀속시킨 처분은 법률효과의 일부배제라는 부관을 붙인 것이다.
> 행정행위의 부관은 부담의 경우를 제외하고는 독립하여 행정소송의 대상이 될 수 없는 것인바, 행정청이 한 공유수면매립준공인가 중 매립지 일부에 대하여 한 국가귀속처분은 매립준공인가를 함에 있어서 매립의 면허를 받은 자의 매립지에 대한 소유권취득을 규정한 공유수면매립법 제14조의 효과 일부를 배제하는 부관을 붙인 것이므로 이러한 행정행위의 부관에 대하여는 독립하여 행정소송의 대상으로 삼을 수 없다(대판 1991. 12. 13, 90누8503).

④ ○ 재량행위에는 법령의 근거가 없어도 부관을 붙일 수 있으나, 기속행위에는 법령에 근거가 없는 한 부관을 붙일 수 없고, 붙였다고 하더라도 무효이다(따라서 이행할 의무가 없다).

> 건축허가를 하면서 일정 토지를 기부채납하도록 한 허가조건은 기속행위 내지 기속적 재량행위인 건축허가에 붙인 부담이거나 또는 법령상 아무런 근거가 없는 부관이어서 무효이다(대판 1995. 6. 13, 94다56883).

> **행정기본법 제17조【부관】** ① 행정청은 처분에 재량이 있는 경우에는 부관(조건, 기한, 부담, 철회권의 유보 등을 말한다. 이하 이 조에서 같다)을 붙일 수 있다.
> ② 행정청은 처분에 재량이 없는 경우에는 법률에 근거가 있는 경우에 부관을 붙일 수 있다.

12 [정답] ③

㉮ ×

> ❶ 행정처분과 실제적 관련성이 없어 부관으로 붙일 수 없는 부담을 사법상 계약의 형식으로 행정처분의 상대방에게 부과할 수는 없다.
> ❷ 공무원이 공법상의 제한을 회피할 목적으로 행정처분의 상대방과 사이에 사법상 계약을 체결하는 형식을 취하였다면 이는 법치행정의 원리에 반하는 것으로서 위법하다(대판 2009. 12. 10, 2007다63966).

㉯ ○ 철회권을 유보하였다고 하여 항상 행정청이 무제한으로 철회권을 행사할 수 있는 것이 아니고, 철회를 하지 않으면 안 될 공익상의 필요가 있고 행정행위의 목적에 비추어 합리적 이유가 있다고 인정되는 경우에 행사할 수 있는 등 철회의 일반적 요건이 충족되어야 한다는 것이 학설과 판례의 입장이다. 즉, 철회권의 유보가 있더라도 철회의 행사에 대해서는 이익형량을 해야 하는 등 행정행위의 철회의 제한에 관한 일반원리가 적용된다.

> 철회권을 유보하였더라도 취소(철회)를 필요로 할 만한 공익상의 필요가 있는 경우에만 철회권을 행사할 수 있다.
> 취소(철회)권을 유보한 경우에 있어서도 무조건적으로 취소권을 행사할 수 있는 것이 아니고, 취소를 필요로 할 만한 공익상의 필요가 있는 경우에 한하여 취소권을 행사할 수 있다(대판 1964. 6. 9, 64누40 등).

㉰ ○

> 사도개설허가를 하면서 '공사기간을 준수할 것을 명'하였는바, 이러한 부관은 부담이므로 사도개설허가에서 정해진 공사기간 내에 사도로 준공검사를 받지 못한 경우라도 사도개설허가가 당연히 실효되는 것은 아니다.
> 사도개설허가에는 본질적으로 사도를 개설하기 위한 토목공사 등 현실적인 도로개설공사가 따르기 마련이므로 허가를 하면서 공사기간을 특정하기도 하지만 사도개설허가는 사도를 개설할 수 있는 권한의 부여 자체에 주안점이 있는 것이지 공사기간의 제한에 주안점이 있는 것이 아닌 점 등에 비추어 보면 이 사건 제1처분에 명시된 공사기간은 변경된 허가권자인 보조참가인에 대하여 공사기간을 준수하여 공사를 마치도록 하는 의무를 부과하는 일종의 부담에 불과한 것이지, 사도개설허가 자체의 존속기간(즉, 유효기간)을 정한 것이라 볼 수 없고, 따라서 보조참가인이 이 사건 제1처분의 사도개설허가에서 정해진 공사기간 내에 사도로 준공검사를 받지 못하였다 하더라도, 이를 이유로 행정관청이 새로운 행정처분을 하는 것은 별론으로 하고, 사도개설허가가 당연히 실효되는 것은 아니다(대판 2004. 11. 25, 2004두7023).

㉱ × 부담이 아닌 부관에 대해서는 독립하여 소송을 제기하여 다툴 수는 없고 부관부 행정행위 전체를 소송대상으로 하여 다툴 수 있을 뿐이다. 지문의 경우 기한에 해당하므로 독립하여 소송을 제기할 수 없다.

> 행정행위의 부관은 부담인 경우를 제외하고는 독립하여 행정소송의 대상이 될 수 없는바, 기부채납받은 행정재산에 대한 사용·수익허가에서 공유재산의 관리청이 정한 사용·수익허가의 기간은 그 허가의 효력을 제한하기 위한 행정행위의 부관으로서 이러한 사용·수익허가의 기간에 대해서는 독립하여 행정소송을 제기할 수 없다(대판 2001. 6. 15, 99두509).

13 [정답] ④

㉮ ○

> 도로점용허가의 점용기간은 행정행위의 본질적인 요소에 해당한다고 볼 것이어서 부관인 점용기간을 정함에 있어서 위법사유가 있다면 이로써 도로점용허가처분 전부가 위법하게 된다(대판 1985. 7. 9, 84누604).

㉯ ○

> 부담은 독립하여 행정소송의 대상이 된다.
> 행정행위의 부관은 행정행위의 일반적인 효력이나 효과를 제한하기 위하여 의사표시의 주된 내용에 부가되는 종된 의사표시이지 그 자체로서 직접 법적 효과를 발생하는 독립된 처분이 아니므로 현행 행정쟁송제도 아래서는 부관 그 자체만을 독립된 쟁송의 대상으로 할 수 없는 것이 원칙이나 행정행위의 부관 중에서도 부담의 경우에는 다른 부관과는 달리 행정행위의 불가분적 요소가 아니고 그 존속의 본체인 행정행위의 존재를 전제로 하는 것일 뿐이므로, 부담 그 자체로서 행정쟁송의 대상이 될 수 있다(대판 1992. 1. 21, 91누1264).

㉰ ○ 부담만이 독립하여 항고소송의 대상이 될 수 있으며, 부담이 아닌 부관은 독립하여 항고소송의 대상이 될 수 없다. 따라서 부담을 제외한 부관만의 취소를 구하는 소송에 대하여는 각하판결을 하여야 한다.

> 행정행위의 부관은 부담인 경우를 제외하고는 독립하여 행정소송의 대상이 될 수 없는바, 기부채납받은 행정재산에 대한 사용·수익허가에서 공유재산의 관리청이 정한 사용·수익허가의 기간은 그 허가의 효력을 제한하기 위한 행정행위의 부관으로서 이러한 사용·수익허가의 기간에 대해서는 독립하여 행정소송을 제기할 수 없다(대판 2001. 6. 15, 99두509).

㉣ ○

> 어업면허처분을 함에 있어 그 면허의 유효기간을 1년으로 정한 경우, 위 면허의 유효기간은 행정행위의 부관이라 할 것이고, 이러한 행정행위의 부관은 독립하여 행정소송의 대상이 될 수 없는 것이므로 위 어업면허처분 중 그 면허유효기간만의 취소를 구하는 청구는 허용될 수 없다(대판 1986. 8. 19, 86누202).

14 [정답] ②

① ○

> 도매시장법인 지정의 조건으로 소송이나 보상에 관한 부제소특약을 붙인 경우 부제소특약에 관한 부분은 개인적 공권인 소권을 당사자의 합의로 포기하는 것으로서 허용될 수 없다.
> 지방자치단체장이 도매시장법인의 대표이사에 대하여 위 지방자치단체장이 개설한 농수산물도매시장의 도매시장법인으로 다시 지정함에 있어서 그 지정조건으로 "지정기간 중이라도 개설자가 농수산물 유통정책의 방침에 따라 도매시장법인 이전 및 지정취소 또는 폐쇄지시에도 일절 소송이나 손실보상을 청구할 수 없다."라는 부관을 붙였으나, 그중 부제소특약에 관한 부분은 당사자가 임의로 처분할 수 없는 공법상의 권리관계를 대상으로 하여 사인의 국가에 대한 공권인 소권을 당사자의 합의로 포기하는 것으로서 허용될 수 없다(대판 1998. 8. 21, 98두8919).

② ×

> 건축허가를 하면서 일정 토지를 기부채납하도록 한 허가조건은 기속행위 내지 기속적 재량행위인 건축허가에 붙인 부담이거나 또는 법령상 아무런 근거가 없는 부관이어서 무효이다(대판 1995. 6. 13, 94다56883).

> **행정기본법 제17조【부관】** ① 행정청은 처분에 재량이 있는 경우에는 부관(조건, 기한, 부담, 철회권의 유보 등을 말한다. 이하 이 조에서 같다)을 붙일 수 있다.
> ② 행정청은 처분에 재량이 없는 경우에는 법률에 근거가 있는 경우에 부관을 붙일 수 있다.

③④ ○

> ❶ 구 사회복지사업법상 임시이사를 선임하면서 그 임기를 '후임 정식이사가 선임될 때까지'로 기재한 것은 근거법률의 해석상 당연히 도출되는 사항을 주의적·확인적으로 기재한 이른바 '법정부관'일 뿐, 행정청의 의사에 따라 붙이는 본래 의미의 행정처분 부관이라고 볼 수 없다(대판 1994. 3. 8, 92누1728 참조). 후임 정식이사가 선임되었다는 사유만으로 임시이사의 임기가 자동적으로 만료되어 임시이사의 지위가 상실되는 효과가 발생하지 않고, 관할 행정청이 후임 정식이사가 선임되었음을 이유로 임시이사를 해임하는 행정처분을 해야만 비로소 임시이사의 지위가 상실되는 효과가 발생한다(③).

> ❷ 처분서의 문언만으로는 행정청이 어떤 처분을 하였는지 불분명한 경우에는 처분 경위와 목적, 처분 이후 상대방의 태도 등 여러 사정을 고려하여 처분서의 문언과 달리 처분의 내용을 해석할 수 있다.
> ❸ 특히 행정청이 행정처분을 하면서 논리적으로 당연히 수반되어야 하는 의사표시를 명시적으로 하지 않았다고 하더라도, 그것이 행정청의 추단적 의사에도 부합하고 상대방도 이를 알 수 있는 경우에는 행정처분에 위와 같은 의사표시가 묵시적으로 포함되어 있다고 볼 수 있다(④).
> ❹ 임시이사는 이사의 결원을 보충하기 위하여 정식이사가 선임될 때까지만 재임하는 것이 원칙이므로, 정식이사의 선임과 종전 임시이사의 해임은 동시에 이루어져야 한다. 따라서 새로 선임된 정식이사와 종전 임시이사가 일시적으로라도 병존하여야 하는 다른 특별한 사정이 없는 한, 관할 행정청이 사회복지법인의 정식이사 선임보고를 수리하는 처분에는 정식이사가 선임되어 이사의 결원이 해소되었음을 이유로 종전 임시이사를 해임하는 의사표시, 즉 임시이사 해임처분이 포함된 것으로 보아야 한다(대판 2020. 10. 29, 2017다269152).

15 [정답] ④

① ×

> **행정기본법 제17조【부관】** ④ 부관은 다음 각 호의 요건에 적합하여야 한다.
> 1. 해당 처분의 목적에 위배되지 아니할 것
> 2. 해당 처분과 실질적인 관련이 있을 것
> 3. 해당 처분의 목적을 달성하기 위하여 필요한 최소한의 범위일 것

② ×

> 수익적 행정행위에 있어서는 법령에 특별한 근거규정이 없다고 하더라도 그 부관으로서 부담을 붙일 수 있다(대판 1997. 3. 11, 96다49650).

③ × 사안의 경우 수정부담에 해당하는바, 이러한 수정부담은 부관과 구별되는 것으로서 수정된 행정행위 내지 수정허가로 보는 것이 다수설의 입장이다.

④ ○

> ❶ 행정청이 수익적 행정처분을 하면서 부가한 부담의 위법 여부는 처분 당시 법령을 기준으로 판단하여야 하고, 부담이 처분 당시 법령을 기준으로 적법하다면 처분 후 부담의 전제가 된 주된 행정처분의 근거법령이 개정됨으로써 행정청이 더 이상 부관을 붙일 수 없게 되었다 하더라도 곧바로 위법하게 되거나 그 효력이 소멸하게 되는 것은 아니다.
> ❷ 따라서 행정처분의 상대방이 수익적 행정처분을 얻기 위하여 행정청과 사이에 행정처분에 부가할 부담에 관한 협약을 체결하고 행정청이 수익적 행정처분을 하면서 협약상의 의무를 부담으로 부가하였으나 부담의 전제가 된 주된 행정처분의 근거법령이 개정됨으로써 행정청이 더 이상 부관을 붙일 수 없게 된 경우에도 곧바로 협약의 효력이 소멸하는 것은 아니다(대판 2009. 2. 12, 2005다65500).

16 [정답] ②

① ○
> 재량행위에는 법령상 근거가 없더라도 그 내용이 적법하고 이행가능하며 비례의 원칙 및 평등의 원칙에 적합하고 행정처분의 본질적 효력을 해하지 아니하는 한도 내에서 부관을 붙일 수 있다. 일반적으로 보조금 교부결정에 관해서는 행정청에 광범위한 재량이 부여되어 있고, 행정청은 보조금 교부결정을 할 때 법령과 예산에서 정하는 보조금의 교부목적을 달성하는 데에 필요한 조건을 붙일 수 있다(대판 2021. 2. 4, 2020두48772).

② × 공익법인 기본재산처분허가는 '허가'가 아니라 '인가'에 해당한다. 주된 행정행위가 인가라고 하더라도 부관을 붙일 수 있다는 것이 통설과 판례의 입장이다. 즉, 인가가 재량행위라면 법률에 근거가 없다고 하더라도 부관을 붙일 수 있으며 인가가 기속행위인 경우 법률에 근거가 있다면 부관의 부가가 가능하다.

> 공익법인의 기본재산처분허가는 인가로서 이러한 경우에도 부관을 붙일 수 있다.
> 공익법인의 기본재산의 처분에 관한 「공익법인의 설립·운영에 관한 법률」제11조 제3항의 규정은 강행규정으로서 이에 위반하여 주무관청의 허가를 받지 않고 기본재산을 처분하는 것은 무효라 할 것인데, 위 처분허가에 부관을 붙인 경우 그 처분허가의 법률적 성질이 형성적 행정행위로서의 인가에 해당한다고 하여 조건으로서의 부관의 부가가 허용되지 아니한다고 볼 수는 없고, 다만 구체적인 경우에 그것이 조건, 기한, 부담, 철회권의 유보 중 어느 종류의 부관에 해당하는지는 당해 부관의 내용, 경위 기타 제반 사정을 종합하여 판단하여야 할 것이다(대판 2005. 9. 28, 2004다50044).

③ ○
> 기부채납받은 공원시설의 사용·수익허가에서 그 허가기간은 행정행위의 본질적 요소에 해당한다고 볼 것이어서, 부관인 허가기간에 위법사유가 있다면 이로써 이 사건 허가 전부가 위법하게 된다(대판 2001. 6. 15, 99두509).

④ ○
> 무효인 건축허가조건을 유효한 것으로 믿고 토지를 증여하였더라도 이는 동기의 착오에 불과하여 그 소유권이전등기의 말소를 청구할 수 없다.
> (1) 건축허가를 하면서 일정 토지를 기부채납하도록 하는 내용의 허가조건은 부관을 붙일 수 없는 기속행위 내지 기속적 재량행위인 건축허가에 붙인 부담이거나 또는 법령상 아무런 근거가 없는 부관이어서 무효이다.
> (2) 허가조건이 무효라고 하더라도 그 부관 및 본체인 건축허가 자체의 효력이 문제됨은 별론으로 하고, 허가신청대행자가 그 소유인 토지를 허가관청에게 기부채납함에 있어 위 허가조건은 증여의사표시를 하게 된 하나의 동기 내지 연유에 불과한 것이고, 위 허가신청대행자가 건축허가를 받은 토지의 일부를 반드시 허가관청에 기부채납하여야 한다는 법령상의 근거규정이 없음에도 불구하고 위 허가조건의 내용에 따라 위 토지를 기부채납하여야만 허가신청인들이 시공한 건축물의 준공검사가 나오는 것으로 믿고 증여계약을 체결하여 허가관청인 시 앞으로 위 토지에 관하여 소유권이전등기를 경료하여 주었다면 이는 일종의 동기의 착오로서 그 허가조건상의 하자가 허가신청대행자의 증여의사표시 자체에 직접 영향을 미치는 것은 아니므로, 이를 이유로 하여 위 시 명의의 소유권이전등기의 말소를 청구할 수는 없다(대판 1995. 6. 13, 94다56883).

17 [정답] ③

㉠은 부담, ㉡은 철회권의 유보, ㉢은 기한 중 종기이다.

① ○ 산림형질변경허가는 재량행위이다. 따라서 근거규정이 없는 경우에도 부관을 붙일 수 있다.

> ❶ 산림훼손(산림형질변경) 금지 또는 제한지역에 해당하지 않더라도 중대한 공익상 필요가 있다고 인정될 때에는 산림훼손허가(산림형질변경허가)를 거부할 수 있고, 그 경우 법규에 명문의 근거가 없더라도 거부처분을 할 수 있다(대판 1997. 9. 12, 97누1228).
> ❷ 재량행위는 법령에 명시적 근거가 없더라도 부관을 붙일 수 있다. 일반적으로 이 사건 공유수면매립면허와 같은 기속적 행정행위가 아닌 재량적 행정행위에 있어서는 법령상의 근거가 없다고 하더라도 부관을 붙일 수 있음은 당연하다(대판 1982. 12. 28, 80다731·732).

> **행정기본법 제17조【부관】** ① 행정청은 처분에 재량이 있는 경우에는 부관(조건, 기한, 부담, 철회권의 유보 등을 말한다. 이하 이 조에서 같다)을 붙일 수 있다.

② ○ 상대방이 부담을 이행하지 않은 경우 해제조건이 성취되거나 종기가 도래한 경우와 달리 주된 행정행위의 효력이 당연히 소멸되는 것은 아니며, 의무불이행은 주된 행정행위의 철회사유가 될 뿐이다. 부담의 불이행으로 행정행위를 철회하는 경우에도 철회를 함으로써 달성되는 공익 등과 상대방의 불이익 등의 이익형량을 하여야 하는 등 철회권 제한의 법리가 적용된다.

> 부담의 불이행시 철회할 수 있다.
> 부담부 행정처분에 있어서 처분상대방이 부담(의무)을 이행하지 아니한 경우에 처분행정청으로서는 이를 들어 당해 처분을 취소(철회)할 수 있는 것이다(대판 1989. 10. 24, 89누2431).

> **행정기본법 제19조【적법한 처분의 철회】** ② 행정청은 제1항에 따라 처분을 철회하려는 경우에는 철회로 인하여 당사자가 입게 될 불이익을 철회로 달성되는 공익과 비교·형량하여야 한다.

③ × 철회권이 유보된 행정행위의 상대방은 장래 당해 행위가 철회될 수 있음을 예기할 수 있으므로 원칙적으로 신뢰보호의 원칙에 기한 철회의 제한을 주장하거나 철회로 인한 손실보상을 요구할 수 없다.

④ ○ 철회권을 유보하였다고 하여 항상 행정청이 무제한으로 철회권을 행사할 수 있는 것이 아니고, 이익형량을 해야 하는 등의 행정행위의 철회의 제한에 관한 일반원리가 적용된다는 것이 통설과 판례의 입장이다.

> 철회권을 유보하였더라도 취소(철회)를 필요로 할 만한 공익상의 필요가 있는 경우에만 철회권을 행사할 수 있다.
> 취소(철회)권을 유보한 경우에 있어서도 무조건적으로 취소권을 행사할 수 있는 것이 아니고, 취소를 필요로 할 만한 공익상의 필요가 있는 경우에 한하여 취소권을 행사할 수 있다(대판 1964. 6. 9, 64누40 등).

18 [정답] ②

① ○

> 일반적으로 처분이 주체·내용·절차와 형식의 요건을 모두 갖추고 외부에 표시된 경우에는 처분의 존재가 인정된다. 행정의사가 외부에 표시되어 행정청이 자유롭게 취소·철회할 수 없는 구속을 받게 되는 시점에 처분이 성립하고, 그 성립 여부는 행정청이 행정의사를 공식적인 방법으로 외부에 표시하였는지를 기준으로 판단해야 한다(대판 2019. 7. 11, 2017두38874).

② ✕

> ❶ 우편물이 등기취급의 방법으로 발송된 경우 그 무렵 수취인에게 배달되었다고 본다(원칙).
> 우편법 등 관계 규정의 취지에 비추어 볼 때 우편물이 등기취급의 방법으로 발송된 경우 반송되는 등의 특별한 사정이 없는 한 그 무렵 수취인에게 배달되었다고 보아야 한다(대판 1992. 3. 27, 91누3819).
> ❷ 보통우편의 방법으로 발송한 사실만으로는 도달한 것으로 추정할 수 없다.
> 내용증명우편이나 등기우편과는 달리, 보통우편의 방법으로 발송되었다는 사실만으로는 그 우편물이 상당 기간 내에 도달하였다고 추정할 수 없고, 송달의 효력을 주장하는 측에서 증거에 의하여 도달사실을 입증하여야 한다(대판 2002. 7. 26, 2000다25002).

③ ○

> ❶ 등기우편의 경우 특별한 사정이 없는 한 도달을 추정한다.
> ❷ 다만, 수취인이 주민등록지에 실제로 거주하지 아니하는 등 특별한 사정이 있는 경우 도달이 추정되지 않으므로 행정청이 도달사실을 입증하여야 한다.
> 우편물이 등기취급의 방법으로 발송된 경우, 특별한 사정이 없는 한, 그 무렵 수취인에게 배달되었다고 보아도 좋을 것이나, 수취인이나 그 가족이 주민등록지에 실제로 거주하고 있지 아니하면서 전입신고만을 해 둔 경우에는 그 사실만으로써 주민등록지 거주자에게 송달수령의 권한을 위임하였다고 보기는 어려울 뿐 아니라 수취인이 주민등록지에 실제로 거주하지 아니하는 경우에도 우편물이 수취인에게 도달하였다고 추정할 수는 없고, 따라서 이러한 경우에는 우편물의 도달사실을 과세관청이 입증해야 할 것이고, 수취인이나 그 가족이 주민등록지에 실제로 거주하고 있지 아니하면서 전입신고만을 해 두었고, 그 밖에 주민등록지 거주자에게 송달수령의 권한을 위임하였다고 보기 어려운 사정이 인정된다면, 등기우편으로 발송된 납세고지서(현 납부고지서)가 반송된 사실이 인정되지 아니한다 하여 납세의무자에게 송달된 것이라고 볼 수는 없다(대판 1998. 2. 13, 97누8977).

④ ○

> ❶ 서훈은 서훈대상자의 특별한 공적에 의하여 수여되는 고도의 일신전속적 성격을 가지는 것이다. …… 이러한 서훈의 일신전속적 성격은 서훈취소의 경우에도 마찬가지이므로, 망인에게 수여된 서훈의 취소에서도 유족은 그 처분의 상대방이 되는 것이 아니다.
> ❷ 망인에 대한 서훈취소는 유족에 대한 것이 아니므로 유족에 대한 통지에 의해서만 성립하여 효력이 발생한다고 볼 수 없고, 그 결정이 처분권자의 의사에 따라 상당한 방법으로 대외적으로 표시됨으로써 행정행위로서 성립하여 효력이 발생한다고 봄이 타당하다(대판 2014. 9. 26, 2013두2518).

19 [정답] ②

㉮ ○

> (구치소에 수감 중인 공무원에 대해 파면처분을 하면서 그 서류를 구치소로 보내지 아니하고 주소지로 보내어 배우자가 처분서를 수령한 경우 처분이 도달되었다고 판시한 사건에서) 도달이란 상대방이 그 내용을 현실적으로 알 필요까지는 없고 알 수 있는 상태에 놓여짐으로써 충분하다(대판 1989. 9. 26, 89누4963).

㉯ ✕

> ❶ 구 「청소년 보호법」에 따른 청소년유해매체물 결정·고시처분은 행정처분이다.
> ❷ 정보통신윤리위원회(현 방송통신심의위원회)가 특정 인터넷 웹사이트를 청소년유해매체물로 결정하고 청소년보호위원회가 효력발생시기를 명시하여 고시함으로써 그 명시된 시점에 효력이 발생하였다.
> ❸ 정보통신윤리위원회와 청소년보호위원회가 위 처분이 있었음을 위 웹사이트 운영자에게 제대로 통지하지 아니하였다고 하여 그 효력 자체가 발생하지 아니한 것으로 볼 수는 없다(대판 2007. 6. 14, 2004두619).

㉰ ✕

> ❶ 상대방 있는 행정처분은 상대방에게 고지되어야 원칙적으로 효력이 발생한다.
> ❷ 상대방 있는 행정처분이 상대방에게 고지되지 않았으나 상대방이 다른 경로를 통해 행정처분의 내용을 알게 된 경우라도, 행정처분의 효력이 발생하는 것은 아니다.
> 상대방 있는 행정처분은 특별한 규정이 없는 한 의사표시에 관한 일반법리에 따라 상대방에게 고지되어야 효력이 발생하고, 상대방 있는 행정처분이 상대방에게 고지되지 아니한 경우에는 상대방이 다른 경로를 통해 행정처분의 내용을 알게 되었다고 하더라도 행정처분의 효력이 발생한다고 볼 수 없다. 피고가 인터넷 홈페이지에 이 사건 처분의 결정내용을 게시한 것만으로는 행정절차법 제14조에서 정한 바에 따라 송달이 이루어졌다고 볼 수 없고, 원고가 그 홈페이지에 접속하여 결정내용을 확인하여 알게 되었다고 하더라도 마찬가지이다(대판 2019. 8. 9, 2019두38656).

㉱ ○

> ❶ 일반적으로 처분이 주체·내용·절차와 형식의 요건을 모두 갖추고 외부에 표시된 경우에는 처분의 존재가 인정된다. 행정의사가 외부에 표시되어 행정청이 자유롭게 취소·철회할 수 없는 구속을 받게 되는 시점에 처분이 성립하고, 그 성립 여부는 행정청이 행정의사를 공식적인 방법으로 외부에 표시하였는지를 기준으로 판단해야 한다.
> ❷ (병무청장이 법무부장관에게 "가수 甲이 공연을 위하여 국외여행허가를 받고 출국한 후 미국시민권을 취득함으로써 사실상 병역의무를 면탈하였으므로 재외동포 자격으로 재입국하고자 하는 경우 국내에서 취업, 가수활동 등 영리활동을 할 수 없도록 하고, 불가능할 경우 입국 자체를 금지해달라."고 요청함에 따라 법무부장관이 甲의 입국을 금지하는 결정을 하고, 그 정보를 내부전산망인 '출입국관리정보시스템'에 입력하였으나, 甲에게는 통보하지 않은 사안에서) 위 입국금지결정은 항고소송의 대상이 되는 '처분'에 해당하지 않는다.

행정청이 행정의사를 외부에 표시하여 행정청이 자유롭게 취소·철회할 수 없는 구속을 받기 전에는 '처분'이 성립하지 않으므로 법무부장관이 출입국관리법 제11조 제1항 제3호 또는 제4호, 출입국관리법 시행령 제14조 제1항, 제2항에 따라 위 입국금지결정은 법무부장관의 의사가 공식적인 방법으로 외부에 표시된 것이 아니라 단지 그 정보를 내부전산망인 '출입국관리정보시스템'에 입력하여 관리한 것에 지나지 않으므로, 항고소송의 대상이 될 수 있는 '처분'에 해당하지 않는다(대판 2019. 7. 11, 2017두38874).

20 [정답] ②

①③ ○ ② ✕

행정절차법 제14조【송달】 ① 송달은 우편, 교부 또는 정보통신망 이용 등의 방법으로 하되, 송달받을 자(대표자 또는 대리인을 포함한다. 이하 같다)의 주소·거소(居所)·영업소·사무소 또는 전자우편주소(이하 '주소 등'이라 한다)로 한다. 다만, 송달받을 자가 동의하는 경우에는 그를 만나는 장소에서 송달할 수 있다.
② 교부에 의한 송달은 수령확인서를 받고 문서를 교부함으로써 하며, 송달하는 장소에서 송달받을 자를 만나지 못한 경우에는 그 사무원·피용자(被傭者) 또는 동거인으로서 사리를 분별할 지능이 있는 사람(이하 이 조에서 '사무원 등'이라 한다)에게 문서를 교부할 수 있다. 다만, 문서를 송달받을 자 또는 그 사무원 등이 정당한 사유 없이 송달받기를 거부하는 때에는 그 사실을 수령확인서에 적고, 문서를 송달할 장소에 놓아둘 수 있다(②).
③ 정보통신망을 이용한 송달은 송달받을 자가 동의하는 경우에만 한다. 이 경우 송달받을 자는 송달받을 전자우편주소 등을 지정하여야 한다(①).
④ 다음 각 호의 어느 하나에 해당하는 경우에는 송달받을 자가 알기 쉽도록 관보, 공보, 게시판, 일간신문 중 하나 이상에 공고하고 인터넷에도 공고하여야 한다.
1. 송달받을 자의 주소 등을 통상적인 방법으로 확인할 수 없는 경우(③)
2. 송달이 불가능한 경우

④ ○

공정거래위원회는 국내에 주소·거소·영업소 또는 사무소가 없는 외국사업자에 대하여 우편송달의 방법으로 문서를 송달할 수 있다(대판 2006. 3. 24, 2004두11275).

21 [정답] ③

㉮ ○ ㉯ ✕

행정절차법 제15조【송달의 효력 발생】 ① 송달은 다른 법령 등에 특별한 규정이 있는 경우를 제외하고는 해당 문서가 송달받을 자에게 도달됨으로써 그 효력이 발생한다(㉮).
② 제14조 제3항에 따라 정보통신망을 이용하여 전자문서로 송달하는 경우에는 송달받을 자가 지정한 컴퓨터 등에 입력된 때에 도달된 것으로 본다(㉰).

㉱ ✕

납세고지서(현 납부고지서 — 이하 동일)의 교부송달 및 우편송달에 있어서 반드시 납세의무자 또는 그와 일정한 관계에 있는 사람의 현실적인 수령행위를 전제로 하는 것이고 납세자가 과세처분의 내용을 이미 알고 있는 경우에도 납세고지서 송달이 필요하다(대판 2004. 4. 9, 2003두13908).

㉲ ○

상대방이 부당하게 등기취급 우편물의 수취를 거부함으로써 우편물의 내용을 알 수 있는 객관적 상태의 형성을 방해한 경우, 그러한 상태가 형성되지 아니하였다는 사정만으로 발송인의 의사표시 효력을 부정할 수는 없으며, 이 경우 의사표시의 효력발생시기는 수취거부시이다(대판 2020. 8. 20, 2019두34630).

22 [정답] ③

㉮㉲ ○ ㉯㉰ ✕

행정기본법 제14조【법 적용의 기준】 ① 새로운 법령 등은 법령 등에 특별한 규정이 있는 경우를 제외하고는 그 법령 등의 효력 발생 전에 완성되거나 종결된 사실관계 또는 법률관계에 대해서는 적용되지 아니한다(㉮).
② 당사자의 신청에 따른 처분은 법령 등에 특별한 규정이 있거나 처분 당시의 법령 등을 적용하기 곤란한 특별한 사정이 있는 경우를 제외하고는 처분 당시의 법령 등에 따른다(㉯).
③ 법령 등을 위반한 행위의 성립과 이에 대한 제재처분은 법령 등에 특별한 규정이 있는 경우를 제외하고는 법령 등을 위반한 행위 당시의 법령 등에 따른다(㉰). 다만, 법령 등을 위반한 행위 후 법령 등의 변경에 의하여 그 행위가 법령 등을 위반한 행위에 해당하지 아니하거나 제재처분기준이 가벼워진 경우로서 해당 법령 등에 특별한 규정이 없는 경우에는 변경된 법령 등을 적용한다(㉱).

㉳ ✕

개정된 산업재해보상보험법 시행령의 시행 전에 장해급여지급청구권을 취득한 근로자의 장해등급을 결정함에 있어 그 지급사유 발생 당시의 법령에 따르는 것이 원칙이다.
산업재해보상보험법상 장해급여는 근로자가 업무상의 사유로 부상을 당하거나 질병에 걸려 치료 종결 후 신체 등에 장해가 있는 경우에 지급되는 것으로서, 치료 종결 후 신체 등에 장해가 있을 때 그 지급사유가 발생하고, 그때 근로자는 장해급여지급청구권을 취득하므로, 장해급여지급을 위한 장해등급결정 역시 장해급여지급청구권을 취득할 당시, 즉 그 지급사유 발생 당시의 법령에 따르는 것이 원칙이라 할 것이다(대판 2007. 2. 22, 2004두12957).

💡Tip 다만, 이 사안에서는 종전 법률이 남녀차별적 요소를 가짐으로써 위헌적 요소를 가지고 있었는바, 법령의 개정이 이러한 위헌적 요소를 없애려는 고려에서 이루어진 사정을 고려해 볼 때 예외적으로 개정 시행령을 적용하여야 한다고 판시하였다.

23 정답 ③

① ② ○

> 〔조세 부과처분이 있은 뒤 조세를 포탈(세금 납부를 회피)한 혐의가 인정되어 조세포탈죄의 유죄판결을 받은 후 조세 부과처분이 취소된 사건에서〕조세포탈에 관하여 유죄의 확정판결이 있은 후에 그 조세 부과처분을 취소하는 행정소송판결이 확정된 경우에는 형사소송법 제420조 제5호 소정의 재심사유에 해당한다.
> 조세 부과처분을 취소하는 행정소송판결이 확정된 경우 그 조세부과처분의 효력은 처분시에 소급하여 효력을 잃게 되고, 따라서 그 부과처분을 받은 사람은 그 처분에 따른 납부의무가 없다고 할 것이므로 위 확정된 행정판결은 조세포탈에 대한 무죄 내지 원판결이 인정한 죄보다 경한 죄를 인정할 명백한 근거라 할 것이다(①). 조세포탈에 관하여 원심판결이 있은 후에 그 조세 부과처분을 취소하는 행정소송판결이 확정된 경우에는 형사소송법 제420조 제5호 소정의 재심사유에 해당한다(②)(대판 1985. 10. 22, 83도2933).

③ × 공정력은 행정행위의 적법성 추정과는 무관하며 단지 행정행위를 잠정적으로 유효한 것으로 통용시키는 효력에 불과하므로 공정력과 입증책임은 무관하다는 것이 통설의 입장이다.

④ ○ 시정명령 위반죄가 성립하기 위해서는 시정명령의 적법성이 전제되어야 한다. 시정명령이 무효가 아니라도 시정명령이 위법한 명령이라면 시정명령 위반죄는 성립하지 않는다. 한편, 형사법원은 시정명령이 당연무효가 아니라면 그 명령을 취소할 수는 없으나 시정명령의 적법 여부는 심사할 수 있다.

> ❶-1. 도시계획구역 안에서 허가 없이 토지의 형질을 변경한 경우 행정청이 도시계획법 제78조 제1항에 의하여 행하는 처분이나 원상회복 등 조치명령의 대상자는 그 토지의 형질을 변경한 자이며 토지의 형질을 변경하지 않은 자에 대하여 한 원상복구의 시정명령은 위법하다.
> ❶-2. 도시계획법 제78조 제1항에 정한 처분이나 조치명령을 받은 자가 이에 위반한 경우 같은 법 제92조에 정한 처벌을 하기 위하여는 그 처분이나 조치명령이 적법한 것이라야 하고, 그 처분이 당연무효가 아니라 하더라도 그것이 위법한 처분으로 인정되는 한 같은 법 제92조 위반죄가 성립될 수 없다(대판 1992. 8. 18, 90도1709).
> ❷「개발제한구역의 지정 및 관리에 관한 특별조치법」(이하 '개발제한구역법'이라 한다) 제30조 제1항에 의하여 행정청으로부터 시정명령을 받은 자가 이를 위반한 경우, 그로 인하여 개발제한구역법 제32조 제2호에 정한 처벌을 하기 위하여는 시정명령이 적법한 것이라야 하고, 시정명령이 당연무효가 아니더라도 위법한 것으로 인정되는 한 개발제한구역법 제32조 제2호 위반죄가 성립될 수 없다(대판 2017. 9. 21, 2017도7321).

24 정답 ④

㉮ ×

> 행정행위가 당연무효인 때에는 민사법원도 당연무효를 전제로 하여 판단할 수 있다.
> 국세 등의 부과 및 징수처분 등과 같은 행정처분이 당연무효임을 전제로 하여 민사소송을 제기한 때에는 그 행정처분의 당연무효인지의 여부가 선결문제이므로, 법원은 이를 심사하여 그 행정처분의 하자가 중대하고 명백하여 당연무효라고 인정될 경우에는 이를 전제로 하여 판단할 수 있으나, 그 하자가 단순한 취소사유에 그칠 때에는 법원은 그 효력을 부인할 수 없다(대판 1973. 7. 10, 70다1439).

㉯ ○ ㉰ × 위법성 확인이 선결문제인 경우, 형사법원은 행정행위의 위법성에 대해서는 심사할 수 있다. 그런데 시정명령 위반죄는 적법한 시정명령을 위반한 경우에 성립하는 것이고 위법한 시정명령을 따르지 않았다고 하여 범죄가 성립하는 것은 아니다. 위법한 명령에 따르지 않았다고 하여 처벌하는 것은 법치주의의 원칙 및 기본권 보장규정을 위반하는 것이기 때문이다.

> 소하천정비법 제14조 제5항, 제17조 제5호에 의하여 행정청으로부터 시정명령을 받은 사람이 이를 위반한 경우, 그로 인하여 같은 법 제27조 제4호에 정한 처벌을 하기 위해서는 그 시정명령이 적법해야 한다. 따라서 시정명령이 당연무효가 아니더라도 위법하다고 인정되는 한 같은 법 제27조 제4호의 위반죄가 성립될 수 없고, 시정명령이 절차적 하자로 인하여 위법한 경우에도 마찬가지이다(대판 2020. 5. 14, 2020도2564).

㉱ × 행정행위의 효력을 부인하는 것이 형사소송에서 선결문제가 된 경우 행정행위가 당연무효가 아닌 한 형사법원은 공정력으로 인해 행정행위의 효력을 부인할 수 없다.

> 운전면허에 취소사유가 있다 하더라도 취소되지 않는 한 효력이 있으므로 무면허운전죄가 성립하는 것은 아니다(처분이 취소사유인 경우).
> 연령미달의 결격자인 피고인이 소외인(자신의 형)의 이름으로 운전면허시험에 응시, 합격하여 교부받은 운전면허는 당연무효가 아니고 도로교통법 제65조 제3호의 사유에 해당함에 불과하여 취소되지 않는 한 유효하므로 피고인의 운전행위는 무면허운전에 해당하지 아니한다(대판 1982. 6. 8, 80도2646).

㉲ ×

> 운전면허취소처분을 받은 사람이 자동차를 운전하였으나 운전면허취소처분의 원인이 된 교통사고 또는 법규 위반에 대하여 범죄사실의 증명이 없는 때에 해당한다는 이유로 무죄판결이 확정된 경우, 취소처분이 취소되지 않았더라도 도로교통법에 규정된 무면허운전의 죄로 처벌할 수는 없다.
> (1) 행정청의 자동차운전면허취소처분이 직권으로 또는 행정쟁송절차에 의하여 취소되면, 운전면허취소처분은 그 처분시에 소급하여 효력을 잃고 운전면허취소처분에 복종할 의무가 원래부터 없었음이 확정되므로, 운전면허취소처분을 받은 사람이 운전면허취소처분이 취소되기 전에 자동차를 운전한 행위는 도로교통법에 규정된 무면허운전의 죄에 해당하지 아니한다.

(2) 관련 규정 및 법리, 헌법 제12조가 정한 적법절차의 원리, 형벌의 보충성 원칙을 고려하면, 자동차운전면허취소처분을 받은 사람이 자동차를 운전하였으나 운전면허취소처분의 원인이 된 교통사고 또는 법규 위반에 대하여 범죄사실의 증명이 없는 때에 해당한다는 이유로 무죄판결이 확정된 경우에는 그 취소처분이 취소되지 않았더라도 도로교통법에 규정된 무면허운전의 죄로 처벌할 수는 없다고 보아야 한다(대판 2021. 9. 16, 2019도11826).

25
[정답] ④

① × 제소기간이 지나면서 불가쟁력이 발생한 행정행위에 대한 행정심판 및 행정소송의 제기는 부적법한 것으로 각하되나, 처분청은 불가변력이 발생하지 않는 한 처분을 직권취소할 수 있다.

② × 행정상 손해배상청구소송은 처분의 효력을 다투는 소송이 아니므로 비록 불가쟁력이 발생한 행정행위라도 소멸시효가 완성되지 않는 한 상대방 등은 행정상 손해배상청구소송을 제기할 수 있다.

③ ×

> 재결에 대하여 불복절차를 취하지 아니함으로써 그 재결에 대하여 더 이상 다툴 수 없게 된 경우, 기업자가 이미 보상금을 지급받은 자에 대하여 민사소송으로 부당이득의 반환을 구할 수는 없다.
> 재결에 대하여 불복절차를 취하지 아니함으로써 그 재결에 대하여 더 이상 다툴 수 없게 된 경우에는 기업자는 그 재결이 당연무효이거나 취소되지 않는 한, 이미 보상금을 지급받은 자에 대하여 민사소송으로 그 보상금을 부당이득이라 하여 반환을 구할 수 없고(대판 2001. 1. 16, 98다58511 참조), 또한 계약이 무효이거나 취소되지 아니한 이상, 계약의 이행으로 지급된 금원을 그 수령자가 법률상 원인 없이 이익을 얻었다고 할 수는 없는 법리이므로, 원고가 피고들에게 지급한 휴업보상금을 부당이득이라고 할 수 없다. 이 점에서도 원심판결은 결론적으로 정당하다(대판 2001. 4. 27, 2000다50237).

④ ○

> ❶ <u>산업재해요양보상급여취소처분이 쟁송기간의 경과로 더 이상 다툴 수 없게 된 경우에도 요양급여청구권의 부존재가 확정된 것은 아니므로 다시 요양급여청구를 할 수 있다.</u>
> ❷ 일반적으로 행정처분이나 행정심판재결이 불복기간의 경과로 인하여 확정될 경우 그 확정력은, 그 처분으로 인하여 법률상 이익을 침해받은 자가 당해 처분이나 재결의 효력을 더 이상 다툴 수 없다는 의미일 뿐이다.
> ❸ 또한 그 확정력에는 판결에 있어서와 같은 기판력이 인정되는 것은 아니어서 그 처분의 기초가 된 사실관계나 법률적 판단이 확정되고 당사자들이나 법원이 이에 기속되어 모순되는 주장이나 판단을 할 수 없게 되는 것은 아니다(대판 2004. 7. 8, 2002두11288).

제 6 회 | 소방 단원별 모의고사 정답과 해설

출제 범위: 제15강 행정행위의 요건과 효력~제17강 행정행위의 폐지(취소·철회) 및 실효

01	02	03	04	05
③	②	④	④	④
06	07	08	09	10
④	④	④	④	④
11	12	13	14	15
③	④	①	④	③
16	17	18	19	20
③	③	②	②	④
21	22	23	24	25
③	③	④	③	②

01 〔정답〕③

① ○
> ❶ 일반적으로 행정처분이나 행정심판재결이 불복기간의 경과로 인하여 확정될 경우 그 확정력은, 그 처분으로 인하여 법률상 이익을 침해받은 자가 당해 처분이나 재결의 효력을 더 이상 다툴 수 없다는 의미일 뿐이다.
> ❷ 또한 그 확정력에는 판결에 있어서와 같은 기판력이 인정되는 것은 아니어서 그 처분의 기초가 된 사실관계나 법률적 판단이 확정되고 당사자들이나 법원이 이에 기속되어 모순되는 주장이나 판단을 할 수 없게 되는 것은 아니다(대판 2004. 7. 8, 2002두11288).

② ○ 제소기간이 지나면서 불가쟁력이 발생한 행정행위에 대한 행정심판 및 행정소송의 제기는 부적법한 것으로 각하되나, 처분청은 불가변력이 발생하지 않는 한 처분을 직권취소할 수 있다.

③ × 일정한 행정행위의 경우 행정행위가 행해지면 성질상 행위를 한 행정청 자신도 직권으로 자유로이 취소·철회할 수 없는 효력이 발생하는 바, 이러한 효력을 불가변력 또는 실질적 존속력이라 한다. 지문에서 사용된 형식적 존속력은 불가쟁력을 의미한다.

④ ○ 불가쟁력은 행정행위의 상대방 및 이해관계인에 대한 구속력인 반면, 불가변력은 처분청 등 행정기관에 대한 구속력으로 볼 수 있다. 즉, 불가쟁력은 상대방 또는 이해관계인이 행정행위의 효력을 더 이상 다투지 못하는 효력이므로 불가쟁력이 발생한 행정행위라도 처분을 한 행정청이 취소 또는 철회하는 것은 가능하다. 이에 반해 불가변력이 발생한 경우 행정청은 직권으로 취소할 수 없지만, 상대방 등 이해관계인은 쟁송기간이 경과하지 않은 경우 취소소송 등을 제기할 수 있다. 그리고 그 성질 면에 있어서는 불가쟁력이 절차법적 효력인 반면, 불가변력은 실체법적 효력이라고 한다.

02 〔정답〕②

㉮ ×
> ❶ 일반적으로 행정처분이나 행정심판재결이 불복기간의 경과로 인하여 확정될 경우 그 확정력은, 그 처분으로 인하여 법률상 이익을 침해받은 자가 당해 처분이나 재결의 효력을 더 이상 다툴 수 없다는 의미일 뿐이다.
> ❷ 또한 그 확정력에는 판결에 있어서와 같은 기판력이 인정되는 것은 아니어서 그 처분의 기초가 된 사실관계나 법률적 판단이 확정되고 당사자들이나 법원이 이에 기속되어 모순되는 주장이나 판단을 할 수 없게 되는 것은 아니다(대판 2004. 7. 8, 2002두11288).

㉯ ○ 실질적 존속력(불가변력)은 당해 행정행위의 경우에만 인정되고 동종의 행정행위라도 그 대상이 다른 경우 인정되지 않는다는 것이 판례의 입장이다.

> 동종의 행위라도 그 대상을 달리하는 경우 불가변력이 인정되지 않는다.
> 국민의 권리와 이익을 옹호하고 법적 안정을 도모하기 위하여 특정한 행위에 대하여는 행정청이라 하여도 이것을 자유로이 취소, 변경 및 철회할 수 없다는 행정행위의 불가변력은 당해 행정행위에 대하여서만 인정되는 것이고, 동종의 행정행위라 하더라도 그 대상을 달리할 때에는 이를 인정할 수 없다(대판 1974. 12. 10, 73누129).

㉰ × 서울특별시행정심판위원회는 비록 그 재결이 위법하다고 인정되더라도 스스로 이를 취소할 수 없다는 효력은 불가변력으로서 실질적 존속력이라고도 한다. 형식적 존속력은 불가쟁력을 말한다.

㉱ ○ 무효인 행정행위는 쟁송제기기간의 제한을 받지 않으므로 불가쟁력이 발생하지 않는다.

03 〔정답〕④

① ○ 공정력은 행정행위가 무효인 경우에는 인정되지 않는다. 따라서 누구라도 무효임을 확인할 수 있기 때문에 민사법원은 행정행위의 무효를 확인할 수 있다. 그러므로 민사법원은 무효인 공매처분에 근거한 乙의 소유권취득은 인정할 수 없다는 취지로 甲의 승소판결을 내릴 수 있다.

② ○ 공매처분의 하자가 취소사유라면 취소되기 전까지는 일단 유효하며, 또한 민사법원은 공정력으로 인해 처분을 취소할 수 없으므로 소유권이전등기는 법률상 원인이 있는 것(공매처분이 효력이 있다)이 되므로 민사법원은 소유권이전등기말소청구를 기각할 것이다.

> 과세처분에 단지 취소할 수 있는 위법사유가 있는 경우, 민사소송절차에서 그 과세처분의 효력을 부인할 수 없다.
> 과세처분이 당연무효라고 볼 수 없는 한 과세처분에 취소할 수 있는 위법사유가 있다 하더라도 그 과세처분은 행정행위의 공정력 또는 집행력에 의하여 그것이 적법하게 취소되기 전까지는 유효하다 할 것이므로, 민사소송절차에서 그 과세처분의 효력을 부인할 수 없다(대판 1999. 8. 20, 99다20179).

③ ○ 제소기간이 지남으로써 불가쟁력이 발생하여 처분을 대상으로 항고소송을 제기할 수 없다고 하더라도 행정상 손해배상청구소송은 처분의 효력을 다투는 것이 아니므로 손해배상채권의 시효가 지난 상태가 아니라면 그 처분으로 인한 손해에 관하여 국가배상청구소송을 제기할 수 있다. 그러므로 甲이 공매처분의 위법을 이유로 국가배상청구소송을 제기하는 경우에는 처분의 불가쟁력이 발생하였음과 관계없이 민사법원은 甲의 청구를 인용할 수 있다.

④ ×

❶ 항고소송으로 무효확인소송을 제기하는 경우 무효확인소송의 '보충성'이 요구되는 것은 아니다.
❷ 행정소송법 제35조에 규정된 '무효확인을 구할 법률상 이익'이 있는지를 판단할 때 행정처분의 무효를 전제로 한 이행소송 등과 같은 직접적인 구제수단이 있는지를 따져볼 필요가 없다(대판 2008. 3. 20, 2007두6342 전합).

04 [정답] ④

㉮ ○

원래 행정처분이 아무리 위법하다고 하여도 그 하자가 중대하고 명백하여 당연무효라고 보아야 할 사유가 있는 경우를 제외하고는 아무도 그 하자를 이유로 무단히 그 효과를 부정하지 못하는 것이다(대판 1994. 11. 11, 94다28000).

행정기본법 제15조【처분의 효력】 처분은 권한이 있는 기관이 취소 또는 철회하거나 기간의 경과 등으로 소멸되기 전까지는 유효한 것으로 통용된다. 다만, 무효인 처분은 처음부터 그 효력이 발생하지 아니한다.

㉯ ○

행정행위의 하자가 취소사유에 불과한 때에는 처분이 취소되지 않는 한 그로 인한 이득은 법률상 원인 없는 이득, 즉 부당이득이 아니다.
행정행위의 공정력은 판결의 기판력과 같은 효력은 아니지만 그 공정력의 객관적 범위에 속하는 행정행위의 하자가 취소사유에 불과한 때에는 그 처분이 취소되지 않는 한 처분의 효력을 부정하여 그로 인한 이득을 법률상 원인 없는 이득이라고 말할 수 없다(대판 1994. 11. 11, 94다28000).

관련판례
변상금의 부과는 관리청이 공유재산 중 일반재산과 관련하여 사경제주체로서 상대방과 대등한 위치에서 사법상 계약인 대부계약을 체결한 후 그 이행을 구하는 것과 달리 관리청이 공권력의 주체로서 상대방의 의사를 묻지 않고 일방적으로 행하는 행정처분에 해당한다. 그러므로 만일 무단으로 공유재산 등을 사용·수익·점유하는 자가 관리청의 변상금 부과처분에 따라 그에 해당하는 돈을 납부한 경우라면 위 변상금 부과처분이 당연무효이거나 행정소송을 통해 먼저 취소되기 전에는 사법상 부당이득반환청구로써 위 납부액의 반환을 구할 수 없다(대판 2013. 1. 24, 2012다79828).

㉰ ×

사위(詐僞) 기타 부정한 방법으로 수입면허를 받았다 하더라도 그 수입면허가 당연무효가 아닌 한 관세법 소정의 무면허수입죄가 성립될 수 없다(처분이 취소사유인 경우)(대판 1989. 3. 28, 89도149).

㉱ ×

행정처분의 취소판결이 있어야만 그 행정처분이 위법임을 이유로 손해배상청구를 할 수 있는 것은 아니다.
본건 계고처분 행정처분이 위법임을 이유로 배상을 청구하는 취지로 인정될 수 있는 본건에 있어 미리 그 행정처분의 취소판결이 있어야만 그 행정처분의 위법임을 이유로 피고에게 배상을 청구할 수 있는 것은 아니라고 해석함이 상당할 것임에도 불구하고 행정처분의 취소가 있어 그 효력이 상실되어야만 배상을 청구할 수 있는 법리인 것 같이 판단한 원판결에는 배상청구와 행정처분 취소판결의 관계에 관한 법리를 오해한 위법이 있다 할 것이다(대판 1972. 4. 28, 72다337).

05 [정답] ④

① ○

민사소송에 있어서 어느 행정처분의 당연무효 여부가 선결문제로 되는 때에는 이를 판단하여 당연무효임을 전제로 판결할 수 있고 반드시 행정소송 등의 절차에 의하여 그 취소나 무효확인을 받아야 하는 것은 아니다(대판 2010. 4. 8, 2009다90092).

② ○

❶ 요양급여비용청구권과 의사소견서 발급비용청구권은 공단의 지급결정에 의하여 구체적인 권리가 발생한다고 보아야 한다.
❷ 따라서 요양급여비용 지급결정이 취소되지 않았다면, 요양급여비용 지급결정이 당연무효라는 등의 특별한 사정이 없는 한 그 결정에 따라 지급된 요양급여비용이 법률상 원인 없는 이득이라고 할 수 없고, 국민건강보험공단의 요양기관에 대한 요양급여비용 상당 부당이득반환청구권도 성립하지 않는다(의사소견서 발급비용청구권도 마찬가지)(대판 2023. 10. 12, 2022다276697).

③ ○

제소기간이 도과하여 불가쟁력이 생긴 행정처분에 대하여는 법규에서 신청권을 규정하고 있거나 법령해석상 신청권이 인정될 수 있는 등 특별한 사정이 없는 한 신청권이 없다.
제소기간이 이미 도과하여 불가쟁력이 생긴 행정처분에 대하여는 개별법규에서 그 변경을 요구할 신청권을 규정하고 있거나 관계 법령의 해석상 그러한 신청권이 인정될 수 있는 등 특별한 사정이 없는 한 국민에게 그 행정처분의 변경을 구할 신청권이 있다 할 수 없다. …… 피고가 원고들의 이 사건 신청을 거부하였다 하여도 그 거부로 인해 원고들의 권리나 법적 이익에 어떤 영향을 주는 것은 아니라 할 것이므로 그 거부행위인 이 사건 통지는 항고소송의 대상이 되는 행정처분이 될 수 없다(대판 2007. 4. 26, 2005두11104).

④ × 행정행위의 자력집행력(강제력)이란 행정행위에 의해 부과된 의무를 상대방이 이행하지 않는 경우에 행정청이 스스로 강제력을 발동하여 그 의무를 실현시키는 힘을 말하는데, 모든 행정행위가 집행력을 가지는 것이 아니라 개념상 상대방에게 어떤 의무를 부과하는 하명행위에 인정된다. 이러한 자력집행력은 하명의 근거 외에 별도의 법률적 근거가 필요하다는 것이 통설의 입장이다.

06

정답 ④

① ○ 취소사유

> 행정청이 사전환경성검토협의를 거쳐야 할 대상사업에 관하여 법의 해석을 잘못한 나머지 세부용도지역이 지정되지 않은 개발사업부지에 대하여 사전환경성검토협의를 할지 여부를 결정하는 절차를 생략한 채 승인 등의 처분을 한 사안에서, 그 하자가 중대한 하자라고 할 수 있으나, 객관적으로 명백하다고 할 수는 없다(대판 2009. 9. 24, 2009두2825).

② ○ 취소사유

> 구 학교보건법상 학교환경위생정화구역의 금지행위 및 시설의 해제 여부에 관한 행정처분을 함에 있어 학교환경위생정화위원회의 심의를 누락한 행정처분에는 취소사유가 있다(대판 2007. 3. 15, 2006두15806).

③ ○ 취소사유

> 「국방·군사시설 사업에 관한 법률」 및 구 산림법에서 보전임지를 다른 용도로 이용하기 위한 사업에 대하여 승인 등 처분을 하기 전에 미리 산림청장과 협의를 하라고 규정한 경우 이러한 협의를 거치지 아니한 승인처분은 당연무효가 아니다.
> 「국방·군사시설 사업에 관한 법률」 및 구 산림법에서 보전임지를 다른 용도로 이용하기 위한 사업에 대하여 승인 등 처분을 하기 전에 미리 산림청장과 협의를 하라고 규정한 의미는 그의 자문을 구하라는 것이지 그 의견을 따라 처분을 하라는 의미가 아니라 할 것이므로, 이러한 협의를 거치지 아니하였다고 하더라도 이는 당해 승인처분을 취소할 수 있는 원인이 되는 하자 정도에 불과하고 그 승인처분이 당연무효가 되는 하자에 해당하는 것은 아니라고 봄이 상당하다(대판 2006. 6. 30, 2005두14363).

④ × 무효. 선행행위의 무효는 당연히 후행 행정행위에 승계되어 후행행위도 무효가 된다.

> ❶ 국토의 계획 및 이용에 관한 법령이 정한 도시계획시설사업의 대상 토지의 소유와 동의요건을 갖추지 못하였는데도 사업시행자로 지정한 경우, 하자가 중대하고 명백하다.
> ❷ 선행처분인 도시계획시설사업시행자 지정처분이 처분요건을 충족하지 못하여 당연무효인 경우, 후행처분인 도시계획시설사업의 시행자가 작성한 실시계획을 인가하는 처분도 무효이다.
> 도시계획시설사업의 시행자가 작성한 실시계획을 인가하는 처분은 도시계획시설사업시행자에게 도시계획시설사업의 공사를 허가하고 수용권을 부여하는 처분으로서 선행처분인 도시계획시설사업시행자 지정처분이 처분요건을 충족하지 못하여 당연무효인 경우에는 사업시행자 지정처분이 유효함을 전제로 이루어진 후행처분인 실시계획 인가처분도 무효라고 보아야 한다(대판 2017. 7. 11, 2016두35120).

07

정답 ②

㉮ ○ 무효

> 부동산을 양도한 사실이 없음에도 세무당국이 부동산을 양도한 것으로 오인하여 양도소득세를 부과하였다면 그 부과처분은 착오에 의한 행정처분으로서 그 표시된 내용에 중대하고 명백한 하자가 있어 당연무효이다(대판 1983. 8. 23, 83누179).

㉯ × 취소사유

> 적법한 권한위임 없이 세관출장소장이 행한 관세 부과처분은 그 하자가 중대하지만 객관적으로 명백하다고 할 수 없어 당연무효는 아니다.
> 세관출장소장에게 관세 부과처분에 관한 권한이 위임되었다고 볼 만한 법령상의 근거가 없는데도 피고가 이 사건 처분을 한 것은 결국, 적법한 위임 없이 권한 없는 자가 행한 처분으로서 그 하자가 중대하다고 할 것이나, …… 그동안 세관출장소장에게 관세 부과처분에 관한 권한이 있는지 여부에 관하여 아무런 이의제기가 없었던 점 등에 비추어 보면, 세관출장소장에게 관세 부과처분을 할 권한이 있다고 객관적으로 오인할 여지가 다분하다고 인정되므로 결국 적법한 권한위임 없이 행해진 이 사건 처분은 그 하자가 중대하기는 하지만 객관적으로 명백하다고 할 수는 없어 당연무효는 아니라고 보아야 할 것이다(대판 2004. 11. 26, 2003두2403).

㉰ × 취소사유

> ❶ 행정청이 어느 법률관계나 사실관계에 대하여 어느 법률의 규정을 적용하여 행정처분을 한 경우에 그 법률관계나 사실관계에 대하여는 그 법률의 규정을 적용할 수 없다는 법리가 명백히 밝혀져 그 해석에 다툼의 여지가 없음에도 불구하고 행정청이 위 규정을 적용하여 처분을 한 때에는 그 하자가 중대하고 명백하다고 할 것이다.
> ❷ 그러나 그 법률관계나 사실관계에 대하여 그 법률의 규정을 적용할 수 없다는 법리가 명백히 밝혀지지 아니하여 그 해석에 다툼의 여지가 있는 때에는 행정관청이 이를 잘못 해석하여 행정처분을 하였더라도 이는 그 처분요건사실을 오인한 것에 불과하여 그 하자가 명백하다고 할 수 없다.
> ❸ 그리고 행정청이 법령규정의 문언상 처분요건의 의미가 분명함에도 합리적인 근거 없이 그 의미를 잘못 해석한 결과, 처분요건이 충족되지 아니한 상태에서 해당 처분을 한 경우에는 법리가 명백히 밝혀지지 아니하여 그 해석에 다툼의 여지가 있다고 볼 수는 없다(편저자 주 : 명백하다는 의미이다)(대판 2014. 5. 16, 2011두27094).

관련판례

행정처분의 대상이 되는 법률관계나 사실관계가 전혀 없는 사람에게 행정처분을 한 때에는 그 하자가 중대하고도 명백하다 할 것이나, 행정처분의 대상이 되지 아니하는 어떤 법률관계나 사실관계에 대하여 이를 처분의 대상이 되는 것으로 오인할 만한 객관적인 사정이 있는 경우로서 그것이 처분대상이 되는지의 여부가 그 사실관계를 정확히 조사하여야 비로소 밝혀질 수 있는 때에는 비록 이를 오인한 하자가 중대하다고 할지라도 외관상 명백하다고 할 수 없다(대판 2004. 10. 15, 2002다68485).

㉱ ○ 무효

> 내부위임을 받은 자는 자기의 명의로 처분을 할 권한이 없으므로 내부위임을 받은 자가 자신의 명의로 처분을 한 경우 이는 당연무효이다.
> 체납취득세에 대한 압류처분권한은 경상남도지사로부터 울산시장에게 권한위임된 것이고, 울산시장으로부터 압류처분권한을 내부위임을 받은 데 불과한 피고로서는 울산시장 명의로 압류처분을 대행처리할 수 있을 뿐이고 자신의 명의로 이를 할 수 없다 할 것이므로 이 사건 압류처분은 권한 없는 자에 의하여 행하여진 위법·무효의 처분이다(대판 1993. 5. 27, 93누6621).

08
정답 ④

㉮ × 무효

주택건설촉진법에 의한 설립인가를 받은 주택조합이 아파트지구 개발사업의 사업계획을 승인받아 아파트를 건축한 경우 구 「개발이익환수에 관한 법률」 제6조 제1항 소정의 개발부담금 납부의무자는 사업시행자인 주택조합이고 그 조합원들이 아니므로, 납부의무자가 아닌 조합원들에 대한 개발부담금 부과처분은 그 처분의 법적 근거가 없는 것으로서 그 하자가 중대하고도 명백하여 무효이다(대판 1998. 5. 8, 95다30390).

㉯ ○ 취소사유

행정절차법 제22조 제1항 제1호에 정한 청문제도의 취지상 행정처분의 근거법령 등에서 청문의 실시를 규정하고 있는 경우 청문절차를 결여한 처분은 위법하나 당연무효인 것은 아니다.
청문제도는 행정처분의 사유에 대하여 당사자에게 변명과 유리한 자료를 제출할 기회를 부여함으로써 위법사유의 시정가능성을 고려하고 처분의 신중과 적정을 기하려는 데 그 취지가 있으므로, 행정청이 특히 침해적 행정처분을 할 때 그 처분의 근거법령 등에서 청문을 실시하도록 규정하고 있다면, 행정절차법 등 관련 법령상 청문을 실시하지 않아도 되는 예외적인 경우에 해당하지 않는 한 반드시 청문을 실시하여야 하며, 그러한 절차를 결여한 처분은 위법한 처분으로서 취소사유에 해당한다(대판 2007. 11. 16, 2005두15700).

㉰ ○ 취소사유

❶ 체납자 등에 대한 공매통지는 공매의 절차적 요건에 해당하므로, 체납자 등에게 공매통지를 하지 않았거나 적법하지 않은 공매통지를 한 경우 그 공매처분은 위법하다(대판 2008. 11. 20, 2007두18154 전합).
❷ 체납자 등에 대한 공매통지 없이 한 공매처분이 당연무효가 되는 것은 아니다.
체납자 등에 대한 공매통지는 국가의 강제력에 의하여 진행되는 공매절차에서 체납자 등의 권리 내지 재산상 이익을 보호하기 위하여 법률로 규정한 절차적 요건에 해당하지만, 그 통지를 하지 아니한 채 공매처분을 하였다 하여도 그 공매처분이 당연무효로 되는 것이 아니다(대판 2012. 7. 26, 2010다50625).

㉱ ○ 취소사유

주민등록말소처분이 주민등록법 제17조의2에 규정한 최고 · 공고의 절차를 거치지 아니하였다 하더라도 그러한 하자는 중대하고 명백한 것이라고 할 수 없다(무효가 아니다)(대판 1994. 8. 26, 94누3223).

09
정답 ④

① ○ 무효

조세채권의 소멸시효기간이 완성된 후에 부과한 과세처분은 무효이다.
조세채권의 소멸시효가 완성되어 부과권이 소멸된 후에 부과한 과세처분은 위법한 처분으로 그 하자가 중대하고도 명백하여 무효라 할 것이다(대판 1988. 3. 22, 87누1018).

② ○ 무효

구 환경영향평가법상 환경영향평가를 실시하여야 할 사업에 대하여 환경영향평가를 거치지 아니하였음에도 승인 등 처분을 한 경우, 그 처분은 당연무효이다.
환경영향평가를 거쳐야 할 대상사업에 대하여 환경영향평가를 거치지 아니하였음에도 불구하고 승인 등 처분이 이루어진다면, 이러한 행정처분의 하자는 법규의 중요한 부분을 위반한 중대한 것이고 객관적으로도 명백한 것이라고 하지 않을 수 없어, 이와 같은 행정처분은 당연무효이다(대판 2006. 6. 30, 2005두14363).

③ ○ 무효

음주운전을 단속한 경찰관 자신의 명의로 행한 운전면허정지처분의 효력은 무효이다.
운전면허에 대한 정지처분권한은 경찰청장으로부터 경찰서장에게 권한위임된 것이므로 음주운전자를 적발한 단속경찰관으로서는 관할 경찰서장의 명의로 운전면허정지처분을 대행처리할 수 있을지는 몰라도 자신의 명의로 이를 할 수 없다 할 것이므로, 단속 경찰관이 자신의 명의로 운전면허행정처분통지서를 작성 · 교부하여 행한 운전면허정지처분은 비록 그 처분의 내용 · 사유 · 근거 등이 기재된 서면을 교부하는 방식으로 행하여졌다고 하더라도 권한 없는 자에 의하여 행하여진 점에서 무효의 처분에 해당한다(대판 1997. 5. 16, 97누2313).

④ × 취소사유

임면권자가 아닌 국가정보원장이 5급 이상의 국가정보원 직원에 대하여 한 의원면직처분은 당연무효가 아니다.
행정청의 공무원에 대한 의원면직처분은 공무원의 사직의사를 수리하는 소극적 행정행위에 불과하고, 당해 공무원의 사직의사를 확인하는 확인적 행정행위의 성격이 강하며 재량의 여지가 거의 없기 때문에 의원면직처분에서 행정청의 권한유월행위를 다른 일반적인 행정행위의 그것과 반드시 같이 보아야 할 것은 아니다(대판 2007. 7. 26, 2005두15748).

10
정답 ④

① ○

구 폐기물처리시설 설치촉진 및 주변지역 지원 등에 관한 법령에 정한 입지선정위원회의 구성방법과 절차가 주민대표나 주민대표 추천에 의한 전문가의 참여 없이 이루어지는 등 위법한 경우, 입지선정위원회는 의결기관으로서 그러한 의결에 터 잡아 이루어진 폐기물처리시설 입지결정처분의 하자는 중대한 것이고 객관적으로도 명백하므로 무효사유에 해당한다(대판 2007. 4. 12, 2006두20150).

② ○

행정행위의 취소라 함은 일단 유효하게 성립한 행정처분이 위법 또는 부당함을 이유로 소급하여 그 효력을 소멸시키는 별도의 행정처분을 말하고, 행정청은 종전 처분과 양립할 수 없는 처분을 함으로써 묵시적으로 종전 처분을 취소할 수도 있으나, 행정행위 중 당사자의 신청에 의하여 인 · 허가 또는 면허 등 이익을 주거나 그 신청을 거부하는 처분을 하는 것을 내용으로 하는 이른바 신청에 의한 처분의 경우에는 신청에 대하여 일단 거부처분이 행해지면 그 거부처분이 적법한 절차에 의하여 취소되지 않는 한, 사유를 추가하여 거부처분을 반복하는 것은 존재하지도 않는 신청에 대한 거부처분으로서 당연무효이다(대판 1999. 12. 28, 98두1895).

③ ○

과세처분이 당연무효라고 하기 위하여는 그 처분에 위법사유가 있다는 것만으로는 부족하고 그 하자가 법규의 중요한 부분을 위반한 중대한 것으로서 객관적으로 명백한 것이어야 하며, 하자가 중대하고 명백한지를 판별할 때에는 과세처분의 근거가 되는 법규의 목적·의미·기능 등을 목적론적으로 고찰함과 동시에 구체적 사안 자체의 특수성에 관하여도 합리적으로 고찰하여야 한다. 그리고 어느 법률관계나 사실관계에 대하여 어느 법령의 규정을 적용하여 과세처분을 한 경우에 그 법률관계나 사실관계에 대하여는 그 법령의 규정을 적용할 수 없다는 법리가 명백히 밝혀져서 해석에 다툼의 여지가 없음에도 과세관청이 그 법령의 규정을 적용하여 과세처분을 하였다면 그 하자는 중대하고도 명백하다고 할 것이나, 그 법률관계나 사실관계에 대하여 그 법령의 규정을 적용할 수 없다는 법리가 명백히 밝혀지지 아니하여 해석에 다툼의 여지가 있는 때에는 과세관청이 이를 잘못 해석하여 과세처분을 하였더라도 이는 과세요건사실을 오인한 것에 불과하여 그 하자가 명백하다고 할 수 없다(대판 2019. 4. 23, 2018다287287).

④ ✕

환경영향평가법령에서 정한 환경영향평가절차를 거쳤으나 그 환경영향평가의 내용이 부실한 경우, 그 부실의 정도가 환경영향평가를 하지 아니한 것과 다를 바 없는 정도의 것이 아닌 이상, 그 부실은 당해 승인 등 처분에 재량권 일탈·남용의 위법이 있는지 여부를 판단하는 하나의 요소로 됨에 그칠 뿐, 그 부실로 인하여 당연히 당해 승인 등 처분이 위법하게 되는 것은 아니다(대판 2006. 3. 16, 2006두330 전합).

11   정답 ③

① ○

행정청이 사전에 교통영향평가를 거치지 아니한 채 '건축허가 전까지 교통영향평가 심의필증 교부받을 것'을 부관으로 붙여서 한 '실시계획변경 승인 및 공사시행변경 인가처분'은 중대하고 명백한 흠이 있다고 할 수 없어 무효로 보기 어렵다(대판 2010. 2. 25, 2009두102).

② ○

경찰공무원에 대한 징계위원회의 심의과정에 감경사유에 해당하는 공적 사항이 제시되지 아니한 경우에는 그 징계양정이 결과적으로 적정한지와 상관없이 관계 법령이 정한 징계절차를 지키지 않은 것으로서 위법하다(대판 2012. 10. 11, 2012두13245).

③ ✕

사망한 귀속재산 수불하자에 대하여 그 불하처분의 취소처분을 그 상속인에게 송달한 경우 송달시에 그 상속인에 대하여 다시 그 불하처분을 취소한다는 새로운 행정처분을 한 것이다.
귀속재산을 불하받은 자가 사망한 후에 그 수불하자에 대하여 한 그 불하취소처분은 사망자에 대한 행정처분이므로 무효이지만, 그 취소처분을 수불하자의 상속인에게 송달한 때에는 그 송달시에 그 상속인에 대하여 다시 그 불하처분을 취소한다는 새로운 행정처분을 한 것이라고 할 것이다(대판 1969. 1. 21, 68누190).

④ ○ 법률상 문서를 요건으로 하고 있는 행정행위가 그러한 문서에 의하지 아니한 경우에는 무효이다.

행정청의 처분의 방식을 규정한 행정절차법 제24조를 위반하여 행해진 행정청의 처분은 그 하자가 중대하고 명백하여 원칙적으로 무효이다.
(집합건물 중 일부 구분건물의 소유자인 피고인이 관할 소방서장으로부터 소방시설불량사항에 관한 시정보완명령을 받고도 따르지 아니하였다는 내용으로 기소된 사안에서) 담당소방공무원이 행정처분인 위 명령을 구술로 고지한 것은 행정절차법 제24조를 위반한 것으로 하자가 중대하고 명백하여 당연무효이고, 무효인 명령에 따른 의무 위반이 생기지 아니하는 이상 피고인에게 명령 위반을 이유로 「소방시설 설치·유지 및 안전관리에 관한 법률」 제48조의2 제1호에 따른 행정형벌을 부과할 수 없는데, 이와 달리 위 명령이 유효함을 전제로 유죄를 인정한 원심판결에는 행정처분의 무효와 행정형벌의 부과에 관한 법리오해의 위법이 있다(대판 2011. 11. 10, 2011도11109).

행정절차법 제24조 【처분의 방식】 ① 행정청이 처분을 할 때에는 다른 법령 등에 특별한 규정이 있는 경우를 제외하고는 문서로 하여야 하며, 다음 각 호의 어느 하나에 해당하는 경우에는 전자문서로 할 수 있다.
1. 당사자 등의 동의가 있는 경우
2. 당사자가 전자문서로 처분을 신청한 경우
② 제1항에도 불구하고 공공의 안전 또는 복리를 위하여 긴급히 처분을 할 필요가 있거나 사안이 경미한 경우에는 말, 전화, 휴대전화를 이용한 문자전송, 팩스 또는 전자우편 등 문서가 아닌 방법으로 처분을 할 수 있다. 이 경우 당사자가 요청하면 지체 없이 처분에 관한 문서를 주어야 한다.

12   정답 ④

㉮ ✕

예산의 편성에 절차상 하자가 있다는 사정만으로 예산을 집행하는 처분의 취소사유에 이를 정도의 하자가 존재한다고 보기 어렵다.
(甲 등이 '4대강 살리기 사업' 중 한강 부분에 관한 각 하천공사시행계획 및 각 실시계획승인처분에 보의 설치와 준설 등에 대한 구 국가재정법 제38조 등에서 정한 예비타당성조사를 하지 않은 절차상 하자가 있다는 이유로 각 처분의 취소를 구한 사안에서) 국가재정법령에 규정된 예비타당성조사는 이 사건 각 처분과 형식상 전혀 별개의 행정계획인 예산의 편성을 위한 절차일 뿐 이 사건 각 처분에 앞서 거쳐야 하거나 그 근거법규 자체에서 규정한 절차가 아니므로, 예비타당성조사를 실시하지 아니한 하자는 원칙적으로 예산 자체의 하자일 뿐, 그로써 곧바로 이 사건 각 처분의 하자가 된다고 할 수 없다(대판 2015. 12. 10, 2011두32515).

㉯ ✕

❶ 지방공무원법 제30조의2 제2항은 시·도지사로 하여금 당해 지방자치단체 및 관할 구역 안의 지방자치단체 상호 간에 인사교류의 필요성이 있다고 인정할 경우 당해 시·도에 두는 인사교류협의회에서 정한 인사교류기준에 따라 인사교류안을 작성하여 관할 구역 안의 지방자치단체의 장에게 인사교류를 권고할 수 있도록 하고, 이 경우 당해 지방자치단체의 장은 정당한 사유가 없는 한 이에 응하도록 규정하고 있으므로, 시·도지사의 인사교류안의 작성과 그에 의한 인사교류의 권고가 선행되지 아니하면 위 조항에 의한 인사교류를 실시할 수 없다.

❷ 지방공무원법 제30조의2 제2항의 입법취지는 시·도지사에게 관할 구역 내 지방자치단체 상호 간의 균형 있는 인력배치와 지방자치단체의 행정발전 등을 도모할 수 있도록 하기 위하여 인사교류를 권고할 수 있는 권한을 부여하는 한편 그 권한의 적정한 행사를 보장하기 위하여 인사교류협의회에서 정한 인사교류기준에 따라 작성된 인사교류안에 따르도록 한 것이므로, 이러한 일련의 절차는 위 조항에 의한 인사교류를 함에 있어서 본질적인 것으로서 중대하다고 할 것인바, 경기도지사의 인사교류안의 작성과 그에 따른 인사교류의 권고가 전혀 이루어지지 않은 상태에서 행하여진 이 사건 처분(편저자 주 : 피고 과천시장이 과천시 지방공무원인 원고에 대하여 지방공무원법 제30조의2 제2항에 의한 인사교류로서 부천시 지방공무원으로 전출을 명한 처분)은 그 하자가 중대한 것으로서 객관적으로 명백하여 당연무효라 할 것이다(대판 2005. 6. 24, 2004두10968).

㉰ ○

과세관청이 과세예고통지 후 과세전적부심사청구나 그에 대한 결정이 있기 전에 과세처분을 한 경우, 원칙적으로 절차상 하자가 중대·명백하여 과세처분은 무효가 된다.
국세기본법 및 국세기본법 시행령이 과세전적부심사를 거치지 않고 곧바로 과세처분을 할 수 있거나 과세전적부심사에 대한 결정이 있기 전이라도 과세처분을 할 수 있는 예외사유로 정하고 있다는 등의 특별한 사정이 없는 한, 과세예고통지 후 과세전적부심사청구나 그에 대한 결정이 있기도 전에 과세처분을 하는 것은 원칙적으로 과세전적부심사 이후에 이루어져야 하는 과세처분을 그보다 앞서 함으로써 과세전적부심사제도 자체를 형해화시킬 뿐만 아니라 과세전적부심사 결정과 과세처분 사이의 관계 및 불복절차를 불분명하게 할 우려가 있으므로, 그와 같은 과세처분은 납세자의 절차적 권리를 침해하는 것으로 절차상 하자가 중대하고도 명백하여 무효이다(대판 2016. 12. 27, 2016두49228).

㉱ ○ 소청 사건을 심사할 때에는 소청인·대리인에게 진술 기회를 주어야 하는데, 주지 않고 내린 결정은 무효이다.

국가공무원법 제13조 【소청인의 진술권】① 소청심사위원회가 소청 사건을 심사할 때에는 대통령령 등으로 정하는 바에 따라 소청인 또는 제76조 제1항 후단에 따른 대리인에게 진술 기회를 주어야 한다.
② 제1항에 따른 진술 기회를 주지 아니한 결정은 무효로 한다.

13 [정답] ①

① ○

하자 있는 행정행위의 치유는 원칙적으로 허용될 수 없는 것이고, 예외적으로 법적 안정성을 위해 이를 허용하는 때에도 국민의 권리나 이익을 침해하지 않는 범위에서 구체적 사정에 따라 합목적적으로 인정하여야 할 것이다.
하자 있는 행정행위의 치유는 행정행위의 성질이나 법치주의의 관점에서 볼 때 원칙적으로 허용될 수 없는 것이고, 예외적으로 행정행위의 무용한 반복을 피하고 당사자의 법적 안정성을 위해 허용되는 때에도 국민의 권리나 이익을 침해하지 않는 범위 내에서 구체적 사정에 따라 합목적적으로 인정하여야 할 것이다(대판 1992. 5. 8, 91누13274).

② × 하자 있는 행정행위가 치유와 전환에 의해 적법하게 된 경우에는 취소가 제한된다.

③ × 판례는 이유제시(부기)의 하자치유와 관련하여 늦어도 처분에 대한 불복 여부의 결정 및 불복신청에 편의를 줄 수 있는 상당한 기간 내에 하여야 한다고 보고 있는바, 쟁송제기전설을 취하고 있다.

④ ×

면허를 취소하는 경우 처분의 근거와 위반사실을 적시하여야 하며, 이를 빠뜨린 경우 위법하다.
면허의 취소처분에는 그 근거가 되는 법령이나 취소권 유보의 부관 등을 명시하여야 함은 물론 처분을 받은 자가 어떠한 위반사실에 대하여 당해 처분이 있었는지를 알 수 있을 정도로 사실을 적시할 것을 요하며, 이와 같은 취소처분의 근거와 위반사실의 적시를 빠뜨린 하자는 피처분자가 처분 당시 그 취지를 알고 있었다거나 그 후 알게 되었다 하여도 치유될 수 없다고 할 것이다(대판 1990. 9. 11, 90누1786).

14 [정답] ④

① ×

과세관청이 과세처분에 앞서 납세자에게 보낸 세무조사결과통지 등에 납세고지서의 필요적 기재사항이 제대로 기재되어 있어 납세의무자가 처분에 대한 불복 여부의 결정 및 불복 신청에 전혀 지장을 받지 않았음이 명백하다면, 이로써 납세고지서의 하자가 보완되거나 치유될 수 있다(대판 2020. 10. 29, 2017두51174).

② ×

재건축조합설립인가처분 당시 토지소유자 등의 동의율을 충족하지 못한 하자는 후에 토지소유자 등의 추가동의서가 제출되었다는 사정만으로 치유될 수 없다.
행정행위의 치유는 행정행위의 성질이나 법치주의 관점에서 볼 때 원칙적으로 허용될 수 없는 것이고, 예외적으로 행정행위의 무용한 반복을 피하고 당사자의 법적 안정성을 위해 이를 허용하는 때에도 국민의 권리나 이익을 침해하지 아니하는 범위에서 구체적 사정에 따라 합목적적으로 인정하여야 할 것이다. 사안의 경우 하자의 치유를 인정하면 토지 등 소유자에게 아무런 손해가 발생하지 않는다고 단정할 수 없다(대판 2013. 7. 11, 2011두27544).

③ ×

행정청이 식품위생법상의 청문절차를 이행함에 있어 청문서 도달기간을 다소 어겼지만 영업자가 이의하지 아니한 채 청문일에 출석하여 의견을 진술하고 변명하는 등 방어의 기회를 충분히 가졌다면 하자는 치유된다.
가령 행정청이 청문서 도달기간을 다소 어겼다 하더라도 영업자가 이에 대하여 이의하지 아니한 채 스스로 청문일에 출석하여 그 의견을 진술하고 변명하는 등 방어의 기회를 충분히 가졌다면 청문서 도달기간을 준수하지 아니한 하자는 치유되었다고 봄이 상당하다 할 것이다(대판 1992. 10. 23, 92누2844).

④ ○

당연무효인 징계처분의 하자는 피징계자의 인용으로 치유되지 않는다.
징계처분이 중대하고 명백한 흠 때문에 당연무효의 것이라면 징계처분을 받은 자가 이를 용인하였다 하여 그 흠이 치료되는 것은 아니다(대판 1989. 12. 12, 88누8869).

15

정답 ③

① ○ 판례는 하명처분과 집행처분 사이에는 하자의 승계를 인정하지 않고 집행처분이나 징수처분 사이에는 하자의 승계를 인정하고 있다. 다만, 이행강제금은 시정명령 자체의 이행을 목적으로 하므로 시정명령과 이행강제금 부과처분 사이에는 하자가 승계된다고 보아야 한다는 입장이다.

> 이 사건 이행강제금 부과처분에 대하여 원고가 제기한 취소소송에서, 학원법상 학교교과교습학원으로서의 댄스스포츠학원과 건축법상 위락시설의 일종인 무도학원의 관계에 관한 위 대법원 판결의 법리에 따라, 이 사건 댄스스포츠학원이 그 명칭, 위치, 내부구조, 수용인원수, 교습과정 등에 비추어 학원법상 학교교과교습학원의 등록요건을 갖춘 반면 선량한 풍속을 해칠 우려가 있는 형태로 운영되었다고 인정하기는 어려워 건축법상 위락시설의 일종인 무도학원에 해당한다고 볼 수 없으므로, 이 사건 시정명령은 위법하고 이를 기초로 이루어진 이 사건 이행강제금 부과처분 역시 위법하다는 이유로, 이 사건 이행강제금 부과처분을 취소하는 판결이 선고·확정되었다(대판 2020. 12. 24, 2019두55675).

② ○ ③ × 하자의 승계에 대한 논의는 선행처분에 불가쟁력이 발생한 것을 전제로 한다. 한편, 통설과 판례는 원칙적으로 선행행위와 후행행위가 결합하여 하나의 법률효과의 발생을 목적으로 하는 경우에는 하자의 승계를 긍정하여 선행행위의 하자를 이유로 후행행위의 효력을 다툴 수 있으며, 양 행위가 서로 독립하여 별개의 법률효과의 발생을 목적으로 하는 경우에는 하자의 승계를 부정하여 선행행위의 하자를 이유로 후행행위의 효력을 다툴 수 없다고 본다. 다만, 그 경우에도 선행처분의 불가쟁력이 그로 인하여 불이익을 입게 되는 자에게 수인한도를 넘는 가혹함을 가져오는 등의 경우에는 하자의 승계를 긍정한다.

> 2개 이상의 후행처분이 연속적 또는 단계적으로 이루어지는 경우 선행처분과 후행처분이 서로 합하여 1개의 법률효과를 완성할 때에는 선행처분에 하자가 있으면 그 하자는 후행처분에 승계된다. 이러한 경우에는 선행처분에 불가쟁력이 생겨 그 효력을 다툴 수 없게 되더라도 선행처분의 하자를 이유로 후행처분의 효력을 다툴 수 있다(②). 그러나 선행처분과 후행처분이 서로 독립하여 별개의 법률효과를 발생시키는 경우에는 선행처분에 불가쟁력이 생겨 그 효력을 다툴 수 없게 되면 선행처분의 하자가 중대하고 명백하여 선행처분이 당연무효인 경우를 제외하고는 특별한 사정이 없는 한 선행처분의 하자를 이유로 후행처분의 효력을 다툴 수 없는 것이 원칙이다. 다만, 그 경우에도 선행처분의 불가쟁력이나 구속력이 그로 인하여 불이익을 입게 되는 자에게 수인한도를 넘는 가혹함을 가져오고, 그 결과가 당사자에게 예측 가능한 것이 아니라면, 국민의 재판받을 권리를 보장하고 있는 헌법의 이념에 비추어 선행처분의 후행처분에 대한 구속력을 인정할 수 없다(③)(대판 2019. 1. 31, 2017두40372).

④ ○ 선행행위가 무효인 경우에는 당사자는 선행행위의 무효를 언제나 주장할 수 있고 또한 선행행위의 무효는 당연히 후행행위에 승계되어 후행행위도 무효로 된다.

> 적법한 건축물에 대한 철거명령은 당연무효이고, 그 후행행위인 대집행계고처분 역시 당연무효이다.
> 원고의 이 사건 대문설치신고는 형식적 하자가 없는 적법한 요건을 갖춘 신고라고 할 것이어서 피고의 신고증 교부 또는 수리처분 등 별단의 조처를 기다릴 필요가 없이 그 신고의 효력이 발생하였다고 할 것이어서 이 사건 대문은 적법한 것임에도 피고가 원고에 대하여 명한 이 사건 대문의 철거명령은 그 하자가 중대하고 명백하여 당연무효라고 할 것이고, 그 후행행위인 이 사건 계고처분 역시 당연무효라고 할 것이다(대판 1999. 4. 27, 97누6780).

16

정답 ③

㉮ ×

> 개별토지가격결정에 대한 재조사청구에 따른 감액 조정에 대하여 더 이상 불복하지 아니한 경우, 이를 기초로 한 양도소득세 부과처분 취소소송에서 다시 개별토지가격결정의 위법을 당해 과세처분의 위법사유로 주장할 수 없다.
> 원고가 이 사건 토지를 매도한 이후에 그 양도소득세 산정의 기초가 되는 1993년도 개별공시지가결정에 대하여 한 재조사청구에 따른 조정결정을 통지받고서도 더 이상 다투지 아니한 경우까지 선행처분인 개별공시지가결정의 불가쟁력이나 구속력이 수인한도를 넘는 가혹한 것이거나 예측 불가능하다고 볼 수 없어, 위 개별공시지가결정의 위법을 이 사건 과세처분의 위법사유로 주장할 수 없다(대판 1998. 3. 13, 96누6059).

㉯ ○ 개별공시지가결정과 개발부담금 부과처분 사이에는 하자의 승계가 인정된다.

> 개발부담금 정산에 따라 변경된 개발부담금 부과처분의 취소를 구하는 소에서 개별공시지가결정의 위법사유를 독립된 불복사유로 주장할 수 있다(대판 1997. 4. 11, 96누9096).

㉰ × 건물철거명령과 같이 의무를 명하는 행위와 계고 간에는 의무 부과 행위가 당연무효가 아닌 한 하자의 승계가 인정되지 않는다는 것이 통설과 판례의 입장이다.

> 건물철거명령이 당연무효가 아닌 이상 행정심판이나 소송을 제기하여 그 위법함을 소구하는 절차를 거치지 아니하였다면 위 선행행위인 건물철거명령은 적법한 것으로 확정되었다고 할 것이므로 후행행위인 대집행계고처분에서는 그 건물이 무허가건물이 아닌 적법한 건축물이라는 주장이나 그러한 사실인정을 하지 못한다(대판 1998. 9. 8, 97누20502).

㉱ ○

> 수용보상금의 증액을 구하는 소송에서 선행처분으로서 그 수용대상 토지가격 산정의 기초가 된 비교표준지공시지가결정의 위법을 독립한 사유로 주장할 수 있다[표준공시지가와 수용재결(보상금결정) 간 승계 긍정].
> 위법한 표준지공시지가결정에 대하여 그 정해진 시정절차를 통하여 시정하도록 요구하지 않았다는 이유로 위법한 표준지공시지가를 기초로 한 수용재결 등 후행 행정처분에서 표준지공시지가결정의 위법을 주장할 수 없도록 한 것은 수인한도를 넘는 불이익을 강요하는 것으로서 국민의 재산권과 재판받을 권리를 보장한 헌법의 이념에도 부합하는 것이 아니다. 따라서 표준지공시지가결정이 위법한 경우에는 그 자체를 행정소송의 대상이 되는 행정처분으로 보아 그 위법 여부를 다툴 수 있음은 물론, 수용보상금의 증액을 구하는 소송에서도 선행처분으로서 그 수용대상 토지가격 산정의 기초가 된 비교표준지공시지가결정의 위법을 독립한 사유로 주장할 수 있다(대판 2008. 8. 21, 2007두13845).

17 정답 ③

㉮ ✕

도시계획결정과 수용재결처분 사이에는 하자의 승계가 인정되지 않는다.
도시계획의 수립에 있어서 도시계획법 제16조의2 소정의 공청회를 열지 아니하고 「공공용지의 취득 및 손실보상에 관한 특례법」 제8조 소정의 이주대책을 수립하지 아니하였더라도 이는 절차상의 위법으로서 취소사유에 불과하고 그 하자가 도시계획결정 또는 도시계획사업시행인가를 무효라고 할 수 있을 정도로 중대하고 명백하다고는 할 수 없으므로 이러한 위법을 선행처분인 도시계획결정이나 사업시행인가단계에서 다투지 아니하였다면 그 쟁송기간이 이미 도과한 후인 수용재결단계에 있어서는 도시계획수립행위의 위와 같은 위법을 들어 재결처분의 취소를 구할 수는 없다고 할 것이다(대판 1990. 1. 23, 87누947).

㉯ ✕

보충역편입처분과 공익근무요원소집처분은 양자가 별개의 법률효과를 목표로 하는 것이므로 선행처분에 대한 하자는 후행처분에 승계되지 않는다.
병역법상 보충역편입처분과 공익근무요원소집처분이 각각 단계적으로 별개의 법률효과를 발생하는 독립된 행정처분이라고 할 것이므로, 따라서 보충역편입처분의 기초가 되는 신체등위판정에 잘못이 있다는 이유로 이를 다투기 위하여는 신체등위판정을 기초로 한 보충역편입처분에 대하여 쟁송을 제기하여야 할 것이며, 그 처분을 다투지 아니하여 이미 불가쟁력이 생겨 그 효력을 다툴 수 없게 된 경우에는, 병역처분변경신청에 의하는 경우는 별론으로 하고, 보충역편입처분에 하자가 있다고 할지라도 그것이 당연무효라고 볼 만한 특단의 사정이 없는 한 그 위법을 이유로 공익근무요원소집처분의 효력을 다툴 수 없다(대판 2002. 12. 10, 2001두5422).

㉰ ○

과세관청의 소득금액변동통지와 징수처분 사이에는 하자의 승계가 부정된다.
원천징수의무자인 법인이 원천징수하는 소득세의 납세의무를 이행하지 아니함에 따라 과세관청이 하는 납세고지(현 납부고지)는 확정된 세액의 납부를 명하는 징수처분에 해당하므로 선행처분인 소득금액변동통지에 하자가 존재하더라도 당연무효사유에 해당하지 않는 한 후행처분인 징수처분에 그대로 승계되지 아니한다. 따라서 과세관청의 소득처분과 그에 따른 소득금액변동통지가 있는 경우 원천징수하는 소득세의 납세의무에 관하여는 이를 확정하는 소득금액변동통지에 대한 항고소송에서 다투어야 하고, 소득금액변동통지가 당연무효가 아닌 한 징수처분에 대한 항고소송에서 이를 다툴 수는 없다(대판 2012. 1. 26, 2009두14439).

㉱ ○

「도시 및 주거환경정비법」상 사업시행계획에 관한 취소사유인 하자는 관리처분계획에 승계되지 않는다.
정기총회에서 사업시행계획수립에 조합원 3분의 2 이상의 동의를 얻지 못한 하자가 있다고 하더라도 그 하자가 객관적으로 명백하다고 보기 어려워 무효사유가 아니라 취소사유에 불과하고, 사업시행계획에 관한 취소사유인 하자는 관리처분계획에 승계되지 아니하여 그 하자를 들어 관리처분계획의 적법 여부를 다툴 수 없다는 이유로, 관리처분계획이 적법하다고 본 원심의 결론은 정당하다(대판 2012. 8. 23, 2010두13463).

㉲ ✕

공인중개사업무정지처분과 업무정지기간 중의 중개업무를 사유로 한 중개사무소의 개설등록취소처분은 하자가 승계되지 않는다.
선행처분인 업무정지처분은 일정 기간 중개업무를 하지 못하도록 하는 처분인 반면, 후행처분인 이 사건 처분은 위와 같은 업무정지처분에 따른 업무정지기간 중에 중개업무를 하였다는 별개의 처분사유를 근거로 중개사무소의 개설등록을 취소하는 처분이다. 비록 이 사건 처분이 업무정지처분을 전제로 하지만, 양 처분은 그 내용과 효과를 달리하는 독립된 행정처분으로서, 서로 결합하여 1개의 법률효과를 완성하는 때에 해당한다고 볼 수 없다(대판 2019. 1. 31, 2017두40372).

18 정답 ②

①③ ✕ 행정처분이 행해지고 난 후에 행정처분의 근거법률이 헌법재판소에 의해 위헌결정이 내려지면 그 행정처분은 결과적으로 법률에 근거가 없는 행정처분으로서 위법한 처분이 된다. 이때 그 처분이 당연무효인지 아니면 취소할 수 있는 행정처분에 불과한지가 문제되는데 대법원은 그 하자가 중대하지만 명백한 것이라고는 볼 수 없어 취소할 수 있는 행정처분에 그칠 뿐 무효가 아니라고 본다(①). 한편, 이와 달리 법률에 대해 위헌결정이 내려진 후에 이러한 법률을 근거로 행정처분이 행해진 경우라면 이러한 행정처분은 하자가 중대하고 명백하여 당연무효가 된다(③).

처분 후 처분의 근거법률에 대해 위헌결정이 내려진 경우 행정처분의 하자는 헌법재판소의 위헌결정이 있기 전에는 객관적으로 명백한 것이라고 할 수는 없으므로 취소사유에 불과할 뿐 당연무효는 아니다(①).
법률에 근거하여 행정처분이 발하여진 후에 헌법재판소가 그 행정처분의 근거가 된 법률을 위헌으로 결정하였다면 결과적으로 행정처분은 법률의 근거가 없이 행하여진 것과 마찬가지가 되어 하자가 있는 것이 되나, 하자 있는 행정처분이 당연무효가 되기 위하여는 그 하자가 중대할 뿐만 아니라 명백한 것이어야 하는데, 일반적으로 법률이 헌법에 위반된다는 사정이 헌법재판소의 위헌결정이 있기 전에는 객관적으로 명백한 것이라고 할 수는 없으므로 헌법재판소의 위헌결정 전에 행정처분의 근거되는 당해 법률이 헌법에 위반된다는 사유는 특별한 사정이 없는 한 그 행정처분의 취소소송의 전제가 될 수 있을 뿐 당연무효사유는 아니라고 봄이 상당하다(대판 1994. 10. 28, 92누9463).

② ○

행정처분 자체의 효력이 쟁송기간 경과 후에도 존속 중인 경우, 그 행정처분이 위헌인 법률에 근거하여 내려졌고 그 목적 달성을 위해 필요한 후행 행정처분이 아직 이루어지지 않았다면 그 하자가 중대하여 그 구제가 필요한 경우에 대하여서는 쟁송기간 경과 후라도 무효확인을 구할 수 있다(헌법재판소).
판례나 통설은 행정처분이 당연무효인가의 여부는 그 행정처분의 하자가 중대하고 명백한가의 여부에 따라 결정된다고 보고 있지만 행정처분의 근거가 되는 법규범이 상위법 규범에 위반되어 무효인가 하는 점은 그것이 헌법재판소 또는 대법원에 의하여 유권적으로 확정되기 전에는 어느 누구에게도 명백한 것이라고 할 수 없기 때문에 원칙적으로 당연무효사유에는 해당할 수 없게 되는 것이다. 그러나 행정처분 자체의 효력이 쟁송기간 경과 후에도 존속 중인 경우, 특히 그 처분이 위헌법률에 근거하여 내려진 것이고 그 행정처분의 목적 달성을 위하여서는 후행(後行) 행정처분이 필요한데 후행 행정처분은 아직 이루어지지 않은 경우, 그 행정처분을 무효로 하더라도 법적 안정성을 크게 해치지 않는 반면에 그 하자가 중대하여 그 구제가 필요한 경우에 대하여서는 그 예외를 인정하여 이를 당연무효사유로 보아서 쟁송기간 경과 후에라도 무효확인을 구할 수 있는 것이라고 봐야 할 것이다. 학설상으로도 중대·명백설 외에 중대한 하자가 있기만 하면 그것이 명백하지 않더라도 무효라고 하는 중대설도 주장되고 있고, 대법원의 판례로도 반드시 하자가 중대·명백한 경우에만 행정처분의 무효가 인정된다고는 속단할 수 없기 때문이다(헌재 1994. 6. 30, 92헌바23).

㉣ ×

> 과세처분 이후 조세 부과의 근거가 되었던 법률규정에 대하여 위헌결정이 내려진 경우, 그 조세채권의 집행을 위한 체납처분은 당연무효가 된다.
> 조세 부과의 근거가 되었던 법률규정이 위헌으로 선언된 경우, 비록 그에 기한 과세처분이 위헌결정 전에 이루어졌고, 과세처분에 대한 제소기간이 이미 경과하여 조세채권이 확정되었으며, 조세채권의 집행을 위한 체납처분의 근거규정 자체에 대하여는 따로 위헌결정이 내려진 바 없다고 하더라도, 위와 같은 위헌결정 이후에 조세채권의 집행을 위한 새로운 체납처분에 착수하거나 이를 속행하는 것은 더 이상 허용되지 않고 나아가 이러한 위헌결정의 효력에 위배하여 이루어진 체납처분은 그 사유만으로 하자가 중대하고 객관적으로 명백하여 당연무효라고 보아야 한다(대판 2012. 2. 16, 2010두10907 전합).

19
[정답] ②

㉮ ○

> ❶ 법적 안정성의 유지나 당사자의 신뢰보호를 위하여 불가피한 경우에는 위헌결정의 소급효가 제한된다.
> ❷ 금고 이상의 형의 선고유예를 받은 경우에 공무원직에서 당연히 퇴직하는 것으로 규정한 구 지방공무원법 제61조 중 제31조 제5호 부분에 대한 헌법재판소의 위헌결정의 소급효를 인정할 경우 그로 인하여 보호되는 퇴직공무원의 권리구제라는 구체적 타당성 등의 요청에 비하여 종래의 법령에 의하여 형성된 공무원의 신분관계에 관한 법적 안정성과 신뢰보호의 요청이 현저하게 우월하므로 위 위헌결정 이후 제소된 일반사건에 대하여 위헌결정의 소급효가 제한된다.
> 위헌결정의 효력은 그 미치는 범위가 무한정일 수는 없고 다른 법리에 의하여 그 소급효를 제한하는 것까지 부정되는 것은 아니라 할 것이며, 법적 안정성의 유지나 당사자의 신뢰보호를 위하여 불가피한 경우에 위헌결정의 소급효를 제한하는 것은 오히려 법치주의의 원칙상 요청되는 바라 할 것이다(대판 2005. 11. 10, 2005두5628).

㉯ ×

> 이미 취소소송의 제기기간을 경과하여 확정력(불가쟁력)이 발생한 행정처분에는 위헌결정의 소급효가 미치지 않는다.
> 이미 취소소송의 제기기간을 경과하여 확정력이 발생한 행정처분의 경우에는 위헌결정의 소급효가 미치지 않는다고 보아야 할 것이고, 일반적으로 법률이 헌법에 위반된다는 사정은 헌법재판소의 위헌결정이 있기 전에는 객관적으로 명백한 것이라고 할 수는 없으므로 헌법재판소의 위헌결정 전에 행정처분의 근거되는 당해 법률이 헌법에 위반된다는 사유는 특별한 사정이 없는 한 그 행정처분의 취

소소송의 전제가 될 수 있을 뿐 당연무효사유는 아니라고 봄이 상당하다(대판 2002. 11. 8, 2001두3181).

㉰ ○

> 헌법재판소의 위헌결정의 효력이 위헌결정 이후에 당해 법률 또는 법조항이 재판의 전제가 되어 제소된 일반사건에도 미친다.
> 헌법재판소의 위헌결정의 효력은 위헌제청을 한 당해 사건은 물론 위헌제청신청은 아니하였지만 당해 법률 또는 법률의 조항이 재판의 전제가 되어 법원에 계속 중인 사건뿐만 아니라, 위헌결정 이후에 위와 같은 이유로 제소된 일반사건에도 미친다(대판 1993. 2. 26, 92누12247).

관련판례

> 헌법재판소의 위헌결정은 당해 사건, 동종사건, 병행사건, 기타 정의와 형평 등을 고려할 필요가 있는 경우에 소급효가 인정된다. 구체적 규범통제의 실효성의 보장의 견지에서 법원의 제청·헌법소원의 청구 등을 통하여 헌법재판소에 법률의 위헌결정을 위한 계기를 부여한 당해 사건(당해 사건), 위헌결정이 있기 전에 이와 동종의 위헌 여부에 관하여 헌법재판소에 위헌제청을 하였거나 법원에 위헌제청신청을 한 경우의 당해 사건(동종사건), 그리고 따로 위헌제청신청을 아니하였지만 당해 법률 또는 법률의 조항이 재판의 전제가 되어 법원에 계속 중인 사건(병행사건)에 대하여는 소급효를 인정하여야 할 것이다. 또 다른 한 가지의 불소급원칙의 예외로 볼 것은, 당사자의 권리구제를 위한 구체적 타당성의 요청이 현저한 반면에 소급효를 인정하여도 법적 안정성을 침해할 우려가 없고 나아가 구 법에 의하여 형성된 기득권자의 이익이 해쳐질 사안이 아닌 경우로서 소급효의 부인이 오히려 정의와 형평 등 헌법적 이념에 심히 배치되는 때라고 할 것으로, 이때에 소급효의 인정은 법(편저자 주 : 헌법재판소법) 제47조 제2항 본문의 근본취지에 반하지 않을 것으로 생각한다(헌재 1993. 5. 13, 92헌가10).

㉱ ×

> ❶-1. 위헌법률에 기한 행정처분의 집행이나 집행력을 유지하기 위한 행위는 위헌결정의 기속력에 위반되어 허용되지 않는다(즉, 무효이다).
> ❶-2. 위헌결정 이전에 이미 부담금 부과처분과 압류처분 및 이에 기한 압류등기가 이루어지고 위의 각 처분이 확정되었다고 하여도, 위헌결정 이후에는 별도의 행정처분인 매각처분, 분배처분 등 후속 체납처분절차를 진행할 수 없다(대판 2002. 8. 23, 2001두2959).
> ❷ 과세처분 이후 조세 부과의 근거가 되었던 법률규정에 대하여 위헌결정이 내려진 경우, 그 조세채권의 집행을 위한 체납처분(현 강제징수)은 당연무효가 된다.
> 조세 부과의 근거가 되었던 법률규정이 위헌으로 선언된 경우, 비록 그에 기한 과세처분이 위헌결정 전에 이루어졌고, 과세처분에 대한 제소기간이 이미 경과하여 조세채권이 확정되었으며, 조세채권의 집행을 위한 체납처분의 근거규정 자체에 대하여는 따로 위헌결정이 내려진 바 없다고 하더라도 위와 같은 위헌결정 이후에 조세채권의 집행을 위한 새로운 체납처분에 착수하거나 이를 속행하는 것은 더 이상 허용되지 않고, 나아가 이러한 위헌결정의 효력에 위배하여 이루어진 체납처분은 그 사유만으로 하자가 중대하고 객관적으로 명백하여 당연무효라고 보아야 한다(대판 2012. 2. 16, 2010두10907 전합).

20 [정답] ④

㉮ ○

> **행정기본법 제19조【적법한 처분의 철회】** ① 행정청은 적법한 처분이 다음 각 호의 어느 하나에 해당하는 경우에는 그 처분의 전부 또는 일부를 장래를 향하여 철회할 수 있다.
> 1. 법률에서 정한 철회사유에 해당하게 된 경우
> 2. 법령 등의 변경이나 사정변경으로 처분을 더 이상 존속시킬 필요가 없게 된 경우
> 3. 중대한 공익을 위하여 필요한 경우
> ② 행정청은 제1항에 따라 처분을 철회하려는 경우에는 철회로 인하여 당사자가 입게 될 불이익을 철회로 달성되는 공익과 비교·형량하여야 한다.

㉯ ○ 당사자가 처분의 위법성을 알고 있었거나 중대한 과실로 알지 못한 경우에는 취소로 인하여 당사자가 입게 될 불이익을 취소로 달성되는 공익과 비교·형량하지 않아도 된다.

> **행정기본법 제18조【위법 또는 부당한 처분의 취소】** ② 행정청은 제1항에 따라 당사자에게 권리나 이익을 부여하는 처분을 취소하려는 경우에는 취소로 인하여 당사자가 입게 될 불이익을 취소로 달성되는 공익과 비교·형량(衡量)하여야 한다. 다만, 다음 각 호의 어느 하나에 해당하는 경우에는 그러하지 아니하다.
> 1. 거짓이나 그 밖의 부정한 방법으로 처분을 받은 경우
> 2. 당사자가 처분의 위법성을 알고 있었거나 중대한 과실로 알지 못한 경우

㉰ ✕

> 수익적 행정처분을 취소 또는 철회하는 경우, 그 처분으로 인하여 공익상의 필요보다 상대방이 받게 되는 불이익 등이 막대한 경우에는 재량권의 한계를 일탈한 것으로서 그 자체가 위법하다.
> 행정행위를 한 처분청은 비록 그 처분 당시에 별다른 하자가 없었고, 또 그 처분 후에 이를 철회할 별도의 법적 근거가 없다 하더라도 원래의 처분을 존속시킬 필요가 없게 된 사정변경이 생겼거나 또는 중대한 공익상의 필요가 발생한 경우에는 그 효력을 상실케 하는 별개의 행정행위로 이를 철회할 수 있다고 할 것이나, 수익적 행정처분을 취소 또는 철회하는 경우에는 이미 부여된 그 국민의 기득권을 침해하는 것이 되므로, 비록 취소 등의 사유가 있다고 하더라도 그 취소권 등의 행사는 기득권의 침해를 정당화할 만한 중대한 공익상의 필요 또는 제3자의 이익보호의 필요가 있는 때에 한하여 상대방이 받는 불이익과 비교·교량하여 결정하여야 하고, 그 처분으로 인하여 공익상의 필요보다 상대방이 받게 되는 불이익 등이 막대한 경우에는 재량권의 한계를 일탈한 것으로서 그 자체가 위법하다(대판 2004. 11. 26, 2003두10251).

㉱ ✕ 부담적 행정행위의 철회는 상대방에게 이익을 가져다주는 것이다. 따라서 원칙적으로 수익적 행정행위의 철회에서와 같은 제한을 받지 않고 자유롭다.

21 [정답] ③

① ✕

> 처분에 대한 취소소송이 진행 중이라도 부과권자는 처분을 직권취소할 수 있다.
> 변상금 부과처분에 대한 취소소송이 진행 중이라도 그 부과권자로서는 위법한 처분을 스스로 취소하고 그 하자를 보완하여 다시 적법한 부과처분을 할 수도 있다(대판 2006. 2. 10, 2003두5686).

② ✕

> 행정청이 직권취소를 할 수 있다는 사정만으로 이해관계인인 제3자에게 행정청에 대한 직권취소청구권이 부여된 것으로 볼 수 없다.
> 산림법령에는 채석허가처분을 한 처분청이 산림을 복구한 자에 대하여 복구설계서승인 및 복구준공통보를 한 경우 그 취소신청과 관련하여 아무런 규정을 두고 있지 않고, 원래 행정처분을 한 처분청은 그 처분에 하자가 있는 경우에는 원칙적으로 별도의 법적 근거가 없더라도 스스로 이를 직권으로 취소할 수 있지만, 그와 같이 직권취소를 할 수 있다는 사정만으로 이해관계인에게 처분청에 대하여 그 취소를 요구할 신청권이 부여된 것으로 볼 수는 없다(대판 2006. 6. 30, 2004두701).

③ ○ 수익적 행정처분의 취소제한에 관한 법리는 처분청이 수익적 행정처분을 직권으로 취소하는 경우에 적용되는 법리일 뿐 쟁송취소의 경우에는 적용되지 않는다는 것이 판례의 입장이다.

> 수익적 행정처분에 대한 취소권 등의 행사는 기득권의 침해를 정당화할 만한 중대한 공익상의 필요 또는 제3자의 이익보호의 필요가 있는 때에 한하여 허용될 수 있다는 법리는, 처분청이 수익적 행정처분을 직권으로 취소·철회하는 경우에 적용되는 법리일 뿐 쟁송취소의 경우에는 적용되지 않는다(대판 2019. 10. 17, 2018두104).

④ ✕

> 건축허가를 받은 자가 건축허가가 취소되기 전에 공사에 착수한 경우, 착수기간이 지났다는 이유로 허가권자가 구 건축법 제11조 제7항에 따라 건축허가를 원칙적으로는 취소할 수 없다.
> 구 건축법 제11조 제7항은 …… 건축허가의 행정목적이 신속하게 달성될 것을 추구하면서도 건축허가를 받은 자의 이익을 함께 보호하려는 취지가 포함되어 있으므로, 건축허가를 받은 자가 건축허가가 취소되기 전에 공사에 착수하였다면 허가권자는 그 착수기간이 지났다고 하더라도 건축허가를 취소하여야 할 특별한 공익상 필요가 인정되지 않는 한 건축허가를 취소할 수 없다. 이는 건축허가를 받은 자가 건축허가가 취소되기 전에 공사에 착수하려 하였으나 허가권자의 위법한 공사중단명령으로 공사에 착수하지 못한 경우에도 마찬가지이다(대판 2017. 7. 11, 2012두22973).

22 [정답] ③

㉮ ○

> 권한 없는 행정기관이 한 당연무효인 행정처분의 취소권자는 당해 처분을 한 처분청이다.
> 권한 없는 행정기관이 한 당연무효인 행정처분을 취소할 수 있는 권한은 당해 행정처분을 한 처분청에 속하고, 당해 행정처분을 할 수 있는 적법한 권한을 가지는 행정청에 그 취소권이 귀속되는 것이 아니다(대판 1984. 10. 10, 84누463).

㉯ ✕ 금전급부처분이 소급적으로 취소된 경우 잘못 지급된 급여액에 대해 별도의 징수처분이 행해지는 경우가 있는데, 이 경우 지급결정을 변경 또는 취소하는 처분이 적법하다고 하여 그에 터 잡은 징수처분도 반드시 적법하다고 판단하여야 하는 것은 아니고, 관련 이익을 비교·교량하여 징수할 금액을 결정하여야 한다는 것이 판례의 입장이다.

> 산업재해보상보험법상 각종 보험급여지급결정을 변경 또는 취소하는 처분이 적법한 경우, 그에 터 잡은 징수처분도 반드시 적법하다고 판단하여야 하는 것은 아니다.

산업재해보상보험법상 각종 보험급여 등의 지급결정을 변경 또는 취소하는 처분과 그 처분에 기하여 잘못 지급된 보험급여액에 해당하는 금액을 징수하는 처분이 적법한지를 판단함에 있어 비교·교량할 각 사정이 동일하다고는 할 수 없으므로, 지급결정을 변경 또는 취소하는 처분이 적법하다고 하여 그에 기한 징수처분도 반드시 적법하다고 판단하여야 하는 것은 아니다(대판 2014. 7. 24, 2013두27159).

㉰ ×

과세관청이 부과의 취소를 다시 취소함으로써 원부과처분을 소생시킬 수 없다.
부과의 취소에 위법사유가 있다고 하더라도 당연무효가 아닌 한 일단 유효하게 성립하여 부과처분을 확정적으로 상실시키는 것이므로, 과세관청은 부과의 취소를 다시 취소함으로써 원부과처분을 소생시킬 수는 없고, 납세의무자에게 종전의 과세대상에 대한 납부의무를 지우려면 다시 법률에서 정한 부과절차에 좇아 동일한 내용의 새로운 처분을 하는 수밖에 없다(대판 1995. 3. 10, 94누7027).

㉱ ○

❶ 광업권취소처분 후 새로운 이해관계인이 생기기 전에는 취소처분을 취소하여 광업권을 회복시킬 수 있다.
❷ 광업권 허가에 대한 취소처분을 한 후 광업권 설정의 선출원이 있는 경우에는 취소처분을 취소하여 광업권을 복구시키는 조치는 위법하다(대판 1967. 10. 23, 67누126).

㉲ ×

운전면허취소처분을 받은 후 자동차를 운전하였으나 취소처분이 행정쟁송절차에 의하여 취소된 경우, 무면허운전이 성립되지 않는다.
피고인이 행정청으로부터 자동차운전면허취소처분을 받았으나 나중에 그 행정처분 자체가 행정쟁송절차에 의하여 취소되었다면, 위 운전면허취소처분은 그 처분시에 소급하여 효력을 잃게 되고, 피고인은 위 운전면허취소처분에 복종할 의무가 원래부터 없었음이 후에 확정되었다고 봄이 타당할 것이고, 행정행위에 공정력의 효력이 인정된다고 하여 행정소송에 의하여 적법하게 취소된 운전면허취소처분이 단지 장래에 향하여서만 효력을 잃게 된다고 볼 수는 없다(대판 1999. 2. 5, 98도4239).

23 [정답] ④

① ○ 행정행위의 취소는 성립상의 하자를 이유로 그 효력을 소멸시키는 행위로서 처분청은 별도의 법적 근거가 없더라도 행정행위를 취소할 수 있다. 수익적 행정처분의 경우에도 법적 근거를 요하지 않으며 비례의 원칙 등 행정법의 일반원칙에 따른 제한을 받을 뿐이다. 한편, 행정기본법에서는 행정청은 위법 또는 부당한 처분의 전부나 일부를 취소할 수 있다는 법적 근거를 마련해 두고 있다(행정기본법 제18조).

처분청은 별도의 법적 근거가 없더라도 처분을 직권으로 취소할 수 있다.
개별토지에 대한 가격결정도 행정처분에 해당하며, 원래 행정처분을 한 처분청은 그 행위에 하자가 있는 경우에는 원칙적으로 별도의 법적 근거가 없더라도 스스로 이를 직권으로 취소할 수 있는 것이다(대판 1995. 9. 15, 95누6311).

행정기본법 제18조【위법 또는 부당한 처분의 취소】① 행정청은 위법 또는 부당한 처분의 전부나 일부를 소급하여 취소할 수 있다. 다만, 당사자의 신뢰를 보호할 가치가 있는 등 정당한 사유가 있는 경우에는 장래를 향하여 취소할 수 있다.

② ○ 처분청은 별도의 법적 근거가 없더라도 행정행위를 철회하거나 변경할 수 있다는 것이 판례의 입장이다. 다만, 행정기본법에서는 일정한 사유가 있으면 행정청은 처분을 철회할 수 있다는 법적 근거를 마련해 두고 있다(행정기본법 제19조).

처분청은 별도의 법적 근거가 없더라도 행정행위를 철회하거나 변경할 수 있다.
행정행위를 한 처분청은 그 처분 당시에 그 행정처분에 별다른 하자가 없었고 또 그 처분 후 이를 취소할 별도의 법적 근거가 없다 하더라도 원래의 처분을 그대로 존속시킬 필요가 없게 된 사정변경이 생겼거나 또는 중대한 공익상의 필요가 발생한 경우에는 별개의 행정행위로 이를 철회하거나 변경할 수 있다(대판 1992. 1. 17, 91누3130 ; 대판 1995. 2. 28, 94누7713 ; 대판 1995. 6. 9, 95누1194).

행정기본법 제19조【적법한 처분의 철회】① 행정청은 적법한 처분이 다음 각 호의 어느 하나에 해당하는 경우에는 그 처분의 전부 또는 일부를 장래를 향하여 철회할 수 있다.
1. 법률에서 정한 철회사유에 해당하게 된 경우
2. 법령 등의 변경이나 사정변경으로 처분을 더 이상 존속시킬 필요가 없게 된 경우
3. 중대한 공익을 위하여 필요한 경우

③ ○ 행정행위의 직권취소와 철회는 행정청의 의사표시가 필요하나, 행정행위의 실효는 행정청의 의사표시와 무관하게 당연히 효력이 소멸한다는 점에서 차이가 있다.

④ × 취소와 철회가 반대로 서술되어 있다.

행정행위의 취소는 일단 유효하게 성립한 행정행위를 그 행위에 위법 또는 부당한 하자가 있음을 이유로 소급하여 그 효력을 소멸시키는 별도의 행정처분이고, 행정행위의 철회는 적법요건을 구비하여 완전히 효력을 발하고 있는 행정행위를 사후적으로 그 행위의 효력의 전부 또는 일부를 장래에 향해 소멸시키는 행정처분이므로, 행정행위의 취소사유는 행정행위의 성립 당시에 존재하였던 하자를 말하고, 철회사유는 행정행위가 성립된 이후에 새로이 발생한 것으로서 행정행위의 효력을 존속시킬 수 없는 사유를 말한다(대판 2003. 5. 30, 2003다6422).

24 [정답] ③

㉮㉲ × ㉯㉰㉱ ○

❶ 도로점용허가는 일반사용과 별도로 도로의 특정 부분에 대하여 특별사용권을 설정하는 설권행위이다. 도로관리청은 신청인의 적격성, 점용목적, 특별사용의 필요성 및 공익상의 영향 등을 참작하여 점용허가 여부 및 점용허가의 내용인 점용장소, 점용면적, 점용기간을 정할 수 있는 재량권을 갖는다(㉮).

❷ 도로점용허가는 도로의 일부에 대한 특정사용을 허가하는 것으로서 도로의 일반사용을 저해할 가능성이 있으므로 그 범위는 점용목적 달성에 필요한 한도로 제한되어야 한다. 도로관리청이 도로점용허가를 하면서 특별사용의 필요가 없는 부분을 점용장소 및 점용면적에 포함하는 것은 그 재량권 행사의 기초가 되는

사실인정에 잘못이 있는 경우에 해당하므로 그 도로점용허가 중 특별사용의 필요가 없는 부분은 위법하다. 이러한 경우 <u>도로점용허가를 한 도로관리청은 위와 같은 흠이 있다는 이유로 유효하게 성립한 도로점용허가 중 특별사용의 필요가 없는 부분을 직권취소할 수 있음이 원칙이다</u>(㉯). 다만, 이 경우 행정청이 소급적 직권취소를 하려면 이를 취소하여야 할 공익상 필요와 그 취소로 인하여 당사자가 입을 기득권 및 신뢰보호와 법률생활 안정의 침해 등 불이익을 비교·교량한 후 공익상 필요가 당사자의 기득권 침해 등 불이익을 정당화할 수 있을 만큼 강한 경우여야 한다. 이에 따라 <u>도로관리청이 도로점용허가 중 특별사용의 필요가 없는 부분을 소급적으로 직권취소하였다면, 도로관리청은 이미 징수한 점용료 중 취소된 부분의 점용면적에 해당하는 점용료를 반환하여야 한다</u>(㉰).

❸ <u>행정청은 행정소송이 계속되고 있는 때에도 직권으로 그 처분을 변경할 수 있다.</u> 점용료 부과처분에 취소사유에 해당하는 흠이 있는 경우 도로관리청으로서는 당초 처분 자체를 취소하고 흠을 보완하여 새로운 부과처분을 하거나, 흠 있는 부분에 해당하는 점용료를 감액하는 처분을 할 수 있다(㉱). 흠 있는 부분에 해당하는 점용료를 감액하는 처분은 당초 처분 자체를 일부취소하는 변경처분에 해당하고, 그 실질은 종래의 위법한 부분을 제거하는 것으로서 흠의 치유와는 차이가 있다(㉱)(대판 2019. 1. 17, 2016두56721·56738).

25 [정답] ②

① ○

❶ <u>건축주가 토지소유자로부터 토지사용승낙서를 받아 토지 위에 건축물을 건축하는 대물적 성질의 건축허가를 받았다가 착공에 앞서 건축주의 귀책사유로 해당 토지를 사용할 권리를 상실한 경우, 토지소유자가 건축허가의 철회를 신청할 수 있으며, 따라서 토지소유자의 신청을 거부한 행위는 항고소송의 대상이 된다.</u> 건축허가는 대물적 성질을 갖는 것이어서 행정청으로서는 허가를 할 때에 건축주 또는 토지소유자가 누구인지 등 인적 요소에 관하여는 형식적 심사만 한다. 건축주가 토지소유자로부터 토지사용승낙서를 받아 그 토지 위에 건축물을 건축하는 대물적 성질의 건축허가를 받았다가 착공에 앞서 건축주의 귀책사유로 해당 토지를 사용할 권리를 상실한 경우, 건축허가의 존재로 말미암아 토지에 대한 소유권 행사에 지장을 받을 수 있는 토지소유자로서는 건축허가의 철회를 신청할 수 있다고 보아야 한다. 따라서 토지소유자의 위와 같은 신청을 거부한 행위는 항고소송의 대상이 된다.

❷ <u>행정행위를 한 처분청은 비록 처분 당시에 별다른 하자가 없었고, 처분 후에 이를 철회할 별도의 법적 근거가 없더라도 원래의 처분을 존속시킬 필요가 없게 된 사정변경이 생겼거나 중대한 공익상 필요가 발생한 경우에는 그 효력을 상실케 하는 별개의 행정행위로 이를 철회할 수 있다.</u> 다만, 수익적 행정행위를 취소 또는 철회하거나 중지시키는 경우에는 이미 부여된 국민의 기득권을 침해하는 것이 되므로, 비록 취소 등의 사유가 있다고 하더라도 그 취소권 등의 행사는 기득권의 침해를 정당화할 만한 중대한 공익상의 필요 또는 제3자의 이익을 보호할 필요가 있고, 이를 상대방이 받는 불이익과 비교·교량하여 볼 때 공익상의 필요 등이 상대방이 입을 불이익을 정당화할 만큼 강한 경우에 한하여 허용될 수 있다(대판 2017. 3. 15, 2014두41190).

② ×

❶ 체육지도자의 자격취소에 관한 구 국민체육진흥법 제12조 제1항 제4호에서 정한 '제11조의5 각 호의 어느 하나에 해당하는 경우'는 '제11조의5 각 호 중 어느 하나의 사유가 발생한 사실이 있는 경우'를 의미한다.

❷ <u>체육지도자가 금고 이상의 형의 집행유예를 선고받은 후 집행유예기간이 경과하는 등의 사유로 자격취소처분 이전에 결격사유가 해소된 경우에도 행정청은 체육지도자의 자격을 취소하여야 한다.</u>

구 국민체육진흥법 제11조의5 제3호, 제12조 제1항 제4호의 내용, 체계와 입법취지 등을 고려하면, 구 국민체육진흥법 제12조 제1항 제4호에서 정한 '제11조의5 각 호의 어느 하나에 해당하는 경우'는 '제11조의5 각 호 중 어느 하나의 사유가 발생한 사실이 있는 경우'를 의미한다고 보아야 하므로, 체육지도자가 금고 이상의 형의 집행유예를 선고받은 경우 행정청은 원칙적으로 체육지도자의 자격을 <u>취소(철회)하여야 하고</u>, 집행유예기간이 경과하는 등의 사유로 자격취소처분 이전에 결격사유가 해소되었다고 하여 이와 달리 볼 것은 아니다(대판 2022. 7. 14, 2021두62287).

③ ○

<u>영유아보육법 제30조 제5항에 따라 평가인증을 철회하는 처분을 하면서, 원칙적으로 별도의 법적 근거 없이 평가인증의 효력을 과거로 소급하여 상실시킬 수는 없다.</u>

영유아보육법 제30조 제5항 제3호에 따른 평가인증의 취소는 평가인증 당시에 존재하였던 하자가 아니라 그 이후에 새로이 발생한 사유로 평가인증의 효력을 소멸시키는 경우에 해당하므로, 법적 성격은 평가인증의 '철회'에 해당한다. 그런데 행정청이 평가인증을 철회하면서 그 효력을 철회의 효력발생일 이전으로 소급하게 하면, 철회 이전의 기간에 평가인증을 전제로 지급한 보조금 등의 지원이 그 근거를 상실하게 되어 이를 반환하여야 하는 법적 불이익이 발생한다. 이는 장래를 향하여 효력을 소멸시키는 철회가 예정한 법적 불이익의 범위를 벗어나는 것이다. 이처럼 행정청이 평가인증이 이루어진 이후에 새로이 발생한 사유를 들어 영유아보육법 제30조 제5항에 따라 평가인증을 철회하는 처분을 하면서도, <u>평가인증의 효력을 과거로 소급하여 상실시키기 위해서는, 특별한 사정이 없는 한 영유아보육법 제30조 제5항과는 별도의 법적 근거가 필요하다</u>(대판 2018. 6. 28, 2015두58195).

④ ○

부담부 행정행위에 있어서 처분의 상대방이 부담을 이행하지 아니한 경우에 처분행정청으로서는 당해 처분을 취소(철회)할 수 있는 것이다(대판 1989. 10. 24, 89누2431).

제 7 회 | 소방 단원별 모의고사 정답과 해설

출제 범위 : 제18강 확약 등~제21강 행정절차법(처분 등)

문제 p.137

01	02	03	04	05
④	③	③	②	②
06	07	08	09	10
③	①	③	③	②
11	12	13	14	15
①	④	②	④	③
16	17	18	19	20
③	③	②	④	③
21	22	23	24	25
①	①	②	④	④

01

[정답] ④

① ○

> 어업권면허에 선행하는 우선순위결정은 확약에 불과하고 행정처분이 아니므로 공정력이나 불가쟁력과 같은 효력은 인정되지 아니한다. 어업권면허에 선행하는 우선순위결정은 행정청이 우선권자로 결정된 자의 신청이 있으면 어업권면허처분을 하겠다는 것을 약속하는 행위로서 강학상 확약에 불과하고 행정처분은 아니므로, 우선순위결정에 공정력이나 불가쟁력과 같은 효력은 인정되지 아니하며, 따라서 우선순위결정이 잘못 되었다는 이유로 종전의 어업권면허처분이 취소되면 행정청은 종전의 우선순위결정을 무시하고 다시 우선순위를 결정한 다음 새로운 우선순위결정에 기하여 새로운 어업권면허를 할 수 있다(대판 1995. 1. 20, 94누6529).

② ○

> 행정절차법 제40조의2 【확약】 ④ 행정청은 다음 각 호의 어느 하나에 해당하는 경우에는 확약에 기속되지 아니한다.
> 1. 확약을 한 후에 확약의 내용을 이행할 수 없을 정도로 법령 등이나 사정이 변경된 경우
> 2. 확약이 위법한 경우
> ⑤ 행정청은 확약이 제4항 각 호의 어느 하나에 해당하여 확약을 이행할 수 없는 경우에는 지체 없이 당사자에게 그 사실을 통지하여야 한다.

③ ○

> 행정절차법 제40조의2 【확약】 ③ 행정청은 다른 행정청과의 협의 등의 절차를 거쳐야 하는 처분에 대하여 확약을 하려는 경우에는 확약을 하기 전에 그 절차를 거쳐야 한다.

④ ✕

> 행정절차법 제40조의2 【확약】 ① 법령 등에서 당사자가 신청할 수 있는 처분을 규정하고 있는 경우 행정청은 당사자의 신청에 따라 장래에 어떤 처분을 하거나 하지 아니할 것을 내용으로 하는 의사표시(이하 '확약'이라 한다)를 할 수 있다.
> ② 확약은 문서로 하여야 한다.

02

[정답] ③

① ○ 어업권우선순위결정은 확약에 해당한다. 확약을 허용하는 명문의 규정이 없더라도 다수설은 본처분권한에 확약에 대한 권한이 포함되어 있다고 보아 별도의 명문규정이 없더라도 확약을 할 수 있다는 입장이다.

②④ ○ 어업권면허에 선행하는 우선순위결정은 행정청이 우선권자로 결정된 자의 신청이 있으면 어업권면허처분을 하겠다는 것을 약속하는 행위로서 강학상 확약에 불과하고 행정처분이 아니므로 공정력, 불가쟁력과 같은 효력은 인정되지 아니한다는 것이 판례의 입장이다.

> 어업권면허에 선행하는 우선순위결정은 확약에 불과하고 행정처분이 아니므로 공정력, 불가쟁력과 같은 효력은 인정되지 아니한다. 어업권면허에 선행하는 우선순위결정은 행정청이 우선권자로 결정된 자의 신청이 있으면 어업권면허처분을 하겠다는 것을 약속하는 행위로서 강학상 확약에 불과하고 행정처분은 아니므로(②), 우선순위결정에 공정력이나 불가쟁력과 같은 효력은 인정되지 아니하며, 따라서 우선순위결정이 잘못되었다는 이유로 종전의 어업권면허처분이 취소되면 행정청은 종전의 우선순위결정을 무시하고 다시 우선순위를 결정한 다음 새로운 우선순위결정에 기하여 새로운 어업권면허를 할 수 있다(④)(대판 1995. 1. 20, 94누6529).

③ ✕

> 행정청의 확약 또는 공적인 의사표명이 있은 후 사실적·법률적 상태가 변경되었다면 확약은 행정청의 별다른 의사표시를 기다리지 않고 실효된다.
> 행정청이 상대방에게 장차 어떤 처분을 하겠다고 확약 또는 공적인 의사표명을 하였다고 하더라도, 그 자체에서 상대방으로 하여금 언제까지 처분의 발령을 신청하도록 유효기간을 두었는데도 그 기간 내에 상대방의 신청이 없었다거나 확약 또는 공적인 의사표명이 있은 후에 사실적·법률적 상태가 변경되었다면, 그와 같은 확약 또는 공적인 의사표명은 행정청의 별다른 의사표시를 기다리지 않고 실효된다(대판 1996. 8. 20, 95누10877).

03
정답 ③

①② ✕

> **행정절차법 제40조의2 【확약】** ① 법령 등에서 당사자가 신청할 수 있는 처분을 규정하고 있는 경우 행정청은 당사자의 신청에 따라 장래에 어떤 처분을 하거나 하지 아니할 것을 내용으로 하는 의사표시(이하 '확약'이라 한다)를 할 수 있다.
> ④ 행정청은 다음 각 호의 어느 하나에 해당하는 경우에는 확약에 기속되지 아니한다.
> 1. 확약을 한 후에 확약의 내용을 이행할 수 없을 정도로 법령 등이나 사정이 변경된 경우(①)
> 2. 확약이 위법한 경우(②)
> ⑤ 행정청은 확약이 제4항 각 호의 어느 하나에 해당하여 확약을 이행할 수 없는 경우에는 지체 없이 당사자에게 그 사실을 통지하여야 한다.

③ ○

> 행정청이 상대방에게 장차 어떤 처분을 하겠다고 확약 또는 공적인 의사표명을 하였다고 하더라도, 그 자체에서 상대방으로 하여금 언제까지 처분의 발령을 신청하도록 유효기간을 두었는데도 그 기간 내에 상대방의 신청이 없었다거나 확약 또는 공적인 의사표명이 있은 후에 사실적·법률적 상태가 변경되었다면, 그와 같은 확약 또는 공적인 의사표명은 행정청의 별다른 의사표시를 기다리지 않고 실효된다(대판 1996. 8. 20, 95누10877).

④ ✕ 재량행위는 물론 기속행위도 법적 근거 없이 확약이 가능하다는 것이 통설의 입장이다.

04
정답 ②

㉮ ✕ 가행정행위란 최종적인 행정행위가 있기 전에 사실관계 또는 법률관계의 계속적인 심사를 유보한 상태에서 행정법관계의 권리·의무에 대해 잠정적으로만 행정행위로서의 구속력을 가지는 행정작용을 말하는 것으로, 급부행정영역뿐만 아니라 침해행정영역에서도 인정된다. 가행정행위는 최종적 결정이 내려지면 새로운 행위로 대체되므로 행정행위의 효력 중 존속력(특히 불가변력)을 갖지 못한다. 또한 상대방은 새로운 최종적 행정행위의 발령을 예상할 수 있으므로 가행정행위에 대한 신뢰, 즉 신뢰보호의 원칙을 주장할 수 없다.

㉯ ○

> ❶ 폐기물관리법 관계 법령에 의한 폐기물처리업허가권자의 부적정통보는 허가신청 자체를 제한하는 등 개인의 권리 내지 법률상의 이익을 개별적이고 구체적으로 규제하고 있어 행정처분에 해당한다.
> ❷ 폐기물관리법상의 사업계획에 대한 적정통보가 있는 경우 폐기물사업의 허가단계에서는 나머지 허가요건만을 심사한다[예비결정(사전결정)의 구속력을 긍정한 판례](대판 1998. 4. 28, 97누21086).

㉰ ✕ 사전결정(예비결정)은 비록 제한적인 효력을 가지지만 상대방의 권리·의무에 영향을 주는 법적 효과를 가진다는 점에서 그 자체로 하나의 완결된 행정행위라는 것이 통설이며, 판례 역시 폐기물처리업 부적정통보 등 예비결정에 대해 처분성을 긍정한다(위 ㉯ 해설 판례 참조).

㉱ ✕

> ❶ 주택건설사업계획승인은 재량행위로서 주택건설사업계획의 사전결정이 있다 하더라도 여전히 재량행위이다.

> ❷ 따라서 주택건설사업계획승인을 함에 있어 비록 사전결정을 하였다고 하더라도 사전결정에 기속되지 않고 사익과 공익을 비교·형량하여 그 승인 여부를 결정할 수 있다(대판 1999. 5. 25, 99두1052).

㉲ ○

> ❶ 원자력법(현 원자력안전법) 제11조 제3항 소정의 부지사전승인처분은 그 자체로서 독립한 행정처분이다.
> ❷ 그러나 부지사전승인처분 후 건설허가처분이 있게 되면 부지사전승인처분은 건설허가처분에 흡수되어 독립된 존재가치를 상실함으로써 건설허가처분만이 소송의 대상이 된다.
> 원자력법 제11조 제3항 소정의 부지사전승인제도는 …… 원자로 및 관계 시설의 부지사전승인처분은 그 자체로서 건설부지를 확정하고 사전공사를 허용하는 법률효과를 지닌 독립한 행정처분이기는 하지만 …… 나중에 건설허가처분이 있게 되면 그 건설허가처분에 흡수되어 독립된 존재가치를 상실함으로써 그 건설허가처분만이 쟁송의 대상이 되는 것이므로, 부지사전승인처분의 취소를 구하는 소는 소의 이익을 잃게 된다고 할 것이다(따라서 부지사전승인처분의 위법성은 나중에 내려진 건설허가처분의 취소를 구하는 소송에서 이를 다투면 될 것이다)(대판 1998. 9. 4, 97누19588).

05
정답 ②

① ○

> 이미 고시된 실시계획에 포함된 상세계획으로 관리되는 토지 위의 건물의 용도를 상세계획 승인권자의 변경승인 없이 임의로 판매시설에서 상세계획에 반하는 일반목욕장으로 변경한 사안에서, 그 영업신고를 수리하지 않고 영업소를 폐쇄한 처분은 적법하다(대판 2008. 3. 27, 2006두3742).

② ✕

> 2012년도 대학교육역량강화사업 기본계획 중 총장직선제 개선을 국·공립대 선진화 지표로 규정한 부분(이하 '2012년도 계획 부분'이라 한다), 2013년도 대학교육역량강화사업 기본계획 중 총장직선제 개선규정을 유지하지 않는 경우 지원금 전액을 삭감 또는 환수하도록 규정한 부분(이하 '2013년도 계획 부분'이라 한다)은 헌법소원의 대상이 되는 공권력 행사에 해당하지 않는다.
> 2012년도와 2013년도 대학교육역량강화사업 기본계획은 대학교육역량강화 지원사업을 추진하기 위한 국가의 기본방침을 밝히고 국가가 제시한 일정 요건을 충족하여 높은 점수를 획득한 대학에 대하여 지원금을 배분하는 것을 내용으로 하는 행정계획일 뿐, 위 계획에 따를 의무를 부과하는 것은 아니다. 총장직선제를 개선하지 않을 경우 지원금을 받지 못하게 될 가능성이 있어 대학들이 이 계획에 구속될 여지가 있다 하더라도, 이는 사실상의 구속에 불과하고 이에 따를지 여부는 전적으로 대학의 자율에 맡겨져 있다. 더구나 총장직선제를 개선하려면 학칙이 변경되어야 하므로, 계획 자체만으로는 대학의 구성원인 청구인들의 법적 지위나 권리·의무에 어떠한 영향도 미친다고 보기 어렵다. 따라서 2012년도와 2013년도 계획 부분은 헌법소원의 대상이 되는 공권력 행사에 해당하지 아니한다(헌재 2016. 10. 27, 2013헌마576).

③ ○

> 환지계획인가 후에 수정하고자 하는 내용에 대하여 토지소유자 등 이해관계인의 공람절차를 거치지 아니한 채 수정된 내용에 따라 한 환지예정지지정처분은 당연무효이다.
> 환지계획인가 후에 당초의 환지계획에 대한 공람과정에서 토지소유자 등 이해관계인이 제시한 의견에 따라 수정하고자 하는 내용에 대하여 다시 공람절차 등을 밟지 아니한 채 수정된 내용에 따라 한 환지예정지지정처분은 환지계획에 따르지 아니한 것이거나 환지계획을 적법하게 변경하지 아니한 채 이루어진 것이어서 당연무효라고 할 것이다(대판 1999. 8. 20, 97누6889).

④ ○

> 도시관리계획결정·고시와 그 도면에 특정 토지가 도시관리계획에 포함되지 않았음이 명백한데도 도시관리계획을 집행하기 위한 후속 계획이나 처분에서 그 토지가 도시관리계획에 포함된 것처럼 표시되어 있는 경우가 있다. 이것은 실질적으로 도시관리계획결정을 변경하는 것에 해당하여 구「국토의 계획 및 이용에 관한 법률」 제30조 제5항에서 정한 도시관리계획변경절차를 거치지 않는 한 당연무효이다(대판 2019. 7. 11, 2018두47783).

06   정답 ③

㉮ ✕

> 환지계획은 항고소송의 대상이 되는 행정처분에 해당하지 않는다.
> 환지계획은 환지예정지 지정이나 환지처분의 근거가 될 뿐 그 자체가 직접 토지소유자 등의 법률상의 지위를 변동시키거나 또는 환지예정지 지정이나 환지처분과는 다른 고유한 법률효과를 수반하는 것이 아니어서 이를 항고소송의 대상이 되는 처분에 해당한다고 할 수가 없다(대판 1999. 8. 20, 97누6889).

㉯ ○

> 구「도시 및 주거환경정비법」에 따른 주택재건축정비사업조합이 수립한 사업시행계획이 인가·고시를 통해 확정된 경우 구속적 행정계획으로서 행정처분에 해당한다(대결 2009. 11. 2, 2009마596).

㉰ ○

> ❶ 구 도시계획법(현「국토의 계획 및 이용에 관한 법률」) 제10조의2 소정의 도시기본계획은 도시계획입안의 지침이 되는 것에 불과할 뿐 일반국민에 대한 직접적인 구속력은 없는 것이다.
> 도시기본계획은 도시의 기본적인 공간구조와 장기발전방향을 제시하는 종합계획으로서 그 계획에는 토지이용계획, 환경계획, 공원녹지계획 등 장래의 도시개발의 일반적인 방향이 제시되지만, 그 계획은 도시계획입안의 지침이 되는 것에 불과하여 일반국민에 대한 직접적인 구속력은 없는 것이다(대판 2002. 10. 11, 2000두8226).
> ❷ 도시기본계획은 국민에 대해서 직접적인 구속력이 없으므로 처분이 아니다(대판 1998. 11. 27, 96누13927).
> ❸ 구 도시계획법 제19조 제1항 및 지방자치단체의 도시계획조례에서 말하는 도시기본계획은 행정청에 대한 직접적 구속력은 없다(대판 2007. 4. 12, 2005두1893).

㉱ ✕

> 도시계획의 입안에 있어 공고 및 공람절차에 하자가 있는 도시계획결정은 위법하다.
> 도시계획의 입안에 있어 해당 도시계획안의 내용을 공고 및 공람하게 한 것은 다수 이해관계자의 이익을 합리적으로 조정하여 국민의 권리자유에 대한 부당한 침해를 방지하고 행정의 민주화와 신뢰를 확보하기 위하여 국민의 의사를 그 과정에 반영시키는 데 있는 것이므로 이러한 공고 및 공람절차에 하자가 있는 도시계획결정은 위법하다(대판 2000. 3. 23, 98두2768).

07   정답 ①

㉮ ✕

> 〔군수로부터 폐기물처리사업계획의 적정통보를 받은 원고가 폐기물처리업허가를 받기 위하여는 문제된 부동산에 대한 용도지역을 '농림지역 또는 준농림지역'에서 '준도시지역(시설용지지구)'으로 변경하는 국토이용계획변경이 선행되어야 하는데 피고가 용도지역변경, 즉 국토이용계획변경을 거부하자 이를 다툰 사건에서 처분성을 인정하면서〕 일정한 행정처분을 구하는 신청을 할 수 있는 법률상 지위에 있는 자의 국토이용계획변경신청을 거부하는 것이 실질적으로 당해 행정처분 자체를 거부하는 결과가 되는 경우에는 예외적으로 그 신청인에게 국토이용계획변경을 신청할 권리가 인정된다(대판 2003. 9. 23, 2001두10936).

㉯ ✕

> 장기미집행 도시계획시설결정의 실효제도는 헌법상 재산권으로부터 당연히 도출되는 권리는 아니다.
> 장기미집행 도시계획시설결정의 실효제도는 도시계획시설부지로 하여금 도시계획시설결정으로 인한 사회적 제약으로부터 벗어나게 하는 것으로서 결과적으로 개인의 재산권이 더 보호되는 측면이 있는 것은 사실이나, 이와 같은 보호는 입법자가 새로운 제도를 마련함에 따라 얻게 되는 법률에 기한 권리일 뿐 헌법상 재산권으로부터 당연히 도출되는 권리는 아니다(헌재 2005. 9. 29, 2002헌바84 등).

㉰ ○

> 산업단지개발계획상 산업단지 안의 토지소유자로서 산업단지개발계획에 적합한 시설을 설치하여 입주하려는 자에게 산업단지지정권자 또는 그로부터 권한을 위임받은 기관에 대하여 산업단지개발계획의 변경을 요청할 수 있는 법규상 또는 조리상 신청권이 있으며, 따라서 이러한 신청에 대한 거부행위는 항고소송의 대상이 되는 행정처분에 해당한다(대판 2017. 8. 29, 2016두44186).

㉱ ○

> ❶ '권한 있는' 행정청이 수립한 후행 도시계획에 선행 도시계획과 서로 양립할 수 없는 내용이 포함되어 있다면 특별한 사정이 없는 한 선행 도시계획은 후행 도시계획과 같은 내용으로 변경된 것으로 볼 수 있다.
> ❷ 후행 도시계획의 결정을 하는 행정청이 선행 도시계획의 결정·변경 등에 관한 '권한을 가지고 있지 아니한 경우' 선행 도시계획과 양립할 수 없는 내용이 포함된 후행 도시계획결정은 무효이다(대판 2000. 9. 8, 99두11257).

08
정답 ③

① ○

> ❶ 구 도시계획법 제10조의2 소정의 도시기본계획은 도시계획입안의 지침이 되는 것에 불과할 뿐 일반국민에 대한 직접적인 구속력은 없는 것이다.
> 도시기본계획은 도시의 기본적인 공간구조와 장기발전방향을 제시하는 종합계획으로서 그 계획에는 토지이용계획, 환경계획, 공원녹지계획 등 장래의 도시개발의 일반적인 방향이 제시되지만, 그 계획은 도시계획입안의 지침이 되는 것에 불과하여 일반국민에 대한 직접적인 구속력은 없다(대판 2002. 10. 11, 2000두8226).
> ❷ 구 도시계획법 제19조 제1항 및 지방자치단체의 도시계획조례에서 말하는 도시기본계획은 행정청에 대한 직접적 구속력은 없다(대판 2007. 4. 12, 2005두1893).

② ○

> 도시기본계획은 국민에 대해서 직접적인 구속력이 없으므로 처분이 아니다.
> 도시계획법 제11조 제1항에는 시장 또는 군수는 그 관할 도시계획구역 안에서 시행할 도시계획을 도시기본계획의 내용에 적합하도록 입안하여야 한다고 규정하고 있으나, 도시기본계획이라는 것은 도시의 장기적 개발방향과 미래상을 제시하는 도시계획입안의 지침이 되는 장기적·종합적인 개발계획으로서 직접적인 구속력은 없는 것이므로, 도시계획시설결정 대상면적이 도시기본계획에서 예정했던 것보다 증가하였다 하여 그것이 도시기본계획의 범위를 벗어나 위법한 것은 아니다(대판 1998. 11. 27, 96누13927).

③ × 행정계획이 행정활동의 지침으로서만의 성격에 그치거나 행정조직 내부에서의 효력만을 가질 때에는 항고소송의 대상이 되는 처분에 해당하지 않는다.

> 국토해양부(현 국토교통부), 환경부, 문화체육관광부, 농림수산식품부(현 농림축산식품부)가 합동으로 2009. 6. 8. 발표한 '4대강 살리기 마스터플랜' 등은 행정기관 내부에서 사업의 기본방향을 제시하는 계획일 뿐 국민의 권리·의무에 직접 영향을 미치는 것이 아니어서, 행정처분에 해당하지 않는다(대결 2011. 4. 21, 2010무111 전합).

④ ○ 행정계획에 광범위한 형성의 자유, 즉 계획재량이 인정된다 하더라도 이러한 재량 역시 법령 등을 위반할 수가 없으며, 공익과 사익 간, 공익 상호 간 및 사익 상호 간의 정당한 비교·교량(형량)이 행해질 것이 요구되는데, 이를 형량명령이라 한다. 이러한 이익형량의 원리는 주민의 입안제안 또는 변경신청을 받아들여 도시관리계획결정을 하거나 도시계획시설을 변경할 것인지를 결정할 때에도 동일하게 적용된다는 것이 판례의 입장이다.

> 행정주체가 구체적인 행정계획을 입안·결정할 때 가지는 형성의 자유의 한계에 관한 법리(편저자 주 : 형량명령)는 주민의 입안제안 또는 변경신청을 받아들여 도시관리계획결정을 하거나 도시계획시설을 변경할 것인지를 결정할 때에도 동일하게 적용된다(대판 2012. 1. 12, 2010두5806).

09
정답 ③

㉮ ○

> 행정청이 적법한 절차를 거쳐 도시계획결정 등의 처분을 하였다고 하더라도 이를 관보에 게재하여 고시하지 아니한 이상 대외적으로는 아무런 효력이 발생하지 아니한다(대판 1985. 12. 10, 85누186).

㉯ ×

> ❶ 「국토의 계획 및 이용에 관한 법률」 규정에 헌법상 개인의 재산권 보장의 취지를 더하여 보면, 도시계획구역 내 토지 등을 소유하고 있는 사람과 같이 도시계획시설결정에 이해관계가 있는 주민에게는 도시계획시설입안권자에게 도시시설계획의 입안 내지 변경을 요구할 수 있는 법규상 또는 조리상의 신청권이 있다.
> ❷ 이러한 신청에 대한 거부행위는 항고소송의 대상이 되는 행정처분에 해당한다(대판 2015. 3. 26, 2014두42742).

㉰ ×

> ❶ 행정주체가 가지는 이와 같은 형성의 자유는 무제한적인 것이 아니라 그 행정계획에 관련되는 자들의 이익을 공익과 사익 사이에서는 물론이고 공익 상호 간과 사익 상호 간에도 정당하게 비교·형량하여야 한다는 제한이 있는 것이고, 행정주체가 행정계획을 입안·결정함에 있어서 이익형량을 전혀 행하지 아니하거나, 이익형량의 고려대상에 마땅히 포함시켜야 할 사항을 누락한 경우 또는 이익형량을 하였으나 정당성과 객관성이 결여된 경우에는 그 행정계획결정은 형량에 하자가 있어 위법하다(대판 2006. 9. 8, 2003두5426).
> ❷ 행정주체가 행정계획을 입안·결정함에 있어서 이익형량을 전혀 행하지 아니하거나 이익형량의 고려대상에 마땅히 포함시켜야 할 사항을 누락한 경우 또는 이익형량을 하였으나 정당성·객관성이 결여된 경우에는 그 행정계획결정은 재량권을 일탈·남용한 것으로서 위법하다(대판 1996. 11. 29, 96누8567).

㉱ ○

> 비구속적 행정계획안이나 행정지침이라도 국민의 기본권에 직접적으로 영향을 끼치고, 앞으로 법령의 뒷받침에 의하여 그대로 실시될 것이 틀림없을 것으로 예상될 수 있을 때에는, 공권력행위로서 예외적으로 헌법소원의 대상이 될 수 있다(헌재 2000. 6. 1, 99헌마538 등).

10
정답 ②

㉮ ×

> **행정기본법 제27조【공법상 계약의 체결】** ① 행정청은 법령 등을 위반하지 아니하는 범위에서 행정목적을 달성하기 위하여 필요한 경우에는 공법상 법률관계에 관한 계약(이하 '공법상 계약'이라 한다)을 체결할 수 있다. 이 경우 계약의 목적 및 내용을 명확하게 적은 계약서를 작성하여야 한다.

㉯ ○ 공법상 계약의 경우 행정주체(국가, 공공단체 등)와 사인 간에 성립하는 양태가 일반적이나, 국가와 공공단체 또는 공공단체 상호 간에 특정 행정사무의 처리를 위해 합의하는 행정주체 간의 계약도 가능하다.

㉰ ✕

> KAI(한국항공우주산업)와 체결한 '한국형 헬기 개발사업에 대한 물품·용역협약'은 공법상 계약이다.
> [국책사업인 '한국형 헬기 개발사업'(Korean Helicopter Program, 이하 'KHP사업'이라 한다)에 개발주관사업자 중 하나로 참여하여 국가 산하 중앙행정기관인 방위사업청과 '한국형 헬기 민군 겸용 핵심구성품 개발협약'을 체결한 甲주식회사가 협약을 이행하는 과정에서 환율변동 및 물가상승 등 외부적 요인 때문에 협약금액을 초과하는 비용이 발생하였다고 주장하면서 국가를 상대로 초과비용의 지급을 구하는 민사소송을 제기한 사안에서] 국가연구개발사업규정에 근거하여 국가 산하 중앙행정기관의 장과 참여기업인 甲회사가 체결한 위 협약의 법률관계는 공법관계에 해당하므로 이에 관한 분쟁은 행정소송으로 제기하여야 한다(대판 2017. 11. 9, 2015다215526).

㉱ ○

> 지방자치단체가 사인과 체결한 시설(자원회수시설) 위탁운영협약은 사법상 계약에 해당한다.
> 甲지방자치단체가 乙주식회사 등 4개 회사로 구성된 공동수급체를 자원회수시설과 부대시설의 운영·유지관리 등을 위탁할 민간사업자로 선정하고 乙회사 등의 공동수급체와 위 시설에 관한 위·수탁 운영협약을 체결하였는데, 민간위탁 사무감사를 실시한 결과 乙회사 등이 위 협약에 근거하여 노무비와 복지후생비 등 비정산비용 명목으로 지급받은 금액 중 집행되지 않은 금액에 대하여 회수하기로 하고 乙회사에 이를 납부하라고 통보하자, 乙회사 등이 이를 납부한 후 회수통보의 무효확인 등을 구하는 소송을 제기한 사안에서, 위 협약은 甲지방자치단체가 사인인 乙회사 등에 위 시설의 운영을 위탁하고 그 위탁운영비용을 지급하는 것을 내용으로 하는 용역계약으로서 상호 대등한 입장에서 당사자의 합의에 따라 체결한 사법상 계약에 해당한다(대판 2019. 10. 17, 2018두60588).

11
[정답] ①

㉮㉯ ○

> ❶ 행정청이 자신과 상대방 사이의 법률관계를 일방적인 의사표시로 종료시켰다고 하더라도 곧바로 의사표시가 행정청으로서 공권력을 행사하여 행하는 행정처분이라고 단정할 수는 없고(㉮), 관계 법령이 상대방의 법률관계에 관하여 구체적으로 어떻게 규정하고 있는지에 따라 의사표시가 항고소송의 대상이 되는 행정처분에 해당하는지 아니면 공법상 계약관계의 일방당사자로서 대등한 지위에서 행하는 의사표시인지를 개별적으로 판단하여야 한다.
> ❷ (중소기업기술정보진흥원장이 甲주식회사와 중소기업 정보화지원사업 지원대상인 사업의 지원에 관한 협약을 체결하였는데, 협약이 甲회사에 책임이 있는 사업실패로 해지되었다는 이유로 협약에서 정한 대로 지급받은 정부지원금을 반환할 것을 통보한 사안에서) 중소기업 정보화지원사업을 위한 협약의 해지 및 그에 따른 환수통보는 공법상 계약에 따라 행정청이 대등한 당사자의 지위에서 하는 의사표시로 보아야 하고, 이를 행정청이 우월한 지위에서 행하는 공권력의 행사로서 행정처분에 해당한다고 볼 수는 없다(㉯)(대판 2015. 8. 27, 2015두41449).

㉰ ✕

> 지방계약직 공무원에 대하여 특별한 약정이 없는 한 지방공무원법 등에 정한 징계절차에 의하지 않고 보수를 삭감할 수 없다.
> 근로기준법 등의 입법취지, 지방공무원법과 「지방공무원 징계 및 소청 규정」의 여러 규정에 비추어 볼 때, 채용계약상 특별한 약정이 없는 한, 지방계약직 공무원에 대하여 지방공무원법, 「지방공무원 징계 및 소청 규정」에 정한 징계절차에 의하지 않고서는 보수를 삭감할 수 없다고 봄이 상당하다(대판 2008. 6. 12, 2006두16328).

㉱ ✕

> 민간투자사업상 실시협약은 공법상 계약이다.
> 민간투자사업 실시협약을 체결한 당사자가 공법상 당사자소송에 의하여 그 실시협약에 따른 재정지원금의 지급을 구하는 경우에, 수소법원은 단순히 주무관청이 재정지원금액을 산정한 절차 등에 위법이 있는지 여부를 심사하는 데 그쳐서는 아니 되고, 실시협약에 따른 적정한 재정지원금액이 얼마인지를 구체적으로 심리·판단하여야 한다(대판 2019. 1. 31, 2017두46455).

12
[정답] ④

㉮ ✕ 종래 공법상 계약을 일반적으로 규율하는 법률은 존재하지 않았으나, 행정기본법은 공법상 계약의 법적 근거를 마련하고, 공법상 계약의 체결방법, 체결시 고려사항 등에 관한 일반적 사항을 규정하고 있다(아래 ㉰, ㉳ 해설 조문 참조). 한편, 행정절차법에는 공법상 계약에 관한 규정을 두고 있지 않다.

㉯ ✕ 공법상 계약에 관한 분쟁은 이론상 당사자소송으로 해결해야 한다. 판례도 공법상 계약에 관한 소송을 공법상 당사자소송으로 해결해야 한다고 판시하고 있다.

> 서울특별시립무용단원의 해촉은 공법상 계약의 해지이므로 공법상 당사자소송으로 무효확인을 청구할 수 있다(대판 1995. 12. 22, 95누4636).

㉰㉲ ○ 공법상 계약도 행정작용인 이상, 다른 행정작용과 마찬가지로 법률우위의 원칙이 적용된다. 따라서 헌법을 포함한 성문법, 행정법의 일반원칙 등에 위배되어서는 안 된다. 행정기본법에서도 법률우위의 원칙이 공법상 계약에 적용된다는 것을 명시하고 있다. 한편, 공법상 계약에 법률유보의 원칙이 적용되는지에 관해 종래 다수설은 공법상 계약에는 법률유보의 원칙이 적용되지 않는다고 보았다.

> **행정기본법 제27조【공법상 계약의 체결】** ① 행정청은 법령 등을 위반하지 아니하는 범위에서(㉰) 행정목적을 달성하기 위하여 필요한 경우에는 공법상 법률관계에 관한 계약(이하 '공법상 계약'이라 한다)을 체결할 수 있다. 이 경우 계약의 목적 및 내용을 명확하게 적은 계약서를 작성하여야 한다.
> ② 행정청은 공법상 계약의 상대방을 선정하고 계약내용을 정할 때 공법상 계약의 공공성과 제3자의 이해관계를 고려하여야 한다(㉲).

㉱ ○ 공법상 계약의 경우 적어도 계약당사자의 일방은 행정주체이어야 하며, 행정주체에는 공무를 수탁받은 사인도 포함된다. 순수 사인 간의 공법상 계약은 개념상 인정되기 어렵다.

13
[정답] ②

사례의 채용계약은 공법상 계약이다.

㉮ ○

> 지방전문직 공무원 채용계약에서 정한 채용기간이 만료한 경우 채용계약을 갱신하거나 채용기간을 연장할 것인지 여부는 지방자치단체장의 재량이다(대판 1993. 9. 14, 92누4611).

㉯ × 공법상 계약의 내용이 법령에 위반되는 경우 그 효력이 문제가 된다. 다수설은 공법상 계약은 행정행위와는 달리 공정력이 인정되지 않기 때문에 공정력을 전제로 이를 소멸시키는 행정행위의 취소와 같은 개념은 인정될 수 없다고 한다. 이에 따르면 하자 있는 공법상 계약은 무효가 될 뿐이다.

㉰ × 공법상 계약의 해지는 처분이 아니므로 처분을 규율하고 있는 행정절차법 규정이 적용되지 않는다는 것이 판례의 입장이다.

> 계약직 공무원에 대한 채용계약해지의 의사표시는 행정처분이 아니므로 행정처분과 같이 행정절차법에 의하여 근거와 이유를 제시하여야 하는 것은 아니다(대판 2002. 11. 26, 2002두5948).

㉱ ○ 공법상 계약은 권력적 행위인 행정행위와 달리 비권력적 성질을 가지므로 행정행위에 인정되는 공정력·자력집행력·존속력 등이 인정되지 않는다. 따라서 상대방의 의무불이행이 있더라도 행정청은 자력으로 의무이행을 강제할 수는 없고 법원의 판결을 받아 계약내용을 실현할 수 있다.

14
[정답] ④

① ○

> 행정기본법 제20조 【자동적 처분】 행정청은 법률로 정하는 바에 따라 완전히 자동화된 시스템(인공지능기술을 적용한 시스템을 포함한다)으로 처분을 할 수 있다. 다만, 처분에 재량이 있는 경우는 그러하지 아니하다.

② ○ 자진폐업으로 인하여 허가의 효과가 실효된 후 재개업신청을 하는 경우, 이는 신규영업허가신청에 불과하므로, 재개업신고를 하였다 하여 원래의 영업허가의 효력을 다시 회복한다고 볼 수 없다.

> 종전의 영업을 자진폐업한 이상 행정행위는 실효되었으므로 이후에 다시 영업허가신청을 하는 것은 신규허가의 신청이다.
> 종전의 결혼예식장영업을 자진폐업한 이상 위 예식장영업허가는 자동적으로 소멸하고 위 건물 중 일부에 대하여 다시 예식장영업허가 신청을 하였다 하더라도 이는 전혀 새로운 영업허가의 신청임이 명백하므로 일단 소멸한 종전의 영업허가권이 당연히 되살아난다고 할 수는 없는 것이니 여기에 종전의 영업허가권이 새로운 영업허가신 청에도 그대로 미친다고 보는 기득권의 문제는 개재될 여지가 없다 (대판 1985. 7. 9, 83누412).

③ ○

> 마약류 수용자에 대한 소변채취는 권력적 사실행위로서 헌법재판소법 제68조 제1항의 심판대상이 되는 공권력 행사에 해당한다.
> 교도소 수형자에게 소변을 받아 제출하게 한 것은, 형을 집행하는 우월적인 지위에서 외부와 격리된 채 형의 집행에 관한 지시, 명령을 복종하여야 할 관계에 있는 자에게 행해진 것으로서 그 목적 또한 교도측면이 존재하며, 응하지 않을 경우 직접적인 징벌 등의 제재는 없다고 하여도 불리한 처우를 받을 수 있다는 심리적 압박이 존재하리라는 것을 충분히 예상할 수 있는 점에 비추어, 권력적 사실행위로서 헌법재판소법 제68조 제1항의 공권력의 행사에 해당한다 (헌재 2006. 7. 27, 2005헌마277).

④ × 가행정행위는 그 효력이 잠정적이라는 것 외에는 일반적인 행정행위와 동일한 성질을 가진다고 보는 것이 일반적 견해이므로, 가행정행위로 인하여 권익의 침해를 받은 경우에는 취소소송 또는 취소심판을 제기하여 권리구제를 받을 수가 있다고 할 것이다. 다만, 잠정적 처분 후 종국적 처분이 있게 되면 선행처분은 후행처분에 흡수되어 소멸하므로 이러한 경우에 잠정적 선행처분(가처분)을 다투는 소는 부적법하게 된다.

> 공정거래위원회가 부당한 공동행위를 행한 사업자로서 구「독점규제 및 공정거래에 관한 법률」제22조의2에서 정한 자진신고자나 조사협조자에 대하여 과징금 부과처분(이하 '선행처분'이라 한다)을 한 뒤, 「독점규제 및 공정거래에 관한 법률 시행령」제35조 제3항에 따라 다시 자진신고자 등에 대한 사건을 분리하여 자진신고 등을 이유로 한 과징금 감면처분(이하 '후행처분'이라 한다)을 하였다면, 후행처분은 자진신고 감면까지 포함하여 처분상대방이 실제로 납부하여야 할 최종적인 과징금액을 결정하는 종국적 처분이고, 선행처분은 이러한 종국적 처분을 예정하고 있는 일종의 잠정적 처분으로서 후행처분이 있을 경우 선행처분은 후행처분에 흡수되어 소멸한다. 따라서 위와 같은 경우에 선행처분의 취소를 구하는 소는 이미 효력을 잃은 처분의 취소를 구하는 것으로 부적법하다(대판 2015. 2. 12, 2013두987).

15
[정답] ③

㉮ × ㉯ ○

> 행정절차법 제49조 【행정지도의 방식】① 행정지도를 하는 자는 그 상대방에게 그 행정지도의 취지 및 내용과 신분을 밝혀야 한다(㉮).
> ② 행정지도가 말로 이루어지는 경우에 상대방이 제1항의 사항을 적은 서면의 교부를 요구하면 그 행정지도를 하는 자는 직무수행에 특별한 지장이 없으면 이를 교부하여야 한다(㉯).

㉰ ○

> 행정절차법 제50조 【의견제출】행정지도의 상대방은 해당 행정지도의 방식·내용 등에 관하여 행정기관에 의견제출을 할 수 있다.

㉱ × 행정지도는 반드시 문서로 하여야 하는 것은 아니며 말로도 할 수 있으나, 내용의 명확성을 위해 상대방의 서면교부청구권을 규정하고 있다(위 ㉯ 해설 조문 참조).

㉲ ○ 행정지도는 비권력적 사실행위이므로 행정쟁송법상 처분성이 없다. 따라서 통설에 따르면 행정지도에 대해서는 취소소송·취소심판 등 항고쟁송을 제기할 수 없다. 그러므로 권고에 대해 취소소송을 제기한 경우 법원은 각하하여야 한다.

㉳ ○

> 행정절차법 제48조 【행정지도의 원칙】② 행정기관은 행정지도의 상대방이 행정지도에 따르지 아니하였다는 것을 이유로 불이익한 조치를 하여서는 아니 된다.

16 [정답] ③

㉮ ✕ 행정절차법에서는 행정지도의 원칙, 방식 등에 대하여 규정하고 있는 반면, 행정기본법에서는 행정지도에 대하여 규정하고 있지 않다.

> **행정절차법 제3조【적용범위】** ① 처분, 신고, 확약, 위반사실 등의 공표, 행정계획, 행정상 입법예고, 행정예고 및 행정지도의 절차(이하 '행정절차'라 한다)에 관하여 다른 법률에 특별한 규정이 있는 경우를 제외하고는 이 법에서 정하는 바에 따른다.
> **제48조【행정지도의 원칙】** ① 행정지도는 그 목적 달성에 필요한 최소한도에 그쳐야 하며, 행정지도의 상대방의 의사에 반하여 부당하게 강요하여서는 아니 된다.
> ② 행정기관은 행정지도의 상대방이 행정지도에 따르지 아니하였다는 것을 이유로 불이익한 조치를 하여서는 아니 된다.
> **제49조【행정지도의 방식】** ① 행정지도를 하는 자는 그 상대방에게 그 행정지도의 취지 및 내용과 신분을 밝혀야 한다.
> ② 행정지도가 말로 이루어지는 경우에 상대방이 제1항의 사항을 적은 서면의 교부를 요구하면 그 행정지도를 하는 자는 직무수행에 특별한 지장이 없으면 이를 교부하여야 한다.
> **제50조【의견제출】** 행정지도의 상대방은 해당 행정지도의 방식·내용 등에 관하여 행정기관에 의견제출을 할 수 있다.
> **제51조【다수인을 대상으로 하는 행정지도】** 행정기관이 같은 행정목적을 실현하기 위하여 많은 상대방에게 행정지도를 하려는 경우에는 특별한 사정이 없으면 행정지도에 공통적인 내용이 되는 사항을 공표하여야 한다(㉯).

㉯ ◯ 위 ㉮ 해설 조문 참조

㉰ ✕

> 국가배상법이 정한 배상청구의 요건인 '공무원의 직무'의 범위에는 행정지도와 같은 비권력적 작용도 포함된다(대판 1998. 7. 10, 96다38971).

㉱ ◯

> 금융위원회 위원장이 시중은행을 상대로 투기지역·투기과열지구 내 초고가아파트(시가 15억원 초과)에 대한 주택구입용 주택담보대출을 금지한 조치(행정지도)는 규제적·구속적 성격을 갖는 행정지도로서 헌법소원의 대상이 되는 공권력 행사에 해당된다(헌재 2023. 3. 23, 2019헌마1399).

17 [정답] ③

① ◯

> 정부의 주식매각 종용행위가 강박행위에 해당한다면 이는 위법한 것으로 행정지도의 한계를 벗어난 것이다.
> 적법한 행정지도로 인정되기 위하여는 우선 그 목적이 적법한 것으로 인정될 수 있어야 할 것이므로, 주식매각의 종용이 정당한 법률적 근거 없이 자의적으로 주주에게 제재를 가하는 것이라면 이 점에서 벌써 행정지도의 영역을 벗어난 것이라고 보아야 할 것이고, 만일 이러한 행위도 행정지도에 해당된다고 한다면 이는 행정지도라는 미명하에 법치주의의 원칙을 파괴하는 것이라고 하지 않을 수 없으며, 더구나 그 주주가 주식매각의 종용을 거부한다는 의사를 명백하게 표시하였음에도 불구하고 집요하게 위협적인 언동을 함으로써 그 매각을 강요하였다면, 이는 위법한 강박행위에 해당한다고 하지 않을 수 없다(대판 1994. 12. 13, 93다49482).

② ◯

❶ 교육인적자원부장관(현 교육부장관)의 국·공립대학총장들에 대한 학칙시정요구는 헌법소원의 대상이 되는 공권력 행사에 해당한다.

❷ 행정지도가 단순한 행정지도의 한계를 넘어 규제적·구속적 성격을 상당히 강하게 갖는 것이라면 헌법소원의 대상이 되는 공권력 행사라고 볼 수 있다.

> 교육인적자원부장관(현 교육부장관)의 대학총장들에 대한 이 사건 학칙시정요구는 고등교육법 제6조 제2항, 동법 시행령 제4조 제3항에 따른 것으로서 그 법적 성격은 대학총장의 임의적인 협력을 통하여 사실상의 효과를 발생시키는 행정지도의 일종이지만, 그에 따르지 않을 경우 일정한 불이익조치를 예정하고 있어 사실상 상대방에게 그에 따를 의무를 부과하는 것과 다를 바 없으므로 단순한 행정지도의 한계를 넘어 규제적·구속적 성격을 상당히 강하게 갖는 것으로서 헌법소원의 대상이 되는 공권력의 행사라고 볼 수 있다(헌재 2003. 6. 26, 2002헌마337 등).

③ ✕

> 토지거래계약신고에 관한 행정관청의 위법한 관행에 따라 토지의 매매가격을 허위로 신고한 행위라 하더라도 위법성이 조각되지 않아 형사처벌의 대상이 된다.
> 행정관청이 토지거래계약신고에 관하여 공시된 기준지가를 기준으로 매매가격을 신고하도록 행정지도하여 왔고 그 기준가격 이상으로 매매가격을 신고한 경우에는 거래신고서를 접수하지 않고 반려하는 것이 관행화되어 있다 하더라도 이는 법에 어긋나는 관행이라 할 것이므로 그와 같은 위법한 관행에 따라 허위신고행위에 이르렀다고 하여 그 범법행위가 사회상규에 위배되지 않는 정당한 행위라고는 볼 수 없다(대판 1992. 4. 24, 91도1609).

④ ◯

> 한계를 일탈한 위법한 행정지도로 인하여 상대방이 손해를 입은 경우 행정기관에게 손해를 배상할 책임이 있으나, 한계를 일탈하지 않은 행정지도로 인하여 상대방에게 손해가 발생한 경우라면 행정기관은 손해배상책임을 지지 않는다.
> 행정지도가 강제성을 띠지 않은 비권력적 작용으로서 행정지도의 한계를 일탈하지 아니하였다면, 그로 인하여 상대방에게 어떤 손해가 발생하였다 하더라도 행정기관은 그에 대한 손해배상책임이 없다(대판 2008. 9. 25, 2006다18228).

18 [정답] ②

㉮ ✕

> **행정절차법 제19조【처리기간의 설정·공표】** ① 행정청은 신청인의 편의를 위하여 처분의 처리기간을 종류별로 미리 정하여 공표하여야 한다.

> 행정절차법이나 「민원 처리에 관한 법률」상 처분·민원의 처리기간에 관한 규정은 강행규정이 아니며, 행정청이 처리기간을 지나 처분을 한 경우 및 「민원 처리에 관한 법률 시행령」 제23조에 따른 민원 처리진행 상황통지를 하지 않은 경우, 처분을 취소할 절차상 하자로 볼 수 없다.

처분이나 민원의 처리기간을 정하는 것은 신청에 따른 사무를 가능한 한 조속히 처리하도록 하기 위한 것이다. 처리기간에 관한 규정은 훈시규정에 불과할 뿐 강행규정이라고 볼 수 없다. 행정청이 처리기간이 지나 처분을 하였더라도 이를 처분을 취소할 절차상 하자로 볼 수 없다(대판 2019. 12. 13, 2018두41907).

㉯ ○

행정절차법 제24조【처분의 방식】 ① 행정청이 처분을 할 때에는 다른 법령 등에 특별한 규정이 있는 경우를 제외하고는 문서로 하여야 하며, 다음 각 호의 어느 하나에 해당하는 경우에는 전자문서로 할 수 있다.
1. 당사자 등의 동의가 있는 경우
2. 당사자가 전자문서로 처분을 신청한 경우
② 제1항에도 불구하고 공공의 안전 또는 복리를 위하여 긴급히 처분을 할 필요가 있거나 사안이 경미한 경우에는 말, 전화, 휴대전화를 이용한 문자전송, 팩스 또는 전자우편 등 문서가 아닌 방법으로 처분을 할 수 있다. 이 경우 당사자가 요청하면 지체 없이 처분에 관한 문서를 주어야 한다.
③ 처분을 하는 문서에는 그 처분행정청과 담당자의 소속·성명 및 연락처(전화번호, 팩스번호, 전자우편주소 등을 말한다)를 적어야 한다.

㉰ ×

행정청이 문서에 의하여 처분을 한 경우 원칙적으로 그 처분서의 문언에 따라 어떤 처분을 하였는지를 확정하여야 하나, 그 처분서의 문언만으로는 행정청이 어떤 처분을 하였는지 불분명하다는 등 특별한 사정이 있는 때에는 처분경위, 처분청의 진정한 의사, 처분을 전후한 상대방의 태도 등 다른 사정을 고려하여 처분서의 문언과 달리 그 처분의 내용을 해석할 수도 있다(대판 2020. 6. 11, 2019두49359).

㉱ ○

행정절차법 제26조【고지】 행정청이 처분을 할 때에는 당사자에게 그 처분에 관하여 행정심판 및 행정소송을 제기할 수 있는지 여부, 그 밖에 불복을 할 수 있는지 여부, 청구절차 및 청구기간, 그 밖에 필요한 사항을 알려야 한다.

19 [정답] ④

㉮㉯㉰㉱ ○ 행정절차법은 행정절차에 관한 일반법적 성격을 가지지만, 행정작용이라 하더라도 행정절차법 제3조 제2항 각 호에 해당하는 사항에 대하여는 적용하지 아니한다.

행정절차법 제3조【적용범위】 ① 처분, 신고, 확약, 위반사실 등의 공표, 행정계획, 행정상 입법예고, 행정예고 및 행정지도의 절차(이하 '행정절차'라 한다)에 관하여 다른 법률에 특별한 규정이 있는 경우를 제외하고는 이 법에서 정하는 바에 따른다.
② 이 법은 다음 각 호의 어느 하나에 해당하는 사항에 대하여는 적용하지 아니한다.
1. 국회 또는 지방의회의 의결을 거치거나 동의 또는 승인을 받아 행하는 사항(㉮)
2. 법원 또는 군사법원의 재판에 의하거나 그 집행으로 행하는 사항
3. 헌법재판소의 심판을 거쳐 행하는 사항(㉯)
4. 각급 선거관리위원회의 의결을 거쳐 행하는 사항(㉰)
5. 감사원이 감사위원회의의 결정을 거쳐 행하는 사항(㉰)
6. 형사(刑事), 행형(行刑) 및 보안처분 관계 법령에 따라 행하는 사항
7. 국가안전보장·국방·외교 또는 통일에 관한 사항 중 행정절차를 거칠 경우 국가의 중대한 이익을 현저히 해칠 우려가 있는 사항
8. 심사청구, 해양안전심판, 조세심판, 특허심판, 행정심판, 그 밖의 불복절차에 따른 사항(㉰)
9. 병역법에 따른 징집·소집(㉱), 외국인의 출입국·난민인정·귀화, 공무원 인사 관계 법령에 따른 징계와 그 밖의 처분, 이해조정을 목적으로 하는 법령에 따른 알선·조정·중재(仲裁)·재정(裁定) 또는 그 밖의 처분 등 해당 행정작용의 성질상 행정절차를 거치기 곤란하거나 거칠 필요가 없다고 인정되는 사항과 행정절차에 준하는 절차를 거친 사항으로서 대통령령으로 정하는 사항

20 [정답] ③

㉮ ○

❶ 군인사법령에 의하여 진급예정자명단에 포함된 자에 대하여 의견제출의 기회를 부여하지 아니한 채 진급선발을 취소하는 처분을 한 것은 절차상 하자가 있어 위법하다.

❷ 공무원 인사 관계 법령에 의한 처분에 관한 사항 중 성질상 행정절차를 거치기 곤란하거나 불필요하다고 인정되는 처분이나 행정절차에 준하는 절차를 거치도록 하고 있는 처분의 경우에만 행정절차법의 적용이 배제된다(대판 2007. 9. 21, 2006두20631).

㉯ ○

육군3사관학교의 사관생도에 대한 퇴학처분에 행정절차법의 적용이 배제되는 것은 아니다.
행정절차법 제3조 제2항, 행정절차법 시행령 제2조 등 행정절차법령 관련 규정들의 내용을 행정의 공정성, 투명성 및 신뢰성을 확보하고 국민의 권익보호를 목적으로 하는 행정절차법의 입법목적에 비추어 보면, 행정절차법의 적용이 제외되는 공무원 인사 관계 법령에 의한 처분에 관한 사항이란 성질상 행정절차를 거치기 곤란하거나 불필요하다고 인정되는 처분이나 행정절차에 준하는 절차를 거치도록 하고 있는 처분에 관한 사항만을 말하는 것으로 보아야 한다(대판 2013. 1. 16, 2011두30687 참조). 이러한 법리는 '공무원 인사 관계 법령에 의한 처분'에 해당하는 육군3사관학교 생도에 대한 퇴학처분에도 마찬가지로 적용된다. 그리고 행정절차법 시행령 제2조 제8호는 '학교·연수원 등에서 교육·훈련의 목적을 달성하기 위하여 학생·연수생들을 대상으로 하는 사항'을 행정절차법의 적용이 제외되는 경우로 규정하고 있으나, 이는 교육과정과 내용의 구체적 결정, 과제의 부과, 성적의 평가, 공식적 징계에 이르지 아니한 질책·훈계 등과 같이 교육·훈련의 목적을 직접 달성하기 위하여 행하는 사항을 말하는 것으로 보아야 하고, 생도에 대한 퇴학처분과 같이 신분을 박탈하는 징계처분은 여기에 해당한다고 볼 수 없다(대판 2018. 3. 13, 2016두33339).

㉰ ✕

> 공정거래위원회의 시정조치 및 과징금 납부명령에 행정절차법 소정의 의견청취절차 생략사유가 존재하는 경우, 공정거래위원회가 행정절차법을 적용하여 의견청취절차를 생략할 수는 없다.
> 행정절차법 제3조 제2항, 같은 법 시행령 제2조 제6호에 의하면 공정거래위원회의 의결·결정을 거쳐 행하는 사항에는 행정절차법의 적용이 제외되게 되어 있으므로, 설사 공정거래위원회의 시정조치 및 과징금 납부명령에 행정절차법 소정의 의견청취절차 생략사유가 존재한다고 하더라도, 공정거래위원회는 행정절차법을 적용하여 의견청취절차를 생략할 수는 없다(대판 2001. 5. 8, 2000두10212).

㉱ ○ 병역법에 따른 산업기능요원 편입취소처분은 행정절차법이 적용되는 사항에 해당한다.

> 산업기능요원 편입취소처분은 행정절차법의 적용이 배제되는 사항인 행정절차법 제3조 제2항 제9호, 같은 법 시행령 제2조 제1호에서 규정하는 '병역법에 의한 소집에 관한 사항'에 해당하지 않는다(즉, 행정절차법이 적용된다).
> 지방병무청장이 병역법 제41조 제1항 제1호, 제40조 제2호의 규정에 따라 산업기능요원에 대하여 한 산업기능요원 편입취소처분은, 행정처분을 할 경우 '처분의 사전통지'와 '의견제출 기회의 부여'를 규정한 행정절차법 제21조 제1항, 제22조 제3항에서 말하는 '당사자의 권익을 제한하는 처분'에 해당하는 한편, 행정절차법의 적용이 배제되는 사항인 행정절차법 제3조 제2항 제9호, 같은 법 시행령 제2조 제1호에서 규정하는 '병역법에 의한 소집에 관한 사항'에는 해당하지 아니하므로, 행정절차법상의 '처분의 사전통지'와 '의견제출 기회의 부여' 등의 절차를 거쳐야 한다(대판 2002. 9. 6, 2002두554).

㉲ ○ 구 공무원징계령에 따른 대통령기록관장에 대한 직권면직처분은 행정절차법이 적용되는 사항에 해당한다.

> (행정안전부장관이 「대통령기록물 관리에 관한 법률」에서 5년 임기의 별정직 공무원으로 규정한 대통령기록관장으로 임용된 원고를 직권면직한 사건에서) 사전통지를 하지 않고 의견제출의 기회를 주지 아니한 별정직 공무원에 대한 직권면직처분은 행정절차법 제21조 제1항, 제22조 제3항을 위반한 절차상 하자가 있어 위법하다. 공무원 인사 관계 법령에 의한 처분에 관한 사항이라 하더라도 전부에 대하여 행정절차법의 적용이 배제되는 것이 아니라, 성질상 행정절차를 거치기 곤란하거나 불필요하다고 인정되는 처분이나 행정절차에 준하는 절차를 거치도록 하고 있는 처분의 경우에만 행정절차법의 적용이 배제되는 것으로 보아야 하고, 이러한 법리는 '공무원 인사 관계 법령에 의한 처분'에 해당하는 별정직 공무원에 대한 직권면직처분의 경우에도 마찬가지로 적용된다(대판 2013. 1. 16, 2011두30687).

㉳ ✕

> 구 국적법 제5조 각 호와 같이 귀화는 요건이 항목별로 구분되어 구체적으로 규정되어 있다. 그리고 성질상 행정절차를 거치기 곤란하거나 거칠 필요가 없다고 인정되어 처분의 이유제시 등을 규정한 행정절차법이 적용되지 않는다(대판 2018. 12. 13, 2016두31616).

21 정답 ①

① ○ ② ✕

❶ 일반적으로 처분이 주체·내용·절차와 형식의 요건을 모두 갖추고 외부에 표시된 경우에는 처분의 존재가 인정된다. 행정의사가 외부에 표시되어 행정청이 자유롭게 취소·철회할 수 없는 구속을 받게 되는 시점에 처분이 성립하고, 그 성립 여부는 행정청이 행정의사를 공식적인 방법으로 외부에 표시하였는지를 기준으로 판단하여야 한다(①).

❷ 병무청장이 법무부장관에게 "가수 甲이 공연을 위하여 국외여행허가를 받고 출국한 후 미국시민권을 취득함으로써 사실상 병역의무를 면탈하였으므로 재외동포 자격으로 재입국하고자 하는 경우 국내에서 취업, 가수활동 등 영리활동을 할 수 없도록 하고, 불가능할 경우 입국 자체를 금지해 달라."고 요청함에 따라 법무부장관이 甲의 입국을 금지하는 결정을 하고, 그 정보를 내부전산망인 '출입국관리정보시스템'에 입력하였으나, 甲에게는 통보하지 않은 사안에서, 위 입국금지결정은 항고소송의 대상이 되는 '처분'에 해당하지 않는다(②).
행정청이 행정의사를 외부에 표시하여 행정청이 자유롭게 취소·철회할 수 없는 구속을 받기 전에는 '처분'이 성립하지 않으므로 법무부장관이 출입국관리법 제11조 제1항 제3호 또는 제4호, 출입국관리법 시행령 제14조 제1항, 제2항에 따라 위 입국금지결정을 했다고 해서 '처분'이 성립한다고 볼 수는 없고, 위 입국금지결정은 법무부장관의 의사가 공식적인 방법으로 외부에 표시된 것이 아니라 단지 그 정보를 내부전산망인 '출입국관리정보시스템'에 입력하여 관리한 것에 지나지 않으므로, 항고소송의 대상이 될 수 있는 '처분'에 해당하지 않는다(대판 2019. 7. 11, 2017두38874).

③④ ✕

❶ 행정절차법 제3조 제2항 제9호, 행정절차법 시행령 제2조 제2호 등 관련 규정들의 내용을 행정의 공정성, 투명성, 신뢰성을 확보하고 처분상대방의 권익보호를 목적으로 하는 행정절차법의 입법목적에 비추어 보면, 행정절차법의 적용이 제외되는 '외국인의 출입국에 관한 사항'이란 해당 행정작용의 성질상 행정절차를 거치기 곤란하거나 거칠 필요가 없다고 인정되는 사항이나 행정절차에 준하는 절차를 거친 사항으로서 행정절차법 시행령으로 정하는 사항만을 가리킨다고 보아야 한다.

❷ '외국인의 출입국에 관한 사항'이라고 하여 행정절차를 거칠 필요가 당연히 부정되는 것은 아니다. 외국인의 사증발급신청에 대한 거부처분은 당사자에게 의무를 부과하거나 적극적으로 권익을 제한하는 처분이 아니므로, 행정절차법 제21조 제1항에서 정한 '처분의 사전통지'와 제22조 제3항에서 정한 '의견제출 기회 부여'의 대상은 아니다(④).

❸ 그러나 사증발급신청에 대한 거부처분이 그 성질상 행정절차법 제24조에서 정한 '처분서 작성·교부'를 할 필요가 없거나 곤란하다고 일률적으로 단정하기 어렵다. 실제로 사증발급실무를 보면, 일부 재외공관장은 피고와 달리 사증발급거부처분서를 작성하여 교부하거나 신청인으로 하여금 인터넷 홈페이지에 접속하여 처분결과와 처분이유를 확인할 수 있도록 하고 있다. 또한 출입국관리법령에 사증발급거부처분서 작성에 관한 규정을 따로 두고 있지 않으므로, 외국인의 사증발급신청에 대한 거부처분을 하면서 행정절차법 제24조에 정한 절차를 따르지 않고 '행정절차에 준하는 절차'로 대체할 수도 없다.

❹ 행정절차에 관한 일반법인 행정절차법은 제24조 제1항에서 "행정청이 처분을 할 때에는 다른 법령 등에 특별한 규정이 있는 경우를 제외하고는 문서로 하여야 하며, 전자문서로 하는 경우에는 당사자 등의 동의가 있어야 한다. 다만, 신속히 처리할 필요가 있거나 사안이 경미한 경우에는 말 또는 그 밖의 방법으로 할 수 있다."라고 정하고 있다. 이 규정은 처분내용의 명확성을 확보하고 처분의 존부에 관한 다툼을 방지하여 처분상대방의 권익을 보호하기 위한 것이므로, 이를 위반한 처분은 하자가 중대·명백하여 무효이다(③)(대판 2019. 7. 11, 2017두38874).

22 [정답] ①

㉮㉯ × ㉰㉱ ○

행정절차법 제11조【대표자】 ① 다수의 당사자 등이 공동으로 행정절차에 관한 행위를 할 때에는 대표자를 선정할 수 있다(㉮).
② 행정청은 제1항에 따라 당사자 등이 대표자를 선정하지 아니하거나 대표자가 지나치게 많아 행정절차가 지연될 우려가 있는 경우에는 그 이유를 들어 상당한 기간 내에 3인 이내의 대표자를 선정할 것을 요청할 수 있다. 이 경우 당사자 등이 그 요청에 따르지 아니하였을 때에는 행정청이 직접 대표자를 선정할 수 있다(㉰).
③ 당사자 등은 대표자를 변경하거나 해임할 수 있다.
④ 대표자는 각자 그를 대표자로 선정한 당사자 등을 위하여 행정절차에 관한 모든 행위를 할 수 있다. 다만, 행정절차를 끝맺는 행위에 대하여는 당사자 등의 동의를 받아야 한다(㉮).
⑤ 대표자가 있는 경우에는 당사자 등은 그 대표자를 통하여서만 행정절차에 관한 행위를 할 수 있다(㉯).
⑥ 다수의 대표자가 있는 경우 그 중 1인에 대한 행정청의 행위는 모든 당사자 등에게 효력이 있다. 다만, 행정청의 통지는 대표자 모두에게 하여야 그 효력이 있다(㉱).

㉲ ○

행정절차법 제12조【대리인】 ① 당사자 등은 다음 각 호의 어느 하나에 해당하는 자를 대리인으로 선임할 수 있다.
1. 당사자 등의 배우자, 직계존속·비속 또는 형제자매
2. 당사자 등이 법인 등인 경우 그 임원 또는 직원
3. 변호사
4. 행정청 또는 청문 주재자(청문의 경우만 해당한다)의 허가를 받은 자
5. 법령 등에 따라 해당 사안에 대하여 대리인이 될 수 있는 자

23 [정답] ②

㉮㉱ ○ ㉯ ×

행정절차법 제20조【처분기준의 설정·공표】 ① 행정청은 필요한 처분기준을 해당 처분의 성질에 비추어 되도록 구체적으로 정하여 공표하여야 한다. 처분기준을 변경하는 경우에도 또한 같다(㉰).
② 행정기본법 제24조에 따른 인·허가 의제의 경우 관련 인·허가 행정청은 관련 인·허가의 처분기준을 주된 인·허가 행정청에 제출하여야 하고, 주된 인·허가 행정청은 제출받은 관련 인·허가의 처분기준을 통합하여 공표하여야 한다. 처분기준을 변경하는 경우에도 또한 같다.

③ 제1항에 따른 처분기준을 공표하는 것이 해당 처분의 성질상 현저히 곤란하거나 공공의 안전 또는 복리를 현저히 해치는 것으로 인정될 만한 상당한 이유가 있는 경우에는 처분기준을 공표하지 아니할 수 있다(㉮).
④ 당사자 등은 공표된 처분기준이 명확하지 아니한 경우 해당 행정청에 그 해석 또는 설명을 요청할 수 있다. 이 경우 해당 행정청은 특별한 사정이 없으면 그 요청에 따라야 한다(㉱).

㉯ × 행정절차법상 처분기준의 설정·공표, 이유제시, 처분의 방식 등은 침익적 처분과 수익적 처분에 공통적으로 적용되는 규정이다(위 행정절차법 제20조 제1항 참조).

24 [정답] ④

㉮ ○

처분의 성질상 처분기준을 미리 공표하는 경우 행정목적을 달성할 수 없게 되거나 행정청에 일정한 범위 내에서 재량권을 부여함으로써 구체적인 사안에서 개별적인 사정을 고려하여 탄력적으로 처분이 이루어지도록 하는 것이 오히려 공공의 안전 또는 복리에 더 적합한 경우에는 행정절차법 제20조 제2항에 따라 처분기준을 따로 공표하지 않거나 개략적으로만 공표할 수도 있다(대판 2019. 12. 13, 2018두41907).

㉯ ○ ㉰ × 판례에 따르면 행정청이 행정절차법 제20조 제1항의 처분기준 사전공표의무를 위반하여 미리 공표하지 아니한 기준을 적용하여 처분을 하였다고 하더라도, 그러한 사정만으로 곧바로 해당 처분에 취소사유에 이를 정도의 흠이 존재한다고 볼 수 없다고 한다.

행정청이 행정절차법 제20조 제1항에 따라 정하여 공표한 처분기준은, 그것이 해당 처분의 근거법령에서 구체적 위임을 받아 제정·공포되었다는 특별한 사정이 없는 한, 원칙적으로 대외적 구속력이 없는 행정규칙에 해당하는 것으로 보아야 한다(㉯). 행정청이 행정절차법 제20조 제1항의 처분기준 사전공표의무를 위반하여 미리 공표하지 아니한 기준을 적용하여 처분하였다고 하더라도, 그러한 사정만으로 곧바로 해당 처분에 취소사유에 이를 정도의 흠이 존재한다고 볼 수는 없다(㉰). 다만, 해당 처분에 적용한 기준이 상위법령의 규정이나 신뢰보호의 원칙 등과 같은 법의 일반원칙을 위반하였거나 객관적으로 합리성이 없다고 볼 수 있는 구체적인 사정이 있다면 해당 처분은 위법하다고 평가할 수 있다(대판 2020. 12. 24, 2018두45633).

㉱ ×

사전에 공표한 심사기준 중 경미한 사항을 변경하거나 다소 불명확하고 추상적이었던 부분을 명확하게 하거나 구체화하는 정도를 뛰어넘어, 심사대상기간이 이미 경과하였거나 상당 부분 경과한 시점에서 처분상대방의 갱신 여부를 좌우할 정도로 중대하게 변경하는 것은 갱신제의 본질과 사전에 공표된 심사기준에 따라 공정한 심사가 이루어져야 한다는 요청에 정면으로 위배되는 것이므로, 갱신제 자체를 폐지하거나 갱신상대방의 수를 종전보다 대폭 감축할 수밖에 없도록 만드는 중대한 공익상 필요가 인정되거나 관계 법령이 제·개정되었다는 등의 특별한 사정이 없는 한, 허용되지 않는다(대판 2020. 12. 24, 2018두45633).

25
정답 ④

㉮ ✕ 행정절차법은 주로 절차적 규정으로 구성되나 신뢰보호의 원칙, 신의성실의 원칙 등 일부 실체적 규정도 갖고 있다.

> **행정절차법 제4조【신의성실 및 신뢰보호】** ① 행정청은 직무를 수행할 때 신의(信義)에 따라 성실히 하여야 한다.
> ② 행정청은 법령 등의 해석 또는 행정청의 관행이 일반적으로 국민들에게 받아들여졌을 때에는 공익 또는 제3자의 정당한 이익을 현저히 해칠 우려가 있는 경우를 제외하고는 새로운 해석 또는 관행에 따라 소급하여 불리하게 처리하여서는 아니 된다.

㉯ ○ 행정절차법은 처분(제17~39조의3), 신고(제40조), 확약(제40조의2), 위반사실 등의 공표(제40조의3), 행정계획(제40조의4), 행정상 입법예고(제41~45조), 행정예고(제46~47조), 행정지도(제48~51조)의 절차에 관하여 명문규정을 두고 있으나, 공법상 계약, 행정조사절차 등에 대해서는 규정하지 않고 있다.

㉰ ○ 헌법재판소는 행정절차의 헌법적 근거를 적법절차의 원칙에서 찾고 있다.

> **헌법 제12조** ① 모든 국민은 신체의 자유를 가진다. 누구든지 법률에 의하지 아니하고는 체포·구속·압수·수색 또는 심문을 받지 아니하며, 법률과 적법한 절차에 의하지 아니하고는 처벌·보안처분 또는 강제노역을 받지 아니한다.
> ③ 체포·구속·압수 또는 수색을 할 때에는 적법한 절차에 따라 검사의 신청에 의하여 법관이 발부한 영장을 제시하여야 한다. 다만, 현행범인인 경우와 장기 3년 이상의 형에 해당하는 죄를 범하고 도피 또는 증거인멸의 염려가 있을 때에는 사후에 영장을 청구할 수 있다.

> 헌법 제12조의 적법절차의 원칙은 형사절차뿐만 아니라 입법·행정 등 국가의 모든 공권력작용에 적용된다.
> 헌법 제12조 제3항 본문은 동조 제1항과 함께 적법절차의 원칙의 일반조항에 해당하는 것으로서, 형사절차상의 영역에 한정되지 않고 입법·행정 등 국가의 모든 공권력의 작용에는 절차상의 적법성뿐만 아니라 법률의 실체적 내용도 합리성과 정당성을 갖춘 실체적인 적법성이 있어야 한다는 적법절차의 원칙을 헌법의 기본원리로 명시한 것이다(헌재 1992. 12. 24, 92헌마78).

㉱ ○

> (군인사법령에 의하여 진급예정자명단에 포함된 자에 대하여 의견제출의 기회를 부여하지 아니한 채 진급선발을 취소하는 처분을 한 것이 절차상 하자가 있어 위법하다고 판시하면서) 공무원 인사 관계 법령에 의한 처분에 관한 사항 중 성질상 행정절차를 거치기 곤란하거나 불필요하다고 인정되는 처분이나 행정절차에 준하는 절차를 거치도록 하고 있는 처분의 경우에만 행정절차법의 적용이 배제된다(대판 2007. 9. 21, 2006두20631).

제 8 회 | 소방 단원별 모의고사 정답과 해설

출제 범위 : 제21강 행정절차법(처분 등)~제22강 정보공개법
문제 p.159

01	02	03	04	05
②	①	④	④	②
06	07	08	09	10
①	③	②	③	②
11	12	13	14	15
①	②	④	④	③
16	17	18	19	20
③	②	④	②	②
21	22	23	24	25
④	②	②	②	②

01
[정답] ②

㉮㉱ ○ ㉯㉰ ×

> **행정절차법 제17조【처분의 신청】** ① 행정청에 처분을 구하는 신청은 문서로 하여야 한다. 다만, 다른 법령 등에 특별한 규정이 있는 경우와 행정청이 미리 다른 방법을 정하여 공시한 경우에는 그러하지 아니하다.
> ② 제1항에 따라 처분을 신청할 때 전자문서로 하는 경우에는 행정청의 컴퓨터 등에 입력된 때에 신청한 것으로 본다(㉮).
> ③ 행정청은 신청에 필요한 구비서류, 접수기관, 처리기간, 그 밖에 필요한 사항을 게시(인터넷 등을 통한 게시를 포함한다)하거나 이에 대한 편람을 갖추어 두고 누구나 열람할 수 있도록 하여야 한다.
> ④ 행정청은 신청을 받았을 때에는 다른 법령 등에 특별한 규정이 있는 경우를 제외하고는 그 접수를 보류 또는 거부하거나 부당하게 되돌려 보내서는 아니 되며, 신청을 접수한 경우에는 신청인에게 접수증을 주어야 한다. 다만, 대통령령으로 정하는 경우에는 접수증을 주지 아니할 수 있다.
> ⑤ 행정청은 신청에 구비서류의 미비 등 흠이 있는 경우에는 보완에 필요한 상당한 기간을 정하여 지체 없이 신청인에게 보완을 요구하여야 한다(㉯).
> ⑥ 행정청은 신청인이 제5항에 따른 기간 내에 보완을 하지 아니하였을 때에는 그 이유를 구체적으로 밝혀 접수된 신청을 되돌려 보낼 수 있다.
> ⑦ 행정청은 신청인의 편의를 위하여 다른 행정청에 신청을 접수하게 할 수 있다(㉰). 이 경우 행정청은 다른 행정청에 접수할 수 있는 신청의 종류를 미리 정하여 공시하여야 한다.
> ⑧ 신청인은 처분이 있기 전에는 그 신청의 내용을 보완·변경하거나 취하(取下)할 수 있다(㉱). 다만, 다른 법령 등에 특별한 규정이 있거나 그 신청의 성질상 보완·변경하거나 취하할 수 없는 경우에는 그러하지 아니하다.

02
[정답] ①

① ×

> 구 행정절차법 제17조 제3항 본문은 "행정청은 신청이 있는 때에는 다른 법령 등에 특별한 규정이 있는 경우를 제외하고는 그 접수를 보류 또는 거부하거나 부당하게 되돌려 보내서는 아니 되며, 신청을 접수한 경우에는 신청인에게 접수증을 교부하여야 한다."고 규정하고 있는바, 여기에서의 신청인의 행정청에 대한 신청의 의사표시는 명시적이고 확정적인 것이어야 한다고 할 것이므로 신청인이 신청에 앞서 행정청의 허가업무담당자에게 신청서의 내용에 대한 검토를 요청한 것만으로는 다른 특별한 사정이 없는 한 명시적이고 확정적인 신청의 의사표시가 있었다고 하기 어렵다(대판 2004. 9. 24, 2003두13236).

② ○ 사전통지대상은 당사자에게 의무를 부과하거나 권익을 제한하는 처분이므로 신청에 따른 허가 등 수익적 처분은 사전통지대상이 아니다. 이와 달리, 처분의 방식이나 처분의 이유제시에 관한 규정은 침익적 처분뿐만 아니라 수익적 처분의 경우에도 적용된다.

③ ○

> 행정청이 당사자와 사이에 도시계획사업의 시행과 관련한 협약을 체결하면서 관계 법령 및 행정절차법에 규정된 청문의 실시 등 의견취취절차를 배제하는 조항을 둔 경우, 청문의 실시에 관한 규정의 적용이 배제되거나 청문을 실시하지 않아도 되는 예외적인 경우에 해당한다고 할 수 없다(대판 2004. 7. 8, 2002두8350).

④ ○

> 행정청이 구 관광진흥법 또는 구 「체육시설의 설치·이용에 관한 법률」의 규정에 의하여 유원시설업자 또는 체육시설업자 지위승계신고를 수리하는 처분을 하는 경우, 종전 유원시설업자 또는 체육시설업자에 대하여 행정절차법 제21조 제1항 등에서 정한 처분의 사전통지 등 절차를 거쳐야 한다(대판 2012. 12. 13, 2011두29144).

03
[정답] ④

㉮ ×

> 대형마트 영업시간 제한 등 처분시 그 처분의 상대방은 대규모점포 개설자이다.
> 영업시간 제한 등 처분의 대상인 대규모점포 중 개설자의 직영매장 이외에 개설자로부터 임차하여 운영하는 임대매장이 병존하는 경우에도, 전체 매장에 대하여 법령상 대규모점포 등의 유지·관리 책임을 지는 개설자만이 처분상대방이 되고, 임대매장의 임차인이 이와 별도로 처분상대방이 되는 것은 아니라고 할 것이다. 따라서 사전통지·의견청취절차는 원고들(편저자 주 : 전체 매장에 대하여 법령상 대규모점포 등의 유지·관리 책임을 지는 개설자)을 상대로 거치면 충분하고, 그 밖에 임차인들을 상대로 별도의 사전통지 등 절차를 거칠 필요가 없다(대판 2015. 11. 19, 2015두295 전합).

㉯ ×

(감사원이 한국방송공사에 대한 감사를 실시한 결과, 사장 甲에게 부실경영 등 문책사유가 있다는 이유로 한국방송공사 이사회에 甲에 대한 해임제청을 요구하였고, 이사회가 임시이사회를 개최하여 감사원 해임제청요구에 따른 문책사유와 방송의 공정성 훼손 등의 사유를 들어 甲에 대한 해임제청을 결의하고 대통령에게 甲의 사장직 해임을 제청함에 따라 대통령이 甲을 한국방송공사 사장직에서 해임한 사안에서) 해임처분과정에서 상대인 甲이 처분내용을 사전에 통지받거나 그에 대한 의견제출기회 등을 받지 못했고 해임처분시 법적 근거 및 구체적 해임사유를 제시받지 못하였으므로 해임처분이 행정절차법에 위배되어 위법하지만, 절차나 처분형식의 하자가 중대하고 명백하다고 볼 수 없어 역시 당연무효가 아닌 취소사유에 해당한다(대판 2012. 2. 23, 2011두5001).

㉰ ○ 판례는 재량행위뿐만 아니라 기속행위의 경우에도 절차상 하자를 독자적 위법사유로 인정한다.

(기속행위인 과세처분과 관련하여) 납세고지서(현 납부고지서)에 필요한 사항의 기재가 누락된 경우 과세처분은 위법한 처분이다. 과세표준과 세율, 세액, 세액산출근거 등의 필요한 사항을 납세자에게 서면으로 통지하도록 한 세법상의 제 규정들은 …… 강행규정으로서 납세고지서에 그 기재가 누락되면 그 과세처분 자체가 위법한 처분이 되어 취소의 대상이 된다(대판 1984. 5. 9, 84누116).

㉱ ○

❶ 교도소장이 아닌 일반교도관 또는 중간관리자에 의하여 징벌내용이 고지되었다는 사유에 의하여 당해 징벌처분이 위법하다는 이유로 공무원의 고의·과실로 인한 국가배상책임을 인정하기 위하여는 징벌처분이 있게 된 규율위반행위의 내용, 징벌혐의내용의 조사·징벌혐의자의 의견 진술 및 징벌위원회의 의결 등 징벌절차의 진행경과, 징벌내용 및 그 집행경과 등 제반 사정을 종합적으로 고려하여 징벌처분이 객관적 정당성을 상실하고 이로 인하여 손해의 전보책임을 국가에게 부담시켜야 할 실질적인 이유가 있다고 인정되어야 한다.
❷ 행형법 시행령 제144조의 규정에 반하여 교도소장이 아닌 관구교감에 의해 징벌처분이 고지되었다는 사유만으로는 위 징벌처분이 손해의 전보책임을 국가에게 부담시켜야 할 만큼 객관적 정당성을 상실한 정도라고 볼 수 없다(대판 2004. 12. 9, 2003다50184).

04 [정답] ④

㉮ ○

가산세 부과처분에 관해서는 국세기본법이나 개별세법 어디에도 그 납세고지의 방식 등에 관하여 따로 정한 규정이 없다. 그러나 가산세는 …… 일종의 행정상 제재라는 점에서 적법절차의 원칙은 더 강하게 관철되어야 한다. 여러 종류의 가산세를 함께 부과하면서, 납세고지서(현 납부고지서)에 산출근거는 물론 종류조차도 따로 밝히지 않고 단지 가산세의 합계액만을 기재하고는, 납세의무자가 스스로 세법 규정을 잘 살펴보면 무슨 가산세가 부과된 것이고 산출근거가 어떻게 되는지를 알아낼 수 있다고 하는 것으로 그 기재의 흠결을 정당화할 수는 없으며 그러한 부과처분은 위법하다(대판 2012. 10. 18, 2010두12347 전합).

㉯ ○ 적법절차의 원칙은 헌법의 기본원리이고, 행정절차법은 행정절차에 관한 일반법적 성격을 가지나, 모든 행정작용에 적용되는 것은 아니다.

행정절차법 제3조【적용범위】① 처분, 신고, 확약, 위반사실 등의 공표, 행정계획, 행정상 입법예고 및 행정지도의 절차(이하 '행정절차'라 한다)에 관하여 다른 법률에 특별한 규정이 있는 경우를 제외하고는 이 법에서 정하는 바에 따른다.

㉰ × 산업단지관리공단의 입주계약해지는 공법상 계약이 아니라 행정처분이므로 원칙적으로 행정절차법이 적용된다(위 ㉯ 해설 조문 참조).

구 「산업집적활성화 및 공장설립에 관한 법률」에 따른 입주변경계약 취소는 행정청인 관리권자로부터 관리업무를 위탁받은 산업단지관리공단이 우월적 지위에서 입주기업체들에게 일정한 법률상 효과를 발생하게 하는 것으로서 항고소송의 대상이 되는 행정처분에 해당한다(대판 2017. 6. 15, 2014두46843).

㉱ ×

공무원 인사 관계 법령에 의한 처분에 관한 사항이라 하더라도 전부에 대하여 행정절차법의 적용이 배제되는 것이 아니라, 성질상 행정절차를 거치기 곤란하거나 불필요하다고 인정되는 처분이나 행정절차에 준하는 절차를 거치도록 하고 있는 처분의 경우에만 행정절차법의 적용이 배제된다(대판 2013. 1. 16, 2011두30687).

05 [정답] ②

① ○

행정절차법 제6조【관할】② 행정청의 관할이 분명하지 아니한 경우에는 해당 행정청을 공통으로 감독하는 상급행정청이 그 관할을 결정하며, 공통으로 감독하는 상급행정청이 없는 경우에는 각 상급행정청이 협의하여 그 관할을 결정한다.

② ×

행정절차법 제8조【행정응원】⑥ 행정응원에 드는 비용은 응원을 요청한 행정청이 부담하며, 그 부담금액 및 부담방법은 응원을 요청한 행정청과 응원을 하는 행정청이 협의하여 결정한다.

③ ○

행정절차법 제17조【처분의 신청】⑤ 행정청은 신청에 구비서류의 미비 등 흠이 있는 경우에는 보완에 필요한 상당한 기간을 정하여 지체 없이 신청인에게 보완을 요구하여야 한다.

④ ○

고지의무를 불이행한 경우 처분 자체가 위법하게 되는 것은 아니다. 고지절차에 관한 규정은 행정처분의 상대방이 그 처분에 대한 행정심판의 절차를 밟는 데 있어 편의를 제공하려는 데 있으며 처분청이 위 규정에 따른 고지의무를 이행하지 아니하였다고 하더라도 경우에 따라서는 행정심판의 제기기간이 연장될 수 있는 것에 그치고 이로 인하여 심판의 대상이 되는 행정처분에 어떤 하자가 수반된다고 할 수 없다(대판 1987. 11. 24, 87누529).

06

정답 ①

㉮ ○

> 행정절차법 제11조【대표자】 ④ 대표자는 각자 그를 대표자로 선정한 당사자 등을 위하여 행정절차에 관한 모든 행위를 할 수 있다. 다만, 행정절차를 끝맺는 행위에 대하여는 당사자 등의 동의를 받아야 한다.

㉯ ○

> ❶ 행정청은 징계와 같은 불이익처분절차에서 징계심의대상자가 선임한 변호사가 징계위원회에 출석하여 징계심의대상자를 위하여 필요한 의견을 진술하는 것을 원칙적으로 거부할 수 없다.
>
> ❷ 육군3사관학교의 사관생도에 대한 징계절차에서 징계심의대상자가 대리인으로 선임한 변호사가 징계위원회 심의에 출석하여 진술하려고 하였음에도, 징계권자나 그 소속 직원이 변호사가 징계위원회의 심의에 출석하는 것을 막았다면 징계위원회 심의·의결의 절차적 정당성이 상실되어 그 징계의결에 따른 징계처분은 위법하여 원칙적으로 취소되어야 한다(대판 2018. 3. 13, 2016두33339).

㉰ ○

> 행정절차법 제41조【행정상 입법예고】 ① 법령 등을 제정·개정 또는 폐지(이하 '입법'이라 한다)하려는 경우에는 해당 입법안을 마련한 행정청은 이를 예고하여야 한다. 다만, <u>다음 각 호의 어느 하나에 해당하는</u> 경우에는 예고를 하지 아니할 수 있다.
> 1. 신속한 국민의 권리보호 또는 예측곤란한 특별한 사정의 발생 등으로 입법이 긴급을 요하는 경우
> 2. <u>상위법령 등의 단순한 집행을 위한 경우</u>
> 3. 입법내용이 국민의 권리·의무 또는 일상생활과 관련이 없는 경우
> 4. 단순한 표현·자구를 변경하는 경우 등 입법내용의 성질상 예고의 필요가 없거나 곤란하다고 판단되는 경우
> 5. 예고함이 공공의 안전 또는 복리를 현저히 해칠 우려가 있는 경우

㉱ ○

> 행정절차법 제43조【예고기간】 입법예고기간은 예고할 때 정하되, 특별한 사정이 없으면 40일(자치법규는 20일) 이상으로 한다.

07

정답 ③

㉮㉯ ○

> 행정절차법 제21조【처분의 사전통지】 ① 행정청은 당사자에게 <u>의무를 부과하거나 권익을 제한하는 처분을 하는 경우에 미리 다음 각 호의 사항을 당사자 등에게 통지하여야 한다.</u>
> 1. 처분의 제목
> 2. 당사자의 성명 또는 명칭과 주소
> 3. <u>처분하려는 원인이 되는 사실과 처분의 내용 및 법적 근거</u>
> 4. 제3호에 대하여 의견을 제출할 수 있다는 뜻과 의견을 제출하지 아니하는 경우의 처리방법
> 5. 의견제출기관의 명칭과 주소
> 6. <u>의견제출기한</u>
> 7. 그 밖에 필요한 사항
>
> ③ 제1항 제6호에 따른 기한은 의견제출에 필요한 기간을 10일 이상으로 고려하여 정하여야 한다(㉮).
> ④ 다음 각 호의 어느 하나에 해당하는 경우에는 제1항에 따른 통지를 하지 아니할 수 있다.
> 1. 공공의 안전 또는 복리를 위하여 긴급히 처분을 할 필요가 있는 경우
> 2. 법령 등에서 요구된 자격이 없거나 없어지게 되면 반드시 일정한 처분을 하여야 하는 경우에 그 자격이 없거나 없어지게 된 사실이 법원의 재판 등에 의하여 객관적으로 증명된 경우(㉯).
> 3. 해당 처분의 성질상 의견청취가 현저히 곤란하거나 명백히 불필요하다고 인정될 만한 상당한 이유가 있는 경우
>
> 제22조【의견청취】 ① 행정청이 처분을 할 때 다음 각 호의 어느 하나에 해당하는 경우에는 <u>청문</u>을 한다.
> 1. 다른 법령 등에서 청문을 하도록 규정하고 있는 경우
> 2. 행정청이 필요하다고 인정하는 경우
> 3. 다음 각 목의 처분을 하는 경우
>   가. 인·허가 등의 취소
>   나. 신분·자격의 박탈
>   다. 법인이나 조합 등의 설립허가의 취소
> ② 행정청이 처분을 할 때 다음 각 호의 어느 하나에 해당하는 경우에는 <u>공청회</u>를 개최한다.
> 1. 다른 법령 등에서 공청회를 개최하도록 규정하고 있는 경우
> 2. 해당 처분의 영향이 광범위하여 널리 의견을 수렴할 필요가 있다고 행정청이 인정하는 경우
> 3. 국민생활에 큰 영향을 미치는 처분으로서 대통령령으로 정하는 처분에 대하여 대통령령으로 정하는 수 이상의 당사자등이 공청회 개최를 요구하는 경우
> ③ <u>행정청이 당사자에게 의무를 부과하거나 권익을 제한하는 처분을 할 때 제1항 또는 제2항의 경우 외에는 당사자 등에게 의견제출의 기회를 주어야 한다</u>(㉮).

㉰ ✕

> 행정절차법 제21조, 제22조, 행정절차법 시행령 제13조의 내용을 행정절차법의 입법목적과 의견청취제도의 취지에 비추어 종합적·체계적으로 해석하면, 행정절차법 시행령 제13조 제2호에서 정한 '법원의 재판 또는 준사법적 절차를 거치는 행정기관의 결정 등에 따라 처분의 전제가 되는 사실이 객관적으로 증명되어 처분에 따른 의견청취가 불필요하다고 인정되는 경우'는 법원의 재판 등에 따라 처분의 전제가 되는 사실이 객관적으로 증명되면 행정청이 반드시 일정한 처분을 해야 하는 경우 등 의견청취가 행정청의 처분 여부나 그 수위 결정에 영향을 미치지 못하는 경우를 의미한다고 보아야 한다. 처분의 전제가 되는 '일부' 사실만 증명된 경우이거나 의견청취에 따라 행정청의 처분 여부나 처분 수위가 달라질 수 있는 경우라면 위 예외사유에 해당하지 않는다(대판 2020. 7. 23, 2017두66602).

㉱ ✕

> ❶ 행정청이 침해적 행정처분을 함에 있어서 당사자에게 위와 같은 사전통지를 하거나 의견제출의 기회를 주지 아니하였다면 사전통지를 하지 않거나 의견제출의 기회를 주지 아니하여도 되는 예외적인 경우에 해당하지 아니하는 한 그 처분은 위법하여 취소를 면할 수 없다.

❷ 건축법상의 공사중지명령에 대한 사전통지를 하고 의견제출의 기회를 준다면 많은 액수의 손실보상금을 기대하여 공사를 강행할 우려가 있다는 사정은 사전통지를 하지 않아도 되는 예외사유에 해당하지 않는다(대판 2004. 5. 28, 2004두1254).

08 정답 ②

㉮ ○ ㉯ × 중대한 처분은 이유제시를 생략할 수 없다. 다만, ㉠ 신청내용을 모두 그대로 인정하는 처분인 경우, ㉡ 단순·반복적인 처분 또는 경미한 처분으로서 당사자가 그 이유를 명백히 알 수 있는 경우, ㉢ 긴급을 요하는 경우에는 이유제시의무가 면제되며, 위 ㉡, ㉢에 해당하는 경우 처분 후 당사자가 요청하는 경우에는 그 근거와 이유를 제시하여야 한다. 한편 ㉠의 경우에는 처분 후 당사자가 요청하는 경우에도 이유제시를 할 필요는 없다.

> 행정절차법 제23조【처분의 이유제시】① 행정청은 처분을 할 때에는 다음 각 호의 어느 하나에 해당하는 경우를 제외하고는 당사자에게 그 근거와 이유를 제시하여야 한다.
> 1. 신청내용을 모두 그대로 인정하는 처분인 경우(㉯)
> 2. 단순·반복적인 처분 또는 경미한 처분으로서 당사자가 그 이유를 명백히 알 수 있는 경우(㉮)
> 3. 긴급히 처분을 할 필요가 있는 경우(㉰)
> ② 행정청은 제1항 제2호 및 제3호의 경우(편저자 주 : 제1호는 아니다)에 처분 후 당사자가 요청하는 경우에는 그 근거와 이유를 제시하여야 한다(㉱).

㉰ ○

> 행정절차법 제23조 제1항의 규정취지를 고려해 볼 때 처분서에 기재된 내용과 관계 법령 및 당해 처분에 이르기까지 전체적인 과정 등을 종합적으로 고려하여, 처분 당시 당사자가 어떠한 근거와 이유로 처분이 이루어진 것인지를 충분히 알 수 있어서 그에 불복하여 행정구제절차로 나아가는 데에 별다른 지장이 없었던 것으로 인정되는 경우에는 처분서에 처분의 근거와 이유가 구체적으로 명시되어 있지 않다고 하더라도 그로 말미암아 그 처분이 위법한 것으로 된다고 할 수는 없다(대판 2013. 11. 14, 2011두18571).

㉱ × 처분을 할 때 상대방이 그 취지를 알고 있었다거나 그 후 알게 되었다는 사정은 이유제시의 생략사유가 아니다(위 ㉮, ㉯ 해설 조문 참조).

> 면허의 취소처분에는 그 근거가 되는 법령이나 취소권 유보의 부관 등을 명시하여야 함은 물론 처분을 받은 자가 어떠한 위반사실에 대하여 당해 처분이 있었는지를 알 수 있을 정도로 사실을 적시할 것을 요하며, 이와 같은 취소처분의 근거와 위반사실의 적시를 빠뜨린 하자는 피처분자가 처분 당시 그 취지를 알고 있었다거나 그 후 알게 되었다 하여도 치유될 수 없다고 할 것이다(대판 1990. 9. 11, 90누1786).

09 정답 ③

① ×

> 교육부장관이 어떤 후보자를 총장임용에 부적격하다고 판단하여 배제하고 다른 후보자를 임용제청하는 경우라면 배제한 후보자에게 연구윤리 위반, 선거부정, 그 밖의 비위행위 등과 같은 부적격사유가 있다는 점을 구체적으로 제시할 의무가 있다. 그러나 부적격사유가 없는 후보자들 사이에서 어떤 후보자를 상대적으로 더욱 적합하다고 판단하여 임용제청하는 경우라면, 이는 후보자의 경력, 인격, 능력, 대학운영계획 등 여러 요소를 종합적으로 고려하여 총장 임용의 적격성을 정성적으로 평가하는 것으로 그 판단결과를 수치화하거나 이유제시를 하기 어려울 수 있다. 이 경우에는 교육부장관이 어떤 후보자를 총장으로 임용제청하는 행위 자체에 그가 총장으로 더욱 적합하다는 정성적 평가결과가 당연히 포함되어 있는 것으로, 이로써 행정절차법상 이유제시의무를 다한 것이라고 보아야 한다. 여기에서 나아가 교육부장관에게 개별심사항목이나 고려요소에 대한 평가결과를 더 자세히 밝힐 의무까지는 없다(대판 2018. 6. 15, 2016두57564).

② × 이유제시의무가 면제되는 경우가 아니라면 이유제시를 하여야 하므로, 상대방에게 부담을 주는 행정처분의 경우뿐만 아니라 수익적 행정행위의 거부에도 원칙적으로 이유제시를 하여야 한다.

> 행정절차법 제23조【처분의 이유제시】① 행정청은 처분을 할 때에는 다음 각 호의 어느 하나에 해당하는 경우를 제외하고는 당사자에게 그 근거와 이유를 제시하여야 한다.
> 1. 신청 내용을 모두 그대로 인정하는 처분인 경우
> 2. 단순·반복적인 처분 또는 경미한 처분으로서 당사자가 그 이유를 명백히 알 수 있는 경우
> 3. 긴급히 처분을 할 필요가 있는 경우

③ ○ ④ ×

> ❶ 일반적으로 당사자가 근거규정 등을 명시하여 신청하는 인·허가 등을 거부하는 처분을 함에 있어 당사자가 그 근거를 알 수 있을 정도로 상당한 이유를 제시한 경우에는 당해 처분의 근거 및 이유를 구체적으로 명시하지 않았더라도 처분이 위법하다고 할 수 없다(③).
> ❷ 행정청이 토지형질변경허가신청을 불허하는 근거규정으로 '도시계획법 시행령 제20조'를 명시하지 아니하고 '도시계획법'이라고만 기재하였으나, 신청인이 자신의 신청이 개발제한구역의 지정목적에 현저히 지장을 초래하는 것이라는 이유로 구 도시계획법 시행령 제20조 제1항 제2호에 따라 불허된 것임을 알 수 있었던 경우, 그 불허처분이 위법하지 아니하다(④)(대판 2002. 5. 17, 2000두8912).

10 정답 ②

① ○

> '고시'의 방법으로 불특정 다수인을 상대로 의무를 부과하거나 권익을 제한하는 처분은 성질상 의견제출의 기회를 주어야 하는 상대방을 특정할 수 없으므로, 이와 같은 처분에 있어서까지 구 행정절차법 제22조 제3항에 의하여 그 상대방에게 의견제출의 기회를 주어야 한다고 해석할 것은 아니다(대판 2014. 10. 27, 2012두7745).

② × 사전통지는 의견청취의 전치절차로서 사전통지의무가 면제되는 경우에는 의견청취의무도 면제된다고 볼 수 있다.

> 행정절차법 제22조【의견청취】④ 제1항부터 제3항까지의 규정에도 불구하고 제21조 제4항 각 호의 어느 하나에 해당하는 경우와 당사자가 의견진술의 기회를 포기한다는 뜻을 명백히 표시한 경우에는 의견청취를 하지 아니할 수 있다.

> **제21조【처분의 사전통지】** ④ 다음 각 호의 어느 하나에 해당하는 경우에는 제1항에 따른 통지를 하지 아니할 수 있다.
> 1. 공공의 안전 또는 복리를 위하여 긴급히 처분을 할 필요가 있는 경우
> 2. 법령 등에서 요구된 자격이 없거나 없어지게 되면 반드시 일정한 처분을 하여야 하는 경우에 그 자격이 없거나 없어지게 된 사실이 법원의 재판 등에 의하여 객관적으로 증명된 경우
> 3. 해당 처분의 성질상 의견청취가 현저히 곤란하거나 명백히 불필요하다고 인정될 만한 상당한 이유가 있는 경우

③ ○

> 행정청이 침해적 행정처분을 함에 있어서 당사자에게 위와 같은 사전통지를 하거나 의견제출의 기회를 주지 아니하였다면 사전통지를 하지 않거나 의견제출의 기회를 주지 아니하여도 되는 예외적인 경우에 해당하지 아니하는 한 그 처분은 위법하여 취소를 면할 수 없다(대판 2004. 5. 28, 2004두1254).

④ ○

> (행정청이 온천지구임을 간과하여 지하수 개발·이용신고를 수리하였다가 행정절차법상의 사전통지를 하거나 의견제출의 기회를 주지 아니한 채 그 신고수리처분을 취소하고 원상복구명령의 처분을 하는 것은 위법하다고 판시하면서) 행정지도방식에 의한 사전고지나 그에 따른 당사자의 자진폐공(편저자 주 : 원상복구)의 약속 등의 사유만으로는 사전통지 등을 하지 않아도 되는 행정절차법 소정의 예외의 경우에 해당한다고 볼 수 없다(대판 2000. 11. 14, 99두5870).

11 [정답] ①

① ×

> 도로구역을 결정하거나 변경할 경우 이를 고시에 의하도록 하면서, 그 도면을 일반인이 열람할 수 있도록 한 점 등을 종합하여 보면, 도로구역을 변경한 처분은 행정절차법 제21조 제1항의 사전통지나 제22조 제3항의 의견청취의 대상이 되는 처분은 아니라고 할 것이다(대판 2008. 6. 12, 2007두1767).

② ○

> 보조금 반환명령 당시 사전통지 및 의견제출의 기회가 부여되었다 하더라도 그 사정만으로 이 사건 평가인증취소처분이 구 행정절차법 제21조 제4항 제3호에서 정하고 있는 사전통지 등을 하지 아니하여도 되는 예외사유에 해당한다고도 볼 수 없다.
> 평가인증취소처분은 이로 인하여 원고에 대한 인건비 등 보조금 지급이 중단되는 등 원고의 권익을 제한하는 처분에 해당하며, 보조금 반환명령과는 전혀 별개의 절차로서 보조금 반환명령이 있으면 피고 보건복지부장관이 평가인증을 취소할 수 있지만 반드시 취소하여야 하는 것은 아닌 점 등에 비추어 보면, 보조금 반환명령 당시 사전통지 및 의견제출의 기회가 부여되었다 하더라도 그 사정만으로 이 사건 평가인증취소처분이 구 행정절차법 제21조 제4항 제3호에서 정하고 있는 사전통지 등을 하지 아니하여도 되는 예외사유에 해당한다고도 볼 수 없으므로, 구 행정절차법 제21조 제1항에 따른 사전통지를 거치지 않은 이 사건 평가인증취소처분은 위법하다(대판 2016. 11. 9, 2014두1260).

③ ○

> 국가에 대한 행정처분을 함에 있어서도 사전통지, 의견청취, 이유제시와 관련한 행정절차법이 그대로 적용된다고 보아야 한다.
> 행정절차법 제2조 제4호에 의하면, '당사자 등'이란 행정청의 처분에 대하여 직접 그 상대가 되는 당사자와 행정청이 직권 또는 신청에 의하여 행정절차에 참여하게 한 이해관계인을 의미하는데, 같은 법 제9조에서는 자연인, 법인, 법인 아닌 사단 또는 재단 외에 '다른 법령 등에 따라 권리·의무의 주체가 될 수 있는 자' 역시 '당사자 등'이 될 수 있다고 규정하고 있을 뿐, 국가를 '당사자 등'에서 제외하지 않고 있다. 또한 행정절차법 제3조 제2항에서 행정절차법이 적용되지 않는 사항을 열거하고 있는데, '국가를 상대로 하는 행정행위'는 그 예외사유에 해당하지 않는다. 위와 같은 행정절차법의 규정과 행정의 공정성·투명성 및 신뢰성 확보라는 행정절차법의 입법취지 등을 고려해보면, 행정기관의 처분에 의하여 불이익을 입게 되는 국가를 일반국민과 달리 취급할 이유가 없다. 따라서 국가에 대한 행정처분을 함에 있어서도 앞서 본 사전통지, 의견청취, 이유제시와 관련한 행정절차법이 그대로 적용된다고 보아야 한다(대판 2023. 9. 21, 2023두39724).

④ ○

> 구 군인사법상 보직해임처분은 구 행정절차법 제3조 제2항 제9호, 구 행정절차법 시행령 제2조 제3호에 따라 처분의 근거와 이유제시 등에 관한 구 행정절차법의 규정이 적용되지 아니한다.
> 구 군인사법상 보직해임처분은 구 행정절차법 제3조 제2항 제9호, 같은 법 시행령 제2조 제3호에 의하여 당해 행정작용의 성질상 행정절차를 거치기 곤란하거나 불필요하다고 인정되는 사항 또는 행정절차에 준하는 절차를 거친 사항에 해당하므로, 처분의 근거와 이유제시 등에 관한 구 행정절차법의 규정이 별도로 적용되지 아니한다고 봄이 상당하다(대판 2014. 10. 15, 2012두5756).

12 [정답] ③

① ×

> 무단으로 용도변경된 건물에 대해 건물주에게 시정명령이 있을 것과 불이행시 이행강제금이 부과될 것이라는 점을 설명한 후, 다음 날 시정명령을 한 경우 비록 현장조사에서 원고가 위반사실을 시인하였다거나 위반경위를 진술하였더라도 그것만으로는 행정절차법 제21조 제4항 제3호가 정한 '의견청취가 현저히 곤란하거나 명백히 불필요하다고 인정될 만한 상당한 이유가 있는 경우'로서 처분의 사전통지를 하지 아니하여도 되는 경우에 해당한다고 볼 수도 없다(대판 2016. 10. 27, 2016두41811).

② × 처분청이 청문절차에서 개진된 사인의 의견에 구속되는 것은 아니다.

> 광업용 토지수용을 위한 사업인정 여부를 결정함에 있어 처분청이 그 의견에 기속되는 것은 아니다.
> 광업법 제88조 제2항에서 처분청이 같은 법조 제1항의 규정에 의하여 광업용 토지수용을 위한 사업인정을 하고자 할 때에 토지소유자와 토지에 관한 권리를 가진 자의 의견을 들어야 한다고 한 것은 그 사업인정 여부를 결정함에 있어서 소유자나 기타 권리자가 의견을 반영할 기회를 주어 이를 참작하도록 하고자 하는 데 있을 뿐, 처분청이 그 의견에 기속되는 것은 아니다(대판 1995. 12. 22, 95누30).

③ ○

> 정규임용처분을 취소하는 처분은 성질상 행정절차를 거치는 것이 불필요하여 행정절차법의 적용이 배제되는 경우에 해당하지 않으므로, 그 처분을 하면서 사전통지를 하거나 의견제출의 기회를 부여하지 않은 것은 위법하다(대판 2009. 1. 30, 2008두16155).

④ × 행정절차법상 문서열람청구권은 의견청취절차 중 청문과 의견제출 절차에서 인정되며 공청회의 경우에는 인정되지 않는다.

> 행정절차법 제37조【문서의 열람 및 비밀유지】① 당사자 등은 의견제출의 경우에는 처분의 사전통지가 있는 날부터 의견제출기한까지, 청문의 경우에는 청문의 통지가 있는 날부터 청문이 끝날 때까지 행정청에 해당 사안의 조사결과에 관한 문서와 그 밖에 해당 처분과 관련되는 문서의 열람 또는 복사를 요청할 수 있다. 이 경우 행정청은 다른 법령에 따라 공개가 제한되는 경우를 제외하고는 그 요청을 거부할 수 없다.

13
[정답] ④

① ○ ④ ×

> 행정절차법 제22조【의견청취】① 행정청이 처분을 할 때 다음 각 호의 어느 하나에 해당하는 경우에는 청문을 한다.
> 1. 다른 법령 등에서 청문을 하도록 규정하고 있는 경우
> 2. 행정청이 필요하다고 인정하는 경우
> 3. 다음 각 목의 처분을 하는 경우
>   가. 인·허가 등의 취소
>   나. 신분·자격의 박탈(①)
>   다. 법인이나 조합 등의 설립허가의 취소
> ② 행정청이 처분을 할 때 다음 각 호의 어느 하나에 해당하는 경우에는 공청회를 개최한다.
> 1. 다른 법령 등에서 공청회를 개최하도록 규정하고 있는 경우
> 2. 해당 처분의 영향이 광범위하여 널리 의견을 수렴할 필요가 있다고 행정청이 인정하는 경우
> 3. 국민생활에 큰 영향을 미치는 처분으로서 대통령령으로 정하는 처분에 대하여 대통령령으로 정하는 수 이상의 당사자 등이 공청회 개최를 요구하는 경우
> ③ 행정청이 당사자에게 의무를 부과하거나 권익을 제한하는 처분을 할 때 제1항 또는 제2항의 경우 외에는 당사자 등에게 의견제출의 기회를 주어야 한다.
> ④ 제1항부터 제3항까지의 규정에도 불구하고 제21조 제4항 각 호의 어느 하나에 해당하는 경우와 당사자가 의견진술의 기회를 포기한다는 뜻을 명백히 표시한 경우에는 의견청취를 하지 아니할 수 있다(④).

② ○

> 행정절차법 제28조【청문 주재자】② 행정청은 다음 각 호의 어느 하나에 해당하는 처분을 하려는 경우에는 청문 주재자를 2명 이상으로 선정할 수 있다. 이 경우 선정된 청문 주재자 중 1명이 청문 주재자를 대표한다.
> 1. 다수 국민의 이해가 상충되는 처분
> 2. 다수 국민에게 불편이나 부담을 주는 처분
> 3. 그 밖에 전문적이고 공정한 청문을 위하여 행정청이 청문 주재자를 2명 이상으로 선정할 필요가 있다고 인정하는 처분

③ ○

> 행정절차법 제22조【의견청취】⑥ 행정청은 처분 후 1년 이내에 당사자 등이 요청하는 경우에는 청문·공청회 또는 의견제출을 위하여 제출받은 서류나 그 밖의 물건을 반환하여야 한다.

14
[정답] ④

① ○

> '의견청취가 현저히 곤란하거나 명백히 불필요하다고 인정될 만한 상당한 이유가 있는지'는 당해 처분의 성질에 비추어 판단하여야 하는 것이지 청문통지서의 반송, 청문일의 불출석 등에 의해 판단할 것은 아니다.
> 행정처분의 상대방이 통지된 청문일시에 불출석하였다는 이유만으로 행정청이 관계 법령상 그 실시가 요구되는 청문을 실시하지 아니한 채 침해적 행정처분을 할 수는 없을 것이므로, 행정처분의 상대방에 대한 청문통지서가 반송되었다거나, 행정처분의 상대방이 청문일시에 불출석하였다는 이유로 청문을 실시하지 아니하고 한 침해적 행정처분은 위법하다(대판 2001. 4. 13, 2000두3337).

② ○

> 행정절차법 제22조【의견청취】① 행정청이 처분을 할 때 다음 각 호의 어느 하나에 해당하는 경우에는 청문을 한다. (각 호 생략)
> ② 행정청이 처분을 할 때 다음 각 호의 어느 하나에 해당하는 경우에는 공청회를 개최한다. (각 호 생략)
> ③ 행정청이 당사자에게 의무를 부과하거나 권익을 제한하는 처분을 할 때 제1항 또는 제2항의 경우 외에는 당사자 등에게 의견제출의 기회를 주어야 한다.

③ ○

> 이 사건 시정지시는 보건복지부, 서울특별시, 피고가 합동으로 원고 등에 대하여 특별감사를 실시한 후 이루어진 것으로 감사결과의 통보 및 감사기관의 의견표명의 성질도 지니고 있는데, 특별감사를 받은 원고 등은 감사과정을 거치면서 감사결과 및 그에 따른 감사기관의 의견표명이 있으리라는 점을 충분히 예상할 수 있어 별도로 사전에 통지를 한다거나 의견진술의 기회를 부여할 필요가 있다고 보기 어려운 점 …… 등에 비추어 보면, 이 사건 시정지시에 대하여는 그 성질상 당사자의 사전의견청취가 불필요하다고 볼 상당한 이유가 있는 것으로 명백히 인정되는 경우에 해당한다고 할 것이다(대판 2009. 2. 12, 2008두14999).

④ ×

> 퇴직연금의 환수결정은 관련 법령에 따라 당연히 환수금액이 정하여지는 것이므로, 당사자에게 의견진술의 기회를 주지 아니하여도 무방하다.
> 지급정지사유기간 중 퇴직연금수급자에게 지급된 퇴직연금의 환수결정은 당사자에게 의무를 과하는 처분이기는 하나, 관련 법령에 따라 당연히 환수금액이 정하여지는 것이므로, 퇴직연금의 환수결정에 앞서 당사자에게 의견진술의 기회를 주지 아니하여도 행정절차법 제22조 제3항이나 신의칙에 어긋나지 아니한다(대판 2000. 11. 28, 99두5443).

15
정답 ③

㉮ ✕ 처분상대방의 청문일시에 불출석 등은 청문을 실시하지 않아도 되는 예외적 사유가 아니라는 것이 판례의 입장이다.

> '의견청취가 현저히 곤란하거나 명백히 불필요하다고 인정될 만한 상당한 이유가 있는지'는 당해 처분의 성질에 비추어 판단하여야 하는 것이지 청문통지서의 반송, 청문일의 불출석 등에 의해 판단할 것은 아니다.
> 행정처분의 상대방이 통지된 청문일시에 불출석하였다는 이유만으로 행정청이 관계 법령상 그 실시가 요구되는 청문을 실시하지 아니한 채 침해적 행정처분을 할 수는 없을 것이므로, 행정처분의 상대방에 대한 청문통지서가 반송되었다거나, 행정처분의 상대방이 청문일시에 불출석하였다는 이유로 청문을 실시하지 아니하고 한 침해적 행정처분은 위법하다(대판 2001. 4. 13, 2000두3337).

> **행정절차법 제21조【처분의 사전통지】**④ 다음 각 호의 어느 하나에 해당하는 경우에는 제1항에 따른 통지를 하지 아니할 수 있다.
> 1. 공공의 안전 또는 복리를 위하여 긴급히 처분을 할 필요가 있는 경우
> 2. 법령 등에서 요구된 자격이 없거나 없어지게 되면 반드시 일정한 처분을 하여야 하는 경우에 그 자격이 없거나 없어지게 된 사실이 법원의 재판 등에 의하여 객관적으로 증명된 경우
> 3. 해당 처분의 성질상 의견청취가 현저히 곤란하거나 명백히 불필요하다고 인정될 만한 상당한 이유가 있는 경우
>
> **제22조【의견청취】**④ 제1항부터 제3항까지의 규정에도 불구하고 제21조 제4항 각 호의 어느 하나에 해당하는 경우와 당사자가 의견진술의 기회를 포기한다는 뜻을 명백히 표시한 경우에는 의견청취를 하지 아니할 수 있다.
> 1. 다른 법령 등에서 공청회를 개최하도록 규정하고 있는 경우
> 2. 해당 처분의 영향이 광범위하여 널리 의견을 수렴할 필요가 있다고 행정청이 인정하는 경우
> 3. 국민생활에 큰 영향을 미치는 처분으로서 대통령령으로 정하는 처분에 대하여 대통령령으로 정하는 수 이상의 당사자 등이 공청회 개최를 요구하는 경우

㉯ ✕

> **행정절차법 제35조【청문의 종결】**① 청문 주재자는 해당 사안에 대하여 당사자 등의 의견진술, 증거조사가 충분히 이루어졌다고 인정하는 경우에는 청문을 마칠 수 있다.
> ② 청문 주재자는 당사자 등의 전부 또는 일부가 정당한 사유 없이 청문기일에 출석하지 아니하거나 제31조 제3항에 따른 의견서를 제출하지 아니한 경우에는 이들에게 다시 의견진술 및 증거제출의 기회를 주지 아니하고 청문을 마칠 수 있다.
> ③ 청문 주재자는 당사자 등의 전부 또는 일부가 정당한 사유로 청문기일에 출석하지 못하거나 제31조 제3항에 따른 의견서를 제출하지 못한 경우에는 10일 이상의 기간을 정하여 이들에게 의견진술 및 증거제출을 요구하여야 하며, 해당 기간이 지났을 때에 청문을 마칠 수 있다.
> ④ 청문 주재자는 청문을 마쳤을 때에는 청문조서, 청문 주재자의 의견서, 그 밖의 관계 서류 등을 행정청에 지체 없이 제출하여야 한다.
>
> **제35조의2【청문결과의 반영】**행정청은 처분을 할 때에 제35조 제4항에 따라 받은 청문조서, 청문 주재자의 의견서, 그 밖의 관계 서류 등을 충분히 검토하고 상당한 이유가 있다고 인정하는 경우에는 청문결과를 반영하여야 한다.

㉰ ○ 실체적인 하자가 없이 절차상의 하자만으로도 독자적인 취소사유가 된다는 것이 통설과 판례의 입장이다. 따라서 식품위생법에 규정된 청문을 실시하지 않았다면 영업허가취소처분은 위법하다.

> ❶ (기속행위인 과세처분과 관련하여) 납세고지서(현 납부고지서)에 필요한 사항의 기재가 누락된 경우 과세처분은 위법한 처분이다.
> 과세표준과 세율, 세액, 세액산출근거 등의 필요한 사항을 납세자에게 서면으로 통지하도록 한 세법상의 제 규정들은 …… 강행규정으로서 납세고지서에 그 기재가 누락되면 그 과세처분 자체가 위법한 처분이 되어 취소의 대상이 된다(대판 1984. 5. 9, 84누116).
>
> ❷ (재량행위인 영업정지처분과 관련하여) 청문절차에 하자가 있는 경우 처분은 위법하다.
> 식품위생법 제64조, 같은 법 시행령 제37조 제1항 소정의 청문절차를 전혀 거치지 아니하거나 거쳤다 하더라도 그 절차적 요건을 제대로 준수하지 아니한 경우에는 가사 영업정지사유가 인정된다 할지라도 그 처분은 위법하여 취소를 면할 수 없다(대판 1991. 7. 9, 91누971).

㉱ ○

> **행정절차법 제34조【청문조서】**② 당사자 등은 청문조서의 내용을 열람·확인할 수 있으며, 이의가 있을 때에는 그 정정을 요구할 수 있다.

㉲ ✕

> **행정절차법 제22조【의견청취】**① 행정청이 처분을 할 때 다음 각 호의 어느 하나에 해당하는 경우에는 청문을 한다.
> 1. 다른 법령 등에서 청문을 하도록 규정하고 있는 경우
> 2. 행정청이 필요하다고 인정하는 경우
> 3. 다음 각 목의 처분을 하는 경우
>   가. 인·허가 등의 취소
>   나. 신분·자격의 박탈
>   다. 법인이나 조합 등의 설립허가의 취소

16
정답 ③

㉮ ✕

> **행정절차법 제22조【의견청취】**① 행정청이 처분을 할 때 다음 각 호의 어느 하나에 해당하는 경우에는 청문을 한다. (각 호 생략)
> ② 행정청이 처분을 할 때 다음 각 호의 어느 하나에 해당하는 경우에는 공청회를 개최한다. (각 호 생략)
> ③ 행정청이 당사자에게 의무를 부과하거나 권익을 제한하는 처분을 할 때 제1항 또는 제2항의 경우 외에는 당사자 등에게 의견제출의 기회를 주어야 한다.

㉯ ○ 처분상대방의 청문일시에 불출석 등은 청문을 실시하지 않아도 되는 예외적 사유가 아니라는 것이 판례의 입장이다.

> '의견청취가 현저히 곤란하거나 명백히 불필요하다고 인정될 만한 상당한 이유가 있는지'는 당해 처분의 성질에 비추어 판단하여야 하는 것이지 청문통지서의 반송, 청문일의 불출석 등에 의해 판단할 것은 아니다.
> 행정처분의 상대방이 통지된 청문일시에 불출석하였다는 이유만으로 행정청이 관계 법령상 그 실시가 요구되는 청문을 실시하지 아니한 채 침해적 행정처분을 할 수는 없을 것이므로, 행정처분의 상

대방에 대한 청문통지서가 반송되었다거나, 행정처분의 상대방이 청문일시에 불출석하였다는 이유로 청문을 실시하지 아니하고 한 침해적 행정처분은 위법하다(대판 2001. 4. 13, 2000두3337).

행정절차법 제21조【처분의 사전통지】 ④ 다음 각 호의 어느 하나에 해당하는 경우에는 제1항에 따른 통지를 하지 아니할 수 있다.
1. 공공의 안전 또는 복리를 위하여 긴급히 처분을 할 필요가 있는 경우
2. 법령 등에서 요구된 자격이 없거나 없어지게 되면 반드시 일정한 처분을 하여야 하는 경우에 그 자격이 없거나 없어지게 된 사실이 법원의 재판 등에 의하여 객관적으로 증명된 경우
3. 해당 처분의 성질상 의견청취가 현저히 곤란하거나 명백히 불필요하다고 인정될 만한 상당한 이유가 있는 경우

제22조【의견청취】 ④ 제1항부터 제3항까지의 규정에도 불구하고 제21조 제4항 각 호의 어느 하나에 해당하는 경우와 당사자가 의견진술의 기회를 포기한다는 뜻을 명백히 표시한 경우에는 의견청취를 하지 아니할 수 있다.
1. 다른 법령 등에서 공청회를 개최하도록 규정하고 있는 경우
2. 해당 처분의 영향이 광범위하여 널리 의견을 수렴할 필요가 있다고 행정청이 인정하는 경우
3. 국민생활에 큰 영향을 미치는 처분으로서 대통령령으로 정하는 처분에 대하여 대통령령으로 정하는 수 이상의 당사자 등이 공청회 개최를 요구하는 경우

㉰ ○

행정절차법 제37조【문서의 열람 및 비밀유지】 ① 당사자 등은 의견제출의 경우에는 처분의 사전통지가 있는 날부터 의견제출기한까지, 청문의 경우에는 청문의 통지가 있는 날부터 청문이 끝날 때까지 행정청에 해당 사안의 조사결과에 관한 문서와 그 밖에 해당 처분과 관련되는 문서의 열람 또는 복사를 요청할 수 있다. 이 경우 행정청은 다른 법령에 따라 공개가 제한되는 경우를 제외하고는 그 요청을 거부할 수 없다.
② 행정청은 제1항의 열람 또는 복사의 요청에 따르는 경우 그 일시 및 장소를 지정할 수 있다.
③ 행정청은 제1항 후단에 따라 열람 또는 복사의 요청을 거부하는 경우에는 그 이유를 소명(疎明)하여야 한다.
④ 제1항에 따라 열람 또는 복사를 요청할 수 있는 문서의 범위는 대통령령으로 정한다.
⑤ 행정청은 제1항에 따른 복사에 드는 비용을 복사를 요청한 자에게 부담시킬 수 있다.
⑥ 누구든지 의견제출 또는 청문을 통하여 알게 된 사생활이나 경영상 또는 거래상의 비밀을 정당한 이유 없이 누설하거나 다른 목적으로 사용하여서는 아니 된다.

㉱ ✕

행정절차법 제22조【의견청취】 ① 행정청이 처분을 할 때 다음 각 호의 어느 하나에 해당하는 경우에는 청문을 한다.
1. 다른 법령 등에서 청문을 하도록 규정하고 있는 경우
2. 행정청이 필요하다고 인정하는 경우
3. 다음 각 목의 처분을 하는 경우
   가. 인·허가 등의 취소
   나. 신분·자격의 박탈
   다. 법인이나 조합 등의 설립허가의 취소

17

정답 ②

㉮ ✕

행정절차법 제38조의2【온라인공청회】 ① 행정청은 제38조에 따른 공청회와 병행하여서만 정보통신망을 이용한 공청회(이하 '온라인공청회'라 한다)를 실시할 수 있다.
② 제1항에도 불구하고 다음 각 호의 어느 하나에 해당하는 경우에는 온라인공청회를 단독으로 개최할 수 있다.
1. 국민의 생명·신체·재산의 보호 등 국민의 안전 또는 권익 보호 등의 이유로 제38조에 따른 공청회를 개최하기 어려운 경우
2. 제38조에 따른 공청회가 행정청이 책임질 수 없는 사유로 개최되지 못하거나 개최는 되었으나 정상적으로 진행되지 못하고 무산된 횟수가 3회 이상인 경우
3. 행정청이 널리 의견을 수렴하기 위하여 온라인공청회를 단독으로 개최할 필요가 있다고 인정하는 경우. 다만, 제22조 제2항 제1호 또는 제3호에 따라 공청회를 실시하는 경우는 제외한다.

㉯ ○

행정절차법 제39조의2【공청회 및 온라인공청회 결과의 반영】 행정청은 처분을 할 때에 공청회, 온라인공청회 및 정보통신망 등을 통하여 제시된 사실 및 의견이 상당한 이유가 있다고 인정하는 경우에는 이를 반영하여야 한다.

㉰ ○

묘지공원과 화장장의 후보지를 선정하는 과정에서 추모공원건립추진협의회가 후보지 주민들의 의견을 청취하기 위하여 그 명의로 개최한 공청회는 행정절차법에서 정한 절차를 준수하여야 하는 것은 아니다.

묘지공원과 화장장의 후보지를 선정하는 과정에서 서울특별시, 비영리법인, 일반기업 등이 공동발족한 협의체인 추모공원건립추진협의회가 후보지 주민들의 의견을 청취하기 위하여 그 명의로 개최한 공청회는 행정청이 도시계획시설결정을 하면서 개최한 공청회가 아니므로, 위 공청회의 개최에 관하여 행정절차법에서 정한 절차를 준수하여야 하는 것은 아니다(대판 2007. 4. 12, 2005두1893).

㉱ ✕

행정절차법 제38조【공청회 개최의 알림】 행정청은 공청회를 개최하려는 경우에는 공청회 개최 14일 전까지 다음 각 호의 사항을 당사자 등에게 통지하고 관보, 공보, 인터넷 홈페이지 또는 일간신문 등에 공고하는 등의 방법으로 널리 알려야 한다. 다만, 공청회 개최를 알린 후 예정대로 개최하지 못하여 새로 일시 및 장소 등을 정한 경우에는 공청회 개최 7일 전까지 알려야 한다.
1. 제목
2. 일시 및 장소
3. 주요 내용
4. 발표자에 관한 사항
5. 발표신청 방법 및 신청기한
6. 정보통신망을 통한 의견제출
7. 그 밖에 공청회 개최에 필요한 사항

18   정답 ④

① ○ 헌법재판소는 정보공개청구권은 알권리의 한 요소를 이루며, 이러한 알권리는 헌법 제21조상 표현의 자유에서 도출된다고 보고 있다. 따라서 정보공개청구권은 이를 인정하는 법률규정이 존재하지 않는 경우에도 알권리에 근거하여 인정된다.

> 알권리는 헌법상의 표현의 자유에서 도출할 수 있다.
> 헌법 제21조는 언론·출판의 자유, 즉 표현의 자유를 규정하고 있는데 이 자유는 전통적으로 사상 또는 의견의 자유로운 표명(발표의 자유)과 그것을 전파할 자유(전달의 자유)를 의미하는 것으로서 사상 또는 의견의 자유로운 표명은 자유로운 의사의 형성을 전제로 한다. 자유로운 의사의 형성은 정보에 대한 접근이 충분히 보장됨으로써 비로소 가능한 것이며, 그러한 의미에서 정보에 대한 접근·수집·처리의 자유, 즉 '알권리'는 표현의 자유와 표리일체의 관계에 있다(헌재 1991. 5. 13, 90헌마133).

② ○

> 국민의 '알권리', 즉 정보에의 접근·수집·처리의 자유는 자유권적 성질과 청구권적 성질을 공유하는 것으로서 헌법 제21조에 의하여 직접 보장되는 권리이다(대판 2009. 12. 10, 2009두12785).

③ ○ 정보공개에 관한 조례는 주민의 권리 제한 또는 의무 부과에 관한 조례가 아니므로 법률의 위임이 없더라도 조례를 제정할 수 있다.

> 청주시의회에서 의결한 청주시 행정정보공개조례안은 주민의 권리를 제한하거나 의무를 부과하는 조례라고는 단정할 수 없어 그 제정에 있어서 반드시 법률의 개별적 위임이 따로 필요한 것은 아니다. 지방자치단체는 그 내용이 주민의 권리의 제한 또는 의무의 부과에 관한 사항이거나 벌칙에 관한 사항이 아닌 한 법률의 위임이 없더라도 조례를 제정할 수 있다 할 것인데 청주시의회에서 의결한 청주시 행정정보공개조례안은 행정에 대한 주민의 알권리의 실현을 그 근본내용으로 하면서도 이로 인한 개인의 권익침해가능성을 배제하고 있으므로, 이를 들어 주민의 권리를 제한하거나 의무를 부과하는 조례라고는 단정할 수 없고 따라서 그 제정에 있어서 반드시 법률의 개별적 위임이 따로 필요한 것은 아니다(대판 1992. 6. 23, 92추17).

> **지방자치법 제28조 【조례】** 지방자치단체는 법령의 범위에서 그 사무에 관하여 조례를 제정할 수 있다. 다만, 주민의 권리 제한 또는 의무 부과에 관한 사항이나 벌칙을 정할 때에는 법률의 위임이 있어야 한다.
> **「공공기관의 정보공개에 관한 법률」 제4조 【적용범위】** ② 지방자치단체는 그 소관 사무에 관하여 법령의 범위에서 정보공개에 관한 조례를 정할 수 있다.

④ ×

> 어느 법인이 「공공기관의 정보공개에 관한 법률」 제2조 제3호, 같은 법 시행령 제2조 제4호에 따라 정보를 공개할 의무가 있는 '특별법에 의하여 설립된 특수법인'에 해당하는지 여부는 법인에게 부여된 업무 등을 고려하여 개별적으로 판단한다.
> 어느 법인이 「공공기관의 정보공개에 관한 법률」 제2조 제3호 등에 따라 정보를 공개할 의무가 있는 '특별법에 의하여 설립된 특수법인'에 해당하는가는, 국민의 알권리를 보장하고 국정에 대한 국민의 참여와 국정운영의 투명성을 확보하고자 하는 위 법의 입법목적을 염두에 두고, 당해 법인에게 부여된 업무가 국가행정업무이거나, 이에 해당하지 않더라도 그 업무수행으로써 추구하는 이익이 당해 법인 내부의 이익에 그치지 않고 공동체 전체의 이익에 해당하는 공익적 성격을 갖는지 여부를 중심으로 개별적으로 판단하되 …… 당해 법인에 대하여 직접 정보공개청구를 구할 필요성이 있는지 여부 등을 종합적으로 고려하여야 한다(대판 2010. 4. 29, 2008두5643).

19   정답 ②

① ×

> 정보공개를 요구받은 공공기관은 법률 제 몇 호의 비공개사유에 해당하는지를 주장·입증하여야 하며, 개괄적 사유만을 들어 공개를 거부할 수 없다.
> 만일 정보공개를 거부하는 경우라 할지라도 대상이 된 정보의 내용을 구체적으로 확인·검토하여 어느 부분이 어떠한 법익 또는 기본권과 충돌되어 「공공기관의 정보공개에 관한 법률」 제7조(현 제9조) 제1항 몇 호에서 정하고 있는 비공개사유에 해당하는지를 주장·입증하여야만 할 것이며, 그에 이르지 아니한 채 개괄적인 사유만을 들어 공개를 거부하는 것은 허용되지 아니한다(대판 2003. 12. 11, 2001두8827).

② ○

> 정보공개청구권자의 권리구제가능성 등이 정보의 공개 여부 결정에 영향을 미치는 것은 아니다.
> 「공공기관의 정보공개에 관한 법률」은 국민의 알권리를 보장하고 국정에 대한 국민의 참여와 국정운영의 투명성을 확보함을 목적으로 하고(제1조), 공공기관이 보유·관리하는 정보는 국민의 알권리 보장 등을 위하여 적극적으로 공개하여야 한다는 정보공개의 원칙을 선언하고 있으며(제3조), 모든 국민은 정보의 공개를 청구할 권리를 가진다고 하면서(제5조 제1항) 비공개대상정보에 해당하지 않는 한 공공기관이 보유·관리하는 정보는 공개대상이 된다고 규정하고 있을 뿐(제9조 제1항) 정보공개청구권자가 공개를 청구하는 정보와 어떤 관련성을 가질 것을 요구하거나 정보공개청구의 목적에 특별한 제한을 두고 있지 아니하므로 정보공개청구권자의 권리구제가능성 등은 정보의 공개 여부 결정에 아무런 영향을 미치지 못한다(대판 2017. 9. 7, 2017두44558).

③ ×

> 구 「공공기관의 정보공개에 관한 법률」 제9조 제1항 제6호 본문에서 정한 '당해 정보에 포함되어 있는 이름·주민등록번호 등 개인에 관한 사항으로서 공개될 경우 개인의 사생활의 비밀 또는 자유를 침해할 우려가 있다고 인정되는 정보'는 이름·주민등록번호 등 정보 형식이나 유형을 기준으로 비공개대상정보에 해당하는지를 판단하는 '개인식별정보'뿐만 아니라 그 외에 정보의 내용을 구체적으로 살펴 '개인에 관한 사항의 공개로 개인의 내밀한 내용의 비밀 등이 알려지게 되고, 그 결과 인격적·정신적 내면생활에 지장을 초래하거나 자유로운 사생활을 영위할 수 없게 될 위험성이 있는 정보'도 포함된다고 새겨야 한다(대판 2012. 6. 18, 2011두2361 전합).

④ ×

> 국민의 정보공개청구가 권리의 남용에 해당하는 것이 명백한 경우, 정보공개청구권의 행사를 허용해야 하는 것은 아니다. 해당 정보를 취득 또는 활용할 의사가 전혀 없이 정보공개제도를 이용하여 사회

통념상 용인될 수 없는 부당한 이득을 얻으려 하거나, 오로지 공공기관의 담당공무원을 괴롭힐 목적으로 정보공개청구를 하는 경우는 권리의 남용에 해당한다.
국민의 정보공개청구는 「공공기관의 정보공개에 관한 법률」 제9조에 정한 비공개대상정보에 해당하지 아니하는 한 원칙적으로 폭넓게 허용되어야 하지만, 실제로는 해당 정보를 취득 또는 활용할 의사가 전혀 없이 정보공개제도를 이용하여 사회통념상 용인될 수 없는 부당한 이득을 얻으려 하거나, 오로지 공공기관의 담당공무원을 괴롭힐 목적으로 정보공개청구를 하는 경우처럼 권리의 남용에 해당하는 것이 명백한 경우에는 정보공개청구권의 행사를 허용하지 아니하는 것이 옳다(대판 2014. 12. 24, 2014두9349).

20 [정답] ②

① ×

정보의 공개에 관하여는 다른 법률에 특별한 규정이 있는 경우에는 「공공기관의 정보공개에 관한 법률」의 적용이 배제되는바 형사소송법 제59조의2는 구 「공공기관의 정보공개에 관한 법률」 제4조 제1항에서 정한 '정보의 공개에 관하여 다른 법률에 특별한 규정이 있는 경우'에 해당한다.
형사소송법 제59조의2의 내용·취지 등을 고려하면, 형사소송법 제59조의2는 형사재판확정기록의 공개 여부나 공개범위, 불복절차 등에 대하여 「공공기관의 정보공개에 관한 법률」(이하 '정보공개법'이라 한다)과 달리 규정하고 있는 것으로 정보공개법 제4조 제1항에서 정한 '정보의 공개에 관하여 다른 법률에 특별한 규정이 있는 경우'에 해당한다. 따라서 형사재판확정기록의 공개에 관하여는 정보공개법에 의한 공개청구가 허용되지 아니한다(대판 2016. 12. 15, 2013두20882).

② ○

지방자치단체의 업무추진비 세부항목별 집행내역 및 그에 관한 증빙서류에 포함된 개인에 관한 정보는 '공개하는 것이 공익을 위하여 필요하다고 인정되는 정보'에 해당하지 않는다(사생활보호를 고려한 판례이다 - 비공개대상).
비공개에 의하여 보호되는 개인의 사생활보호 등의 이익과 공개에 의하여 보호되는 국정운영의 투명성 확보 등의 공익을 비교·교량하여 구체적 사안에 따라 신중히 판단하여야 할 것인바, …… '공개하는 것이 공익을 위하여 필요하다고 인정되는 정보'에 해당하지 않는다고 봄이 상당하다(대판 2003. 3. 11, 2001두6425).

③ ×

사면대상자들의 사면실시건의서와 그와 관련된 국무회의 안건자료에 관한 정보는 구 「공공기관의 정보공개에 관한 법률」에서 정한 비공개사유에 해당하지 않는다(공개대상).
사면대상자들의 사면실시건의서와 그와 관련된 국무회의 안건자료에 관한 정보는 그 공개로 얻는 이익이 그로 인하여 침해되는 당사자들의 사생활의 비밀에 관한 이익보다 더욱 크므로 구 「공공기관의 정보공개에 관한 법률」 제7조(현 제9조) 제1항 제6호에서 정한 비공개사유에 해당하지 않는다(대판 2006. 12. 7, 2005두241).

④ ×

교육공무원의 근무성적평정결과를 공개하지 아니한다고 규정하고 있는 「교육공무원 승진규정」 제26조를 근거로 정보공개청구를 거부하는 것은 위법이다(공개대상).
교육공무원법 제13·14조의 위임에 따라 제정된 교육공무원승진규정은 정보공개에 관한 사항에 관하여 구체적인 법률의 위임에 따라 제정된 명령이라고 할 수 없고, 따라서 「교육공무원 승진규정」 제26조에서 근무성적평정의 결과를 공개하지 아니한다고 규정하고 있다고 하더라도 위 「교육공무원 승진규정」은 「공공기관의 정보공개에 관한 법률」 제9조 제1항 제1호에서 말하는 법률이 위임한 명령에 해당하지 아니하므로 위 규정을 근거로 정보공개청구를 거부하는 것은 잘못이다(대판 2006. 10. 26, 2006두11910).

교육공무원법 제13조【승진】 교육공무원의 승진임용은 같은 종류의 직무에 종사하는 바로 아래 직급의 사람 중에서 대통령령으로 정하는 바에 따라 경력평정, 재교육성적, 근무성적, 그 밖에 실제 증명되는 능력에 의하여 한다.
구 「교육공무원 승진규정」(대통령령) 제26조【평정결과의 비공개】 근무성적평정의 결과는 이를 공개하지 아니한다.

21 [정답] ④

㉮ ○

지방자치단체의 도시공원에 관한 조례에서 규정된 도시공원위원회의 심의사항에 관하여 위 위원회의 심의를 거친 후 시장이나 구청장이 위 사항들에 대한 결정을 대외적으로 공표하기 전에 위 위원회의 회의 관련 자료 및 회의록이 공개된다면 업무의 공정한 수행에 현저한 지장을 초래한다고 할 것이므로, 위 위원회의 심의 후 그 심의사항들에 대한 시장 등의 결정의 대외적 공표행위가 있기 전까지는 위 위원회의 회의 관련 자료 및 회의록은 구 「공공기관의 정보공개에 관한 법률」 제7조 제1항 제5호에서 규정하는 비공개대상정보에 해당한다고 할 것이고, 다만 시장 등의 결정의 대외적 공표행위가 있은 후에는 이를 의사결정과정이나 내부검토과정에 있는 사항이라고 할 수 없고 위 위원회의 회의 관련 자료 및 회의록을 공개하더라도 업무의 공정한 수행에 지장을 초래할 염려가 없으므로, 시장 등의 결정의 대외적 공표행위가 있은 후에는 위 위원회의 회의 관련 자료 및 회의록은 같은 법 제7조 제2항에 의하여 공개대상이 된다고 할 것인바, 지방자치단체의 도시공원에 관한 조례안에서 공개시기 등에 관한 아무런 제한규정 없이 위 위원회의 회의 관련 자료 및 회의록은 공개하여야 한다고 규정하였다면 이는 같은 법 제7조 제1항 제5호에 위반된다고 할 것이다(대판 2000. 5. 30, 99추85).

㉯ ○

「공공기관의 정보공개에 관한 법률」 제5조【정보공개청구권자】
② 외국인의 정보공개청구에 관하여는 대통령령으로 정한다.
「공공기관의 정보공개에 관한 법률 시행령」 제3조【외국인의 정보공개청구】 법 제5조 제2항에 따라 정보공개를 청구할 수 있는 외국인은 다음 각 호의 어느 하나에 해당하는 자로 한다.
1. 국내에 일정한 주소를 두고 거주하거나 학술·연구를 위하여 일시적으로 체류하는 사람
2. 국내에 사무소를 두고 있는 법인 또는 단체

㉰ ✕

> ❶ 어느 법인이 「공공기관의 정보공개에 관한 법률」 제2조 제3호, 같은 법 시행령 제2조 제4호에 따라 정보를 공개할 의무가 있는 '특별법에 의하여 설립된 특수법인'에 해당하는지 여부는 법인에게 부여된 업무 등을 고려하여 개별적으로 판단한다.
> ❷ '한국증권업협회(현 금융투자협회)'는 「공공기관의 정보공개에 관한 법률 시행령」 제2조 제4호의 '특별법에 의하여 설립된 특수법인'에 해당한다고 보기 어렵다(한국증권업협회는 「공공기관의 정보공개에 관한 법률」상의 공공기관이 아니다).
> 어느 법인이 「공공기관의 정보공개에 관한 법률」 제2조 제3호 등에 따라 정보를 공개할 의무가 있는 '특별법에 의하여 설립된 특수법인'에 해당하는가는, 국민의 알권리를 보장하고 국정에 대한 국민의 참여와 국정운영의 투명성을 확보하고자 하는 위 법의 입법목적을 염두에 두고, 당해 법인에게 부여된 업무가 국가행정업무이거나, 이에 해당하지 않더라도 그 업무수행으로써 추구하는 이익이 당해 법인 내부의 이익에 그치지 않고 공동체 전체의 이익에 해당하는 공익적 성격을 갖는지 여부를 중심으로 개별적으로 판단하되 …… 당해 법인에 대하여 직접 정보공개청구를 구할 필요성이 있는지 여부 등을 종합적으로 고려하여야 한다.
> '한국증권업협회'는 증권회사 상호 간의 업무질서를 유지하고 유가증권의 공정한 매매거래 및 투자자보호를 위하여 일정 규모 이상인 증권회사 등으로 구성된 회원조직으로서, 증권거래법 또는 그 법에 의한 명령에 대하여 특별한 규정이 있는 것을 제외하고는 민법 중 사단법인에 관한 규정을 준용받는 점, 그 업무가 국가기관 등에 준할 정도로 공동체 전체의 이익에 중요한 역할이나 기능에 해당하는 공공성을 갖는다고 볼 수 없는 점 등에 비추어, 「공공기관의 정보공개에 관한 법률 시행령」 제2조 제4호의 '특별법에 의하여 설립된 특수법인'에 해당한다고 보기 어렵다(대판 2010. 4. 29, 2008두5643).

㉱ ✕

> 「공공기관의 정보공개에 관한 법률」 제2조【정의】이 법에서 사용하는 용어의 뜻은 다음과 같다.
> 3. '공공기관'이란 다음 각 목의 기관을 말한다.
>   마. 그 밖에 대통령령으로 정하는 기관
>
> 「공공기관의 정보공개에 관한 법률 시행령」 제2조【공공기관의 범위】「공공기관의 정보공개에 관한 법률」(이하 '법'이라 한다) 제2조 제3호 마목에서 '대통령령으로 정하는 기관'이란 다음 각 호의 기관 또는 단체를 말한다.
> 5. 사회복지사업법 제42조 제1항에 따라 국가나 지방자치단체로부터 보조금을 받는 사회복지법인과 사회복지사업을 하는 비영리법인

22

[정답] ②

㉮ ○ 정보공개에 관한 조례는 주민의 권리 제한 또는 의무 부과에 관한 조례가 아니므로 법률의 위임이 없더라도 조례를 제정할 수 있다.

> 청주시의회에서 의결한 청주시 행정정보공개조례안은 주민의 권리를 제한하거나 의무를 부과하는 조례라고는 단정할 수 없어 그 제정에 있어서 반드시 법률의 개별적 위임이 따로 필요한 것은 아니다. 지방자치단체는 그 내용이 주민의 권리의 제한 또는 의무의 부과에 관한 사항이거나 벌칙에 관한 사항이 아닌 한 법률의 위임이 없더라도 조례를 제정할 수 있다 할 것인데 청주시의회에서 의결한 청주시 행정정보공개조례안은 행정에 대한 주민의 알권리의 실현을 그 근본내용으로 하면서도 이로 인한 개인의 권익침해가능성을 배제하고 있으므로, 이를 들어 주민의 권리를 제한하거나 의무를 부과하는 조례라고는 단정할 수 없고 따라서 그 제정에 있어서 반드시 법률의 개별적 위임이 따로 필요한 것은 아니다(대판 1992. 6. 23, 92추17).

> 지방자치법 제28조【조례】지방자치단체는 법령의 범위에서 그 사무에 관하여 조례를 제정할 수 있다. 다만, 주민의 권리 제한 또는 의무 부과에 관한 사항이나 벌칙을 정할 때에는 법률의 위임이 있어야 한다.
>
> 「공공기관의 정보공개에 관한 법률」 제4조【적용범위】② 지방자치단체는 그 소관 사무에 관하여 법령의 범위에서 정보공개에 관한 조례를 정할 수 있다.

㉯ ✕ 사립유치원은 공공기관의 정보공개에 관한 법령상의 공공기관에 해당한다.

> 「공공기관의 정보공개에 관한 법률」 제2조【정의】이 법에서 사용하는 용어의 뜻은 다음과 같다.
> 3. '공공기관'이란 다음 각 목의 기관을 말한다.
>   마. 그 밖에 대통령령으로 정하는 기관
>
> 「공공기관의 정보공개에 관한 법률 시행령」 제2조【공공기관의 범위】「공공기관의 정보공개에 관한 법률」 제2조 제3호 마목에서 '대통령령으로 정하는 기관'이란 다음 각 호의 기관 또는 단체를 말한다.
> 1. 유아교육법, 초·중등교육법, 고등교육법에 따른 각급 학교 또는 그 밖의 다른 법률에 따라 설치된 학교

㉰ ○

> 「공공기관의 정보공개에 관한 법률」 제5조【정보공개청구권자】① 모든 국민은 정보의 공개를 청구할 권리를 가진다.

> 정보공개청구권을 가지는 국민에는 자연인, 법인, 법인격 없는 사단 등이 모두 포함되며 법인, 법인격 없는 사단 등의 경우에는 설립목적을 불문한다(대판 2003. 12. 12, 2003두8050).

㉱ ✕

> 알권리에서 파생되는 정부의 공개의무는, 특별한 사정이 없는 한 특정의 정보에 대한 공개청구가 있는 경우에야 비로소 존재한다(헌재 2004. 12. 16, 2002헌마579).

23

[정답] ②

㉮ ✕ 정보공개청구권을 가지는 국민에는 자연인뿐만 아니라 법인, 법인격 없는(권리능력 없는) 사단·재단도 포함된다는 것이 판례의 입장이며, 또한 이해관계 유무를 불문하므로 시민단체 등에 의한 행정감시목적의 정보공개청구도 가능하다. 한편, 지방자치단체는 법인이기는 하지만 정보공개의무자에 해당할 뿐 정보공개청구권자인 국민에는 해당하지 않는다.

> 「공공기관의 정보공개에 관한 법률」 제5조【정보공개청구권자】① 모든 국민은 정보의 공개를 청구할 권리를 가진다.

> 정보공개청구권을 가지는 국민에는 자연인, 법인, 법인격 없는 사단 등이 모두 포함되며 법인, 법인격 없는 사단 등의 경우에는 설립목적을 불문한다(대판 2003. 12. 12, 2003두8050).

㈏ ○ 정보공개청구권 자체가 법률상 보호되는 구체적 권리이므로 정보공개를 청구하였다가 공개거부처분을 받은 자는 개인적 이해관계와 상관없이 공개거부로 권리를 침해받으므로 당연히 공개거부를 다툴 원고적격을 가진다는 것이 판례의 입장이다.

> 정보공개를 청구하였다가 거부처분을 받은 것 자체가 법률상 이익의 침해에 해당한다(대판 2004. 8. 20, 2003두8302).

㈐ ○

> 「공공기관의 정보공개에 관한 법률」 제2조 【정의】 이 법에서 사용하는 용어의 뜻은 다음과 같다.
> 3. '공공기관'이란 다음 각 목의 기관을 말한다.
>   마. 그 밖에 대통령령으로 정하는 기관
>
> 「공공기관의 정보공개에 관한 법률 시행령」 제2조 【공공기관의 범위】 「공공기관의 정보공개에 관한 법률」(이하 '법'이라 한다) 제2조 제3호 마목에서 '대통령령으로 정하는 기관'이란 다음 각 호의 기관 또는 단체를 말한다.
> 1. 유아교육법, 초·중등교육법, 고등교육법에 따른 각급 학교 또는 그 밖의 다른 법률에 따라 설치된 학교

> ❶ 구 「공공기관의 정보공개에 관한 법률 시행령」 제2조 제1호가 정보공개의무를 지는 공공기관의 하나로 사립대학교를 들고 있는 것이 모법의 위임범위를 벗어났다거나 사립대학교가 국비의 지원을 받는 범위 내에서만 공공기관의 성격을 가진다고 볼 수 없다(사립대학교는 「공공기관의 정보공개에 관한 법률」상의 공공기관이다).
> ❷ 사립대학교에 정보공개를 청구하였다가 거부되면 사립대학교 총장을 피고로 하여 취소소송을 제기할 수 있다(대판 2006. 8. 24, 2004두2783).

㈑ ✕

> 공공기관이 공개를 구하는 정보의 폐기 등으로 인해 보유·관리하고 있지 아니한 경우, 정보공개거부처분의 취소를 구할 법률상 이익이 없다(대판 2003. 4. 25, 2000두7087).

㈒ ✕

> 공공기관이 보유·관리하고 있는 정보가 제3자와 관련이 있는 경우, 제3자가 비공개를 요청하였다고 하여 「공공기관의 정보공개에 관한 법률」상 정보의 비공개사유에 해당하는 것은 아니다.
> 「공공기관의 정보공개에 관한 법률」(이하 '정보공개법'이라 한다) 제3조 제1항은 "공공기관이 보유·관리하는 정보는 공개대상이 된다. 다만, 다음 각 호의 1에 해당하는 정보에 대하여는 이를 공개하지 아니할 수 있다."고 규정하고 있는바, 정보공개법의 입법취지 및 위와 같은 규정형식에 비추어 보면, 여기에서 말하는 공공기관이 보유·관리하는 정보라 함은 당해 공공기관이 작성하여 보유·관리하고 있는 정보뿐만 아니라 경위를 불문하고 당해 공공기관이 보유·관리하고 있는 모든 정보를 의미한다고 할 것이므로, 제3자와 관련이 있는 정보라고 하더라도 당해 공공기관이 이를 보유·관리하고 있는 이상 정보공개법 제9조 제1항 단서 각 호의 비공개사유에 해당하지 아니하면 정보공개의 대상이 되는 정보에 해당한다고 보아야 할 것이다(대판 2008. 9. 5, 2008두8680).

24 [정답] ②

㈎ ○

> 법률이 위임한 명령은 정보의 공개에 관하여 법률의 구체적인 위임 아래 제정된 법규명령(위임명령)을 의미한다.
> 「공공기관의 정보공개에 관한 법률」 제1·3조, 헌법 제37조의 각 취지와 행정입법으로는 법률이 구체적으로 범위를 정하여 위임한 범위 안에서만 국민의 자유와 권리에 관련된 규율을 정할 수 있는 점 등을 고려할 때, 구 「공공기관의 정보공개에 관한 법률」 제7조 제1항 제1호 소정의 '법률에 의한 명령'은 법률의 위임규정에 의하여 제정된 대통령령, 총리령, 부령 전부를 의미한다기보다는 정보의 공개에 관하여 법률의 구체적인 위임 아래 제정된 법규명령(위임명령)을 의미한다(대판 2003. 12. 11, 2003두8395).

㈏ ✕

> (형식은 법무부령인) 검찰보존사무규칙의 법적 성질은 행정규칙으로서 그 규칙에서 불기소사건기록 등의 열람·등사를 제한하는 것은 구 「공공기관의 정보공개에 관한 법률」 제7조 제1항 제1호의 '다른 법률 또는 법률에 의한 명령에 의하여 비공개사항으로 규정된 경우'에 해당하지 않는다(대판 2004. 9. 23, 2003두1370).

㈐ ○

> '학교폭력대책자치위원회 회의록'은 「공공기관의 정보공개에 관한 법률」 제9조 제1항 제1호 및 제5호의 비공개대상정보에 해당한다(비공개대상).
> 학교폭력대책자치위원회가 피해학생의 보호를 위한 조치, 가해학생에 대한 조치, 학교폭력과 관련된 분쟁의 조정 등에 관하여 심의한 결과를 기재한 회의록은 「공공기관의 정보공개에 관한 법률」 제9조 제1항 제5호의 '공개될 경우 업무의 공정한 수행에 현저한 지장을 초래한다고 인정할 만한 상당한 이유가 있는 정보'에 해당한다(대판 2010. 6. 10, 2010두2913).

㈑ ○

> 외교부장관이 '2015. 12. 28. 일본군위안부 피해자 합의와 관련하여 한일 외교장관 공동 발표문의 문안을 도출하기 위하여 진행한 협의 협상에서 일본군과 관헌에 의한 위안부 강제연행의 존부 및 사실인정 문제에 대해 협의한 협상 관련 외교부장관 생산 문서'에 대한 정보공개청구에 대해 "공개청구정보가 「공공기관의 정보공개에 관한 법률」 제9조 제1항 제2호에 해당한다."는 이유로 비공개결정을 한 것은 적법하다(대판 2023. 6. 1, 2019두41324).

㈒ ✕

> 보안관찰법 소정의 보안관찰처분 관련 통계자료는 공개될 경우 국가의 중대한 이익을 해할 우려가 있는 정보 등에 해당한다(비공개대상)(대판 2004. 3. 18, 2001두8254 전합).

25 [정답] ②

① ✗

> ❶ 법인 등이 거래하는 금융기관의 계좌번호에 관한 정보는 법인 등의 영업상 비밀에 관한 사항으로서 공개될 경우 법인 등의 정당한 이익을 현저히 해할 우려가 있다고 인정되는 정보에 해당한다(비공개대상).
> ❷ 법인 등의 상호, 단체명, 영업소명, 사업자등록번호 등에 관한 정보는 법인 등의 영업상 비밀에 관한 사항으로서 공개될 경우 법인 등의 정당한 이익을 현저히 해할 우려가 있다고 인정되는 정보에 해당하지 아니한다(공개대상)(대판 2004. 8. 20, 2003두8302).

② ○

> 「공공기관의 정보공개에 관한 법률」 제13조【정보공개 여부 결정의 통지】② 공공기관은 청구인이 사본 또는 복제물의 교부를 원하는 경우에는 이를 교부하여야 한다.
> ③ 공공기관은 공개대상정보의 양이 너무 많아 정상적인 업무수행에 현저한 지장을 초래할 우려가 있는 경우에는 해당 정보를 일정 기간별로 나누어 제공하거나 사본·복제물의 교부 또는 열람과 병행하여 제공할 수 있다.

③ ✗

> ❶ 정보공개청구인에게 특정한 정보공개방법을 지정하여 청구할 수 있는 법령상 신청권이 있다.
> ❷ 공공기관이 공개청구의 대상이 된 정보를 청구인이 신청한 공개방법 이외의 방법으로 공개하기로 하는 결정을 한 경우, 정보공개방법에 관한 부분에 대하여 일부 거부처분을 한 것이며 이에 대하여 항고소송으로 다툴 수 있다.
> 공공기관이 공개청구의 대상이 된 정보를 공개는 하되, 청구인이 신청한 공개방법 이외의 방법으로 공개하기로 하는 결정을 하였다면, 이는 정보공개청구 중 정보공개방법에 관한 부분에 대하여 일부 거부처분을 한 것이고, 청구인은 그에 대하여 항고소송으로 다툴 수 있다(대판 2016. 11. 10, 2016두44674).

④ ✗

> 법원이 행정기관의 정보공개거부처분의 위법 여부를 심리한 결과 공개를 거부한 정보에 비공개사유에 해당하는 부분과 그렇지 않은 부분이 혼합되어 있고, 공개청구의 취지에 어긋나지 않는 범위 안에서 두 부분을 분리할 수 있음을 인정할 수 있을 때에는 공개가 가능한 정보에 국한하여 일부취소를 명할 수 있다(대판 2009. 12. 10, 2009두12785).

> 「공공기관의 정보공개에 관한 법률」 제14조【부분공개】 공개청구한 정보가 제9조 제1항 각 호의 어느 하나에 해당하는 부분과 공개 가능한 부분이 혼합되어 있는 경우로서 공개청구의 취지에 어긋나지 아니하는 범위에서 두 부분을 분리할 수 있는 경우에는 제9조 제1항 각 호의 어느 하나에 해당하는 부분을 제외하고 공개하여야 한다.

제 9 회 | 소방 단원별 모의고사 정답과 해설

출제 범위: 제22강 정보공개법~제24강 행정상 강제집행(대집행 등)   문제 p.181

01	02	03	04	05
②	③	③	④	④
06	07	08	09	10
④	④	②	①	②
11	12	13	14	15
④	④	④	③	④
16	17	18	19	20
①	③	②	②	④
21	22	23	24	25
③	②	③	④	④

01 [정답] ②

㉠ ○

> 「공공기관의 정보공개에 관한 법률」에서 말하는 공개대상정보는 정보 그 자체가 아닌 「공공기관의 정보공개에 관한 법률」 제2조 제1호에서 예시하고 있는 매체 등에 기록된 사항을 의미한다(대판 2013. 1. 24, 2010두18918).

> 「공공기관의 정보공개에 관한 법률」 제2조【정의】이 법에서 사용하는 용어의 뜻은 다음과 같다.
> 1. '정보'란 공공기관이 직무상 작성 또는 취득하여 관리하고 있는 문서(전자문서를 포함한다. 이하 같다) 및 전자매체를 비롯한 모든 형태의 매체 등에 기록된 사항을 말한다.

㉡ × ㉢ ○

> ❶ '진행 중인 재판에 관련된 정보'에 해당한다는 사유로 정보공개를 거부하기 위하여는 반드시 그 정보가 진행 중인 재판의 소송기록 자체에 포함된 내용일 필요는 없다(②).
> ❷ '진행 중인 재판에 관련된 정보'란 재판에 관련된 일체의 정보가 그에 해당하는 것은 아니고 진행 중인 재판의 심리 또는 재판결과에 구체적으로 영향을 미칠 위험이 있는 정보에 한정된다고 보는 것이 타당하다(③)(대판 2011. 11. 24, 2009두19021).

> 「공공기관의 정보공개에 관한 법률」 제9조【비공개대상정보】
> ① 공공기관이 보유·관리하는 정보는 공개대상이 된다. 다만, 다음 각 호의 어느 하나에 해당하는 정보는 공개하지 아니할 수 있다.
> 4. 진행 중인 재판에 관련된 정보와 범죄의 예방, 수사, 공소의 제기 및 유지, 형의 집행, 교정(矯正), 보안처분에 관한 사항으로서 공개될 경우 그 직무수행을 현저히 곤란하게 하거나 형사피고인의 공정한 재판을 받을 권리를 침해한다고 인정할 만한 상당한 이유가 있는 정보

㉣ ○

> 「공공기관의 정보공개에 관한 법률」 제13조【정보공개 여부 결정의 통지】① 공공기관은 제11조에 따라 정보의 공개를 결정한 경우에는 공개의 일시 및 장소 등을 분명히 밝혀 청구인에게 통지하여야 한다.
> ④ 공공기관은 제1항에 따라 정보를 공개하는 경우에 그 정보의 원본이 더럽혀지거나 파손될 우려가 있거나 그 밖에 상당한 이유가 있다고 인정할 때에는 그 정보의 사본·복제물을 공개할 수 있다.

02 [정답] ③

㉠ ○

> 「공공기관의 정보공개에 관한 법률」 제9조【비공개대상정보】
> ① 공공기관이 보유·관리하는 정보는 공개대상이 된다. 다만, 다음 각 호의 어느 하나에 해당하는 정보는 공개하지 아니할 수 있다.
> 8. 공개될 경우 부동산 투기, 매점매석 등으로 특정인에게 이익 또는 불이익을 줄 우려가 있다고 인정되는 정보

㉡ ×

> 한국방송공사(KBS)는 정보공개의무가 있는 공공기관에 해당한다. 방송법이라는 특별법에 의하여 설립·운영되는 한국방송공사(KBS)는 「공공기관의 정보공개에 관한 법률 시행령」 제2조 제4호의 '특별법에 의하여 설립된 특수법인'으로서 정보공개의무가 있는 「공공기관의 정보공개에 관한 법률」 제2조 제3호의 '공공기관'에 해당한다(대판 2010. 12. 23, 2008두13101).

㉢ ○

> 「공공기관의 정보공개에 관한 법률」 제15조【정보의 전자적 공개】① 공공기관은 전자적 형태로 보유·관리하는 정보에 대하여 청구인이 전자적 형태로 공개하여 줄 것을 요청하는 경우에는 그 정보의 성질상 현저히 곤란한 경우를 제외하고는 청구인의 요청에 따라야 한다.

㉣ ×

> 「공공기관의 정보공개에 관한 법률」 제17조【비용부담】① 정보의 공개 및 우송 등에 드는 비용은 실비(實費)의 범위에서 청구인이 부담한다.
> ② 공개를 청구하는 정보의 사용목적이 공공복리의 유지·증진을 위하여 필요하다고 인정되는 경우에는 제1항에 따른 비용을 감면할 수 있다.

03 정답 ③

① ○

> 공무원이 '직무와 관련 없이' 개인적인 자격으로 간담회·연찬회 등 행사에 참석하고 금품을 수령한 정보는 구 「공공기관의 정보공개에 관한 법률」 제7조(현 제9조) 제1항 제6호 단서 (다)목 소정의 '공개하는 것이 공익을 위하여 필요하다고 인정되는 정보'에 해당하지 않는다(비공개대상)(대판 2003. 12. 12, 2003두8050).

② ○

> [甲이 친족인 망 乙 등에 대한 독립유공자 포상신청을 하였다가 독립유공자서훈 공적심사위원회의 심사를 거쳐 포상에 포함되지 못하였다는 내용의 공적심사 결과를 통지받자 국가보훈처장(현 국가보훈부장관)에게 '망인들에 대한 독립유공자서훈 공적심사위원회의 심의·의결 과정 및 그 내용을 기재한 회의록' 등의 공개를 청구하였는데, 국가보훈처장이 공개할 수 없다는 통보를 한 사안에서] 독립유공자서훈 공적심사위원회의 심의·의결과정 및 그 내용을 기재한 회의록은 「공공기관의 정보공개에 관한 법률」 제9조 제1항 제5호에서 정한 '공개될 경우 업무의 공정한 수행에 현저한 지장을 초래한다고 인정할 만한 상당한 이유가 있는 정보'에 해당한다. 공적심사위원회의 심사에는 심사위원들의 전문적·주관적 판단이 상당 부분 개입될 수밖에 없는 심사의 본질에 비추어 공개를 염두에 두지 않은 상태에서의 심사가 그렇지 않은 경우보다 더 자유롭고 활발한 토의를 거쳐 객관적이고 공정한 심사 결과에 이를 개연성이 큰 점 등 위 회의록 공개에 의하여 보호되는 알권리의 보장과 비공개에 의하여 보호되는 업무수행의 공정성 등의 이익 등을 비교·교량해 볼 때, 위 회의록은 「공공기관의 정보공개에 관한 법률」 제9조 제1항 제5호에서 정한 '공개될 경우 업무의 공정한 수행에 현저한 지장을 초래한다고 인정할 만한 상당한 이유가 있는 정보'에 해당함에도 이와 달리 본 원심판결에 비공개대상정보에 관한 법리를 오해한 위법이 있다(대판 2014. 7. 24, 2013두20301).

③ ×

> 「공공기관의 정보공개에 관한 법률」상 비공개대상정보의 입법취지에 비추어 살펴보면, 같은 법 제7조 제1항 제5호(편저자 주 : 개정 전의 조문내용이고 현재는 제9조 제1항에 해당한다)의 '감사·감독·검사·시험·규제·입찰계약·기술개발·인사관리·의사결정과정 또는 내부검토과정에 있는 사항'은 비공개대상정보를 예시적으로 열거한 것이라고 할 것이므로 의사결정과정에 제공된 회의 관련 자료나 의사결정과정이 기록된 회의록 등은 의사가 결정되거나 의사가 집행된 경우에는 더 이상 의사결정과정에 있는 사항 그 자체라고는 할 수 없으나, 의사결정과정에 있는 사항에 준하는 사항으로서 비공개대상정보에 포함될 수 있다(대판 2003. 8. 22, 2002두12946).

④ ○

> 불기소처분기록이나 내사기록 중 피의자신문조서 등 조서에 기재된 피의자 등의 인적 사항 이외의 진술내용이 개인의 사생활의 비밀 또는 자유를 침해할 우려가 인정되는 경우 「공공기관의 정보공개에 관한 법률」 제9조 제1항 제6호 본문에서 정한 비공개대상정보에 해당한다(대판 2017. 9. 7, 2017두44558).

04 정답 ④

㉮ ○ 정보공개청구권을 가지는 국민에는 단체도 포함되며 이해관계 유무를 불문하므로 사례의 충주환경운동연합과 같은 시민단체에 의한 행정감시목적의 정보공개청구도 가능하다.

㉯ ×

> 「공공기관의 정보공개에 관한 법률」 제10조 【정보공개의 청구방법】 ① 정보의 공개를 청구하는 자(이하 '청구인'이라 한다)는 해당 정보를 보유하거나 관리하고 있는 공공기관에 다음 각 호의 사항을 적은 정보공개청구서를 제출하거나 말로써 정보의 공개를 청구할 수 있다.
> 1. 청구인의 성명·생년월일·주소 및 연락처(전화번호·전자우편주소 등을 말한다. 이하 이 조에서 같다). 다만, 청구인이 법인 또는 단체인 경우에는 그 명칭, 대표자의 성명, 사업자등록번호 또는 이에 준하는 번호, 주된 사무소의 소재지 및 연락처를 말한다.
> 2. 청구인의 주민등록번호(본인임을 확인하고 공개 여부를 결정할 필요가 있는 정보를 청구하는 경우로 한정한다)
> 3. 공개를 청구하는 정보의 내용 및 공개방법

㉰ ○

> 「공공기관의 정보공개에 관한 법률」 제11조 【정보공개 여부의 결정】 ① 공공기관은 제10조에 따라 정보공개의 청구를 받으면 그 청구를 받은 날부터 10일 이내에 공개 여부를 결정하여야 한다.
> ② 공공기관은 부득이한 사유로 제1항에 따른 기간 이내에 공개 여부를 결정할 수 없을 때에는 그 기간이 끝나는 날의 다음 날부터 기산(起算)하여 10일의 범위에서 공개 여부 결정기간을 연장할 수 있다. 이 경우 공공기관은 연장된 사실과 연장사유를 청구인에게 지체 없이 문서로 통지하여야 한다.

㉱ ×

> 「공공기관의 정보공개에 관한 법률」 제13조 【정보공개 여부 결정의 통지】 ① 공공기관은 제11조에 따라 정보의 공개를 결정한 경우에는 공개의 일시 및 장소 등을 분명히 밝혀 청구인에게 통지하여야 한다.
> ⑤ 공공기관은 제11조에 따라 정보의 비공개결정을 한 경우에는 그 사실을 청구인에게 지체 없이 문서로 통지하여야 한다. 이 경우 제9조 제1항 각 호 중 어느 규정에 해당하는 비공개대상정보인지를 포함한 비공개이유와 불복(不服)의 방법 및 절차를 구체적으로 밝혀야 한다.

㉲ ×

> 甲이 재판기록 일부의 정보공개를 청구한 데 대하여 서울행정법원장이 민사소송법 제162조를 이유로 소송기록의 정보를 비공개한다는 결정을 전자문서로 통지한 사안에서, '문서'에 '전자문서'를 포함한다고 규정한 구 「공공기관의 정보공개에 관한 법률」 제2조와 정보의 비공개결정을 '문서'로 통지하도록 정한 구 「공공기관의 정보공개에 관한 법률」 제13조 제4항(현 제5항)의 규정에 의하면 정보의 비공개결정은 전자문서로 통지할 수 있다(대판 2014. 4. 10, 2012두17384).

「공공기관의 정보공개에 관한 법률」제2조【정의】이 법에서 사용하는 용어의 뜻은 다음과 같다.
1. '정보'란 공공기관이 직무상 작성 또는 취득하여 관리하고 있는 문서(전자문서를 포함한다. 이하 같다) 및 전자매체를 비롯한 모든 형태의 매체 등에 기록된 사항을 말한다.

05
정답 ④

① ○

외국 또는 외국기관으로부터 비공개를 전제로 정보를 입수하였다는 이유만으로 이를 공개할 경우 업무의 공정한 수행에 현저한 지장을 받을 것이라고 단정할 수는 없다. 다만, 위와 같은 사정은 정보 제공자와의 관계, 정보 제공자의 의사, 정보의 취득 경위, 정보의 내용 등과 함께 업무의 공정한 수행에 현저한 지장이 있는지를 판단할 때 고려하여야 할 형량 요소이다(대판 2018. 9. 28, 2017두69892).

② ○

「공공기관의 정보공개에 관한 법률」(이하 '정보공개법'이라 한다) 제9조 제1항 제5호에서 비공개대상정보로 규정하고 있는 '감사·감독·검사·시험·규제·입찰계약·기술개발·인사관리·의사결정과정 또는 내부검토과정에 있는 사항 등으로서 공개될 경우 업무의 공정한 수행에 현저한 지장을 초래한다고 인정할 만한 상당한 이유가 있는 정보'란 정보공개법 제1조의 정보공개제도의 목적 및 정보공개법 제9조 제1항 제5호에 따른 비공개대상정보의 입법취지에 비추어 볼 때, 공개될 경우 업무의 공정한 수행이 객관적으로 현저하게 지장을 받을 것이라는 고도의 개연성이 존재하는 경우를 말한다(대판 2012. 10. 11, 2010두18758).

③ ○

「공공기관의 정보공개에 관한 법률」제9조【비공개대상정보】
① 공공기관이 보유·관리하는 정보는 공개대상이 된다. 다만, 다음 각 호의 어느 하나에 해당하는 정보는 공개하지 아니할 수 있다.
5. 감사·감독·검사·시험·규제·입찰계약·기술개발·인사관리에 관한 사항이나 의사결정과정 또는 내부검토과정에 있는 사항 등으로서 공개될 경우 업무의 공정한 수행이나 연구·개발에 현저한 지장을 초래한다고 인정할 만한 상당한 이유가 있는 정보. 다만, 의사결정과정 또는 내부검토과정을 이유로 비공개할 경우에는 제13조 제5항에 따라 통지를 할 때 의사결정과정 또는 내부검토과정의 단계 및 종료 예정일을 함께 안내하여야 하며, 의사결정과정 및 내부검토과정이 종료되면 제10조에 따른 청구인에게 이를 통지하여야 한다.

④ ✕

「공공기관의 정보공개에 관한 법률」제11조의2【반복 청구 등의 처리】① 공공기관은 제11조에도 불구하고 제10조 제1항 및 제2항에 따른 정보공개청구가 다음 각 호의 어느 하나에 해당하는 경우에는 정보공개청구대상정보의 성격, 종전 청구와의 내용적 유사성·관련성, 종전 청구와 동일한 답변을 할 수밖에 없는 사정 등을 종합적으로 고려하여 해당 청구를 종결처리할 수 있다. 이 경우 종결처리 사실을 청구인에게 알려야 한다.
1. 정보공개를 청구하여 정보공개 여부에 대한 결정의 통지를 받은 자가 정당한 사유 없이 해당 정보의 공개를 다시 청구하는 경우
2. 정보공개청구가 제11조 제5항에 따라 민원으로 처리되었거나 다시 같은 청구를 하는 경우

06
정답 ④

① ○

(아파트 택지조성원가, 분양원가 등 정보공개청구 사건에서 공개를 청구한 정보의 내용 중 '관련 자료 일체' 부분은 그 내용과 범위가 정보공개청구대상정보로서 특정되지 않았다고 하면서)「공공기관의 정보공개에 관한 법률」에 따른 정보공개청구시 청구대상정보를 기재함에 있어서는 사회일반인의 관점에서 청구대상정보의 내용과 범위를 확정할 수 있을 정도로 특정함을 요한다(대판 2007. 6. 1, 2007두2555).

② ○

정보공개를 청구하는 자가 공공기관에 대해 정보의 사본 또는 출력물의 교부방법으로 공개방법을 선택하여 정보공개청구를 한 경우, 공개청구를 받은 공공기관은 그 공개방법을 선택할 재량권이 없다. 정보공개를 청구하는 자가 공공기관에 대해 정보의 사본 또는 출력물의 교부의 방법으로 공개방법을 선택하여 정보공개청구를 한 경우에 공개청구를 받은 공공기관으로서는 구「공공기관의 정보공개에 관한 법률」제8조 제2항(현 제13조 제3항)에서 규정한 정보의 사본 또는 복제물의 교부를 제한할 수 있는 사유에 해당하지 않는 한 정보공개청구자가 선택한 공개방법에 따라 정보를 공개하여야 하므로 그 공개방법을 선택할 재량권이 없다고 해석함이 상당하다(대판 2003. 12. 12, 2003두8050).

「공공기관의 정보공개에 관한 법률」제13조【정보공개 여부 결정의 통지】② 공공기관은 청구인이 사본 또는 복제물의 교부를 원하는 경우에는 이를 교부하여야 한다.
③ 공공기관은 공개대상정보의 양이 너무 많아 정상적인 업무수행에 현저한 지장을 초래할 우려가 있는 경우에는 해당 정보를 일정 기간별로 나누어 제공하거나 사본·복제물의 교부 또는 열람과 병행하여 제공할 수 있다.

③ ○ 정보공개위원회는 종래 국무총리 소속이었으나 2023년 개정으로 행정안전부장관 소속으로 변경되었다.

「공공기관의 정보공개에 관한 법률」제22조【정보공개위원회의 설치】다음 각 호의 사항을 심의·조정하기 위하여 행정안전부장관 소속으로 정보공개위원회(이하 '위원회'라 한다)를 둔다.
1. 정보공개에 관한 정책수립 및 제도개선에 관한 사항
2. 정보공개에 관한 기준수립에 관한 사항
3. 제12조에 따른 심의회 심의결과의 조사·분석 및 심의기준 개선 관련 의견제시에 관한 사항
4. 제24조 제2항 및 제3항에 따른 공공기관의 정보공개 운영실태 평가 및 그 결과처리에 관한 사항
5. 정보공개와 관련된 불합리한 제도·법령 및 그 운영에 대한 조사 및 개선권고에 관한 사항
6. 그 밖에 정보공개에 관하여 대통령령으로 정하는 사항

④ ✕ 정보공개청구에 대한 공공기관의 정보공개의 거부는 항고소송의 대상이 되는 처분이다. 정보공개거부처분 취소소송의 피고도 일반적인 항고소송과 동일하게 행정청이 피고적격을 가지며, 정보공개심의회가 피고가 되는 것은 아니다.

07 정답 ④

㉮㉯ ✕ ㉱㉲ ○

> 「공공기관의 정보공개에 관한 법률」 제11조【정보공개 여부의 결정】③ 공공기관은 공개청구된 공개대상정보의 전부 또는 일부가 제3자와 관련이 있다고 인정할 때에는 그 사실을 제3자에게 지체 없이 통지하여야 하며, 필요한 경우에는 그의 의견을 들을 수 있다(㉮).
>
> 제21조【제3자의 비공개 요청 등】① 제11조 제3항에 따라 공개청구된 사실을 통지받은 제3자는 그 통지를 받은 날부터 3일 이내에 해당 공공기관에 대하여 자신과 관련된 정보를 공개하지 아니할 것을 요청할 수 있다(㉯).
> ② 제1항에 따른 비공개요청에도 불구하고 공공기관이 공개결정을 할 때에는 공개결정이유와 공개실시일을 분명히 밝혀 지체 없이 문서로 통지하여야 하며(㉱), 제3자는 해당 공공기관에 문서로 이의신청을 하거나 행정심판 또는 행정소송을 제기할 수 있다. 이 경우 이의신청은 통지를 받은 날부터 7일 이내에 하여야 한다.
> ③ 공공기관은 제2항에 따른 공개결정일과 공개실시일 사이에 최소한 30일의 간격을 두어야 한다(㉲).

㉰ ✕

> 「공공기관의 정보공개에 관한 법률」 제18조【이의신청】① 청구인이 정보공개와 관련한 공공기관의 비공개결정 또는 부분공개결정에 대하여 불복이 있거나 정보공개청구 후 20일이 경과하도록 정보공개결정이 없는 때에는 공공기관으로부터 정보공개 여부의 결정통지를 받은 날 또는 정보공개청구 후 20일이 경과한 날부터 30일 이내에 해당 공공기관에 문서로 이의신청을 할 수 있다.

㉳ ○

> 「공공기관의 정보공개에 관한 법률」 제19조【행정심판】② 청구인은 제18조에 따른 이의신청절차를 거치지 아니하고 행정심판을 청구할 수 있다.

08 정답 ②

㉮ ✕

> 공개청구의 대상이 되는 정보가 이미 다른 사람에게 공개되어 널리 알려져 있다거나 인터넷이나 관보 등을 통하여 공개되어 인터넷 검색이나 도서관에서의 열람 등을 통하여 쉽게 알 수 있다고 하여 소의 이익이 없다고 볼 수 없고 비공개결정이 정당화될 수도 없다(대판 2008. 11. 27, 2005두15694).

㉯ ○

> 「공공기관의 정보공개에 관한 법률」 제14조【부분공개】 공개청구한 정보가 제9조 제1항 각 호의 어느 하나에 해당하는 부분과 공개 가능한 부분이 혼합되어 있는 경우로서 공개청구의 취지에 어긋나지 아니하는 범위에서 두 부분을 분리할 수 있는 경우에는 제9조 제1항 각 호의 어느 하나에 해당하는 부분을 제외하고 공개하여야 한다.

> ❶ 법원이 행정기관의 정보공개거부처분의 위법 여부를 심리한 결과 공개를 거부한 정보에 비공개사유에 해당하는 부분과 그렇지 않은 부분이 혼합되어 있고, 공개청구의 취지에 어긋나지 않는 범위 안에서 두 부분을 분리할 수 있음을 인정할 수 있을 때에는 공개가 가능한 정보에 국한하여 일부취소를 명할 수 있다(대판 2009. 12. 10, 2009두12785).
> ❷ 비공개대상정보에 해당하는 부분과 공개가 가능한 부분이 구별되고 이를 분리할 수 있는 경우, 판결의 주문에 행정청의 위 거부처분 중 공개가 가능한 정보에 관한 부분만을 취소한다고 표시하여야 한다(대판 2003. 3. 11, 2001두6425).

㉰ ○

> 「공공기관의 정보공개에 관한 법률」 제20조【행정소송】② 재판장은 필요하다고 인정하면 당사자를 참여시키지 아니하고 제출된 공개청구정보를 비공개로 열람·심사할 수 있다.

㉱ ✕

> 청구인이 정보공개거부처분의 취소를 구하는 소송에서 공공기관이 청구정보를 증거 등으로 법원에 제출하여 법원을 통하여 그 사본을 청구인에게 교부 또는 송달되게 하여 결과적으로 청구인에게 정보를 공개하는 셈이 되었다고 하더라도, 이러한 우회적인 방법은 정보공개법이 예정하고 있지 아니한 방법으로서 「공공기관의 정보공개에 관한 법률」에 의한 공개라고 볼 수는 없으므로, 당해 정보의 비공개결정의 취소를 구할 소의 이익은 소멸되지 않는다. '이 사건 심리생리검사에서 질문한 질문내용 문서'를 공개하는 것은 심리생리검사업무에 현저한 지장을 초래한다고 인정할 만한 상당한 이유가 있다고 보아 이에 대한 비공개결정이 적법하다(대판 2016. 12. 15, 2012두11409·11416).

09 정답 ①

① ✕

> ❶ 정보공개청구인에게 특정한 정보공개방법을 지정하여 청구할 수 있는 법령상 신청권이 있다.
> ❷ 공공기관이 공개청구의 대상이 된 정보를 청구인이 신청한 공개방법 이외의 방법으로 공개하기로 하는 결정을 한 경우, 정보공개방법에 관한 부분에 대하여 일부 거부처분을 한 것이며 이에 대하여 항고소송으로 다툴 수 있다.
> 공공기관이 공개청구의 대상이 된 정보를 공개는 하되, 청구인이 신청한 공개방법 이외의 방법으로 공개하기로 하는 결정을 하였다면, 이는 정보공개청구 중 정보공개방법에 관한 부분에 대하여 일부 거부처분을 한 것이고, 청구인은 그에 대하여 항고소송으로 다툴 수 있다(대판 2016. 11. 10, 2016두44674).

②③ ○

> ❶ 공개를 구하는 정보를 공공기관이 보유·관리하고 있을 상당한 개연성이 있다는 점에 대하여 원칙적으로 공개청구자에게 증명책임이 있다(②).
> ❷ 그러나 공개대상정보를 공공기관이 한때 보유·관리하였으나 후에 그 문서 등이 폐기되어 존재하지 않게 된 것이라면, 그 정보를 더 이상 보유·관리하고 있지 아니하다는 점에 대한 입증책임은 공공기관에 있다(③)(대판 2004. 12. 9, 2003두12707).

④ ○

> 「공공기관의 정보공개에 관한 법률」 제11조 【정보공개 여부의 결정】 ⑤ 공공기관은 정보공개청구가 다음 각 호의 어느 하나에 해당하는 경우로서 「민원 처리에 관한 법률」에 따른 민원으로 처리할 수 있는 경우에는 민원으로 처리할 수 있다.
> 1. 공개청구된 정보가 공공기관이 보유·관리하지 아니하는 정보인 경우
> 2. 공개청구의 내용이 진정·질의 등으로 이 법에 따른 정보공개 청구로 보기 어려운 경우

10
[정답] ②

① ○

> 「공공기관의 정보공개에 관한 법률」 제13조 【정보공개 여부 결정의 통지】 ④ 공공기관은 제1항에 따라 정보를 공개하는 경우에 그 정보의 원본이 더럽혀지거나 파손될 우려가 있거나 그 밖에 상당한 이유가 있다고 인정할 때에는 그 정보의 사본·복제물을 공개할 수 있다.

> 「공공기관의 정보공개에 관한 법률」상 공개청구의 대상이 되는 정보에 해당하는 문서가 반드시 원본일 필요는 없다.
> 「공공기관의 정보공개에 관한 법률」상 공개청구의 대상이 되는 정보란 공공기관이 직무상 작성 또는 취득하여 현재 보유·관리하고 있는 문서에 한정되는 것이기는 하나, 그 문서가 반드시 원본일 필요는 없다(대판 2006. 5. 25, 2006두3049).

② ×

> '2002년도 및 2003년도 국가수준 학업성취도 평가자료'는 「공공기관의 정보공개에 관한 법률」 제9조 제1항 제5호에서 정한 비공개대상정보에 해당하는 부분이 있으나, '2002학년도부터 2005학년도까지의 대학수학능력시험 원데이터'는 연구목적으로 그 정보의 공개를 청구하는 경우, 공개로 인하여 초래될 부작용이 공개로 얻을 수 있는 이익보다 더 클 것이라고 단정하기 어려우므로 그 공개로 대학수학능력시험업무의 공정한 수행이 객관적으로 현저하게 지장을 받을 것이라는 고도의 개연성이 존재한다고 볼 수 없어 위 조항의 비공개대상정보에 해당하지 않는다(대판 2010. 2. 25, 2007두9877).

③ ○

> (재소자가 교도관의 가혹행위를 이유로 형사고소 및 민사소송을 제기하면서 그 증명자료 확보를 위해 '근무보고서'와 '징벌위원회 회의록' 등의 정보공개를 요청하였으나 교도소장이 이를 거부한 사안에서) '교도관의 근무보고서'는 비공개대상정보에 해당한다고 볼 수 없고, 징벌위원회 회의록 중 비공개 심사·의결 부분은 비공개사유에 해당하지만 '징벌절차 진행 부분'은 비공개사유에 해당하지 않는다고 보아 분리공개가 허용된다(대판 2009. 12. 10, 2009두12785).

④ ○

> 사법시험 제2차 시험의 답안지 열람은 시험문항에 대한 채점위원별 채점 결과와 달리 사법시험업무의 수행에 현저한 지장을 초래한다고 볼 수 없다(공개대상)(대판 2003. 3. 14, 2000두6114).

11
[정답] ④

㉮ ○ 손해배상청구의 요건 중 직무행위의 개념에 대해 통설과 판례는 광의설을 취하는바, 이에 의하면 공행정작용이라면 권력적 작용·비권력적 작용을 불문하고 국가배상법상의 직무행위에 해당한다고 보는데, 명단공표 역시 국가배상법상의 직무행위에 해당하므로 위법한 공표에 의해 명예·신용 등이 침해된 경우에는 행정상 손해배상을 청구할 수 있다.

> 국가배상법이 정한 배상청구의 요건인 공무원의 직무에는 권력적 작용만이 아니라 행정지도와 같은 비권력적 작용도 포함되며, 단지 행정주체가 사경제주체로서 하는 활동만이 제외된다(대판 1998. 7. 10, 96다38971).

㉯ ○ 명단공표는 행정법상의 의무 위반 또는 불이행이 있는 경우에, 그 의무 위반자 또는 불이행자의 성명, 위반사실 등을 일반에게 공개하여 명예 또는 신용의 침해를 위협함으로써 행정법상의 의무이행을 간접적으로 확보하는 강제수단이다. 행정벌과 새로운 행정의 실효성 확보수단은 모두 간접적 수단에 해당한다.

㉰ ○ 명단공표는 침익적 효과를 가져오는 것으로 법률의 근거가 필요하다.

㉱ ×

> ❶ (지방국세청 소속 공무원들이 통상적인 조사를 다하여 의심스러운 점을 밝혀 보지 아니한 채 막연한 의구심에 근거하여 원고가 위장증여자로서 구 국토이용관리법을 위반하였다는 요지의 조사결과를 보고한 것이라면 국세청장이 이에 근거한 보도자료의 내용이 진실하다고 믿은 데에는 상당한 이유가 없다고 판시하여 손해배상의 책임을 긍정하면서) 적시된 사실의 내용이 진실이라는 증명이 없더라도 국가기관이 공표 당시 이를 진실이라고 믿었고 또 그렇게 믿을 만한 상당한 이유가 있다면 위법성이 없다.
> ❷ 다만, 상당한 이유의 존부의 판단에 있어서는 공권력의 광범한 사실조사능력 등을 고려할 때 사인의 행위에 의한 경우보다는 훨씬 더 엄격한 기준이 요구된다 할 것이다(대판 1993. 11. 26, 93다18389).

㉲ ×

> 병무청장이 병역법 제81조의2 제1항에 따라 병역의무 기피자의 인적 사항 등을 인터넷 홈페이지에 게시하는 등의 방법으로 공개한 경우 병무청장의 공개결정을 항고소송의 대상이 되는 행정처분으로 보아야 한다.
> 그 구체적인 이유는 다음과 같다.
> (1) 병무청장이 하는 병역의무 기피자의 인적 사항 등 공개는, 특정인을 병역의무 기피자로 판단하여 그 사실을 일반대중에게 공표함으로써 그의 명예를 훼손하고 그에게 수치심을 느끼게 하여 병역의무 이행을 간접적으로 강제하려는 조치로서 병역법에 근거하여 이루어지는 공권력의 행사에 해당한다.
> (2) 병무청 인터넷 홈페이지에 공개대상자의 인적 사항 등이 게시되는 경우 그의 명예가 훼손되므로, 공개대상자는 자신에 대한 공개결정이 병역법령에서 정한 요건과 절차를 준수한 것인지를 다툴 법률상 이익이 있다. 병무청장이 인터넷 홈페이지 등에 게시하는 사실행위를 함으로써 공개대상자의 인적 사항 등이 이미 공개되었더라도, 재판에서 병무청장의 공개결정이 위법함이 확인되어 취소판결이 선고되는 경우, 병무청장은 취소판결의 기속력에 따라 위법한 결과를 제거하는 조치를 할 의무가 있으므로 공개대상자의 실효적 권리구제를 위해 병무청장의 공개결정을 행정처분으로 인정할 필요성이 있다. 만약 병무청장의 공개결정을 항고소송의 대상이 되는 처분으로 보지 않는다면 국가배상청구 외에는 침해된 권리 또는 법률상 이익을 구제받을 적절한 방법이 없다.

(3) 관할 지방병무청장의 공개대상자결정의 경우 상대방에게 통보하는 등 외부에 표시하는 절차가 관계 법령에 규정되어 있지 않아, 행정실무상으로도 상대방에게 통보되지 않는 경우가 많다. 또한 관할 지방병무청장이 위원회의 심의를 거쳐 공개대상자를 1차로 결정하기는 하지만, 병무청장에게 최종적으로 공개 여부를 결정할 권한이 있으므로, 관할 지방병무청장의 공개대상자 결정은 병무청장의 최종적인 결정에 앞서 이루어지는 행정기관 내부의 중간적 결정에 불과하다. 가까운 시일 내에 최종적인 결정과 외부적인 표시가 예정되어 있는 상황에서, 외부에 표시되지 않은 행정기관 내부의 결정을 항고소송의 대상인 처분으로 보아야 할 필요성은 크지 않다. 관할 지방병무청장이 1차로 공개대상자 결정을 하고, 그에 따라 병무청장이 같은 내용으로 최종적 공개결정을 하였다면, 공개대상자는 병무청장의 최종적 공개결정만을 다투는 것으로 충분하고, 관할 지방병무청장의 공개대상자 결정을 별도로 다툴 소의 이익은 없어진다(대판 2019. 6. 27, 2018두49130).

12

[정답] ④

① ○

> 가산세는 세법에서 규정하는 의무의 성실한 이행을 확보하기 위하여 세법에 따라 산출한 본세액에 가산하여 징수하는 독립된 조세로서, 본세에 감면사유가 인정된다고 하여 가산세도 감면대상에 포함되는 것이 아니고, 반면에 그 의무를 이행하지 아니한 데 대한 정당한 사유가 있는 경우에는 본세 납세의무가 있더라도 가산세는 부과하지 않는다(대판 2018. 11. 29, 2015두56120).

② ○

> 세법상 가산세는 납세자의 고의·과실은 고려되지 않는 것이고, 다만 납세의무자가 그 의무를 알지 못한 것이 무리가 아니었다거나 그 의무의 이행을 당사자에게 기대하는 것이 무리라고 하는 사정이 있을 때 등 그 의무해태를 탓할 수 없는 정당한 사유가 있는 경우에는 이를 부과할 수 없다(대판 2003. 9. 5, 2001두403).

③ ○ ④ ×

> ❶ 세법상 가산세는 과세권의 행사 및 조세채권의 실현을 용이하게 하기 위하여 납세자가 정당한 이유 없이 법에 규정된 신고·납세의무 등을 위반한 경우에 법이 정하는 바에 의하여 부과하는 행정상의 제재로서 납세자의 고의·과실은 고려되지 아니하는 것이고, 법령의 부지 또는 오인은 그 정당한 사유에 해당한다고 볼 수 없다(③).
> ❷ 납세의무자가 세무공무원의 잘못된 설명을 믿고 신고납부의무를 불이행하였다 하더라도 그것이 관계 법령에 어긋나는 것임이 명백한 경우 '정당한 사유'가 있다고 할 수 없다(④)(대판 2002. 4. 12, 2000두5944).

13

[정답] ④

①②③ ○ ④ ×

> **행정기본법 제23조 【제재처분의 제척기간】** ① 행정청은 법령 등의 위반행위가 종료된 날부터 5년이 지나면 해당 위반행위에 대하여 제재처분(인·허가의 정지·취소·철회, 등록말소, 영업소 폐쇄와 정지를 갈음하는 과징금 부과를 말한다. 이하 이 조에서 같다)을 할 수 없다(①).
> ② 다음 각 호의 어느 하나에 해당하는 경우에는 제1항을 적용하지 아니한다.
> 1. 거짓이나 그 밖의 부정한 방법으로 인·허가를 받거나 신고를 한 경우
> 2. 당사자가 인·허가나 신고의 위법성을 알고 있었거나 중대한 과실로 알지 못한 경우(②)
> 3. 정당한 사유 없이 행정청의 조사·출입·검사를 기피·방해·거부하여 제척기간이 지난 경우(③)
> 4. 제재처분을 하지 아니하면 국민의 안전·생명 또는 환경을 심각하게 해치거나 해칠 우려가 있는 경우
> ③ 행정청은 제1항에도 불구하고 행정심판의 재결이나 법원의 판결에 따라 제재처분이 취소·철회된 경우에는 재결이나 판결이 확정된 날부터 1년(합의제 행정기관은 2년)이 지나기 전까지는 그 취지에 따른 새로운 제재처분을 할 수 있다(④).

14

[정답] ③

㉮ × 「독점규제 및 공정거래에 관한 법률」에 의한 시정명령의 내용은 과거의 위반행위에 대한 중지는 물론 가까운 장래에 반복될 우려가 있는 동일한 유형의 행위의 반복금지까지 명할 수 있다는 것이 판례의 입장이다.

> 「독점규제 및 공정거래에 관한 법률」에 의한 시정명령이 지나치게 구체적인 경우 매일매일 다소간의 변형을 거치면서 행해지는 수많은 거래에서 정합성이 떨어져 결국 무의미한 시정명령이 되므로 그 본질적인 속성상 다소간의 포괄성·추상성을 띨 수밖에 없다 할 것이고, 한편 시정명령제도를 둔 취지에 비추어 시정명령의 내용은 과거의 위반행위에 대한 중지는 물론 가까운 장래에 반복될 우려가 있는 동일한 유형의 행위의 반복금지까지 명할 수는 있는 것으로 해석함이 상당하다(대판 2003. 2. 20, 2001두5347 전합).

㉯ ○

> 위법건축물에 대한 단전 및 전화통화 단절조치 요청행위는 권고적 성격에 불과한 것으로 항고소송의 대상이 되는 행정처분이 아니다. 행정청이 위법건축물에 대한 시정명령을 하고 나서 위반자가 이를 이행하지 아니하여 전기·전화의 공급자에게 그 위법건축물에 대한 전기·전화공급을 하지 말아 줄 것을 요청한 행위는 권고적 성격의 행위에 불과한 것으로서 전기·전화공급자나 특정인의 법률상 지위에 직접적인 변동을 가져오는 것은 아니므로 이를 항고소송의 대상이 되는 행정처분이라고 볼 수 없다(대판 1996. 3. 22, 96누433).

㉰ ×

> 구 「하도급거래 공정화에 관한 법률」 제13조 등의 위반행위가 있었으나 그 결과가 더 이상 존재하지 않는 경우, 같은 법 제25조 제1항에 의한 시정명령을 할 수 없다(대판 2011. 3. 10, 2009두1990).

㉱ ○

> 관할청이 시정을 요구하면서 부여한 기간이 너무 불합리하거나 부당하지 않는 한 단기간이라는 이유만으로 그 시정요구가 위법하다고 볼 수는 없다(대판 2007. 7. 19, 2006두19297 전합).

15 [정답] ④

㉮ ✕ ㉯ ○

> 행정절차법 제40조의3 【위반사실 등의 공표】 ① 행정청은 법령에 따른 의무를 위반한 자의 성명·법인명, 위반사실, 의무 위반을 이유로 한 처분사실 등(이하 '위반사실 등'이라 한다)을 법률로 정하는 바에 따라 일반에게 공표할 수 있다.
> ③ 행정청은 위반사실 등의 공표를 할 때에는 미리 당사자에게 그 사실을 통지하고 의견제출의 기회를 주어야 한다(㉮). 다만, 다음 각 호의 어느 하나에 해당하는 경우에는 그러하지 아니하다(㉯).
> 1. 공공의 안전 또는 복리를 위하여 긴급히 공표를 할 필요가 있는 경우
> 2. 해당 공표의 성질상 의견청취가 현저히 곤란하거나 명백히 불필요하다고 인정될 만한 타당한 이유가 있는 경우
> 3. 당사자가 의견진술의 기회를 포기한다는 뜻을 명백히 밝힌 경우(㉯).
> ④ 제3항에 따라 의견제출의 기회를 받은 당사자는 공표 전에 관할 행정청에 서면이나 말 또는 정보통신망을 이용하여 의견을 제출할 수 있다(㉮).

㉰ ✕

> 행정절차법 제40조의3 【위반사실 등의 공표】 ⑧ 행정청은 공표된 내용이 사실과 다른 것으로 밝혀지거나 공표에 포함된 처분이 취소된 경우에는 그 내용을 정정하여, 정정한 내용을 지체 없이 해당 공표와 같은 방법으로 공표된 기간 이상 공표하여야 한다. 다만, 당사자가 원하지 아니하면 공표하지 아니할 수 있다.

㉱ ○

> 청소년 성매수자에 대한 신상공개를 규정한 「청소년의 성보호에 관한 법률」 규정은 이중처벌금지의 원칙에 위반되지 않는다.
> (1) 헌법 제13조 제1항에서 말하는 '처벌'은 원칙적으로 범죄에 대한 국가의 형벌권 실행으로서의 과벌을 의미하는 것이고, 국가가 행하는 일체의 제재나 불이익처분을 모두 그 '처벌'에 포함시킬 수는 없다.
> (2) 「청소년의 성보호에 관한 법률」 제20조 제1항은 '청소년의 성을 사는 행위 등의 범죄방지를 위한 계도'가 신상공개제도의 주된 목적임을 명시하고 있는바, 이 제도가 당사자에게 일종의 수치심과 불명예를 줄 수 있다고 하여도, 이는 어디까지나 신상공개제도가 추구하는 입법목적에 부수적인 것이지 주된 것은 아니다. 또한 공개되는 신상과 범죄사실은 이미 공개재판에서 확정된 유죄판결의 일부로서, 개인의 신상 내지 사생활에 관한 새로운 내용이 아니고, 공익목적을 위하여 이를 공개하는 과정에서 부수적으로 수치심 등이 발생된다고 하여 이것을 기존의 형벌 외에 또 다른 형벌로서 수치형이나 명예형에 해당한다고 볼 수는 없다. 그렇다면, 신상공개제도는 헌법 제13조의 이중처벌금지원칙에 위배되지 않는다.

16 [정답] ①

㉮ ✕ 지문의 뒷부분이 옳지 않다. 감경사유가 존재하여 감경사유까지 고려하고도 과징금을 감경하지 않은 채 전액을 부과하는 것을 위법하다고 단정할 수 없다는 것이 판례의 입장이다.

> 「부동산 실권리자명의 등기에 관한 법률 시행령」 제3조의2 단서의 과징금의 임의적 감경사유가 있음에도 이를 전혀 고려하지 않거나 감경사유에 해당하지 않는다고 오인하여 과징금을 감경하지 않은 경우, 그 과징금 부과처분이 재량권을 일탈·남용한 위법한 것이다.
> 실권리자명의 등기의무를 위반한 명의신탁자에 대하여 부과하는 과징금의 감경에 관한 「부동산 실권리자명의 등기에 관한 법률 시행령」 제3조의2 단서는 임의적 감경규정임이 명백하므로, 그 감경사유가 존재하더라도 과징금 부과관청이 감경사유까지 고려하고도 과징금을 감경하지 않은 채 과징금 전액을 부과하는 처분을 한 경우에는 이를 위법하다고 단정할 수는 없으나, 위 감경사유가 있음에도 이를 전혀 고려하지 않았거나 감경사유에 해당하지 않는다고 오인한 나머지 과징금을 감경하지 않았다면 그 과징금 부과처분은 재량권을 일탈·남용한 위법한 처분이라고 할 수밖에 없다(대판 2010. 7. 15, 2010두7031).

㉯ ✕

> 과징금은 …… 법이 규정한 범위 내에서 그 부과처분 당시까지 부과관청이 확인한 사실을 기초로 일의적으로 확정되어야 할 것이고, 그렇지 아니하고 부과관청이 과징금을 부과하면서 추후에 부과금 산정기준이 되는 새로운 자료가 나올 경우에는 과징금액이 변경될 수도 있다고 유보한다든지, 실제로 추후에 새로운 자료가 나왔다고 하여 새로운 부과처분을 할 수는 없다 할 것인바, 왜냐하면 과징금의 부과와 같이 재산권의 직접적인 침해를 가져오는 처분을 변경하려면 법령에 그 요건 및 절차가 명백하게 규정되어 있어야 할 것인데, 위와 같은 변경처분에 대한 법령상의 근거규정이 없고, 이를 인정하여야 할 합리적인 이유 또한 찾아볼 수 없기 때문이다(대판 1999. 5. 28, 99두1571).

㉰ ○ 과징금 부과행위는 일반적으로 재량행위이나, 기속행위인 경우도 있다.

> 「부동산 실권리자명의 등기에 관한 법률」 및 시행령상 명의신탁자에 대한 과징금 부과처분의 법적 성질은 기속행위이다.
> 「부동산 실권리자명의 등기에 관한 법률」 제3조 제1항, 제5조 제1항, 같은 법 시행령 제3조 제1항의 규정을 종합하면, 명의신탁자에 대하여 과징금을 부과할 것인지 여부는 기속행위에 해당하므로, 명의신탁이 조세를 포탈하거나 법령에 의한 제한을 회피할 목적이 아닌 경우에 한하여 그 과징금을 일정한 범위 내에서 감경할 수 있을 뿐이지 그에 대하여 과징금 부과처분을 하지 않거나 과징금을 전액 감면할 수 있는 것은 아니다(대판 2007. 7. 12, 2005두17287).

㉱ ○

> ❶ 관할 행정청이 여객자동차운송사업자의 여러 가지 위반행위를 인지한 경우, 인지한 여러 가지 위반행위 중 일부에 대해서만 우선 과징금 부과처분을 하고 나머지에 대해서 차후에 별도의 과징금 부과처분을 하는 것은 다른 특별한 사정이 없는 한 허용되지 않는다.
> ❷ 관할 행정청이 여객자동차운송사업자가 범한 여러 가지 위반행위 중 일부만 인지하여 과징금 부과처분을 하였는데 그 후 과징금 부과처분 시점 이전에 이루어진 다른 위반행위를 인지하여 이에 대하여 별도의 과징금 부과처분을 하게 되는 경우에도 종

> 전 과징금 부과처분의 대상이 된 위반행위와 추가 과징금 부과처분의 대상이 된 위반행위에 대하여 일괄하여 하나의 과징금 부과처분을 하는 경우와의 형평을 고려하여 추가 과징금 부과처분의 처분양정이 이루어져야 한다. 다시 말해, 행정청이 전체 위반행위에 대하여 하나의 과징금 부과처분을 할 경우에 산정되었을 정당한 과징금액에서 이미 부과된 과징금액을 뺀 나머지 금액을 한도로 하여서만 추가 과징금 부과처분을 할 수 있다. 행정청이 여러 가지 위반행위를 언제 인지하였느냐는 우연한 사정에 따라 처분상대방에게 부과되는 과징금의 총액이 달라지는 것은 그 자체로 불합리하기 때문이다(대판 2021. 2. 4, 2020두48390).

17 [정답] ③

㉮ ○

> 구 「여객자동차 운수사업법」상의 과징금 부과처분은 제재적 행정처분으로서 여객자동차 운수사업에 관한 질서를 확립하고 여객의 원활한 운송과 여객자동차 운수사업의 종합적인 발달을 도모하여 공공복리를 증진한다는 행정목적의 달성을 위하여 행정법규 위반이라는 객관적 사실에 착안하여 가하는 제재이므로 반드시 현실적인 행위자가 아니라도 법령상 책임자로 규정된 자에게 부과되고 원칙적으로 위반자의 고의·과실을 요하지 아니하나, 위반자의 의무해태를 탓할 수 없는 정당한 사유가 있는 등의 특별한 사정이 있는 경우에는 이를 부과할 수 없다고 보아야 한다(대판 2014. 10. 15, 2013두5005).

㉯ ✕

> '의무 위반을 탓할 수 없는 정당한 사유'가 있는지를 판단할 때에는 본인이나 그 대표자의 주관적 인식을 기준으로 하는 것이 아니라, 그의 가족, 대리인, 피용인 등과 같이 본인에게 책임을 객관적으로 귀속시킬 수 있는 관계자 모두를 기준으로 판단하여야 한다(대판 2021. 2. 25, 2020두51587).

㉰ ○ 과징금은 재산권의 직접적인 침해를 가져오는 것이므로 법치행정의 원리상 법률의 구체적 근거가 있는 경우에만 부과할 수 있다. 또한 공정거래위원회가 부과하는 부당지원행위에 대한 과징금 납부명령과 같이 <u>일반적으로 과징금 부과행위는 재량행위이다</u>.

㉱ ✕

> 「부동산 실권리자명의 등기에 관한 법률」 제5조에 의하여 부과된 과징금채무는 대체적 급부가 가능한 의무이므로 과징금을 부과받은 자가 사망한 경우 그 상속인에게 포괄승계된다(대판 1999. 5. 14, 99두35).

18 [정답] ②

① ○

> 자동차운수사업면허조건 등을 위반한 사업자에 대하여 행정청이 행정제재수단으로 사업정지를 명할 것인지, 과징금을 부과할 것인지, 과징금을 부과하기로 한다면 그 금액은 얼마로 할 것인지에 관하여 재량권이 부여되었다 할 것이므로 과징금 부과처분이 법이 정한 한도액을 초과하여 <u>위법할 경우 법원으로서는 그 전부를 취소할 수밖에 없고, 그 한도액을 초과한 부분이나 법원이 적정하다고 인정되는 부분을 초과한 부분만을 취소할 수 없다</u>(대판 1998. 4. 10, 98두2270).

② ✕

> 과징금은 현실적인 행위자가 아닌 법령상 책임자에게 부과할 수 있으며 다만, 위반자의 의무해태를 탓할 수 없는 정당한 사유가 있는 경우에는 과징금을 부과할 수 없다.
> 과징금 부과처분은 제재적 행정처분으로서 여객자동차 운수사업에 관한 질서를 확립하고 여객의 원활한 운송과 여객자동차 운수사업의 종합적인 발달을 도모하여 공공복리를 증진한다는 행정목적의 달성을 위하여 행정법규 위반이라는 객관적 사실에 착안하여 가하는 제재이므로 반드시 현실적인 행위자가 아니라도 법령상 책임자로 규정된 자에게 부과되고 원칙적으로 위반자의 고의·과실을 요하지 아니하나, 위반자의 의무해태를 탓할 수 없는 정당한 사유가 있는 등의 특별한 사정이 있는 경우에는 이를 부과할 수 없다(대판 2014. 10. 15, 2013두5005).

③④ ○

> ❶ 구 「독점규제 및 공정거래에 관한 법률」 제24조의2에 의한 부당내부거래에 대한 과징금은 부당내부거래 억지라는 행정목적을 실현하기 위하여 그 위반행위에 대하여 제재를 가하는 행정상의 제재금으로서의 기본적 성격에 부당이득환수적 요소도 부가되어 있는 것이고(③), 이를 두고 헌법 제13조 제1항에서 금지하는 국가형벌권 행사로서의 '처벌'에 해당한다고는 할 수 없다.
> ❷ 과징금과 형사처벌을 병과하더라도 이중처벌금지원칙에 위반된다고 볼 수 없다(④)(헌재 2003. 7. 24, 2001헌가25).

19 [정답] ②

A는 제재처분, B는 행정대집행, C는 이행강제금, D는 직접강제, E는 강제징수, F는 즉시강제에 해당한다.

㉮㉱㉳ ○ ㉯㉰㉲ ✕

> **행정기본법 제2조 【정의】** 이 법에서 사용하는 용어의 뜻은 다음과 같다.
> 5. '제재처분'이란 법령 등에 따른 의무를 위반하거나 이행하지 아니하였음을 이유로 당사자에게 의무를 부과하거나 권익을 제한하는 처분을 말한다. 다만, 제30조 제1항 각 호에 따른 <u>행정상 강제는 제외한다(㉰)</u>.
>
> **제22조 【제재처분의 기준】** ① 제재처분의 근거가 되는 법률에는 제재처분의 주체, 사유, 유형 및 상한을 명확하게 규정하여야 한다. 이 경우 제재처분의 유형 및 상한을 정할 때에는 해당 위반행위의 특수성 및 유사한 위반행위와의 형평성 등을 종합적으로 고려하여야 한다(㉮).
> ② 행정청은 재량이 있는 제재처분을 할 때에는 다음 각 호의 사항을 고려하여야 한다.
> 1. 위반행위의 동기, 목적 및 방법
> 2. 위반행위의 결과
> 3. 위반행위의 횟수
> 4. 그 밖에 제1호부터 제3호까지에 준하는 사항으로서 대통령령으로 정하는 사항
>
> **제23조 【제재처분의 제척기간】** ① <u>행정청은 법령 등의 위반행위가 종료된 날부터 5년이 지나면 해당 위반행위에 대하여 제재처분(인·허가의 정지·취소·철회, 등록말소, 영업소 폐쇄와 정지를 갈음하는 과징금 부과를 말한다. 이하 이 조에서 같다)을 할 수 없다(㉯)</u>.

② 다음 각 호의 어느 하나에 해당하는 경우에는 제1항을 적용하지 아니한다.
1. 거짓이나 그 밖의 부정한 방법으로 인·허가를 받거나 신고를 한 경우
2. 당사자가 인·허가나 신고의 위법성을 알고 있었거나 중대한 과실로 알지 못한 경우
3. 정당한 사유 없이 행정청의 조사·출입·검사를 기피·방해·거부하여 제척기간이 지난 경우
4. 제재처분을 하지 아니하면 국민의 안전·생명 또는 환경을 심각하게 해치거나 해칠 우려가 있는 경우
③ 행정청은 제1항에도 불구하고 행정심판의 재결이나 법원의 판결에 따라 제재처분이 취소·철회된 경우에는 재결이나 판결이 확정된 날부터 1년(합의제 행정기관은 2년)이 지나기 전까지는 그 취지에 따른 새로운 제재처분을 할 수 있다.
④ 다른 법률에서 제1항 및 제3항의 기간보다 짧거나 긴 기간을 규정하고 있으면 그 법률에서 정하는 바에 따른다.

제30조【행정상 강제】 ① 행정청은 행정목적을 달성하기 위하여 필요한 경우에는 법률로 정하는 바에 따라 필요한 최소한의 범위에서 다음 각 호의 어느 하나에 해당하는 조치를 할 수 있다.
1. 행정대집행 : 의무자가 행정상 의무(법령 등에서 직접 부과되거나 행정청이 법령 등에 따라 부과한 의무를 말한다. 이하 이 절에서 같다)로서 타인이 대신하여 행할 수 있는 의무를 이행하지 아니하는 경우 법률로 정하는 다른 수단으로는 그 이행을 확보하기 곤란하고 그 불이행을 방치하면 공익을 크게 해칠 것으로 인정될 때에 행정청이 의무자가 하여야 할 행위를 스스로 하거나 제3자에게 하게 하고 그 비용을 의무자로부터 징수하는 것
2. 이행강제금의 부과 : 의무자가 행정상 의무를 이행하지 아니하는 경우 행정청이 적절한 이행기간을 부여하고, 그 기한까지 행정상 의무를 이행하지 아니하면 금전급부의무를 부과하는 것
3. 직접강제 : 의무자가 행정상 의무를 이행하지 아니하는 경우 행정청이 의무자의 신체나 재산에 실력을 행사하여 그 행정상 의무의 이행이 있었던 것과 같은 상태를 실현하는 것
4. 강제징수 : 의무자가 행정상 의무 중 금전급부의무를 이행하지 아니하는 경우 행정청이 의무자의 재산에 실력을 행사하여 그 행정상 의무가 실현된 것과 같은 상태를 실현하는 것
5. 즉시강제 : 현재의 급박한 행정상의 장해를 제거하기 위한 경우로서 다음 각 목의 어느 하나에 해당하는 경우에 행정청이 곧바로 국민의 신체 또는 재산에 실력을 행사하여 행정목적을 달성하는 것
   가. 행정청이 미리 행정상 의무이행을 명할 시간적 여유가 없는 경우
   나. 그 성질상 행정상 의무의 이행을 명하는 것만으로는 행정목적 달성이 곤란한 경우
② 행정상 강제조치에 관하여 이 법에서 정한 사항 외에 필요한 사항은 따로 법률로 정한다.
③ 형사(刑事), 행형(行刑) 및 보안처분 관계 법령에 따라 행하는 사항이나 외국인의 출입국·난민인정·귀화·국적회복에 관한 사항에 관하여는 이 절을 적용하지 아니한다.

제31조【이행강제금의 부과】 ③ 행정청은 이행강제금을 부과하기 전에 미리 의무자에게 적절한 이행기간을 정하여 그 기한까지 행정상 의무를 이행하지 아니하면 이행강제금을 부과한다는 뜻을 문서로 계고(戒告)하여야 한다(㉺).

④ 행정청은 의무자가 제3항에 따른 계고에서 정한 기한까지 행정상 의무를 이행하지 아니한 경우 이행강제금의 부과 금액·사유·시기를 문서로 명확하게 적어 의무자에게 통지하여야 한다.
⑤ 행정청은 의무자가 행정상 의무를 이행할 때까지 이행강제금을 반복하여 부과할 수 있다. 다만, 의무자가 의무를 이행하면 새로운 이행강제금의 부과를 즉시 중지하되, 이미 부과한 이행강제금은 징수하여야 한다.
⑥ 행정청은 이행강제금을 부과받은 자가 납부기한까지 이행강제금을 내지 아니하면 국세강제징수의 예 또는 「지방행정제재·부과금의 징수 등에 관한 법률」에 따라 징수한다.

제32조【직접강제】 ① 직접강제는 행정대집행이나 이행강제금 부과의 방법으로는 행정상 의무이행을 확보할 수 없거나 그 실현이 불가능한 경우에 실시하여야 한다(㉻).
② 직접강제를 실시하기 위하여 현장에 파견되는 집행책임자는 그가 집행책임자임을 표시하는 증표를 보여주어야 한다.
③ 직접강제의 계고 및 통지에 관하여는 제31조 제3항 및 제4항을 준용한다.

제33조【즉시강제】 ① 즉시강제는 다른 수단으로는 행정목적을 달성할 수 없는 경우에만 허용되며, 이 경우에도 최소한으로만 실시하여야 한다.
② 즉시강제를 실시하기 위하여 현장에 파견되는 집행책임자는 그가 집행책임자임을 표시하는 증표를 보여주어야 하며, 즉시강제의 이유와 내용을 고지하여야 한다(㉾).
③ 제2항에도 불구하고 집행책임자는 즉시강제를 하려는 재산의 소유자 또는 점유자를 알 수 없거나 현장에서 그 소재를 즉시 확인하기 어려운 경우에는 즉시강제를 실시한 후 집행책임자의 이름 및 그 이유와 내용을 고지할 수 있다. 다만, 다음 각 호에 해당하는 경우에는 게시판이나 인터넷 홈페이지에 게시하는 등 적절한 방법에 의한 공고로써 고지를 갈음할 수 있다.
1. 즉시강제를 실시한 후에도 재산의 소유자 또는 점유자를 알 수 없는 경우
2. 재산의 소유자 또는 점유자가 국외에 거주하거나 행방을 알 수 없는 경우
3. 그 밖에 대통령령으로 정하는 불가피한 사유로 고지할 수 없는 경우

㉻ × 국세 납부의무불이행에 따른 영업의 인·허가 거부·정지는 관허사업의 제한으로서 새로운 의무이행 확보수단에 해당한다.

20
[정답] ④

①② × 대집행의 대상이 되는 의무는 공법(公法)상 의무이며 건축도급계약상의 의무와 같은 사법(私法)상 의무는 법령에 특별한 규정이 없는 한 대집행의 대상이 되지 않는다(①). 공법상 의무는 보통의 경우 행정처분에 의하여 부과되는 것이 원칙이지만, 법령에 의해 직접 부과될 수도 있다. 동 법령에는 지방자치단체의 조례가 포함된다(②).

행정대집행법 제2조【대집행과 그 비용징수】 법률(법률의 위임에 의한 명령, 지방자치단체의 조례를 포함한다. 이하 같다)에 의하여 직접 명령되었거나 또는 법률에 의거한 행정청의 명령에 의한 행위로서 타인이 대신하여 행할 수 있는 행위를 의무자가 이행하지 아니하는 경우 다른 수단으로써 그 이행을 확보하기 곤란하고 또한 그 불이행을 방치함이 심히 공익을 해할 것으로 인정될 때에는 당해 행정청은 스스로 의무자가 하여야 할 행위를 하거나 또는 제3자로 하여금 이를 하게 하여 그 비용을 의무자로부터 징수할 수 있다.

③ ✗

> ❶ 부작위의무로부터 그 의무를 위반함으로써 생긴 결과를 시정하기 위한 작위의무를 당연히 끌어낼 수는 없으며, 또 위 금지규정으로부터 작위의무, 즉 위반결과의 시정을 명하는 권한이 당연히 추론(推論)되는 것도 아니다.
> ❷ 부작위의무 위반의 경우 작위의무를 끌어내기 위해서는(작위의무로 전환하기 위해서는) 별도의 명문규정이 있어야 한다.
> 대집행계고처분을 하기 위하여는 법령에 의하여 직접 명령되거나 법령에 근거한 행정청의 명령에 의한 의무자의 대체적 작위의무 위반행위가 있어야 한다. 따라서 단순한 부작위의무의 위반, 즉 관계 법령에서 정하고 있는 절대적 금지나 허가를 유보한 상대적 금지를 위반한 경우에는 당해 법령에서 그 위반자에 대하여 위반에 의하여 생긴 유형적 결과의 시정을 명하는 행정처분의 권한을 인정하는 규정을 두고 있지 아니한 이상, 법치주의의 원리에 비추어 볼 때 위와 같은 부작위의무로부터 그 의무를 위반함으로써 생긴 결과를 시정하기 위한 작위의무를 당연히 끌어낼 수는 없으며, 또 위 금지규정(특히 허가를 유보한 상대적 금지규정)으로부터 작위의무, 즉 위반결과의 시정을 명하는 권한이 당연히 추론(推論)되는 것도 아니다(대판 1996. 6. 28, 96누4374).

④ ○

> 관계 법령을 위반하여 장례식장 영업을 하고 있는 자의 장례식장 사용중지의무는 비대체적 부작위의무로서 행정대집행법 제2조의 규정에 의한 대집행의 대상이 되지 않는다(대판 2005. 9. 28, 2005두7464).

21   [정답] ③

① ○ 법령의 근거가 없음에도 행정청이 작위의무, 즉 철거명령을 내렸다면 그러한 철거명령은 무효가 된다. 선행처분이 무효인 경우에는 그 하자는 당연히 후행행위에 승계되어 후행행위도 무효로 되므로 계고처분도 무효가 된다.

> 행정기관의 권한에는 사무의 성질 및 내용에 따르는 제약이 있고, 지역적·대인적으로 한계가 있으므로 이러한 권한의 범위를 넘어서는 권한유월의 행위는 무권한행위로서 원칙적으로 무효이고, 선행행위가 부존재하거나 무효인 경우에는 그 하자는 당연히 후행행위에 승계되어 후행행위도 무효로 된다. 건축법 제69조(현 제79조) 등과 같은 부작위의무 위반행위에 대하여 대체적 작위의무로 전환하는 규정을 두고 있지 아니하므로 위 금지규정으로부터 그 위반결과의 시정을 명하는 원상복구명령을 할 수 있는 권한이 도출되는 것은 아니다. 결국 행정청의 원고에 대한 원상복구명령은 권한 없는 자의 처분으로 무효라고 할 것이고, 위 원상복구명령이 당연무효인 이상 후행처분인 계고처분의 효력에 당연히 영향을 미쳐 그 계고처분 역시 무효로 된다(대판 1996. 6. 28, 96누4374).

② ○ 토지의 인도의무와 같은 비대체적인 의무는 행정대집행법상의 대집행대상이 되지 않는다.

> 구 토지수용법상 피수용자 등이 기업자에 대하여 부담하는 수용대상 토지의 인도의무는 행정대집행법에 의한 대집행의 대상이 되지 않는다(대판 2005. 8. 19, 2004다2809).

③ ✗

> ❶ 구 「공공용지의 취득 및 손실보상에 관한 특례법」에 의한 협의취득시 건물소유자가 매매대상 건물에 대한 철거의무를 부담하겠다는 취지의 약정을 한 경우, 그 철거의무는 사법상 의무이므로 행정대집행법에 의한 대집행의 대상이 되지 않는다.
> ❷ 구 「공공용지의 취득 및 손실보상에 관한 특례법」에 의한 협의취득시 건물소유자가 협의취득대상 건물에 대하여 약정한 철거의무의 강제적 이행을 행정대집행법상 대집행의 방법으로 실현할 수는 없다(대판 2006. 10. 13, 2006두7096).

④ ○ 계고의 성질에 대해서 통설은 준법률행위적 행정행위인 통지에 해당하며 항고소송의 대상이 되는 행정처분이라고 본다. 한편, 판례도 계고에 대해 처분성을 인정한다. 다만, 반복된 계고의 경우, 즉 제2·3차의 계고 등에 대해서는 처분성을 부정한다.

> 계고처분 자체도 행정소송의 대상이 되나, 제2·3차의 계고처분은 새로운 철거의무를 부과한 것이 아니고, 다만 대집행기한의 연기통지에 불과하므로 행정처분이 아니다.
> 건물의 소유자에게 위법건축물을 일정 기간까지 철거할 것을 명함과 아울러 불이행할 때에는 대집행한다는 내용의 철거대집행 계고처분을 고지한 후 이에 불응하자 다시 제2차, 제3차 계고서를 발송하여 일정 기간까지의 자진철거를 촉구하고 불이행하면 대집행을 한다는 뜻을 고지하였다면 행정대집행법상의 건물철거의무는 제1차 철거명령 및 계고처분으로서 발생하였고 제2차, 제3차의 계고처분은 새로운 철거의무를 부과한 것이 아니고, 다만 대집행기한의 연기통지에 불과하므로 행정처분이 아니다(대판 1994. 10. 28, 94누5144).

22   [정답] ②

㉮ ○

> 대집행요건을 구비하였는지에 관한 주장 및 입증책임은 처분행정청에 있다.
> 건축법에 위반하여 건축한 것이어서 철거의무가 있는 건물이라 하더라도 그 철거의무를 대집행하기 위한 계고처분을 하려면 다른 방법으로는 이행의 확보가 어렵고 불이행을 방치함이 심히 공익을 해하는 것으로 인정될 때에 한하여 허용되고 이러한 요건의 주장·입증책임은 처분행정청에 있다(대판 1996. 10. 11, 96누8086).

㉯ ✗ 대집행을 결정하고 이를 실행할 수 있는 권한을 가진 대집행의 주체는 대집행의 대상이 되는 의무를 부과한 행정청, 즉 당해 행정청이다. 다만, 대집행을 현실적으로 수행하는 자가 반드시 당해 행정청이어야 하는 것은 아니며 경우에 따라서는 제3자에게 대집행을 위탁할 수도 있다. 이 경우 대집행을 실행하는 제3자는 원칙적으로 대집행의 주체가 아니라 행정보조자의 지위를 갖는다고 보아야 한다.

㉰ ✗

> 계고서라는 명칭의 1장의 문서로써, 일정 기간 내에 위법건축물의 자진철거를 명함과 동시에 그 소정기한 내에 자진철거를 하지 아니할 때에는 대집행할 뜻을 미리 계고한 경우라도 철거명령 및 계고처분은 적법하다.
> 계고서라는 명칭의 1장의 문서로써 일정 기간 내에 위법건축물의 자진철거를 명함과 동시에 그 소정기한 내에 자진철거를 하지 아니할 때에는 대집행할 뜻을 미리 계고한 경우라도 위 건축법에 의한 철거명령과 행정대집행법에 의한 계고처분은 독립하여 있는 것으로

서 각 그 요건이 충족되었다고 볼 것이고, 이 경우 철거명령에서 주어진 일정 기간이 자진철거에 필요한 상당한 기간이라면 그 기간 속에는 계고시에 필요한 '상당한 이행기간'도 포함되어 있다고 보아야 할 것이다(대판 1992. 6. 12, 91누13564).

㉣ ○

> **행정대집행법 제4조 【대집행의 실행 등】** ① 행정청(제2조에 따라 대집행을 실행하는 제3자를 포함한다. 이하 이 조에서 같다)은 해가 뜨기 전이나 해가 진 후에는 대집행을 하여서는 아니 된다. 다만, 다음 각 호의 어느 하나에 해당하는 경우에는 그러하지 아니하다.
> 1. 의무자가 동의한 경우
> 2. 해가 지기 전에 대집행을 착수한 경우
> 3. 해가 뜬 후부터 해가 지기 전까지 대집행을 하는 경우에는 대집행의 목적 달성이 불가능한 경우
> 4. 그 밖에 비상시 또는 위험이 절박한 경우
> ② 행정청은 대집행을 할 때 대집행과정에서의 안전 확보를 위하여 필요하다고 인정하는 경우 현장에 긴급 의료장비나 시설을 갖추는 등 필요한 조치를 하여야 한다.

23 [정답] ③

㉮ ○

> 한국토지공사(현 한국토지주택공사)는 「공익사업을 위한 토지 등의 취득 및 보상에 관한 법률」, 구 한국토지공사법 및 동법 시행령의 위탁에 의하여 대집행을 수권받은 자로서 공무인 대집행을 실시함에 따르는 권리·의무 및 책임이 귀속되는 행정주체의 지위에 있다고 볼 것이지 지방자치단체 등의 기관으로서 국가배상법 제2조 소정의 공무원에 해당한다고 볼 것은 아니다(대판 2010. 1. 28, 2007다82950·82967).

㉯ ○

> **행정대집행법 제2조 【대집행과 그 비용징수】** 법률(법률의 위임에 의한 명령, 지방자치단체의 조례를 포함한다. 이하 같다)에 의하여 직접 명령되었거나 또는 법률에 의거한 행정청의 명령에 의한 행위로서 타인이 대신하여 행할 수 있는 행위를 의무자가 이행하지 아니하는 경우 다른 수단으로써 그 이행을 확보하기 곤란하고 또한 그 불이행을 방치함이 심히 공익을 해할 것으로 인정될 때에는 당해 행정청은 스스로 의무자가 하여야 할 행위를 하거나 또는 제3자로 하여금 이를 하게 하여 그 비용을 의무자로부터 징수할 수 있다.

㉰㉱ ×

> ❶ 아무런 권원 없이 국유재산에 설치한 시설물에 대하여 행정청이 행정대집행을 할 수 있음에도 민사소송의 방법으로 그 시설물의 철거를 구하는 것은 허용되지 않는다(㉰).
> ❷ 아무런 권원 없이 국유재산에 설치한 시설물에 대하여 행정청이 행정대집행을 실시하지 않는 경우, 그 국유재산에 대한 사용청구권을 가지고 있는 자가 국가를 대위하여 민사소송으로 그 시설물의 철거를 구할 수 있다(㉱)(대판 2009. 6. 11, 2009다1122).

㉲ ○

> ❶ 대한주택공사(현 한국토지주택공사)가 법령에 의하여 대집행권한을 위탁받아 공무인 대집행을 실시하기 위하여 지출한 비용을 행정대집행법절차에 따라 국세징수법의 예에 의하여 징수할 수 있다.
> ❷ 대한주택공사가 법령에 의하여 대집행권한을 위탁받아 공무인 대집행을 실시하기 위하여 지출한 비용을 행정대집행법절차에 따라 징수할 수 있음에도 민사소송절차에 의하여 그 비용의 상환을 청구할 수는 없다(대판 2011. 9. 8, 2010다48240).

> **행정대집행법 제6조 【비용징수】** ① 대집행에 요한 비용은 국세징수법의 예에 의하여 징수할 수 있다.

24 [정답] ④

㉮ ×

> **행정대집행법 제3조 【대집행의 절차】** ① 전조의 규정에 의한 처분(이하 '대집행'이라 한다)을 하려 함에 있어서는 상당한 이행기한을 정하여 그 기한까지 이행되지 아니할 때에는 대집행을 한다는 뜻을 미리 문서로써 계고하여야 한다. 이 경우 행정청은 상당한 이행기한을 정함에 있어 의무의 성질·내용 등을 고려하여 사회통념상 해당 의무를 이행하는 데 필요한 기간이 확보되도록 하여야 한다.
> ② 의무자가 전항의 계고를 받고 지정기한까지 그 의무를 이행하지 아니할 때에는 당해 행정청은 대집행영장으로써 대집행을 할 시기, 대집행을 시키기 위하여 파견하는 집행책임자의 성명과 대집행에 요하는 비용의 개산에 의한 견적액을 의무자에게 통지하여야 한다.
> ③ 비상시 또는 위험이 절박한 경우에 있어서 당해 행위의 급속한 실시를 요하여 전2항에 규정한 수속을 취할 여유가 없을 때에는 그 수속을 거치지 아니하고 대집행을 할 수 있다.

㉯ ○ 부작위의무(금지의무)도 그 자체로는 대집행의 대상이 되지 않지만 작위의무로 전환된 후에는 그 불이행시 대집행을 할 수 있다.

> ❶ 부작위의무로부터 그 의무를 위반함으로써 생긴 결과를 시정하기 위한 작위의무를 당연히 끌어낼 수는 없으며, 또 위 금지규정으로부터 작위의무, 즉 위반결과의 시정을 명하는 권한이 당연히 추론(推論)되는 것도 아니다.
> ❷ 부작위의무 위반의 경우 작위의무를 끌어내기 위해서는(작위의무로 전환하기 위해서는) 별도의 명문규정이 있어야 한다(대판 1996. 6. 28, 96누4374).

㉰ ○

> 건축법에 위반하여 증·개축함으로써 철거의무가 있더라도 행정대집행법 제2조에 의하여 그 철거의무를 대집행하기 위한 계고처분을 하려면 다른 방법으로는 그 이행의 확보가 어렵고, 그 불이행을 방치함이 심히 공익을 해하는 것으로 인정되는 경우에 한한다(대판 1989. 7. 11, 88누11193).

㉱ ○

> 위법한 건물의 공유자 1인에 대한 계고처분은 다른 공유자에 대하여는 그 효력이 없다(대판 1994. 10. 28, 94누5144).

㉻ ✕

> 공유재산 대부계약의 해지에 따른 원상회복으로 행정대집행의 방법에 의하여 그 지상물을 철거시킬 수 있다.
> 지방재정법 제85조 제1항은, 공유재산을 정당한 이유 없이 점유하거나 그에 시설을 한 때에는 이를 강제로 철거하게 할 수 있다고 규정하고, 그 제2항은, 지방자치단체의 장이 제1항의 규정에 의한 강제철거를 하게 하고자 할 때에는 행정대집행법 제3조 내지 제6조의 규정을 준용한다고 규정하고 있는바, 공유재산의 점유자가 그 공유재산에 관하여 대부계약 외 달리 정당한 권원이 있다는 자료가 없는 경우 그 대부계약이 적법하게 해지된 이상 그 점유자의 공유재산에 대한 점유는 정당한 이유 없는 점유라 할 것이고, 따라서 지방자치단체의 장은 지방재정법 제85조에 의하여 행정대집행의 방법으로 그 지상물을 철거시킬 수 있다(대판 2001. 10. 12, 2001두4078).

④ ○

> 대집행계고를 함에 있어 대집행할 행위의 내용과 범위가 반드시 대집행계고서에 의하여만 특정될 필요는 없고 계고예고서, 기타 사정 등을 통해 알 수 있으면 족하다.
> 행정청이 행정대집행법 제3조 제1항에 의한 대집행계고를 함에 있어서는 의무자가 스스로 이행하지 아니하는 경우에 대집행할 행위의 내용 및 범위가 구체적으로 특정되어야 하나, 그 행위의 내용 및 범위는 반드시 대집행계고서에 의하여서만 특정되어야 하는 것이 아니고, 계고처분 전후에 송달된 문서나 기타 사정을 종합하여 행위의 내용이 특정되거나 실제 건물의 위치, 구조, 평수 등을 계고서의 표시와 대조·검토하여 대집행의무자가 그 이행의무의 범위를 알 수 있을 정도로 하면 족하다(대판 1996. 10. 11, 96누8086).

25
정답 ④

① ✕ 부작위의무는 대집행의 대상이 되지 않는다.

> 하천유수인용행위를 중단할 것과 이를 불이행할 경우 행정대집행법에 의하여 대집행하겠다는 내용의 이 사건 계고처분은 부작위의무에 대한 대집행계고처분으로서 위법하다(대판 1998. 10. 2, 96누5445).

② ✕ 점유자의 퇴거 및 명도의무는 비대체적 의무이다. 따라서 대집행의 대상이 될 수 없다.

> 도시공원시설 점유자의 퇴거 및 명도의무는 대체적 작위의무가 아니므로 대집행의 대상이 되지 않는다.
> 도시공원시설인 매점의 관리청이 그 공동점유자 중의 1인에 대하여 소정의 기간 내에 위 매점으로부터 퇴거하고 이에 부수하여 그 판매시설물 및 상품을 반출하지 아니할 경우 이를 대집행하겠다는 내용의 계고처분의 목적이 된 의무는 그 주된 목적이 매점의 원형을 보존하기 위하여 원고가 설치한 불법시설물을 철거하고자 하는 것이 아니라, 매점에 대한 원고의 점유를 배제하고 그 점유이전을 받는 데 있다고 할 것인데, 이러한 의무는 그것을 강제적으로 실현함에 있어 직접적인 실력 행사가 필요한 것이지 대체적 작위의무에 해당하는 것은 아니어서 직접강제의 방법에 의하는 것은 별론으로 하고 행정대집행법에 의한 대집행의 대상이 되는 것은 아니다(대판 1998. 10. 23, 97누157).

③ ✕

> 계고시 상당한 기간을 부여하지 않은 경우 대집행영장으로 대집행의 시기를 늦추었다 하더라도 대집행계고처분은 상당한 이행기한을 정하여 한 것이 아니므로 위법하다.
> 행정대집행법 제3조 제1항은 행정청이 의무자에게 대집행영장으로써 대집행할 시기 등을 통지하기 위하여는 그 전제로서 대집행계고처분을 함에 있어서 의무이행을 할 수 있는 상당한 기간을 부여할 것을 요구하고 있으므로, 행정청인 피고가 의무이행기한이 1988. 5. 24.까지로 된 이 사건 대집행계고서를 5. 19. 원고에게 발송하여 원고가 그 이행종기인 5. 24. 이를 수령하였다면, 설사 피고가 대집행영장으로써 대집행의 시기를 1988. 5. 27. 15 : 00로 늦추었더라도 위 대집행계고처분은 상당한 이행기한을 정하여 한 것이 아니어서 대집행의 적법절차에 위배한 것으로 위법한 처분이라고 할 것이다(대판 1990. 9. 14, 90누2048).

제10회 | 소방 단원별 모의고사 정답과 해설

출제 범위: 제24강 행정상 강제집행(대집행 등)~제26강 행정벌(행정형벌, 행정질서벌)
문제 p.204

01	02	03	04	05
④	①	④	②	①
06	07	08	09	10
④	④	④	③	④
11	12	13	14	15
②	③	③	④	④
16	17	18	19	20
④	④	③	②	④
21	22	23	24	25
②	③	①	④	②

01

[정답] ④

①②③ × ④ ○

❶ 관계 법령상 행정대집행의 절차가 인정되어 행정청이 행정대집행의 방법으로 건물의 철거 등 대체적 작위의무의 이행을 실현할 수 있는 경우에는 따로 민사소송의 방법으로 그 의무의 이행을 구할 수 없다. 한편, 건물의 점유자가 철거의무자일 때에는 건물철거의무에 퇴거의무도 포함되어 있는 것이어서 별도로 퇴거를 명하는 집행권원이 필요하지 않다(①). 또한 행정청이 건물소유자들을 상대로 건물철거 대집행을 실시하기에 앞서, 건물소유자들을 건물에서 퇴거시키기 위해 별도로 퇴거를 구하는 민사소송은 부적법하다(②).

❷ 행정청이 행정대집행의 방법으로 건물철거의무의 이행을 실현할 수 있는 경우에는 건물철거 대집행과정에서 부수적으로 건물의 점유자들에 대한 퇴거조치를 할 수 있고(③), 점유자들이 적법한 행정대집행을 위력을 행사하여 방해하는 경우 형법상 공무집행방해죄가 성립하므로, 필요한 경우에는 「경찰관 직무집행법」에 근거한 위험발생방지조치 또는 형법상 공무집행방해죄의 범행방지 내지 현행범체포의 차원에서 경찰의 도움을 받을 수도 있다(④)(대판 2017. 4. 28, 2016다213916).

02

[정답] ①

① ○

건축법상 이행강제금은 일정한 기한까지 의무를 이행하지 않을 때에는 일정한 금전적 부담을 과할 뜻을 미리 계고함으로써 의무자에게 심리적 압박을 주어 장래에 그 의무를 이행하게 하려는 행정상 간접적인 강제집행수단의 하나로서 과거의 일정한 법률 위반행위에 대한 제재로서의 형벌이 아니라 장래의 의무이행의 확보를 위한 강제수단일 뿐이어서 범죄에 대하여 국가가 형벌권을 실행한다고 하는 과벌에 해당하지 아니하므로, 헌법 제13조 제1항이 금지하는 이중처벌금지의 원칙이 적용될 여지가 없다(헌재 2011. 10. 25, 2009헌바140).

② × 이행강제금(집행벌)에 불복하는 자는 이의를 제기할 수 있고, 이의를 제기한 경우에는 비송사건절차법에 의해 이행강제금(집행벌)을 결정하도록 특별한 규정을 두고 있는 경우가 있다(농지법 제62조). 이 경우에는 특별한 절차에 따라 권리를 구제받을 수 있을 뿐 항고소송을 제기할 수 없다.

농지법 제62조 제1항에 따른 이행강제금 부과처분에 불복하는 경우에는 비송사건절차법에 따른 재판절차가 적용되어야 하고, 행정소송법상 항고소송의 대상이 될 수 없다. 농지법 제62조 제6항, 제7항이 위와 같이 이행강제금 부과처분에 대한 불복절차를 분명하게 규정하고 있으므로, 이와 다른 불복절차를 허용할 수는 없다. 설령 피고가 이행강제금 부과처분을 하면서 재결청에 행정심판을 청구하거나 관할 행정법원에 행정소송을 할 수 있다고 잘못 안내하거나 경기도행정심판위원회가 각하재결이 아닌 기각재결을 하면서 관할 법원에 행정소송을 할 수 있다고 잘못 안내하였다고 하더라도, 그러한 잘못된 안내로 행정법원의 항고소송 재판관할이 생긴다고 볼 수도 없다(대판 2019. 4. 11, 2018두42955).

③ ×

시정명령을 받은 의무자가 그 시정명령의 취지에 부합하는 의무를 이행하기 위한 정당한 방법으로 행정청에 신청 또는 신고를 하였으나 행정청이 위법하게 이를 거부 또는 반려함으로써 결국 그 처분이 취소되기에 이르렀다면, 특별한 사정이 없는 한 그 시정명령의 불이행을 이유로 이행강제금을 부과할 수는 없다고 보는 것이 위와 같은 이행강제금제도의 취지에 부합한다(대판 2018. 1. 25, 2015두35116).

④ ×

행정기본법 제31조【이행강제금의 부과】 ⑤ 행정청은 의무자가 행정상 의무를 이행할 때까지 이행강제금을 반복하여 부과할 수 있다. 다만, 의무자가 의무를 이행하면 새로운 이행강제금의 부과를 즉시 중지하되, 이미 부과한 이행강제금은 징수하여야 한다.

03

[정답] ④

① ×

건축법상의 이행강제금은 시정명령의 불이행이라는 과거의 위반행위에 대한 제재가 아니라, 의무자에게 시정명령을 받은 의무의 이행을 명하고 그 이행기간 안에 의무를 이행하지 않으면 이행강제금이 부과된다는 사실을 고지함으로써 의무자에게 심리적 압박을 주어 의무의 이행을 간접적으로 강제하는 행정상의 간접강제수단에 해당한다. 이러한 이행강제금의 본질상 시정명령을 받은 의무자가 이행강제금이 부과되기 전에 그 의무를 이행한 경우에는 비록 시정명령에서 정한 기간을 지나서 이행한 경우라도 이행강제금을 부과할 수 없다(대판 2018. 1. 25, 2015두35116).

> **관련판례**
>
> 「부동산 실권리자명의 등기에 관한 법률」(이하 '부동산실명법'이라 한다)상 '장기미등기자'에 대하여 부과되는 이행강제금은 소유권이전등기신청의무 불이행이라는 과거의 사실에 대한 제재인 과징금과 달리, 장기미등기자에게 등기신청의무를 이행하지 아니하면 이행강제금이 부과된다는 심리적 압박을 주어 의무의 이행을 간접적으로 강제하는 행정상의 간접강제수단에 해당한다. 따라서 장기미등기자가 이행강제금 부과 전에 등기신청의무를 이행하였다면 이행강제금의 부과로써 이행을 확보하고자 하는 목적은 이미 실현된 것이므로 부동산실명법 제6조 제2항에 규정된 기간이 지나서 등기신청의무를 이행한 경우라 하더라도 이행강제금을 부과할 수 없다(대판 2016. 6. 23, 2015두36454).

② ✕ 이행강제금은 본래 비대체적 작위의무와 부작위의무의 이행을 강제하기 위한 강제집행수단으로 활용되어 왔다. 그런데 헌법재판소는 현행 건축법상 위법건축물에 대한 이행강제수단으로 대집행(건축법 제85조)과 이행강제금(건축법 제80조)이 인정되고 있는데, 양 제도는 각각의 장단점이 있으므로 행정청은 개별 사건에 있어서 위반내용, 위반자의 시정의지 등을 감안하여 대집행과 이행강제금을 선택적으로 활용할 수 있으며, 이처럼 그 합리적인 재량에 의해 선택하여 활용하는 이상 중첩적인 제재에 해당한다고 볼 수 없다고 하였다.

> ❶ 이행강제금은 대체적 작위의무의 위반에 대하여도 부과될 수 있다.
> ❷ 행정청은 대집행과 이행강제금을 선택적으로 활용할 수 있다고 할 것이며, 이처럼 그 합리적인 재량에 의해 선택하여 활용하는 이상 중첩적인 제재에 해당한다고 볼 수 없다(헌재 2004. 2. 26, 2001헌바80 등).

③ ✕

> 이행강제금(집행벌)과 행정벌은 목적에서 차이가 있으므로 양자를 병과하더라도 헌법에서 금지하는 이중처벌이 아니다.
> 건축법 제78조에 의한 무허가 건축행위에 대한 형사처벌과 건축법 제83조 제1항에 의한 시정명령 위반에 대한 이행강제금의 부과는 그 처벌 내지 제재대상이 되는 기본적 사실관계로서의 행위를 달리하며, 또한 그 보호법익과 목적에서도 차이가 있으므로 헌법 제13조 제1항이 금지하는 이중처벌에 해당한다고 할 수 없다(헌재 2004. 2. 26, 2001헌바80 등).

④ ○

> **건축법 제80조【이행강제금】** ⑥ 허가권자는 제79조 제1항에 따라 시정명령을 받은 자가 이를 이행하면 새로운 이행강제금의 부과를 즉시 중지하되, 이미 부과된 이행강제금은 징수하여야 한다.

04
[정답] ②

㉮ ○

> 건축법상의 이행강제금은 시정명령의 불이행이라는 과거의 위반행위에 대한 제재가 아니라, 의무자에게 시정명령을 받은 의무의 이행을 명하고 그 이행기간 안에 의무를 이행하지 않으면 이행강제금이 부과된다는 사실을 고지함으로써 의무자에게 심리적 압박을 주어 의무의 이행을 간접적으로 강제하는 행정상의 간접강제수단에 해당한다. 이러한 이행강제금의 본질상 시정명령을 받은 의무자가 이행강제금이 부과되기 전에 그 의무를 이행한 경우에는 비록 시정명령에서 정한 기간을 지나서 이행한 경우라도 이행강제금을 부과할 수 없다(대판 2018. 1. 25, 2015두35116).

㉯ ✕

> 건축법상 이행강제금 납부의 최초 독촉은 항고소송의 대상이 되는 행정처분에 해당한다(대판 2009. 12. 24, 2009두14507).

㉰ ✕

> ❶ 건축법상의 이행강제금은 간접강제의 일종으로서 그 이행강제금 납부의무는 상속인에게 승계될 수 없는 일신전속적인 성질의 것이므로 이미 사망한 사람에게 이행강제금을 부과하는 내용의 처분이나 결정은 당연무효이다.
> ❷ 건축법상 이행강제금은 일신전속적인 성질의 것이므로 이행강제금을 부과받은 사람이 재판절차가 개시된 이후에 사망한 경우, 재판절차는 종료된다.
> ❸ 구 건축법상 이행강제금을 부과받은 사람이 이행강제금 사건의 제1심결정 후 항고심결정이 있기 전에 사망한 경우, 항고심결정은 당연무효이고, 이미 사망한 사람의 이름으로 제기된 재항고는 보장할 수 없는 흠결이 있는 것으로서 부적법하다(대결 2006. 12. 8, 2006마470).

㉱ ○

> ❶ 이행강제금은 대체적 작위의무의 위반에 대하여도 부과될 수 있다.
> ❷ 행정청은 대집행과 이행강제금을 선택적으로 활용할 수 있다고 할 것이며, 이처럼 그 합리적인 재량에 의해 선택하여 활용하는 이상 중첩적인 제재에 해당한다고 볼 수 없다(헌재 2004. 2. 26, 2001헌바80 등).

05
[정답] ①

㉮ ○

> 「개발제한구역의 지정 및 관리에 관한 특별조치법」 제30조 제1항, 제30조의2 제1항 및 제2항의 규정에 의하면 시정명령을 받은 후 그 시정명령의 이행을 하지 아니한 자에 대하여 이행강제금을 부과할 수 있고, 그 이행강제금을 부과하기 전에 상당한 기간을 정하여 그 기한까지 이행되지 아니할 때에는 이행강제금을 부과·징수한다는 뜻을 문서로 계고하여야 하므로, 이행강제금의 부과·징수를 위한 계고는 시정명령을 불이행한 경우에 취할 수 있는 절차라 할 것이고, 따라서 이행강제금을 부과·징수할 때마다 그에 앞서 시정명령 절차를 다시 거쳐야 할 필요는 없다고 보아야 한다(대판 2013. 12. 12, 2012두20397).

㉯ ○ 이행강제금(집행벌)의 부과에 대한 불복방법에 대해 특별한 규정을 두고 있지 않은 경우에는 일반적인 행정법상의 권리구제수단인 행정심판법에 따른 행정심판 또는 행정소송법에 따른 행정소송을 제기할 수 있다.

㉰ ○

> ❶ 건축법상의 이행강제금은 간접강제의 일종으로서 그 이행강제금 납부의무는 상속인에게 승계될 수 없는 일신전속적인 성질의 것이므로 이미 사망한 사람에게 이행강제금을 부과하는 내용의 처분이나 결정은 당연무효이다.

㉯ ○

> ❷ 건축법상 이행강제금은 일신전속적인 성질의 것이므로 이행강제금을 부과받은 사람이 재판절차가 개시된 이후에 사망한 경우, 재판절차는 종료된다(대결 2006. 12. 8, 2006마470).

㉰ ○

> 이행강제금은 행정법상의 부작위의무 또는 비대체적 작위의무를 이행하지 않은 경우에 '일정한 기한까지 의무를 이행하지 않을 때에는 일정한 금전적 부담을 과할 뜻'을 미리 '계고'함으로써 의무자에게 심리적 압박을 주어 장래를 향하여 의무의 이행을 확보하려는 간접적인 행정상 강제집행수단이고, 노동위원회가 근로기준법 제33조에 따라 이행강제금을 부과하는 경우 그 30일 전까지 하여야 하는 이행강제금 부과예고는 이러한 '계고'에 해당한다. 따라서 사용자가 이행하여야 할 행정법상 의무의 내용을 초과하는 것을 '불이행 내용'으로 기재한 이행강제금 부과예고서에 의하여 이행강제금 부과예고를 한 다음 이를 이행하지 않았다는 이유로 이행강제금을 부과하였다면, 초과한 정도가 근소하다는 등의 특별한 사정이 없는 한 이행강제금 부과예고는 이행강제금제도의 취지에 반하는 것으로서 위법하고, 이에 터 잡은 이행강제금 부과처분 역시 위법하다(대판 2015. 6. 24, 2011두2170).

㉱ ○

> 건축주 등이 장기간 시정명령을 이행하지 아니하였으나 그 기간 중에 시정명령의 이행기회가 제공되지 아니하였다가 뒤늦게 이행기회가 제공된 경우, 이행기회가 제공되지 아니한 과거의 기간에 대한 이행강제금까지 한꺼번에 부과할 수는 없다. 이를 위반하여 이루어진 이행강제금 부과처분의 하자는 중대하고 명백하다.
> 비록 건축주 등이 장기간 시정명령을 이행하지 아니하였더라도, 그 기간 중에는 시정명령의 이행기회가 제공되지 아니하였다가 뒤늦게 시정명령의 이행기회가 제공된 경우라면, 시정명령의 이행기회 제공을 전제로 한 1회분의 이행강제금만을 부과할 수 있고, 시정명령의 이행기회가 제공되지 아니한 과거의 기간에 대한 이행강제금까지 한꺼번에 부과할 수는 없다. 그리고 이를 위반하여 이루어진 이행강제금 부과처분은 과거의 위반행위에 대한 제재가 아니라 행정상의 간접강제수단이라는 이행강제금의 본질에 반하여 구 건축법 제80조 제1·4항 등 법규의 중요한 부분을 위반한 것으로서, 그러한 하자는 중대할 뿐만 아니라 객관적으로도 명백하다고 할 것이다(대판 2016. 7. 14, 2015두46598).

06 [정답] ④

① ×

> 압류처분에 앞서 독촉절차를 거치지 아니하였다 하더라도 압류처분을 무효로 할 만큼 중대하고도 명백한 하자라고 볼 수 없다(대판 1992. 3. 10, 91누6030).

② ×

> 납세자가 아닌 제3자의 재산을 대상으로 한 압류처분은 당연무효이다.
> 체납처분(현 강제징수)으로서 압류의 요건을 규정한 국세징수법 제24조(현 제31조) 각 항의 규정을 보면 어느 경우에나 압류의 대상을 납세자의 재산에 국한하고 있으므로, 납세자가 아닌 제3자의 재산을 대상으로 한 압류처분은 그 처분의 내용이 법률상 실현될 수 없는 것이어서 당연무효이다(대판 2012. 4. 12, 2010두4612).

③ ×

> ❶ 체납자 등에 대한 공매통지는 공매의 절차적 요건에 해당하므로, 체납자 등에게 공매통지를 하지 않았거나 적법하지 않은 공매통지를 한 경우 그 공매처분은 위법하다.
> ❷ 다만, 체납자 등은 자신에 대한 공매통지의 하자만을 공매처분의 위법사유로 주장할 수 있을 뿐 다른 권리자에 대한 공매통지의 하자를 들어 공매처분의 위법사유로 주장하는 것은 허용되지 않는다(대판 2008. 11. 20, 2007두18154 전합).

④ ○ 국세기본법은 이의신청절차를 규정하고 있으며, 특히 소송을 제기하기 전에 심사청구 또는 심판청구 중 하나의 절차를 반드시 거치도록 하는 예외적 행정심판전치주의를 규정하고 있다.

> 국세기본법 제56조【다른 법률과의 관계】② 제55조에 규정된 위법한 처분에 대한 행정소송은 행정소송법 제18조 제1항 본문, 제2항 및 제3항에도 불구하고 이 법에 따른 심사청구 또는 심판청구와 그에 대한 결정을 거치지 아니하면 제기할 수 없다. (단서 생략)

07 [정답] ④

㉮ ×

> 압류재산이 징수할 국세액을 초과하는 경우 압류처분의 효력은 당연무효가 아니다.
> 세무공무원이 국세의 징수를 위해 납세자의 재산을 압류하는 경우 그 재산의 가액이 징수할 국세액을 초과한다 하여 위 압류가 당연무효의 처분이라고는 할 수 없다(대판 1986. 11. 11, 86누479).

㉯ × 공매는 항고소송의 대상이 되는 처분에 해당하나, 공매통지는 항고소송의 대상이 되는 처분이 아니라는 것이 판례의 입장이다.

> 국세징수법상 공매통지 자체는 원칙적으로 항고소송의 대상이 되는 행정처분이 아니다.
> 체납자 등에 대한 공매통지는 국가의 강제력에 의하여 진행되는 공매에서 체납자 등의 권리 내지 재산상의 이익을 보호하기 위하여 법률로 규정한 절차적 요건이라고 보아야 하며, 공매처분을 하면서 체납자 등에게 공매통지를 하지 않았거나 공매통지를 하였더라도 그것이 적법하지 아니한 경우에는 절차상의 흠이 있어 그 공매처분이 위법하게 되는 것이지만, 공매통지 자체가 그 상대방인 체납자 등의 법적 지위나 권리·의무에 직접적인 영향을 주는 행정처분에 해당한다고 할 것은 아니므로 다른 특별한 사정이 없는 한 체납자 등은 공매통지의 결여나 위법을 들어 공매처분의 취소 등을 구할 수 있는 것이지 공매통지 자체를 항고소송의 대상으로 삼아 그 취소 등을 구할 수는 없다(대판 2011. 3. 24, 2010두25527).

㉰ ×

> ❶ 체납자 등에 대한 공매통지는 공매의 절차적 요건에 해당하므로, 체납자 등에게 공매통지를 하지 않았거나 적법하지 않은 공매통지를 한 경우 그 공매처분은 위법하다(대판 2008. 11. 20, 2007두18154 전합).
> ❷ 체납자 등에 대한 공매통지는 국가의 강제력에 의하여 진행되는 공매절차에서 체납자 등의 권리 내지 재산상 이익을 보호하기 위하여 법률로 규정한 절차적 요건에 해당하지만, 그 통지를 하지 아니한 채 공매처분을 하였다 하여도 그 공매처분이 당연무효로 되는 것은 아니다(대판 2012. 7. 26, 2010다50625).

㉣ ○

> 한국자산공사(현 한국자산관리공사)의 재공매(입찰)결정 및 공매통지는 항고소송의 대상이 되는 행정처분이 아니다.
> 한국자산공사가 당해 부동산을 인터넷을 통하여 재공매(입찰)하기로 한 결정 자체는 내부적인 의사결정에 불과하여 항고소송의 대상이 되는 행정처분이라고 볼 수 없다(대판 2007. 7. 27, 2006두8464).

㉤ ○

> 공매는 공법상 행정처분으로서 공매에 의하여 재산을 매수한 자는 그 공매처분이 취소된 경우 그 취소처분의 위법을 주장하여 행정소송을 제기할 법률상의 이익이 있다.
> 과세관청이 체납처분(현 강제징수)으로서 행하는 공매는 우월한 공권력의 행사로서 행정소송의 대상이 되는 공법상의 행정처분이다(대판 1984. 9. 25, 84누201).

08

[정답] ④

㉮ × 행정상 강제집행과 즉시강제는 이론상 구별된다. 행정상 즉시강제는 선행하는 의무의 불이행을 전제로 하지 않는다. 「감염병의 예방 및 관리에 관한 법률」상의 감염병환자의 강제입원은 행정상 즉시강제에 해당한다.

㉯ × 행정상 강제집행에는 대집행, 이행강제금(집행벌), 직접강제, 강제징수가 있다. 구 「음반·비디오물 및 게임물에 관한 법률」상 불법게임물에 대한 수거·폐기조치는 즉시강제에 해당한다.

> 불법게임물은 불법현장에서 이를 즉시 수거하지 않으면 증거인멸의 가능성이 있고, 그 사행성으로 인한 폐해를 막기 어려우며, 대량으로 복제되어 유통될 가능성이 있어, 불법게임물에 대하여 관계당사자에게 수거·폐기를 명하고 그 불이행을 기다려 직접강제 등 행정상의 강제집행으로 나아가는 원칙적인 방법으로는 목적 달성이 곤란하다고 할 수 있으므로, 이 사건 법률조항의 설정은 위와 같은 급박한 상황에 대처하기 위한 것으로서 그 불가피성과 정당성이 인정된다. …… 또한 이 사건 법률조항이 불법게임물의 수거·폐기에 관한 행정상 즉시강제를 허용함으로써 게임제공업주 등이 입게 되는 불이익보다는 이를 허용함으로써 보호되는 공익이 더 크다고 볼 수 있으므로, 법익의 균형성의 원칙에 위배되는 것도 아니다(헌재 2002. 10. 31, 2000헌가12).

㉰ × 소방기본법상의 소방활동에 방해가 되는 물건 등에 대한 강제처분은 의무의 불이행을 전제로 하지 않으므로 행정상 즉시강제에 해당한다.

㉱ ○ 출입국관리법상의 개별적·구체적 의무를 위반한 사람에 대한 강제퇴거조치는 강제집행 중 직접강제에 해당한다.

㉲ ○ 식품위생법상 영업소 폐쇄명령을 받은 후에도 계속하여 영업을 하는 경우 해당 영업소를 폐쇄하는 조치는 행정상 강제집행 중 식품위생법을 근거로 하는 직접강제에 해당한다.

> **식품위생법 제79조 【폐쇄조치 등】** ① 식품의약품안전처장, 시·도지사 또는 시장·군수·구청장은 제37조 제1항, 제4항 또는 제5항을 위반하여 허가받지 아니하거나 신고 또는 등록하지 아니하고 영업을 하는 경우 또는 제75조 제1항 또는 제2항에 따라 허가 또는 등록이 취소되거나 영업소 폐쇄명령을 받은 후에도 계속하여 영업을 하는 경우에는 해당 영업소를 폐쇄하기 위하여 관계공무원에게 다음 각 호의 조치를 하게 할 수 있다.
> 1. 해당 영업소의 간판 등 영업 표지물의 제거나 삭제
> 2. 해당 영업소가 적법한 영업소가 아님을 알리는 게시문 등의 부착
> 3. 해당 영업소의 시설물과 영업에 사용하는 기구 등을 사용할 수 없게 하는 봉인(封印)

09

[정답] ③

① × 행정상 강제집행은 의무의 존재 및 그의 불이행을 전제로 한다는 점에서, 이것을 전제로 하지 않고 급박한 경우에 즉시 행하여지는 행정상 즉시강제와 구별된다. 행정상 강제집행의 종류로는 대집행·강제징수·직접강제·이행강제금(집행벌)이 있고 즉시강제는 포함되지 않는다.

② ×

> 행정상 즉시강제는 엄격한 실정법상의 근거를 필요로 할 뿐만 아니라, 그 발동에 있어서는 법규의 범위 안에서도 다시 행정상의 장해가 목전에 급박하고, 다른 수단으로는 행정목적을 달성할 수 없는 경우이어야 하며, 이러한 경우에도 그 행사는 필요 최소한도에 그쳐야 함을 내용으로 하는 조리상의 한계에 기속된다(헌재 2002. 10. 31, 2000헌가12).

③ ○

> 「경찰관 직무집행법」 제11조의2 【손실보상】 ① 국가는 경찰관의 적법한 직무집행으로 인하여 다음 각 호의 어느 하나에 해당하는 손실을 입은 자에 대하여 정당한 보상을 하여야 한다.
> 1. 손실발생의 원인에 대하여 책임이 없는 자가 생명·신체 또는 재산상의 손실을 입은 경우(손실발생의 원인에 대하여 책임이 없는 자가 경찰관의 직무집행에 자발적으로 협조하거나 물건을 제공하여 생명·신체 또는 재산상의 손실을 입은 경우를 포함한다)
> 2. 손실발생의 원인에 대하여 책임이 있는 자가 자신의 책임에 상응하는 정도를 초과하는 생명·신체 또는 재산상의 손실을 입은 경우

④ ×

> ❶ 사전영장주의는 행정상 즉시강제를 포함한 인신의 자유를 제한하는 모든 국가작용의 영역에서 존중되어야 하나 사전영장주의를 고수하다가는 도저히 그 목적을 달성할 수 없는 지극히 예외적인 경우에만 형사절차에서와 같은 예외가 인정된다고 할 것이다(대법원).
> 사전영장주의원칙은 인신보호를 위한 헌법상의 기속원리이기 때문에 인신의 자유를 제한하는 국가의 모든 영역(예컨대, 행정상의 즉시강제)에서도 존중되어야 하고, 다만 사전영장주의를 고수하다가는 도저히 그 목적을 달성할 수 없는 지극히 예외적인 경우에만 형사절차에서와 같은 예외가 인정된다고 할 것이다. 그런데 지방의회에서의 사무감사·조사를 위한 증인의 동행명령장제도도 증인의 신체의 자유를 억압하여 일정 장소로 인치하는 것으로서 …… 이 경우에도 헌법 제12조 제3항에 의하여 법관이 발부한 영장의 제시가 있어야 할 것이다. 그럼에도 불구하고 동행명령장을 법관이 아닌 의장이 발부하고 이에 기하여 증인의 신체의 자유를 침해하여 증인을 일정 장소에 인치하도록 규정된 조례안 제6조는 영장주의원칙을 규정한 헌법 제12조 제3항에 위반한 것이라고 할 것이다(대판 1995. 6. 30, 93추83).

제10회 **115**

10 [정답] ④

① ✗

> ❶ 행정상 즉시강제는 법치국가의 요청인 예측가능성과 법적 안정성에 반하고 기본권 침해의 소지가 큰 권력작용이므로 행정강제는 행정상 강제집행을 원칙으로 하고 행정상 즉시강제는 예외적으로 인정되어야 한다.
> ❷ 행정상 즉시강제는 엄격한 실정법상의 근거를 필요로 할 뿐만 아니라, 그 발동에 있어서는 법규의 범위 안에서도 다시 행정상의 장해가 목전에 급박하고, 다른 수단으로는 행정목적을 달성할 수 없는 경우이어야 하며, 이러한 경우에도 그 행사는 필요 최소한도에 그쳐야 함을 내용으로 하는 조리상의 한계에 기속된다(헌재 2002. 10. 31, 2000헌가12).

② ✗

> ❷ 관계 행정청이 등급분류를 받지 아니하거나 등급분류를 받은 게임물과 다른 내용의 게임물을 발견한 경우 관계 공무원으로 하여금 이를 수거·폐기하게 할 수 있도록 한 구「음반·비디오물 및 게임물에 관한 법률」의 조항은 급박한 상황에 대처하기 위한 것으로서 그 불가피성과 정당성이 충분히 인정되는 경우이므로, 이 사건 법률조항이 비록 영장 없는 수거를 인정한다고 하더라도 이를 두고 헌법상 영장주의에 위배되는 것으로는 볼 수 없다(헌재 2002. 10. 31, 2000헌가12).

③ ✗

> **행정기본법 제33조【즉시강제】** ① 즉시강제는 다른 수단으로는 행정목적을 달성할 수 없는 경우에만 허용되며, 이 경우에도 최소한으로만 실시하여야 한다.

④ ○

> 「경찰관 직무집행법」 제4조 제1항 제1호에서 규정하는 술에 취한 상태로 인하여 자기 또는 타인의 생명·신체와 재산에 위해를 미칠 우려가 있는 피구호자에 대한 보호조치는 경찰행정상 즉시강제에 해당하므로, 그 조치가 불가피한 최소한도 내에서만 행사되도록 발동·행사요건을 신중하고 엄격하게 해석하여야 한다(대판 2012. 12. 13, 2012도11162).

11 [정답] ②

㉮ ○

> **행정조사기본법 제4조【행정조사의 기본원칙】** ① 행정조사는 조사목적을 달성하는 데 필요한 최소한의 범위 안에서 실시하여야 하며, 다른 목적 등을 위하여 조사권을 남용하여서는 아니 된다.

㉯ ✗

> **행정조사기본법 제5조【행정조사의 근거】** 행정기관은 법령 등에서 행정조사를 규정하고 있는 경우에 한하여 행정조사를 실시할 수 있다. 다만, 조사대상자의 자발적인 협조를 얻어 실시하는 행정조사의 경우에는 그러하지 아니하다.

> 행정조사기본법 제5조에 의하면 행정기관은 법령 등에서 행정조사를 규정하고 있는 경우에 한하여 행정조사를 실시할 수 있으나(본문), 한편 '조사대상자의 자발적인 협조를 얻어 실시하는 행정조사'의 경우에는 그러한 제한이 없이 실시가 허용된다(단서). 행정조사기본법 제5조는 행정기관이 정책을 결정하거나 직무를 수행하는 데에 필요한 정보나 자료를 수집하기 위하여 행정조사를 실시할 수 있는 근거에 관하여 정한 것으로서, 이러한 규정의 취지와 아울러 문언에 비추어 보면, 단서에서 정한 '조사대상자의 자발적인 협조를 얻어 실시하는 행정조사'는 개별법령 등에서 행정조사를 규정하고 있는 경우에도 실시할 수 있다(대판 2016. 10. 27, 2016두41811).

㉰ ○

> **행정조사기본법 제20조【자발적인 협조에 따라 실시하는 행정조사】** ① 행정기관의 장이 제5조 단서에 따라 조사대상자의 자발적인 협조를 얻어 행정조사를 실시하고자 하는 경우 조사대상자는 문서·전화·구두 등의 방법으로 당해 행정조사를 거부할 수 있다.
> ② 제1항에 따른 행정조사에 대하여 조사대상자가 조사에 응할 것인지에 대한 응답을 하지 아니하는 경우에는 법령 등에 특별한 규정이 없는 한 그 조사를 거부한 것으로 본다.

㉱ ✗

> **행정조사기본법 제7조【조사의 주기】** 행정조사는 법령 등 또는 행정조사운영계획으로 정하는 바에 따라 정기적으로 실시함을 원칙으로 한다. 다만, 다음 각 호 중 어느 하나에 해당하는 경우에는 수시조사를 할 수 있다.
> 1. 법률에서 수시조사를 규정하고 있는 경우
> 2. 법령 등의 위반에 대하여 혐의가 있는 경우
> 3. 다른 행정기관으로부터 법령 등의 위반에 관한 혐의를 통보 또는 이첩받은 경우
> 4. 법령 등의 위반에 대한 신고를 받거나 민원이 접수된 경우
> 5. 그 밖에 행정조사의 필요성이 인정되는 사항으로서 대통령령으로 정하는 경우

㉲ ○ 조세·보안처분 등에 관한 사항에는 행정조사기본법이 적용되지 아니하나, 행정조사기본법 제3조 제3항에 따르면 이 경우에도 제4조(행정조사의 기본원칙), 제5조(행정조사의 근거) 및 제28조(정보통신수단을 통한 행정조사)에 관한 규정은 적용된다.

> **행정조사기본법 제3조【적용범위】** ② 다음 각 호의 어느 하나에 해당하는 사항에 대하여는 이 법을 적용하지 아니한다.
> 2. 국방 및 안전에 관한 사항 중 다음 각 목의 어느 하나에 해당하는 사항

> 가. 군사시설·군사기밀보호 또는 방위사업에 관한 사항
> 나. 병역법·예비군법·민방위기본법·「비상대비에 관한 법률」·「재난관리자원의 관리 등에 관한 법률」에 따른 징집·소집·동원 및 훈련에 관한 사항
> 4. 근로기준법 제101조에 따른 근로감독관의 직무에 관한 사항
> 5. 조세·형사·행형 및 보안처분에 관한 사항
> 6. 금융감독기관의 감독·검사·조사 및 감리에 관한 사항
> ③ 제2항에도 불구하고 제4조(행정조사의 기본원칙), 제5조(행정조사의 근거) 및 제28조(정보통신수단을 통한 행정조사)는 제2항 각 호의 사항에 대하여 적용한다.

12 [정답] ③

① ○

> 헌법 제12조 제1항에서 규정하고 있는 적법절차의 원칙은 형사소송절차에 국한되지 아니하고 모든 국가작용 전반에 대하여 적용된다. 세무조사는 국가의 과세권을 실현하기 위한 행정조사의 일종으로서 과세자료의 수집 또는 신고내용의 정확성 검증 등을 위하여 필요불가결하며, 종국적으로는 조세의 탈루를 막고 납세자의 성실한 신고를 담보하는 중요한 기능을 수행한다. 이러한 세무공무원의 세무조사권의 행사에서도 적법절차의 원칙은 마땅히 준수되어야 한다(대판 2014. 6. 26, 2012두911).

② ○

> 행정청이 현장조사를 실시하는 과정에서 조사상대방으로부터 구체적인 위반사실을 자인하는 내용의 확인서를 작성받았다면, 그 확인서가 작성자의 의사에 반하여 강제로 작성되었거나 또는 내용의 미비 등으로 구체적인 사실에 대한 증명자료로 삼기 어렵다는 등의 특별한 사정이 없는 한 그 확인서의 증거가치를 쉽게 부정할 수 없다(대판 2017. 7. 11, 2015두2864).

③ × ④ ○

> 행정조사기본법 제23조【조사권 행사의 제한】② 조사대상자는 법률·회계 등에 대하여 전문지식이 있는 관계 전문가로 하여금 행정조사를 받는 과정에 입회하게 하거나 의견을 진술하게 할 수 있다(③).
> ③ 조사대상자와 조사원은 조사과정을 방해하지 아니하는 범위 안에서 행정조사의 과정을 녹음하거나 녹화할 수 있다(④). 이 경우 녹음·녹화의 범위 등은 상호 협의하여 정하여야 한다.

13 [정답] ③

①② ○

> 수질오염물질을 측정하는 경우 시료채취의 방법, 오염물질 측정의 방법 등을 정한 구 수질오염공정시험기준(국립환경과학원 고시)은 형식 및 내용에 비추어 행정기관 내부의 사무처리준칙에 불과하므로 일반국민이나 법원을 구속하는 대외적 구속력은 없다. 따라서 시료채취의 방법 등이 위 고시에서 정한 절차에 위반된다고 하여 그러한 사정만으로 곧바로 그에 기초하여 내려진 행정처분이 위법하다고 볼 수는 없고, 관계 법령의 규정내용과 취지 등에 비추어 절차상 하자가 채취된 시료를 객관적인 자료로 활용할 수 없을 정도로 중대한지에 따라 판단되어야 한다(①). 다만, 이때에도 시료의 채취와 보존, 검사방법의 적법성 또는 적절성이 담보되어 시료를 객관적인 자료로 활용할 수 있고 그에 따른 실험결과를 믿을 수 있다는 사정은 행정청이 증명책임을 부담하는 것이 원칙이다(②)(대판 2022. 9. 16, 2021두58912).

③ × ④ ○

> ❶ 세무공무원의 조사행위가 실질적으로 납세자 등으로 하여금 질문에 대답하고 검사를 수인하도록 함으로써 납세자의 영업의 자유 등에 영향을 미치는 경우, '현지확인'의 절차에 따른 것이더라도 구 국세기본법 제81조의4 제2항에 따라 재조사가 금지되는 '세무조사'에 해당한다(③).
> ❷ 다만, 납세자 등이 대답하거나 수인할 의무가 없고 납세자의 영업의 자유 등을 침해하거나 세무조사권이 남용될 염려가 없는 조사행위까지 재조사가 금지되는 '세무조사'에 해당하는 것은 아니다(④)(대판 2017. 3. 16, 2014두8360).

14 [정답] ④

① ×

> 세무조사가 과세자료의 수집 또는 신고내용의 정확성 검증이라는 본연의 목적이 아니라 부정한 목적을 위하여 행하여진 것이라면 이는 세무조사에 중대한 위법사유가 있는 경우에 해당하고 이러한 세무조사에 의하여 수집된 과세자료를 기초로 한 과세처분 역시 위법하다.
> 민사분쟁의 일방당사자로부터 부탁을 받은 국세청 공무원이 세무조사를 통하여 반대당사자를 압박하려는 목적으로 타인 명의로 직접 탈세제보를 하고, 이후 진행된 세무조사과정에서도 지속적으로 개입한 결과 수집된 과세자료를 기초로 이루어진 과세처분의 적법성이 문제된 사안에서, 이러한 세무조사는 세무공무원이 개인적 이익을 위하여 그 권한을 남용한 전형적 사례에 해당하여 위법하므로, 이에 기하여 이루어진 과세처분 역시 위법하다(대판 2016. 12. 15, 2016두47659).

② ×

> 행정조사기본법 제17조【조사의 사전통지】① 행정조사를 실시하고자 하는 행정기관의 장은 제9조에 따른 출석요구서, 제10조에 따른 보고요구서·자료제출요구서 및 제11조에 따른 현장출입조사서(이하 '출석요구서 등'이라 한다)를 조사개시 7일 전까지 조사대상자에게 서면으로 통지하여야 한다. 다만, 다음 각 호의 어느 하나에 해당하는 경우에는 행정조사의 개시와 동시에 출석요구서 등을 조사대상자에게 제시하거나 행정조사의 목적 등을 조사대상자에게 구두로 통지할 수 있다.
> 1. 행정조사를 실시하기 전에 관련 사항을 미리 통지하는 때에는 증거인멸 등으로 행정조사의 목적을 달성할 수 없다고 판단되는 경우
> 2. 통계법 제3조 제2호에 따른 지정통계의 작성을 위하여 조사하는 경우
> 3. 제5조 단서에 따라 조사대상자의 자발적인 협조를 얻어 실시하는 행정조사의 경우

③ ×

> 우편물 통관검사절차에서 압수·수색영장 없이 진행된 우편물의 개봉, 시료채취, 성분분석 등 검사는 원칙적으로 적법하다.

우편물 통관검사절차에서 이루어지는 우편물의 개봉, 시료채취, 성분분석 등의 검사는 수출입물품에 대한 적정한 통관 등을 목적으로 한 행정조사의 성격을 가지는 것으로서 수사기관의 강제처분이라고 할 수 없으므로, 압수·수색영장 없이 우편물의 개봉, 시료채취, 성분분석 등 검사가 진행되었다 하더라도 특별한 사정이 없는 한 위법하다고 볼 수 없다(대판 2013. 9. 26, 2013도7718).

④ ○ 권력적 행정조사의 경우 영장주의가 적용되는지가 문제되는바, 판례는 수사기관의 강제처분이 아니라 행정조사의 성격을 유지하는 한 영장은 요구되지 않는다고 한다. 다만, 형사책임 추궁을 목적으로 하는 조사의 경우에는 영장이 필요하다.

❶ 수출입물품을 검사하는 과정에서 마약류가 감추어져 있다고 밝혀지거나 그러한 의심이 드는 경우,「마약류 불법거래 방지에 관한 특례법」제4조 제1항에 따라 검사의 요청으로 세관장이 행하는 조치에는 영장주의원칙이 적용된다.
❷ 위 조항에 따른 조치의 일환으로 특정한 수출입물품을 개봉하여 검사하고 그 내용물의 점유를 취득한 행위가 범죄수사인 압수 또는 수색에 해당하므로 사전 또는 사후에 영장을 받아야 한다(대판 2017. 7. 18, 2014도8719).

15 〔정답〕④
①②③ ○ ④ ×

행정조사기본법 제4조【행정조사의 기본원칙】① 행정조사는 조사목적을 달성하는 데 필요한 최소한의 범위 안에서 실시하여야 하며, 다른 목적 등을 위하여 조사권을 남용하여서는 아니 된다.
② 행정기관은 조사목적에 적합하도록 조사대상자를 선정하여 행정조사를 실시하여야 한다(①).
③ 행정기관은 유사하거나 동일한 사안에 대하여는 공동조사 등을 실시함으로써 행정조사가 중복되지 아니하도록 하여야 한다.
④ 행정조사는 법령 등의 위반에 대한 처벌보다는 법령 등을 준수하도록 유도하는 데 중점을 두어야 한다(③).
⑤ 다른 법률에 따르지 아니하고는 행정조사의 대상자 또는 행정조사의 내용을 공표하거나 직무상 알게 된 비밀을 누설하여서는 아니 된다(②).
⑥ 행정기관은 행정조사를 통하여 알게 된 정보를 다른 법률에 따라 내부에서 이용하거나 다른 기관에 제공하는 경우를 제외하고는 원래의 조사목적 이외의 용도로 이용하거나 타인에게 제공하여서는 아니 된다(④).

16 〔정답〕④
① ×

행정조사기본법 제14조【공동조사】① 행정기관의 장은 다음 각 호의 어느 하나에 해당하는 행정조사를 하는 경우에는 공동조사를 하여야 한다.
1. 당해 행정기관 내의 2 이상의 부서가 동일하거나 유사한 업무분야에 대하여 동일한 조사대상자에게 행정조사를 실시하는 경우
2. 서로 다른 행정기관이 대통령령으로 정하는 분야에 대하여 동일한 조사대상자에게 행정조사를 실시하는 경우

② ×

음주운전 여부에 관한 조사방법 중 혈액채취(이하 '채혈'이라고 한다)는 상대방의 신체에 대한 직접적인 침해를 수반하는 방법으로서, 이에 관하여 도로교통법은 호흡조사와 달리 운전자에게 조사에 응할 의무를 부과하는 규정을 두지 아니할 뿐만 아니라, 측정에 앞서 운전자의 동의를 받도록 규정하고 있으므로(제44조 제3항), 운전자의 동의 없이 임의로 채혈조사를 하는 것은 허용되지 아니한다. …… 따라서 음주운전 여부에 대한 조사과정에서 운전자 본인의 동의를 받지 아니하고 또한 법원의 영장도 없이 채혈조사를 한 결과를 근거로 한 운전면허 정지·취소처분은 도로교통법 제44조 제3항을 위반한 것으로서 특별한 사정이 없는 한 위법한 처분으로 볼 수밖에 없다(대판 2016. 12. 27, 2014두46850).

③ ×

행정조사기본법 제15조【중복조사의 제한】① 제7조에 따라 정기조사 또는 수시조사를 실시한 행정기관의 장은 동일한 사안에 대하여 동일한 조사대상자를 재조사하여서는 아니 된다. 다만, 당해 행정기관이 이미 조사를 받은 조사대상자에 대하여 위법행위가 의심되는 새로운 증거를 확보한 경우에는 그러하지 아니하다.
② 행정조사를 실시할 행정기관의 장은 행정조사를 실시하기 전에 다른 행정기관에서 동일한 조사대상자에게 동일하거나 유사한 사안에 대하여 행정조사를 실시하였는지 여부를 확인할 수 있다.

④ ○

진술거부권은 현재 피의자나 피고인으로서 수사 또는 공판절차에 계속 중인 자뿐만 아니라 장차 피의자나 피고인이 될 자에게도 보장되며, 형사절차뿐 아니라 행정절차나 국회에서의 조사절차 등에서도 보장된다. 또한 진술거부권은 고문 등 폭행에 의한 강요는 물론 법률로써도 진술을 강요당하지 아니함을 의미한다(헌재 1997. 3. 27, 96헌가11).

17 〔정답〕④
㉮ ○

어떠한 위반행위에 대해 행정형벌을 과할 것인가, 행정질서벌을 과할 것인가는 기본적으로 입법재량에 속하는 문제이다.
어떤 행정법규 위반행위에 대하여 이를 단지 간접적으로 행정상의 질서에 장해를 줄 위험성이 있음에 불과한 경우로 보아 행정질서벌인 과태료를 과할 것인가 아니면 직접적으로 행정목적과 공익을 침해한 행위로 보아 행정형벌을 과할 것인가, 그리고 행정형벌을 과할 경우 그 법정형의 형종과 형량을 어떻게 정할 것인가는 당해 위반행위가 위의 어느 경우에 해당하는가에 대한 법적 판단을 그르친 것이 아닌 한 그 처벌내용은 기본적으로 입법권자가 제반 사정을 고려하여 결정할 입법재량에 속하는 문제라고 할 수 있다(헌재 1994. 4. 28, 91헌바14).

㉯ ○

초등학교 교장이 도교육위원회의 지시에 따라 교과내용으로 되어 있는 꽃양귀비를 교과식물로 비치하기 위하여 양귀비 종자를 사서 교무실 앞 화단에 심은 것이라면 이는 죄가 되지 아니하는 것으로 오인한 행위로서 그 오인에 정당한 이유가 있는 경우에 해당한다(대판 1972. 3. 31, 72도64).

㉰ ✕

> 양벌규정에 의해 영업주를 처벌함에 있어서 종업원의 범죄성립이나 처벌을 요하지는 않는다.
> 양벌규정에 의한 영업주의 처벌은 금지위반행위자인 종업원의 처벌에 종속하는 것이 아니라 독립하여 그 자신의 종업원에 대한 선임·감독상의 과실로 인하여 처벌되는 것이므로 종업원의 범죄성립이나 처벌이 영업주 처벌의 전제조건이 될 필요는 없다(대판 2006. 2. 24, 2005도7673).

㉱ ✕ 행정처분과 형사처벌은 별개의 제도로서 형사처벌을 받은 경우라도 행정처분을 할 수 있다.

> 운행정지처분의 사유가 된 사실관계로 자동차운송사업자가 이미 형사처벌을 받은 바 있다 하여 피고(서울특별시장)의 자동차운수사업법 제31조를 근거로 한 운행정지처분이 일사부재리의 원칙에 위반된다 할 수 없다(대판 1983. 6. 14, 82누439).

18 [정답] ③

① ○ 헌법재판소는 양벌규정을 규정하고 있는 법률이 그 해석상 종업원의 선임·감독상의 주의의무를 다하여 아무런 잘못이 없는 경우까지도 법인에게 형벌을 부과하도록 한다면, 이는 법치국가의 원리 및 죄형법정주의로부터 도출되는 책임주의원칙에 반하여 헌법에 위반된다고 판시하였다.

> 이 사건 심판대상 법률조항들에 의할 경우, 법인이 종업원 등의 위반행위와 관련하여 선임·감독상의 주의의무를 다하여 아무런 잘못이 없는 경우까지도 법인에게 형벌을 부과될 수밖에 없게 되며 …… 단순히 법인이 고용한 종업원 등이 업무에 관하여 범죄행위를 하였다는 이유만으로 법인에 대하여 형사처벌을 과하고 있는바, 이는 다른 사람의 범죄에 대하여 그 책임 유무를 묻지 않고 형벌을 부과하는 것이므로 헌법상 법치국가의 원리 및 죄형법정주의로부터 도출되는 책임주의원칙에 반한다고 할 것이다(헌재 2010. 9. 30, 2010헌가10).

② ○

> 허가를 담당하는 공무원이 허가를 요하지 않는다고 잘못 알려준 것을 믿은 것은 자기의 행위가 죄가 되지 않는 것으로 오인한 데 정당한 이유가 있는 경우에 해당하여 처벌할 수 없다(대판 1992. 5. 22, 91도2525).

③ ✕

> (10일간 임시운행허가를 받은 자가 그 기간이 경과한 다음에도 자동차등록원부에 등록하지 아니한 채 무등록차량을 운행한 자에 대한 과태료의 제재 후 형사처벌을 하는 것이 일사부재리의 원칙에 위반하는 것이 아니라고 판시하면서) 과태료와 형사처벌은 성질이나 목적을 달리하는 별개의 것이므로 행정법상의 질서벌인 과태료를 납부한 후 형사처벌을 한다고 하여 일사부재리의 원칙에 위반되는 것이라고 할 수 없다.
> 행정법상의 질서벌인 과태료의 부과처분과 형사처벌은 그 성질이나 목적을 달리하는 별개의 것이므로 행정법상의 질서벌인 과태료를 납부한 후에 형사처벌을 한다고 하여 이를 일사부재리의 원칙에 반하는 것이라고 할 수는 없으며, 자동차의 임시운행허가를 받은 자가 그 허가목적 및 기간의 범위 안에서 운행하지 아니한 경우에 과태료를 부과하는 것은 …… 만일 임시운행허가기간을 넘어 운행한 자가 등록된 차량에 관하여 그러한 행위를 한 경우라면 과태료의 제재만을 받게 되겠지만, 무등록차량에 관하여 그러한 행위를 한 경우라면 과태료와 별도로 형사처벌의 대상이 된다(대판 1996. 4. 12, 96도158).

④ ○

> 행정처분과 형벌은 각각 그 권력적 기초, 대상, 목적이 다르다. 일정한 법규 위반사실이 행정처분의 전제사실이자 형사법규의 위반사실이 되는 경우에 동일한 행위에 관하여 독립적으로 행정처분이나 형벌을 부과하거나 이를 병과할 수 있다. 법규가 예외적으로 형사소추선행원칙을 규정하고 있지 않은 이상 형사판결 확정에 앞서 일정한 위반사실을 들어 행정처분을 하였다고 하여 절차적 위반이 있다고 할 수 없다(대판 2017. 6. 19, 2015두59808).

19 [정답] ②

① ○ 형법 제14조는 "과실행위는 법률에 특별한 규정이 있는 경우에 한하여 처벌한다."라고 규정하고 있다. 행정형벌에도 과실범을 처벌하는 명문규정이 있는 경우에는 처벌할 수 있으며, 한걸음 더 나아가 명문규정이 없더라도 행정형벌법규의 해석에 의해 과실행위를 처벌한다는 뜻이 도출되는 경우에는 과실행위도 처벌할 수 있다는 것이 통설과 판례의 입장이다.

> ❶ 행정범의 경우에는 과실행위를 벌한다는 명문규정이 없는 경우에도 그 법률규정 중에 과실행위를 벌한다는 명백한 취지를 알 수 있는 경우에는 과실행위에 행정형벌을 부과할 수 있다.
> ❷ 구 대기환경보전법의 입법목적이나 관계 규정의 취지 등을 고려하면 구 대기환경보전법에 따라 배출허용기준을 초과하는 배출가스를 배출하는 자동차를 운행하는 행위를 처벌하는 규정은 과실범의 경우에도 적용한다(대판 1993. 9. 10, 92도1136).

② ✕ 양벌규정은 행위자에 대한 처벌규정임과 동시에 영업주에 대한 처벌규정이기도 하다는 것이 판례의 입장이다.

> 양벌규정은 행위자에 대한 처벌규정임과 동시에 그 위반행위의 이익귀속주체인 영업주에 대한 처벌규정이다(대판 1999. 7. 15, 95도2870 전합).

그런데 「개인정보 보호법」상 양벌규정에 따르면 「개인정보 보호법」을 위반한 경우 행위자 외에 법인 또는 개인(편저자 주 : 개인사업자)을 처벌하도록 되어 있으므로, 법인 아닌 사단 또는 재단에 불과한 공공기관, 즉 법인격 없는 공공기관은 양벌규정에 의하여 처벌될 수 없다. 따라서 양벌규정에 따라 법인격 없는 공공기관을 처벌할 수 없는 이상, 그 규정에 의해 행위자 역시 처벌할 수 없다는 것이 판례의 입장이다.

> 구 「개인정보 보호법」은 제2조 제5·6호에서 공공기관 중 법인격이 없는 '중앙행정기관 및 그 소속 기관' 등을 개인정보처리자 중 하나로 규정하고 있으면서도, 양벌규정에 의하여 처벌되는 개인정보처리자로는 같은 법 제74조 제2항에서 '법인 또는 개인'만을 규정하고 있을 뿐이고, 법인격 없는 공공기관에 대하여도 위 양벌규정을 적용할 것인지 여부에 대하여는 명문규정을 두고 있지 않으므로, 죄형법정주의의 원칙상 '법인격 없는 공공기관'을 위 양벌규정에 의하여 처벌할 수 없고, 그 경우 행위자 역시 위 양벌규정으로 처벌할 수 없다고 봄이 타당하다(대판 2021. 10. 28, 2020도1942).

③ ○ 종업원 등의 행정법규 위반으로 양벌규정에 의해 법인이 처벌되는 경우에도 이는 '형벌'에 해당한다.

> 양벌규정에 의한 법인의 처벌은 어디까지나 형벌의 일종으로서 행정적 제재처분이나 민사상 불법행위책임과는 성격을 달리한다(대판 2019. 11. 14, 2017도4111).

④ ○

> 종업원 등의 범죄행위에 대한 법인의 가담 여부나 이를 감독할 주의의무 위반 여부를 법인에 대한 처벌요건으로 규정하지 아니하고, 달리 법인이 면책될 가능성에 대해서도 정하지 아니한 채, 곧바로 법인을 종업원 등과 같이 처벌하는 것은 다른 사람의 범죄에 대하여 그 책임 유무를 묻지 않고 형사처벌하는 것이므로 헌법상 법치국가원리로부터 도출되는 책임주의원칙에 위배된다. 그러나 법인대표자의 행위는 법인의 행위로 볼 수 있고, 결국 법인대표자의 법규 위반행위에 대한 법인의 책임은 법인 자신의 법규 위반행위로 평가될 수 있는 행위에 대한 법인의 직접책임이므로(대표자의 고의에 의한 위반행위에 대하여는 법인이 고의책임을, 대표자의 과실에 의한 위반행위에 대하여는 법인이 과실책임을 부담한다), 법인대표자의 범죄행위에 대하여는 법인이 책임을 부담하는 것은 책임주의원칙에 위배되지 않는다(헌재 2020. 4. 23, 2019헌가25).

20　　　　　　　　　　　　　　　　　　　　　　　　[정답] ④

㉮ ○

> ❶ 국가가 본래 그의 사무의 일부를 지방자치단체의 장에게 위임하여 그 사무를 처리하게 하는 기관위임사무의 경우에는 지방자치단체는 국가기관의 일부로 볼 수 있는 것이지만, 지방자치단체가 그 고유의 자치사무를 처리하는 경우에는 지방자치단체는 국가기관의 일부가 아니라 국가기관과는 별도의 독립한 공법인이므로, 지방자치단체 소속 공무원이 지방자치단체 고유의 자치사무를 수행하던 중 도로법 제81조 내지 제85조의 규정에 의한 위반행위를 한 경우에는 지방자치단체는 도로법 제86조의 양벌규정에 따라 처벌대상이 되는 법인에 해당한다.
> ❷ 지방자치단체 소속 공무원이 압축트럭 청소차를 운전하여 고속도로를 운행하던 중 제한축중을 초과 적재 운행함으로써 도로관리청의 차량운행제한을 위반한 사안에서, 해당 지방자치단체는 도로법 제86조의 양벌규정에 따른 처벌대상이 된다(대판 2005. 11. 10, 2004도2657).

㉯ ○ 행정형벌은 형법상의 벌을 과하는 것이므로 원칙적으로 형법총칙이 적용되며, 과벌절차는 원칙적으로 형사소송절차에 의한다.

㉰ × 법인의 대표자의 범죄행위에 대한 법인의 책임은 법인의 직접책임이고, 종업원의 범죄행위에 대한 법인의 책임은 종업원에 대한 주의·감독의무를 태만히 한 데 대한 법인 자신의 과실책임의 성질을 가진다는 것이 통설과 판례의 입장이다.

㉱ ○ 행정형벌을 부과하기 위해서도 상대방의 고의 또는 과실이 있어야 한다.

> 행정상의 단속을 주안으로 하는 법규라 하더라도 명문규정이 있거나 해석상 과실범도 벌할 뜻이 명확한 경우를 제외하고는 형법의 원칙에 따라 고의가 있어야 벌할 수 있다(대판 2010. 2. 11, 2009도9807).

㉲ ×

> (지방자치단체 소속 공무원이 지정항만순찰 등의 업무를 위해 관할 관청의 승인 없이 개조한 승합차를 운행함으로써 구 자동차관리법을 위반한 사안에서 해당 지방자치단체는 양벌규정에 따른 처벌대상이 될 수 없다고 판시하면서) 지방자치단체 소속 공무원이 국가의 기관위임사무를 처리하면서 위반행위를 한 경우 해당 지방자치단체는 양벌규정에 따른 처벌대상이 될 수 없다(대판 2009. 6. 11, 2008도6530).

㉳ × 헌법재판소에 따르면 죄형법정주의는 범죄와 형벌을 법률로 규정하도록 하는 원칙이므로 행정형벌에도 죄형법정주의가 적용된다.

21　　　　　　　　　　　　　　　　　　　　　　　　[정답] ②

㉮ × 지방국세청장이 조세범칙행위에 대하여 형사고발을 하였다면 고발에 의해 형사절차로 이행되므로 더 이상 통고처분을 할 수 없게 되고 고발 후의 통고처분은 무권한자의 행위로서 무효가 된다.

> 지방국세청장 또는 세무서장이 조세범칙행위에 대하여 고발을 한 후에 동일한 조세범칙행위에 대하여 통고처분을 하였더라도, 이는 법적 권한 소멸 후에 이루어진 것으로서 특별한 사정이 없는 한 효력이 없고, 조세범칙행위자가 이러한 통고처분을 이행하였더라도 「조세범 처벌절차법」 제15조 제3항에서 정한 일사부재리의 원칙이 적용될 수 없다(대판 2016. 9. 28, 2014도10748).

㉯ ○

> 도로교통법상 통고처분의 취소를 구하는 행정소송은 허용되지 않는다. 구 도로교통법 제118조(현 제163조)에서 규정하는 경찰서장의 통고처분은 행정소송의 대상이 되는 행정처분이 아니므로 그 처분의 취소를 구하는 소송은 부적법하고, 도로교통법상의 통고처분을 받은 자가 그 처분에 대하여 이의가 있는 경우에는 통고처분에 따른 범칙금의 납부를 이행하지 아니함으로써 경찰서장의 즉결심판청구에 의하여 법원의 심판을 받을 수 있게 될 뿐이다(대판 1995. 6. 29, 95누4674).

> **관련판례**
> 「조세범 처벌절차법」에 의하여 범칙자에 대한 세무관서의 통고처분은 행정소송의 대상이 아니다(대판 1980. 10. 14, 80누380).

㉰ ×

> 범칙행위와 같은 일시, 장소에서 이루어진 행위라 하더라도 범칙행위의 동일성을 벗어난 형사범죄행위에 대하여는 범칙금의 납부에 따라 확정판결의 효력에 준하는 효력이 미치지 아니한다(대판 2002. 11. 22, 2001도849).

㉱ × 통고처분은 행정소송의 대상이 되는 행정처분이 아니라고 보는 것이 판례의 입장이다(위 ㉯ 해설 판례 참조).

㉲ ○ 통고처분을 받은 자가 송달받은 날부터 15일 내에 통고된 내용을 이행하지 않으면 통고처분은 당연히 그 효력을 상실하고 세무서장의 고발절차에 의하여 통상의 형사소송절차로 이행된다.

22

정답 ③

㉮ ○ ㉯ × 헌법재판소는 구 관세법 제38조 제3항 제2호가 법관에 의한 재판받을 권리를 침해한다든가 적법절차의 원칙에 저촉된다고 볼 수 없다고 하여 합헌결정을 하였다.

> 통고처분은 상대방의 임의의 승복을 그 발효요건으로 하기 때문에 그 자체만으로는 통고이행을 강제하거나 상대방에게 아무런 권리·의무를 형성하지 않으므로(㉮) 행정심판이나 행정소송의 대상으로서의 처분성을 부여할 수 없고, 통고처분에 대하여 이의가 있으면 통고내용을 이행하지 않음으로써 고발되어 형사재판절차에서 통고처분의 위법·부당함을 얼마든지 다툴 수 있기 때문에 구 관세법 제38조 제3항 제2호(현 제119조 제1항 제1호)가 법관에 의한 재판받을 권리를 침해한다든가 적법절차의 원칙에 저촉된다고 볼 수 없다(㉯)(헌재 1998. 5. 28, 96헌바4).

㉰ ○ 통고처분의 법정기간 내에 공소시효가 완성되는 것을 막기 위해 관세법,「조세범 처벌절차법」등에서 통고처분은 공소시효를 정지시킨다는 명문규정을 두고 있다.

> 관세법 제311조【통고처분】 ③ 제1항에 따른 통고가 있는 때에는 공소의 시효는 정지된다.
>
> 「조세범 처벌절차법」 제16조【공소시효의 정지】 제15조 제1항에 따른 통고처분이 있는 경우에는 통고일부터 고발일까지의 기간 동안 공소시효는 정지된다.

㉱ ○ 통고처분을 받은 자가 통고된 내용에 따라 이행한 경우에는 확정판결과 동일한 효력이 발생하여 처벌절차는 종료되고 일사부재리의 원칙이 적용되어 다시 형사소추를 할 수 없다.

> 관세법 제317조【일사부재리】 관세범인이 통고의 요지를 이행하였을 때에는 동일사건에 대하여 다시 처벌을 받지 아니한다.

㉲ × 조세범과 관련하여, 통고처분을 받은 자가 송달받은 날부터 15일 내에 통고된 내용을 이행하지 않으면 통고처분은 당연히 그 효력을 상실하고 세무서장의 고발절차에 의하여 통상의 형사소송절차로 이행된다.

㉳ ×

> ❶ 관세법상 통고처분을 할 것인지는 관세청장 또는 세관장의 재량에 맡겨져 있다.
> ❷ 따라서 관세청장 또는 세관장이 관세범에 대하여 통고처분을 하지 아니한 채 고발하였다는 것만으로 그 고발 및 이에 기한 공소의 제기가 부적법하게 되는 것은 아니다(대판 2007. 5. 11, 2006도1993).

23

정답 ①

㉮㉯ ○ ㉰ ×

> 질서위반행위규제법 제12조【다수인의 질서위반행위 가담】 ① 2인 이상이 질서위반행위에 가담한 때에는 각자가 질서위반행위를 한 것으로 본다(㉮).
> ② 신분에 의하여 성립하는 질서위반행위에 신분이 없는 자가 가담한 때에는 신분이 없는 자에 대하여도 질서위반행위가 성립한다(㉰).
> ③ 신분에 의하여 과태료를 감경 또는 가중하거나 과태료를 부과하지 아니하는 때에는 그 신분의 효과는 신분이 없는 자에게는 미치지 아니한다(㉯).

㉱ × 질서위반행위규제법상 과태료 부과처분의 경우 이의제기를 해야 과태료 부과처분이 효력을 상실하며, 이의제기 없이 납부기간이 만료되었다면 가산금까지 납부하여야 하며, 납부하지 않으면 행정청은 국세 또는 지방세 체납처분의 예에 따라 국세 및 가산금을 징수한다. 한편, 통고처분은 통고된 기간 내에 통고처분의 상대방이 이를 납부하지 않으면 통고처분의 효력은 상실되며 원칙적으로 행정청의 고발에 의해 형사소송절차가 진행된다. 과태료 부과처분과 통고처분의 차이를 정리하기 바란다.

> 질서위반행위규제법 제20조【이의제기】 ① 행정청의 과태료 부과에 불복하는 당사자는 제17조 제1항에 따른 과태료 부과 통지를 받은 날부터 60일 이내에 해당 행정청에 서면으로 이의제기를 할 수 있다.
> ② 제1항에 따른 이의제기가 있는 경우에는 행정청의 과태료 부과처분은 그 효력을 상실한다.
>
> 제24조【가산금 징수 및 체납처분 등】 ① 행정청은 당사자가 납부기한까지 과태료를 납부하지 아니한 때에는 납부기한을 경과한 날부터 체납된 과태료에 대하여 100분의 3에 상당하는 가산금을 징수한다.
> ③ 행정청은 당사자가 제20조 제1항에 따른 기한 이내에 이의를 제기하지 아니하고 제1항에 따른 가산금을 납부하지 아니한 때에는 국세 또는 지방세 체납처분의 예에 따라 징수한다.

24

정답 ④

① ○

> 질서위반행위규제법 제3조【법적용의 시간적 범위】 ① 질서위반행위의 성립과 과태료처분은 행위시의 법률에 따른다.

② ○

> 질서위반행위규제법 제4조【법적용의 장소적 범위】 ① 이 법은 대한민국 영역 안에서 질서위반행위를 한 자에게 적용한다.
> ② 이 법은 대한민국 영역 밖에서 질서위반행위를 한 대한민국의 국민에게 적용한다.
> ③ 이 법은 대한민국 영역 밖에 있는 대한민국의 선박 또는 항공기 안에서 질서위반행위를 한 외국인에게 적용한다.

③ ○

> 질서위반행위규제법 제8조【위법성의 착오】 자신의 행위가 위법하지 아니한 것으로 오인하고 행한 질서위반행위는 그 오인에 정당한 이유가 있는 때에 한하여 과태료를 부과하지 아니한다.

④ ✕

> 질서위반행위규제법 제24조【가산금 징수 및 체납처분 등】① 행정청은 당사자가 납부기한까지 과태료를 납부하지 아니한 때에는 납부기한을 경과한 날부터 체납된 과태료에 대하여 <u>100분의 3</u>에 상당하는 가산금을 징수한다.

25 [정답] ②

① ○

> 질서위반행위규제법 제9조【책임연령】14세가 되지 아니한 자의 질서위반행위는 과태료를 부과하지 아니한다. 다만, 다른 법률에 특별한 규정이 있는 경우에는 그러하지 아니하다.

② ✕

> 질서위반행위규제법 제10조【심신장애】① 심신(心神)장애로 인하여 행위의 옳고 그름을 판단할 능력이 없거나 그 판단에 따른 행위를 할 능력이 없는 자의 질서위반행위는 과태료를 부과하지 아니한다.
> ② 심신장애로 인하여 제1항에 따른 능력이 미약한 자의 질서위반행위는 과태료를 감경한다.
> ③ <u>스스로 심신장애상태를 일으켜 질서위반행위를 한 자에 대하여는 제1항 및 제2항을 적용하지 아니한다.</u>

③ ○

> 질서위반행위규제법 제19조【과태료 부과의 제척기간】① 행정청은 질서위반행위가 종료된 날(다수인이 질서위반행위에 가담한 경우에는 최종행위가 종료된 날을 말한다)부터 5년이 경과한 경우에는 해당 질서위반행위에 대하여 과태료를 부과할 수 없다.

④ ○

> 질서위반행위에 대하여 과태료를 부과하는 근거법령이 개정되어 행위시의 법률에 의하면 과태료 부과대상이었지만 재판시의 법률에 의하면 부과대상이 아니게 된 때에는 개정법률의 부칙 등에서 행위시의 법률을 적용하도록 명시하는 등 특별한 사정이 없는 한 재판시의 법률을 적용하여야 하므로 과태료를 부과할 수 없다(대결 2017. 4. 7, 2016마1626).

> 질서위반행위규제법 제3조【법적용의 시간적 범위】② 질서위반행위 후 법률이 변경되어 그 행위가 질서위반행위에 해당하지 아니하게 되거나 과태료가 변경되기 전의 법률보다 가볍게 된 때에는 법률에 특별한 규정이 없는 한 변경된 법률을 적용한다.

제11회 | 소방 단원별 모의고사 정답과 해설

출제 범위 : 제26강 행정벌(행정형벌, 행정질서벌)~제29강 행정상 손해배상 2(국가배상법 제5조 등)

문제 p.225

01	02	03	04	05
②	④	④	④	②
06	07	08	09	10
②	④	④	③	④
11	12	13	14	15
②	③	③	①	②
16	17	18	19	20
②	②	③	②	②
21	22	23	24	25
②	④	③	①	④

01

[정답] ②

① ○

> 질서위반행위규제법 제20조【이의제기】① 행정청의 과태료 부과에 불복하는 당사자는 제17조 제1항에 따른 과태료 부과통지를 받은 날부터 60일 이내에 해당 행정청에 서면으로 이의제기를 할 수 있다.
> ② 제1항에 따른 이의제기가 있는 경우에는 행정청의 과태료 부과처분은 그 효력을 상실한다.

② × 과태료 부과처분은 행정소송의 대상이 되는 행정처분으로 볼 수 없다는 것이 판례의 입장이다.

> ❶ 과태료 부과는 행정소송의 대상이 되는 행정처분이라고 볼 수 없다.
> 「옥외광고물 등 관리법」 제20조 제1·3·4항 등의 규정에 의하면 「옥외광고물 등 관리법」에 의하여 부과된 과태료처분의 당부는 최종적으로 비송사건절차법에 의한 절차에 의하여만 판단되어야 한다고 보아야 할 것이므로 위와 같은 과태료처분은 행정소송의 대상이 되는 행정처분이라고 볼 수 없다(대판 1993. 11. 23, 93누16833).
> ❷ 수도 조례 및 하수도 사용 조례에 기한 과태료의 부과 여부 및 그 당부는 최종적으로 질서위반행위규제법에 의한 절차에 의하여 판단되어야 한다고 할 것이므로, 그 과태료 부과처분은 행정청을 피고로 하는 행정소송의 대상이 되는 행정처분이라고 볼 수 없다(대판 2012. 10. 11, 2011두19369).

③ ○

> 질서위반행위규제법 제25조【관할 법원】과태료 사건은 다른 법령에 특별한 규정이 있는 경우를 제외하고는 당사자의 주소지의 지방법원 또는 그 지원의 관할로 한다.

④ ○

> 질서위반행위규제법 제43조【과태료재판 집행의 위탁】① 검사는 과태료를 최초 부과한 행정청에 대하여 과태료재판의 집행을 위탁할 수 있고, 위탁을 받은 행정청은 국세 또는 지방세 체납처분의 예에 따라 집행한다.
> ② 지방자치단체의 장이 제1항에 따라 집행을 위탁받은 경우에는 그 집행한 금원은 당해 지방자치단체의 수입으로 한다.

02

[정답] ④

① ×

> 질서위반행위규제법 제13조【수개의 질서위반행위의 처리】① 하나의 행위가 2 이상의 질서위반행위에 해당하는 경우에는 각 질서위반행위에 대하여 정한 과태료 중 가장 중한 과태료를 부과한다.

② ×

> 질서위반행위규제법 제19조【과태료 부과의 제척기간】① 행정청은 질서위반행위가 종료된 날(다수인이 질서위반행위에 가담한 경우에는 최종행위가 종료된 날을 말한다)부터 5년이 경과한 경우에는 해당 질서위반행위에 대하여 과태료를 부과할 수 없다.

③ ×

> 질서위반행위규제법 제24조의2【상속재산 등에 대한 집행】① 과태료는 당사자가 과태료 부과처분에 대하여 이의를 제기하지 아니한 채 제20조 제1항에 따른 기한이 종료한 후 사망한 경우에는 그 상속재산에 대하여 집행할 수 있다.

④ ○

> 질서위반행위규제법 제18조【자진납부자에 대한 과태료 감경】① 행정청은 당사자가 제16조에 따른 의견제출기한 이내에 과태료를 자진하여 납부하고자 하는 경우에는 대통령령으로 정하는 바에 따라 과태료를 감경할 수 있다.
> ② 당사자가 제1항에 따라 감경된 과태료를 납부한 경우에는 해당 질서위반행위에 대한 과태료 부과 및 징수절차는 종료한다.

03   정답 ④

㉮ ○ 질서위반행위규제법은 고의 또는 과실이 없는 질서위반행위는 과태료를 부과하지 아니한다고 규정하고 있다(동법 제7조). 따라서 현행법상 행정질서벌인 과태료를 부과하기 위해서는 고의 또는 과실이 있어야 한다.

> **질서위반행위규제법 제7조【고의 또는 과실】** 고의 또는 과실이 없는 질서위반행위는 과태료를 부과하지 아니한다.

㉯ ○

> **질서위반행위규제법 제20조【이의제기】** ① 행정청의 과태료 부과에 불복하는 당사자는 제17조 제1항에 따른 과태료 부과통지를 받은 날부터 60일 이내에 해당 행정청에 서면으로 이의제기를 할 수 있다.
> ② 제1항에 따른 이의제기가 있는 경우에는 행정청의 과태료 부과처분은 그 효력을 상실한다.

㉰ × 질서위반행위규제법은 과태료 부과의 요건·절차·징수 등을 정하는 법률로서, 과태료의 부과·징수, 재판 및 집행 등의 절차에 관한 다른 법률의 규정 중 질서위반행위규제법의 규정에 저촉되는 것은 질서위반행위규제법으로 정하는 바에 따른다.

> **질서위반행위규제법 제5조【다른 법률과의 관계】** 과태료의 부과·징수, 재판 및 집행 등의 절차에 관한 다른 법률의 규정 중 이 법의 규정에 저촉되는 것은 이 법으로 정하는 바에 따른다.

㉱ ×

> **질서위반행위규제법 제3조【법적용의 시간적 범위】** ① 질서위반행위의 성립과 과태료처분은 행위시의 법률에 따른다.
> ② 질서위반행위 후 법률이 변경되어 그 행위가 질서위반행위에 해당하지 아니하게 되거나 과태료가 변경되기 전의 법률보다 가볍게 된 때에는 법률에 특별한 규정이 없는 한 변경된 법률을 적용한다.
> ③ 행정청의 과태료처분이나 법원의 과태료재판이 확정된 후 법률이 변경되어 그 행위가 질서위반행위에 해당하지 아니하게 된 때에는 변경된 법률에 특별한 규정이 없는 한 과태료의 징수 또는 집행을 면제한다.

04   정답 ④

① ×

> 죄형법정주의는 무엇이 범죄이며 그에 대한 형벌이 어떠한 것인가는 국민의 대표로 구성된 입법부가 제정한 법률로써 정하여야 한다는 원칙인데, 「부동산등기 특별조치법」 제11조 제1항 본문 중 제2조 제1항에 관한 부분이 정하고 있는 과태료는 행정상의 질서유지를 위한 행정질서벌에 해당할 뿐 형벌이라고 할 수 없어 죄형법정주의의 규율대상에 해당하지 아니한다(헌재 1998. 5. 28, 96헌바83).

② ×

> **질서위반행위규제법 제2조【정의】** 이 법에서 사용하는 용어의 뜻은 다음과 같다.
> 1. '질서위반행위'란 법률(지방자치단체의 조례를 포함한다. 이하 같다)상의 의무를 위반하여 과태료를 부과하는 행위를 말한다. 다만, 다음 각 목의 어느 하나에 해당하는 행위를 제외한다.
> 　가. 대통령령으로 정하는 사법(私法)상·소송법상 의무를 위반하여 과태료를 부과하는 행위
> 　나. 대통령령으로 정하는 법률에 따른 징계사유에 해당하여 과태료를 부과하는 행위

③ ×

> **질서위반행위규제법 제36조【재판】** ① 과태료재판은 이유를 붙인 결정으로써 한다.
> **제38조【항고】** ① 당사자와 검사는 과태료재판에 대하여 즉시항고를 할 수 있다. 이 경우 항고는 집행정지의 효력이 있다.

④ ○

> **질서위반행위규제법 제11조【법인의 처리 등】** ① 법인의 대표자, 법인 또는 개인의 대리인·사용인 및 그 밖의 종업원이 업무에 관하여 법인 또는 그 개인에게 부과된 법률상의 의무를 위반한 때에는 법인 또는 그 개인에게 과태료를 부과한다.

05   정답 ②

㉮ ×

> 질서위반행위규제법은 과태료의 부과대상인 질서위반행위에 대하여도 책임주의원칙을 채택하여 제7조에서 "고의 또는 과실이 없는 질서위반행위는 과태료를 부과하지 아니한다."라고 규정하고 있으므로, 질서위반행위를 한 자가 자신의 책임 없는 사유로 위반행위에 이르렀다고 주장하는 경우 법원으로서는 그 내용을 살펴 행위자에게 고의나 과실이 있는지를 따져보아야 한다(대결 2011. 7. 14, 2011마364).

㉯ ×

> **질서위반행위규제법 제15조【과태료의 시효】** ① 과태료는 행정청의 과태료 부과처분이나 법원의 과태료재판이 확정된 후 5년간 징수하지 아니하거나 집행하지 아니하면 시효로 인하여 소멸한다.

㉰ ○

> **질서위반행위규제법 제42조【과태료재판의 집행】** ① 과태료재판은 검사의 명령으로써 집행한다. 이 경우 그 명령은 집행력 있는 집행권원과 동일한 효력이 있다.

㉱ ○

> **질서위반행위규제법 제2조【정의】** 이 법에서 사용하는 용어의 뜻은 다음과 같다.
> 1. '질서위반행위'란 법률(지방자치단체의 조례를 포함한다. 이하 같다)상의 의무를 위반하여 과태료를 부과하는 행위를 말한다.
>
> **지방자치법 제34조【조례 위반에 대한 과태료】** ① 지방자치단체는 조례를 위반한 행위에 대하여 조례로써 1천만원 이하의 과태료를 정할 수 있다.

㉲ ×

> **질서위반행위규제법 제6조【질서위반행위 법정주의】** 법률에 따르지 아니하고는 어떤 행위도 질서위반행위로 과태료를 부과하지 아니한다.

⑭ × 검사가 과태료재판의 집행을 서초구청장에게 위탁하였으므로 서초구청장이 국세 또는 지방세 체납처분의 예에 따라 집행하며, 그 집행한 금원은 국고의 수입이 아닌 당해 지방자치단체인 서초구의 수입으로 한다.

> **질서위반행위규제법 제43조【과태료재판 집행의 위탁】** ① 검사는 과태료를 최초 부과한 행정청에 대하여 과태료재판의 집행을 위탁할 수 있고, 위탁을 받은 행정청은 국세 또는 지방세 체납처분의 예에 따라 집행한다.
> ② 지방자치단체의 장이 제1항에 따라 집행을 위탁받은 경우에는 그 집행한 금원(金員)은 당해 지방자치단체의 수입으로 한다.

㈐ ×

> **질서위반행위규제법 제20조【이의제기】** ① 행정청의 과태료 부과에 불복하는 당사자는 제17조 제1항에 따른 과태료 부과통지를 받은 날부터 60일 이내에 해당 행정청에 서면으로 이의제기를 할 수 있다.
> ② 제1항에 따른 이의제기가 있는 경우에는 행정청의 과태료 부과처분은 그 효력을 상실한다.
> ③ 당사자는 행정청으로부터 제21조 제3항에 따른 통지를 받기 전까지는 행정청에 대하여 서면으로 이의제기를 철회할 수 있다.
> **제21조【법원에의 통보】** ① 제20조 제1항에 따른 이의제기를 받은 행정청은 이의제기를 받은 날부터 14일 이내에 이에 대한 의견 및 증빙서류를 첨부하여 관할 법원에 통보하여야 한다.
> **제25조【관할 법원】** 과태료 사건은 다른 법령에 특별한 규정이 있는 경우를 제외하고는 당사자의 주소지의 지방법원 또는 그 지원의 관할로 한다.

06 [정답] ②

① ○

> 행정상의 단속을 주안으로 하는 법규라 하더라도 명문규정이 있거나 해석상 과실범도 벌할 뜻이 명확한 경우를 제외하고는 형법의 원칙에 따라 고의가 있어야 벌할 수 있다(대판 2010. 2. 11, 2009도9807).

② ×

> **질서위반행위규제법 제16조【사전통지 및 의견제출 등】** ① 행정청이 질서위반행위에 대하여 과태료를 부과하고자 하는 때에는 미리 당사자(제11조 제2항에 따른 고용주 등을 포함한다. 이하 같다)에게 대통령령으로 정하는 사항을 통지하고, 10일 이상의 기간을 정하여 의견을 제출할 기회를 주어야 한다. 이 경우 지정된 기일까지 의견제출이 없는 경우에는 의견이 없는 것으로 본다.

③ ○

> 경찰서장이 범칙행위에 대하여 통고처분을 한 이상, 범칙자의 절차적 지위를 보장하기 위하여 통고처분에서 정한 범칙금 납부기간까지는 원칙적으로 경찰서장은 즉결심판을 청구할 수 없고, 검사도 동일한 범칙행위에 대해 공소를 제기할 수 없다(대판 2020. 4. 29, 2017도13409).

④ ○

❶ 과징금은 부당내부거래 억제라는 행정목적을 실현하기 위하여 그 위반행위에 대하여 가하는 행정상 제재금의 기본적 성격에 부당이득환수적 요소가 부가된 것으로 이를 두고 국가형벌권 행사로서의 처벌에 해당한다고 할 수는 없다.
❷ 과징금과 형사처벌을 병과하더라도 이중처벌금지의 원칙에 위반된다고 볼 수 없다(헌재 2003. 7. 24, 2001헌가25).

07 [정답] ④

① ×

> **국가배상법 제7조【외국인에 대한 책임】** 이 법은 외국인이 피해자인 경우에는 해당 국가와 상호보증이 있을 때에만 적용한다.

> 상호보증은 외국의 법령, 판례 및 관례 등에 의하여 발생요건을 비교하여 인정되면 충분하고 반드시 당사국과의 조약이 체결되어 있을 필요는 없으며, 당해 외국에서 구체적으로 우리나라 국민에게 국가배상청구를 인정한 사례가 없더라도 실제로 인정될 것이라고 기대할 수 있는 상태이면 충분하다(대판 2015. 6. 11, 2013다208388).

② × 생명·신체의 침해로 인한 손해배상청구권은 양도 또는 압류할 수 없다고 국가배상법에 명문규정을 두고 있다. 재산의 침해로 인한 국가배상청구권은 일반적인 채권과 마찬가지로 양도나 압류가 가능하다.

> **국가배상법 제4조【양도 등 금지】** 생명·신체의 침해로 인한 국가배상을 받을 권리는 양도하거나 압류하지 못한다.

③ × 이른바 이익공제에 관한 내용이다.

> **국가배상법 제3조의2【공제액】** ① 제2조 제1항을 적용할 때 피해자가 손해를 입은 동시에 이익을 얻은 경우에는 손해배상액에서 그 이익에 상당하는 금액을 빼야 한다.

④ ○

> 「공익사업을 위한 토지 등의 취득 및 보상에 관한 법률」(이하 '토지보상법'이라 한다) 제79조 제2항(그 밖의 토지에 관한 비용보상 등)에 따른 손실보상과 환경정책기본법 제44조 제1항(환경오염의 피해에 대한 무과실책임)에 따른 손해배상은 근거규정과 요건·효과를 달리하는 것으로서, 각 요건이 충족되면 성립하는 별개의 청구권이다. 다만, 손실보상청구권에는 이미 '손해전보'라는 요소가 포함되어 있어 실질적으로 같은 내용의 손해에 관하여 양자의 청구권을 동시에 행사할 수 있다고 본다면 이중배상의 문제가 발생하므로, 실질적으로 같은 내용의 손해에 관하여 양자의 청구권이 동시에 성립하더라도 영업자는 어느 하나만을 선택적으로 행사할 수 있을 뿐이고, 양자의 청구권을 동시에 행사할 수는 없다. 또한 '해당 사업의 공사완료일로부터 1년'이라는 손실보상청구기간(토지보상법 제79조 제5항, 제73조 제2항)이 도과하여 손실보상청구권을 더 이상 행사할 수 없는 경우에도 손해배상의 요건이 충족되는 이상 여전히 손해배상청구는 가능하다(대판 2019. 11. 28, 2018두227).

08　　　　　　　　　　　　　　　　　　　　정답 ④

㉮ ○

> 통장이 전입신고서에 확인인을 찍는 행위는 공무를 위탁받아 실질적으로 공무를 수행하는 것이라고 보아야 하므로 국가배상법상의 공무원에 해당한다(대판 1991. 7. 9, 91다5570).

㉯ ○

> 국가나 지방자치단체에 근무하는 청원경찰은 국가배상법의 공무원에 해당한다(대판 1993. 7. 13, 92다47564).

㉰ ○

> 대한변호사협회의 장은 국가로부터 위탁받은 공행정사무인 '변호사 등록에 관한 사무'를 수행하는 범위 내에서는 국가배상법 제2조에서 정한 공무원에 해당한다(대판 2021. 1. 28, 2019다260197).

㉱ ×

> 의용소방대원은 국가배상법상 공무원에 해당하지 않는다. 자치단체인 시(서울특별시 포함)·읍이 소방법 제40조의 규정에 의하여 소방서장의 소화나 수방의 업무를 보조하게 하기 위하여 설치한 의용소방대를 국가기관이라고 할 수 없음은 물론이고, …… 의용소방대원의 직무수행과정의 불법행위에 대하여 국가가 그 책임을 질 것이라고 단정할 수는 없을 것이다(대판 1966. 11. 22, 66다1501).

㉲ ×

> 법령에 의해 대집행권한을 위탁받은 한국토지공사(현 한국토지주택공사)는 국가배상법 제2조에서 말하는 공무원이 아니라 행정주체에 해당한다(대판 2010. 1. 28, 2007다82950·82967).

09　　　　　　　　　　　　　　　　　　　　정답 ③

㉮ ×

> ❶ 국회의 입법행위는 그 입법내용이 헌법의 문언에 명백히 위배됨에도 국회가 '굳이 당해 입법을 한 것'과 같은 특수한 경우가 아닌 한, 국가배상법 제2조 제1항 소정의 위법행위에 해당하지 않는다.
> ❷ 국가가 일정한 사항에 관하여 헌법에 의하여 부과되는 '구체적인 입법의무'를 부담하고 있음에도 불구하고 그 입법에 필요한 상당한 기간이 경과하도록 고의 또는 과실로 이러한 입법의무를 이행하지 아니하는 등 극히 예외적인 사정이 인정되는 사안에 한정하여 국가배상법 소정의 배상책임이 인정될 수 있다.
> ❸ 국가에게 일정한 사항에 관하여 헌법에 의하여 부과되는 '구체적인 입법의무' 자체가 인정되지 않는 경우에는 국회의원의 입법부작위에 대해 부작위로 인한 불법행위가 성립할 여지가 없다(대판 2008. 5. 29, 2004다33469).

㉯ ○

> ❶ 어떠한 행정처분이 후에 항고소송에서 취소된 사실만으로 당해 행정처분이 곧바로 공무원의 고의 또는 과실로 인한 것으로서 불법행위를 구성한다고 단정할 수 없다(대판 2000. 5. 12, 99다70600).
> ❷ 어떠한 행정처분이 위법하다고 할지라도 그 자체만으로 곧바로 그 행정처분이 공무원의 고의 또는 과실로 인한 불법행위를 구성한다고 단정할 수는 없고, 공무원의 고의 또는 과실의 유무에 대하여는 별도의 판단을 요한다(대판 2004. 6. 11, 2002다31018).

㉰ ×

> 국가배상책임에 있어서 '법령 위반'은 엄격한 의미의 법령 위반뿐 아니라 인권존중, 권력남용금지, 신의성실과 같이 공무원으로서 마땅히 지켜야 할 준칙이나 규범을 지키지 아니하고 위반한 경우를 포함하여 널리 그 행위가 객관적인 정당성을 결여하고 있음을 뜻한다(대판 2008. 6. 12, 2007다64365).

㉱ ○

> 신청인이 손해를 입게 될 것임이 분명하다고 할 수 있어 신청인을 위하여도 당해 행정처분을 거부할 것이 요구되는 경우라면 수익적 행정처분도 위법한 처분이 될 수 있다.
> 수익적 행정처분이 신청인에 대한 관계에서 국가배상법 제2조 제1항의 위법성이 있는 것으로 평가되기 위하여는 당해 행정처분에 관한 법령의 내용, 그 성질과 법률적 효과, 그로 인하여 신청인이 무익한 비용을 지출할 개연성에 관한 구체적 사정 등을 종합적으로 고려하여 객관적으로 보아 그 행위로 인하여 신청인이 손해를 입게 될 것임이 분명하다고 할 수 있어 신청인을 위하여도 당해 행정처분을 거부할 것이 요구되는 경우이어야 할 것이다(대판 2001. 5. 29, 99다37047).

10　　　　　　　　　　　　　　　　　　　　정답 ④

㉮ ×

> 공무원의 법령의 부지(不知) 등에 대해서도 과실이 인정될 수 있다. 법령에 대한 해석이 복잡·미묘하여 워낙 어렵고, 이에 대한 학설·판례조차 귀일되어 있지 않는 등의 특별한 사정이 없는 한 일반적으로 공무원이 관계 법규를 알지 못하거나 필요한 지식을 갖추지 못하고 법규의 해석을 그르쳐 행정처분을 하였다면 그가 법률전문가가 아닌 행정직 공무원이라고 하여 과실이 없다고는 할 수 없다(대판 2001. 2. 9, 98다52988).

㉯ ×

> 법령의 해석이 복잡·미묘하여 어렵고 학설·판례가 통일되지 않을 때에 공무원이 신중을 기해 그중 어느 한 설을 취하여 처리한 경우에는 그 해석이 결과적으로 위법한 것이었다 하더라도 국가배상법상 공무원의 과실을 인정할 수 없다(대판 1973. 10. 10, 72다2583).

㉰ ○

> 국회의 입법행위는 그 입법내용이 헌법의 문언에 명백히 위배됨에도 국회가 '굳이' 당해 입법을 한 것과 같은 특수한 경우가 아닌 한, 국가배상법 제2조 제1항 소정의 위법행위에 해당하지 않는다(대판 2008. 5. 29, 2004다33469).

㉱ ○

> 국가배상법 제2조 소정의 '공무원'이라 함은 국가공무원법이나 지방공무원법에 의하여 공무원으로서의 신분을 가진 자에 국한하지 않고, 널리 공무를 위탁받아 실질적으로 공무에 종사하고 있는 일체

의 자를 가리키는 것으로서, 공무의 위탁이 일시적이고 한정적인 사항에 관한 활동을 위한 것이어도 달리 볼 것은 아니다(대판 2001. 1. 5, 98다39060).

11
정답 ②

① ○

상급자가 전입신병인 하급자에게 암기사항에 관하여 교육 중 훈계하다가 도가 지나쳐 폭행한 경우에 국가배상법상의 직무집행성이 인정된다(대판 1995. 4. 21, 93다14240).

② ✕

행정청의 처분을 구하는 신청에 대하여 상당한 기간 처분 여부 결정이 지체되었다고 하여 곧바로 공무원의 고의 또는 과실에 의한 불법행위를 구성한다고 단정할 수는 없고, 행정처분의 담당공무원이 보통 일반의 공무원을 표준으로 하여 볼 때 객관적 주의의무를 결하여 처분 여부 결정을 지체함으로써 객관적 정당성을 상실하였다고 인정될 정도에 이른 경우에 비로소 국가배상법 제2조가 정한 국가배상책임의 요건을 충족한다(대판 2015. 11. 27, 2013다6759).

③ ○

공무원에 대한 전보인사가 법령이 정한 기준과 원칙에 위배되거나 인사권을 다소 부적절하게 행사한 것으로 볼 여지가 있다 하더라도 그러한 사유만으로 그 전보인사가 당연히 불법행위를 구성한다고 볼 수는 없고, 인사권자가 당해 공무원에 대한 보복감정 등 다른 의도를 가지고 인사재량권을 일탈·남용하여 객관적 정당성을 상실하였음이 명백한 경우 등 전보인사가 우리의 건전한 사회통념이나 사회상규상 도저히 용인될 수 없음이 분명한 경우에, 그 전보인사는 위법하게 상대방에게 정신적 고통을 가하는 것이 되어 당해 공무원에 대한 관계에서 불법행위를 구성한다(대판 2009. 5. 28, 2006다16215).

④ ○

(甲이 乙의 이름으로 개명허가를 받은 것처럼 호적등본을 위조하여 제출하였고 이에 담당공무원이 본적지 관할청에 통보를 하지 않고 성명을 정정하여 乙의 부동산에 대해 甲이 이익을 얻게 되자 乙이 국가배상을 청구한 사안에서 국가배상책임을 긍정하면서) 주민등록사무를 담당하는 공무원이 개명과 같은 사유로 주민등록상 성명을 정정한 경우 본적지 관할 관청에 그 변경사항을 통보할 직무상 의무가 있으며 그러한 의무에는 사익보호성이 인정된다. 주민등록사무를 담당하는 공무원이 개명으로 인한 주민등록상 성명정정을 본적지 관할 관청에 통보하지 아니한 직무상 의무 위배행위와 乙과 같은 이름으로 개명허가를 받은 듯이 호적등본을 위조하여 주민등록상 성명을 위법하게 정정한 甲이 乙의 부동산에 관하여 불법적으로 근저당권설정등기를 경료함으로써 乙이 입은 손해 사이에는 상당인과관계가 있다(대판 2003. 4. 25, 2001다59842).

12
정답 ③

① ○

도로개설 등 공사로 인한 무허가건물의 강제철거와 관련하여 이루어지는 시나 구 등 지방자치단체의 철거건물소유자에 대한 시영아파트 분양권 부여 및 세입자에 대한 지원대책 등의 업무는 지방자치단체의 공권력 행사 기타 공행정작용과 관련된 활동으로 볼 것이지 단순한 사경제주체로서 하는 활동이라고는 볼 수 없다(대판 1991. 7. 26, 91다14819).

② ○

구 국세징수법 제24조 제2항과 같이 국세가 확정되기 전에 보전압류를 한 후 보전압류에 의하여 징수하려는 국세의 전부 또는 일부가 확정되지 못하였다면 보전압류로 인하여 납세자가 입은 손해에 대하여 특별한 반증이 없는 한 과세관청의 담당공무원에게 고의 또는 과실이 있다고 사실상 추정되므로, 국가는 부당한 보전압류로 인한 손해를 배상할 책임이 있다. 이러한 법리는 보전압류 후 과세처분에 의해 일단 국세가 확정되었으나 과세처분이 취소되어 결국 국세의 전부 또는 일부가 확정되지 못한 경우에도 마찬가지로 적용된다(대판 2015. 10. 29, 2013다209534).

③ ✕

일반적으로 국가기관이 자신이 관리·운영하는 홈페이지에 게시된 글에 대하여 정부의 정책에 찬성하는 내용인지, 반대하는 내용인지에 따라 선별적으로 삭제 여부를 결정하는 것은 특별한 사정이 없는 한 국민의 기본권인 표현의 자유와 자유민주적 기본질서에 배치되므로 허용되지 않는다(대판 2020. 6. 4, 2015다233807).

④ ○

행정절차는 그 자체가 독립적으로 의미를 가지는 것이라기보다는 행정의 공정성과 적정성을 보장하는 공법적 수단으로서의 의미가 크므로, 관련 행정처분의 성립이나 무효·취소 여부 등을 따지지 않은 채 주민들이 일시적으로 행정절차에 참여할 권리를 침해받았다는 사정만으로 곧바로 국가나 지방자치단체가 주민들에게 정신적 손해에 대한 배상의무를 부담한다고 단정할 수 없다. 이와 같은 행정절차상 권리의 성격이나 내용 등에 비추어 볼 때, 국가나 지방자치단체가 행정절차를 진행하는 과정에서 주민들의 의견제출 등 절차적 권리를 보장하지 않은 위법이 있다고 하더라도 그 후 이를 시정하여 절차를 다시 진행한 경우, 종국적으로 행정처분단계까지 이르지 않거나 처분을 직권으로 취소하거나 철회한 경우, 행정소송을 통하여 처분이 취소되거나 처분의 무효를 확인하는 판결이 확정된 경우 등에는 주민들이 절차적 권리의 행사를 통하여 환경권이나 재산권 등 사적 이익을 보호하려던 목적이 실질적으로 달성된 것이므로 특별한 사정이 없는 한 절차적 권리 침해로 인한 정신적 고통에 대한 배상은 인정되지 않는다. 다만, 이러한 조치로도 주민들의 절차적 권리 침해로 인한 정신적 고통이 여전히 남아 있다고 볼 특별한 사정이 있는 경우에 국가나 지방자치단체는 그 정신적 고통으로 인한 손해를 배상할 책임이 있다. 이때 특별한 사정이 있다는 사실에 대한 주장·증명책임은 이를 청구하는 주민들에게 있고, 특별한 사정이 있는지는 주민들에게 행정절차참여권을 보장하는 취지, 행정절차참여권이 침해된 경위와 정도, 해당 행정절차 대상사업의 시행경과 등을 종합적으로 고려해서 판단해야 한다(대판 2021. 7. 29, 2015다221668).

13

정답 ③

㉮ ✕ 지문의 뒷부분이 옳지 않다. 판례는 "공무원의 직무집행상의 과실이라 함은 공무원이 그 직무를 수행함에 있어 당해 직무를 담당하는 평균인이 보통(통상) 갖추어야 할 주의의무를 게을리한 것을 말한다(대판 1987. 9. 22, 87다카1164)."고 하여 '해당 공무원 개인의 주의의무'를 기준으로 하는 것이 아니라 당해 직무를 담당하는 '평균적(보통 일반의) 공무원의 주의의무'를 기준으로 과실 유무를 판단하고 있는데, 이는 과실을 객관적으로 파악하여 과실입증을 보다 쉽게 하고자 하는 과실의 객관화를 위한 시도 중 하나이다. 한편, 고의·과실의 입증책임은 피해자인 원고에게 있다는 것이 통설과 판례의 입장이다.

㉯ ○

어떠한 행정처분이 후에 항고소송에서 취소되었다고 할지라도 그 기판력에 의하여 당해 행정처분이 곧바로 공무원의 고의 또는 과실로 인한 것으로서 불법행위를 구성한다고 단정할 수는 없는 것이고, 그 행정처분의 담당공무원이 보통 일반의 공무원을 표준으로 하여 볼 때 객관적 주의의무를 결하여 그 행정처분이 객관적 정당성을 상실하였다고 인정될 정도에 이른 경우에 국가배상법 제2조 소정의 국가배상책임의 요건을 충족하였다고 봄이 상당할 것이다(대판 2003. 12. 11, 2001다65236).

㉰ ○

위헌·무효임이 명백한 긴급조치 제9호의 발령부터 적용·집행에 이르는 수사, 재판 등 일련의 국가작용으로 인한 손해에 대해 국가배상책임이 인정된다.
구 「국가안전과 공공질서의 수호를 위한 대통령긴급조치」(1975. 5. 13, 대통령긴급조치 제9호, 이하 '긴급조치 제9호'라고 한다)는 위헌·무효임이 명백하고 긴급조치 제9호 발령으로 인한 국민의 기본권침해는 그에 따른 강제수사와 공소제기, 유죄판결의 선고를 통하여 현실화되었다. 이러한 경우 긴급조치 제9호의 발령부터 적용·집행에 이르는 일련의 국가작용은, 전체적으로 보아 공무원이 직무를 집행하면서 객관적 주의의무를 소홀히 하여 그 직무행위가 객관적 정당성을 상실한 것으로서 위법하다고 평가되고, 긴급조치 제9호의 적용·집행으로 강제수사를 받거나 유죄판결을 선고받고 복역함으로써 개별 국민이 입은 손해에 대해서는 국가배상책임이 인정될 수 있다. …… 법관의 재판상 직무행위에 대하여 국가배상책임이 인정되려면 해당 법관이 위법 또는 부당한 목적을 가지고 재판을 하는 등 법관이 그에게 부여된 권한의 취지에 명백히 어긋나게 이를 행사하였다고 인정할 만한 특별한 사정이 있어야 한다. 그러나 위와 같은 특별한 사정이 인정되어 법관의 재판상 직무행위가 독립적인 불법행위를 구성하는지 여부와 관계없이 재판상 직무행위를 포함한 긴급조치의 발령 및 적용·집행이라는 일련의 국가작용이 전체적으로 객관적 정당성을 상실한 때에는 국가배상책임이 성립할 수 있다고 보아야 한다(대판 2022. 8. 30, 2018다212610 전합).

㉱ ✕

(경찰관이 범인을 제압하는 과정에서 총기를 사용하여 범인을 사망에 이르게 한 경우 형사상 무죄판결이 확정되었지만 배상책임은 인정하면서) 형사상 범죄를 구성하지 아니하는 침해행위도 민사상 불법행위를 구성할 수 있다.
불법행위에 따른 형사책임은 사회의 법질서를 위반한 행위에 대한 책임을 묻는 것으로서 행위자에 대한 공적인 제재(형벌)를 그 내용으로 함에 비하여, 민사책임은 타인의 법익을 침해한 데 대하여 행위자의 개인적 책임을 묻는 것으로서 피해자에게 발생한 손해의 전보를 그 내용으로 하는 것이고, 손해배상제도는 손해의 공평·타당한 부담을 그 지도원리로 하는 것이므로, 형사상 범죄를 구성하지 아니하는 침해행위라고 하더라도 그것이 민사상 불법행위를 구성하는지 여부는 형사책임과 별개의 관점에서 검토하여야 한다(대판 2008. 2. 1, 2006다6713).

14

정답 ①

① ✕

국가배상법 제2조 제1항의 '직무를 집행함에 당하여'라 함은 직접 공무원의 직무집행행위이거나 그와 밀접한 관련이 있는 행위를 포함하고, 이를 판단함에 있어서는 행위 자체의 외관을 객관적으로 관찰하여 공무원의 직무행위로 보여질 때에는 비록 그것이 실질적으로 직무행위가 아니거나 또는 행위자로서는 주관적으로 공무집행의 의사가 없었다고 하더라도 그 행위는 공무원이 '직무를 집행함에 당하여' 한 것으로 보아야 한다(대판 2005. 1. 14, 2004다26805).

②③ ○

❶ 재판에 대해 불복절차가 마련되어 있는 경우에는 특별한 사정이 없는 한 불복절차를 통해 재판의 잘못을 시정할 수 있으므로 (원칙적으로) 국가배상청구권이 부정된다(②).

❷ 헌법재판관이 청구기간 내에 제기된 헌법소원심판청구 사건에서 청구기간을 오인하여 각하결정을 한 경우, 이에 대한 불복절차 내지 시정절차가 없는 때에는 국가배상책임이 인정된다.

❸ 헌법재판소 재판관의 위법한 직무집행의 결과 잘못된 각하결정을 함으로써 청구인으로 하여금 본안판단을 받을 기회를 상실하게 한 이상, 설령 본안판단을 하였더라도 어차피 청구가 기각되었을 것이라는 사정이 있다고 하더라도, 청구인의 합리적인 기대를 침해한 것이고 그 침해로 인한 정신상 고통에 대하여는 위자료를 지급할 의무가 있다(③).

재판에 대하여 따로 불복절차 또는 시정절차가 마련되어 있는 경우에는 재판의 결과로 불이익 내지 손해를 입었다고 여기는 사람은 그 절차에 따라 자신의 권리 내지 이익을 회복하도록 함이 법이 예정하는 바이므로, 불복에 의한 시정을 구할 수 없었던 것 자체가 법관이나 다른 공무원의 귀책사유로 인한 것이라거나 그와 같은 시정을 구할 수 없었던 부득이한 사정이 있었다는 등의 특별한 사정이 없는 한, 스스로 그와 같은 시정을 구하지 아니한 결과 권리 내지 이익을 회복하지 못한 사람은 원칙적으로 국가배상에 의한 권리구제를 받을 수 없다고 봄이 상당하다고 하겠으나(②), 재판에 대하여 불복절차 내지 시정절차 자체가 없는 경우에는 부당한 재판으로 인하여 불이익 내지 손해를 입은 사람은 국가배상 이외의 방법으로는 자신의 권리 내지 이익을 회복할 방법이 없으므로, 이와 같은 경우에는 배상책임의 요건이 충족되는 한 국가배상책임을 인정하지 않을 수 없다(대판 2003. 7. 11, 99다24218).

④ ○

인사업무 담당공무원이 다른 공무원의 공무원증 등을 위조한 행위에 대하여 실질적으로는 직무행위에 속하지 아니한다 할지라도 외관상으로 국가배상법 제2조 제1항의 직무집행관련성이 인정된다. 울산세관의 통관지원과에서 인사업무를 담당하면서 울산세관 공무원들의 공무원증 및 재직증명서 발급업무를 하는 공무원인 ○○○이 울산세관의 다른 공무원의 공무원증 등을 위조하는 행위는 비록 그것이 실질적으로는 직무행위에 속하지 아니한다 할지라도 적어도 외관상으로는 공무원증과 재직증명서를 발급하는 행위로서 직무집행으로 보여지므로 결국 소외인의 공무원증 등 위조행위는 국가배상법 제2조 제1항 소정의 공무원이 직무를 집행함에 당하여 한 행위로 인정된다(대판 2005. 1. 14, 2004다26805).

㉣ ○

행정청이 확립된 법령의 해석에 어긋나는 견해를 고집하여 계속하여 위법한 행정처분을 하거나 이에 준하는 행위로 평가될 수 있는 불이익을 처분상대방에게 주는 경우, 손해배상책임이 있다(대판 2007. 5. 10, 2005다31828).

15
정답 ②

㉮ ○ 민법상 배상책임에는 사용자면책사유(사용자가 피용자의 선임 및 그 사무감독에 상당한 주의를 한 때 등에는 사용자의 책임이 면제된다)가 규정되어 있으나 국가배상법에는 그와 관련한 규정이 존재하지 않는다. 따라서 국가나 지방자치단체가 공무원의 선임 및 감독에 상당한 주의를 한 경우에도 그 배상책임을 면할 수 없다.

> **국가배상법 제2조【배상책임】** ① 국가나 지방자치단체는 공무원 또는 공무를 위탁받은 사인(이하 '공무원'이라 한다)이 직무를 집행하면서 고의 또는 과실로 법령을 위반하여 타인에게 손해를 입히거나, 「자동차손해배상 보장법」에 따라 손해배상의 책임이 있을 때에는 이 법에 따라 그 손해를 배상하여야 한다. 다만, 군인·군무원·경찰공무원 또는 예비군대원이 전투·훈련 등 직무집행과 관련하여 전사(戰死)·순직(殉職)하거나 공상(公傷)을 입은 경우에 본인이나 그 유족이 다른 법령에 따라 재해보상금·유족연금·상이연금 등의 보상을 지급받을 수 있을 때에는 이 법 및 민법에 따른 손해배상을 청구할 수 없다.
>
> **민법 제756조【사용자의 배상책임】** ① 타인을 사용하여 어느 사무에 종사하게 한 자는 피용자가 그 사무집행에 관하여 제3자에게 가한 손해를 배상할 책임이 있다. 그러나 사용자가 피용자의 선임 및 그 사무감독에 상당한 주의를 한 때 또는 상당한 주의를 하여도 손해가 있을 경우에는 그러하지 아니하다.

㉯ ✕

> 재량준칙에 따라 처분을 한 경우 과실이 인정되기 어렵다.
> 영업허가취소처분이 나중에 행정심판에 의하여 재량권을 일탈한 위법한 처분임이 판명되어 취소되었다고 하더라도 그 처분이 당시 시행되던 공중위생법 시행규칙에 정하여진 행정처분의 기준(편저자 주: 부령 형식의 제재적 처분기준으로 판례는 행정규칙으로 본다)에 따른 것인 이상 그 영업허가취소처분을 한 행정청 공무원에게 그와 같은 위법한 처분을 한 데 있어 어떤 직무집행상의 과실이 있다고 할 수는 없다(대판 1994. 11. 8, 94다26141).

㉰ ✕

> 〔어린이가 '미니컵 젤리'를 먹다가 질식하여 사망한 사안에서, 식품의약품안전청장(현 식품의약품안전처장) 등이 그 사고 발생시까지 구 식품위생법상의 규제권한을 행사하여 미니컵 젤리의 수입·유통 등을 금지하거나 그 기준과 규격, 표시 등을 강화하고 그에 필요한 검사 등을 실시하는 조치를 취하지 않은 것이 현저하게 합리성을 잃어 사회적 타당성이 없다거나 객관적 정당성을 상실하여 위법하다고 할 수 있을 정도까지에 이르렀다고 보기 어렵고, 그 권한 불행사에 과실이 있다고 할 수도 없다고 판시하면서〕 식품의약품안전청장 등이 구 식품위생법 제7·9·10·16조 등에 의하여 부여된 규제권한을 행사하지 않은 것이 직무상 의무를 위반한 것으로 위법한 것으로 평가되는 경우 과실도 인정된다(대판 2010. 9. 9, 2008다77795).

16
정답 ②

① ○

> **국가배상법 제2조【배상책임】** ① 국가나 지방자치단체는 공무원 또는 공무를 위탁받은 사인(이하 '공무원'이라 한다)이 직무를 집행하면서 고의 또는 과실로 법령을 위반하여 타인에게 손해를 입히거나, 「자동차손해배상 보장법」에 따라 손해배상의 책임이 있을 때에는 이 법에 따라 그 손해를 배상하여야 한다.
>
> **헌법 제29조** ① 공무원의 직무상 불법행위로 손해를 받은 국민은 법률이 정하는 바에 의하여 국가 또는 공공단체에 정당한 배상을 청구할 수 있다. 이 경우 공무원 자신의 책임은 면제되지 아니한다.

② ✕

> 국가배상법이 정한 배상청구의 요건인 공무원의 직무에는 권력적 작용만이 아니라 행정지도와 같은 비권력적 작용도 포함되며, 단지 행정주체가 사경제주체로서 하는 활동만이 제외된다(대판 1998. 7. 10, 96다38971).

③④ ○

> ❶ 피고 ○○은 피고 대한변호사협회의 장(長)으로서 국가로부터 위탁받은 공행정사무인 '변호사등록에 관한 사무'를 수행하는 범위 내에서는 국가배상법 제2조에서 정한 공무원에 해당한다.
> ❷ 피고 대한변호사협회가 원고에게 아직 처벌받지 않은 여죄가 있을 가능성이 있다는 이유로 등록심사를 약 2개월간 지연하다가 원고의 변호사등록을 해준 것, 즉 피고 대한변호사협회의 변호사등록 지연은 불법행위에 해당한다.
> 공법인이 국가로부터 위탁받은 공행정사무를 집행하는 과정에서 공법인의 임직원이나 피용인이 고의 또는 과실로 법령을 위반하여 타인에게 손해를 입힌 경우에는, 공법인은 위탁받은 공행정사무에 관한 행정주체의 지위에서 배상책임을 부담하여야 하지만, 공법인의 임직원이나 피용인은 실질적인 의미에서 공무를 수행한 사람으로서 국가배상법 제2조에서 정한 공무원에 해당하므로 고의 또는 중과실이 있는 경우에만 배상책임을 부담하고 경과실이 있는 경우에는 배상책임을 면한다(③). 한편, 공무원의 중과실이란 공무원에게 통상 요구되는 정도의 상당한 주의를 하지 않더라도 약간의 주의를 한다면 손쉽게 위법·유해한 결과를 예견할 수 있는 경우임에도 만연히 이를 간과한 경우와 같이, 거의 고의에 가까운 현저한 주의를 결여한 상태를 의미한다(④)(대판 2021. 1. 28, 2019다260197).

17 정답 ②

① ✗

> 공무원의 직무집행이 법령이 정한 요건과 절차에 따라 이루어진 것이라면 그 과정에서 개인의 권리가 침해되는 일이 생긴다고 하여 법령적합성이 곧바로 부정되는 것은 아니다(즉, 손해배상청구권이 인정되지 않는다).
> 불법시위를 진압하는 경찰관들의 직무집행이 법령에 위반한 것이라고 하기 위하여는 그 시위 진압이 불필요하거나 또는 불법시위의 태양 및 시위장소의 상황 등에서 예측되는 피해 발생의 구체적 위험성의 내용에 비추어 시위진압의 계속 수행 내지 그 방법 등이 현저히 합리성을 결하여 이를 위법하다고 평가할 수 있는 경우이어야 할 것이다(대판 1997. 7. 25, 94다2480).

② ○

> ❶ 공무원에게 직무상 의무를 부과한 법령의 보호목적이 사회구성원 개인의 이익과 안전을 보호하기 위한 것이 아니고 단순히 공공일반의 이익이나 행정기관 내부의 질서를 규율하기 위한 것이라면, 가사 공무원이 그 직무상 의무를 위반한 것을 계기로 하여 제3자가 손해를 입었다 하더라도 공무원이 직무상 의무를 위반한 행위와 제3자가 입은 손해 사이에는 법리상 상당인과관계가 있다고 할 수 없다(대판 2001. 4. 13, 2000다34891).
> ❷ 공무원에게 부과된 직무상 의무의 내용이 단순히 공공일반의 이익을 위한 것이거나 행정기관 내부의 질서를 규율하기 위한 것이 아니고 전적으로 또는 부수적으로 사회구성원 개인의 안전과 이익을 보호하기 위하여 설정된 것이라면, 공무원이 그와 같은 직무상 의무를 위반함으로 인하여 피해자가 입은 손해에 대하여는 상당인과관계가 인정되는 범위 내에서 국가가 배상책임을 지는 것이다(대판 1993. 2. 12, 91다43466).

③ ✗

> 신제품 인증을 받은 제품(이하 '인증신제품'이라 한다) 구매의무는 기업에 신기술개발제품의 판로를 확보하여 줌으로써 산업기술개발을 촉진하기 위한 국가적 지원책의 하나로 국민경제의 지속적인 발전과 국민의 삶의 질 향상이라는 공공일반의 이익을 도모하기 위한 것이고, 공공기관이 구매의무를 이행한 결과 신제품 인증을 받은 자가 재산상 이익을 얻게 되더라도 이는 반사적 이익에 불과할 뿐 위 법령(편저자 주 : 구 산업기술혁신 촉진법령)이 보호하고자 하는 이익으로 보기는 어렵다. 따라서 공공기관이 위 법령에서 정한 인증신제품 구매의무를 위반하였다고 하더라도, 이를 이유로 신제품 인증을 받은 자에 대하여 국가배상법 제2조가 정한 배상책임이나 불법행위를 이유로 한 손해배상책임을 지는 것은 아니다(대판 2015. 5. 28, 2013다41431).

④ ✗

> ❶ 철도운행사업은 사경제적 작용이므로 이로 인한 사고에 공무원이 간여하였다고 하더라도 국가배상법이 아닌 민법이 적용된다.
> ❷ 공공의 영조물인 철도시설물의 설치·관리의 하자로 인한 불법행위를 원인으로 하여 국가에 대해 손해배상청구를 하는 경우에는 국가배상법이 적용되므로 배상전치절차를 거쳐야 한다(대판 1999. 6. 22, 99다7008).

18 정답 ③

㉮ ○

> 「성폭력범죄의 처벌 및 피해자보호 등에 관한 법률」 제21조는 성폭력범죄의 수사 또는 재판을 담당하거나 이에 관여하는 공무원에 대하여 피해자의 인적 사항과 사생활의 비밀을 엄수할 직무상 의무를 부과하고 있고, 이는 주로 성폭력범죄 피해자의 명예와 사생활의 평온을 보호하기 위한 것이므로, 성폭력범죄의 수사를 담당하거나 수사에 관여하는 경찰관이 위와 같은 직무상 의무에 반하여 피해자의 인적 사항 등을 공개 또는 누설하였다면 국가는 그로 인하여 피해자가 입은 손해를 배상하여야 한다(대판 2008. 6. 12, 2007다64365).

㉯ ✗

> 경찰권의 발동 여부는 원칙적으로 경찰관의 재량권한에 속하나 구체적인 사정에 따라 권한을 행사하여 필요한 조치를 취하지 아니한 것이 현저히 불합리하다고 인정되는 경우 권한 불행사는 직무상 의무를 위반한 것이 되어 위법하다.
> 경찰은 범죄의 예방, 진압 및 수사와 함께 국민의 생명, 신체 및 재산의 보호 등과 기타 공공의 안녕과 질서유지도 직무로 하고 있고, 그 직무의 원활한 수행을 위하여 「경찰관 직무집행법」, 형사소송법 등 관계 법령에 의하여 여러 가지 권한이 부여되어 있으므로, 구체적인 직무를 수행하는 경찰관으로서는 제반 상황에 대응하여 자신에게 부여된 여러 가지 권한을 적절하게 행사하여 필요한 조치를 취할 수 있는 것이고, 그러한 권한은 일반적으로 경찰관의 전문적 판단에 기한 합리적인 재량에 위임되어 있는 것이나, 경찰관에게 권한을 부여한 취지와 목적에 비추어 볼 때 구체적인 사정에 따라 경찰관이 그 권한을 행사하여 필요한 조치를 취하지 아니하는 것이 현저하게 불합리하다고 인정되는 경우에는 그러한 권한의 불행사는 직무상의 의무를 위반한 것으로 위법하게 된다(대판 2004. 9. 23, 2003다49009).

㉰ ✗

> (甲도지사가 도에서 설치·운영하는 乙지방의료원을 폐업하겠다는 결정을 발표하고 그에 따라 폐업을 위한 일련의 조치가 이루어진 후 乙지방의료원을 해산한다는 내용의 조례를 공포하고 乙지방의료원의 청산절차가 마쳐진 사안에서) 국가배상법 제2조 제1항에 따른 국가배상책임이 성립하기 위해서 공무원의 직무집행이 위법하다는 점만으로는 부족하고 공무원의 위법한 직무집행으로 타인의 권리·이익이 침해되어 구체적 손해가 발생하여야 한다(대판 2016. 8. 30, 2015두60617).

㉱ ○

> 공무원의 부작위로 인한 국가배상책임을 인정하기 위해서는 공무원의 작위로 인한 국가배상책임을 인정하는 경우와 마찬가지로 '공무원이 직무를 집행하면서 고의 또는 과실로 법령을 위반하여 타인에게 손해를 입힌 때'라는 국가배상법 제2조 제1항의 요건이 충족되어야 한다. 여기서 '법령 위반'이란 엄격하게 형식적 의미의 법령에 명시적으로 공무원의 작위의무가 규정되어 있는데도 이를 위반하는 경우만을 의미하는 것은 아니고, 인권존중·권력남용금지·신의성실과 같이 공무원으로서 마땅히 지켜야 할 준칙이나 규범을 지키지 않고 위반한 경우를 포함하여 널리 객관적인 정당성이 없는 행위를 한 경우를 포함한다(대판 2020. 5. 28, 2017다211559).

> **관련판례**
>
> 형식적 의미의 법령에 근거가 없더라도 일정한 경우 작위의무를 인정할 수 있다.
>
> 여기서 '법령에 위반하여'라고 하는 것은 엄격하게 형식적 의미의 법령에 명시적으로 공무원의 작위의무가 규정되어 있는데도 이를 위반하는 경우만을 의미하는 것은 아니고, 국민의 생명, 신체, 재산 등에 대하여 절박하고 중대한 위험상태가 발생하였거나 발생할 우려가 있어서 국민의 생명, 신체, 재산 등을 보호하는 것을 본래적 사명으로 하는 국가가 초법규적, 일차적으로 그 위험배제에 나서지 아니하면 국민의 생명, 신체, 재산 등을 보호할 수 없는 경우에는 형식적 의미의 법령에 근거가 없더라도 국가나 관련 공무원에 대하여 그러한 위험을 배제할 작위의무를 인정할 수 있을 것이다(대판 2004. 6. 25, 2003다69652).

19 〔정답〕②

㉮ ○

> (甲이 乙의 이름으로 개명허가를 받은 것처럼 호적등본을 위조하여 제출하였고 이에 담당공무원이 본적지 관할청에 통보를 하지 않고 성명을 정정하여 乙의 부동산에 대해 甲이 이익을 얻게 되자 乙이 국가배상을 청구한 사안에서 국가배상책임을 긍정하면서) 주민등록사무를 담당하는 공무원이 개명과 같은 사유로 주민등록상 성명을 정정한 경우 본적지 관할 관청에 그 변경사항을 통보할 직무상 의무가 있으며 그러한 의무에는 사익보호성이 인정된다. 주민등록사무를 담당하는 공무원이 개명으로 인한 주민등록상 성명정정을 본적지 관할 관청에 통보하지 아니한 직무상 의무 위배행위와 乙과 같은 이름으로 개명허가를 받은 듯이 호적등본을 위조하여 주민등록상 성명을 위법하게 정정한 甲이 乙의 부동산에 관하여 불법적으로 근저당권설정등기를 경료함으로써 乙이 입은 손해 사이에는 상당인과관계가 있다(대판 2003. 4. 25, 2001다59842).

㉯ ×

> 부산2저축은행 발행의 후순위사채에 투자한 원고들이 사채발행회사, 외부감사인, 증권회사, 신용평가회사, 금융감독원, 대한민국 등을 상대로 손해배상을 청구한 사안에서, 「금융위원회의 설치 등에 관한 법률」의 입법취지 등에 비추어 볼 때, 피고 금융감독원에 금융기관에 대한 검사·감독의무를 부과한 법령의 목적이 금융상품에 투자한 투자자 개인의 이익을 직접 보호하기 위한 것이라고 할 수 없으므로, 피고 금융감독원 및 그 직원들의 위법한 직무집행과 부산2저축은행의 후순위사채에 투자한 원고들이 입은 손해 사이에 상당인과관계가 있다고 보기 어렵다(대판 2015. 12. 23, 2015다210194).

㉰ ×

> 국가 또는 지방자치단체가 법령이 정하는 상수원수 수질기준 유지의무를 다하지 못하고, 법령이 정하는 고도의 정수처리방법이 아닌 일반적 정수처리방법으로 수돗물을 생산·공급하였다는 사유만으로 그 수돗물을 마신 개인에 대하여 손해배상책임을 부담하는 것은 아니다. 상수원수의 수질을 환경기준에 따라 유지하도록 규정하고 있는 관련 법령의 취지·목적·내용과 그 법령에 따라 국가 또는 지방자치단체가 부담하는 의무의 성질 등을 고려할 때, 국가 등에게 일정한 기준에 따라 상수원수의 수질을 유지하여야 할 의무를 부과하고 있는 법령의 규정은 국민에게 양질의 수돗물이 공급되게 함으로써 국민일반의 건강을 보호하여 공공일반의 전체적인 이익을 도모하기 위한 것이지, 국민 개개인의 안전과 이익을 직접적으로 보호하기 위한 규정이 아니므로, …… 지방자치단체가 상수원수의 수질기준에 미달하는 하천수를 취수하거나 상수원수 3급 이하의 하천수를 취수하여 고도의 정수처리가 아닌 일반적 정수처리 후 수돗물을 생산·공급하였다고 하더라도, 그렇게 공급된 수돗물이 음용수 기준에 적합하고 몸에 해로운 물질이 포함되어 있지 아니한 이상, 지방자치단체의 위와 같은 수돗물 생산·공급행위가 국민에 대한 불법행위가 되지 아니한다(대판 2001. 10. 23, 99다36280).

㉱ ○

❶ (공무원 甲이 내부전산망을 통해 乙에 대한 범죄경력자료를 조회하여 「공직선거 및 선거부정방지법」 위반죄로 실형을 선고받는 등 실효된 4건의 금고형 이상의 전과가 있음을 확인하고도 乙의 공직선거후보자용 범죄경력조회 회보서에 이를 기재하지 않은 사안에서, 甲의 중과실을 인정하여 乙이 속한 정당에 대해 국가배상책임 외에 공무원 개인의 배상책임까지 인정하면서) 공직선거법상 수사기관의 전과기록 회보의무는 개별적 이익도 보호하기 위한 것이다.

❷ 공직선거법이 위와 같이 후보자가 되고자 하는 자와 그 소속 정당에게 전과기록을 조회할 권리를 부여하고 수사기관에 회보의무를 부과한 것은 단순히 유권자의 알권리 보호 등 공공일반의 이익만을 위한 것이 아니라, 그와 함께 후보자가 되고자 하는 자가 자신의 피선거권 유무를 정확하게 확인할 수 있게 하고, 정당이 후보자가 되고자 하는 자의 범죄경력을 파악함으로써 부적격자를 공천함으로 인하여 생길 수 있는 정당의 신뢰도 하락을 방지할 수 있게 하는 등 개별적인 이익도 보호하기 위한 것이다(대판 2011. 9. 8, 2011다34521).

20 〔정답〕②

① ×

> 불법행위를 이유로 배상하여야 할 손해는 현실로 입은 확실한 손해에 한한다(대판 2020. 10. 15, 2017다278446).

② ○

> 행정절차를 진행하는 과정에서 주민들의 의견제출 등 절차적 권리를 보장하지 않은 위법이 있더라도 절차적 권리 침해로 인한 정신적 고통에 대한 배상은 인정되지 않는다. 다만, 주민들의 절차적 권리 침해로 인한 정신적 고통이 여전히 남아 있다고 볼 특별한 사정이 있는 경우, 국가나 지방자치단체는 그로 인한 손해를 배상할 책임이 있다.
> (1) 행정절차는 그 자체가 독립적으로 의미를 가지는 것이라기보다는 행정의 공정성과 적정성을 보장하는 공법적 수단으로서의 의미가 크므로, 관련 행정처분의 성립이나 무효·취소 여부 등을 따지지 않은 채 주민들이 일시적으로 행정절차에 참여할 권리를 침해받았다는 사정만으로 곧바로 국가나 지방자치단체가 주민들에게 정신적 손해에 대한 배상의무를 부담한다고 단정할 수 없다. 이와 같은 행정절차상 권리의 성격이나 내용 등에 비추어 볼 때, 국가나 지방자치단체가 행정절차를 진행하는 과정에서 주민들의 의견제출 등 절차적 권리를 보장하지 않은 위법이 있다고 하더라도 그 후 이를 시정하여 절차를 다시 진행한 경우, 종국적으로 행정처분 단계까지 이르지 않거나 처분을 직권으로 취소하거나 철회한 경우, 행정소송을 통하여 처분이 취소되거나 처분의 무효를 확인하는 판결이 확정된 경우 등

에는 주민들이 절차적 권리의 행사를 통하여 환경권이나 재산권 등 사적 이익을 보호하려던 목적이 실질적으로 달성된 것이므로 특별한 사정이 없는 한 절차적 권리 침해로 인한 정신적 고통에 대한 배상은 인정되지 않는다. 다만, 이러한 조치로도 주민들의 절차적 권리 침해로 인한 정신적 고통이 여전히 남아 있다고 볼 특별한 사정이 있는 경우에 국가나 지방자치단체는 그 정신적 고통으로 인한 손해를 배상할 책임이 있다. 이때 특별한 사정이 있다는 사실에 대한 주장·증명책임은 이를 청구하는 주민들에게 있고, 특별한 사정이 있는지는 주민들에게 행정절차참여권을 보장하는 취지, 행정절차참여권이 침해된 경위와 정도, 해당 행정절차 대상사업의 시행 경과 등을 종합적으로 고려해서 판단해야 한다.

(2) 원고는 지방자치단체가 설치·운영하는 폐기물매립장 인근에 거주하는 주민으로서, 지방자치단체가 폐기물매립장을 설치하면서 관련 법령에서 정한 입지선정위원회 구성 등 주민의견수렴절차를 거치지 않은 채 관련 서류를 위조하여 폐기물매립장을 설치하였고 그 폐기물매립장을 부실하게 운영하여 원고의 행정절차참여권, 환경권 등을 침해하였음을 이유로 손해배상을 청구한 사안에서, 주민들의 행정절차참여권 침해를 이유로 한 손해배상의 경우 행정절차를 이행하지 않았다는 사실만으로 곧바로 손해배상이 인정되는 것은 아니고, 관련 행정처분이 취소되는 등의 조치로도 주민들의 정신적 고통이 남아 있다고 볼 특별한 사정이 있는 경우에만 손해배상책임이 인정되는 것인데, 이 사건의 경우에는 특별한 사정의 존재 여부에 앞서 원고가 관련 행정절차가 진행될 당시 인근지역 주민이었는지 여부가 심리·판단되지 않았는데도 피고의 손해배상책임을 인정한 원심 판결에 법리오해와 심리미진의 잘못이 있다(대판 2021. 7. 29, 2015다221668).

③ × 절차상의 위법도 국가배상법상의 법령 위반에 해당한다. 따라서 절차상 위법한 가해행위로 손해가 발생한 경우 절차상 위법과 손해 사이에 상당인과관계가 있다면 국가배상책임이 인정된다.

경매담당공무원이 이해관계인에 대한 기일통지를 잘못한 것이 원인이 되어 경락허가결정이 취소되었다면, 그 사이 경락대금을 완납하고 소유권이전등기를 마친 경락인에 대하여 국가배상책임이 인정된다(대판 2008. 7. 10, 2006다23664).

④ ×

국가배상법 제8조【다른 법률과의 관계】 국가나 지방자치단체의 손해배상책임에 관하여는 이 법에 규정된 사항 외에는 민법에 따른다. 다만, 민법 외의 법률에 다른 규정이 있을 때에는 그 규정에 따른다.

민법 제766조【손해배상청구권의 소멸시효】 ① 불법행위로 인한 손해배상의 청구권은 피해자나 그 법정대리인이 그 손해 및 가해자를 안 날로부터 3년간 이를 행사하지 아니하면 시효로 인하여 소멸한다.
② 불법행위를 한 날로부터 10년을 경과한 때에도 전항과 같다.

21 [정답] ②

① ×

(음주운전으로 적발된 주취운전자가 도로 밖으로 차량을 이동하겠다며 단속경찰관이 보관 중이던 차량열쇠를 반환받아 몰래 차량을 운전하여 가던 중 사고를 일으킨 경우, 국가배상책임을 인정하면서) 경찰관의 주취운전자에 대한 권한 행사가 관계 법률의 규정형식상 경찰관의 재량에 맡겨져 있다고 하더라도, 그러한 권한을 행사하지 아니한 것이 구체적인 상황하에서 현저하게 합리성을 잃어 사회적 타당성이 없는 경우에는 경찰관의 직무상 의무를 위배한 것으로서 위법하다(대판 1998. 5. 8, 97다54482).

② ○

육군중사가 훈련에 대비하여 개인 소유의 오토바이를 운전하여 사전 정찰차 훈련지역 일대를 돌아보고 귀대하다가 교통사고를 일으킨 경우, 오토바이의 운전행위는 국가배상법 제2조 소정의 직무집행행위에 해당한다.
○○○이 자신의 개인 소유 오토바이 뒷좌석에 ×××을 태우고 다음 날부터 실시예정인 전 제대 동시 야간훈련 및 독수리훈련에 대비하여 사전정찰차 훈련지역 일대를 살피고 귀대하던 중 이 사건 사고가 일어났다면, 위 ○○○이 비록 개인 소유의 오토바이를 운전하였다 하더라도 실질적·객관적으로 위 ○○○의 운전행위는 그에게 부여된 훈련지역의 사전정찰임무를 수행하기 위한 직무와 밀접한 관련이 있다고 보아야 할 것이다. 따라서 위 ○○○의 위 오토바이의 운전행위가 공무집행행위에 해당하지 아니한다고 본 원심의 조치는 국가배상법 제2조 소정의 '공무원이 그 직무를 집행함에 당하여'의 해석에 관한 법리를 오해한 위법이 있다 할 것이다(대판 1994. 5. 27, 94다6741).

③ ×

유흥주점에 감금된 채 윤락을 강요받으며 생활하던 여종업원들이 유흥주점에 화재가 났을 때 미처 피신하지 못하고 유독가스에 질식해 사망한 사안에서, 지방자치단체의 담당공무원이 위 유흥주점의 용도변경, 무허가영업 및 시설기준에 위배된 개축에 대하여 시정명령 등 식품위생법상 취하여야 할 조치를 게을리한 직무상 의무 위반행위와 위 사망의 결과 사이에는 상당인과관계가 없다(대판 2008. 4. 10, 2005다48994).

비교판례

유흥주점에 감금된 채 윤락을 강요받으며 생활하던 여종업원들이 유흥주점에 화재가 났을 때 미처 피신하지 못하고 유독가스에 질식해 사망한 사안에서, 소방공무원이 위 화재 전 유흥주점에 대하여 구 소방법상 시정조치를 명하지 않은 직무상 의무 위반과 위 사망의 결과 사이에는 상당인과관계가 있다(대판 2008. 4. 10, 2005다48994).

④ ×

공무원의 불법행위로 손해를 입은 피해자의 국가배상청구권의 소멸시효기간이 지났으나 국가가 소멸시효 완성을 주장하는 것이 신의성실의 원칙에 반하는 권리남용으로 허용될 수 없어 배상책임을 이행한 경우에는, 그 소멸시효완성 주장이 권리남용에 해당하게 된 원인행위와 관련하여 해당 공무원이 그 원인이 되는 행위를 적극적으로 주도하였다는 등의 특별한 사정이 없는 한, 국가가 해당 공무원에게 구상권을 행사하는 것은 신의칙상 허용되지 않는다고 봄이 상당하다(대판 2016. 6. 9, 2015다200258).

22 [정답] ④

① ○ 국가배상법 제3조의 기준은 단순한 기준을 정한 것에 불과하므로 구체적인 경우 배상금액은 증감이 가능하다는 것이 통설과 판례의 입장이다.

> **구 국가배상법 제3조의 규정은 기준액이다.**
> 국가배상법 제3조 제1·3항 규정의 손해배상기준은 배상심의회의 배상금지급기준을 정함에 있어 하나의 기준을 정한 것에 불과하다(대판 1970. 3. 10, 69다1772).

② ○ 당해 공무원의 직무내용, 당해 불법행위의 상황, 손해발생에 대한 당해 공무원의 기여 정도, 당해 공무원의 평소 근무태도, 불법행위의 예방이나 손실 분산에 관한 국가 또는 지방자치단체의 배려 정도를 고려하여 구상권의 범위를 정하여야 한다는 것이 판례의 입장이다.

> 국가 등은 당해 공무원의 직무내용, 당해 불법행위의 상황 등 제반 사정을 참작하여 손해의 공평한 분담이라는 견지에서 신의칙상 상당하다고 인정되는 한도 내에서만 당해 공무원에 대하여 구상권을 행사할 수 있다.
> 국가 또는 지방자치단체의 산하 공무원이 그 직무를 집행함에 당하여 중대한 과실로 인하여 법령에 위반하여 타인에게 손해를 가함으로써 국가 또는 지방자치단체가 손해배상책임을 부담하고, 그 결과로 손해를 입게 된 경우에는 국가 등은 당해 공무원의 직무내용, 당해 불법행위의 상황, 손해발생에 대한 당해 공무원의 기여 정도, 당해 공무원의 평소 근무태도, 불법행위의 예방이나 손실 분산에 관한 국가 또는 지방자치단체의 배려 정도 등 제반 사정을 참작하여 손해의 공평한 분담이라는 견지에서 신의칙상 상당하다고 인정되는 한도 내에서만 당해 공무원에 대하여 구상권을 행사할 수 있다고 봄이 상당하다(대판 1991. 5. 10, 91다6764).

③ ○

> **지방자치단체장에게 기관위임된 사무의 경우 지방자치단체가 경비를 대외적으로 지출하였다면 지방자치단체도 비용부담자로서 국가배상책임을 진다.**
> 지방자치단체의 장이 기관위임된 국가행정사무를 처리하는 경우 그에 소요되는 경비의 실질적·궁극적 부담자는 국가라고 하더라도 당해 지방자치단체는 국가로부터 내부적으로 교부된 금원으로 그 사무에 필요한 경비를 대외적으로 지출하는 자이므로, 이러한 경우 지방자치단체는 국가배상법 제6조 제1항 소정의 비용부담자로서 공무원의 불법행위로 인한 같은 법에 의한 손해를 배상할 책임이 있다(대판 1994. 12. 9, 94다38137).

④ ×

> **국가배상법 제9조【소송과 배상신청의 관계】** 이 법에 따른 손해배상의 소송은 배상심의회(이하 '심의회'라 한다)에 배상신청을 하지 아니하고도 제기할 수 있다.

> **국가배상심의위원회의 결정은 행정처분이 아니다.**
> 국가배상법에 의한 배상심의회의 결정은 행정처분이 아니므로 행정소송의 대상이 아니다(대판 1981. 2. 10, 80누317).

23 [정답] ③

㉮ × 국가배상법은 책임주체로 국가 또는 지방자치단체를 규정하고 있다. 따라서 A운수회사는 서울특별시장이 아니라 서울특별시를 피고로 하여 국가배상청구소송을 제기할 수 있다.

> **국가배상법 제2조【배상책임】** ① 국가나 지방자치단체는 공무원 또는 공무를 위탁받은 사인(이하 '공무원'이라 한다)이 직무를 집행하면서 고의 또는 과실로 법령을 위반하여 타인에게 손해를 입히거나, 「자동차손해배상 보장법」에 따라 손해배상의 책임이 있을 때에는 이 법에 따라 그 손해를 배상하여야 한다.

㉯ ○ 기관위임사무는 위임자(국가 또는 상급지방자치단체)의 사무가 되므로 위임자는 사무귀속자로서 국가배상법 제2조에 의한 배상책임을 진다. 사례의 경우 국가는 사무귀속자로서 손해배상책임이 있으며 서울특별시는 비용부담자로서 배상책임이 있다(국가배상법 제6조 제1항 참조).

> **국가배상법 제6조【비용부담자 등의 책임】** ① 제2조·제3조 및 제5조에 따라 국가나 지방자치단체가 손해를 배상할 책임이 있는 경우에 공무원의 선임·감독 또는 영조물의 설치·관리를 맡은 자와 공무원의 봉급·급여, 그 밖의 비용 또는 영조물의 설치·관리 비용을 부담하는 자가 동일하지 아니하면 그 비용을 부담하는 자도 손해를 배상하여야 한다.

㉰ ○

> **국가배상법 제2조【배상책임】** ② 제1항 본문의 경우에 공무원에게 고의 또는 중대한 과실이 있으면 국가나 지방자치단체는 그 공무원에게 구상할 수 있다.

㉱ × 가해공무원 개인이 피해자에 대해 민사상의 손해배상책임을 부담하는지에 대해 판례는 가해공무원에게 고의 또는 중대한 과실이 있는 경우 가해공무원의 민사상 손해배상책임을 긍정하고 있다. 사례에서 고의에 가까운 현저한 주의의무의 위반이란 중과실이 있는 경우를 말하므로 A운수회사는 甲에게 민사상의 손해배상을 청구할 수 있다.

> ❶ 공무원이 직무수행 중 불법행위로 타인에게 손해를 입힌 경우에 국가 등이 국가배상책임을 부담하는 외에 공무원 개인도 고의 또는 중과실이 있는 경우에는 불법행위로 인한 민사상 손해배상책임을 진다.
> ❷ 그러나 공무원에게 경과실뿐인 경우에는 공무원 개인은 손해배상책임을 부담하지 아니한다(대판 1996. 2. 15, 95다38677 전합).

> **관련판례**
> 공무원의 중과실이란 공무원에게 통상 요구되는 정도의 상당한 주의를 하지 않더라도 약간의 주의를 한다면 손쉽게 위법·유해한 결과를 예견할 수 있는 경우임에도 만연히 이를 간과한 경우와 같이, 거의 고의에 가까운 현저한 주의를 결여한 상태를 의미한다(대판 2021. 1. 28, 2019다260197).

㉲ × ㉳ ○

> 경과실이 있는 공무원이 피해자에 대하여 손해배상책임을 부담하지 아니함에도 피해자에게 손해를 배상하였다면 그것은 채무자 아닌 사람이 타인의 채무를 변제한 경우에 해당하고, 이는 민법 제469조의 '제3자의 변제' 또는 민법 제744조의 '도의관념에 적합한 비채변제'에 해당하여 피해자는 공무원에 대하여 이를 반환할 의무가 없고(㉲), 그에 따라 피해자의 국가에 대한 손해배상청구권이

소멸하여 국가는 자신의 출연 없이 채무를 면하게 되므로 피해자에게 손해를 직접 배상한 경과실이 있는 공무원은 특별한 사정이 없는 한 국가에 대하여 국가의 피해자에 대한 손해배상책임의 범위 내에서 공무원이 변제한 금액에 관하여 구상권을 취득한다(⑯)(대판 2014. 8. 20, 2012다54478).

24

[정답] ①

① ○

> 국가배상법 제5조 제1항에 규정된 '영조물 설치·관리상의 하자'는 공공의 목적에 공여된 영조물이 그 용도에 따라 통상 갖추어야 할 안전성을 갖추지 못한 상태에 있음을 말한다. 그리고 위와 같은 안전성의 구비 여부는 영조물의 설치자 또는 관리자가 그 영조물의 위험성에 비례하여 사회통념상 일반적으로 요구되는 정도의 방호조치의무를 다하였는지를 기준으로 판단하여야 하고, 아울러 그 설치자 또는 관리자의 재정적·인적·물적 제약 등도 고려하여야 한다. 따라서 영조물이 그 설치 및 관리에 있어 완전무결한 상태를 유지할 정도의 고도의 안전성을 갖추지 아니하였다고 하여 하자가 있다고 단정할 수는 없고, 영조물 이용자의 상식적이고 질서 있는 이용방법을 기대한 상대적인 안전성을 갖추는 것으로 족하다(대판 2022. 7. 28, 2022다 225910).

② ×

> ❶ '공공의 영조물'이라 함은 국가 또는 지방자치단체에 의하여 특정 공공의 목적에 공여된 유체물 내지 물적 설비를 말한다.
> ❷ 또한 이러한 영조물에는 국가 또는 지방자치단체가 소유권, 임차권, 그 밖의 권한에 기하여 관리하고 있는 경우뿐만 아니라 사실상의 관리를 하고 있는 경우도 포함된다(대판 1998. 10. 23, 98다17381).

③ × 국가배상법 제5조의 영조물은 그 용어에도 불구하고 공물로 보는 것이 통설과 판례의 입장이다. 공물에는 도로 등 일반공중이 사용하는 공공용물(公共用物), 청사 건물 등 행정주체가 직접 사용하는 공용물(公用物)이 있으며, 인공공물(예 도로 등) 외에 자연공물(예 하천 등)도 포함된다. 다만, 공용폐지된 행정재산(예 공용폐지된 도로)은 일반재산에 해당하므로 국가배상법상의 영조물에 포함되지 않는다.

> 국가배상법 제5조 제1항 소정의 '공공의 영조물'이라 함은 국가 또는 지방자치단체에 의하여 특정 공공의 목적에 공여된 유체물 내지 물적 설비를 지칭하며, 특정 공공의 목적에 공여된 물이라 함은 일반중의 자유로운 사용에 직접적으로 제공되는 공공용물에 한하지 아니하고, 행정주체 자신의 사용에 제공되는 공용물도 포함하며 국가 또는 지방자치단체가 소유권, 임차권, 그 밖의 권한에 기하여 관리하고 있는 경우뿐만 아니라 사실상의 관리를 하고 있는 경우도 포함한다(대판 1995. 1. 24, 94다45302).

④ ×

> (매향리 사격장에서 발생하는 소음 등으로 지역주민들이 입은 피해는 사회통념상 참을 수 있는 정도를 넘는 것으로서 사격장의 설치 또는 관리에 하자가 있었다고 판시하면서) 국가배상법 제5조 제1항에 정하여진 '영조물의 설치 또는 관리의 하자'라 함은 공공의 목적에 공여된 영조물이 그 용도에 따라 갖추어야 할 안전성을 갖추지 못한 상태에 있음을 말하고, 여기서 안전성을 갖추지 못한 상태, 즉 타인에게 위해를 끼칠 위험성이 있는 상태라 함은 당해 영조물을 구성하는 물적 시설 그 자체에 있는 물리적·외형적 흠결이나 불비로 인하여 그 이용자에게 위해를 끼칠 위험성이 있는 경우뿐만 아니라 그 영조물이 공공의 목적에 이용됨에 있어 그 이용상태 및 정도가 일정한 한도를 초과하여 제3자에게 사회통념상 참을 수 없는 피해를 입히는 경우까지 포함된다고 보아야 할 것이고, 사회통념상 참을 수 있는 피해인지의 여부는 그 영조물의 공공성, 피해의 내용과 정도, 이를 방지하기 위하여 노력한 정도 등을 종합적으로 고려하여 판단하여야 한다(대판 2004. 3. 12, 2002다14242).

관련판례

> (김포공항에서 발생하는 소음 등으로 인근 주민들이 입은 피해는 사회통념상 수인한도를 넘는 것으로서 김포공항의 설치·관리에 하자가 있다고 판시하면서) 하자란 이용상태 및 정도가 제3자에게 사회통념상 수인한도를 넘는 피해를 입히는 경우까지 포함한다.
> 즉, 타인에게 위해를 끼칠 위험성이 있는 상태라 함은 당해 영조물을 구성하는 물적 시설 그 자체에 있는 물리적·외형적 흠결이나 불비로 인하여 그 이용자에게 위해를 끼칠 위험성이 있는 경우뿐만 아니라, 그 영조물이 공공의 목적에 이용됨에 있어 그 이용상태 및 정도가 일정한 한도를 초과하여 제3자에게 사회통념상 수인할 것이 기대되는 한도를 넘는 피해를 입히는 경우까지 포함된다고 보아야 한다(대판 2005. 1. 27, 2003다49566).

25

[정답] ④

㉮ × 국가배상법 제5조와 민법 제758조를 비교하면 ㉠ 민법은 점유자의 면책규정을 두고 있으나 국가배상법은 점유자의 면책규정을 두고 있지 않다는 점, ㉡ 민법은 공작물의 하자에 대해 규정하고 있으나 국가배상법은 자연공물을 포함한 영조물의 하자에 대해 규정하고 있으므로 국가배상법이 민법보다 책임대상이 넓다는 점에서 양자는 구별된다.

> **국가배상법 제5조【공공시설 등의 하자로 인한 책임】** ① 도로·하천, 그 밖의 공공의 영조물(營造物)의 설치나 관리에 하자(瑕疵)가 있기 때문에 타인에게 손해를 발생하게 하였을 때에는 국가나 지방자치단체는 그 손해를 배상하여야 한다. 이 경우 제2조 제1항 단서, 제3조 및 제3조의2를 준용한다.
>
> **민법 제758조【공작물 등의 점유자, 소유자의 책임】** ① 공작물의 설치 또는 보존의 하자로 인하여 타인에게 손해를 가한 때에는 공작물점유자가 손해를 배상할 책임이 있다. 그러나 점유자가 손해의 방지에 필요한 주의를 해태하지 아니한 때에는(편저자 주 : 점유자는 책임이 없고) 그 소유자가 손해를 배상할 책임이 있다.

㉯ ×

> 지방자치단체가 비탈사면인 언덕에 대하여 현장조사를 한 결과 붕괴의 위험이 있음을 발견하고 이를 붕괴위험지구로 지정하여 관리하여 오다가 붕괴를 예방하기 위하여 언덕에 옹벽을 설치하기로 하고 소외 회사에게 옹벽시설공사를 도급주어 소외 회사가 공사를 시행하다가 깊이 3m의 구덩이를 파게 되었는데, 피해자가 공사현장 주변을 지나가다가 흙이 무너져 내리면서 위 구덩이에 추락하여 상해를 입게 된 사안에서, 위 사고 당시 설치하고 있던 옹벽은 소외 회사가 공사를 도급받아 공사 중에 있었을 뿐만 아니라 아직 완성도 되지 아니하여 일반공중의 이용에 제공되지 않고 있었던 이상 국가배상법 제5조 제1항 소정의 영조물에 해당한다고 할 수 없다 (대판 1998. 10. 23, 98다17381).

㈐ ○

❶ 도로의 설치·관리상의 하자는 도로의 위치 등 장소적인 조건, 도로의 구조, 교통량, 사고시에 있어서의 교통사정 등 도로의 이용상황과 본래의 이용목적 등 제반 사정과 물적 결함의 위치, 형상 등을 종합적으로 고려하여 사회통념에 따라 구체적으로 판단하여야 한다.

❷ 적설지대가 아닌 지역의 도로 또는 고속도로 등 특수목적의 도로가 아닌 '일반도로'에서 강설로 인하여 발생한 도로통행상의 위험을 즉시 배제하여 그 안전성을 확보할 의무는 도로의 설치·관리자에게 없다.

❸ 강설의 특성(통상 광범위한 지역에 걸치며, 일시에 나타나고 시간이 경과하면 소멸하는 점 등), 기상적 요인과 지리적 요인, 이에 따른 도로의 상대적 안전성을 고려하면 '겨울철 산간지역에 위치한 도로'에 강설로 생긴 빙판을 그대로 방치하고 도로상황에 대한 경고나 위험표지판을 설치하지 않았다는 사정만으로 도로관리상의 하자가 있다고 볼 수 없다(대판 2000. 4. 25, 99다54998).

📑 비교판례

❶ 공작물인 도로의 설치·관리상의 하자는 도로의 위치 등 장소적인 조건, 도로의 구조, 교통량, 사고시에 있어서의 교통사정 등 도로의 이용상황과 그 본래의 이용목적 등 여러 사정과 물적 결함의 위치, 형상 등을 종합적으로 고려하여 사회통념에 따라 구체적으로 판단하여야 한다.

❷ 강설에 대처하기 위하여 완벽한 방법으로 도로 자체에 융설설비를 갖추는 것이 현대의 과학기술 수준이나 재정사정에 비추어 사실상 불가능하다고 하더라도, 최저 속도의 제한이 있는 '고속도로'의 경우에 있어서는 도로관리자가 도로의 구조, 기상예보 등을 고려하여 사전에 충분한 인적·물적 설비를 갖추어 강설시 신속한 제설작업을 하고 나아가 필요한 경우 제때에 교통통제조치를 취함으로써 고속도로로서의 기본적인 기능을 유지하거나 신속히 회복할 수 있도록 하는 관리의무가 있다.

❸ 폭설로 차량 운전자 등이 고속도로에서 장시간 고립된 사안에서, 고속도로의 관리자가 고립구간의 교통정체를 충분히 예견할 수 있었음에도 교통제한 및 운행정지 등 필요한 조치를 충실히 이행하지 아니하였으므로 고속도로의 관리상 하자가 있다(대판 2008. 3. 13, 2007다29287).

㈑ ○

고등학교 3학년 학생이 학교건물의 3층 난간을 넘어 들어가 흡연을 하던 중 실족하여 사망한 경우, 위 건물의 설치·보존상의 하자가 인정되지 않는다.
고등학교 3학년 학생이 교사의 단속을 피해 담배를 피우기 위하여 3층 건물 화장실 밖의 난간을 지나다가 실족하여 사망한 사안에서 학교 관리자에게 그와 같은 '이례적인 사고'가 있을 것을 예상하여 복도나 화장실 창문에 난간으로의 출입을 막기 위하여 출입금지장치나 추락위험을 알리는 경고표지판을 설치할 의무가 있다고 볼 수는 없으므로 학교시설의 설치·관리상의 하자가 없다(대판 1997. 5. 16, 96다54102).

제12회 소방 단원별 모의고사 정답과 해설

출제 범위 : 제29강 행정상 손해배상 2(국가배상법 제5조 등)~제32강 손해전보를 위한 그 밖의 제도 등

문제 p.248

01	02	03	04	05
④	②	①	③	③
06	07	08	09	10
②	④	④	④	③
11	12	13	14	15
④	③	①	③	①
16	17	18	19	20
④	③	③	②	②
21	22	23	24	25
④	②	①	③	③

01
정답 ④

① ○ 국가배상법 제5조에서 말하는 '공공의 영조물'이란 본래적 의미의 영조물이 아니라 강학상 공물(일반공중이 사용하는 공공용물, 행정주체가 직접 사용하는 공용물, 인공공물·자연공물을 모두 포함한다), 즉 직접 행정목적에 제공된 유체물 내지 물적 설비를 의미한다는 것이 통설과 판례의 입장이다.

② ○
> 국가배상법 제5조 소정의 공공의 영조물이란 공유나 사유임을 불문하고 행정주체에 의하여 특정 공공의 목적에 공여된 유체물 또는 물적 설비를 의미하므로 사실상 군민의 통행에 제공되고 있던 도로 옆의 암벽으로부터 떨어진 낙석에 맞아 소외인이 사망하는 사고가 발생하였다고 하여도 동 사고지점 도로가 피고 군에 의하여 노선인정 기타 공용개시가 없었으면 이를 영조물이라 할 수 없다(대판 1981. 7. 7, 80다2478).

③ ○ 국가배상법 제5조의 영조물의 설치·관리상의 하자로 인한 책임은 국가배상법 제2조의 공무원의 직무행위로 인한 책임이 과실책임으로 규정된 것과 달리, 무과실책임이다. 한편, 국가배상법 제5조의 책임은 민법 제758조의 책임과 달리 관리자(국가 또는 지방자치단체)의 면책사유를 규정하지 않고 있다.

> 국가배상법 제5조 소정의 영조물의 설치·관리상의 하자로 인한 책임은 무과실책임이고 나아가 민법 제758조 소정의 공작물의 점유자의 책임과는 달리 면책사유도 규정되어 있지 않으므로, 국가 또는 지방자치단체는 영조물의 설치·관리상의 하자로 인하여 타인에게 손해를 가한 경우에 그 손해의 방지에 필요한 주의를 해태하지 아니하였다 하여 면책을 주장할 수 없다(대판 1994. 11. 22, 94다32924).

④ ×
> 안전성의 구비 여부를 판단함에 있어서는 당해 영조물의 용도, 그 설치장소의 현황 및 이용상황 등 제반 사정을 종합적으로 고려하여 설치·관리자가 그 영조물의 위험성에 비례하여 사회통념상 일반적으로 요구되는 정도의 방호조치의무를 다하였는지 여부를 그 기준으로 삼아야 하며, 만일 객관적으로 보아 시간적·장소적으로 영조물의 기능상 결함으로 인한 손해발생의 예견가능성과 회피가능성이 없는 경우, 즉 그 영조물의 결함이 영조물의 설치·관리자의 관리행위가 미칠 수 없는 상황 아래에 있는 경우임이 입증되는 경우라면 영조물의 설치·관리상의 하자를 인정할 수 없다(대판 2001. 7. 27, 2000다56822).

02
정답 ②

① ○
> 국가배상법 제5조 제1항에 규정된 '영조물 설치·관리상의 하자'는 공공의 목적에 공여된 영조물이 그 용도에 따라 통상 갖추어야 할 안전성을 갖추지 못한 상태에 있음을 말한다. 그리고 위와 같은 안전성의 구비 여부는 영조물의 설치자 또는 관리자가 그 영조물의 위험성에 비례하여 사회통념상 일반적으로 요구되는 정도의 방호조치의무를 다하였는지를 기준으로 판단하여야 하고, 아울러 그 설치자 또는 관리자의 재정적·인적·물적 제약 등도 고려하여야 한다. 따라서 영조물이 그 설치 및 관리에 있어 완전무결한 상태를 유지할 정도의 고도의 안전성을 갖추지 아니하였다고 하여 하자가 있다고 단정할 수는 없고, 영조물 이용자의 상식적이고 질서 있는 이용방법을 기대한 상대적인 안전성을 갖추는 것으로 족하다(대판 2022. 7. 28, 2022다225910).

② ×
> 국가배상법 제6조 【비용부담자 등의 책임】 ① 제2조·제3조 및 제5조에 따라 국가나 지방자치단체가 손해를 배상할 책임이 있는 경우에 공무원의 선임·감독 또는 영조물의 설치·관리를 맡은 자와 공무원의 봉급·급여, 그 밖의 비용 또는 영조물의 설치·관리비용을 부담하는 자가 동일하지 아니하면 그 비용을 부담하는 자도 손해를 배상하여야 한다.

③ ○
> 구 공무원연금법에 따라 각종 급여를 지급하는 제도는 공무원의 생활안정과 복리향상에 이바지하기 위한 것이라는 점에서 국가배상법 제2조 제1항 단서에 따라 손해배상금을 지급하는 제도와 그 취지 및 목적을 달리하므로, 경찰공무원인 피해자가 구 공무원연금법의 규정에 따라 공무상 요양비를 지급받는 것은 국가배상법 제2조 제1항 단서에서 정한 '다른 법령의 규정'에 따라 보상을 지급받는 것에 해당하지 않는다(대판 2019. 5. 30, 2017다16174).

④ ○

> 구 군인연금법이 정하고 있는 급여 중 사망보상금은 일실손해의 보전을 위한 것으로 불법행위로 인한 소극적 손해배상과 같은 종류의 급여이므로, 군복무 중 사망한 망인의 유족이 국가배상을 받은 경우 피고는 사망보상금에서 소극적 손해배상금 상당액을 공제할 수 있을 뿐, 이를 넘어 정신적 손해배상금 상당액까지 공제할 수는 없다(대판 2022. 3. 31, 2019두36711).

03

[정답] ①

① ○

> **국가배상법 제5조 【공공시설 등의 하자로 인한 책임】** ① 도로·하천, 그 밖의 공공의 영조물(營造物)의 설치나 관리에 하자(瑕疵)가 있기 때문에 타인에게 손해를 발생하게 하였을 때에는 국가나 지방자치단체는 그 손해를 배상하여야 한다. 이 경우 제2조 제1항 단서, 제3조 및 제3조의2를 준용한다.
> ② 제1항을 적용할 때 손해의 원인에 대하여 책임을 질 자가 따로 있으면 국가나 지방자치단체는 그 자에게 구상할 수 있다.

② ✕

> 국도(國道)에 관한 관리사무가 서귀포시로 위임된 경우 서귀포시는 비용부담자로서, 국가는 사무귀속주체로서 손해배상책임을 진다. 도로법 제22조 제2항에 의하여 지방자치단체의 장인 시장이 국도의 관리청이 되었다 하더라도 이는 시장이 국가로부터 관리업무를 위임받아 국가행정기관의 지위에서 집행하는 것이므로 국가는 도로관리상 하자로 인한 손해배상책임을 면할 수 없다(대판 1993. 1. 26, 92다2684).

💬Tip 법령의 개정으로 서귀포시는 현재 지방자치단체가 아니다.

③ ✕

> 지방자치단체장이 설치하여 관할 지방경찰청장(현 시·도경찰청장)에게 관리권한이 위임된 교통신호기 고장으로 사고가 발생한 경우 지방자치단체는 사무귀속자로서 손해배상책임을 부담하고, 국가는 경찰관 등에게 봉급을 지급하는 비용부담자로서 국가배상책임을 진다.
> 도로교통법 제3조 제1항은 특별시장·광역시장 또는 시장·군수(광역시의 군수를 제외)는 도로에서의 위험을 방지하고 교통의 안전과 원활한 소통을 확보하기 위하여 필요하다고 인정하는 때에는 신호기 및 안전표지를 설치하고 이를 관리하여야 하도록 규정 …… 지방자치단체장이 교통신호기를 설치하여 그 관리권한이 도로교통법 제71조의2 제1항의 규정에 의하여 관할 지방경찰청장(현 시·도경찰청장)에게 위임되어 …… 위 신호기가 고장난 채 방치되어 교통사고가 발생한 경우, 국가배상법 제2조 또는 제5조에 의한 배상책임을 부담하는 것은 지방경찰청장(현 시·도경찰청장)이 소속된 국가가 아니라, 그 권한을 위임한 지방자치단체장이 소속된 지방자치단체라고 할 것이나, 한편 국가배상법 제6조 제1항은 같은 법 제2조, 제3조 및 제5조의 규정에 의하여 국가 또는 지방자치단체가 손해를 배상할 책임이 있는 경우에 공무원의 선임·감독 또는 영조물의 설치·관리를 맡은 자와 공무원의 봉급·급여, 기타의 비용 또는 영조물의 설치·관리의 비용을 부담하는 자가 동일하지 아니한 경우에는 그 비용을 부담하는 자도 손해를 배상하여야 한다고 규정하고 있으므로 교통신호기를 관리하는 지방경찰청장(현 시·도경찰청장) 산하 경찰관들에 대한 봉급을 부담하는 국가도 국가배상법 제6조 제1항에 의한 배상책임을 부담한다(대판 1999. 6. 25, 99다11120).

④ ✕

❶ 소음 등을 포함한 공해 등의 위험지역으로 이주하여 들어가 거주하는 경우와 같이 위험의 존재를 인식하거나 과실로 인식하지 못하고 이주한 경우에는 손해배상액의 산정에 있어 형평의 원칙상 과실상계에 준하여 감경 또는 면제사유로 고려하여야 한다.

❷ 특히 소음 등의 공해로 인한 법적 쟁송이 제기되거나 그 피해에 대한 보상이 실시되는 등 피해지역임이 구체적으로 드러나고 또한 이러한 사실이 그 지역에 널리 알려진 이후에 이주하여 오는 경우에는 위와 같은 위험에의 접근에 따른 가해자의 면책 여부를 보다 적극적으로 인정할 여지가 있다.

> 소음 등을 포함한 공해 등의 위험지역으로 이주하여 들어가서 거주하는 경우와 같이 위험의 존재를 인식하면서 그로 인한 피해를 용인하며 접근한 것으로 볼 수 있는 경우에, 그 피해가 직접 생명이나 신체에 관련된 것이 아니라 정신적 고통이나 생활방해의 정도에 그치고 그 침해행위에 고도의 공공성이 인정되는 때에는, 위험에 접근한 후 실제로 입은 피해 정도가 위험에 접근할 당시에 인식하고 있었던 위험의 정도를 초과하는 것이거나 위험에 접근한 후에 그 위험이 특별히 증대하였다는 등의 특별한 사정이 없는 한 가해자의 면책을 인정하여야 하는 경우도 있다(대판 2010. 11. 11, 2008다57975).

04

[정답] ③

① ○ 공물 중 인공공물로서의 공공용물이 성립하기 위해서는 공중의 이용에 제공한다는 행정청의 의사표시인 공용지정행위가 있어야 한다. 지문의 경우 공용지정행위가 없어 국가배상법 제5조의 공공의 영조물로 볼 수 없다는 것이 판례의 입장이다.

> 국가배상법 제5조 소정의 공공의 영조물이란 공유나 사유임을 불문하고 행정주체에 의하여 특정 공공의 목적에 공여된 유체물 또는 물적 설비를 의미하므로 사실상 군민의 통행에 제공되고 있던 도로 옆의 암벽으로부터 떨어진 낙석에 맞아 소외인이 사망하는 사고가 발생하였다고 하여도 동 사고지점 도로가 피고 군에 의하여 노선인정 기타 공용개시가 없었으면 이를 영조물이라 할 수 없다(대판 1981. 7. 7, 80다2478).

② ○

> 국가배상법 제5조 제1항에 정해진 영조물의 설치 또는 관리의 하자를 판단함에 있어서는 영조물의 위험성에 비례하여 사회통념상 일반적으로 요구되는 정도의 방호조치의무를 다하였는지를 기준으로 삼아야 한다.
> 국가배상법 제5조 제1항에 정해진 영조물의 설치 또는 관리의 하자라 함은 영조물이 그 용도에 따라 통상 갖추어야 할 안전성을 갖추지 못한 상태에 있음을 말하는 것이며, 다만 영조물이 완전무결한 상태에 있지 아니하고 그 기능상 어떠한 결함이 있다는 것만으로 영조물의 설치 또는 관리에 하자가 있다고 할 수 없는 것이고, 위와 같은 안전성의 구비 여부를 판단함에 있어서는 당해 영조물의 용도, 그 설치장소의 현황 및 이용상황 등 제반 사정을 종합적으로 고려하여 설치·관리자가 그 영조물의 위험성에 비례하여 사회통념상 일반적으로 요구되는 정도의 방호조치의무를 다하였는지 여부를 그 기준으로 삼아야 하며, 만일 객관적으로 보아 시간적·장소적으로 영조물의 기능상 결함으로 인한 손해발생의 예견가능성과 회피가능성이 없는 경우, 즉 그 영조물의 결함이 영조물의 설치·관리자의 관리행위가 미칠 수 없는 상황 아래에 있는 경우임이 입증되는 경우라면 영조물의 설치·관리상의 하자를 인정할 수 없다(대판 2001. 7. 27, 2000다56822).

③ ✕ 하자에 대해서는 피해자인 원고가 입증책임을 진다. 다만, 예견가능성과 회피가능성의 존부에 대한 입증책임은 관리자에게 있으므로 불가항력에 대해서는 국가 등의 관리주체가 입증하여야 한다.

④ ○

> 가변차로에 설치된 두 개의 신호등에서 서로 모순되는 신호가 들어오는 오작동이 발생하였고 그 고장이 현재의 기술수준상 부득이한 것이라고 가정하더라도 그와 같은 사정만으로 손해발생의 예견가능성이나 회피가능성이 없어 영조물의 하자를 인정할 수 없는 경우라고 단정할 수 없다(대판 2001. 7. 27, 2000다56822).

05
[정답] ③

㉮ ✕ 국가배상법 제5조에서 말하는 공공의 영조물이란 본래적 의미의 영조물이 아니라 강학상 공물(일반공중이 사용하는 공공용물, 행정주체가 직접 사용하는 공용물, 인공공물·자연공물 모두 포함)을 의미한다. 이러한 공물은 국가나 지방자치단체가 관리하는 물건을 의미하는데, 이때 '관리'는 소유권 등 권원에 의한 것뿐 아니라 사실상 관리하는 것도 포함한다는 것이 통설과 판례의 입장이다. 사(私)소유물이라도 국가 또는 지방자치단체가 관리하는 공물인 한, 국가배상법 제5조의 영조물에 해당한다.

㉯ ○

> 재정사정은 안전성을 요구하는 데 대한 정도의 문제로서 참작사유에는 해당할지언정 안전성을 결정지을 절대적 요건에는 해당하지 아니한다(대판 1967. 2. 21, 66다1723).

㉰ ✕

> 집중호우로 제방도로가 유실되면서 그곳을 걸어가던 보행자가 강물에 휩쓸려 익사한 경우, 사고 당일의 집중호우가 50년 빈도의 최대강우량에 해당한다는 사실만으로 불가항력에 기인한 것으로 볼 수 없다. 집중호우로 제방도로가 유실되면서 그곳을 걸어가던 보행자가 강물에 휩쓸려 익사한 경우, 사고 당일의 집중호우가 50년 빈도의 최대강우량에 해당한다는 사실만으로 불가항력에 기인한 것으로 볼 수 없다는 이유로 제방도로의 설치·관리상의 하자를 인정한다(대판 2000. 5. 26, 99다53247).

㉱ ○

> '하천제방'이 100년 발생빈도의 적정강우량을 기준으로 책정된 '계획홍수위를 넘고 있다면' 수해로 손해가 발생하였다 하더라도 국가배상책임을 인정할 수 없다.
> 하천의 관리청이 관계 규정에 따라 설정한 계획홍수위를 변경시켜야 할 사정이 생기는 등 특별한 사정이 없는 한, 이미 존재하는 하천의 제방이 계획홍수위를 넘고 있다면 그 하천은 용도에 따라 통상 갖추어야 할 안전성을 갖추고 있다고 보아야 하고, 그와 같은 하천이 그 후 새로운 하천시설을 설치할 때 기준으로 삼기 위하여 제정한 '하천시설기준'이 정한 여유고를 확보하지 못하고 있다는 사정만으로 바로 안전성이 결여된 하자가 있다고 볼 수는 없다(대판 2003. 10. 23, 2001다48057).

06
[정답] ②

① ✕

> 숙직실은 전투시설이 아니므로 숙직실에서 자다가 사망한 경우 경찰공무원이라 하더라도 국가배상청구권을 행사할 수 있다.
> 경찰서 지서의 숙직실은 국가배상법 제2조 제1항 단서에서 말하는 전투·훈련에 관련된 시설이라고 볼 수 없으므로 위 숙직실에서 순직한 경찰공무원의 유족들은 국가배상법 제2조 제1항 본문에 의하여 국가배상법 및 민법의 규정에 의한 손해배상을 청구할 권리가 있다(대판 1979. 1. 30, 77다2389).

② ○ 판례는 공익근무요원, 군입대 후 경비교도로 임용된 자는 군인의 신분을 상실하였으므로 손해배상청구가 허용된다고 본다.

> ❶ 공익근무요원은 소집되어 군에 복무하지 않는 한 이중배상금지가 적용되는 군인이 아니다.
> 공익근무요원은 병역법 제2조 제1항 제9호, 제5조 제1항의 규정에 의하면 국가기관 또는 지방자치단체의 공익목적수행에 필요한 경비·감시·보호 또는 행정업무 등의 지원과 국제협력 또는 예술·체육의 육성을 위하여 소집되어 공익 분야에 종사하는 사람으로서 보충역에 편입되어 있는 자이기 때문에, 소집되어 군에 복무하지 않는 한 군인이라고 말할 수 없다(대판 1997. 3. 28, 97다4036).
> ❷ 현역병 입영 후 경비교도로 전임된 자는 이중배상금지가 적용되는 군인이 아니다(대판 1998. 2. 10, 97다45914).

③ ✕

> 직무집행과 관련하여 공상을 입은 군인 등이 먼저 국가배상법에 따라 손해배상금을 지급받은 다음 「보훈보상대상자 지원에 관한 법률」이 정한 보상금 등 보훈급여금의 지급을 청구하는 경우, 국가배상법에 따라 손해배상을 받았다는 이유로 그 지급을 거부할 수 없다.
> 전투·훈련 등 직무집행과 관련하여 공상을 입은 군인·군무원·경찰공무원 또는 향토예비군대원이 먼저 국가배상법에 따라 손해배상금을 지급받은 다음 「보훈보상대상자 지원에 관한 법률」(이하 '보훈보상자법'이라 한다)이 정한 보상금 등 보훈급여금의 지급을 청구하는 경우, 국가배상법 제2조 제1항 단서가 명시적으로 "다른 법령에 따라 보상을 지급받을 수 있을 때에는 국가배상법 등에 따른 손해배상을 청구할 수 없다."라고 규정하고 있는 것과 달리 보훈보상자법은 국가배상법에 따른 손해배상금을 지급받은 자를 보상금 등 보훈급여금의 지급대상에서 제외하는 규정을 두고 있지 않은 점, 국가배상법 제2조 제1항 단서의 입법취지 및 보훈보상자법이 정한 보상과 국가배상법이 정한 손해배상의 목적과 산정방식의 차이 등을 고려하면 국가배상법 제2조 제1항 단서가 보훈보상자법 등에 의한 보상을 받을 수 있는 경우 국가배상법에 따른 손해배상청구를 하지 못한다는 것을 넘어 국가배상법상 손해배상금을 받은 경우 보훈보상자법상 보상금 등 보훈급여금의 지급을 금지하는 것으로 해석하기는 어려운 점 등에 비추어, 국가보훈처장(현 국가보훈부장관)은 국가배상법에 따라 손해배상을 받았다는 사정을 들어 보상금 등 보훈급여금의 지급을 거부할 수 없다(대판 2017. 2. 3, 2015두60075).

④ ✕

> (경찰공무원이 낙석사고 현장 주변 교통정리를 위하여 사고현장 부근으로 이동하던 중 대형 낙석이 순찰차를 덮쳐 사망하자, 도로를 관리하는 지방자치단체가 국가배상법 제2조 제1항 단서에 따른 면책을 주장한 사안에서) 경찰공무원 등이 '전투·훈련 등 직무집행과 관련하여' 순직 등을 한 경우 같은 법 및 민법에 의한 손해배상책임

을 청구할 수 없다고 정한 국가배상법 제2조 제1항 단서의 면책조항은 전투·훈련 또는 이에 준하는 직무집행뿐만 아니라 '일반직무집행'에 관하여도 국가나 지방자치단체의 배상책임을 제한하는 것이므로, 위 면책 주장을 받아들인 원심판단은 정당하다(대판 2011. 3. 10, 2010다85942).

07 정답 ④

㉮ ○

군복무 중 사망한 군인 등의 유족이 국가배상법에 따른 손해배상금을 지급받은 경우, 군인연금법 제31조에서 정한 사망보상금을 지급받을 수 없다.

원심은, 직무집행과 관련하여 공상을 입은 군인 등이 국가배상법에 따른 손해배상금을 지급받았더라도 「보훈보상대상자 지원에 관한 법률」에 따른 보훈급여금을 지급하여야 한다는 대법원 2017. 2. 3. 선고 2015두60075 판결의 법리가 이 사건에 적용됨을 전제로 하여, 군복무 중 사망한 망인의 유족인 원고가 국가배상법에 따른 손해배상금을 받았다 하더라도 이러한 사유는 원고가 군인연금법 제31조가 정한 사망보상금을 지급받는 데 장애가 되지 않는다고 판단하였다. 그러나 다른 법령에 따라 지급받은 급여와의 조정에 관한 조항을 두고 있지 아니한 「보훈보상대상자 지원에 관한 법률」과 달리, 군인연금법 제41조 제1항은 "다른 법령에 따라 국가나 지방자치단체의 부담으로 이 법에 따른 급여와 같은 종류의 급여를 받은 사람에게는 그 급여금에 상당하는 금액에 대하여는 이 법에 따른 급여를 지급하지 아니한다."라고 명시적으로 규정하고 있다. 나아가 군인연금법이 정하고 있는 급여 중 사망보상금(군인연금법 제31조)은 일실손해의 보전을 위한 것으로 불법행위로 인한 소극적 손해배상과 같은 종류의 급여라고 봄이 타당하다. 따라서 피고에게 군인연금법 제41조 제1항에 따라 원고가 받은 손해배상금 상당 금액에 대하여는 사망보상금을 지급할 의무가 존재하지 아니한다(대판 2018. 7. 20, 2018두36691).

㉯ ×

이중배상금지에 관한 규정은 보상금청구권이 시효로 소멸된 경우에도 적용된다.

(공상을 입은 군인이 국가배상법에 의한 손해배상청구소송 도중에 「국가유공자 등 예우 및 지원에 관한 법률」에 의한 국가유공자 등 록신청을 하였다가 인과관계가 없어 공상군경 요건에 해당되지 않는다는 이유로 비해당결정 통보를 받고 이에 불복하지 아니한 후 위 법률에 의한 보상금청구권과 군인연금법에 의한 재해보상금청구권이 모두 시효완성된 경우, 국가배상법 제2조 제1항 단서 소정의 '다른 법령에 의하여 보상을 받을 수 있는 경우'라 하여 국가배상청구를 할 수 없다고 한 사안에서) 국가배상법 제2조 제1항 단서 규정은 다른 법령에 보상제도가 규정되어 있고, 그 법령에 규정된 상이등급 또는 장애등급 등의 요건에 해당되어 그 권리가 발생한 이상, 실제로 그 권리를 행사하였는지 또는 그 권리를 행사하고 있는지 여부에 관계없이 적용된다고 보아야 하고, 원고의 그 각 법령에 의한 보상청구권이 시효로 소멸되었다 하여 적용되지 않는다고 할 수는 없다(대판 2002. 5. 10, 2000다39735).

㉰㉱ × 국가배상법 제2조 단서(이중배상금지규정)의 해석과 관련하여 대법원은 민간인이 국가에 대해 구상권을 행사할 수 없다는 입장이다. 한편, 이와 달리 헌법재판소는 국가배상법 제2조 단서(이중배상금지규정)를 민간인이 국가에 대해 구상권을 행사할 수 없는 것으로 해석한다면 헌법에 위반된다는 취지로 판시한 바 있다.

❶ 민간인과 직무집행 중인 군인 등의 공동불법행위로 인하여 직무집행 중인 다른 군인 등이 피해를 입은 경우, 민간인은 자신의 부담 부분에 한하여 손해를 배상하고, 만약 민간인이 피해군인 등에게 자신의 귀책 부분을 넘어서 배상한 경우 국가 등에게 구상권을 행사할 수 없다(㉱)(대판 2001. 2. 15, 96다42420 전합).

❷ 국가배상법 제2조 제1항 단서 중 군인에 관련되는 부분은 국가에 대하여 구상권을 행사하는 것을 허용하지 아니한다고 해석하는 한, 헌법에 위반된다(편저자 주 : 구상권을 행사할 수 있다는 의미이다)(㉰).

국가배상법 제2조 제1항 단서 중 군인에 관련되는 부분을, 일반국민이 직무집행 중인 군인과 행한 공동불법행위로 직무집행 중인 다른 군인에게 공상을 입혀 그 피해자에게 공동의 불법행위로 인한 손해를 배상한 다음 공동불법행위자인 군인의 부담 부분에 관하여 국가에 대하여 구상권을 행사하는 것을 허용하지 않는다고 해석한다면, 이는 위 단서 규정의 헌법상 근거규정인 헌법 제29조가 구상권의 행사를 배제하지 아니하는데도 이를 배제하는 것으로 해석하는 것으로서 합리적인 이유 없이 일반국민을 국가에 대하여 지나치게 차별하는 경우에 해당하므로 헌법 제11·29조에 위반된다(헌재 1994. 12. 29, 93헌바21).

08 정답 ④

① ○ '공공필요에 의한 재산권의 수용·사용 또는 제한 및 그에 대한 보상은 법률로써 하되'라는 헌법 제23조 제3항에서의 법률은 국회제정의 형식적 의미의 법률을 의미한다. 따라서 법률의 근거 없이 명령 또는 조례로 수용할 수는 없다.

② ○

헌법 제23조(편저자 주 : 재산권 보장과 제한) ① 모든 국민의 재산권은 보장된다. 그 내용과 한계는 법률로 정한다.
② 재산권의 행사는 공공복리에 적합하도록 하여야 한다.
③ 공공필요에 의한 재산권의 수용·사용 또는 제한 및 그에 대한 보상은 법률로써 하되, 정당한 보상을 지급하여야 한다.

헌법 제23조 제3항의 규정은 보상청구권의 근거에 관하여서뿐만 아니라 보상의 기준과 방법에 관하여서도 법률의 규정에 유보하고 있는 것으로 보아야 한다.
헌법 제23조 제3항의 규정은 …… 보상청구권의 근거에 관하여서뿐만 아니라 보상의 기준과 방법에 관하여서도 법률의 규정에 유보하고 있는 것으로 보아야 하고, 구 토지수용법과 「지가공시 및 토지 등의 평가에 관한 법률」의 규정들은 바로 헌법에서 유보하고 있는 그 법률의 규정들로 보아야 할 것이다(대판 1993. 7. 13, 93누2131).

③ ○ ④ × 불가분조항이란 공용침해를 규정한 법률은 반드시 보상규정까지 함께 규정하고 있어야만 한다는 것을 의미하는데, 헌법 제23조 제3항을 국민에 대한 직접적인 효력이 있는 규정으로 보는 견해(직접효력설)에 따르면 헌법 제23조 제3항의 재산권의 수용·사용·제한 규정과 보상규정을 불가분조항으로 보지 않는다(④). 따라서 만일 법률에 당연히 있어야 할 보상규정이 없는 경우에는 직접 헌법규정에 근거하여 보상을 청구할 수 있다는 입장이다. 한편, 헌법 제23조 제3항을 불가분조항이라고 보는 견해에 따르면 법률이 재산권 침해를 규정하면서 보상에 관해 규정하지 않으면 그 법률은 헌법 제23조 제3항에 위반되어 위헌·무효의 법률이며(③), 이에 근거한 재산권 침해행위는 위법행위가 되므로 국민은 위법한 재산권 침해에 대해 취소소송을 제기할 수 있고 국가배상법에 의한 손해배상청구권을 갖게 된다는 입장이다.

09

정답 ④

㉮ ○ 헌법재판소는 개발제한구역지정으로 인한 개발가능성의 소멸과 그에 따른 지가의 하락이나 지가상승률의 상대적 감소의 경우에는 사회적 제약의 범주 내의 것(합헌적인 것)으로 보았다.

> 개발제한구역의 지정으로 인한 개발가능성의 소멸과 그에 따른 지가의 하락이나 지가상승률의 상대적 감소는 토지소유자가 감수해야 하는 사회적 제약의 범주에 속하는 것으로 보아야 한다. 토지거래에서 건축이나 개발의 가능성을 지니고 있는 토지가 그렇지 아니한 토지에 비하여 상대적으로 더 높은 가치를 인정받고 결과적으로 지가의 상승을 가져오는 반면, 장래에 개발을 기대할 수 없는 토지는 지가상승률의 감소나 지가의 하락을 가져오게 된다. 그러나 자신의 토지를 장래에 건축이나 개발목적으로 사용할 수 있으리라는 기대가능성이나 신뢰 및 이에 따른 지가상승의 기회는 원칙적으로 재산권의 보호범위에 속하지 않는다. 구역지정 당시의 상태대로 토지를 사용·수익·처분할 수 있는 이상, 구역지정에 따른 단순한 토지이용의 제한은 원칙적으로 재산권에 내재하는 사회적 제약의 범주를 넘지 않기 때문이다. 따라서 토지소유자가 종래의 목적대로 토지를 이용할 수 있는 한, 구역의 지정으로 인하여 토지재산권의 내재적 제약의 한계를 넘는 가혹한 부담이 발생했다고 볼 수 없다(헌재 1998. 12. 24, 89헌마214 등).

㉯ ○

> 「공익사업을 위한 토지 등의 취득 및 보상에 관한 법률」 제85조 【행정소송의 제기】 ① 사업시행자, 토지소유자 또는 관계인은 제34조에 따른 재결에 불복할 때에는 재결서를 받은 날부터 90일 이내에, 이의신청을 거쳤을 때에는 이의신청에 대한 재결서를 받은 날부터 60일 이내에 각각 행정소송을 제기할 수 있다. 이 경우 사업시행자는 행정소송을 제기하기 전에 제84조에 따라 늘어난 보상금을 공탁하여야 하며, 보상금을 받을 자는 공탁된 보상금을 소송이 종결될 때까지 수령할 수 없다.
>
> 제86조 【이의신청에 대한 재결의 효력】 ① 제85조 제1항에 따른 기간 이내에 소송이 제기되지 아니하거나 그 밖의 사유로 이의신청에 대한 재결이 확정된 때에는 민사소송법상의 확정판결이 있은 것으로 보며, 재결서 정본은 집행력 있는 판결의 정본과 동일한 효력을 가진다.

㉰ ✕

> 법률에 직접적으로 손실보상청구를 인정하는 명문규정이 없는 경우에도 관련 법령을 유추적용하여 손실보상을 하여야 한다.
> 공유수면매립사업의 시행자로서는 구 「공공용지의 취득 및 손실보상에 관한 특례법 시행규칙」 제25조의2의 규정을 유추적용하여 위와 같은 어민들에게 손실보상을 하여 줄 의무가 있다(대판 1999. 11. 23, 98다11529).

㉱ ✕

> 개발제한구역지정으로 토지를 종래 용법에 따라 사용할 수 없거나 실질적으로 사용·수익을 전혀 할 수 없는 예외적인 경우에도 보상 없이 이를 감수하도록 하고 있는 것은 헌법에 위반된다.
> 개발제한구역지정으로 인하여 토지를 종래의 목적으로도 사용할 수 없거나 또는 더 이상 법적으로 허용된 토지이용의 방법이 없기 때문에 실질적으로 토지의 사용·수익의 길이 없는 경우에는 토지소유자가 수인해야 하는 사회적 제약의 한계를 넘는 것으로 보아야 한다. 이러한 경우에는 재산권의 사회적 기속성으로도 정당화될 수 없는 가혹한 부담을 토지소유자에게 부과하는 것이므로 입법자가 그 부담을 완화하는 보상규정을 두어야만 비로소 헌법상으로 허용될 수 있기 때문이다(헌재 1998. 12. 24, 89헌마214 등).

관련판례

> 도시계획시설의 지정으로 말미암아 당해 토지의 이용가능성이 배제되거나 또는 토지소유자가 토지를 종래 허용된 용도대로도 사용할 수 없기 때문에 이로 말미암아 현저한 재산적 손실이 발생하는 경우에는, 원칙적으로 사회적 제약의 범위를 넘는 수용적 효과를 인정하여 국가나 지방자치단체는 이에 대한 보상을 해야 한다(헌재 1999. 10. 21, 97헌바26).

10

정답 ③

①② ○

> 영업을 하기 위하여 투자한 비용이나 그 영업을 통하여 얻을 것으로 기대되는 이익은 손실보상의 대상이 아니다(②).
> 구 토지수용법 제51조가 규정하고 있는 '영업상의 손실'이란 수용의 대상이 된 토지·건물 등을 이용하여 영업을 하다가 그 토지·건물 등이 수용됨으로 인하여 영업을 할 수 없거나 제한을 받게 됨으로 인하여 생기는 직접적인 손실을 말하는 것이므로(①) 위 규정은 영업을 하기 위하여 투자한 비용이나 그 영업을 통하여 얻을 것으로 기대되는 이익에 대한 손실보상의 근거규정이 될 수 없고, 그 외 관계 법령에도 영업을 하기 위하여 투자한 비용이나 그 영업을 통하여 얻을 것으로 기대되는 이익에 대한 손실보상의 근거규정이나 그 보상의 기준과 방법 등에 관한 규정이 없으므로, 이러한 손실은 그 보상의 대상이 된다고 할 수 없다(대판 2006. 1. 27, 2003두13106).

③ ✕ 판례는 손실보상이 인정되기 위해서는 재산권에 대한 침해가 현실적으로 발생하여야 하며, 공익사업과 손실 사이에 상당인과관계가 있어야 된다는 입장이다.

> ❶ 간척사업의 시행으로 종래의 관행어업권자에게 구 공유수면매립법에서 정하는 손실보상청구권이 인정되기 위해서는 매립면허고시 후 매립공사가 실행되어 관행어업권자에게 실질적이고 현실적인 피해가 발생하여야 한다.
> ❷ 공유수면매립면허의 고시가 있다고 하여 반드시 그 사업이 시행되고 그로 인하여 손실이 발생한다고 할 수 없으므로, 매립면허고시 이후 매립공사가 실행되어 관행어업권자에게 실질적이고 현실적인 피해가 발생한 경우에만 공유수면매립법에서 정하는 손실보상청구권이 발생하였다고 할 것이다(대판 2010. 12. 9, 2007두6571).

④ ○

> 「공익사업을 위한 토지 등의 취득 및 보상에 관한 법률」상 피보상자 또는 사업시행자가 여러 보상항목들 중 일부에 대해서만 개별적으로 불복의 사유를 주장하여 행정소송을 제기할 수 있다.
> 하나의 재결에서 피보상자별로 여러 가지의 토지, 물건, 권리 또는 영업의 손실에 관하여 심리·판단이 이루어졌을 때, 피보상자 또는 사업시행자가 반드시 재결 전부에 관하여 불복하여야 하는 것은 아니며, 여러 보상항목들 중 일부에 관해서만 불복하는 경우에는 그 부분에 관해서만 개별적으로 불복의 사유를 주장하여 행정소송을 제기할 수 있다(대판 2018. 5. 15, 2017두41221).

11
정답 ④

① ✗

> 「공익사업을 위한 토지 등의 취득 및 보상에 관한 법률」 제70조 【취득하는 토지의 보상】 ② 토지에 대한 보상액은 가격시점에서의 현실적인 이용상황과 일반적인 이용방법에 의한 객관적 상황을 고려하여 산정하되, <u>일시적인 이용상황과 토지소유자나 관계인이 갖는 주관적 가치 및 특별한 용도에 사용할 것을 전제로 한 경우 등은 고려하지 아니한다.</u>

② ✗

> 토지수용보상액 산정시 당해 공공사업의 시행을 직접목적으로 하는 계획의 승인·고시로 인한 가격변동은 고려하여서는 안 된다.
> 토지수용보상액을 산정함에 있어서는 구 토지수용법 제46조 제1항에 따라 당해 공공사업의 시행을 직접목적으로 하는 계획의 승인·고시로 인한 가격변동은 이를 고려함이 없이 수용재결 당시의 가격을 기준으로 하여 정하여야 할 것이므로, 당해 사업인 택지개발사업에 대한 실시계획의 승인과 더불어 그 용도지역이 주거지역으로 변경된 토지를 그 사업의 시행을 위하여 후에 수용하였다면 그 재결을 위한 평가를 함에 있어서는 그 용도지역의 변경을 고려함이 없이 평가하여야 할 것이다(대판 1999. 3. 23, 98두13850).

③ ✗ 사업손실(간접손실)은 공공사업의 시행 또는 완성 후의 시설이 간접적으로 사업지 밖의 타인의 재산권에 가하는 손실을 의미하며, 판례는 간접손실을 헌법 제23조 제3항에서 규정한 손실보상의 대상이 된다고 보고 있다. 따라서 간접손실이 발생하리라는 것을 쉽게 예견할 수 있고, 손실의 범위도 구체적으로 특정될 수 있다면 사업시행자와 협의가 이루어지지 아니하고, 그 보상에 관한 명문의 법령이 없는 경우라도 관련 법규를 유추적용하여 보상해 주어야 한다는 것이 판례의 입장이다.

> ❶ 간접적인 영업손실도 일정한 요건을 갖춘 경우 헌법 제23조 제3항에 규정한 손실보상의 대상이 된다.
> 간접적인 영업손실이라고 하더라도 피침해자인 수산업협동조합이 공공의 이익을 위하여 당연히 수인하여야 할 재산권에 대한 제한의 범위를 넘어 수산업협동조합의 위탁판매사업으로 얻고 있는 영업상의 재산이익을 본질적으로 침해하는 특별한 희생에 해당하고, 사업시행자는 공유수면매립면허 고시 당시 그 매립사업으로 인하여 위와 같은 영업손실이 발생한다는 것을 상당히 확실하게 예측할 수 있었고 그 손실의 범위도 구체적으로 확정할 수 있으므로, 위 위탁판매수수료 수입손실은 헌법 제23조 제3항에 규정한 손실보상의 대상이 된다.
> ❷ (공유수면매립사업으로 인하여 수산업협동조합이 관계 법령에 의해 대상지역에서 독점적 지위가 부여되어 있던 위탁판매사업을 중단하게 된 경우, 그로 인한 위탁판매수수료 수입상실에 대해 「공공용지의 취득 및 손실보상에 관한 특례법 시행규칙」을 유추적용하여 손실보상을 청구할 수 있다고 판시하면서) 공공사업의 시행 결과 공공사업의 기업지 밖에서 발생한 간접손실에 대하여 사업시행자와 협의가 이루어지지 아니하고, 그 보상에 관한 명문의 법령이 없는 경우, 피해자는 「공공용지의 취득 및 손실보상에 관한 특례법 시행규칙」상의 손실보상에 관한 규정을 유추적용하여 사업시행자에게 보상을 청구할 수 있다(대판 1999. 10. 8, 99다27231).

④ ○

> 공공용물에 대한 일반사용(예 해안가 백사장에 대한 어선정박 등)이 적법한 개발행위로 인해 제한됨으로써 입는 불이익은 손실보상의 대상이 되는 특별한 희생이 아니다(대판 2002. 2. 26, 99다35300).

12
정답 ③

① ○

> 토지수용법(현 「공익사업을 위한 토지 등의 취득 및 보상에 관한 법률」)상의 사업인정 고시 이전에 건축된 지장물인 건물은 통상 적법한 건축허가를 받았는지 여부에 관계없이 손실보상의 대상이 된다(대판 2001. 4. 13, 2000두6411).

② ○ 지가상승의 기대와 같은 기대이익 또는 영업을 통하여 얻을 것으로 기대되는 이익은 현존하는 구체적인 재산가치로 볼 수 없으므로 손실보상의 대상이 된다고 할 수 없다. 「공익사업을 위한 토지 등의 취득 및 보상에 관한 법률」상 보상의 대상이 되는 영업손실은 수용의 대상이 된 토지·건물 등을 이용하여 영업을 하다가 그 토지·건물 등이 수용됨으로 인하여 영업을 할 수 없거나 제한을 받게 됨으로 인하여 생기는 직접적인 손실을 말하는 것이므로 영업이익의 가능성과는 구별하여야 한다.

③ ✗

> 토지의 문화적·학술적 가치는 특별한 사정이 없는 한 손실보상의 대상이 될 수 없다.
> 문화적·학술적 가치는 특별한 사정이 없는 한 그 토지의 부동산으로서 경제적·재산적 가치를 높여주는 것이 아니므로 토지수용법 제51조 소정의 손실보상의 대상이 될 수 없으니, 이 사건 토지가 철새 도래지로서 자연·문화적인 학술가치를 지녔더라도 손실보상의 대상이 될 수 없다(대판 1989. 9. 12, 88누11216).

④ ○

> ❶ 간척사업의 시행으로 종래의 관행어업권자에게 구 공유수면매립법에서 정하는 <u>손실보상청구권이 인정되기 위하여서는</u> 매립면허고시 후 매립공사가 실행되어 관행어업권자에게 <u>실질적이고 현실적인 피해가 발생하여야 한다.</u>
> ❷ 공유수면매립면허의 고시가 있다고 하여 반드시 그 사업이 시행되고 그로 인하여 손실이 발생한다고 할 수 없으므로, 매립면허고시 이후 매립공사가 실행되어 관행어업권자에게 실질적이고 현실적인 피해가 발생한 경우에만 공유수면매립법에서 정하는 손실보상청구권이 발생하였다고 할 것이다(대판 2010. 12. 9, 2007두6571).

13
정답 ①

① ✗

> '정당한 보상'이라 함은 원칙적으로 피수용재산의 객관적인 재산가치를 완전하게 보상하여야 한다는 완전보상을 뜻하는 것이라 할 것이나, 투기적인 거래에 의하여 형성되는 가격은 정상적인 객관적 재산가치로는 볼 수 없으므로 이를 배제한다고 하여 완전보상의 원칙에 어긋나는 것은 아니며, <u>공익사업의 시행으로 지가가 상승하여 발생하는 개발이익은</u> 궁극적으로는 국민 모두에게 귀속되어야 할 성질의 것이므로 이는 완전보상의 범위에 포함되는 피수용토지의 객관적 가치 내지 피수용자의 손실이라고는 볼 수 없다(대판 1993. 7. 13, 93누2131).

② ○

> ❶ 토지수용으로 인한 손실보상액을 산정함에 있어서 당해 사업으로 인한 개발이익은 피수용자의 객관적 재산가치에 포함되지 아니하므로 개발이익을 배제하는 것은 정당하다(대판 1993. 7. 27, 92누11084).
> ❷ 토지수용으로 인한 손실보상액 산정에 있어 '당해 공공사업'과는 상관없는 '다른 사업'의 시행으로 인한 개발이익을 배제하여서는 안 된다(대판 1992. 2. 11, 91누7774).

③ ○

> 「공익사업을 위한 토지 등의 취득 및 보상에 관한 법률」 제67조 【보상액의 가격시점 등】 ① 보상액의 산정은 협의에 의한 경우에는 협의 성립 당시의 가격을, 재결에 의한 경우에는 수용 또는 사용의 재결 당시의 가격을 기준으로 한다.
> ② 보상액을 산정할 경우에 해당 공익사업으로 인하여 토지 등의 가격이 변동되었을 때에는 이를 고려하지 아니한다.

④ ○

> 국토교통부는 2008. 8. 26. 언론을 통해 전국 5곳에 국가산업단지를 새로 조성한다는 내용을 발표하였고, 이후 국토교통부장관은 2009. 9. 30.경 대구국가산업단지 개발사업에 관하여 산업단지계획을 승인·고시하였는데, 위 산업단지개발사업지구 내 토지소유자인 원고들이 수용재결 및 2008. 1. 1. 공시된 비교표준지의 공시지가를 기준으로 보상금액을 결정한 이의재결에 불복하여 2009. 1. 1. 공시된 공시지가를 기준으로 산정해야 한다고 주장하면서 보상금증액을 청구한 사안에서, 대법원은 위와 같은 법리를 판시하고 국토교통부의 2008. 8. 26.자 언론발표가 「공익사업을 위한 토지 등의 취득 및 보상에 관한 법률」 제70조 제5항에서 정한 '공익사업의 계획 또는 시행의 공고·고시'에 해당하지 않는다고 판단하여, 이와 달리 위 언론발표가 「공익사업을 위한 토지 등의 취득 및 보상에 관한 법률」 제70조 제5항에서 정한 '공익사업의 계획 또는 시행의 공고·고시'에 해당한다는 전제에서 2008. 1. 1. 공시된 비교표준지의 공시지가를 기준으로 보상금액을 평가해야 한다고 판단한 원심을 파기환송한 사례(대판 2022. 5. 26, 2021두45848).

14

정답 ③

㉮ ×

> 구 하천법상 하천구역 편입토지 보상에 대한 손실보상청구권의 법적 성질은 공법상 권리로서 이에 따른 손실보상금의 지급을 구하거나 손실보상청구권의 확인을 구하는 소송은 당사자소송이다.
> 하천법 부칙 제2조와 '법률 제3782호 하천법 중 개정법률 부칙 제2조의 규정에 의한 보상청구권의 소멸시효가 만료된 「하천구역 편입토지 보상에 관한 특별조치법」' 제2조, 제6조의 각 규정들을 종합하면, 위 규정들에 의한 손실보상청구권은 1984. 12. 31. 전에 토지가 하천구역으로 된 경우에는 당연히 발생되는 것이지, 관리청의 보상금지급결정에 의하여 비로소 발생하는 것은 아니므로, 위 규정들에 의한 손실보상금의 지급을 구하거나 손실보상청구권의 확인을 구하는 소송은 행정소송법 제3조 제2호 소정의 당사자소송에 의하여야 한다(대판 2006. 5. 18, 2004다6207 전합).

㉯ ○ 공공의 필요성만 있으면 민간기업도 수용의 주체가 될 수 있다.

> 민간기업을 수용의 주체로 규정한 「산업입지 및 개발에 관한 법률」 제22조 제1항은 공공필요요건을 충족하므로 헌법 제23조 제3항에 위반되지 않는다.
> 헌법 제23조 제3항은 정당한 보상을 전제로 하여 재산권의 수용 등에 관한 가능성을 규정하고 있지만, 재산권 수용의 주체를 한정하지 않고 있다. 이는 재산의 수용과 관련하여 그 수용의 주체가 국가 등에 한정되어야 하는지, 아니면 민간기업에게도 허용될 수 있는지 여부에 대하여 헌법이라는 규범적 층위에서는 구체적으로 결정된 내용이 없다는 점을 의미하는 것이다. 따라서 위 수용 등의 주체를 국가 등의 공적 기관에 한정하여 해석할 이유가 없다(헌재 2009. 9. 24, 2007헌바114).

㉰ ×

> 「공익사업을 위한 토지 등의 취득 및 보상에 관한 법률」 제72조 【사용하는 토지의 매수청구 등】 사업인정고시가 된 후 다음 각호의 어느 하나에 해당할 때에는 해당 토지소유자는 사업시행자에게 해당 토지의 매수를 청구하거나 관할 토지수용위원회에 그 토지의 수용을 청구할 수 있다. 이 경우 관계인은 사업시행자나 관할 토지수용위원회에 그 권리의 존속(存續)을 청구할 수 있다.
> 1. 토지를 사용하는 기간이 3년 이상인 경우
> 2. 토지의 사용으로 인하여 토지의 형질이 변경되는 경우
> 3. 사용하려는 토지에 그 토지소유자의 건축물이 있는 경우

> ❶ 「공익사업을 위한 토지 등의 취득 및 보상에 관한 법률」 제72조에 의한 사용토지에 대한 수용청구권은 형성권의 성질을 가진다.
> ❷ 토지소유자의 토지수용청구를 받아들이지 아니한 토지수용위원회의 재결에 대하여 토지소유자가 불복하여 제기하는 소송은 「공익사업을 위한 토지 등의 취득 및 보상에 관한 법률」 제85조 제2항에 규정되어 있는 '보상금의 증감에 관한 소송'에 해당하고, 피고는 토지수용위원회가 아니라 사업시행자로 하여야 한다. 「공익사업을 위한 토지 등의 취득 및 보상에 관한 법률」(이하 '토지보상법'이라 한다) 제72조의 문언, 연혁 및 취지 등에 비추어 보면, 위 규정이 정한 수용청구권은 토지보상법 제74조 제1항이 정한 잔여지수용청구권과 같이 손실보상의 일환으로 토지소유자에게 부여되는 권리로서 그 청구에 의하여 수용효과가 생기는 형성권의 성질을 지니므로, 토지소유자의 토지수용청구를 받아들이지 아니한 토지수용위원회의 재결에 대하여 토지소유자가 불복하여 제기하는 소송은 토지보상법 제85조 제2항에 규정되어 있는 '보상금의 증감에 관한 소송'에 해당하고, 피고는 토지수용위원회가 아니라 사업시행자로 하여야 한다(대판 2015. 4. 9, 2014두46669).

㉱ ○

> 「공익사업을 위한 토지 등의 취득 및 보상에 관한 법률」에 의한 보상을 하면서 손실보상금에 관한 당사자 간의 합의가 성립된 경우, 그 합의내용이 같은 법에서 정하는 손실보상기준에 맞지 않는다고 하더라도 특별한 사정이 없는 한 그 기준에 따른 손실보상금청구를 추가로 할 수는 없다(대판 2013. 8. 22, 2012다3517).

15

정답 ①

① ○ ②③ ×

❶-1. 생활대책에 관한 분명한 근거규정을 두고 있지는 않으나, 생활대책을 수립·실시할 수 있도록 하는 내부규정을 두고 있고 내부규정에 따라 생활대책대상자 선정기준을 마련하여 생활대책을 수립·실시하는 경우 이러한 생활대책 역시 헌법 제23조 제3항에 따른 정당한 보상에 포함되는 것으로 보아야 한다(③).
– 대법원

❶-2. (사업시행자 스스로 공익사업의 원활한 시행을 위하여 생활대책을 수립·실시할 수 있도록 하는 내부규정을 두고 이에 따라 생활대책대상자 선정기준을 마련하여 생활대책을 수립·실시하는 경우 생활대책대상자 선정기준에 해당하는 자는 사업시행자에게 생활대책대상자 선정 여부의 확인·결정을 신청할 수 있는 권리를 가지는 것이어서) 생활대책대상자 선정기준에 해당하는 자가 자신을 생활대책대상자에서 제외하거나 선정을 거부한 사업시행자를 상대로 항고소송을 제기할 수 있다(②)(대판 2011. 10. 13, 2008두17905).

❷ 생활대책은 헌법 제23조 제3항에 규정된 정당한 보상에 포함되는 것이라기보다는 생활보상의 일환으로서 국가의 정책적인 배려에 의하여 마련된 제도이다. – 헌법재판소

'생업의 근거를 상실하게 된 자에 대하여 일정 규모의 상업용지 또는 상가분양권 등을 공급하는' 생활대책은 헌법 제23조 제3항에 규정된 정당한 보상에 포함되는 것이라기보다는 생활보상의 일환으로서 국가의 정책적인 배려에 의하여 마련된 제도이므로, 그 실시 여부는 입법자의 입법정책적 재량의 영역에 속한다(①). 이 사건 법률조항이 공익사업의 시행으로 인하여 농업 등을 계속할 수 없게 되어 이주하는 농민 등에 대한 생활대책 수립의무를 규정하고 있지 않다는 것만으로 재산권을 침해한다고 볼 수 없다(헌재 2013. 7. 25, 2012헌바71).

④ × 판례는 세입자에 대한 주거이전비 보상청구권은 공법상의 권리로 보아 그 보상과 관련한 소송은 행정소송이라고 판시한 바 있다.

구 「공익사업을 위한 토지 등의 취득 및 보상에 관한 법률」에 따른 주거용 건축물 세입자의 주거이전비 보상청구소송은 당사자소송에 의하여야 한다(대판 2008. 5. 29, 2007다8129).

16

정답 ④

① ○

공법상의 제한을 받는 토지의 수용보상액을 산정함에 있어서는 그 공법상의 제한이 당해 공공사업의 시행을 직접목적으로 하여 가하여진 경우에는 그 제한을 받지 아니하는 상태대로 평가하여야 할 것이지만, 공법상 제한이 당해 공공사업의 시행을 직접목적으로 하여 가하여진 경우가 아니라면 그러한 제한을 받는 상태 그대로 평가하여야 하고, 그와 같은 제한이 당해 공공사업의 시행 이후에 가하여진 경우라고 하여 달리 볼 것은 아니다(대판 2005. 2. 18, 2003두14222).

② ○

「공익사업을 위한 토지 등의 취득 및 보상에 관한 법률」 제70조 【취득하는 토지의 보상】 ② 토지에 대한 보상액은 가격시점에서의 현실적인 이용상황과 일반적인 이용방법에 의한 객관적 상황을 고려하여 산정하되, 일시적인 이용상황과 토지소유자나 관계인이 갖는 주관적 가치 및 특별한 용도에 사용할 것을 전제로 한 경우 등은 고려하지 아니한다.

③ ○

하천법 제50조에 의한 하천수 사용권은 「공익사업을 위한 토지 등의 취득 및 보상에 관한 법률」 제76조 제1항이 손실보상의 대상으로 규정하고 있는 '물의 사용에 관한 권리'에 해당한다(대판 2018. 12. 27, 2014두11601).

④ ×

(공유수면매립사업으로 인하여 수산업협동조합이 관계 법령에 의해 대상지역에서 독점적 지위가 부여되어 있던 위탁판매사업을 중단하게 된 경우, 그로 인한 위탁판매수수료 수입상실에 대해 명문의 규정이 없더라도 「공공용지의 취득 및 손실보상에 관한 특례법 시행규칙」을 유추적용하여 손실보상을 청구할 수 있다고 판시하면서) 공공사업의 시행 결과 공공사업의 기업지 밖에서 발생한 간접손실에 대하여 사업시행자와 협의가 이루어지지 아니하고, 그 보상에 관한 명문의 법령이 없는 경우, 피해자는 「공공용지의 취득 및 손실보상에 관한 특례법 시행규칙」상의 손실보상에 관한 규정을 유추적용하여 사업시행자에게 보상을 청구할 수 있다(대판 1999. 10. 8, 99다27231).

17

정답 ③

㉮ ○

공익사업인 고속철도 건설사업시행 후의 고속철도 운행에 따른 소음, 진동 등으로 인하여 고속철도 인근에서 양잠업을 영위하던 원고에게 발생한 손실에 관하여 「공익사업을 위한 토지 등의 취득 및 보상에 관한 법률」(이하 '토지보상법'이라 한다) 관련 규정에 따라 손실보상청구를 할 수 있다.

(1) 공익사업시행지구 밖 영업손실보상의 특성과 헌법이 정한 '정당한 보상의 원칙'에 비추어 보면, 공익사업시행지구 밖 영업손실보상의 요건인 '공익사업의 시행으로 인한 그 밖의 부득이한 사유로 일정 기간 동안 휴업이 불가피한 경우'란 공익사업의 시행 또는 시행 당시 발생한 사유로 휴업이 불가피한 경우만을 의미하는 것이 아니라 공익사업의 시행 결과, 즉 그 공익사업의 시행으로 설치되는 시설의 형태·구조·사용 등에 기인하여 휴업이 불가피한 경우도 포함된다고 해석함이 타당하다.

(2) 토지보상법상 공익사업시행지구 밖 영업손실보상대상에는 공익사업의 시행으로 설치되는 시설의 형태·구조·사용 등에 기인하여 발생한 손실도 포함되므로, 이를 토대로 원고가 주장하는 토지보상법상 손실보상청구권은 성립하였고 그에 관한 쟁송은 공법상 당사자소송절차에 의하여야 한다(대판 2019. 11. 28, 2018두227).

㉯ ✕

> 영업손실에 관한 보상에서 영업의 폐지와 휴업의 구별기준은 실제로 이전하였는지가 아니라 영업을 다른 장소로 이전하는 것이 가능한지에 달려 있다. 또한 이전 가능 여부는 법령상 이전장애사유 유무와 사실상의 이전장애사유 유무 등을 종합하여 판단함이 상당하다(대판 2001. 11. 13, 2000두1003).

㉰ ○

> 공익사업으로 인하여 영업을 폐지(편저자 주 : 폐업)하거나 휴업하는 자가「공익사업을 위한 토지 등의 취득 및 보상에 관한 법률」상 재결절차를 거치지 않은 채 사업시행자를 상대로 영업손실보상청구소송을 제기할 수는 없다.
> 공익사업으로 인하여 영업을 폐지하거나 휴업하는 자가 사업시행자에게서 구「공익사업을 위한 토지 등의 취득 및 보상에 관한 법률」(이하 '토지보상법'이라 한다) 제77조 제1항에 따라 영업손실에 대한 보상을 받기 위해서는 구 토지보상법 제34조, 제50조 등에 규정된 재결절차를 거친 다음 재결에 대하여 불복이 있는 때에 비로소 구 토지보상법 제83조 내지 제85조에 따라 권리구제를 받을 수 있을 뿐, 이러한 재결절차를 거치지 않은 채 곧바로 사업시행자를 상대로 손실보상을 청구하는 것은 허용되지 않는다고 보는 것이 타당하다(대판 2011. 9. 29, 2009두10963).

㉱ ✕

> 〔지방자치단체가 전통시장 공영주차장 설치사업(공익사업)을 사업인정고시 없이 시행하면서 협의취득한 건물의 임차인들에게 영업손실보상을 하지 않자, 임차인들이 재산상 손해로서 영업손실보상 상당액과 정신적 손해에 대한 위자료를 함께 청구한 사건에서〕「공익사업을 위한 토지 등의 취득 및 보상에 관한 법률」(이하 '토지보상법'라 한다)상 공익사업에 해당하지만 국토교통부장관의 사업인정고시가 없는 경우라도, 토지보상법상 영업손실보상에 관한 규정이 적용된다.
> 사업인정고시는 수용재결절차로 나아가 강제적인 방식으로 토지소유자나 관계인의 권리를 취득·보상하기 위한 절차적 요건에 지나지 않고 영업손실보상의 요건이 아니다. 토지보상법령도 반드시 사업인정이나 수용이 전제되어야 영업손실보상의무가 발생한다고 규정하고 있지 않다. 따라서 피고가 시행하는 사업이 토지보상법상 공익사업에 해당하고 원고들의 영업이 해당 공익사업으로 폐업하거나 휴업하게 된 것이어서 토지보상법령에서 정한 영업손실보상대상에 해당하면, 사업인정고시가 없더라도 피고는 원고들에게 영업손실을 보상할 의무가 있다(대판 2021. 11. 11, 2018다204022).

18   [정답] ③

① ✕

> 사업시행자가 동일한 토지소유자에 속하는 일단의 토지 일부를 취득함으로 인하여 잔여지의 가격이 감소하거나 그 밖의 손실이 있을 때 등에는 잔여지를 종래의 목적으로 사용하는 것이 가능한 경우라도 잔여지손실보상의 대상이 되며, 잔여지를 종래의 목적으로 사용하는 것이 불가능하거나 현저히 곤란한 경우이어야만 잔여지손실보상 청구를 할 수 있는 것이 아니다(대판 2018. 7. 20, 2015두4044).

② ✕

> (군인아파트의 관리실 용도로 신축되어 택지개발예정지구지정 공람공고일 당시까지도 관리실로 사용하다가 그 후에 주거용으로 개조한 건물은 이주대책대상이 되는 주거용 건축물에 해당하지 않는다고 판시하면서)「공익사업을 위한 토지 등의 취득 및 보상에 관한 법률 시행령」제40조 제3항 제2호의 '공익사업을 위한 관계 법령에 의한 고시 등이 있은 날' 당시 주거용 건물이 아니었던 건물이 그 후 주거용으로 용도변경된 경우, 이주대책대상이 되는 주거용 건축물이 아니다(대판 2009. 2. 26, 2007두13340).

③ ○

> 공공용물에 대한 일반사용(예 해안가 백사장에 대한 어선정박 등)이 적법한 개발행위로 인해 제한됨으로써 입는 불이익은 손실보상의 대상이 되는 특별한 희생이 아니다(대판 2002. 2. 26, 99다35300).

④ ✕

> ❶ 공법상 제한이 당해 공공사업의 시행을 직접목적으로 하여 가하여진 경우가 아니라면 그러한 제한을 받는 상태 그대로 평가하여야 한다.
> ❷ 문화재보호구역의 확대지정이 당해 공공사업인 택지개발사업의 시행을 직접목적으로 하여 이루어진 것이 아님이 명백하므로 토지의 수용보상액은 그러한 공법상 제한을 받는 상태대로 평가하여야 한다(대판 2005. 2. 18, 2003두14222).

19   [정답] ②

㉮ ○

> 「공익사업을 위한 토지 등의 취득 및 보상에 관한 법률」제74조【잔여지 등의 매수 및 수용청구】① 동일한 소유자에게 속하는 일단의 토지의 일부가 협의에 의하여 매수되거나 수용됨으로 인하여 잔여지를 종래의 목적에 사용하는 것이 현저히 곤란할 때에는 해당 토지소유자는 사업시행자에게 잔여지를 매수하여 줄 것을 청구할 수 있으며, 사업인정 이후에는 관할 토지수용위원회에 수용을 청구할 수 있다. 이 경우 수용의 청구는 매수에 관한 협의가 성립되지 아니한 경우에만 할 수 있으며, 사업완료일까지 하여야 한다.

㉯ ✕ 잔여지수용청구권은 형성권이므로 잔여지수용청구를 받아들이지 않은 토지수용위원회의 재결이 있더라도 이는 토지소유자의 수용청구권에 어떠한 영향을 주지 못하고, 다만 결과적으로 잔여지에 대한 보상금액을 책정하지 않음으로써 전체적으로 보았을 때 보상금액을 낮게 책정한 재결이 된다. 따라서 토지소유자는 보상금액에 대한 증액소송을 제기하면 된다.「공익사업을 위한 토지 등의 취득 및 보상에 관한 법률」에 따르면 보상금증감소송의 경우 처분청인 토지수용위원회를 피고로 하지 않고 대등한 당사자인 토지소유자 또는 관계인과 사업시행자를 원고 또는 피고로 하고 있는데(보상금증액소송의 경우 사업시행자를 피고로 한다), 이러한 점에서 보상금증감소송은 형식적으로는 당사자소송에 속한다. 한편, 형식적 당사자소송이란 실질적으로 행정청의 처분 또는 재결의 효력에 대해서 다투는 것이지만, 소송형식은 행정청이 아닌 권리주체인 당사자를 피고로 하는 당사자소송의 형식을 취하는 것을 말한다.

구 「공익사업을 위한 토지 등의 취득 및 보상에 관한 법률」 제74조 제1항에 의한 잔여지수용청구를 받아들이지 않은 토지수용위원회의 재결에 대하여 토지소유자가 불복하여 제기하는 소송의 성질은 보상금의 증감에 관한 소송에 해당하므로 그 상대방은 사업시행자가 된다.

구 「공익사업을 위한 토지 등의 취득 및 보상에 관한 법률」 제74조 제1항에 규정되어 있는 잔여지수용청구권은 손실보상의 일환으로 토지소유자에게 부여되는 권리로서 그 요건을 구비한 때에는 잔여지를 수용하는 토지수용위원회의 재결이 없더라도 그 청구에 의하여 수용의 효과가 발생하는 형성권적 성질을 가지므로, 잔여지수용청구를 받아들이지 않은 토지수용위원회의 재결에 대하여 토지소유자가 불복하여 제기하는 소송은 위 법 제85조 제2항에 규정되어 있는 '보상금의 증감에 관한 소송'에 해당하여 사업시행자를 피고로 하여야 한다(대판 2010. 8. 19, 2008두822).

「공익사업을 위한 토지 등의 취득 및 보상에 관한 법률」 제85조 【행정소송의 제기】 ② 제1항에 따라 제기하려는 행정소송이 보상금의 증감(增減)에 관한 소송인 경우 그 소송을 제기하는 자가 토지소유자 또는 관계인일 때에는 사업시행자를, 사업시행자일 때에는 토지소유자 또는 관계인을 각각 피고로 한다.

㉰ ○ 「공익사업을 위한 토지 등의 취득 및 보상에 관한 법률」상 보상의 대상이 되는 자는 공익사업에 필요한 토지의 소유자 및 관계인이 되는 바, 여기서의 관계인에는 수거·철거권 등 실질적 처분권을 가지는 자도 포함된다는 것이 판례의 입장이다.

「공익사업을 위한 토지 등의 취득 및 보상에 관한 법률」상 보상대상이 되는 '기타 토지에 정착한 물건에 대한 소유권, 그 밖의 권리를 가진 관계인'에는 수거·철거권 등 실질적 처분권을 가진 자도 포함된다(대판 2019. 4. 11, 2018다277419).

「공익사업을 위한 토지 등의 취득 및 보상에 관한 법률」 제2조 【정의】 이 법에서 사용하는 용어의 뜻은 다음과 같다.
5. '관계인'이란 사업시행자가 취득하거나 사용할 토지에 관하여 지상권·지역권·전세권·저당권·사용대차 또는 임대차에 따른 권리 또는 그 밖에 토지에 관한 소유권 외의 권리를 가진 자나 그 토지에 있는 물건에 관하여 소유권이나 그 밖의 권리를 가진 자를 말한다. 다만, 제22조에 따른 사업인정의 고시가 된 후에 권리를 취득한 자는 기존의 권리를 승계한 자를 제외하고는 관계인에 포함되지 아니한다.

㉱ ×

「공익사업을 위한 토지 등의 취득 및 보상에 관한 법률」에 의한 보상합의는 공공기관이 사경제주체로서 행하는 사법상 계약의 실질을 가지는 것이다(대판 2013. 8. 22, 2012다3517).

20 [정답] ②

㉮ ×

「공익사업을 위한 토지 등의 취득 및 보상에 관한 법률」 제61조 【사업시행자 보상】 공익사업에 필요한 토지 등의 취득 또는 사용으로 인하여 토지소유자나 관계인이 입은 손실은 사업시행자가 보상하여야 한다.

㉯ ○

「공익사업을 위한 토지 등의 취득 및 보상에 관한 법률」 제64조 【개인별 보상】 손실보상은 토지소유자나 관계인에게 개인별로 하여야 한다. 다만, 개인별로 보상액을 산정할 수 없을 때에는 그러하지 아니하다.

㉰ × 현물보상이 아니라 현금보상의 원칙을 취하고 있다.

「공익사업을 위한 토지 등의 취득 및 보상에 관한 법률」 제63조 【현금보상 등】 ① 손실보상은 다른 법률에 특별한 규정이 있는 경우를 제외하고는 현금으로 지급하여야 한다.

㉱ ○

「공익사업을 위한 토지 등의 취득 및 보상에 관한 법률」 제65조 【일괄보상】 사업시행자는 동일한 사업지역에 보상시기를 달리하는 동일인 소유의 토지 등이 여러 개 있는 경우 토지소유자나 관계인이 요구할 때에는 한꺼번에 보상금을 지급하도록 하여야 한다.

㉲ ×

「공익사업을 위한 토지 등의 취득 및 보상에 관한 법률」 제66조 【사업시행 이익과의 상계금지】 사업시행자는 동일한 소유자에게 속하는 일단(一團)의 토지의 일부를 취득하거나 사용하는 경우 해당 공익사업의 시행으로 인하여 잔여지(殘餘地)의 가격이 증가하거나 그 밖의 이익이 발생한 경우에도 그 이익을 그 취득 또는 사용으로 인한 손실과 상계(相計)할 수 없다.

21 [정답] ④

①② ○

❶ 「공익사업을 위한 토지 등의 취득 및 보상에 관한 법률」의 규정에 의한 사업인정처분이라 함은 공익사업을 토지 등을 수용 또는 사용할 사업으로 결정하는 것으로서(같은 법 제2조 제7호) 단순한 확인행위가 아니라 형성행위이다(①)(대판 2005. 4. 29, 2004두14670).

❷ 사업인정이란 공익사업을 토지 등을 수용 또는 사용할 사업으로 결정하는 것으로서 공익사업의 시행자에게 그 후 일정한 절차를 거칠 것을 조건으로 일정한 내용의 수용권을 설정하여 주는 형성행위이므로, …… 해당 공익사업을 수행하여 공익을 실현할 의사나 능력이 없는 자에게 타인의 재산권을 공권력적·강제적으로 박탈할 수 있는 수용권을 설정하여 줄 수는 없으므로, 사업시행자에게 해당 공익사업을 수행할 의사와 능력이 있어야 한다는 것도 사업인정의 한 요건이라고 보아야 한다(②)(대판 2011. 1. 27, 2009두1051).

③ ○

> 「공익사업을 위한 토지 등의 취득 및 보상에 관한 법률」 제23조 【사업인정의 실효】 ① 사업시행자가 제22조 제1항에 따른 사업인정의 고시(이하 '사업인정고시'라 한다)가 된 날부터 1년 이내에 제28조 제1항에 따른 재결신청을 하지 아니한 경우에는 사업인정고시가 된 날부터 1년이 되는 날의 다음 날에 사업인정은 그 효력을 상실한다.

④ ×

❶ 토지수용법 제14조에 따른 사업인정은 그후 일정한 절차를 거칠 것을 조건으로 하여 일정한 내용의 수용권을 설정해 주는 행정처분의 성격을 띠는 것으로서 그 사업인정을 받음으로써 수용할 목적물의 범위가 확정되고 수용권으로 하여금 목적물에 관한 현재 및 장래의 권리자에게 대항할 수 있는 일종의 공법상의 권리로서의 효력을 발생시킨다고 할 것이므로 위 사업인정단계에서의 하자를 다투지 아니하여 이미 쟁송기간이 도과한 수용재결 단계에 있어서는 위 사업인정처분에 중대하고 명백한 하자가 있어 당연무효라고 볼 만한 특단의 사정이 없다면 그 처분의 불가쟁력에 의하여 사업인정처분의 위법, 부당함을 이유로 수용재결 처분의 취소를 구할 수 없다(대판 1987. 9. 8, 87누395).

❷ 구 토지수용법 제16조 제1항에서는 건설부장관이 사업인정을 하는 때에는 지체 없이 그 뜻을 기업자·토지소유자·관계인 및 관계 도지사에게 통보하고 기업자의 성명 또는 명칭, 사업의 종류, 기업지 및 수용 또는 사용할 토지의 세목을 관보에 공시하여야 한다고 규정하고 있는바, 가령 건설부장관이 위와 같은 절차를 누락한 경우 이는 절차상의 위법으로서 수용재결 단계 전의 사업인정 단계에서 다툴 수 있는 취소사유에 해당하기는 하나, 더 나아가 그 사업인정 자체를 무효로 할 중대하고 명백한 하자라고 보기는 어렵고, 따라서 이러한 위법을 들어 수용재결처분의 취소를 구하거나 무효확인을 구할 수는 없다(대판 2000. 10. 13, 2000두5142).

22 [정답] ②

① ○

> 「공익사업을 위한 토지 등의 취득 및 보상에 관한 법률」 제30조 제1항에서 정한 '협의가 성립되지 아니한 때'에는, 토지소유자 등이 손실보상대상에 해당한다고 주장하며 보상을 요구하는데도 사업시행자가 손실보상대상에 해당하지 않는다며 보상대상에서 이를 제외한 채 협의를 하지 않아 결국 협의가 성립하지 않은 경우도 포함된다(대판 2011. 7. 14, 2011두2309).

② ×

> 「공익사업을 위한 토지 등의 취득 및 보상에 관한 법률」 제50조 【재결사항】 ② 토지수용위원회는 사업시행자, 토지소유자 또는 관계인이 신청한 범위에서 재결하여야 한다. 다만, 제1항 제2호의 손실보상의 경우에는 증액재결을 할 수 있다.

③ ○

> 「공익사업을 위한 토지 등의 취득 및 보상에 관한 법률」상 토지수용위원회의 수용재결이 있은 후 토지소유자 등과 사업시행자가 다시 협의하여 토지 등의 취득이나 사용 및 그에 대한 보상에 관하여 임의로 계약을 체결할 수 있다(대판 2017. 4. 13, 2016두64241).

④ ○

> 「공익사업을 위한 토지 등의 취득 및 보상에 관한 법률」 제36조 【재결의 경정】 ① 재결에 계산상 또는 기재상의 잘못이나 그 밖에 이와 비슷한 잘못이 있는 것이 명백할 때에는 토지수용위원회는 직권으로 또는 당사자의 신청에 의하여 경정재결을 할 수 있다.

23 [정답] ①

㉮ ○

> 이주대책은 헌법 제23조 제3항에 규정된 정당한 보상에 포함되는 것이라기보다는 이에 부가하여 이주자들에게 종전의 생활상태를 회복시키기 위한 생활보상의 일환으로서 국가의 정책적인 배려에 의하여 마련된 제도라고 볼 것이다(헌재 2006. 2. 23, 2004헌마19).

㉯ ×

❶ 이주대책의 실시 여부는 '입법자'의 입법정책적 재량의 영역에 속한다.
❷ 「공익사업을 위한 토지 등의 취득 및 보상에 관한 법률 시행령」 제40조 제3항(현 제5항) 제3호가 이주대책의 대상자에서 세입자를 제외하고 있는 것은 세입자의 재산권을 침해하지 않는다(헌재 2006. 2. 23, 2004헌마19).

㉰ ×

> 사업시행자의 이주대책 수립·실시의무를 정하고 있는 구 「공익사업을 위한 토지 등의 취득 및 보상에 관한 법률」 제78조 제1항과 이주대책의 내용을 정하고 있는 같은 조 제4항 본문은 당사자의 합의 또는 사업시행자의 재량에 의하여 적용을 배제할 수 없는 강행법규이다.
> 위 법에 의한 이주대책은 공익사업의 시행에 필요한 토지 등을 제공함으로 인하여 생활의 근거를 상실하게 되는 이주대책대상자들에게 종전 생활상태를 원상으로 회복시키면서 동시에 인간다운 생활을 보장하여 주기 위하여 마련된 제도이므로, 사업시행자의 이주대책 수립·실시의무를 정하고 있는 구 「공익사업을 위한 토지 등의 취득 및 보상에 관한 법률」 제78조 제1항은 물론 이주대책의 내용에 관하여 규정하고 있는 같은 조 제4항 본문 역시 당사자의 합의 또는 사업시행자의 재량에 의하여 적용을 배제할 수 없는 강행법규이다(대판 2011. 6. 23, 2007다63089·63096 전합).

㉱ ○ 사업시행자는 법령에서 정한 일정한 경우 이주대책을 수립할 의무를 지지만, 이주대책의 '내용결정'에 있어서는 법령에 의해 정해진 것을 제외하고는 재량권을 가진다.

❶ 도시개발사업의 사업시행자는 이주대책기준을 정하여 이주대책대상자 가운데 이주대책을 수립·실시하여야 할 자를 선정하여 그들에게 공급할 택지 등을 정하는 데 재량을 가진다(대판 2009. 3. 12, 2008두12610).
❷ 아파트특별공급대상자를 무주택세대주로 제한한 것은 재량권을 일탈·남용한 것이 아니다.
도시계획사업에 따른 이주대책으로 주택을 특별공급하면서 「주택공급에 관한 규칙」 등에 따라 무주택세대주에 한하여 특별공급대상자로 결정한 것이 적법하며 아파트특별공급대상자를 특별공급신청일 현재 무주택세대주로 제한한 것이 재량권을 일탈·남용하였다고 볼 수 없다(대판 2006. 4. 28, 2004두978).

㉮ ○
> 「공공용지의 취득 및 손실보상에 관한 특례법」 제8조 제1항이 사업시행자에게 이주대책의 수립·실시의무를 부과하고 있다고 하여 그 규정 자체만에 의하여 이주자에게 사업시행자가 수립한 이주대책상의 택지분양권이나 아파트입주권 등을 받을 수 있는 구체적인 권리(수분양권)가 직접 발생하는 것이라고는 도저히 볼 수 없으며, 사업시행자가 이주대책에 관한 구체적인 계획을 수립하여 이를 해당자에게 통지 내지 공고한 후, 이주자가 수분양권을 취득하기를 희망하여 이주대책에 정한 절차에 따라 사업시행자에게 이주대책대상자 선정신청을 하고 사업시행자가 이를 받아들여 이주대책대상자로 확인·결정하여야만 비로소 구체적인 수분양권이 발생하게 된다(대판 1994. 5. 24, 92다35783).

24 [정답] ③

㉮ ○ 수용재결에 대한 이의신청은 행정심판으로서의 성질을 가지며, 임의적 절차에 불과하다.

> 「공익사업을 위한 토지 등의 취득 및 보상에 관한 법률」 제83조 【이의의 신청】 ① 중앙토지수용위원회의 제34조에 따른 재결에 이의가 있는 자는 중앙토지수용위원회에 이의를 신청할 수 있다.
> ② 지방토지수용위원회의 제34조에 따른 재결에 이의가 있는 자는 해당 지방토지수용위원회를 거쳐 중앙토지수용위원회에 이의를 신청할 수 있다.
> 제85조 【행정소송의 제기】 ① 사업시행자, 토지소유자 또는 관계인은 제34조에 따른 재결에 불복할 때에는 재결서를 받은 날부터 90일 이내에, 이의신청을 거쳤을 때에는 이의신청에 대한 재결서를 받은 날부터 60일 이내에 각각 행정소송을 제기할 수 있다.

㉯ ×
> 「공익사업을 위한 토지 등의 취득 및 보상에 관한 법률」 제88조 【처분효력의 부정지】 제83조에 따른 이의의 신청이나 제85조에 따른 행정소송의 제기는 사업의 진행 및 토지의 수용 또는 사용을 정지시키지 아니한다.

㉰ × 행정소송법에 따라 원처분주의가 적용되므로 수용재결에 대해 이의재결을 거친 후라도 원칙적으로 원처분인 수용재결을 소송대상으로, 수용재결을 행한 토지수용위원회를 피고로 하여야 한다.

> 토지소유자 등이 수용재결에 불복하여 이의신청을 거친 후 취소소송을 제기하는 경우 피고적격을 가지는 자는 수용재결을 한 토지수용위원회이며 소송대상은 수용재결이 된다(대판 2010. 1. 28, 2008두1504).

㉱ × ㉲ ○ 보상금증감소송은 형식적으로는 당사자소송에 속하므로, 토지소유자 乙이 손실보상금의 액수를 다투고자 할 경우에는 토지수용위원회가 아니라 사업시행자(김포시)를 상대로 소송을 제기하여야 한다(㉱). 한편, 보상금증감소송은 재결에 불복할 때에는 재결서를 받은 날부터 90일 이내에, 이의신청을 거쳤을 때에는 이의신청에 대한 재결서를 받은 날부터 60일 이내에 제기할 수 있다(㉲).

> 「공익사업을 위한 토지 등의 취득 및 보상에 관한 법률」 제85조 【행정소송의 제기】 ① 사업시행자, 토지소유자 또는 관계인은 제34조에 따른 재결에 불복할 때에는 재결서를 받은 날부터 90일 이내에, 이의신청을 거쳤을 때에는 이의신청에 대한 재결서를 받은 날부터 60일 이내에 각각 행정소송을 제기할 수 있다. 이 경우 사업시행자는 행정소송을 제기하기 전에 제84조에 따라 늘어난 보상금을 공탁하여야 하며, 보상금을 받을 자는 공탁된 보상금을 소송이 종결될 때까지 수령할 수 없다.
> ② 제1항에 따라 제기하려는 행정소송이 보상금의 증감(增減)에 관한 소송인 경우 그 소송을 제기하는 자가 토지소유자 또는 관계인일 때에는 사업시행자를, 사업시행자일 때에는 토지소유자 또는 관계인을 각각 피고로 한다.

25 [정답] ③

① × 사례에서 문제되는 권리는 공법상 결과제거청구권이다. 손해배상은 가해행위와 상당인과관계가 있는 손해를 대상으로 하지만, 결과제거청구권은 위법한 공행정작용으로 인한 직접적인 결과의 제거만을 대상으로 하고 제3자의 행위 등에 의한 간접적인 결과의 제거는 그 대상이 되지 않는다. 그리고 결과제거청구는 원래의 상태 또는 동일한 가치의 상태로 회복하는 것이 사실상 가능하며, 법적으로 허용되고 또한 의무자에게 기대 가능한 것을 내용으로 하여야 한다. 공법상 결과제거청구권의 이러한 요건이 구비되지 아니하면 손해배상이나 손실보상만이 문제된다.

② × 결과제거청구는 가해행위의 위법이 아닌 결과의 위법성이 문제되며 가해자의 고의·과실을 불문한다.

③ ○ 결과제거청구소송은 공법상 당사자소송으로 제기하여야 한다는 것이 일반적 견해이다.

④ × 민법상의 과실상계에 관한 규정은 공법상 결과제거청구권에 유추적용될 수 있다. 따라서 피해자의 과실이 위법상태 발생에 기여한 경우에는 그 과실에 비례하여 결과제거청구권이 제한되거나 상실된다.

제13회 | 소방 단원별 모의고사 정답과 해설

출제 범위: 제33강 행정심판의 개관 등~제35강 행정소송 개관, 당사자소송 및 객관적 소송

문제 p.271

01	02	03	04	05
③	④	④	④	③
06	07	08	09	10
③	①	③	①	②
11	12	13	14	15
③	①	④	③	②
16	17	18	19	20
④	③	③	②	④
21	22	23	24	25
②	①	④	①	④

01
정답 ③

㉮ ✕ 행정심판법은 행정심판의 종류로서 취소심판, 무효등확인심판, 의무이행심판에 관한 규정을 두고 있으며 당사자심판, 부작위위법확인심판과 기관심판에 관한 규정은 두고 있지 않다.

> **행정심판법 제5조【행정심판의 종류】** 행정심판의 종류는 다음 각 호와 같다.
> 1. 취소심판: 행정청의 위법 또는 부당한 처분을 취소하거나 변경하는 행정심판
> 2. 무효등확인심판: 행정청의 처분의 효력 유무 또는 존재 여부를 확인하는 행정심판
> 3. 의무이행심판: 당사자의 신청에 대한 행정청의 위법 또는 부당한 거부처분이나 부작위에 대하여 일정한 처분을 하도록 하는 행정심판

㉯ ✕ 행정심판법 제3조 제2항에서 "대통령의 처분 또는 부작위에 대하여는 다른 법률에서 행정심판을 청구할 수 있도록 정한 경우 외에는(공무원에 대한 징계의 경우는 소청심사위원회가 심사할 수 있다) 행정심판을 청구할 수 없다."라고 규정하여 대통령의 처분 등에 대해서는 원칙적으로 행정심판을 청구할 수 없도록 하고 있다.

> **행정심판법 제3조【행정심판의 대상】** ① 행정청의 처분 또는 부작위에 대하여는 다른 법률에 특별한 규정이 있는 경우 외에는 이 법에 따라 행정심판을 청구할 수 있다.
> ② 대통령의 처분 또는 부작위에 대하여는 다른 법률에서 행정심판을 청구할 수 있도록 정한 경우 외에는 행정심판을 청구할 수 없다.

㉰ ○

> **행정심판법 제4조【특별행정심판 등】** ① 사안의 전문성과 특수성을 살리기 위하여 특히 필요한 경우 외에는 이 법에 따른 행정심판을 갈음하는 특별한 행정불복절차(이하 '특별행정심판'이라 한다)나 이 법에 따른 행정심판절차에 대한 특례를 다른 법률로 정할 수 없다.
> ② 다른 법률에서 특별행정심판이나 이 법에 따른 행정심판절차에 대한 특례를 정한 경우에도 그 법률에서 규정하지 아니한 사항에 관하여는 이 법에서 정하는 바에 따른다.
> ③ 관계 행정기관의 장이 특별행정심판 또는 이 법에 따른 행정심판절차에 대한 특례를 신설하거나 변경하는 법령을 제정·개정할 때에는 미리 중앙행정심판위원회와 협의하여야 한다.

㉱ ○

> 구 공무원연금법상 공무원연금급여 재심위원회에 대한 심사청구제도의 법적 성격은 특별행정심판이다.
> 구 공무원연금법 제80조에 의하면, …… 구 공무원연금급여 재심위원회에 대한 심사청구제도는 사안의 전문성과 특수성을 살리기 위하여 특히 필요하여 행정심판법에 따른 일반행정심판을 갈음하는 특별한 행정불복절차(행정심판법 제4조 제1항), 즉 특별행정심판에 해당한다(대판 2019. 8. 9, 2019두38656).

02
정답 ④

① ✕ 행정심판이 아닌 이의신청에 따른 취소는 직권취소이다. 다만, 행정심판법상 행정심판이 아닌 이의신청절차도 불복절차이므로 관련 규정의 취지를 고려하여 이의신청에 따른 직권취소에도 특별한 사정이 없는 한 번복할 수 없는 불가변력을 인정하는 것이 판례의 태도이다.

> 과세처분에 관한 이의신청절차에서 과세관청이 이의신청사유가 옳다고 인정하여 과세처분을 직권으로 취소한 후, 특별한 사유 없이 이를 번복하여 종전 처분과 동일한 내용의 처분을 할 수는 없다. 과세처분에 관한 불복절차과정에서 불복사유가 옳다고 인정하여 이에 따라 필요한 처분을 하였을 경우에는, 불복제도와 이에 따른 시정방법을 인정하고 있는 국세기본법 취지에 비추어 볼 때 동일사항에 관하여 특별한 사유 없이 이를 번복하고 종전과 동일한 처분을 하는 것은 허용될 수 없다. 따라서 과세관청이 과세처분에 대한 이의신청절차에서 납세자의 이의신청사유가 옳다고 인정하여 과세처분을 직권으로 취소한 경우, 납세자가 허위의 자료를 제출하는 등 부정한 방법에 기초하여 직권취소되었다는 등의 특별한 사유가 없는데도 이를 번복하고 종전과 동일한 과세처분을 하는 것은 위법하다(대판 2017. 3. 9, 2016두56790).

② ✕

> ❶ 청구인과 피청구인의 표시, 심판청구취지 및 이유 등을 구분하여 기재하지 아니하고 작성자의 서명·날인이 없는 학사제명취소신청서를 제출한 경우라도 일정한 경우 적법한 행정심판청구로 보아야 한다.
> 그 밖에 청구인의 주소, 대리인의 이름과 주소, 재결청, 처분이 있은 것을 안 날, 처분을 한 행정청의 고지의 유무 및 그 내용, 대리인의 날인과 그 자격을 소명하는 서면 등의 불비한 점은 있으나 행정심판청구는 엄격한 형식을 요하지 아니하는 서면행위이어서 어느 것이나 그 보정이 가능한 것이므로, 결국 위 학사제

명취소신청서는 행정소송의 전치요건인 행정심판청구서로서 원고는 적법한 행정심판청구를 한 것으로 보아야 할 것이다(대판 1990. 6. 8, 90누851).

❷ 처분에 대한 취소를 구하는 서면이 제출된 경우 비록 진정서라는 표제하에 제출되었다 하더라도 행정심판청구로 볼 수 있다. 비록 제목이 '진정서'로 되어 있고, 재결청의 표시, 심판청구의 취지 및 이유, 처분을 한 행정청의 고지의 유무 및 그 내용 등 행정심판법 제19조 제2항 소정의 사항들을 구분하여 기재하고 있지 아니하여 행정심판청구서로서 형식을 다 갖추고 있다고 볼 수는 없으나, 피청구인인 처분청과 청구인의 이름과 주소가 기재되어 있고, 청구인의 기명이 되어 있으며, 문서의 기재내용에 의하여 심판청구의 대상이 되는 행정처분의 내용과 심판청구의 취지 및 이유, 처분이 있은 것을 안 날을 알 수 있는 경우, 위 문서에 기재되어 있지 않은 재결청, 처분을 한 행정청의 고지의 유무 등의 내용과 날인 등의 불비한 점은 보정이 가능하므로 위 문서를 행정처분에 대한 행정심판청구로 보는 것이 옳다(대판 2000. 6. 9, 98두2621).

③ ✕

이의신청을 제기해야 할 사람이 처분청에 표제를 '행정심판청구서'로 한 서류를 제출한 경우라 할지라도 서류의 내용에 이의신청요건에 맞는 불복취지와 사유가 충분히 기재되어 있다면 표제에도 불구하고 이를 처분에 대한 이의신청으로 볼 수 있다(대판 2012. 3. 29, 2011두26886).

④ ○ 행정심판에서는 행정소송과 달리 처분을 적극적으로 변경하는 것도 가능하다. 행정심판법이 취소와 함께 변경을 따로 인정한 점과 의무이행재결을 인정한 점에 비추어 변경재결에서의 변경은 소극적 변경뿐만 아니라 적극적 변경, 즉 원처분을 갈음하는 다른 처분으로 변경하는 것까지 포함한다. 한편, 취소소송에서의 변경은 일부취소, 즉 소극적 변경을 의미한다.

03

[정답] ④

㉮ ✕

행정심판법 제23조【심판청구서의 제출】① 행정심판을 청구하려는 자는 제28조에 따라 심판청구서를 작성하여 피청구인이나 위원회에 제출하여야 한다. 이 경우 피청구인의 수만큼 심판청구서 부본을 함께 제출하여야 한다.

민사소송법 제248조【소제기의 방식】소는 법원에 소장을 제출함으로써 제기한다.

㉯ ✕

행정심판법 제15조【선정대표자】③ 선정대표자는 다른 청구인들을 위하여 그 사건에 관한 모든 행위를 할 수 있다. 다만, 심판청구를 취하하려면 다른 청구인들의 동의를 받아야 하며, 이 경우 동의받은 사실을 서면으로 소명하여야 한다.

㉰ ✕

행정심판법 제15조【선정대표자】④ 선정대표자가 선정되면 다른 청구인들은 그 선정대표자를 통해서만 그 사건에 관한 행위를 할 수 있다.

㉱ ○

행정심판절차에서 청구인들이 당사자가 아닌 자를 선정대표자로 선정하였다면 행정심판법 제11조(현 제15조)에 위반되어 그 선정행위는 무효이다(대판 1991. 1. 25, 90누7791).

㉲ ○

행정심판법 제15조【선정대표자】① 여러 명의 청구인이 공동으로 심판청구를 할 때에는 청구인들 중에서 3명 이하의 선정대표자를 선정할 수 있다.
② 청구인들이 제1항에 따라 선정대표자를 선정하지 아니한 경우에 위원회는 필요하다고 인정하면 청구인들에게 선정대표자를 선정할 것을 권고할 수 있다.

04

[정답] ④

㉮㉰ ✕ ㉯㉱㉲ ○

행정기본법 제36조【처분에 대한 이의신청】① 행정청의 처분(행정심판법 제3조에 따라 같은 법에 따른 행정심판의 대상이 되는 처분을 말한다. 이하 이 조에서 같다)에 이의가 있는 당사자는 처분을 받은 날부터 30일 이내에 해당 행정청에 이의신청을 할 수 있다(㉮).
② 행정청은 제1항에 따른 이의신청을 받으면 그 신청을 받은 날부터 14일 이내에 그 이의신청에 대한 결과를 신청인에게 통지하여야 한다(㉯). 다만, 부득이한 사유로 14일 이내에 통지할 수 없는 경우에는 그 기간을 만료일 다음 날부터 기산하여 10일의 범위에서 한 차례 연장할 수 있으며, 연장사유를 신청인에게 통지하여야 한다.
③ 제1항에 따라 이의신청을 한 경우에도 그 이의신청과 관계없이 행정심판법에 따른 행정심판 또는 행정소송법에 따른 행정소송을 제기할 수 있다(㉰).
④ 이의신청에 대한 결과를 통지받은 후 행정심판 또는 행정소송을 제기하려는 자는 그 결과를 통지받은 날(제2항에 따른 통지기간 내에 결과를 통지받지 못한 경우에는 같은 항에 따른 통지기간이 만료되는 날의 다음 날을 말한다)부터 90일 이내에 제1항의 처분(이의신청 결과 처분이 변경된 경우에는 변경된 처분으로 한다)에 대하여 행정심판 또는 행정소송을 제기할 수 있다(㉱).
⑤ 행정청은 제2항 또는 다른 법률에 따라 이의신청에 대한 결과를 통지할 때에는 대통령령으로 정하는 바에 따라 제4항에 따른 행정심판 또는 행정소송을 제기할 수 있는 기간 등 행정심판 또는 행정소송의 제기에 관한 사항을 함께 안내하여야 한다. 다만, 이의신청에 대한 결과를 통지하기 전에 이미 신청인이 행정심판 또는 행정소송을 제기한 경우에는 안내하지 아니할 수 있다.
⑥ 다른 법률에서 이의신청과 이에 준하는 절차에 대하여 정하고 있는 경우에도 그 법률에서 규정하지 아니한 사항에 관하여는 이 조에서 정하는 바에 따른다.
⑦ 제1항부터 제6항까지에서 규정한 사항 외에 이의신청의 방법 및 절차 등에 관한 사항은 대통령령으로 정한다.
⑧ 다음 각 호의 어느 하나에 해당하는 사항에 관하여는 이 조를 적용하지 아니한다.
1. 공무원 인사 관계 법령에 따른 징계 등 처분에 관한 사항
2. 국가인권위원회법 제30조에 따른 진정에 대한 국가인권위원회의 결정
3. 노동위원회법 제2조의2에 따라 노동위원회의 의결을 거쳐 행하는 사항

4. 형사, 행형 및 보안처분 관계 법령에 따라 행하는 사항
5. 외국인의 출입국·난민인정·귀화·국적회복에 관한 사항(㉺)
6. 과태료 부과 및 징수에 관한 사항

⑧ 다음 각 호의 어느 하나에 해당하는 사항에 관하여는 이 조를 적용하지 아니한다.
1. 공무원 인사 관계 법령에 따른 징계 등 처분에 관한 사항(④)
2. 노동위원회법 제2조의2에 따라 노동위원회의 의결을 거쳐 행하는 사항
3. 형사, 행형 및 보안처분 관계 법령에 따라 행하는 사항
4. 외국인의 출입국·난민인정·귀화·국적회복에 관한 사항
5. 과태료 부과 및 징수에 관한 사항
6. 개별법률에서 그 적용을 배제하고 있는 경우

05 [정답] ③

㉮㉰ × ㉯㉱ ○

행정기본법 제37조 【처분의 재심사】 ① 당사자(㉯)는 처분(제재처분 및 행정상 강제는 제외한다(㉮). 이하 이 조에서 같다)이 행정심판, 행정소송 및 그 밖의 쟁송을 통하여 다툴 수 없게 된 경우(법원의 확정판결이 있는 경우는 제외한다)라도 다음 각 호의 어느 하나에 해당하는 경우에는 해당 처분을 한 행정청에 처분을 취소·철회하거나 변경하여 줄 것을 신청할 수 있다.
1. 처분의 근거가 된 사실관계 또는 법률관계가 추후에 당사자에게 유리하게 바뀐 경우
2. 당사자에게 유리한 결정을 가져다 주었을 새로운 증거가 있는 경우
3. 민사소송법 제451조에 따른 재심사유에 준하는 사유가 발생한 경우 등 대통령령으로 정하는 경우
② 제1항에 따른 신청은 해당 처분의 절차, 행정심판, 행정소송 및 그 밖의 쟁송에서 당사자가 중대한 과실 없이 제1항 각 호의 사유를 주장하지 못한 경우에만 할 수 있다(㉰).
④ 제1항에 따른 신청을 받은 행정청은 특별한 사정이 없으면 신청을 받은 날부터 90일(합의제 행정기관은 180일) 이내에 처분의 재심사 결과(재심사 여부와 처분의 유지·취소·철회·변경 등에 대한 결정을 포함한다)를 신청인에게 통지하여야 한다(㉱). 다만, 부득이한 사유로 90일(합의제 행정기관은 180일) 이내에 통지할 수 없는 경우에는 그 기간을 만료일 다음 날부터 기산하여 90일(합의제 행정기관은 180일)의 범위에서 한 차례 연장할 수 있으며, 연장사유를 신청인에게 통지하여야 한다.
⑤ 제4항에 따른 처분의 재심사 결과 중 처분을 유지하는 결과에 대해서는 행정심판, 행정소송 및 그 밖의 쟁송수단을 통하여 불복할 수 없다(㉲).

제2조 【정의】 이 법에서 사용하는 용어의 뜻은 다음과 같다.
3. '당사자'란 처분의 상대방을 말한다(㉯).

㉯ ○ 행정기본법상 처분의 재심사를 청구할 수 있는 자는 당사자인데, 당사자란 처분의 상대방을 말한다(위 ㉮ 해설 조문 참조). 따라서 처분의 상대방이 아닌 제3자는 처분에 대해 재심사를 청구할 수 없다.

06 [정답] ③

①②④ ○ ③ ×

행정기본법 제37조 【처분의 재심사】 ① 당사자는 처분(제재처분 및 행정상 강제는 제외한다. 이하 이 조에서 같다)이 행정심판, 행정소송 및 그 밖의 쟁송을 통하여 다툴 수 없게 된 경우(법원의 확정판결이 있는 경우는 제외한다(①))라도 다음 각 호의 어느 하나에 해당하는 경우에는 해당 처분을 한 행정청에 처분을 취소·철회하거나 변경하여 줄 것을 신청할 수 있다. (각 호 생략)
③ 제1항에 따른 신청은 당사자가 제1항 각 호의 사유를 안 날부터 60일 이내에 하여야 한다. 다만, 처분이 있는 날부터 5년이 지나면 신청할 수 없다(②).
⑥ 행정청의 제18조에 따른 취소와 제19조에 따른 철회는 처분의 재심사에 의하여 영향을 받지 아니한다(③).

07 [정답] ①

① ○ 청구인이 사망한 경우에는 포괄(包括)승계인인 상속인 등은 청구인의 지위를 당연승계하나, 심판청구의 대상과 관계되는 권리나 이익을 양수한 자인 특정(特定) 승계인은 행정심판위원회의 허가를 받아 청구인의 지위를 승계할 수 있다. 행정심판법 제16조 제1항과 제5항을 구별하기 바란다.

행정심판법 제16조 【청구인의 지위승계】 ① 청구인이 사망한 경우에는 상속인이나 그 밖에 법령에 따라 심판청구의 대상에 관계되는 권리나 이익을 승계한 자가 청구인의 지위를 승계한다.
② 법인인 청구인이 합병(合併)에 따라 소멸하였을 때에는 합병 후 존속하는 법인이나 합병에 따라 설립된 법인이 청구인의 지위를 승계한다.
⑤ 심판청구의 대상과 관계되는 권리나 이익을 양수한 자는 위원회의 허가를 받아 청구인의 지위를 승계할 수 있다.

② ×

행정심판법 제17조 【피청구인의 적격 및 경정】 ① 행정심판은 처분을 한 행정청(의무이행심판의 경우에는 청구인의 신청을 받은 행정청)을 피청구인으로 하여 청구하여야 한다. 다만, 심판청구의 대상과 관계되는 권한이 다른 행정청에 승계된 경우에는 권한을 승계한 행정청을 피청구인으로 하여야 한다.
② 청구인이 피청구인을 잘못 지정한 경우에는 위원회는 직권으로 또는 당사자의 신청에 의하여 결정으로써 피청구인을 경정(更正)할 수 있다.
④ 제2항에 따른 결정이 있으면 종전의 피청구인에 대한 심판청구는 취하되고 종전의 피청구인에 대한 행정심판이 청구된 때에 새로운 피청구인에 대한 행정심판이 청구된 것으로 본다.

③ × 신청에 의한 참가 외에 행정심판위원회의 요구에 의한 참가도 가능하다.

행정심판법 제20조 【심판참가】 ① 행정심판의 결과에 이해관계가 있는 제3자나 행정청은 해당 심판청구에 대한 제7조 제6항 또는 제8조 제7항에 따른 위원회나 소위원회의 의결이 있기 전까지 그 사건에 대하여 심판참가를 할 수 있다.

제21조 【심판참가의 요구】 ① 위원회는 필요하다고 인정하면 그 행정심판 결과에 이해관계가 있는 제3자나 행정청에 그 사건 심판에 참가할 것을 요구할 수 있다.
② 제1항의 요구를 받은 제3자나 행정청은 지체 없이 그 사건 심판에 참가할 것인지 여부를 위원회에 통지하여야 한다.

㉣ ✕

> **행정심판법 제22조【참가인의 지위】** ① 참가인은 행정심판절차에서 당사자가 할 수 있는 심판절차상의 행위를 할 수 있다.

08
[정답] ③

㉮ ○ 행정심판위원회는 행정심판청구를 수리하여 재결할 권한을 가지는 합의제 행정청으로서 시·도행정심판위원회, 중앙행정심판위원회를 불문하고 심판청구에 대하여 심리할 권한뿐만 아니라 재결할 권한도 갖는다.

> **행정심판법 제6조【행정심판위원회의 설치】** ① 다음 각 호의 행정청 또는 그 소속 행정청(행정기관의 계층구조와 관계없이 그 감독을 받거나 위탁을 받은 모든 행정청을 말하되, 위탁을 받은 행정청은 그 위탁받은 사무에 관하여는 위탁한 행정청의 소속 행정청으로 본다. 이하 같다)의 처분 또는 부작위에 대한 행정심판의 청구(이하 '심판청구'라 한다)에 대하여는 다음 각 호의 행정청에 두는 행정심판위원회에서 심리·재결한다. (각 호 생략)

㉯㉰ ✕ ㉱ ○

> **행정심판법 제6조【행정심판위원회의 설치】** ② 다음 각 호의 행정청의 처분 또는 부작위에 대한 심판청구에 대하여는 「부패방지 및 국민권익위원회의 설치와 운영에 관한 법률」에 따른 국민권익위원회(이하 '국민권익위원회'라 한다)에 두는 중앙행정심판위원회에서 심리·재결한다. (각 호 생략)
> **제8조【중앙행정심판위원회의 구성】** ① 중앙행정심판위원회는 위원장 1명을 포함하여 70명 이내의 위원으로 구성하되, 위원 중 상임위원은 4명 이내로 한다(㉯).
> ② 중앙행정심판위원회의 위원장은 국민권익위원회의 부위원장 중 1명이 되며, 위원장이 없거나 부득이한 사유로 직무를 수행할 수 없거나 위원장이 필요하다고 인정하는 경우에는 상임위원(상임으로 재직한 기간이 긴 위원 순서로, 재직기간이 같은 경우에는 연장자 순서로 한다)이 위원장의 직무를 대행한다(㉰).
> ④ 중앙행정심판위원회의 비상임위원은 제7조 제4항 각 호의 어느 하나에 해당하는 사람 중에서 중앙행정심판위원회 위원장의 제청으로 국무총리가 성별을 고려하여 위촉한다(㉱).
> ⑤ 중앙행정심판위원회의 회의(제6항에 따른 소위원회 회의는 제외한다)는 위원장, 상임위원 및 위원장이 회의마다 지정하는 비상임위원을 포함하여 총 9명으로 구성한다(㉱).
> **제7조【행정심판위원회의 구성】** ① 행정심판위원회(중앙행정심판위원회는 제외한다. 이하 이 조에서 같다)는 위원장 1명을 포함하여 50명 이내의 위원으로 구성한다.
> ④ 행정심판위원회의 위원은 해당 행정심판위원회가 소속된 행정청이 다음 각 호의 어느 하나에 해당하는 사람 중에서 성별을 고려하여 위촉하거나 그 소속 공무원 중에서 지명한다.
> 1. 변호사 자격을 취득한 후 5년 이상의 실무경험이 있는 사람
> 2. 고등교육법 제2조 제1호부터 제6호까지의 규정에 따른 학교에서 조교수 이상으로 재직하거나 재직하였던 사람
> 3. 행정기관의 4급 이상 공무원이었거나 고위공무원단에 속하는 공무원이었던 사람
> 4. 박사학위를 취득한 후 해당 분야에서 5년 이상 근무한 경험이 있는 사람
> 5. 그 밖에 행정심판과 관련된 분야의 지식과 경험이 풍부한 사람

09
[정답] ①

㉮ ○ 중앙행정심판위원회에서만 심판청구 사건 중 도로교통법에 따른 자동차운전면허 행정처분에 관한 사건을 심리·의결하게 하기 위한 4인 위원의 소위원회를 둘 수 있다. 다만, 각급 행정심판위원회에 대해서는 이에 관한 규정이 없다.

> **행정심판법 제8조【중앙행정심판위원회의 구성】** ⑥ 중앙행정심판위원회는 심판청구 사건(이하 '사건'이라 한다) 중 도로교통법에 따른 자동차운전면허 행정처분에 관한 사건(소위원회가 중앙행정심판위원회에서 심리·의결하도록 결정한 사건은 제외한다)을 심리·의결하게 하기 위하여 4명의 위원으로 구성하는 소위원회를 둘 수 있다.

㉯ ○

> **행정심판법 제4조【특별행정심판 등】** ③ 관계 행정기관의 장이 특별행정심판 또는 이 법에 따른 행정심판절차에 대한 특례를 신설하거나 변경하는 법령을 제정·개정할 때에는 미리 중앙행정심판위원회와 협의하여야 한다.

㉰ ✕

> **행정심판법 제6조【행정심판위원회의 설치】** ③ 다음 각 호의 행정청의 처분 또는 부작위에 대한 심판청구에 대하여는 시·도지사 소속으로 두는 행정심판위원회에서 심리·재결한다.
> 1. 시·도 소속 행정청
> 2. 시·도의 관할 구역에 있는 시·군·자치구의 장, 소속 행정청 또는 시·군·자치구의 의회(의장, 위원회의 위원장, 사무국장, 사무과장 등 의회 소속 모든 행정청을 포함한다)
> 3. 시·도의 관할 구역에 있는 둘 이상의 지방자치단체(시·군·자치구를 말한다)·공공법인 등이 공동으로 설립한 행정청

㉱ ✕

> **행정심판법 제6조【행정심판위원회의 설치】** ① 다음 각 호의 행정청 또는 그 소속 행정청(행정기관의 계층구조와 관계없이 그 감독을 받거나 위탁을 받은 모든 행정청을 말하되, 위탁을 받은 행정청은 그 위탁받은 사무에 관하여는 위탁한 행정청의 소속 행정청으로 본다. 이하 같다)의 처분 또는 부작위에 대한 행정심판의 청구(이하 '심판청구'라 한다)에 대하여는 다음 각 호의 행정청에 두는 행정심판위원회에서 심리·재결한다.
> 1. 감사원, 국가정보원장, 그 밖에 대통령령으로 정하는 대통령 소속기관의 장
> 2. 국회사무총장·법원행정처장·헌법재판소사무처장 및 중앙선거관리위원회사무총장
> 3. 국가인권위원회, 그 밖에 지위·성격의 독립성과 특수성 등이 인정되어 대통령령으로 정하는 행정청
> ② 다음 각 호의 행정청의 처분 또는 부작위에 대한 심판청구에 대하여는 「부패방지 및 국민권익위원회의 설치와 운영에 관한 법률」에 따른 국민권익위원회(이하 '국민권익위원회'라 한다)에 두는 중앙행정심판위원회에서 심리·재결한다.
> 1. 제1항에 따른 행정청 외의 국가행정기관의 장 또는 그 소속 행정청
> 2. 특별시장·광역시장·특별자치시장·도지사·특별자치도지사(특별시·광역시·특별자치시·도 또는 특별자치도의 교육감을 포함한다. 이하 '시·도지사'라 한다) 또는 특별시·광역시·특별자치시·도·특별자치도(이하 '시·도'라 한다)의 의회(의장, 위원회의 위원장, 사무처장 등 의회 소속 모든 행정청을 포함한다)

3. 지방자치법에 따른 지방자치단체조합 등 관계 법률에 따라 국가·지방자치단체·공공법인 등이 공동으로 설립한 행정청. 다만, 제3항 제3호에 해당하는 행정청은 제외한다.

10 [정답] ②

① ✗ 기각재결의 경우에는 처분청을 기속하는 힘인 기속력이 발생하지 않는다. 따라서 처분청은 기각재결이 있은 후에도 정당한 사유가 있으면 직권으로 원처분을 취소·변경할 수 있다.

② ○ 일정한 행정행위의 경우 행정행위가 행해지면 성질상 행정청 자신도 직권으로 자유로이 취소·변경할 수 없는 효력이 발생하는데 이러한 효력을 불가변력이라고 하는바, 행정심판의 재결은 불가변력이 발생하는 대표적인 행위이다. 따라서 재결이 있게 되면 재결을 한 기관이라도 재결을 스스로 취소 또는 변경할 수 없다.

③ ✗ 인용재결의 기속력이 미치는 주관적 범위는 피청구인인 행정청뿐만 아니라 그 밖의 모든 관계 행정청까지이다.

> **행정심판법 제49조【재결의 기속력 등】** ① 심판청구를 인용하는 재결은 피청구인과 그 밖의 관계 행정청을 기속(羈束)한다.

④ ✗

> 행정심판의 재결은 피청구인인 행정청을 기속하는 효력을 가지므로 재결청이 취소심판의 청구가 이유 있다고 인정하여 처분청에 처분을 취소할 것을 명하면 처분청으로서는 재결의 취지에 따라 처분을 취소하여야 하지만, 나아가 재결에 판결에서와 같은 기판력이 인정되는 것은 아니어서 재결이 확정된 경우에도 처분의 기초가 된 사실관계나 법률적 판단이 확정되고 당사자들이나 법원이 이에 기속되어 모순되는 주장이나 판단을 할 수 없게 되는 것은 아니다(대판 2015. 11. 27, 2013다6759).

11 [정답] ③

㉮ ○ 종래 명문규정이 없어 거부처분에 대해서 취소심판청구가 허용되느냐에 대한 견해의 대립이 있었으나(다수설과 판례는 인정한다), 2017년 4월 개정 행정심판법부터 명문으로 거부처분에 대한 취소심판을 인정(행정심판법 제49조 제2항 참조)하고 있다. 따라서 거부처분에 대하여서는 의무이행심판은 물론 취소심판도 제기할 수 있다.

> **행정심판법 제5조【행정심판의 종류】** 행정심판의 종류는 다음 각 호와 같다.
> 1. 취소심판 : 행정청의 위법 또는 부당한 처분을 취소하거나 변경하는 행정심판
> 2. 무효등확인심판 : 행정청의 처분의 효력 유무 또는 존재 여부를 확인하는 행정심판
> 3. 의무이행심판 : 당사자의 신청에 대한 행정청의 위법 또는 부당한 거부처분이나 부작위에 대하여 일정한 처분을 하도록 하는 행정심판
>
> **제49조【재결의 기속력 등】** ① 심판청구를 인용하는 재결은 피청구인과 그 밖의 관계 행정청을 기속(羈束)한다.
> ② 재결에 의하여 취소되거나 무효 또는 부존재로 확인되는 처분이 당사자의 신청을 거부하는 것을 내용으로 하는 경우에는 그 처분을 한 행정청은 재결의 취지에 따라 다시 이전의 신청에 대한 처분을 하여야 한다.

㉯ ○ 부작위에 대한 의무이행심판은 청구기간의 제한이 없지만 거부처분에 대한 의무이행심판에는 청구기간의 제한이 있다.

> **행정심판법 제27조【심판청구의 기간】** ① 행정심판은 처분이 있음을 알게 된 날부터 90일 이내에 청구하여야 한다.
> ⑦ 제1항부터 제6항까지의 규정은 무효등확인심판청구와 부작위에 대한 의무이행심판청구에는 적용하지 아니한다.

> 행정심판법 제27조 제7항에 부작위에 대한 의무이행심판청구에는 심판청구기간에 관한 같은 조 제1항 내지 제6항의 규정을 적용하지 아니한다고 규정되어 있지만, 위 법조항 소정의 부작위에 대한 의무이행심판청구에 거부처분에 대한 의무이행심판청구도 포함된다고 볼 수 없다(대판 1992. 11. 10, 92누1629).

㉰ ✗ 임시처분은 직권으로도 가능하다. 한편, 행정심판과 달리 행정소송법에는 임시처분제도는 두고 있지 않다.

> **행정심판법 제31조【임시처분】** ① 위원회는 처분 또는 부작위가 위법·부당하다고 상당히 의심되는 경우로서 처분 또는 부작위 때문에 당사자가 받을 우려가 있는 중대한 불이익이나 당사자에게 생길 급박한 위험을 막기 위하여 임시지위를 정하여야 할 필요가 있는 경우에는 직권으로 또는 당사자의 신청에 의하여 임시처분을 결정할 수 있다.

㉱ ○ 의무이행심판의 경우에는 사정재결이 가능하다.

> **행정심판법 제44조【사정재결】** ① 위원회는 심판청구가 이유가 있다고 인정하는 경우에도 이를 인용(認容)하는 것이 공공복리에 크게 위배된다고 인정하면 그 심판청구를 기각하는 재결을 할 수 있다. 이 경우 위원회는 재결의 주문(主文)에서 그 처분 또는 부작위가 위법하거나 부당하다는 것을 구체적으로 밝혀야 한다.
> ③ 제1항과 제2항은 무효등확인심판에는 적용하지 아니한다.

㉲ ✗ 행정심판위원회가 직접처분을 하기 위해서는 당사자의 신청이 있어야 하며, 당사자의 신청이 없는 경우라면 직권으로 직접처분을 할 수는 없다.

> **행정심판법 제50조【위원회의 직접처분】** ① 위원회는 피청구인이 제49조 제3항(편저자 주 : 처분이행명령재결)에도 불구하고 처분을 하지 아니하는 경우에는 당사자가 신청하면 기간을 정하여 서면으로 시정을 명하고 그 기간에 이행하지 아니하면 직접처분을 할 수 있다. 다만, 그 처분의 성질이나 그 밖의 불가피한 사유로 위원회가 직접처분을 할 수 없는 경우에는 그러하지 아니하다.

12 [정답] ①

① ✗ ②③ ○

> **행정심판법 제27조【심판청구의 기간】** ① 행정심판은 처분이 있음을 알게 된 날부터 90일 이내에 청구하여야 한다.
> ② 청구인이 천재지변, 전쟁, 사변, 그 밖의 불가항력으로 인하여 제1항에서 정한 기간에 심판청구를 할 수 없었을 때에는 그 사유가 소멸한 날부터 14일 이내에 행정심판을 청구할 수 있다. 다만, 국외에서 행정심판을 청구하는 경우에는 그 기간을 30일로 한다(②).
> ③ 행정심판은 처분이 있었던 날부터 180일이 지나면 청구하지 못한다. 다만, 정당한 사유가 있는 경우에는 그러하지 아니하다(①).
> ④ 제1항과 제2항의 기간은 불변기간(不變期間)으로 한다.

⑤ 행정청이 심판청구기간을 제1항에 규정된 기간보다 긴 기간으로 잘못 알린 경우 그 잘못 알린 기간에 심판청구가 있으면 그 행정심판은 제1항에 규정된 기간에 청구된 것으로 본다.
⑥ 행정청이 심판청구기간을 알리지 아니한 경우에는 제3항에 규정된 기간에 심판청구를 할 수 있다(③).
⑦ 제1항부터 제6항까지의 규정은 무효등확인심판청구와 부작위에 대한 의무이행심판청구에는 적용하지 아니한다.

④ ○

> 행정처분의 직접상대방이 아닌 제3자는 처분이 있은 날로부터 180일이 지나더라도 특별한 사정이 없는 한 정당한 사유가 있는 것으로 보아 행정심판청구가 가능하다.
> 행정처분의 직접상대방이 아닌 제3자는 일반적으로 처분이 있는 것을 바로 알 수 없는 처지에 있으므로, 처분이 있은 날로부터 180일 내에 심판청구를 제기하지 아니하였다고 하더라도, 그 기간 내에 처분이 있은 것을 알았거나 쉽게 알 수 있었기 때문에 심판청구를 제기할 수 있었다고 볼 만한 특별한 사정이 없는 한, 위 법조항 본문의 적용을 배제할 '정당한 사유'가 있는 경우에 해당한다고 보아 위와 같은 심판청구기간이 경과한 뒤에도 심판청구를 제기할 수 있다(대판 2002. 5. 24, 2000두3641).

13
[정답] ④

① × 고지는 행정청이 처분을 함에 있어서 상대방에게 그 처분에 대하여 행정심판을 제기할 수 있는지 여부, 심판청구절차, 청구기간 등 행정심판의 제기에 필요한 사항을 미리 알려주어야 하는 것을 말한다. 고지는 비권력적 사실행위로, 그 자체는 아무런 법적 효과를 발생하지 않으므로 항고소송의 대상이 되는 처분이 아니다.
② × 법률에 규정된 고지기간보다 길게 고지한 경우에는 그 고지된 청구기간 내에 심판청구가 있으면, 법정의 청구기간이 경과된 때에도 적법한 기간 내에 심판청구가 있은 것으로 본다. 한편, 법정기간보다도 짧게 고지한 경우에는 명문규정이 없으나, 짧게 고지한 것은 법적인 효과를 가질 수는 없으며 법정기간 내에 제기하면 족하다는 것이 일반적 견해이다.
③ ×

> 고지의무를 불이행한 경우 처분 자체가 위법하게 되는 것은 아니다. 처분청이 위 규정에 따른 고지의무를 이행하지 아니하였다고 하더라도 경우에 따라서는 행정심판의 제기기간이 연장될 수 있는 것에 그치고, 이로 인하여 심판의 대상이 되는 행정처분에 어떤 하자가 수반된다고 할 수 없다(대판 1987. 11. 24, 87누529).

④ ○ 개별법률에서 정한 심판청구기간이 행정심판법이 정한 심판청구기간보다 짧은 경우라도 행정청이 그 개별법률상 심판청구기간을 알려주지 않았다면 행정심판법이 정한 심판청구기간 내에 심판청구가 가능하다는 것이 판례의 입장이다.

> 도로점용료 상당 부당이득금의 징수 및 이의절차를 규정한 지방자치법에서 이의제출기간을 행정심판법 제18조 제3항 소정 기간보다 짧게 정하였다고 하여도 같은 법 제42조 제1항 소정의 고지의무에 관하여 달리 정하고 있지 아니한 이상 도로관리청인 피고가 이 사건 도로점용료 상당 부당이득금의 징수고지서를 발부함에 있어서 원고들에게 이의제출기간 등을 알려주지 아니하였다면 원고들은 지방자치법상의 이의제출기간에 구애됨이 없이 행정심판법 제18조 제6항, 제3항의 규정에 의하여 징수고지처분이 있은 날로부터 180일 이내에 이의를 제출할 수 있다고 보아야 할 것이다(대판 1990. 7. 10, 89누6839).

14
[정답] ③

① × 행정심판법은 당사자주의, 처분권주의를 원칙으로 하면서도, 심판청구의 심리를 위하여 필요하다고 인정되는 경우에는 행정심판위원회로 하여금 당사자가 주장하지 아니한 사실에 대하여도 심리할 수 있도록 하고 있다.

> 행정심판법 제39조 【직권심리】 위원회는 필요하면 당사자가 주장하지 아니한 사실에 대하여도 심리할 수 있다.

② × ③ ○ 행정심판의 경우 불고불리의 원칙이 적용되므로 행정심판위원회는 심판청구의 대상이 되는 처분 또는 부작위 외의 사항에 대하여는 재결할 수 없다. 또한 행정심판의 재결에는 불이익변경금지의 원칙이 적용되어 행정심판위원회는 심판청구의 대상이 되는 처분보다 청구인에게 불리한 재결을 할 수 없다.

> 행정심판법 제47조 【재결의 범위】 ① 위원회는 심판청구의 대상이 되는 처분 또는 부작위 외의 사항에 대하여는 재결하지 못한다(②).
> ② 위원회는 심판청구의 대상이 되는 처분보다 청구인에게 불리한 재결을 하지 못한다(③).

④ × 취소명령재결은 존재하지 않는다.

> 행정심판법 제43조 【재결의 구분】 ① 위원회는 심판청구가 적법하지 아니하면 그 심판청구를 각하(却下)한다.
> ② 위원회는 심판청구가 이유가 없다고 인정하면 그 심판청구를 기각(棄却)한다.
> ③ 위원회는 취소심판의 청구가 이유가 있다고 인정하면 처분을 취소 또는 다른 처분으로 변경하거나 처분을 다른 처분으로 변경할 것을 피청구인에게 명한다.

15
[정답] ②

① ○ ② × 거부처분에 대한 의무이행심판에 대해 인용재결이 있는 경우뿐만 아니라(행정심판법 제49조 제3항) 거부처분에 대한 취소심판이나 무효등확인심판청구에서 인용재결이 있는 경우에도 처분청에게는 기속력의 내용으로서 재처분의무가 인정된다(행정심판법 제49조 제2항). 그런데 재처분의무를 이행하지 않는 경우 재결의 기속력 확보수단으로서의 직접처분은 의무이행심판의 인용재결이 있는 경우에만 인정되며 거부처분에 대한 취소심판이나 무효등확인심판청구에서 인용재결이 있는 경우에는 인정되지 않는다.

> 행정심판법 제49조 【재결의 기속력 등】 ② 재결에 의하여 취소되거나 무효 또는 부존재로 확인되는 처분이 당사자의 신청을 거부하는 것을 내용으로 하는 경우에는 그 처분을 한 행정청은 재결의 취지에 따라 다시 이전의 신청에 대한 처분을 하여야 한다.
> ③ 당사자의 신청을 거부하거나 부작위로 방치한 처분의 이행을 명하는 재결이 있으면 행정청은 지체 없이 이전의 신청에 대하여 재결의 취지에 따라 처분을 하여야 한다(①).
> 제50조 【위원회의 직접처분】 ① 위원회는 피청구인이 제49조 제3항(편저자 주: 처분이행명령재결)에도 불구하고(②) 처분을 하지 아니하는 경우에는 당사자가 신청하면 기간을 정하여 서면으로 시정을 명하고 그 기간에 이행하지 아니하면 직접처분을 할 수 있다. 다만, 그 처분의 성질이나 그 밖의 불가피한 사유로 위원회가 직접처분을 할 수 없는 경우에는 그러하지 아니하다(②, ④).

③ ○

> **행정심판법 제50조【위원회의 직접처분】** ② 위원회는 제1항 본문에 따라 직접처분을 하였을 때에는 그 사실을 해당 행정청에 통보하여야 하며, 그 통보를 받은 행정청은 위원회가 한 처분을 자기가 한 처분으로 보아 관계 법령에 따라 관리·감독 등 필요한 조치를 하여야 한다.

④ ○ 행정심판법 제50조 제1항 단서의 '처분의 성질상 행정심판위원회가 직접처분을 할 수 없는 경우'라 함은 처분의 성질에 비추어 직접처분이 불가능한 경우를 말한다. 예컨대 정보공개를 명하는 재결의 경우 정보를 보유하는 기관만이 정보공개를 할 수 있으며 처분의 성질상 행정심판위원회는 정보공개처분을 할 수 없다(위 ①, ② 해설 조문 참조).

16　　　　　　　　　　　　　　　　　　정답 ④

㉮ × 2017년 4월 개정 행정심판법에서는 재결의 실효성 확보방안으로 행정소송법에서만 인정되던 간접강제제도를 도입하였다. '간접강제'는 행정심판인용재결에 따른 행정청의 재처분의무에도 불구하고 행정청이 인용재결의 취지에 따른 처분을 하지 아니하면 행정심판위원회가 당사자의 신청에 의하여 결정으로써 한다. 위원회의 직권으로는 할 수 없다.

> **행정심판법 제50조의2【위원회의 간접강제】** ① 위원회는 피청구인이 제49조 제2항(제49조 제4항에서 준용하는 경우를 포함한다) 또는 제3항에 따른 처분을 하지 아니하면 청구인의 신청에 의하여 결정으로 상당한 기간을 정하고 피청구인이 그 기간 내에 이행하지 아니하는 경우에는 그 지연기간에 따라 일정한 배상을 하도록 명하거나 즉시 배상을 할 것을 명할 수 있다(㉮).
> ② 위원회는 사정의 변경이 있는 경우에는 당사자의 신청에 의하여 제1항에 따른 결정의 내용을 변경할 수 있다(㉯).
> ③ 위원회는 제1항 또는 제2항에 따른 결정을 하기 전에 신청상대방의 의견을 들어야 한다(㉰).
> ④ 청구인은 제1항 또는 제2항에 따른 결정에 불복하는 경우 그 결정에 대하여 행정소송을 제기할 수 있다(㉱).
> ⑤ 제1항 또는 제2항에 따른 결정의 효력은 피청구인인 행정청이 소속된 국가·지방자치단체 또는 공공단체에 미치며, 결정서 정본은 제4항에 따른 소송제기와 관계없이 민사집행법에 따른 강제집행에 관하여는 집행권원과 같은 효력을 가진다(㉲). 이 경우 집행문은 위원장의 명에 따라 위원회가 소속된 행정청 소속 공무원이 부여한다.

㉯ × ㉰㉱ ○ 위 ㉮ 해설 조문 참조

17　　　　　　　　　　　　　　　　　　정답 ③

㉮ ×

> **행정심판법 제51조【행정심판 재청구의 금지】** 심판청구에 대한 재결이 있으면 그 재결 및 같은 처분 또는 부작위에 대하여 다시 행정심판을 청구할 수 없다.

㉯ ○ 처분을 취소하는 재결이 있으면 형성력에 의해 당해 처분은 행정청의 별도의 처분이 없더라도 처분시에 소급하여 효력이 소멸된다.

> 처분 취소재결의 경우 재결의 형성력에 의해 행정처분은 별도의 처분을 기다릴 것 없이 당연히 효력이 소멸된다.
> 행정심판재결의 내용이 처분청에 처분의 취소를 명하는 것이 아니라 재결청이 스스로 처분을 취소하는 것일 때에는 그 재결의 형성력에 의하여 당해 처분은 별도의 행정처분을 기다릴 것 없이 당연히 취소되어 소멸되는 것이다(대판 1998. 4. 24, 97누17131).

㉰ × 재결의 기속력은 피청구인인 행정청이나 관계 행정청으로 하여금 재결의 취지에 따라 행동할 의무를 발생시키는 효력을 말하며 인용재결의 경우에만 발생하고 각하재결과 기각재결에는 발생하지 않는다.

㉱ ○ 청구인용재결이 있게 되면 행정청은 동일한 사정하에서 동일인에게 재결의 내용에 모순되는 동일한 내용의 처분을 할 수 없는 의무를 가진다. 반복금지의무에 위반되는지의 여부는 기본적 사실관계의 동일성 유무를 기준으로 판단한다.

> 구 행정심판법 제37조가 정하고 있는 재결은 당해 처분에 관하여 재결주문 및 그 전제가 된 요건사실의 인정과 판단에 대하여 처분청을 기속하므로, 당해 처분에 관하여 위법한 것으로 재결에서 판단된 사유와 기본적 사실관계에 있어 동일성이 인정되는 사유를 내세워 다시 동일한 내용의 처분을 하는 것은 허용되지 않는다(대판 2003. 4. 25, 2002두3201).

18　　　　　　　　　　　　　　　　　　정답 ③

① ×

> 재결의 기속력은 재결의 주문 및 그 전제가 된 요건사실의 인정과 판단, 즉 처분 등의 구체적 위법사유에 관한 판단에만 미친다.
> 재결의 기속력은 재결의 주문 및 그 전제가 된 요건사실의 인정과 판단, 즉 처분 등의 구체적 위법사유에 관한 판단에만 미친다고 할 것이고, 종전 처분이 재결에 의하여 취소되었다 하더라도 종전 처분시와는 다른 사유를 들어서 처분을 하는 것은 기속력에 저촉되지 않는다고 할 것이다(대판 2005. 12. 9, 2003두7705).

② ×

> **행정심판법 제49조【재결의 기속력 등】** ⑤ 법령의 규정에 따라 공고하거나 고시한 처분이 재결로써 취소되거나 변경되면 처분을 한 행정청은 지체 없이 그 처분이 취소 또는 변경되었다는 것을 공고하거나 고시하여야 한다.

③ ○

> 당사자의 신청을 받아들이지 않은 거부처분이 재결에서 취소된 경우에 행정청은 종전 거부처분 또는 재결 후에 발생한 새로운 사유를 내세워 다시 거부처분을 할 수 있다. 그 재결의 취지에 따라 이전의 신청에 대하여 다시 어떠한 처분을 하여야 할지는 처분을 할 때의 법령과 사실을 기준으로 판단하여야 하기 때문이다(대판 2017. 10. 31, 2015두45045).

④ × 인용재결의 기속력으로 인해 처분청은 인용재결에 대해 불복할 수 없다.

> 처분청은 인용재결에 기속되므로 이에 불복하여 취소소송을 제기할 수 없다(대판 1998. 5. 8, 97누15432).

> **행정심판법 제49조【재결의 기속력 등】** ① 심판청구를 인용하는 재결은 피청구인과 그 밖의 관계 행정청을 기속(羈束)한다.

19 [정답] ②

㉮ ○

> **행정심판법 제18조의2 【국선대리인】** ① 청구인이 경제적 능력으로 인해 대리인을 선임할 수 없는 경우에는 위원회에 국선대리인을 선임하여 줄 것을 신청할 수 있다.
> ② 위원회는 제1항의 신청에 따른 국선대리인 선정 여부에 대한 결정을 하고, 지체 없이 청구인에게 그 결과를 통지하여야 한다. 이 경우 위원회는 심판청구가 명백히 부적법하거나 이유 없는 경우 또는 권리의 남용이라고 인정되는 경우에는 국선대리인을 선정하지 아니할 수 있다.

㉯ ×

> **행정심판법 제43조의2 【조정】** ① 위원회는 당사자의 권리 및 권한의 범위에서 당사자의 동의를 받아 심판청구의 신속하고 공정한 해결을 위하여 조정을 할 수 있다(㉯). 다만, 그 조정이 공공복리에 적합하지 아니하거나 해당 처분의 성질에 반하는 경우에는 그러하지 아니하다.
> ③ 조정은 당사자가 합의한 사항을 조정서에 기재한 후 당사자가 서명 또는 날인하고 위원회가 이를 확인함으로써 성립한다.
> ④ 제3항에 따른 조정에 대하여는 제48조부터 제50조까지, 제50조의2, 제51조의 규정을 준용한다(㉰).

㉰ ○ 조정에는 행정심판법 제48조(재결의 송달과 효력발생), 제49조(재결의 기속력 등), 제50조(위원회의 직접처분), 제50조의2(위원회의 간접강제)의 규정이 준용된다(위 ㉯ 해설 조문 참조).

㉱ ○ 임시처분은 행정심판위원회의 직권으로도 가능하다. 한편, 임시처분은 집행정지와의 관계에서 보충성을 갖는다. 따라서 집행정지로 목적을 달성할 수 있는 경우에는 임시처분은 허용되지 않는다.

> **행정심판법 제31조 【임시처분】** ① 위원회는 처분 또는 부작위가 위법·부당하다고 상당히 의심되는 경우로서 처분 또는 부작위 때문에 당사자가 받을 우려가 있는 중대한 불이익이나 당사자에게 생길 급박한 위험을 막기 위하여 임시지위를 정하여야 할 필요가 있는 경우에는 직권으로 또는 당사자의 신청에 의하여 임시처분을 결정할 수 있다.
> ③ 제1항에 따른 임시처분은 제30조 제2항에 따른 집행정지로 목적을 달성할 수 있는 경우에는 허용되지 아니한다.

㉲ ×

> **행정소송법 제23조 【집행정지】** ② 취소소송이 제기된 경우에 처분 등이나 그 집행 또는 절차의 속행으로 인하여 생길 회복하기 어려운 손해를 예방하기 위하여 긴급한 필요가 있다고 인정할 때에는 본안이 계속되고 있는 법원은 당사자의 신청 또는 직권에 의하여 처분 등의 효력이나 그 집행 또는 절차의 속행의 전부 또는 일부의 정지(이하 '집행정지'라 한다)를 결정할 수 있다. 다만, 처분의 효력정지는 처분 등의 집행 또는 절차의 속행을 정지함으로써 목적을 달성할 수 있는 경우에는 허용되지 아니한다.
>
> **행정심판법 제30조 【집행정지】** ② 위원회는 처분, 처분의 집행 또는 절차의 속행 때문에 중대한 손해가 생기는 것을 예방할 필요성이 긴급하다고 인정할 때에는 직권으로 또는 당사자의 신청에 의하여 처분의 효력, 처분의 집행 또는 절차의 속행의 전부 또는 일부의 정지(이하 '집행정지'라 한다)를 결정할 수 있다. 다만, 처분의 효력정지는 처분의 집행 또는 절차의 속행을 정지함으로써 그 목적을 달성할 수 있을 때에는 허용되지 아니한다.

20 [정답] ④

① × 항고소송에서 처분사유의 추가·변경의 법리는 행정심판단계에서도 적용된다. 따라서 행정심판단계에서 행정청이 처분의 근거사유를 추가하거나 변경하기 위해서는 당초 처분의 근거로 삼은 사유와 '기본적 사실관계의 동일성'이 인정되어야 한다.

> 항고소송에서 행정청이 처분의 근거사유를 추가하거나 변경하기 위한 요건인 '기본적 사실관계의 동일성'은 행정심판단계에서도 적용된다.
> 행정처분의 취소를 구하는 항고소송에서 처분청은 당초 처분의 근거로 삼은 사유와 기본적 사실관계가 동일성이 있다고 인정되는 한도 내에서만 다른 사유를 추가 또는 변경할 수 있고, 이러한 기본적 사실관계의 동일성 유무는 처분사유를 법률적으로 평가하기 이전의 구체적 사실에 착안하여 그 기초인 사회적 사실관계가 기본적인 점에서 동일한지에 따라 결정되므로, 추가 또는 변경된 사유가 처분 당시에 이미 존재하고 있었다거나 당사자가 그 사실을 알고 있었다고 하여 당초의 처분사유와 동일성이 있다고 할 수 없다. 그리고 이러한 법리는 행정심판단계에서도 그대로 적용된다(대판 2014. 5. 16, 2013두26118).

② × 행정심판의 심리는 구술심리 또는 서면심리로 한다고 규정하여 어느 방식을 취하는지는 행정심판위원회의 선택에 맡기고 있다. 다만, 당사자가 구술심리를 신청한 경우에는 서면심리만으로 결정할 수 있다고 인정되는 경우 외에는 구술심리를 하여야 한다. 즉, 당사자가 구술심리를 신청한 경우라도 항상 구술심리를 하여야 하는 것은 아니다.

> **행정심판법 제40조 【심리의 방식】** ① 행정심판의 심리는 구술심리나 서면심리로 한다. 다만, 당사자가 구술심리를 신청한 경우에는 서면심리만으로 결정할 수 있다고 인정되는 경우 외에는 구술심리를 하여야 한다.

③ ×

> 행정심판에 있어서 행정처분의 위법·부당 여부는 원칙적으로 처분시를 기준으로 판단하여야 할 것이나, 재결청은 처분 당시 존재하였거나 행정청에 제출되었던 자료뿐만 아니라, 재결 당시까지 제출된 모든 자료를 종합하여 처분 당시 존재하였던 객관적 사실을 확정하고 그 사실에 기초하여 처분의 위법·부당 여부를 판단할 수 있다(대판 2001. 7. 27, 99두5092).

④ ○

> **행정심판법 제45조 【재결기간】** ① 재결은 제23조에 따라 피청구인 또는 위원회가 심판청구서를 받은 날부터 60일 이내에 하여야 한다. 다만, 부득이한 사정이 있는 경우에는 위원장이 직권으로 30일을 연장할 수 있다.

21
정답 ②

① ○

> **행정심판법 제13조【청구인적격】** ③ 의무이행심판은 처분을 신청한 자로서 행정청의 거부처분 또는 부작위에 대하여 일정한 처분을 구할 법률상 이익이 있는 자가 청구할 수 있다.

② × 행정심판 가운데 무효등확인심판과 부작위에 대한 의무이행심판은 청구기간의 제한이 없으므로, 청구기간과 관련한 논의는 취소심판과 거부처분에 대한 의무이행심판에만 해당된다. 한편, 사정재결은 취소심판과 의무이행심판에서만 가능하며 무효등확인심판에서는 인정되지 않는다. 부작위에 대한 의무이행심판에도 사정재결은 인정된다.

> **행정심판법 제27조【심판청구의 기간】** ① 행정심판은 처분이 있음을 알게 된 날부터 90일 이내에 청구하여야 한다.
> ③ 행정심판은 처분이 있었던 날부터 180일이 지나면 청구하지 못한다. 다만, 정당한 사유가 있는 경우에는 그러하지 아니하다.
> ⑦ 제1항부터 제6항까지의 규정은 무효등확인심판청구와 부작위에 대한 의무이행심판청구에는 적용하지 아니한다(②).
>
> **제44조【사정재결】** ① 위원회는 심판청구가 이유가 있다고 인정하는 경우에도 이를 인용(認容)하는 것이 공공복리에 크게 위배된다고 인정하면 그 심판청구를 기각하는 재결을 할 수 있다. 이 경우 위원회는 재결의 주문(主文)에서 그 처분 또는 부작위가 위법하거나 부당하다는 것을 구체적으로 밝혀야 한다(③).
> ② 위원회는 제1항에 따른 재결을 할 때에는 청구인에 대하여 상당한 구제방법을 취하거나 상당한 구제방법을 취할 것을 피청구인에게 명할 수 있다(③).
> ③ 제1항과 제2항은 무효등확인심판에는 적용하지 아니한다(②,④).

③ ○ 위 ② 해설 조문 참조
④ ○ 사정재결은 취소심판과 의무이행심판에서만 가능하며 무효등확인심판에서는 인정되지 않는다(위 ② 해설 조문 참조).

22
정답 ①

① ○ 의무이행소송, 예방적 부작위소송, 작위의무확인소송 등을 무명항고소송(행정소송법에 이름이 없다는 의미)이라고 하며, 판례는 이를 인정하고 있지 않다.

> 행정소송법상 이행판결을 구하는 소송이나 행정청이 한 것과 같은 효과가 있는 처분을 직접 행하도록 하는 형성판결을 구하는 소송은 허용되지 않는다.
> 현행 행정소송법상 행정청으로 하여금 일정한 행정처분을 하도록 명하는 이행판결을 구하는 소송이나 법원으로 하여금 행정청이 일정한 행정처분을 행한 것과 같은 효과가 있는 행정처분을 직접 행하도록 하는 형성판결을 구하는 소송은 허용되지 아니한다(대판 1997. 9. 30, 97누3200).

② × 행정청의 처분으로 장래에 개인의 법률상 이익이 침해될 경우에 대비하여 사전에 행정청이 일정한 처분을 하지 못하도록 그 부작위를 청구하는 소송을 '예방적 부작위소송(예방적 금지소송, 금지청구소송)'이라 하며, 판례는 의무이행소송과 동일하게 예방적 부작위소송도 인정하지 않고 있다.

> 신축건물의 준공처분을 하여서는 아니 된다는 내용의 부작위를 구하는 청구는 허용되지 않는다(대판 1987. 3. 24, 86누182).

③ ×

> 연가보상비를 지급하지 아니한 행위는 항고소송의 대상이 되는 행정처분이 아니다.
> 국가공무원법 제67조, 구 공무원복무규정 제15조, 제16조 제5항, 제17조 등의 각 규정에 비추어 보면, 공무원의 연가보상비청구권은 공무원이 연가를 실시하지 아니하는 등 법령상 정해진 요건이 충족되면 그 자체만으로 지급기준일 또는 보수지급기관의 장이 정한 지급일에 구체적으로 발생하고 행정청의 지급결정에 의하여 비로소 발생하는 것은 아니라고 할 것이므로, 행정청이 공무원에게 연가보상비를 지급하지 아니한 행위로 인하여 공무원의 연가보상비청구권 등 법률상 지위에 아무런 영향을 미친다고 할 수는 없으므로 행정청의 연가보상비부지급행위는 항고소송의 대상이 되는 처분이라고 볼 수 없다(대판 1999. 7. 23, 97누10857).

④ ×

> 공법상 당사자소송의 경우 그 청구의 기초가 바뀌지 아니하는 한도 안에서 민사소송으로 소변경이 가능하다.
> 대법원은 여러 차례에 걸쳐 행정소송법상 항고소송으로 제기해야 할 사건을 민사소송으로 잘못 제기한 경우 수소법원으로서는 원고로 하여금 항고소송으로 소변경을 하도록 석명권을 행사하여 행정소송법이 정하는 절차에 따라 심리·판단하여야 한다고 판시해 왔다. 이처럼 민사소송에서 항고소송으로의 소변경이 허용되는 이상, 공법상 당사자소송과 민사소송이 서로 다른 소송절차에 해당한다는 이유만으로 청구기초의 동일성이 없다고 해석하여 양자 간의 소변경을 허용하지 않을 이유가 없다(대판 2023. 6. 29, 2022두44262).

23
정답 ④

㉮ ×

> 납세의무자의 부가가치세 환급세액 지급청구는 당사자소송의 절차에 따라야 한다.
> 이와 같은 부가가치세법령의 내용, 형식 및 입법취지 등에 비추어 보면, 납세의무자에 대한 국가의 부가가치세 환급세액 지급의무는 그 납세의무자로부터 어느 과세기간에 과다하게 거래징수된 세액 상당을 국가가 실제로 납부받았는지와 관계없이 부가가치세법령의 규정에 의하여 직접 발생하는 것으로서, 그 법적 성질은 정의와 공평의 관념에서 수익자와 손실자 사이의 재산상태 조정을 위해 인정되는 부당이득반환의무가 아니라 부가가치세법령에 의하여 그 존부나 범위가 구체적으로 확정되고 조세정책적 관점에서 특별히 인정되는 공법상 의무라고 봄이 타당하다. 그렇다면 납세의무자에 대한 국가의 부가가치세 환급세액 지급의무에 대응하는 국가에 대한 납세의무자의 부가가치세 환급세액 지급청구는 민사소송이 아니라 행정소송법 제3조 제2호에 규정된 당사자소송의 절차에 따라야 한다(대판 2013. 3. 21, 2011다95564 전합).

㉯ ×

> 지방자치단체가 보조금지급결정을 하면서 일정 기한 내에 보조금을 반환하도록 하는 교부조건을 부가한 경우, 보조금을 교부받은 사업자에 대한 지방자치단체의 보조금반환청구는 행정소송법 제3조 제2호에 규정한 당사자소송의 대상이다(대판 2011. 6. 9, 2011다2951).

㉡ ○

> 구 공무원연금법상의 퇴직급여는 공무원연금관리공단의 지급결정으로 구체적 권리가 발생하는 것이므로 공무원연금관리공단의 급여결정은 행정처분으로서 이에 대해서는 항고소송을 제기하여야 한다(대판 1996. 12. 6, 96누6417).

㉣ ○

> 甲주식회사 등으로 구성된 컨소시엄과 한국에너지기술평가원은 「산업기술혁신 촉진법」 제11조 제4항에 따라 산업기술개발사업에 관한 협약을 체결하고, 위 협약에 따라 정부출연금이 지급되었는데, 한국에너지기술평가원이 甲회사가 외부 인력에 대한 인건비를 위 협약에 위반하여 집행하였다며 甲회사에 정산금 납부 통보를 하자, 甲회사는 한국에너지기술평가원 등을 상대로 정산금 반환채무가 존재하지 아니한다는 확인을 구하는 소를 민사소송으로 제기한 사안에서, 위 협약은 공법상 계약에 해당하고 그에 따른 계약상 정산의무의 존부·범위에 관한 甲회사와 한국에너지기술평가원의 분쟁은 공법상 당사자소송의 대상이다(대판 2023. 6. 29, 2021다250025).

24　　　　　　　　　　　　　　　　　　　　　　정답 ①

① ○

> 「국토의 계획 및 이용에 관한 법률」 제130조 제3항에서 정한 토지의 소유자·점유자 또는 관리인(이하 '소유자 등'이라 한다)이 사업시행자의 일시사용에 대하여 정당한 사유 없이 동의를 거부하는 경우, 사업시행자는 해당 토지의 소유자 등을 상대로 동의의 의사표시를 구하는 소를 제기할 수 있다. 이와 같은 토지의 일시사용에 대한 동의의 의사표시를 할 의무는 「국토의 계획 및 이용에 관한 법률」에서 특별히 인정한 공법상의 의무이므로, 그 의무의 존부를 다투는 소송은 '공법상의 법률관계에 관한 소송으로서 그 법률관계의 한쪽 당사자를 피고로 하는 소송', 즉 행정소송법 제3조 제2호에서 규정한 당사자소송이라고 보아야 한다(대판 2019. 9. 9, 2016다262550).

② ×

> 국방부장관의 인정에 의하여 퇴역연금을 지급받아 오던 중 군인보수법 및 공무원보수규정에 의한 호봉이나 봉급액의 개정 등으로 퇴역연금액이 변경된 경우에는 법령의 개정에 따라 당연히 개정규정에 따른 퇴역연금액이 확정되는 것이지 국방부장관의 퇴역연금액결정과 통지에 의하여 비로소 그 금액이 확정되는 것이 아니므로, 법령의 개정에 따른 국방부장관의 퇴역연금액 감액조치에 대하여 이의가 있는 퇴역연금수급권자는 항고소송을 제기하는 방법으로 감액조치의 효력을 다툴 것이 아니라 직접 국가를 상대로 정당한 퇴역연금액과 결정, 통지된 퇴역연금액과의 차액의 지급을 구하는 공법상 당사자소송을 제기하는 방법으로 다툴 수 있다(대판 2003. 9. 5, 2002두3522).

③ ×

> ❶ 피고행정청과 관내 11개 택시회사들 사이에서 택시공급 과잉문제를 해결하고자 3년에 걸쳐 업체별로 일정 대수를 감차하기로 약정한 합의는 「여객자동차 운수사업법」 제4조 제3항이 정한 '면허조건'을 원고들의 동의하에 사후적으로 부가한 것이다.

> ❷ 일부 택시회사들이 위와 같은 합의를 이행하지 않는다는 이유로 피고행정청이 그 택시회사들에 대하여 한 직권감차명령은 피고가 우월적 지위에서 「여객자동차 운수사업법」 제85조 제1항 제38호에 따라 원고들에게 일정한 법적 효과를 발생하게 하는 것이므로 항고소송의 대상이 되는 처분에 해당한다고 보아야 하고, 단순히 대등한 당사자의 지위에서 형성된 공법상 계약에 근거한 의사표시에 불과한 것으로는 볼 수 없다(대판 2016. 11. 24, 2016두45028).

④ ×

> 읍·면장에 의한 이장의 임명 및 면직은 행정처분이 아니라 공법상 계약 및 그 계약을 해지하는 의사표시이다(대판 2012. 10. 25, 2010두8963).

25　　　　　　　　　　　　　　　　　　　　　　정답 ④

㉮㉯ × 행정소송은 그 내용에 따라 개인의 권리구제를 주된 목적으로 하는 주관적 소송과 적법성 통제가 주된 목적인 객관적 소송으로 나눌 수 있다. 주관적 소송은 항고소송(취소소송, 무효등확인소송, 부작위위법확인소송)과 당사자소송으로, 객관적 소송은 민중소송과 기관소송으로 구분할 수 있다.

> **행정소송법 제3조【행정소송의 종류】** 행정소송은 다음의 네 가지로 구분한다.
> 3. 민중소송 : 국가 또는 공공단체의 기관이 법률에 위반되는 행위를 한 때에 직접 자기의 법률상 이익과 관계없이 그 시정을 구하기 위하여 제기하는 소송
> 4. 기관소송 : 국가 또는 공공단체의 기관 상호 간에 있어서의 권한의 존부 또는 그 행사에 관한 다툼이 있을 때에 이에 대하여 제기하는 소송. 다만, 헌법재판소법 제2조의 규정에 의하여 헌법재판소의 관장사항으로 되는 소송은 제외한다.

동작구청장의 재의요구에도 불구하고 동작구의회가 조례안을 재의결한 경우 동작구청장이 동작구의회를 상대로 제기하는 사례의 소송은 민중소송이 아니라 기관소송으로, 객관적 소송이다. 한편, 처분 등을 원인으로 하는 법률관계에 관한 소송은 주관적 소송 중 당사자소송에 해당한다.

㉰㉱ × 기관소송은 개인의 권리구제를 목적으로 하는 소송이 아니고 객관적 소송의 일종이므로 민중소송과 동일하게 개별법률에서 특별히 인정하는 경우에 한하여 소의 제기가 가능하며(기관소송법정주의), 법률이 특별히 규정한 자에 한하여 원고적격이 있다.

> **행정소송법 제45조【소의 제기】** 민중소송 및 기관소송은 법률이 정한 경우에 법률에 정한 자에 한하여 제기할 수 있다.

㉲ × 기관소송의 재판관할은 대법원이 제1심법원이면서 종심법원(최종적 법원)이 된다. 다만, 동작구와 서울특별시와 같이 지방자치단체 간의 소송은 권한쟁의심판으로 헌법재판소의 관할에 해당한다.

> **행정소송법 제3조【행정소송의 종류】** 행정소송은 다음의 네 가지로 구분한다.
> 4. 기관소송 : 국가 또는 공공단체의 기관 상호 간에 있어서의 권한의 존부 또는 그 행사에 관한 다툼이 있을 때에 이에 대하여 제기하는 소송. 다만, 헌법재판소법 제2조의 규정에 의하여 헌법재판소의 관장사항으로 되는 소송은 제외한다.

헌법재판소법 제2조 【관장사항】 헌법재판소는 다음 각 호의 사항을 관장한다.
4. 국가기관 상호 간, 국가기관과 지방자치단체 간 및 지방자치단체 상호 간의 권한쟁의에 관한 심판

㉺ × 기관소송의 경우 취소소송에 관한 규정을 준용한다.

행정소송법 제46조 【준용규정】 ① 민중소송 또는 기관소송으로써 처분 등의 취소를 구하는 소송에는 그 성질에 반하지 아니하는 한 취소소송에 관한 규정을 준용한다.
② 민중소송 또는 기관소송으로써 처분 등의 효력 유무 또는 존재 여부나 부작위의 위법의 확인을 구하는 소송에는 그 성질에 반하지 아니하는 한 각각 무효등확인소송 또는 부작위법확인소송에 관한 규정을 준용한다.
③ 민중소송 또는 기관소송으로서 제1항 및 제2항에 규정된 소송 외의 소송에는 그 성질에 반하지 아니하는 한 당사자소송에 관한 규정을 준용한다.

제14회 | 소방 단원별 모의고사 정답과 해설

출제 범위: 제35강 행정소송 개관, 당사자소송 및 객관적 소송~제36강 항고소송 1(취소소송의 의의 등)

문제 p.291

01	02	03	04	05
③	②	①	④	④
06	07	08	09	10
④	①	②	④	②
11	12	13	14	15
③	③	②	④	③
16	17	18	19	20
④	③	④	④	①
21	22	23	24	25
④	②	③	③	①

01

정답 ③

㉮ ○ 공법상 계약의 무효확인을 구하는 당사자소송은 민사소송상 확인의 소와 마찬가지로 확인의 이익(즉시확정의 이익), 확인의 소의 보충성이 필요하다. 따라서 공법상 계약의 무효확인을 구하는 당사자소송의 청구는 다른 직접적인 구제방법이 있는 이상 확인의 이익, 즉 소송요건을 구비하지 못한 위법한 소송이 된다.

> ❶ 과거의 법률관계라 할지라도 현재의 권리 또는 법률상 지위에 영향을 미치고 있고 현재의 권리 또는 법률상 지위에 대한 위험이나 불안을 제거하기 위하여 그 법률관계에 관한 확인판결을 받는 것이 유효적절한 수단이라고 인정될 때에는 그 법률관계의 확인소송은 즉시확정의 이익이 있다.
>
> ❷ 당사자소송으로서 법률관계의 확인청구소송을 제기하는 경우 확인의 이익이 필요하다.
> 지방자치단체와 채용계약에 의하여 채용된 계약직 공무원이 그 계약기간 만료 이전에 채용계약해지 등의 불이익을 받은 후 그 계약기간이 만료된 때에는 그 채용계약해지의 의사표시가 무효라고 하더라도 …… 이 사건과 같이 이미 채용기간이 만료되어 소송결과에 의해 법률상 그 직위가 회복되지 않는 이상 채용계약해지의 의사표시의 무효확인만으로는 당해 소송에서 추구하는 권리구제의 기능이 있다고 할 수 없고, 침해된 급료지급청구권이나 사실상의 명예를 회복하는 수단은 바로 급료의 지급을 구하거나 명예훼손을 전제로 한 손해배상을 구하는 등의 이행청구소송으로 직접적인 권리구제방법이 있는 이상 무효확인소송은 적절한 권리구제수단이라 할 수 없어 확인소송의 또 다른 소송요건을 구비하지 못하고 있다 할 것이며, 위와 같이 직접적인 권리구제의 방법이 있는 이상 무효확인소송을 허용하지 않는다고 해서 당사자의 권리구제를 봉쇄하는 것도 아니다(대판 2008. 6. 12, 2006두16328).

㉯ ✕

> 행정소송법 제39조는, "당사자소송은 국가·공공단체 그 밖의 권리주체를 피고로 한다."라고 규정하고 있다. 이것은 당사자소송의 경우 항고소송과 달리 '행정청'이 아닌 '권리주체'에게 피고적격이 있음을 규정하는 것일 뿐, 피고적격이 인정되는 권리주체를 행정주체로 한정한다는 취지가 아니므로, 이 규정을 들어 사인(私人)을 피고로 하는 당사자소송을 제기할 수 없다고 볼 것은 아니다(대판 2019. 9. 9, 2016다262550).

> **행정소송법 제13조【피고적격】** ① 취소소송은 다른 법률에 특별한 규정이 없는 한 그 처분 등을 행한 행정청을 피고로 한다. 다만, 처분 등이 있은 뒤에 그 처분 등에 관계되는 권한이 다른 행정청에 승계된 때에는 이를 승계한 행정청을 피고로 한다.
> **제39조【피고적격】** 당사자소송은 국가·공공단체 그 밖의 권리주체를 피고로 한다.

㉰ ✕

> 「국가를 당사자로 하는 소송에 관한 법률」제2조【국가의 대표자】국가를 당사자 또는 참가인으로 하는 소송(이하 '국가소송'이라 한다)에서는 법무부장관이 국가를 대표한다.
> **지방자치법 제114조【지방자치단체의 통할대표권】** 지방자치단체의 장은 지방자치단체를 대표하고, 그 사무를 총괄한다.

㉱ ✕ 당사자소송의 토지관할에 관해서는 취소소송의 규정이 준용된다. 따라서 피고의 소재지를 관할하는 행정법원이 관할 법원이 된다. 다만, 행정소송법 제40조는 국가나 공공단체가 피고인 때에는 당해 소송과 구체적인 관계가 있는 '관계 행정청의 소재지'를 피고의 소재지로 보아 그 행정청의 소재지를 관할하는 행정법원을 관할 법원으로 보는 특칙을 두고 있다.

> **행정소송법 제9조【재판관할】** ① 취소소송의 제1심 관할 법원은 피고의 소재지를 관할하는 행정법원으로 한다.
> ② 제1항에도 불구하고 다음 각 호의 어느 하나에 해당하는 피고에 대하여 취소소송을 제기하는 경우에는 대법원 소재지를 관할하는 행정법원에 제기할 수 있다.
> 1. 중앙행정기관, 중앙행정기관의 부속기관과 합의제 행정기관 또는 그 장
> 2. 국가의 사무를 위임 또는 위탁받은 공공단체 또는 그 장
> ③ 토지의 수용 기타 부동산 또는 특정의 장소에 관계되는 처분 등에 대한 취소소송은 그 부동산 또는 장소의 소재지를 관할하는 행정법원에 이를 제기할 수 있다.
> **제40조【재판관할】** 제9조의 규정은 당사자소송의 경우에 준용한다. 다만, 국가 또는 공공단체가 피고인 경우에는 관계 행정청의 소재지를 피고의 소재지로 본다.

⑪ ○ 당사자소송에 관하여 법령(개별법을 의미한다)에 제소기간이 정하여져 있는 때에는 그 기간은 불변기간으로 한다(행정소송법 제41조). 다만, 행정소송법에는 당사자소송의 제기기간에 관한 제한이 없으며 취소소송의 제소기간에 관한 규정도 준용되지 않는다.

> **행정소송법 제41조【제소기간】** 당사자소송에 관하여 법령에 제소기간이 정하여져 있는 때에는 그 기간은 불변기간으로 한다.
> **제44조【준용규정】** ① 제14조 내지 제17조, 제22조, 제25조, 제26조, 제30조 제1항, 제32조 및 제33조의 규정은 당사자소송의 경우에 준용한다.

⑪ ○

> 납세의무부존재확인의 소는 당사자소송이며 피고적격을 가지는 자는 국가·공공단체 등 권리주체가 된다(대판 2000. 9. 8, 99두2765).

02 [정답] ②

㉮ ✕

> 부당이득반환청구소송은 민사소송으로 제기하여야 한다.
> 조세 부과처분이 당연무효임을 전제로 하여 이미 납부한 세금의 반환을 청구하는 것은 민사상의 부당이득반환청구로서 민사소송절차에 따라야 한다(대판 1995. 4. 28, 94다55019).

㉯ ✕

> 「고용보험 및 산업재해보상보험의 보험료징수 등에 관한 법률」제4조, 제16조의2, 제17조, 제19조, 제23조의 각 규정에 의하면, 사업주가 당연가입자가 되는 고용보험 및 산재보험에서 보험료 납부의무부존재확인의 소는 공법상의 법률관계 그 자체를 다투는 소송으로서 공법상 당사자소송이라 할 것이다(대판 2016. 10. 13, 2016다221658).

㉰ ○

> 광주민주화운동 관련 보상금지급에 관한 권리는 보상심의위원회의 결정에 의해 비로소 성립하는 것이 아니라 법에 의해 구체적 권리가 발생한 것이므로 당사자소송을 제기하여야 한다.
> 「광주민주화운동 관련자 보상 등에 관한 법률」에 의거하여 관련자 및 유족들이 갖게 되는 보상 등에 관한 권리는 …… 법률이 특별히 인정하고 있는 공법상의 권리라고 하여야 할 것이므로 그에 관한 소송은 행정소송법 제3조 제2호 소정의 당사자소송에 의하여야 할 것이며 보상금 등의 지급에 관한 법률관계의 주체는 대한민국이다(대판 1992. 12. 24, 92누3335).

㉱ ✕

> 구「공익사업을 위한 토지 등의 취득 및 보상에 관한 법률」제91조에 규정된 환매권은 상대방에 대한 의사표시를 요하는 형성권의 일종으로서 재판상이든 재판 외든 위 규정에 따른 기간 내에 행사하면 매매의 효력이 생기는바, 이러한 환매권의 존부에 관한 확인을 구하는 소송 및 구「공익사업을 위한 토지 등의 취득 및 보상에 관한 법률」제91조 제4항에 따라 환매금액의 증감을 구하는 소송 역시 민사소송에 해당한다(대판 2013. 2. 28, 2010두22368).

㉲ ○

> 석탄산업법에 따른 재해위로금지급청구권은 공법상 권리로서 당사자소송을 제기하여야 한다.
> 석탄산업법 제39조의3 제1항 제4호, 제4항 및 같은 법 시행령 제41조 제4항 제5호의 각 규정에 의하여 폐광대책비의 일종으로 폐광된 광산에서 업무상 재해를 입은 근로자에게 지급하는 재해위로금에 대한 지급청구권은 공법상의 권리로서 그 지급을 구하는 소송은 공법상의 법률관계에 관한 소송인 공법상 당사자소송에 해당한다(대판 1999. 1. 26, 98두12598).

03 [정답] ①

㉮ ○

> 공무원연금법령상 급여를 받으려고 하는 자는 우선 관계 법령에 따라 공무원연금공단에 급여지급을 신청하여 공무원연금공단이 이를 거부하거나 일부 금액만 인정하는 급여지급결정을 하는 경우 그 결정을 대상으로 항고소송을 제기하는 등으로 구체적 권리를 인정받아야 하고, 구체적인 권리가 발생하지 않은 상태에서 곧바로 공무원연금공단을 상대로 한 당사자소송으로 권리의 확인이나 급여의 지급을 소구하는 것은 허용되지 아니한다(대판 2017. 2. 9, 2014두43264).

㉯ ○

> 사회보장수급권은 관계 법령에서 정한 실체법적 요건을 충족시키는 객관적 사정이 발생하면 추상적인 급부청구권의 형태로 발생하고, 관계 법령에서 정한 절차·방법·기준에 따라 관할 행정청에 지급신청을 하여 관할 행정청이 지급결정을 하면 그때 비로소 구체적인 수급권으로 전환된다. 급부를 받으려고 하는 사람은 우선 관계 법령에 따라 행정청에 그 지급을 신청하여 행정청이 거부하거나 일부 금액만 지급하는 결정을 하는 경우 그 결정에 대하여 항고소송을 제기하여 취소 또는 무효확인판결을 받아 그 기속력에 따른 재처분을 통하여 구체적인 권리를 인정받아야 한다. 따라서 사회보장수급권의 경우 구체적인 권리가 발생하지 않은 상태에서 곧바로 행정청이 속한 국가나 지방자치단체 등을 상대로 한 당사자소송이나 민사소송으로 급부의 지급을 소구하는 것은 허용되지 않는다(대판 2021. 3. 18, 2018두47264 전합).

㉰㉱ ✕

> ❶ 공무원연금관리공단이 공무원연금법령의 개정사실과 퇴직연금수급자가 퇴직연금 중 일부 금액의 지급정지대상자가 되었다는 사실을 통보한 경우, 위 통보는 항고소송의 대상이 되는 처분이 아니다(㉰).
> ❷ 공무원연금관리공단의 인정에 의하여 퇴직연금을 지급받아 오던 중 구 공무원연금법령의 개정 등으로 퇴직연금 중 일부 금액의 지급이 정지된 경우에는 당연히 개정된 법령에 따라 퇴직연금이 확정되는 것이지 같은 법 제26조 제1항에 정해진 공무원연금관리공단의 퇴직연금 결정과 통지에 의하여 비로소 그 금액이 확정되는 것이 아니므로, 공무원연금관리공단이 퇴직연금 중 일부 금액에 대하여 지급거부의 의사표시를 하였다고 하더라도 그 의사표시는 퇴직연금청구권을 형성·확정하는 행정처분이 아니라 공법상의 법률관계의 한쪽 당사자로서 그 지급의무의 존부 및 범위에 관하여 나름대로의 사실상·법률상 의견을 밝힌 것일 뿐이어서, 이를 행정처분이라고 볼 수는 없고, 이 경우 미지급퇴직연금에 대한 지급청구권은 공법상 권리로서 그의 지급을 구하는 소송은 공법상의 법률관계에 관한 소송인 공법상 당사자소송에 해당한다(㉱)(대판 2004. 7. 8, 2004두244).

04

정답 ④

㉮ ✕

'민주화운동 관련자 명예회복 및 보상심의위원회'의 보상금 등의 지급대상자에 관한 결정은 행정처분이며 「민주화운동 관련자 명예회복 및 보상 등에 관한 법률」에 따른 보상금 지급신청을 기각하는 결정에 대한 불복을 구하는 소송은 취소소송이다.
「민주화운동 관련자 명예회복 및 보상 등에 관한 법률」 제2조 제1호, 제2호 본문, 제4조, 제10조, 제11조, 제13조 규정들의 취지와 내용에 비추어 보면, 같은 법 제2조 제2호 각 목은 민주화운동과 관련한 피해유형을 추상적으로 규정한 것에 불과하여 제2조 제1호에서 정의하고 있는 민주화운동의 내용을 함께 고려하더라도 그 규정들만으로는 바로 법상의 보상금 등의 지급대상자가 확정된다고 볼 수 없고, '민주화운동 관련자 명예회복 및 보상심의위원회'에서 심의·결정을 받아야만 비로소 보상금 등의 지급대상자로 확정될 수 있다. 따라서 그와 같은 심의위원회의 결정은 국민의 권리·의무에 직접 영향을 미치는 행정처분에 해당한다(대판 2008. 4. 17, 2005두16185 전합).

㉯ ✕

공무원연금법령상 급여를 받으려고 하는 자는 우선 관계 법령에 따라 공무원연금공단에 급여지급을 신청하여 공무원연금공단이 이를 거부하거나 일부 금액만 인정하는 급여지급결정을 하는 경우 그 결정을 대상으로 항고소송을 제기하는 등으로 구체적 권리를 인정받아야 하고, 구체적인 권리가 발생하지 않은 상태에서 곧바로 공무원연금공단을 상대로 한 당사자소송으로 권리의 확인이나 급여의 지급을 소구하는 것은 허용되지 아니한다(대판 2017. 2. 9, 2014두43264).

㉰ ○

❶ 법관이 이미 수령한 명예퇴직수당액이 구 「법관 및 법원공무원 명예퇴직수당 등 지급규칙」 제4조 [별표 1]에서 정한 정당한 수당액에 미치지 못한다고 주장하며 차액의 지급을 신청한 것에 대하여 법원행정처장이 거부하는 의사를 표시한 경우, 위 의사표시를 행정처분으로 볼 수 없다.
❷ 명예퇴직한 법관이 미지급 명예퇴직수당액의 지급을 구하는 경우, 소송형태는 당사자소송이다.
명예퇴직한 법관이 미지급 명예퇴직수당액에 대하여 가지는 권리는 명예퇴직수당 지급대상자결정절차를 거쳐 명예퇴직수당규칙에 의하여 확정된 공법상 법률관계에 관한 권리로서, 그 지급을 구하는 소송은 행정소송법의 당사자소송에 해당하며, 그 법률관계의 당사자인 국가를 상대로 제기하여야 한다(대판 2016. 5. 24, 2013두14863).

㉱ ○

당사자소송에 대하여는 행정소송법 제23조 제2항의 집행정지에 관한 규정이 준용되지 아니하므로, 이를 본안으로 하는 가처분에 대하여는 행정소송법 제8조 제2항에 따라 민사집행법상 가처분에 관한 규정이 준용되어야 한다(대결 2015. 8. 21, 2015무26).

㉲ ○ 행정소송법 제43조는 "국가를 상대로 하는 당사자소송의 경우에는 가집행선고를 할 수 없다."라고 규정하고 있었는데, 이와 관련하여 대법원은 공법상 당사자소송에서 재산권의 청구를 인용하는 판결을 한 경우에 가집행선고가 가능하다고 보았다. 또한 헌법재판소도 동 규정이 평등원칙에 위배된다고 보아 위헌결정하였으므로(헌재 2022. 2. 24, 2020헌가12), 이제 가집행선고는 논란의 여지 없이 가능하다.

행정소송법 제43조 【가집행선고의 제한】 국가를 상대로 하는 당사자소송의 경우에는 가집행선고를 할 수 없다. <단순위헌 : 2022. 2. 24, 2020헌가12 ; 행정소송법(1984. 12. 15. 법률 제3754호로 전부개정된 것) 제43조는 헌법에 위반된다>

공법상 당사자소송에서 재산권의 청구를 인용하는 판결을 하는 경우, 가집행선고를 할 수 있다.
행정소송법 제8조 제2항에 의하면 행정소송에도 민사소송법의 규정이 일반적으로 준용되므로 법원으로서는 공법상 당사자소송에서 재산권의 청구를 인용하는 판결을 하는 경우 가집행선고를 할 수 있다(대판 2000. 11. 28, 99두3416).

05

정답 ④

㉮ ○

원고가 위탁운영기간 만료일까지 공립어린이집의 원장 지위에 있음의 확인을 구하고 있는 사안에서, 공립어린이집 위탁운영기간이 만료된 경우라면 소의 이익이 없다(대판 2019. 2. 14, 2016두49501).

㉯ ○

행정소송법 제14조 【피고경정】 ① 원고가 피고를 잘못 지정한 때에는 법원은 원고의 신청에 의하여 결정으로써 피고의 경정을 허가할 수 있다.
제44조 【준용규정】 ① 제14조 내지 제17조, 제22조, 제25조, 제26조, 제30조 제1항, 제32조 및 제33조의 규정은 당사자소송의 경우에 준용한다.

㉰ ✕

본래의 당사자소송이 부적법하여 각하되는 경우, 행정소송법 제44·10조에 따라 병합된 관련청구소송도 소송요건 흠결로 부적합하여 각하되어야 한다.
행정소송법 제44·10조에 의한 관련청구소송 병합은 본래의 당사자소송이 적법할 것을 요건으로 하는 것이어서 본래의 당사자소송이 부적법하여 각하되면 그에 병합된 관련청구소송도 소송요건을 흠결하여 부적합하므로 각하되어야 한다(대판 2011. 9. 29, 2009두10963).

㉱ ✕

행정소송법 제26조 【직권심리】 법원은 필요하다고 인정할 때에는 직권으로 증거조사를 할 수 있고, 당사자가 주장하지 아니한 사실에 대하여도 판단할 수 있다.
제44조 【준용규정】 ① 제14조 내지 제17조, 제22조, 제25조, 제26조, 제30조 제1항, 제32조 및 제33조의 규정은 당사자소송의 경우에 준용한다.

06

정답 ④

① ✕ 사법상 근로계약이 아니라 공법상 근로계약이다.

> 광주광역시문화예술회관장의 단원 위촉은 광주광역시문화예술회관장이 행정청으로서 공권력을 행사하여 행하는 행정처분이 아니라 공법상의 근무관계의 설정을 목적으로 하여 광주광역시와 단원이 되고자 하는 자 사이에 대등한 지위에서 의사가 합치되어 성립하는 공법상 근로계약에 해당한다고 보아야 할 것이므로, 광주광역시립합창단원으로서 위촉기간이 만료되는 자들의 재위촉 신청에 대하여 광주광역시문화예술회관장이 실기와 근무성적에 대한 평정을 실시하여 재위촉을 하지 아니한 것을 항고소송의 대상이 되는 불합격처분이라고 할 수는 없다(대판 2001. 12. 11, 2001두7794).

② ✕ 인가·고시가 있은 후에는 항고소송으로 관리처분계획의 취소 또는 무효확인을 구하여야 한다.

> ❶「도시 및 주거환경정비법」상의 주택재건축정비사업조합을 상대로 관리처분계획안에 대한 조합총회결의의 효력을 다투는 소송의 법적 성질은 행정소송법상 당사자소송이다.
> ❷「도시 및 주거환경정비법」상의 주택재건축정비사업조합이 같은 법 제48조에 따라 수립한 관리처분계획에 대하여 관할 행정청의 인가·고시가 있은 후에는 행정처분의 효력을 다투는 항고소송의 방법으로 관리처분계획의 취소 또는 무효확인을 구하여야 하고, 그와 별도로 행정처분에 이르는 절차적 요건 중 하나에 불과한 총회결의 부분만을 따로 떼어내어 효력 유무를 다투는 확인의 소를 제기하는 것은 특별한 사정이 없는 한 허용되지 않는다(대판 2009. 9. 17, 2007다2428 전합).

③ ✕

> 구「도시 및 주거환경정비법」상 재개발조합과 조합장 또는 조합임원 사이의 선임·해임 등을 둘러싼 법률관계의 성질은 사법(私法)상의 법률관계이다.
> 재개발조합과 조합장 또는 조합임원 사이의 선임·해임 등을 둘러싼 법률관계는 사법상의 법률관계로서 그 조합장 또는 조합임원의 지위를 다투는 소송은 민사소송에 의하여야 할 것이다(대결 2009. 9. 24, 2009마168·169).

④ ◯

> 재개발조합을 상대로 조합원자격 유무에 관한 확인을 구하는 소송은 공법상 당사자소송이다.
> 구 도시재개발법에 의한 재개발조합은 조합원에 대한 법률관계에서 적어도 특수한 존립목적을 부여받은 특수한 행정주체로서 국가의 감독하에 그 존립목적인 특정한 공공사무를 행하고 있다고 볼 수 있는 범위 내에서는 공법상의 권리·의무관계에 서 있다. 따라서 조합을 상대로 한 쟁송에서 강제가입제를 특색으로 한 조합원의 자격 인정 여부에 관하여 다툼이 있는 경우에는 그 단계에서는 아직 조합의 어떠한 처분 등이 개입될 여지는 없으므로 공법상의 당사자소송에 의하여 그 조합원자격의 확인을 구할 수 있다(대판 1996. 2. 15, 94다31235 전합).

07

정답 ①

① ✕

> **행정소송법 제3조【행정소송의 종류】** 행정소송은 다음의 네 가지로 구분한다.
> 1. 항고소송 : 행정청의 처분 등이나 부작위에 대하여 제기하는 소송
> 2. 당사자소송 : 행정청의 처분 등을 원인으로 하는 법률관계에 관한 소송 그 밖에 공법상의 법률관계에 관한 소송으로서 그 법률관계의 한쪽 당사자를 피고로 하는 소송
> 3. 민중소송 : 국가 또는 공공단체의 기관이 법률에 위반되는 행위를 한 때에 직접 자기의 법률상 이익과 관계없이 그 시정을 구하기 위하여 제기하는 소송
> 4. 기관소송 : 국가 또는 공공단체의 기관 상호 간에 있어서의 권한의 존부 또는 그 행사에 관한 다툼이 있을 때에 이에 대하여 제기하는 소송. 다만, 헌법재판소법 제2조의 규정에 의하여 헌법재판소의 관장사항으로 되는 소송은 제외한다.

② ◯

> **행정소송법 제45조【소의 제기】** 민중소송 및 기관소송은 법률이 정한 경우에 법률에 정한 자에 한하여 제기할 수 있다.

③ ◯

> 행정청이 한 여론조사의 무효확인을 구하는 소송을 각하한 것은 정당하다.
> 행정소송법 제45조는 민중소송 및 기관소송은 법률이 정한 경우에 법률이 정한 자에 한하여 제기할 수 있다고 규정하고 있고, 행정청이 주민의 여론을 조사한 행위에 대하여는 법상 소로써 그 시정을 구할 수 있는 아무런 규정이 없으며, 행정소송법 제46조는 법률에서 민중소송을 허용하고 있는 경우에 그 재판절차를 규정한 것에 불과하므로, 원심이 여론조사의 무효확인을 구하는 소송을 각하한 것은 정당하다(대판 1996. 1. 23, 95누12736).

④ ◯

> **행정소송법 제46조【준용규정】** ① 민중소송 또는 기관소송으로서 처분 등의 취소를 구하는 소송에는 그 성질에 반하지 아니하는 한 취소소송에 관한 규정을 준용한다.

08

정답 ②

① ◯ 취소소송의 관할 법원은 피고인 행정청의 소재지를 관할하는 행정법원으로 한다.

> **행정소송법 제9조【재판관할】** ① 취소소송의 제1심 관할 법원은 피고의 소재지를 관할하는 행정법원으로 한다.

② ✕ 제기하여야 하는 것이 아니라, 제기할 수 있는 것이다. 따라서 피고의 소재지를 관할하는 행정법원에 제기할 수도 있다(아래 ③, ④ 해설 조문 참조).

③④ ◯

> **행정소송법 제9조【재판관할】** ② 제1항에도 불구하고 다음 각 호의 어느 하나에 해당하는 피고에 대하여 취소소송을 제기하는 경우에는 대법원 소재지를 관할하는 행정법원에 제기할 수 있다.
> 1. 중앙행정기관, 중앙행정기관의 부속기관과 합의제 행정기관 또는 그 장(②)

2. 국가의 사무를 위임 또는 위탁받은 공공단체 또는 그 장(③)
③ 토지의 수용 기타 부동산 또는 특정의 장소에 관계되는 처분 등에 대한 취소소송은 그 부동산 또는 장소의 소재지를 관할하는 행정법원에 이를 제기할 수 있다(④).

09 〔정답〕 ④

① ○

> 행정소송법상 당사자소송에 해당하는 소송을 민사소송으로 제기한 경우 그러한 소송은 행정법원의 전속관할에 속하므로 관할 법원에 이송하여야 한다(대판 2009. 9. 17, 2007다2428 전합).

② ○ 민사소송으로 제기할 사안을 당사자소송으로 제기한 경우, 판례는 민사소송으로 제기할 것을 당사자소송으로 서울행정법원에 제기하여 관할 위반이 되었더라도 피고가 관할 위반이라고 항변하지 아니하고 본안에 대하여 변론을 한 경우에는 법원에 변론관할이 생겼다고 본다.

> 민사소송인 이 사건 소(환매대금증감청구소송)가 서울행정법원에 제기되었는데도 피고는 제1심법원에서 관할 위반이라고 항변하지 아니하고 본안에 대하여 변론을 한 사실을 알 수 있는바, 공법상의 당사자소송 사건인지 민사 사건인지 여부는 이를 구별하기가 어려운 경우가 많고 행정 사건의 심리절차에 있어서는 행정소송의 특수성을 감안하여 행정소송법이 정하고 있는 특칙이 적용될 수 있는 점을 제외하면 심리절차 면에서 민사소송절차와 큰 차이가 없는 점 등에 비추어 보면, 행정소송법 제8조 제2항, 민사소송법 제30조에 의하여 제1심법원에 변론관할이 생겼다고 봄이 상당하다(대판 2013. 2. 28, 2010두22368).

③ ○

> 원고의 고의 또는 중대한 과실 없이 행정 사건을 민사소송으로 제기한 경우 수소법원이 행정소송에 대한 관할을 가지고 있다면 이를 행정소송으로 심리·판단하여야 하고, 행정소송에 대한 관할을 가지고 있지 아니하다면 각하할 것이 아니라 관할 법원으로 이송하여야 한다.
> 원고가 고의 또는 중대한 과실 없이 행정소송으로 제기하여야 할 사건을 민사소송으로 잘못 제기한 경우, 수소법원으로서는 만약 그 행정소송에 대한 관할도 동시에 가지고 있다면 이를 행정소송으로 심리·판단하여야 하고(③), 그 행정소송에 대한 관할을 가지고 있지 아니하다면 당해 소송이 이미 행정소송의 전심절차 및 제소기간을 도과하였거나 행정소송의 대상이 되는 처분 등이 존재하지도 아니한 상태에 있는 등 행정소송의 소송요건을 결하고 있음이 명백하여 행정소송으로 제기되었더라도 어차피 부적법하게 되는 경우가 아닌 이상 이를 부적법한 소라고 하여 각하할 것이 아니라 관할 법원에 이송하여야 한다(④)(대판 1997. 5. 30, 95다28960 ; 대판 2017. 11. 9, 2015다215526).

④ × 제소기간을 도과하는 등 행정소송의 소송요건을 결여한 것이 명백하면 관할 법원에 이송하지 않고 각하한다(위 ③ 해설 판례 참조).

10 〔정답〕 ②

① × '관련청구소송'을 '취소소송'이 계속된 법원에 이송할 수 있다.

> 행정소송법 제10조【관련청구소송의 이송 및 병합】① 취소소송과 다음 각 호의 1에 해당하는 소송(이하 '관련청구소송'이라 한다)이 각각 다른 법원에 계속되고 있는 경우에 관련청구소송이 계속된 법원이 상당하다고 인정하는 때에는 당사자의 신청 또는 직권에 의하여 이를 취소소송이 계속된 법원으로 이송할 수 있다.
> 1. 당해 처분 등과 관련되는 손해배상·부당이득반환·원상회복 등 청구소송
> 2. 당해 처분 등과 관련되는 취소소송
> ② 취소소송에는 사실심의 변론종결시까지 관련청구소송을 병합하거나 피고 외의 자를 상대로 한 관련청구소송을 취소소송이 계속된 법원에 병합하여 제기할 수 있다.

② ○ 하나의 행정처분에 대한 무효확인청구와 취소청구는 서로 양립할 수 없는 관계에 있으므로 이러한 청구는 주위적·예비적 청구로서만 병합이 가능하고 선택적 청구의 병합 또는 단순병합은 허용되지 않는다.

> 행정처분에 대한 무효확인과 취소청구의 선택적 병합 또는 단순병합은 허용되지 않는다.
> 행정처분에 대한 무효확인과 취소청구는 서로 양립할 수 없는 청구로서 주위적·예비적 청구로서만 병합이 가능하고 선택적 청구의 병합이나 단순병합은 허용되지 아니한다(대판 1999. 8. 20, 97누6889).

③ × 판례는 본래의 항고소송이 소송요건을 구비하지 못하여 각하된 경우라면 병합된 관련청구소송도 부적법하여 각하되어야 한다고 본다.

> 행정소송법 제10조에 의한 관련청구소송의 병합은 본래의 취소소송이 적법할 것을 요건으로 하는 것이므로, 본래의 취소소송이 부적법하여 각하되면 그에 병합된 청구도 소송요건을 흠결한 부적법한 것으로서 각하되어야 한다(대판 1997. 3. 14, 95누13708).

④ ×

> 행정처분의 취소를 구하는 취소소송에 당해 처분의 취소를 선결문제로 하는 부당이득반환청구가 병합된 경우, 그 청구의 인용을 위하여는 그 소송절차에서 판결에 의해 당해 처분이 취소되면 충분하고 그 처분의 취소가 확정되어야 할 필요는 없다(대판 2009. 4. 9, 2008두23153).

11 〔정답〕 ③

㉮ ○

> 〔미얀마 국적의 甲이 위명(僞名)인 乙 명의의 여권으로 대한민국에 입국한 뒤 乙 명의로 난민신청을 하였으나 법무부장관이 乙 명의를 사용한 甲을 직접 면담하여 조사한 후 甲에 대하여 난민불인정처분을 한 사안에서〕 처분의 상대방은 허무인이 아니라 '乙'이라는 위명을 사용한 甲이므로, 甲은 처분의 취소를 구할 법률상 이익이 있다(대판 2017. 3. 9, 2013두16852).

㈏ ○

❶ 학교법인의 임시이사선임처분에 대한 취소소송 제기 후 소송 계속 중 임시이사가 교체되어 새로운 임시이사가 선임된 경우, 당초의 임시이사선임처분의 취소를 구할 소의 이익이 있다(위법한 처분이 반복될 가능성이 있어서 소의 이익을 인정한 판결이다).

❷ 취임승인이 취소된 학교법인의 정식이사들에 대해 원래 정해져 있던 임기가 만료되었다 하더라도 후임 이사선임시까지 직무수행에 관한 긴급처리권을 인정받을 수 있는 경우에는 그 임원취임승인취소처분의 취소를 구할 소의 이익이 있다.

비록 취임승인이 취소된 학교법인의 정식이사들에 대하여 원래 정해져 있던 임기가 만료되고 구 사립학교법 제22조 제2호 소정의 임원결격사유기간마저 경과하였다 하더라도, 그 임원취임승인취소처분이 위법하다고 판명되고 나아가 임시이사들의 지위가 부정되어 직무권한이 상실되면, 그 정식이사들은 후임 이사 선임까지 민법 제691조의 유추적용에 의하여 직무수행에 관한 긴급처리권을 가지게 되고 이에 터 잡아 후임 정식이사들을 선임할 수 있게 되는바, 이는 감사의 경우에도 마찬가지이다. …… 임시이사선임처분에 대하여 취소를 구하는 소송의 계속 중 임기만료 등의 사유로 새로운 임시이사들로 교체된 경우, 선행 임시이사선임처분의 효과가 소멸하였다는 이유로 그 취소를 구할 법률상 이익이 없다고 보게 되면, 원래의 정식이사들로서는 계속 중인 소를 취하하고 후행 임시이사선임처분을 별개의 소로 다툴 수밖에 없게 되며, 그 별소 진행 도중 다시 임시이사가 교체되면 또 새로운 별소를 제기하여야 하는 등 무익한 처분과 소송이 반복될 가능성이 있으므로, …… 나아가 선행 임시이사선임처분의 취소를 구하는 소송 도중에 선행 임시이사가 후행 임시이사로 교체되었더라도 여전히 선행 임시이사선임처분의 취소를 구할 법률상 이익이 있다(대판 2007. 7. 19, 2006두19297 전합).

㈐ ○

행정처분의 상대방이 아닌 제3자도 그 행정처분의 취소에 관하여 법률상 구체적 이익이 있으면 행정소송법 제12조에 의하여 그 처분의 취소를 구하는 행정소송을 제기할 수 있는바, 구속된 피고인은 형사소송법 제89조의 규정에 따라 타인과 접견할 권리를 가지며 행형법 제62조, 제18조 제1항의 규정에 의하면 교도소에 미결수용된 자는 소장의 허가를 받아 타인과 접견할 수 있으므로(이와 같은 접견권은 헌법상 기본권의 범주에 속하는 것이다) 구속된 피고인이 사전에 접견신청한 자와의 접견을 원하지 않는다는 의사표시를 하였다는 등의 특별한 사정이 없는 한 구속된 피고인은 교도소장의 접견허가거부처분으로 인하여 자신의 접견권이 침해되었음을 주장하여 위 거부처분의 취소를 구할 원고적격을 가진다(대판 1992. 5. 8, 91누7552).

㈑ ○

대학입학고사 불합격처분의 취소를 구하는 소송 계속 중 당해 연도의 입학시기가 지났다 하더라도 다음 연도의 입학시기에 입학할 수 있으므로 소의 이익이 있다(대판 1990. 8. 28, 89누8255).

㈒ ×

개발제한구역 중 일부취락을 개발제한구역에서 해제하는 내용의 도시관리계획변경결정에 대하여, 개발제한구역 해제대상에서 누락된 토지의 소유자는 위 결정의 취소를 구할 법률상 이익이 없다(대판 2008. 7. 10, 2007두10242).

12 정답 ③

① ○ 위임사무의 경우 「행정권한의 위임 및 위탁에 관한 규정」에 따라 위임기관은 수임기관의 사무처리가 위법하다고 인정할 때에는 직권취소를 할 수 있으므로 소송을 제기할 수 없다.

국가는 국토이용계획과 관련한 기관위임사무의 처리에 관하여 지방자치단체의 장을 상대로 취소소송을 제기할 수 없다(대판 2007. 9. 20, 2005두6935).

「행정권한의 위임 및 위탁에 관한 규정」 제6조【지휘·감독】위임 및 위탁기관은 수임 및 수탁기관의 수임 및 수탁사무 처리에 대하여 지휘·감독하고, 그 처리가 위법하거나 부당하다고 인정될 때에는 이를 취소하거나 정지시킬 수 있다.

② ○

(국민권익위원회가 소방청장에게 인사와 관련하여 부당한 지시를 한 사실이 인정된다며 이를 취소할 것을 요구하기로 의결하고 그 내용을 통지하자 소방청장이 국민권익위원회 조치요구의 취소를 구하는 소송을 제기한 사안에서) 처분성이 인정되는 국민권익위원회의 조치요구에 불복하고자 하는 소방청장으로서는 조치요구의 취소를 구하는 항고소송을 제기하는 것이 유효·적절한 수단으로 볼 수 있으므로 소방청장이 예외적으로 당사자능력과 원고적격을 가진다(대판 2018. 8. 1, 2014두35379).

③ × ④ ○

❶ 행정처분의 직접상대방이 아닌 제3자라 하더라도 당해 행정처분으로 인하여 법률상 보호되는 이익을 침해당한 경우에는 취소소송을 제기하여 그 당부의 판단을 받을 자격이 있다.

❷ 여기에서 말하는 법률상 보호되는 이익은 당해 처분의 근거법규 및 관련 법규에 의하여 보호되는 개별적·직접적·구체적 이익이 있는 경우를 말한다(③).

❸ 다만, 공익보호의 결과로 국민일반이 공통적으로 가지는 일반적·간접적·추상적 이익과 같이 사실적·경제적 이해관계를 갖는 데 불과한 경우는 여기에 포함되지 아니한다(④)(대판 2013. 9. 12, 2011두33044).

13 정답 ②

① ×

상수원보호구역의 인근주민은 상수원보호구역지정해제를 다툴 원고적격이 없다.

상수원보호구역 설정의 근거가 되는 수도법 제5조 제1항 및 동 시행령 제7조 제1항이 보호하고자 하는 것은 상수원의 확보와 수질보전일 뿐이고, 그 상수원에서 급수를 받고 있는 지역주민들이 가지는 상수원의 오염을 막아 양질의 급수를 받을 이익은 직접적이고 구체적으로는 보호하고 있지 않음이 명백하여 위 지역주민들이 가지는 이익은 상수원의 확보와 수질보호라는 공공의 이익이 달성됨에 따라 반사적으로 얻게 되는 이익에 불과하므로 지역주민들에 불과한 원고들에게는 위 상수원보호구역변경처분의 취소를 구할 법률상의 이익이 없다(대판 1995. 9. 26, 94누14544).

② ○

❶ 법령이 특정한 행정기관 등으로 하여금 다른 행정기관을 상대로 제재적 조치를 취할 수 있도록 하면서, 그에 따르지 않으면 그 행정기관에 대하여 과태료를 부과하거나 형사처벌을 할 수 있도록 정하는 경우가 있다. 이러한 경우에는 단순히 국가기관이나 행정기관의 내부적 문제라거나 권한분쟁에 관한 분쟁으로만 볼 수 없다. 행정기관의 제재적 조치의 내용에 따라 '구체적 사실에 대한 법집행으로서 공권력의 행사'에 해당할 수 있고, 그러한 조치의 상대방인 행정기관이 입게 될 불이익도 명확하다. 그런데도 그러한 제재적 조치를 기관소송이나 권한쟁의심판을 통하여 다툴 수 없다면, 제재적 조치는 그 성격상 단순히 행정기관 등 내부의 권한 행사에 머무는 것이 아니라 상대방에 대한 공권력 행사로서 항고소송을 통한 주관적 구제대상이 될 수 있다고 보아야 한다. 기관소송 법정주의를 취하면서 제한적으로만 이를 인정하고 있는 현행 법령의 체계에 비추어 보면, 이 경우 항고소송을 통한 구제의 길을 열어주는 것이 법치국가원리에도 부합한다. 따라서 이러한 권리구제나 권리보호의 필요성이 인정된다면 예외적으로 그 제재적 조치의 상대방인 행정기관 등에게 항고소송 원고로서의 당사자능력과 원고적격을 인정할 수 있다(대판 2018. 8. 1, 2014두35379).

③ ✕

❶ 관할청의 임원취임승인행위는 학교법인의 임원선임행위의 법률상 효력을 완성하게 하는 보충적 법률행위이다.

❷ 관할청이 학교법인의 임원취임승인신청에 대하여 이를 반려하거나 거부하는 경우 학교법인에 의하여 임원으로 선임된 사람은 관할청의 임원취임승인신청 반려처분을 다툴 수 있는 원고적격이 있다.
관할청의 임원취임승인행위는 학교법인의 임원선임행위의 법률상 효력을 완성케 하는 보충적 법률행위이다. 따라서 관할청이 학교법인의 임원취임승인신청에 대하여 이를 반려하거나 거부하는 경우 학교법인에 의하여 임원으로 선임된 사람은 학교법인의 임원으로 취임할 수 없게 되는 불이익을 입게 되는바, 이와 같은 불이익은 간접적이거나 사실상의 불이익이 아니라 직접적이고도 구체적인 법률상의 불이익이라 할 것이므로 학교법인에 의하여 임원으로 선임된 사람에게는 관할청의 임원취임승인신청 반려처분을 다툴 수 있는 원고적격이 있다(대판 2007. 12. 27, 2005두9651).

④ ✕

❶ 행정처분의 직접상대방이 아닌 자로서 그 처분에 의하여 자신의 환경상 이익이 침해받거나 침해받을 우려가 있다는 이유로 취소나 무효확인을 구하는 제3자는, 자신의 환경상 이익이 처분의 근거법규 또는 관련 법규에 의하여 개별적·직접적·구체적으로 보호되는 이익, 즉 법률상 보호되는 이익임을 입증하여야 원고적격이 인정된다.

❷ 행정처분의 근거법규 또는 관련 법규에 그 처분으로써 이루어지는 행위 등 사업으로 인하여 환경상 침해를 받으리라고 예상되는 영향권의 범위가 구체적으로 규정되어 있는 경우에는, 그 영향권 내의 주민들은 특단의 사정이 없는 한 환경상 이익에 대한 침해 또는 침해 우려가 있는 것으로 사실상 추정되어 원고적격이 인정된다.

❸ 영향권 밖의 주민들은 당해 처분으로 인하여 그 처분 전과 비교하여 수인한도를 넘는 환경피해를 받거나 받을 우려가 있다는 자신의 환경상 이익에 대한 침해 또는 침해 우려가 있음을 입증하여야만 법률상 보호되는 이익으로 인정되어 원고적격이 인정된다(대판 2009. 9. 24, 2009두2825).

14

정답 ④

㉮ ✕

환경부장관이 생태·자연도 1등급으로 지정되었던 지역을 2등급 또는 3등급으로 변경하는 내용의 생태·자연도 수정·보완을 고시하자, 인근주민 甲이 생태·자연도 등급변경처분의 무효확인을 청구한 사안에서, 甲은 무효확인을 구할 원고적격이 없다.
1등급 권역의 인근주민들이 가지는 이익은 환경보호라는 공공의 이익이 달성됨에 따라 반사적으로 얻게 되는 이익에 불과하므로, 인근주민에 불과한 甲은 생태·자연도 등급권역을 1등급에서 일부는 2등급으로, 일부는 3등급으로 변경한 결정의 무효확인을 구할 원고적격이 없다(대판 2014. 2. 21, 2011두29052).

㉯ ✕

사단법인 대한의사협회는 보건복지부 고시인 「건강보험요양급여행위 및 그 상대가치점수 개정」의 취소를 구할 원고적격이 없다.
사단법인 대한의사협회는 의료법에 의하여 의사들을 회원으로 하여 설립된 사단법인으로서, 국민건강보험법상 요양급여행위, 요양급여비용의 청구 및 지급과 관련하여 직접적인 법률관계를 갖지 않고 있으므로, 보건복지부 고시인 「건강보험요양급여행위 및 그 상대가치점수 개정」으로 인하여 자신의 법률상 이익을 침해당하였다고 할 수 없다는 이유로 위 고시의 취소를 구할 원고적격이 없다(대판 2006. 5. 25, 2003두11988).

㉰ ○

제약회사는 보건복지부 고시인 「약제급여·비급여목록 및 급여상한금액표」의 취소를 구할 원고적격이 있다.
어떠한 고시가 일반적·추상적 성격을 가질 때에는 법규명령 또는 행정규칙에 해당할 것이지만, 다른 집행행위의 매개 없이 그 자체로서 직접 국민의 구체적인 권리·의무나 법률관계를 규율하는 성격을 가질 때에는 행정처분에 해당한다. 보건복지부 고시인 「약제급여·비급여목록 및 급여상한금액표」는 다른 집행행위의 매개 없이 그 자체로서 국민건강보험가입자, 국민건강보험공단, 요양기관 등의 법률관계를 직접 규율하는 성격을 가지므로 항고소송의 대상이 되는 행정처분에 해당한다. 제약회사가 자신이 공급하는 약제에 관하여 국민건강보험법, 같은 법 시행령, 「국민건강보험 요양급여의 기준에 관한 규칙」 등 약제상한금액고시의 근거법령에 의하여 보호되는 직접적이고 구체적인 이익을 향유하는데, 보건복지부 고시인 「약제급여·비급여목록 및 급여상한금액표」로 인하여 자신이 제조·공급하는 약제의 상한금액이 인하됨에 따라 위와 같이 보호되는 법률상 이익이 침해당할 경우, 제약회사는 위 고시의 취소를 구할 원고적격이 있다(대판 2006. 9. 22, 2005두2506).

㉣ ○

> 일반적으로 면허나 인·허가 등의 수익적 행정처분의 근거가 되는 법률이 해당 업자들 사이의 과당경쟁으로 인한 경영의 불합리를 방지하는 것도 목적으로 하고 있는 경우, 다른 업자에 대한 면허나 인·허가 등의 수익적 행정처분에 대하여 미리 같은 종류의 면허나 인·허가 등의 수익적 행정처분을 받아 영업을 하고 있는 기존의 업자는 경업자에 대하여 이루어진 면허나 인·허가 등 행정처분의 상대방이 아니라고 하더라도 당해 행정처분의 무효확인 또는 취소를 구할 이익(편저자 주 : 원고적격)이 있다(대판 2020. 4. 9, 2019두49953).

15 [정답] ③

① × 지방자치단체가 행정처분의 상대방인 경우에는 해당 처분을 다툴 원고적격이 있다는 것이 판례의 입장이다.

> ❶ 구 건축법 제29조 제1항에서 정한 건축협의의 취소는 처분에 해당한다.
> ❷ 지방자치단체 등이 건축물 소재지 관할 허가권자인 지방자치단체의 장을 상대로 건축협의취소의 취소를 구할 수 있다.
> 구 건축법 제29조 제1·2항, 제11조 제1항 등의 규정내용에 의하면, 건축협의의 실질은 지방자치단체 등에 대한 건축허가와 다르지 않으므로, 지방자치단체 등이 건축물을 건축하려는 경우 등에는 미리 건축물의 소재지를 관할하는 허가권자인 지방자치단체의 장과 건축협의를 하지 않으면, 지방자치단체라 하더라도 건축물을 건축할 수 없다. 그리고 구 지방자치법 등 관련 법령을 살펴보아도 지방자치단체의 장이 다른 지방자치단체를 상대로 한 건축협의취소에 관하여 다툼이 있는 경우에 법적 분쟁을 실효적으로 해결할 구제수단을 찾기도 어렵다. 따라서 건축협의취소는 상대방이 다른 지방자치단체 등 행정주체라 하더라도 '행정청이 행하는 구체적 사실에 관한 법집행으로서의 공권력 행사'(행정소송법 제2조 제1항 제1호)로서 처분에 해당한다고 볼 수 있고, 지방자치단체인 원고가 이를 다툴 실효적 해결수단이 없는 이상, 원고는 건축물 소재지 관할 허가권자인 지방자치단체의 장을 상대로 항고소송을 통해 건축협의취소의 취소를 구할 수 있다(대판 2014. 2. 27, 2012두22980).

② ×

> 건축허가가 건축법 소정의 이격거리(건물 외벽부터 대지 경계까지 거리)를 두지 아니하고 건축물을 건축하도록 되어 있어 위법하다 하더라도 이미 건축공사가 완료되었다면 인접한 대지의 소유자가 건축허가처분의 취소를 구할 소의 이익은 없다.
> 건축허가가 건축법 소정의 이격거리를 두지 아니하고 건축물을 건축하도록 되어 있어 위법하다 하더라도 건축이 완료된 경우에는 그 건축허가를 받은 대지와 접한 대지의 소유자인 원고가 위 건축물 등의 철거를 구하는 데 있어서도 위 처분의 취소가 필요한 것이 아니므로 원고로서는 위 처분(편저자 주 : 건축허가처분)의 취소를 구할 법률상 이익이 없다(대판 1992. 4. 24, 91누11131).

③ ○

> 현역입영대상자의 경우 현역병으로 입영한 후에라도 현역병입영통지처분의 취소를 구할 소송상의 이익이 있다.
> 입영으로 그 처분의 목적이 달성되어 실효되었다는 이유로 다툴 수 없도록 한다면, 병역법상 현역입영대상자로서는 현역병입영통지처분이 위법하다 하더라도 법원에 의하여 그 처분의 집행이 정지되지 아니하는 이상 현실적으로 입영을 할 수밖에 없으므로 현역병입영통지처분에 대하여는 불복을 사실상 원천적으로 봉쇄하는 것이 되고, …… 현역병입영통지처분이 적법함을 전제로 하는 것으로서 그 처분이 위법한 경우까지를 포함하는 의미는 아니라고 할 것이므로, 현역입영대상자로서는 현실적으로 입영을 하였다고 하더라도, 입영 이후의 법률관계에 영향을 미치고 있는 현역병입영통지처분 등을 한 관할 지방병무청장을 상대로 위법을 주장하여 그 취소를 구할 소송상의 이익이 있다(대판 2003. 12. 26, 2003두1875).

④ ×

> 고등학교에서 퇴학처분을 당한 후 고등학교 졸업학력 검정고시에 합격한 경우라 하더라도 퇴학처분의 취소를 구할 소의 이익이 있다(예외적으로 명예 등의 이익을 고려한 듯한 판례).
> 퇴학처분을 받은 후 고등학교 졸업학력 검정고시에 합격하였다 하더라도 고등학교 졸업이 대학입학자격이나 학력인정의 의미밖에 없다고는 할 수 없고, 고등학교 졸업학력 검정고시에 합격하였다 하여 고등학교 학생의 신분과 명예가 회복될 수 없는 것이므로 퇴학처분을 받은 자는 퇴학처분의 위법을 주장하여 퇴학처분의 취소를 구할 소송상의 이익이 있다(대판 1992. 7. 14, 91누4737).

16 [정답] ④

① ×

> 공매 등의 절차에 따라 문화체육관광부령으로 정하는 주요한 유원시설업시설의 전부 또는 체육시설업의 시설기준에 따른 필수시설을 인수함으로써 그 유원시설업자 또는 체육시설업자의 지위를 승계한 자가 관계 행정청에 이를 신고하여 행정청이 이를 수리하는 경우에는 종전의 유원시설업자에 대한 허가는 그 효력을 잃고, 종전의 체육시설업자는 적법한 신고를 마친 체육시설업자로서의 지위를 부인당할 불안정한 상태에 놓이게 되므로 수리처분의 취소를 구할 법률상 이익이 있다(대판 2012. 12. 13, 2011두29144).

② ×

> 주택재개발사업의 경우 정비구역 내의 토지 등 소유자는 「도시 및 주거환경정비법」 제19조 제1항에 의하여 당연히 그 조합원으로 되는 점 등에 비추어 보면, 조합설립추진위원회의 구성에 동의하지 아니한 정비구역 내의 토지 등 소유자도 조합설립추진위원회 설립승인처분에 대하여 같은 법에 의하여 보호되는 직접적이고 구체적인 이익을 향유하므로 그 설립승인처분의 취소소송을 제기할 원고적격이 있다(대판 2007. 1. 25, 2006두12289).

③ ×

> 예탁금회원제 골프장의 기존회원은 골프장운영자가 사업계획의 승인을 받을 때 정한 예정인원을 초과하여 회원을 모집하는 내용의 회원모집계획서에 대한 시·도지사의 검토결과 통보의 취소를 구할 법률상의 이익이 있다고 보아야 한다(대판 2009. 2. 26, 2006두16243).

④ ○

> 교육감이 사립학교법인의 이사장 및 학교장에게 소속 직원들의 유사경력 호봉환산이 과다하게 반영되었다는 이유로 호봉이 과다하게 산정된 직원들의 호봉정정에 따른 급여 환수명령 등을 한 경우, 이는 사립학교 직원들의 법률상 보호되는 이익을 침해한 경우에 해당하므로 직원들은 그 명령을 다툴 개별적·직접적·구체적 이해관계가 있다(대판 2023. 1. 12, 2022두56630).

17 정답 ③

① ○

> 개발제한구역 안에서의 공장설립을 승인한 처분이 위법하다는 이유로 쟁송취소되었으나 그 승인처분에 기초한 공장건축허가처분이 잔존하는 경우, 인근주민들에게 공장건축허가처분의 취소를 구할 법률상 이익이 있다.
> 구「산업집적활성화 및 공장설립에 관한 법률」제13조 제1항, 제13조의2 제1항 제16호, 제14조, 제50조, 제13조의5 제4호의 규정을 종합하면, 공장설립 승인처분이 있고 난 뒤에 또는 그와 동시에 공장건축허가처분을 하는 것이 허용되므로, 공장설립승인처분이 취소된 경우에는 그 승인처분을 기초로 한 공장건축허가처분 역시 취소되어야 하고, 공장설립승인처분에 근거하여 토지의 형질변경이 이루어진 경우에는 원상회복을 해야 함이 원칙이다. 따라서 개발제한구역 안에서의 공장설립을 승인한 처분이 위법하다는 이유로 쟁송취소되었다고 하더라도 그 승인처분에 기초한 공장건축허가처분이 잔존하는 이상, 공장설립승인처분이 취소되었다는 사정만으로 인근주민들의 환경상 이익이 침해되는 상태나 침해될 위험이 종료되었다거나 이를 시정할 수 있는 단계가 지나버렸다고 단정할 수는 없고, 인근주민들은 여전히 공장건축허가처분의 취소를 구할 법률상 이익이 있다고 보아야 한다(대판 2018. 7. 12, 2015두3485).

② ○

> 「석탄수급조정에 관한 임시조치법」소정의 석탄가공업에 관한 허가는 사업경영의 권리를 설정하는 형성적 행정행위가 아니라 질서유지와 공공복리를 위한 금지를 해제하는 명령적 행정행위여서 그 허가를 받은 자는 영업자유를 회복하는 데 불과하고 독점적 영업권을 부여받은 것이 아니기 때문에 기존허가를 받은 원고들이 신규허가로 인하여 영업상 이익이 감소된다 하더라도 이는 원고들의 반사적 이익을 침해하는 것에 지나지 아니하므로 원고들은 신규허가처분에 대하여 행정소송을 제기할 법률상 이익이 없다(대판 1980. 7. 22, 80누33·34).

③ ×

> 경업자에 대한 행정처분이 경업자에게 불리한 내용이라면 그와 경쟁관계에 있는 기존업자에게는 특별한 사정이 없는 한 유리할 것이므로 기존의 업자가 그 행정처분의 무효확인 또는 취소를 구할 이익(편저자 주 : 협의의 소의 이익)은 없다고 보아야 한다(대판 2020. 4. 9, 2019두49953).

④ ○

> 인가·허가 등 수익적 행정처분을 신청한 여러 사람이 서로 경원관계에 있는 경우, 허가 등 처분을 받지 못한 사람은 원칙적으로 자신에 대한 거부처분의 취소를 구할 원고적격과 소의 이익이 있다.
> 인가·허가 등 수익적 행정처분을 신청한 여러 사람이 서로 경원관계에 있어서 한 사람에 대한 허가 등 처분이 다른 사람에 대한 불허가 등으로 귀결될 수밖에 없을 때 허가 등 처분을 받지 못한 사람은 신청에 대한 거부처분의 직접 상대방으로서 원칙적으로 자신에 대한 거부처분의 취소를 구할 원고적격이 있다(대판 2015. 10. 29, 2013두27517).

18 정답 ④

① ○

> 일반적으로 법인의 주주는 당해 법인에 대한 행정처분에 관하여 사실상이나 간접적인 이해관계를 가질 뿐이어서 스스로 그 처분의 취소를 구할 원고적격이 없는 것이 원칙이라고 할 것이지만, 그 처분으로 인하여 궁극적으로 주식이 소각되거나 주주의 법인에 대한 권리가 소멸하는 등 주주의 지위에 중대한 영향을 초래하게 되는데도 그 처분의 성질상 당해 법인이 이를 다툴 것을 기대할 수 없고 달리 주주의 지위를 보전할 구제방법이 없는 경우에는 주주도 그 처분에 관하여 직접적이고 구체적인 법률상 이해관계를 가진다고 보이므로 그 취소를 구할 원고적격이 있다(대판 2004. 12. 23, 2000두2648).

② ○

> [재단법인 한국연구재단이 ○○대학교 총장에게 연구개발비의 부당집행을 이유로 '해양생물 유래 고부가식품·향장·한약 기초소재 개발 인력양성사업에 대한 2단계 두뇌한국(BK)21사업'협약을 해지하고 연구팀장 甲에 대한 국가연구개발사업의 3년간 참여제한 등을 명하는 통보를 하자 甲이 통보의 취소를 청구한 사안에서]「학술진흥 및 학자금대출 신용보증 등에 관한 법률」등의 입법취지 및 규정내용 등과 아울러 위 법 등 해석상 국가가 두뇌한국(BK)21사업의 주관연구기관인 대학에 연구개발비를 출연하는 것은 '연구중심 대학'의 육성은 물론 그와 별도로 대학에 소속된 연구인력의 역량 강화에도 목적이 있다고 보이는 점, 기본적으로 국가연구개발사업에 대한 연구개발비의 지원은 대학에 소속된 일정한 연구단위별로 신청한 연구개발과제에 대한 것이지, 그 소속 대학을 기준으로 한 것은 아닌 점 등 제반 사정에 비추어 보면, 甲은 위 사업에 관한 협약의 해지통보의 효력을 다툴 법률상 이익이 있다(대판 2014. 12. 11, 2012두28704).

③ ○

> 운전기사의 합승행위를 이유로 소속 운수회사에 대하여 과징금 부과처분이 있는 경우 회사 내부규정에 의하여 과징금을 부담하도록 되어 있는 당해 운전기사는 그 과징금 부과처분의 취소를 구할 이익이 없다(대판 1994. 4. 12, 93누24247).

④ ×

> 원천징수의무자에 대한 소득금액변동통지는 원천납세의무의 존부나 범위와 같은 원천납세의무자의 권리나 법률상 지위에 어떠한 영향을 준다고 할 수 없으므로 소득처분에 따른 소득의 귀속자는 법인에 대한 소득금액변동통지의 취소를 구할 법률상 이익이 없다(대판 2015. 3. 26, 2013두9267).

19 정답 ④

① ○

> (재단법인 ○○수녀원이, 매립목적을 택지조성에서 조선시설용지로 변경하는 내용의 공유수면매립목적 변경승인처분으로 인하여 법률상 보호되는 환경상 이익을 침해받았다면서 행정청을 상대로 처분의 무효확인을 구하는 소송을 제기한 사안에서) 자연인이 아닌 재단법인인 ○○수녀원은 쾌적한 환경에서 생활할 수 있는 이익을 향수할 수 있는 주체가 아니므로 매립목적을 택지조성에서 조선시설용지로 변경하는 내용의 공유수면매립목적 변경승인처분의 무효확인을 구할 원고적격이 없다(대판 2012. 6. 28, 2010두2005).

② ○

건축사 업무정지처분을 받은 후 새로운 업무정지처분을 받음이 없이 1년이 경과하여 실제로 가중된 제재처분을 받을 우려가 없게 된 경우(건축사법에는 업무정지처분을 연 2회 이상 받는 경우 가중처분하도록 되어 있다), 업무정지처분에서 정한 정지기간이 경과한 후에 업무정지처분의 취소를 구할 법률상 이익은 없다(대판 2000. 4. 21, 98두10080).

③ ○

행정처분의 무효확인 또는 취소를 구하는 소가 제소 당시에는 소의 이익이 있어 적법하였는데, 소송 계속 중 해당 행정처분이 기간의 경과 등으로 그 효과가 소멸한 때에 처분이 취소되어도 원상회복이 불가능하다고 보이는 경우라도, 무효확인 또는 취소로써 회복할 수 있는 다른 권리나 이익이 남아 있거나 또는 그 행정처분과 동일한 사유로 위법한 처분이 반복될 위험성이 있어 행정처분의 위법성 확인 내지 불분명한 법률문제에 대한 해명이 필요한 경우에는 행정의 적법성 확보와 그에 대한 사법통제, 국민의 권리구제 확대 등의 측면에서 예외적으로 그 처분의 취소를 구할 소의 이익을 인정할 수 있다. 여기에서 '그 행정처분과 동일한 사유로 위법한 처분이 반복될 위험성이 있는 경우'란 불분명한 법률문제에 대한 해명이 필요한 상황에 대한 대표적인 예시일 뿐이며, 반드시 '해당 사건의 동일한 소송당사자 사이에서' 반복될 위험이 있는 경우만을 의미하는 것은 아니다(대판 2020. 12. 24, 2020두30450).

④ ✕

도시개발사업의 공사 등이 완료되고 원상회복이 사회통념상 불가능하게 되었더라도, 도시개발사업의 시행에 따른 도시계획변경결정처분과 도시개발구역지정처분 및 도시개발사업실시계획인가처분의 취소를 구할 법률상 이익이 있다.
도시계획변경결정처분과 도시개발구역지정처분 및 도시개발사업실시계획인가처분은 도시개발사업시행자에게 단순히 도시개발에 관련된 공사의 시공권한을 부여하는 데 그치지 않고 당해 도시개발사업을 시행할 수 있는 권한을 설정하여 주는 처분으로서 위 각 처분 자체로 그 처분의 목적이 종료되는 것이 아니고 위 각 처분이 유효하게 존재하는 것을 전제로 하여 당해 도시개발사업에 따른 일련의 절차 및 처분이 행해지기 때문에 위 각 처분이 취소된다면 그것이 유효하게 존재하는 것을 전제로 하여 이루어진 토지수용이나 환지 등에 따른 각종의 처분이나 공공시설의 귀속 등에 관한 법적 효력은 영향을 받게 되므로, 도시개발사업의 공사 등이 완료되고 원상회복이 사회통념상 불가능하더라도 위 각 처분의 취소를 구할 법률상 이익은 소멸한다고 할 수 없다(대판 2005. 9. 9, 2003두5402·5419).

20

정답 ①

㉮ ○

[공장등록이 취소된 후 그 공장시설물이 철거되었더라도 대도시 안의 공장을 지방으로 이전할 경우 조세특례제한법상 세액공제 및 소득세 등의 감면혜택이 있고, 「공업배치 및 공장설립에 관한 법률」(현 「산업집적활성화 및 공장설립에 관한 법률」)상의 간이한 이전절차 및 우선입주의 혜택이 있는 경우, 그 공장등록취소처분의 취소를 구할 법률상 이익이 있다면서] 공장건물의 멸실 여부에 불구하고 공장등록에 관한 당해 법률이나 다른 법률에 의해 보호되는 직접적·구체적인 이익이 있다면 그 공장등록취소처분의 취소를 구할 법률상 이익이 있다(대판 2002. 1. 11, 2000두3306).

㉯ ○

구 「도시 및 주거환경정비법」상 조합설립추진위원회 구성승인처분을 다투는 소송 계속 중 조합설립인가처분이 이루어진 경우 조합설립추진위원회 구성승인처분에 대하여 취소 또는 무효확인을 구할 법률상 이익은 없다.
조합설립추진위원회 구성승인처분에 대한 취소 또는 무효확인판결의 확정만으로는 이미 조합설립인가를 받은 조합에 의한 정비사업의 진행을 저지할 수 없다. 따라서 추진위원회 구성승인처분을 다투는 소송 계속 중에 조합설립인가처분이 이루어진 경우에는, 추진위원회 구성승인처분에 위법이 존재하여 조합설립인가 신청행위가 무효라는 점 등을 들어 직접 조합설립인가처분을 다툼으로써 정비사업의 진행을 저지하여야 하고, 이와는 별도로 추진위원회 구성승인처분에 대하여 취소 또는 무효확인을 구할 법률상의 이익은 없다고 보아야 한다(대판 2013. 1. 31, 2011두11112·2011두11129).

㉰ ✕ 환지처분이 확정된 후 일부에 위법이 있다고 하더라도 환지처분의 일부만 따로 떼어 변경할 수 없다. 따라서 환지확정처분의 일부취소를 구할 수 없고 손해배상청구를 할 수 있을 뿐이다.

구 토지구획정리사업법 제61조에 의한 환지처분은 사업시행자가 환지계획구역의 전부에 대하여 구획정리사업에 관한 공사를 완료한 후 환지계획에 따라 환지교부 등을 하는 처분으로서, 일단 공고되어 효력을 발생하게 된 이후에는 환지 전체의 절차를 처음부터 다시 밟지 않는 한 그 일부만을 따로 떼어 환지처분을 변경할 길이 없으므로, 환지확정처분의 일부에 대하여 취소나 무효확인을 구할 법률상 이익은 없다(대판 2013. 2. 28, 2010두2289).

㉱ ✕

현역병입영대상자로 병역처분을 받은 자가 그 취소소송 중 모병에 응하여 현역병으로 자진입대한 경우, 소의 이익이 없다.
현역병입영대상자로 병역처분을 받은 자가 그 취소소송 중 모병에 응하여 현역병으로 자진입대한 경우, 그 처분의 위법을 다툴 실제적 효용 내지 이익이 없다는 이유로 소의 이익이 없다(대판 1998. 9. 8, 98두9165).

21

정답 ④

① ○

「도시 및 주거환경정비법」상 이전고시가 효력을 발생한 후 조합원 등이 관리처분계획에 대한 인가처분의 취소 또는 무효확인을 구할 법률상 이익은 없다.
이전고시의 효력발생으로 이미 대다수 조합원 등에 대하여 획일적·일률적으로 처리된 권리귀속관계를 모두 무효화하고 다시 처음부터 관리처분계획을 수립하여 이전고시절차를 거치도록 하는 것은 정비사업의 공익적·단체법적 성격에 배치되므로, 이전고시가 효력을 발생한 후에는 조합원 등이 관리처분계획의 취소 또는 무효확인을 구할 법률상 이익이 없다고 보는 것이 타당하고, 이는 관리처분계획에 대한 인가처분의 취소 또는 무효확인을 구하는 경우에도 마찬가지이다(대판 2012. 5. 24, 2009두22140).

② ○

> 당사자의 신청을 받아들이지 않은 거부처분이 재결에서 취소된 경우, 재결의 취소를 구할 법률상 이익은 없다.
> 거부처분이 재결에서 취소된 경우 재결에 따른 후속처분이 아니라 그 재결의 취소를 구하는 것은 실효적이고 직접적인 권리구제수단이 될 수 없어 분쟁해결의 유효적절한 수단이라고 할 수 없으므로 법률상 이익이 없다(대판 2017. 10. 31, 2015두45045).

③ ○

> ❶ 행정청이 주택재건축사업조합설립인가처분을 한 후 구 「도시 및 주거환경정비법 시행령」 제27조 각 호에서 정하는 경미한 사항의 변경에 대하여 조합설립변경인가 형식으로 처분을 한 경우, 당초 조합설립인가처분을 다툴 소의 이익이 소멸하는 것은 아니다.
> ❷ 주택재건축사업조합이 새로 조합설립인가처분을 받는 것과 동일한 요건과 절차를 거쳐 조합설립변경인가처분을 받는 경우, 당초 조합설립인가처분의 유효를 전제로 후속행위를 하였다면 특별한 사정이 없는 한 당초 조합설립인가처분의 무효확인을 구할 소의 이익이 소멸하는 것은 아니다(대판 2012. 10. 25, 2010두25107).

④ ×

> (교육부장관이 사학분쟁조정위원회의 심의를 거쳐 甲대학교를 설치·운영하는 乙학교법인의 이사 8인과 임시이사 1인을 선임한 데 대하여 甲대학교 교수협의회와 총학생회 등이 이사선임처분의 취소를 구하는 소송을 제기한 사안에서) 甲대학교 교수협의회와 총학생회는 이사선임처분을 다툴 법률상 이익을 가지지만, 전국대학노동조합 甲대학교지부는 법률상 이익이 없다.
> 임시이사제도의 취지, 교직원·학생 등의 학교운영에 참여할 기회를 부여하기 위한 개방이사제도에 관한 법령의 규정내용과 입법취지 등을 종합하여 보면, 구 사립학교법과 구 사립학교법 시행령 및 乙법인 정관규정은 헌법 제31조 제4항에 정한 교육의 자주성과 대학의 자율성에 근거한 甲대학교 교수협의회와 총학생회의 학교운영참여권을 구체화하여 이를 보호하고 있다고 해석되므로, 甲대학교 교수협의회와 총학생회는 이사선임처분을 다툴 법률상 이익을 가지지만, 고등교육법령은 교육받을 권리나 학문의 자유를 실현하는 수단으로서 학생회와 교수회와는 달리 학교의 직원으로 구성된 노동조합의 성립을 예정하고 있지 아니하고, 노동조합은 근로자가 주체가 되어 자주적으로 단결하여 근로조건의 유지·개선, 기타 근로자의 경제적·사회적 지위의 향상을 도모하기 위하여 조직된 단체인 점 등을 고려할 때, 학교의 직원으로 구성된 노동조합이 교육받을 권리나 학문의 자유를 실현하는 수단으로서 직접 기능한다고 볼 수는 없으므로, 개방이사에 관한 구 사립학교법과 구 사립학교법 시행령 및 乙법인 정관규정이 학교직원들로 구성된 전국대학노동조합 乙대학교지부의 법률상 이익까지 보호하고 있는 것으로 해석할 수는 없다(대판 2015. 7. 23, 2012두19496).

22 [정답] ②

㉮ ○

> 구 주택법상 입주자나 입주예정자가 사용검사처분의 취소를 구할 법률상 이익은 없다.
> 건축물에 대한 사용검사처분이 취소된다고 하더라도 사용검사 이전의 상태로 돌아가 건축물을 사용할 수 없게 되는 것에 그칠 뿐 곧바로 건축물의 하자상태 등이 제거되거나 보완되는 것도 아니다. 그리고 입주자나 입주예정자들은 사용검사처분을 취소하지 않고서도 민사소송 등을 통하여 분양계약에 따른 법률관계 및 하자 등을 주장·증명함으로써 사업주체 등으로부터 하자 제거·보완 등에 관한 권리구제를 받을 수 있으므로, 사용검사처분의 취소 여부에 의하여 법률적인 지위가 달라진다고 할 수 없다(대판 2014. 7. 24, 2011두30465).

㉯ ○

> 한정면허를 받은 시외버스운송사업자라고 하더라도 다 같이 운행계통을 정하고 여객을 운송하는 노선여객자동차운송사업을 한다는 점에서 일반면허를 받은 시외버스운송사업자와 본질적인 차이가 없으므로, 일반면허를 받은 시외버스운송사업자에 대한 사업계획변경인가처분으로 인하여 기존에 한정면허를 받은 시외버스운송사업자의 노선 및 운행계통과 일반면허를 받은 시외버스운송사업자의 그것이 일부 중복되게 되고 기존업자의 수익감소가 예상된다면, 기존의 한정면허를 받은 시외버스운송사업자와 일반면허를 받은 시외버스운송사업자는 경업관계에 있는 것으로 보는 것이 타당하고, 따라서 기존의 한정면허를 받은 시외버스운송사업자는 일반면허(를 받은) 시외버스운송사업자에 대한 사업계획변경인가처분의 취소를 구할 법률상의 이익이 있다(대판 2018. 4. 26, 2015두53824).

㉰ ×

> 환경영향평가구역 안의 주민이 아니더라도 그 영향권 내에서 농작물을 경작하는 등 현실적으로 환경상 이익을 향유하는 사람도 환경상 이익에 대한 침해 또는 침해우려가 있는 것으로 사실상 추정되어 원고적격이 인정된다. 그러나 단지 그 영향권 내의 건물·토지를 소유하거나 환경상 이익을 일시적으로 향유하는 데 그치는 사람은 원고적격이 인정되지 않는다(대판 2009. 9. 24, 2009두2825).

㉱ ×

> 주택건설사업의 양수인이 사업주체의 변경승인신청을 한 이후에 행정청이 양도인에 대하여 그 사업계획변경승인의 전제로 되는 사업계획승인을 취소하는 처분을 한 경우, 양수인은 위 처분의 취소를 구할 법률상의 이익을 가진다.
> (1) 주택건설촉진법 제33조 제1항, 구 같은 법 시행규칙 제20조의 각 규정에 의한 주택건설사업계획에 있어서 사업주체변경의 승인은 그로 인하여 사업주체의 변경이라는 공법상의 효과가 발생하는 것이므로, 사실상 내지 사법상으로 주택건설사업 등이 양도·양수되었을지라도 아직 변경승인을 받기 이전에는 그 사업계획의 피승인자는 여전히 종전의 사업주체인 양도인이고 양수인이 아니라 할 것이어서, 사업계획승인취소처분 등의 사유가 있는지의 여부와 취소사유가 있다고 하여 행하는 취소처분은 피승인자인 양도인을 기준으로 판단하여 그 양도인에 대하여 행하여져야 할 것이므로 행정청이 주택건설사업의 양수인에 대하여 양도인에 대한 사업계획승인을 취소하였다는 사실을 통지한 것만으로는 양수인의 법률상 지위에 어떠한 변동을 일으키는 것은 아니므로 위 통지는 항고소송의 대상이 되는 행정처분이라고 할 수는 없다.

(2) 주택건설촉진법 제33조 제1항, 구 같은 법 시행규칙 제20조의 각 규정에 의하면 주택건설사업주체의 변경승인신청은 양수인이 단독으로 할 수 있고 위 변경승인은 실질적으로 양수인에 대하여 종전에 승인된 사업계획과 동일한 사업계획을 새로이 승인해주는 행위라 할 것이므로, 사업주체의 변경승인신청이 된 이후에 행정청이 양도인에 대하여 그 사업계획변경승인의 전제로 되는 사업계획승인을 취소하는 처분을 하였다면 양수인은 그 처분 이전에 양도인으로부터 토지와 사업승인권을 사실상 양수받아 사업주체의 변경승인신청을 한 자로서 그 취소를 구할 법률상의 이익을 가진다(대판 2000. 9. 26, 99두646).

㉣ ○

도시계획사업의 시행으로 인한 토지수용에 의하여 토지에 대한 소유권을 상실한 자는 도시계획결정이 당연무효라고 볼 만한 특별한 사정이 없는 한 도시계획결정의 취소를 청구할 법률상의 이익이 없다(헌재 2002. 5. 30, 2000헌바58).

23 [정답] ③

㉮ ×

소송 계속 중 처분청이 다툼의 대상이 되는 행정처분을 직권으로 취소하면 그 처분은 효력을 상실하여 더 이상 존재하지 않는 것이므로, 존재하지 않는 처분을 대상으로 한 항고소송은 원칙적으로 소의 이익이 소멸하여 부적법하다고 보아야 한다. 다만, 처분청의 직권취소에도 완전한 원상회복이 이루어지지 않아 무효확인 또는 취소로써 회복할 수 있는 다른 권리나 이익이 남아 있거나 또는 동일한 소송당사자 사이에서 그 행정처분과 동일한 사유로 위법한 처분이 반복될 위험성이 있어 행정처분의 위법성 확인 내지 불명확한 법률문제에 대한 해명이 필요한 경우 행정의 적법성 확보와 그에 대한 사법통제, 국민의 권리구제의 확대 등의 측면에서 예외적으로 그 처분의 취소를 구할 소의 이익을 인정할 수 있다(대판 2020. 4. 9, 2019두49953).

㉯ ○

한국방송공사 사장에 대한 해임처분 무효확인 또는 취소소송 계속 중 임기가 만료되어 해임처분의 무효확인 또는 취소로 지위를 회복할 수는 없다고 할지라도, 그 무효확인 또는 취소로 해임처분일부터 임기만료일까지 기간에 대한 보수지급을 구할 수 있는 경우에는 해임처분의 무효확인 또는 취소를 구할 법률상 이익이 있다(대판 2012. 2. 23, 2011두5001).

㉰ ○

제소 당시에는 권리보호의 이익을 갖추었는데 제소 후 취소대상 행정처분이 기간의 경과 등으로 그 효과가 소멸한 때, 선행처분과 후행처분이 단계적인 일련의 절차로 연속하여 행하여져 후행처분이 선행처분의 적법함을 전제로 이루어짐에 따라 선행처분의 하자가 후행처분에 승계된다고 볼 수 있어 이미 소를 제기하여 다투고 있는 선행처분의 위법성을 확인하여 줄 필요가 있는 경우 등에는 행정의 적법성 확보와 그에 대한 사법통제, 국민의 권리구제의 확대 등의 측면에서 여전히 그 처분의 취소를 구할 법률상 이익이 있다(대판 2007. 7. 19, 2006두19297 전합).

㉱ ×

원고가 처분이 위법하다는 점에 대한 판결을 받아 피고에 대한 손해배상청구소송에서 이를 원용할 수 있는 이익은 사실적·경제적 이익에 불과하여 소의 이익에 해당하지 않는다고 본다.
피고는 원고의 소음·진동배출시설(이하 '배출시설'이라 한다)이 배출허용기준을 초과함에 따라 소음·진동규제법에 따른 개선명령을 하였으나 이에 불응하여 조업정지명령을 한 사실, 조업정지기간 중에도 2회에 걸쳐 조업을 한 원고의 위반행위를 적발하여 배출시설 폐쇄 및 배출시설 설치허가를 취소하는 이 사건 처분을 한 사실, 위 처분 이후 그 배출시설이 설치된 원고 공장의 부지에 대한 국유지 사용·수익허가기간이 만료되고 그 연장이 이루어지지 않았음에도 원고가 그 부지관리청인 서울지방철도청장의 반환요구에 불응함에 따라, 서울지방철도청장의 철거대집행에 의하여 위 공장과 함께 위 배출시설이 철거된 사실을 인정한 다음, 이 사건 처분을 취소하여도 위 배출시설을 재가동하는 것이 불가능하여 이 사건 처분 이전의 상태로 원상회복할 수 없게 되었고, 설령 원고가 이 사건 처분이 위법하다는 점에 대한 판결을 받아 피고에 대한 손해배상청구소송에서 이를 원용할 수 있다거나 위 배출시설을 다른 지역으로 이전하는 경우 행정상의 편의를 제공받을 수 있는 이익이 있다 하더라도, 그러한 이익은 사실적·경제적 이익에 불과하여 이 사건 처분의 취소를 구할 법률상 이익에 해당하지 않는다고 판단하였다(대판 2002. 1. 11, 2000두2457).

24 [정답] ③

① ○

❶ 법무사의 사무원 채용승인신청에 대하여 소속 지방법무사회가 '채용승인을 거부'하는 조치 또는 일단 채용승인을 하였으나 법무사규칙 제37조 제6항을 근거로 '채용승인을 취소'하는 조치는 항고소송의 대상인 '처분'에 해당한다. 구체적인 이유는 다음과 같다. …… 법무사가 사무원 채용에 관하여 법무사법이나 법무사규칙을 위반하는 경우에는 소관 지방법원장으로부터 징계를 받을 수 있으므로, 법무사에 대하여 지방법무사회로부터 채용승인을 얻어 사무원을 채용할 의무는 법무사법에 의하여 강제되는 공법적 의무이다.

❷ 지방법무사회가 법무사의 사무원 채용승인신청을 거부하거나 채용승인을 얻어 채용 중인 사람에 대한 채용승인을 취소하면, 상대방인 법무사로서도 그 사람을 사무원으로 채용할 수 없게 되는 불이익을 입게 될 뿐만 아니라, 그 사람도 법무사 사무원으로 채용되어 근무할 수 없게 되는 불이익을 입게 된다. 법무사규칙 제37조 제4항이 이의신청절차를 규정한 것은 채용승인을 신청한 법무사뿐만 아니라 사무원이 되려는 사람의 이익도 보호하려는 취지로 볼 수 있다. 따라서 지방법무사회가 법무사의 사무원 채용승인신청을 거부하거나 채용승인을 얻어 채용 중인 사람에 대한 채용승인을 취소한 경우, 처분상대방인 법무사뿐만 아니라 그 때문에 사무원이 될 수 없게 된 사람에게도 항고소송을 제기할 원고적격이 인정된다(대판 2020. 4. 9, 2015다34444).

②④ ○ ③ ×

❶ 체류자격변경불허가처분, 강제퇴거명령 등을 다투는 외국인의 경우에는 해당 처분의 취소를 구할 법률상 이익이 인정된다는 것이 판례의 입장이다. 한편, 사증발급거부처분을 다투는 외국인의 경우에는 원칙적으로 거부처분의 취소를 구할 법률상 이익이 인정되지 않지만 대한민국과의 실질적 관련성 내지 법적으로

보호가치가 있는 이해관계를 형성한 경우에는 원고적격이 인정된다. 예를 들어, 가수 유○○의 경우, 외국인이기는 하지만 대한민국에서 출생하여 오랜 기간 대한민국 국적을 보유하면서 거주한 사람이므로 이미 대한민국과 실질적 관련성이 있거나 대한민국에서 법적으로 보호가치 있는 이해관계를 형성하였다고 볼 수 있어 사증발급 거부처분을 다툴 원고적격이 인정되었다(대판 2019. 7. 11, 2017두38874).

❷ 사증발급거부처분을 다투는 외국인은, 아직 대한민국에 입국하지 않은 상태에서 대한민국에 입국하게 해달라고 주장하는 것으로, 대한민국과의 실질적 관련성 내지 대한민국에서 법적으로 보호가치 있는 이해관계를 형성한 경우는 아니어서, 해당 처분의 취소를 구할 법률상 이익을 인정하여야 할 법정책적 필요성도 크지 않다. 반면, 국적법상 귀화불허가처분이나 출입국관리법상 체류자격변경불허가처분, 강제퇴거명령 등을 다투는 외국인은 대한민국에 적법하게 입국하여 상당한 기간을 체류한 사람이므로, 이미 대한민국과의 실질적 관련성 내지 대한민국에서 법적으로 보호가치 있는 이해관계를 형성한 경우이어서, 해당 처분의 취소를 구할 법률상 이익이 인정된다고 보아야 한다(②, ④). …… 한편 사증발급의 법적 성질, 출입국관리법의 입법목적, 사증발급 신청인의 대한민국과의 실질적 관련성, 상호주의원칙 등을 고려하면, 우리 출입국관리법의 해석상 외국인에게는 사증발급 거부처분의 취소를 구할 법률상 이익이 인정되지 않는다(③) (대판 2018. 5. 15, 2014두42506).

25 [정답] ①

㉮ ✕

제재적 행정처분이 그 처분에서 정한 제재기간의 경과로 인하여 그 효과가 소멸되었다 하더라도 그 처분이 후행처분의 가중적 요건사실이 되는 경우 선행처분의 취소를 구할 소의 이익이 있다.
제재적 행정처분이 그 처분에서 정한 제재기간의 경과로 인하여 그 효과가 소멸되었으나, 부령인 시행규칙 또는 지방자치단체의 규칙(이하 이들을 '규칙'이라고 한다)의 형식으로 정한 처분기준에서 제재적 행정처분(이하 '선행처분'이라고 한다)을 받은 것을 가중사유나 전제요건으로 삼아 장래의 제재적 행정처분(이하 '후행처분'이라고 한다)을 하도록 정하고 있는 경우, 제재적 행정처분의 가중사유나 전제요건에 관한 규정이 법령이 아니라 규칙의 형식으로 되어 있다고 하더라도, 그러한 규칙이 법령에 근거를 두고 있는 이상 그 법적 성질이 대외적·일반적 구속력을 갖는 법규명령인지 여부와는 상관없이, 관할 행정청이나 담당공무원은 이를 준수할 의무가 있으므로 이들이 그 규칙에 정해진 바에 따라 행정작용을 할 것이 당연히 예견되고, 그 결과 행정작용의 상대방인 국민으로서는 그 규칙의 영향을 받을 수밖에 없다. …… 그러므로 이와는 달리 규칙에서 제재적 행정처분을 장래에 다시 제재적 행정처분을 받을 경우의 가중사유로 규정하고 있고 그 규정에 따라 가중된 제재적 행정처분을 받게 될 우려가 있다고 하더라도 그 제재기간이 경과한 제재적 행정처분의 취소를 구할 법률상 이익이 없다는 취지로 판시한 대판 1995. 10. 17, 94누14148 전합 ; 대판 1988. 5. 24, 87누944 ; 대판 1992. 7. 10, 92누3625 ; 대판 1997. 9. 30, 97누7790 ; 대판 2003. 10. 10, 2003두6443 등은 이 판결의 견해에 배치되는 범위 내에서 이를 모두 변경하기로 한다(대판 2006. 6. 22, 2003두1684 전합).

㉯ ✕ 예비역편입처분이 취소된다 하더라도 그로 인하여 신분이 예비역에서 현역으로 복귀함에 그칠 뿐이고, 상등병에서 병장으로의 진급처분 여부는 원칙적으로 진급권자의 합리적 판단에 의하여 결정되는 것이므로 예비역편입처분의 취소를 구할 이익이 없다는 것이 판례의 입장이다.

상등병에서 병장으로의 진급요건을 갖춘 자에 대하여 그 진급처분을 행하지 아니한 상태에서 예비역으로 편입하는 처분을 한 경우, 진급처분부작위위법을 이유로 예비역편입처분 취소를 구할 소의 이익이 없다(대판 2000. 5. 16, 99두7111).

㉰ ○

전남대학교 총장이 원고의 면접고사 일정을 '2020. 11. 21. (토요일) 오전반'으로 지정하였다. 이에 원고는 2020. 11. 11. 피고에게 면접 일정을 토요일 오후 마지막 순번으로 변경하기를 희망한다는 취지의 신청서를 제출하였으나, 피고는 2020. 11. 20. 이를 거부하였다. 이와 관련 불합격처분이 이루어짐으로써 이 사건 면접시간 지정행위와 이 사건 거부행위는 모두 이 사건 불합격처분에 흡수되어 독립된 존재가치를 상실하였으므로, 이 사건 불합격처분만이 쟁송의 대상이 되고 이 사건 소 중 이 사건 거부행위의 취소를 구하는 부분은 이 사건 불합격처분으로 인해 소의 이익이 없어 부적법하게 된다(대판 2024. 4. 4, 2022두56661).

㉱ ○

수익적인 처분 또는 신청대로 이루어진 처분의 경우 달리 특별한 사정이 없는 한 처분상대방은 취소를 제기할 이익이 없다.
행정처분이 수익적인 처분이거나 신청에 의하여 신청내용대로 이루어진 처분인 경우에는 처분상대방의 권리나 법률상 보호되는 이익이 침해되었다고 볼 수 없으므로 달리 특별한 사정이 없는 한 처분의 상대방은 그 취소를 구할 이익이 없다고 할 것이다(대판 1995. 5. 26, 94누7324).

제15회 | 소방 단원별 모의고사 정답과 해설

출제 범위: 제36강 항고소송 1(취소소송의 의의 등)~제37강 항고소송 2(처분 등)   문제 p.314

01	02	03	04	05
③	③	①	②	④
06	07	08	09	10
④	④	②	③	③
11	12	13	14	15
②	②	③	②	④
16	17	18	19	20
②	③	②	③	②
21	22	23	24	25
②	③	①	④	④

01 [정답] ③

㉮ × 피고적격을 가진 자는 처분 등을 행한 행정청, 즉 처분청이 됨이 원칙이다(행정소송법 제13조). 이때 처분청이라 함은 국가 또는 공공단체 등의 의사를 결정하여 외부적으로 표시할 수 있는 기관을 의미한다. 따라서 대외적으로 의사를 표시할 수 있는 기관이 아닌 내부기관은 실질적인 의사가 그 기관에 의하여 결정되더라도 피고적격을 갖지 못한다(예 징계위원회).

㉯ ×

> 행정처분의 취소 또는 무효확인을 구하는 행정소송은 다른 법률에 특별한 규정이 없는 한 소송의 대상인 행정처분 등을 외부적으로 그의 명의로 행한 행정청을 피고로 하여야 하는 것으로서 그 행정처분을 하게 된 연유가 상급행정청이나 타행정청의 지시나 통보에 의한 것이라 하여 다르지 않다고 할 것이다(대판 1995. 12. 22, 95누14688).

㉰ ○ 공무수탁사인은 행정주체이면서 행정소송법상 행정청이기도 하다. 따라서, 공무수탁사인이 자기의 이름으로 처분을 한 경우 위임행정청이 아니라 공무수탁사인이 피고가 된다.

㉱ ○

> ❶ 대리권을 수여받은 데 불과하여 자신의 명의로는 처분할 권한이 없는 행정청이 그 대리관계를 밝힘이 없이 그 자신의 명의로 행정처분을 하였다면 처분명의자인 당해 행정청이 항고소송의 피고가 되어야 하는 것이 원칙이다.
> ❷ 비록 대리관계를 명시적으로 밝히지는 아니하였다 하더라도 처분명의자가 피대리행정청 산하의 행정기관으로서 실제로 피대리행정청으로부터 대리권한을 수여받아 피대리행정청을 대리한다는 의사로 행정처분을 하였고 처분명의자는 물론 그 상대방도 그 행정처분이 피대리행정청을 대리하여 한 것임을 알고서 이를 받아들인 예외적인 경우에는 피대리행정청이 피고가 되어야 한다(대결 2006. 2. 23, 2005부4).

㉲ × 처분을 행한 행정청(처분청)과 처분을 통보한 자(통지한 자)가 다른 경우 피고는 처분청이 된다.

> 국무회의에서 건국훈장 독립장이 수여된 망인에 대한 서훈취소를 의결하고 대통령이 결재함으로써 서훈취소가 결정된 후 국가보훈처장(현 국가보훈부장관)이 망인의 유족 甲에게 '독립유공자서훈취소결정통보'를 하자 甲이 국가보훈처장을 상대로 서훈취소결정의 무효확인 등의 소를 제기한 사안에서, 甲이 서훈취소처분을 행한 행정청(대통령)이 아니라 국가보훈처장을 상대로 제기한 위 소는 피고를 잘못 지정한 경우에 해당하므로, 법원으로서는 석명권을 행사하여 정당한 피고로 경정하게 하여 소송을 진행해야 한다(대판 2014. 9. 26, 2013두2518).

02 [정답] ③

㉮ × 공무원 등에 대한 징계, 기타 불이익처분의 처분청이 대통령인 경우에는 소속 장관이 피고가 된다. 예컨대, 대통령의 검사임용처분과 관련한 취소소송의 피고는 검사가 소속된 법무부장관이 피고가 된다.

> 검찰청법 제34조, 국가공무원법 제3조 제2항 제2호, 제16조, 행정심판법 제3조 제2항의 규정취지를 종합하여 보면, 검사임용처분에 대한 취소소송의 피고는 법무부장관으로 함이 상당하다고 할 것이므로 원심이 피고를 대통령으로 경정하여 줄 것을 구하는 원고의 신청을 각하한 조치는 옳다(대결 1990. 3. 14, 90두4).

㉯ × 중앙노동위원회의 처분에 대한 소는 중앙노동위원회 위원장이 피고가 된다. 다만, 일반적으로 공정거래위원회와 같은 합의제 행정청의 처분에 대해서는 기관의 장인 위원장이 아니라 원칙적으로 합의제 행정청(위원회)이 피고가 된다.

> **노동위원회법 제27조 【중앙노동위원회의 처분에 대한 소송】** ① 중앙노동위원회의 처분에 대한 소송은 중앙노동위원회 위원장을 피고로 하여 처분의 송달을 받은 날부터 15일 이내에 제기하여야 한다.

㉰ ○ 국회의장, 대법원장, 헌법재판소장이 행한 처분에 대한 피고는 각각 국회사무총장, 법원행정처장, 헌법재판소사무처장이 된다.

㉱ × 지방의회는 원칙적으로 강학상의 행정청이 아니므로 취소소송의 피고가 될 수 없으나 의원에 대한 징계의결, 의장불신임결의, 지방의회의 장선거와 같은 행위를 하는 경우에는 지방의회도 행정청으로서 피고가 될 수 있다.

㉲ ○

> **행정소송법 제13조 【피고적격】** ① 취소소송은 다른 법률에 특별한 규정이 없는 한 그 처분 등을 행한 행정청을 피고로 한다. 다만, 처분 등이 있은 뒤에 그 처분 등에 관계되는 권한이 다른 행정청에 승계된 때에는 이를 승계한 행정청을 피고로 한다.

03 정답 ①

① ○

> 행정소송법 제14조에 의한 피고경정은 사실심변론종결시까지 허용된다.
> 행정소송법 제14조에 의한 피고경정은 사실심변론종결에 이르기까지 허용되는 것으로 해석하여야 할 것이고, 굳이 제1심 단계에서만 허용되는 것으로 해석할 근거는 없다(대결 2006. 2. 23, 2005부4).

② × 피고경정은 법원의 직권으로는 할 수 없다.

> **행정소송법 제14조【피고경정】** ① 원고가 피고를 잘못 지정한 때에는 법원은 원고의 신청에 의하여 결정으로써 피고의 경정을 허가할 수 있다.
> **제44조【준용규정】** ① 제14조 내지 제17조, 제22조, 제25조, 제26조, 제30조 제1항, 제32조 및 제33조의 규정은 당사자소송의 경우에 준용한다.

③ ×

> 행정소송에서 피고 지정이 잘못된 경우, 법원이 석명권을 행사하여 원고로 하여금 피고를 경정하게 하지 않고 바로 소를 각하한 것은 위법하다.
> 원고가 피고를 잘못 지정하였다면 법원으로서는 당연히 석명권을 행사하여 원고로 하여금 피고를 경정하게 하여 소송을 진행하게 하였어야 할 것임에도 불구하고 이러한 조치를 취하지 아니한 채 피고의 지정이 잘못되었다는 이유로 소를 각하한 것은 위법하다(대판 2004. 7. 8, 2002두7852).

④ ×

> 조례가 항고소송의 대상이 되는 행정처분에 해당되는 경우 피고적격은 공포권자인 지방자치단체의 장에게 있으며, 특히 그 조례가 교육·학예에 관한 조례인 경우 공포권자인 교육감이 피고가 된다(대판 1996. 9. 20, 95누8003).

04 정답 ②

㉮ ○ 내부위임과 대리에서는 권한이 수임자와 대리청에 이전되지 않으며 처분명의도 위임자와 피대리청(원래의 행정청)의 명의로 하게 되므로 각각 위임청과 피대리청이 피고가 된다.

> 대리기관이 대리관계를 표시하고 피대리행정청을 대리하여 행정처분을 한 때에는 피대리행정청이 피고로 되어야 한다(대결 2006. 2. 23, 2005부4).

㉯ × 내부위임을 받은 기관이 위임자의 명의가 아닌 자신의 이름으로 권한을 행사한 경우, 이는 권한 없이 행정처분을 한 것으로서 위법하며, 이때 피고는 실제로 처분을 한 하급행정청(수임청 등)이 된다는 것이 판례의 입장이다.

> 상급행정청으로부터 내부위임을 받은 데 불과한 하급행정청이 권한 없이 한 행정처분에 대한 행정소송의 피고적격이 있는 자는 처분을 행할 적법한 권한 있는 상급행정청이 아닌 실제로 처분을 행한 하급행정청이다(대판 1991. 2. 22, 90누5641).

㉰ × 처분을 행한 행정청(처분청)과 처분을 통보한 자(통지한 자)가 다른 경우 피고는 처분청이 된다.

> 국무회의에서 건국훈장 독립장이 수여된 망인에 대한 서훈취소를 의결하고 대통령이 결재함으로써 서훈취소가 결정된 후 국가보훈처장(현 국가보훈부장관)이 망인의 유족 甲에게 '독립유공자서훈취소결정통보'를 하자 甲이 국가보훈처장을 상대로 서훈취소결정의 무효확인등의 소를 제기한 사안에서, 甲이 서훈취소처분을 행한 행정청(대통령)이 아니라 국가보훈처장을 상대로 제기한 위 소는 피고를 잘못 지정한 경우에 해당하므로, 법원으로서는 석명권을 행사하여 정당한 피고로 경정하게 하여 소송을 진행해야 한다(대판 2014. 9. 26, 2013두2518).

㉱ ○ 처분 후 처분청이 없어지면 처분청이 속하는 국가나 공공단체가 피고가 된다.

> **행정소송법 제13조【피고적격】** ① 취소소송은 다른 법률에 특별한 규정이 없는 한 그 처분 등을 행한 행정청을 피고로 한다. 다만, 처분 등이 있은 뒤에 그 처분 등에 관계되는 권한이 다른 행정청에 승계된 때에는 이를 승계한 행정청을 피고로 한다.
> ② 제1항의 규정에 의한 행정청이 없게 된 때에는 그 처분 등에 관한 사무가 귀속되는 국가 또는 공공단체를 피고로 한다.

㉲ ○ 권한이 위임·위탁된 때에는 위임을 받은 수임청, 위탁을 받은 수탁청이 자신의 명의로 처분을 하게 되므로 취소소송의 피고도 수임청·수탁청이 된다.

05 정답 ④

㉮ ×

> **행정소송법 제16조【제3자의 소송참가】** ① 법원은 소송의 결과에 따라 권리 또는 이익의 침해를 받을 제3자가 있는 경우에는 당사자 또는 제3자의 신청 또는 직권에 의하여 결정으로써 그 제3자를 소송에 참가시킬 수 있다.

㉯ ○

> 특정 소송 사건에서 당사자 일방을 보조하기 위하여 보조참가를 하려면 당해 소송의 결과에 대하여 이해관계가 있어야 하고, 여기서 말하는 이해관계라 함은 사실상·경제상 또는 감정상의 이해관계가 아니라 법률상의 이해관계를 가리킨다(대판 2014. 8. 28, 2011두17899).

㉰ ○ 행정소송법상 제3자 소송참가의 경우 참가인과 피참가인에게 유리한 행위는 참가인과 피참가인 중 1인이 하여도 전원에 대하여 효력이 발생하는 반면, 불리한 행위는 전원이 함께하지 않는 한 효력이 발생하지 않는다. 지문에서 참가인이 상소를 하였다고 한 것은 원심에서 각하나 기각판결 등 불리한 판결을 받았다는 뜻인데 상소취하나 상소포기를 하게 되면 원고 패소판결인 원심이 확정되는 효과가 발생하므로 참가인에게 불리하다. 따라서 피참가인은 참가인의 의사에 반하여 상소취하나 상소포기를 할 수 없다는 것이 판례의 입장이다.

> 피참가인의 소송행위는 모두의 이익을 위하여서만 효력을 가지고, 보조참가인에게 불이익이 되는 것은 효력이 없으므로, 참가인이 상소를 할 경우에 피참가인이 상소취하나 상소포기를 할 수는 없다(대판 2017. 10. 12, 2015두36836).

> **행정소송법 제16조【제3자의 소송참가】** ④ 제1항의 규정에 의하여 소송에 참가한 제3자에 대하여는 민사소송법 제67조의 규정을 준용한다.

> **민사소송법 제67조 【필수적 공동소송에 대한 특별규정】** ① 소송목적이 공동소송인 모두에게 합일적으로 확정되어야 할 공동소송의 경우에 **공동소송인 가운데 한 사람의 소송행위는 모두의 이익을 위하여서만 효력을 가진다.**

㉣ ○ 민사소송법상 당사자가 될 수 있는 능력인 당사자능력을 가지는 자는 사람이어야 하는 것이 원칙이므로 자연인, 법인은 당사자능력을 가진다. 다만, 민사소송법 제52조에 의해 법인이 아닌 사단이나 재단도 대표자 또는 관리인이 있는 경우에는 그 사단이나 재단의 이름으로 당사자가 될 수 있다. 행정청은 법인인 국가 또는 지방자치단체의 기관으로서 법인과는 구별된다. 따라서 행정청은 소송법상 당사자, 즉 원고와 피고가 될 수 없음이 원칙이다. 다만, 행정소송법은 원고의 소송수행의 편의를 위해 항고소송의 피고를 행정청으로 하는 특별규정을 두고 있으며(행정소송법 제13조 제1항), 행정청의 소송참가에 대해서도 특별규정을 두고 있다(동법 제17조 제1항). 이에 추가하여 항고소송에서 행정청의 원고적격을 인정한 예외적인 판례도 있다(예 소방청장이 국민권익위원회를 상대로 제기한 항고소송). 이러한 경우 외에 법인의 기관에 불과한 행정청은 민사소송법상의 보조참가를 할 수는 없으며, 공법상 당사자소송의 원고와 피고가 될 수 없다.

타인 사이의 항고소송에서 소송의 결과에 관하여 이해관계가 있다고 주장하면서 민사소송법 제71조에 의한 보조참가를 할 수 있는 제3자는 민사소송법상의 당사자능력 및 소송능력을 갖춘 자이어야 하므로 그러한 당사자능력 및 소송능력이 없는 행정청으로서는 민사소송법상의 보조참가를 할 수는 없고, 다만 행정소송법 제17조 제1항에 의한 소송참가를 할 수 있을 뿐이다(대판 2002. 9. 24, 99두1519).

06 [정답] ④

㉮ ○

(甲시장이 감사원으로부터 감사원법 제32조에 따라 乙에 대하여 징계의 종류를 정직으로 정한 징계요구를 받게 되자 감사원에 징계요구에 대한 재심의를 청구하였고, 감사원이 재심의청구를 기각하자 乙이 감사원의 징계요구와 그에 대한 재심의결정의 취소를 구하고 甲시장이 감사원의 재심의결정 취소를 구하는 소를 제기한 사안에서) 감사원의 징계요구와 재심의결정은 항고소송의 대상이 되는 행정처분이라고 할 수 없다.
감사원법상 징계요구는 징계요구를 받은 기관의 장이 요구받은 내용으로 처분하지 않더라도 불이익을 받는 규정도 없고, 징계요구 내용대로 효과가 발생하는 것도 아니며, 징계요구에 의하여 행정청이 일정한 행정처분을 하였을 때 비로소 이해관계인의 권리관계에 영향을 미칠 뿐, 징계요구 자체만으로는 징계요구대상 공무원의 권리 · 의무에 직접적인 변동을 초래하지도 아니하므로 행정처분이라고 할 수 없다(대판 2016. 12. 27, 2014두5637).

㉯ ○

대학 교원의 신규채용에 있어서 유일한 면접심사대상자로 선정되어 심사단계 중 대부분의 단계를 통과한 경우 이러한 자는 임용신청권이 있으므로 임용거부조치는 행정처분에 해당한다.
임용지원자가 당해 대학의 교원임용규정 등에 정한 심사단계 중 중요한 대부분의 단계를 통과하여 다수의 임용지원자 중 유일한 면접심사 대상자로 선정되는 등으로 장차 나머지 일부의 심사단계를 거쳐 대학 교원으로 임용될 것을 상당한 정도로 기대할 수 있는 지위에 이르렀다면, 그러한 임용지원자는 임용에 관한 법률상 이익을 가진 자로서 임용권자에 대하여 나머지 심사를 공정하게 진행하여 그 심사에서 통과되면 대학 교원으로 임용해줄 것을 신청할 조리상의 권리가 있다고 보아야 할 것이고, …… 항고소송의 대상이 되는 처분 등에 해당한다(대판 2004. 6. 11, 2001두7053).

㉰ ×

❶ 고시도 집행행위의 매개 없이 직접 국민의 권리 · 의무를 규율하는 경우 처분이 된다.
❷ 보건복지부 고시인 「약제급여 · 비급여목록 및 급여상한금액표」는 다른 집행행위의 매개 없이 그 자체로서 국민건강보험가입자, 국민건강보험공단, 요양기관 등의 법률관계를 직접 규율하는 성격을 가지므로 항고소송의 대상이 되는 행정처분에 해당한다. 어떠한 고시가 일반적 · 추상적 성격을 가질 때에는 법규명령 또는 행정규칙에 해당할 것이지만, 다른 집행행위의 매개 없이 그 자체로서 직접 국민의 구체적인 권리 · 의무나 법률관계를 규율하는 성격을 가질 때에는 행정처분에 해당한다(대판 2006. 9. 22, 2005두2506).

㉱ ×

구 「남녀차별금지 및 구제에 관한 법률」상 국가인권위원회의 성희롱결정 및 시정조치의 권고는 행정소송의 대상이 되는 행정처분에 해당한다.
국가인권위원회의 성희롱결정과 이에 따른 시정조치의 권고는 불가분의 일체로 행하여지는 것인데 국가인권위원회의 이러한 결정과 시정조치의 권고는 성희롱행위자로 결정된 자의 인격권에 영향을 미침과 동시에 공공기관의 장 또는 사용자에게 일정한 법률상의 의무를 부담시키는 것이므로 국가인권위원회의 성희롱결정 및 시정조치의 권고는 행정소송의 대상이 되는 행정처분에 해당한다고 보지 않을 수 없다(대판 2005. 7. 8, 2005두487).

07 [정답] ④

① ×

❶ 근로복지공단이 사업주에 대하여 하는 '개별사업장의 사업종류 변경결정'은 행정청이 행하는 구체적 사실에 관한 법집행으로서의 공권력을 행사하는 확인적 행위로서 '처분'에 해당한다.
❷ 근로복지공단의 사업종류변경결정에 따라 국민건강보험공단이 사업주에 대하여 하는 각각의 산재보험료 부과처분도 항고소송의 대상인 처분에 해당한다(대판 2020. 4. 9, 2019두61137).

② ×

「사회기반시설에 대한 민간투자법」상의 민간투자시설사업의 사업시행자 지정처분은 항고소송의 대상이 되는 행정처분이다(대판 2009. 4. 23, 2007두13159).

③ ×

방위사업법령 및 국방전력발전업무훈령에 따른 연구개발확인서 발급 및 그 거부는 행정처분이다.
국방전력발전업무훈령 제113조의5 제1항에 의한 연구개발확인서 발급은 개발업체가 '업체투자연구개발' 방식 또는 '정부 · 업체공동투자연구개발' 방식으로 전력지원체계 연구개발사업을 성공적으로 수행하여 군사용 적합판정을 받고 국방규격이 제 · 개정된 경우에 사업관리기관이 개발업체에게 해당 품목의 양산과 관련하여 경쟁입찰에 부치지 않고 수의계약의 방식으로 국방조달계약을 체결할 수 있는 지위(경쟁입찰의 예외사유)가 있음을 인정해주는 '확인적 행정행위'로서 공권력의 행사인 '처분'에 해당하고, 연구개발확인서 발급 거부는 신청에 따른 처분 발급을 거부하는 '거부처분'에 해당한다(대판 2020. 1. 16, 2019다264700).

④ ○

지방자치단체의 장이 「공유재산 및 물품 관리법」에 근거하여 기부채납 및 사용·수익허가방식으로 민간투자사업을 추진하는 과정에서 사업시행자를 지정하기 위한 전 단계에서 공모제안을 받아 일정한 심사를 거쳐 우선협상대상자를 선정하는 행위와 이미 선정된 우선협상대상자를 그 지위에서 배제하는 행위는 항고소송의 대상이 되는 행정처분이다(대판 2020. 4. 29, 2017두31064).

08 [정답] ②

① ✕

행정소송의 대상이 되는 행정처분이란 행정청 또는 그 소속 기관이나 법령에 의하여 행정권한의 위임 또는 위탁을 받은 공공단체 등이 국민의 권리·의무에 관계되는 사항에 관하여 직접 효력을 미치는 공권력의 발동으로서 하는 공법상의 행위를 말하며, 그것이 상대방의 권리를 제한하는 행위라 하더라도 행정청 또는 그 소속 기관이나 권한을 위임받은 공공단체 등의 행위가 아닌 한 이를 행정처분이라고 할 수 없다(대판 2008. 1. 31, 2005두8269).

② ○

행정소송법 제2조의 처분의 개념 정의에는 해당한다고 하더라도 그 처분의 근거법률에서 행정소송 이외의 다른 절차에 의하여 불복할 것을 예정하고 있는 처분은 항고소송의 대상이 될 수 없다(대판 2018. 9. 28, 2017두47465).

③ ✕

국가보훈처장(현 국가보훈부장관)이 유족에게 한 '망인에 대한 서훈취소통지'는 항고소송의 대상이 되는 처분이 아니다.
서훈취소통보는 상대방 또는 기타 관계자들의 법률상 지위에 직접적인 법률적 변동을 일으키지 아니하는 행위로 항고소송의 대상이 될 수 없는 사실상의 통지에 해당한다(대판 2015. 4. 23, 2012두26920).

④ ✕

헌법 제64조 ② 국회는 의원의 자격을 심사하며, 의원을 징계할 수 있다.
③ 의원을 제명하려면 국회재적의원 3분의 2 이상의 찬성이 있어야 한다.
④ 제2항과 제3항의 처분에 대하여는 법원에 제소할 수 없다.

지방의회 의원제명의결은 행정처분으로서 행정소송의 대상이 된다.
지방자치법 제78조 내지 제81조의 규정에 의거한 지방의회의 의원 징계의결은 그로 인해 의원의 권리에 직접 법률효과를 미치는 행정처분의 일종으로서 행정소송의 대상이 된다(대판 1993. 11. 26, 93누7341).

09 [정답] ③

㉮ ○

공정거래위원회의 표준약관 사용권장행위는 항고소송의 대상이 되는 처분이다.
공정거래위원회의 표준약관 사용권장행위는 그 통지를 받은 해당 사업자 등에게 표준약관과 다른 약관을 사용할 경우 표준약관과 다르게 정한 주요 내용을 고객이 알기 쉽게 표시하여야 할 의무를 부과하고, 그 불이행에 대해서는 과태료에 처하도록 되어 있으므로, 이는 사업자 등의 권리·의무에 직접 영향을 미치는 행정처분으로서 항고소송의 대상이 된다(대판 2010. 10. 14, 2008두23184).

㉯ ✕

공정거래위원회의 고발조치 및 고발의결은 행정기관 상호 간의 행위에 불과하므로 항고소송의 대상이 되는 행정처분이 아니다(대판 1995. 5. 12, 94누13794).

㉰ ○

구 「표시·광고의 공정화에 관한 법률」 위반을 이유로 한 공정거래위원회의 경고의결은 당해 표시·광고의 위법을 확인하되 구체적인 조치까지는 명하지 않는 것으로 사업자가 장래 다시 「표시·광고의 공정화에 관한 법률」 위반행위를 할 경우 과징금 부과 여부나 그 정도에 영향을 주는 고려사항이 되어 사업자의 자유와 권리를 제한하는 행정처분에 해당한다(대판 2013. 12. 26, 2011두4930).

㉱ ○

친일반민족행위자재산조사위원회의 재산조사개시결정은 행정처분으로서 항고소송의 대상이 된다.
친일반민족행위자재산조사위원회의 재산조사개시결정이 있는 경우 조사대상자는 위 위원회의 보전처분 신청을 통하여 재산권 행사에 실질적인 제한을 받게 되고, 위 위원회의 자료제출요구나 출석요구 등의 조사행위에 응하여야 하는 법적 의무를 부담하게 된다(대판 2009. 10. 15, 2009두6513).

㉲ ✕

공무원이 소속 장관으로부터 받은 서면에 의한 경고가 국가공무원법상의 징계처분이나 행정소송의 대상이 되는 행정처분이라고 할 수 없어 그 취소를 구할 법률상의 이익이 없다(대판 1991. 11. 12, 91누2700).

10 [정답] ③

① ○ 입찰참가자격제한조치가 법적 근거에 따른 경우 처분에 해당한다. 다만, 입찰참가자격제한조치가 계약상의 의사표시인 경우에는 항고소송의 대상이 되는 처분이 아니다.

공기업·준정부기관이 법령 또는 계약에 근거하여 선택적으로 입찰참가자격제한조치를 할 수 있는 경우, 계약상대방에 대한 입찰참가자격제한조치가 법령에 근거한 행정처분인지 아니면 계약에 근거한 권리 행사인지는 원칙적으로 의사표시의 해석문제이다. 이때에는 공기업·준정부기관이 계약상대방에게 통지한 문서의 내용과 해당 조치에 이르기까지의 과정을 객관적·종합적으로 고찰하여 판단하여야 한다. 그럼에도 불구하고 공기업·준정부기관이 법령에 근거를 둔 행정처분으로서의 입찰참가자격제한조치를 한 것인지 아니면 계약에 근거한 권리 행사로서의 입찰참가자격제한조치를 한 것인지가 여전히 불분명한 경우에는, 그에 대한 불복방법 선택에 중대한 이해관계를 가지는 그 조치상대방의 인식가능성 내지 예측가능성을 중요하게 고려하여 규범적으로 이를 확정함이 타당하다(대판 2018. 10. 25, 2016두33537).

💡 Tip 조달계약 및 공법상 계약에 관한 입찰참가자격제한이 법적 근거에 따른 경우 처분에 해당한다. 이에 반해 입찰참가자격제한조치가 계약상의 의사표시인 경우에는 항고소송의 대상이 되는 처분이 아니라는 것이 판례의 취지이다.

② ○

[재단법인 한국연구재단이 A대학교 총장에게 연구개발비의 부당집행을 이유로 '해양생물유래 고부가식품·향장·한약 기초소재 개발 인력양성사업에 대한 2단계 두뇌한국(BK)21 사업'협약을 해지한 사안에서] 과학기술기본법령상 사업협약의 해지통보는 단순히 대등당사자의 지위에서 형성된 공법상 계약을 계약당사자의 지위에서 종료시키는 의사표시에 불과한 것이 아니라 행정청이 우월적 지위에서 연구개발비의 회수 및 관련자에 대한 국가연구개발사업 참여 제한 등의 법률상 효과를 발생시키는 행정처분에 해당한다(대판 2014. 12. 11, 2012두28704).

③ ✕

❶ 기존의 행정처분을 변경하는 내용의 행정처분이 뒤따르는 경우, 후속처분이 종전 처분을 완전히 대체하는 것이거나 그 주요 부분을 실질적으로 변경하는 내용인 경우에는 특별한 사정이 없는 한 종전 처분은 그 효력을 상실하고 후속처분만이 항고소송의 대상이 된다.

❷ 그러나 후속처분의 내용이 종전 처분의 유효를 전제로 그 내용 중 일부만을 추가·철회·변경하는 것이고 그 추가·철회·변경된 부분이 그 내용과 성질상 나머지 부분과 불가분적인 것이 아닌 경우에는, 후속처분에도 불구하고 종전 처분이 여전히 항고소송의 대상이 된다고 보아야 한다(대판 2015. 11. 19, 2015두295 전합).

④ ○

과세표준과 세액을 감액하는 경정처분은 당초의 부과처분과 별개 독립의 과세처분이 아니라 그 실질은 당초의 부과처분의 변경이고, 그에 의하여 세액의 일부취소라는 납세자에게 유리한 효과를 가져오는 처분이므로, 그 경정처분으로도 아직 취소되지 아니하고 남아 있는 부분이 위법하다 하여 다투는 경우, 항고소송의 대상은 당초의 부과처분 중 경정처분에 의하여 아직 취소되지 않고 남은 부분이고, 그 경정처분이 항고소송의 대상이 되는 것은 아니며, 이 경우 적법한 전심절차를 거쳤는지 여부도 당초 처분을 기준으로 판단하여야 한다(대판 2009. 5. 28, 2006두16403).

📋 관련판례

행정청이 과징금 부과처분을 하였다가 감액처분을 한 것에 대하여 그 감액처분으로도 아직 취소되지 않고 남아 있는 부분이 위법하다고 하여 다투는 경우 항고소송의 대상은 처음의 부과처분 중 감액처분에 의하여 취소되지 않고 남은 부분이고 감액처분이 항고소송의 대상이 되는 것은 아니다(대판 2008. 2. 15, 2006두3957).

11
정답 ②

① ⓐ 처분 ○ ⓑ 처분 ✕

❶ 정부 간 항공노선의 개설에 관한 잠정협정 및 비밀양해각서와 건설교통부(현 국토교통부) 내부지침에 의한 항공노선에 대한 운수권배분처분은 항고소송의 대상이 되는 행정처분에 해당한다(ⓐ)(대판 2004. 11. 26, 2003두10251·10268).

❷ 검사의 공소는 행정소송의 대상이 되는 처분이 아니다(ⓑ). 검사의 공소에 대하여는 형사소송절차에 의하여서만 이를 다툴 수 있고 행정소송의 방법으로 공소의 취소를 구할 수는 없다(대판 2000. 3. 28, 99두11264).

❸ 검사의 불기소결정은 행정소송의 대상이 되는 처분이 아니다(ⓑ). 행정소송법 제2조의 처분의 개념 정의에는 해당한다고 하더라도 그 처분의 근거법률에서 행정소송 이외의 다른 절차에 의하여 불복할 것을 예정하고 있는 처분은 항고소송의 대상이 될 수 없다. 검사의 불기소결정에 대해서는 검찰청법에 의한 항고와 재항고, 형사소송법에 의한 재정신청에 의해서만 불복할 수 있는 것이므로, 이에 대해서는 행정소송법상 항고소송을 제기할 수 없다(대판 2018. 9. 28, 2017두47465).

② ⓐ 처분 ○ ⓑ 처분 ○

❶ 교육공무원법상 승진후보자명부에 의한 승진심사방식으로 행해지는 승진임용에서 승진후보자명부에 포함되어 있던 후보자를 승진임용 인사발령에서 제외하는 행위는 불이익처분으로서 항고소송의 대상인 처분에 해당한다(ⓐ)(대판 2018. 3. 27, 2015두47492).

❷-1. 교육부장관이 대학에서 추천한 복수의 총장 후보자들 전부 또는 일부를 임용제청에서 제외하는 행위는 항고소송의 대상이 되는 처분에 해당한다(ⓑ).

❷-2. 교육부장관이 특정 후보자를 임용제청에서 제외하고 다른 후보자를 임용제청함으로써 대통령이 임용제청된 다른 후보자를 총장으로 임용한 경우, 임용제청에서 제외된 후보자가 행정소송으로 다툴 처분은 대통령의 임용제외처분이다(대판 2018. 6. 15, 2016두57564).

③ ⓐ 처분 ✕ ⓑ 처분 ✕

❶ 한국마사회의 조교사 및 기수 면허 부여 또는 취소는 행정처분이 아니다(ⓐ).
한국마사회가 조교사 또는 기수의 면허를 부여하거나 취소하는 것은 경마를 독점적으로 개최할 수 있는 지위에서 우수한 능력을 갖추었다고 인정되는 사람에게 경마에서의 일정한 기능과 역할을 수행할 수 있는 자격을 부여하거나 이를 박탈하는 것에 지나지 아니하므로, 이는 국가 기타 행정기관으로부터 위탁받은 행정권한의 행사가 아니라 일반사법상의 법률관계에서 이루어지는 단체 내부에서의 징계 내지 제재처분이다(대판 2008. 1. 31, 2005두8269).

❷ 과거에 법률에 의하여 당연퇴직된 공무원의 복직 또는 재임용신청에 대한 행정청의 거부행위는 항고소송의 대상이 되는 행정처분에 해당하지 아니한다(ⓑ)(대판 2005. 11. 25, 2004두12421).

④ ⓐ 처분 ✕ ⓑ 처분 ○

> ❶ 병역법상 신체등위판정은 행정청이라고 볼 수 없는 군의관이 하도록 되어 있으며, 그 자체만으로 바로 병역법상의 권리·의무가 정하여지는 것이 아니라 그에 따라 지방병무청장이 병역처분을 함으로써 비로소 병역의무의 종류가 정하여지는 것이므로 항고소송의 대상이 되는 행정처분이라 보기 어렵다(ⓐ)(대판 1993. 8. 27, 93누3356).
> ❷ 건축계획심의신청에 대한 반려처분은 항고소송의 대상이 되는 행정처분에 해당한다(ⓑ)(대판 2007. 10. 11, 2007두1316).

12
[정답] ②

① ○
> 공기업·준정부기관이 입찰을 거쳐 계약을 체결한 상대방에 대해 「공공기관의 운영에 관한 법률」제39조 제2항 등에 따라 계약조건 위반을 이유로 입찰참가자격제한처분을 하기 위해서는 입찰공고와 계약서에 미리 계약조건과 그 계약조건을 위반할 경우 입찰참가자격제한을 받을 수 있다는 사실을 모두 명시해야 한다(대판 2021. 11. 11, 2021두43491).

② ✕
> 시험승진후보자명부에서의 삭제행위는 결국 그 명부에 등재된 자에 대한 승진 여부를 결정하기 위한 행정청 내부의 준비과정에 불과하고, 그 자체가 어떠한 권리나 의무를 설정하거나 법률상 이익에 직접적인 변동을 초래하는 별도의 행정처분이 된다고 할 수 없다(대판 1997. 11. 14, 97누7325).

③ ○
> 방송통신위원회가 JTBC에 대해 행한 고지방송명령 부분은 행정처분이 아니다.
> 행정청 내부에서의 행위나 알선, 권유, 사실상의 통지 등과 같이 상대방 또는 기타 관계자들의 법률상 지위에 직접적인 법률적 변동을 일으키지 아니하는 행위는 항고소송의 대상이 아니다. 이 사건 고지방송명령은 권고적 효력만을 가지는 비권력적 사실행위에 해당할 뿐, 항고소송의 대상이 되는 행정처분에 해당하지 않는다(대판 2023. 7. 13, 2016두34257).

④ ○
> 구 국세징수법상 가산금 또는 중가산금의 고지는 항고소송의 대상이 되는 처분이 아니다.
> 구 국세징수법 제21조, 제22조(현 삭제)가 규정하는 가산금 또는 중가산금은 국세를 납부기한까지 납부하지 아니하면 과세청의 확정절차 없이도 법률규정에 의하여 당연히 발생하는 것이므로 가산금 또는 중가산금의 고지가 항고소송의 대상이 되는 처분이라고 볼 수 없다(대판 2005. 6. 10, 2005다15482).

13
[정답] ③

㉮ ✕
> (여객자동차 운송사업자 甲주식회사가 시내버스 노선을 운행하면서 환승요금할인, 청소년요금할인을 시행한 데에 따른 손실을 보전해 달라며 경기도지사와 광명시장에게 보조금 지급신청을 하였으나, 경기도지사가 甲회사와 광명시장에게 "甲회사의 보조금 지급신청을 받아들일 수 없음은 기존에 회신한 바와 같고, 광명시에서는 적의 조치하여 주기 바란다."는 취지로 통보한 사안에서) 경기도지사의 위 통보는 甲회사의 권리·의무에 직접적인 영향을 주는 것이라고 할 수 없어 항고소송의 대상이 되는 처분으로 볼 수 없다(대판 2023. 2. 23, 2021두44548).

㉯ ○
> 검사에 대한 경고조치 관련 규정을 위 법리에 비추어 살펴보면, 검찰총장이 사무검사 및 사건 평정을 기초로 「대검찰청 자체감사규정」제23조 제3항, 「검찰공무원의 범죄 및 비위 처리지침」제4조 제2항 제2호 등에 근거하여 검사에 대하여 하는 '경고조치'는 일정한 서식에 따라 검사에게 개별 통지를 하고 이의신청을 할 수 있으며, 검사가 검찰총장의 경고를 받으면 1년 이상 감찰관리대상자로 선정되어 특별관리를 받을 수 있고, 경고를 받은 사실이 인사자료로 활용되어 복무평정, 직무성과금 지급, 승진·전보인사에서도 불이익을 받게 될 가능성이 높아지며, 향후 다른 징계사유로 징계처분을 받게 될 경우에 징계양정에서 불이익을 받게 될 가능성이 높아지므로, 검사의 권리·의무에 영향을 미치는 행위로서 항고소송의 대상이 되는 처분이라고 보아야 한다(대판 2021. 2. 10, 2020두47564).

㉰ ○
> 코로나바이러스감염증-19의 예방을 위하여 음식점 및 PC방 운영자 등에게 영업시간을 제한하거나 이용자 간 거리를 둘 의무를 부여하는 심판대상고시는 관내 음식점 및 PC방의 관리자·운영자들에게 일정한 방역수칙을 준수할 의무를 부과하는 것으로서, 항고소송의 대상인 행정처분에 해당한다. 대법원도 심판대상고시와 동일한 규정형식을 가진 피청구인의 대면예배 제한 고시(서울특별시 고시 제20201-414호)가 항고소송의 대상인 행정처분에 해당함을 전제로 판단한 바 있다(헌재 2023. 5. 25, 2021헌마21).

㉱ ✕
> 금융감독원장이 종합금융주식회사의 '전 대표이사'에게 '문책경고장'을 보낸 행위는 항고소송의 대상이 되는 행정처분이 아니다.
> 금융감독원장이 종합금융주식회사의 전 대표이사에게 재직 중 위법·부당행위 사례를 첨부하여 금융 관련 법규를 위반하고 신용질서를 심히 문란하게 한 사실이 있다는 내용으로 '문책경고장(상당)'을 보낸 행위는 항고소송의 대상이 되는 행정처분에 해당하지 아니한다(대판 2005. 2. 17, 2003두10312).

14 정답 ②

① ○

> 세무조사결정은 항고소송의 대상이 되는 행정처분에 해당한다.
> 부과처분을 위한 과세관청의 질문조사권이 행해지는 세무조사결정이 있는 경우 납세의무자는 세무공무원의 과세자료 수집을 위한 질문에 대답하고 검사를 수인하여야 할 법적 의무를 부담하게 되는 점, …… 세무조사결정은 납세의무자의 권리·의무에 직접 영향을 미치는 공권력의 행사에 따른 행정작용으로서 항고소송의 대상이 된다(대판 2011. 3. 10, 2009두23617·23624).

② ×

> 「진실·화해를 위한 과거사정리 기본법」제26조에 따른 진실·화해를 위한 과거사정리위원회의 진실규명결정은 항고소송의 대상이 되는 행정처분이다.
> 진실규명결정이 이루어지면 그 결정에서 규명된 진실에 따라 국가가 피해자 등에 대하여 피해 및 명예회복조치를 취할 법률상 의무를 부담하게 되는 점, 진실·화해를 위한 과거사정리위원회가 위와 같은 법률상 의무를 부담하는 국가에 대하여 피해자 등의 피해 및 명예회복을 위한 조치로 권고한 사항에 대한 이행의 실효성이 법적·제도적으로 확보되고 있는 점 등 여러 사정을 종합하여 보면, 법이 규정하는 진실규명결정은 국민의 권리·의무에 직접적으로 영향을 미치는 행위로서 항고소송의 대상이 되는 행정처분이라고 보는 것이 타당하다(대판 2013. 1. 16, 2010두22856).

③ ○

> 교도소장이 수형자 甲을 '접견내용 녹음·녹화 및 접견시 교도관 참여대상자'로 지정한 사안에서, 위 지정행위는 수형자의 구체적 권리·의무에 직접적 변동을 가져오는 행정청의 공법상 행위로서 항고소송의 대상이 되는 '처분'에 해당한다.
> 원심은, 피고가 위와 같은 지정행위를 함으로써 원고의 접견시마다 사생활의 비밀 등 권리에 제한을 가하는 교도관의 참여, 접견내용의 청취·기록·녹음·녹화가 이루어졌으므로 이는 피고가 그 우월적 지위에서 수형자인 원고에게 일방적으로 강제하는 성격을 가진 공권력적 사실행위의 성격을 갖고 있는 점 …… 등을 종합하면, 위와 같은 지정행위는 수형자의 구체적 권리·의무에 직접적 변동을 초래하는 행정청의 공법상 행위로서 항고소송의 대상이 되는 '처분'에 해당한다고 판단하였다. 앞서 본 법리와 법규정 및 기록에 비추어 살펴보면, 원심의 위와 같은 판단은 정당한 것이다(대판 2014. 2. 13, 2013두20899).

④ ○

> 공법인인 총포·화약안전기술협회의 '회비 납부통지'는 '부담금 부과처분'으로서 항고소송의 대상이 된다.
> 「총포·도검·화약류 등의 안전관리에 관한 법률 시행령」 제78조 제1항 제3호, 제79조 및 총포·화약안전기술협회(이하 '협회'라 한다) 정관의 관련 규정의 내용을 위 법리에 비추어 살펴보면, 공법인인 협회가 자신의 공행정활동에 필요한 재원을 마련하기 위하여 회비 납부의무자에 대하여 한 '회비 납부통지'는 납부의무자의 구체적인 부담금액을 산정·고지하는 '부담금 부과처분'으로서 항고소송의 대상이 된다고 보아야 한다(대판 2021. 12. 30, 2018다241458).

15 정답 ④

㉮ × 법인에 대한 소득금액변동통지는 항고소송의 대상이 되는 처분이나, 소득의 귀속자에 대한 소득금액변동통지는 처분이 아니다.

> ❶ 과세관청의 원천징수의무자인 법인에 대한 소득금액변동통지는 항고소송의 대상이 되는 행정처분이다.
> 과세관청의 소득처분과 그에 따른 소득금액변동통지가 있는 경우 원천징수의무자인 법인은 소득금액변동통지서를 받은 날에 그 통지서에 기재된 소득의 귀속자에게 당해 소득금액을 지급한 것으로 의제되어 그때 원천징수하는 소득세의 납세의무가 성립함과 동시에 확정되고, 원천징수의무자인 법인으로서는 소득금액변동통지서에 기재된 소득처분의 내용에 따라 원천징수세액을 그 다음 달 10일까지 관할 세무서장 등에게 납부하여야 할 의무를 부담한다.(대판 2006. 4. 20, 2002두1878 전합).
> ❷ 소득의 귀속자에 대한 소득금액변동통지는 원천납세의무자인 소득의 귀속자의 법률상 지위에 직접적인 법률적 변동을 가져오는 것이 아니므로, 항고소송의 대상이 되는 행정처분이라고 볼 수 없다(대판 2015. 3. 26, 2013두9267).

㉯ ×

> 산업단지관리공단이 구「산업집적활성화 및 공장설립에 관한 법률」 제38조 제2항에 따른 입주변경계약의 취소는 항고소송의 대상이 되는 행정처분에 해당한다.
> 구「산업집적활성화 및 공장설립에 관한 법률」상 입주계약해지통보에 수반되는 법적 의무 및 그 의무를 불이행한 경우의 형사적 내지 행정적 제재 등을 종합적으로 고려하면, 입주변경계약취소는 행정청인 관리권자로부터 관리업무를 위탁받은 산업단지관리공단이 우월적 지위에서 입주기업체들에게 일정한 법률상 효과를 발생하게 하는 것으로서 항고소송의 대상이 되는 행정처분에 해당한다(대판 2017. 6. 15, 2014두46843).

㉰ ○

> 피고(편저자 주: 조달청장)가 사법상 계약인 물품구매(제조)계약 추가특수조건에 근거하여 한 나라장터 종합쇼핑몰 거래정지조치는 비록 추가특수조건이라는 사법상 계약에 근거한 것이기는 하지만 행정청인 피고가 행하는 구체적 사실에 관한 법집행으로서의 공권력의 행사로서 그 상대방인 원고의 권리·의무에 직접 영향을 미치므로 항고소송의 대상에 해당한다(대판 2018. 11. 29, 2015두52395).

㉱ ○

> 지방세법 및 지방세기본법, 지방세징수법의 개정연혁에 따르면, 구 지방세기본법은 물론 현행 지방세징수법하에서도, 지방세의 결손처분은 국세의 결손처분과 마찬가지로 더 이상 납세의무가 소멸하는 사유가 아니라 체납처분을 종료하는 의미만을 가지게 되었고, 결손처분의 취소 역시 국민의 권리와 의무에 영향을 미치는 행정처분이 아니라 과거에 종료되었던 체납처분절차를 다시 시작한다는 행정절차로서의 의미만을 가지게 되었다고 할 것이다(대판 2019. 8. 9, 2018다272407).

16 정답 ②

① ✕

> ❶ 보건복지부장관이 2024. 2. 6. 의대정원을 2025학년도부터 2,000명 증원할 것이라고 발표한 행위(증원발표)는 항고소송의 대상이 되는 처분으로 보기 어렵다.
> ❷ 그러나 교육부장관이 2024. 3. 20. 2025학년도 전체 의대정원을 2,000명 증원하여 각 대학별로 배정(증원배정)한 것은 항고소송의 대상이 되는 처분으로 볼 여지가 크다(대결 2024. 6. 19, 2024무689).

② ○

> ❶ 토지 등 소유자들이 그 사업을 위한 조합을 따로 설립하지 않고 직접 시행하는 도시환경정비사업에서 사업시행인가처분은 단순히 사업시행계획에 대한 보충행위로서의 성질을 가지는 것이 아니라 구「도시 및 주거환경정비법」상 정비사업을 시행할 수 있는 권한을 가지는 행정주체로서의 지위를 부여하는 일종의 설권적 처분의 성격을 가진다.
> ❷ 조합을 따로 설립하지 아니하고 도시환경정비사업을 직접 시행하려는 토지 등 소유자들은 시장·군수로부터 사업시행인가를 받기 전에는 행정주체로서의 지위를 가지지 못한다. 따라서 그가 작성한 사업시행계획은 인가처분의 요건 중 하나에 불과하고 항고소송의 대상이 되는 독립된 행정처분에 해당하지 아니한다고 할 것이다(대판 2013. 6. 13, 2011두19994).

③ ✕

> 평택~시흥 간 고속도로 건설공사 사업시행자인 한국도로공사가 구 지적법 제24조 제1항, 제28조 제1호에 따라 고속도로 건설공사에 편입되는 토지소유자들을 대위하여 토지면적등록 정정신청을 하였으나 화성시장이 이를 반려한 사안에서) 토지면적등록 정정신청 반려처분은 항고소송의 대상이 되는 행정처분에 해당한다.
> 토지면적등록 정정신청을 하였으나 화성시장이 이를 반려한 사안에서, 반려처분은 공공사업의 원활한 수행을 위하여 부여된 사업시행자의 관계 법령상 권리 또는 이익에 영향을 미치는 공권력의 행사 또는 그 거부에 해당하는 것으로서 항고소송의 대상이 되는 행정처분에 해당한다(대판 2011. 8. 25, 2011두3371).

④ ✕

> 행정청이 토지대장의 소유자명의변경신청을 거부한 행위는 항고소송의 대상이 되는 행정처분이 아니다.
> 토지대장에 기재된 일정한 사항을 변경하는 행위는, 그것이 지목의 변경이나 정정 등과 같이 토지소유권 행사의 전제요건으로서 토지소유자의 실체적 권리관계에 영향을 미치는 사항에 관한 것이 아닌 한 행정사무집행의 편의와 사실증명의 자료로 삼기 위한 것일 뿐이어서, 그 소유자명의가 변경된다고 하여도 이로 인하여 당해 토지에 대한 실체상의 권리관계에 변동을 가져올 수 없고 토지소유권이 지적공부의 기재만에 의하여 증명되는 것도 아니다. 따라서 소관청이 토지대장상의 소유자명의변경신청을 거부한 행위는 이를 항고소송의 대상이 되는 행정처분이라고 할 수 없다(대판 2012. 1. 12, 2010두12354).

17 정답 ③

㉮ ✕

> 지적공부 소관청의 지목변경신청 반려행위는 항고소송의 대상이 되는 행정처분이다.
> 구 지적법 규정은 토지소유자에게 지목변경신청권과 지목정정신청권을 부여한 것이고, 한편 지목은 토지에 대한 공법상의 규제, 개발부담금의 부과대상, 지방세의 과세대상, 공시지가의 산정, 손실보상가액의 산정 등 토지행정의 기초로서 공법상의 법률관계에 영향을 미치고, 토지소유자는 지목을 토대로 토지의 사용·수익·처분에 일정한 제한을 받게 되는 점 등을 고려하면, 지목은 토지소유권을 제대로 행사하기 위한 전제요건으로서 토지소유자의 실체적 권리관계에 밀접하게 관련되어 있으므로 지적공부 소관청의 지목변경신청 반려행위는 국민의 권리관계에 영향을 미치는 것으로서 항고소송의 대상이 되는 행정처분에 해당한다(대판 2004. 4. 22, 2003두9015).

㉯ ✕

> 건축물대장의 용도는 건축물의 소유권을 제대로 행사하기 위한 전제요건으로서 건축물소유자의 실체적 권리관계에 밀접하게 관련되어 있으므로, 건축물대장 소관청의 용도변경신청 거부행위는 국민의 권리관계에 영향을 미치는 것으로서 항고소송의 대상이 되는 행정처분에 해당한다(대판 2009. 1. 30, 2007두7277).

㉰ ○

> 행정청이 건축물에 관한 건축물대장을 직권말소한 행위는 항고소송의 대상이 되는 행정처분에 해당한다.
> 건축물대장은 건축물의 소유권을 제대로 행사하기 위한 전제요건으로서 건축물소유자의 실체적 권리관계에 밀접하게 관련되어 있으므로, 이러한 건축물대장을 직권말소한 행위는 국민의 권리관계에 영향을 미치는 것으로서 항고소송의 대상이 되는 행정처분에 해당한다(대판 2010. 5. 27, 2008두22655).

㉱ ○

> 무허가건물등재대장 삭제행위는 행정처분이 아니다.
> 무허가건물관리대장은, 행정관청이 지방자치단체의 조례 등에 근거하여 무허가건물 정비에 관한 행정상 사무처리의 편의와 사실증명의 자료로 삼기 위하여 작성·비치하는 대장으로서 무허가건물을 무허가건물관리대장에 등재하거나 등재된 내용을 변경 또는 삭제하는 행위로 인하여 당해 무허가건물에 대한 실체상의 권리관계에 변동을 가져오는 것이 아니다(대판 2009. 3. 12, 2008두11525).

㉲ ✕

> 행정청이 건축물대장의 작성신청을 거부(반려)한 행위는 항고소송의 대상이 되는 행정처분에 해당한다(대판 2009. 2. 12, 2007두17359).

18 정답 ②

① ○ 판례에 의하면 법규상 또는 조리상의 신청권은 행정청의 거부행위가 항고소송의 대상이 되는 처분이 되기 위한 요건이다. 따라서 신청권이 없는 경우 대상적격의 흠결로 부적법 각하된다.

> 국민의 적극적 행위 신청에 대한 행정청의 거부행위가 항고소송의 대상이 되는 행정처분이 되기 위해서는 국민에게 법규상 또는 조리상의 신청권이 있어야 한다(대판 2005. 2. 25, 2004두4031).

② ✗

> 거부처분의 처분성을 인정하기 위한 전제요건이 되는 신청권의 존부는 신청인이 누구인가를 고려하지 않고 관계 법규 해석에 의해 일반국민에게 신청권을 인정하고 있는가를 살펴 추상적으로 결정되는 것이고 <u>신청의 인용이라는 만족적 결과를 얻을 권리를 의미하는 것은 아니다.</u>

거부처분의 처분성을 인정하기 위한 전제요건이 되는 신청권의 존부는 구체적 사건에서 신청인이 누구인가를 고려하지 않고 관계 법규의 해석에 의하여 일반국민에게 그러한 신청권을 인정하고 있는가를 살펴 추상적으로 결정되는 것이고, 신청인이 그 신청에 따른 단순한 응답을 받을 권리를 넘어서 신청의 인용이라는 만족적 결과를 얻을 권리를 의미하는 것은 아니다. 따라서 국민이 어떤 신청을 한 경우에 그 신청의 근거가 된 조항의 해석상 행정발동에 대한 개인의 신청권을 인정하고 있다고 보여지면 그 거부행위는 항고소송의 대상이 되는 처분으로 보아야 할 것이고, 구체적으로 그 신청이 인용될 수 있는가 하는 점은 본안에서 판단하여야 할 사항인 것이다(대판 1996. 6. 11, 95누12460).

③ ○

> 거부가 처분이 되기 위한 요건으로 '신청인의 법률관계에 어떤 변동을 일으키는 것'의 의미는 신청인의 실체상의 권리관계에 직접적인 변동을 일으키는 것은 물론, 그렇지 않다 하더라도 신청인이 실체상의 권리자로서 권리를 행사함에 중대한 지장을 초래하는 것도 포함한다(대판 2007. 10. 11, 2007두1316).

④ ○

> (甲 등이 인터넷 포털사이트 등의 개인정보 유출사고로 자신들의 주민등록번호 등 개인정보가 불법유출되자 이를 이유로 관할 구청장에게 주민등록번호를 변경해줄 것을 신청하였으나 구청장이 "주민등록번호가 불법유출된 경우 주민등록법상 변경이 허용되지 않는다."라는 이유로 주민등록번호 변경을 거부하는 취지의 통지를 한 사안에서) 피해자의 의사와 무관하게 주민등록번호가 유출된 경우에는 조리상 주민등록번호의 변경을 요구할 신청권을 인정함이 타당하고, 구청장의 <u>주민등록번호 변경신청 거부행위는 항고소송의 대상이 되는 행정처분에 해당한다</u>(대판 2017. 6. 15, 2013두2945).

19 [정답] ③

㉮ ✗

> 거부처분 이후 동일한 내용의 새로운 신청에 대하여 다시 거부한 경우, 새로운 거부처분이 있는 것으로 볼 수 있다.

거부처분은 관할 행정청이 국민의 처분신청에 대하여 거절의 의사표시를 함으로써 성립되고, 그 이후 <u>동일한 내용의 새로운 신청에 대하여 다시 거절의 의사표시를 한 경우에는 새로운 거부처분이 있는 것으로 보아야 할 것이다</u>(대판 2002. 3. 29, 2000두6084).

㉯ ○

> 업무상 재해를 당한 甲의 요양급여신청에 대하여 근로복지공단이 요양승인처분을 하면서 사업주를 乙주식회사로 보아 요양승인사실을 통지하자, 乙회사가 甲이 자신의 근로자가 아니라고 주장하면서 사업주변경신청을 하였으나 근로복지공단이 거부통지를 한 사안에서, 산업재해보상보험법, 「고용보험 및 산업재해보상보험의 보험료징수 등에 관한 법률」 등 관련 법령은 사업주가 이미 발생한 업무상 재해와 관련하여 당시 재해근로자의 사용자가 자신이 아니라 제3자임을 근거로 사업주변경신청을 할 수 있도록 하는 규정을 두고 있지 않으므로 <u>법규상으로 신청권이 인정된다고 볼 수 없고,</u> 산업재해보상보험에서 보험가입자인 사업주와 보험급여를 받을 근로자에 해당하는지는 해당 사실의 실질에 의하여 결정되는 것일 뿐이고 근로복지공단의 결정에 따라 보험가입자(당연가입자) 지위가 발생하는 것은 아닌 점 등을 종합하면, 사업주 변경신청과 같은 내용의 <u>조리상 신청권이 인정된다고 볼 수도 없으므로, 근로복지공단이 신청을 거부하였더라도 乙회사의 권리나 법적 이익에 어떤 영향을 미치는 것은 아니어서, 위 통지는 항고소송의 대상이 되는 행정처분이 되지 않는다</u>(대판 2016. 7. 14, 2014두47426).

㉰ ○

> 대학 교원의 임용권자가 임용기간이 만료된 조교수에 대하여 재임용을 거부하는 취지로 한 임용기간만료의 통지는 행정소송의 대상이 되는 처분에 해당한다.

기간제로 임용되어 임용기간이 만료된 국·공립대학의 조교수는 교원으로서의 능력과 자질에 관하여 합리적인 기준에 의한 공정한 심사를 받아 위 기준에 부합되면 특별한 사정이 없는 한 재임용되리라는 기대를 가지고 재임용 여부에 관하여 합리적인 기준에 의한 공정한 심사를 요구할 법규상 또는 조리상 신청권을 가진다고 할 것이니, 임용권자가 임용기간이 만료된 조교수에 대하여 재임용을 거부하는 취지로 한 임용기간만료의 통지는 위와 같은 대학 교원의 법률관계에 영향을 주는 것으로서 행정소송의 대상이 되는 처분에 해당한다(대판 2004. 4. 22, 2000두7735 전합).

㉱ ✗

> 문화재보호구역 내 토지소유자의 <u>문화재보호구역 지정해제신청에 대한 행정청의 거부행위는 항고소송의 대상이 되는 행정처분에 해당한다.</u>

헌법상 개인의 재산권보장의 취지에 비추어 보면, 문화재보호구역 내에 있는 토지소유자 등으로서는 <u>위 보호구역의 지정해제를 요구할 수 있는 법규상 또는 조리상의 신청권이 있다</u>고 할 것이고, 이러한 신청에 대한 거부행위는 항고소송의 대상이 되는 행정처분에 해당한다(대판 2004. 4. 27, 2003두8821).

20 [정답] ②

㉮ ✗

> <u>법인세 과세표준결정</u>이나 손금불산입처분은 항고소송의 대상이 되는 행정처분이 아니다.

법인세 과세표준결정이나 손금불산입처분은 법인세 과세처분에 앞선 결정으로서 그로 인하여 바로 과세처분의 효력이 발생하는 것이 아니고 또 후일에 이에 의한 법인세 과세처분이 있을 때에 그 부과처분을 다툴 수 있는 방법이 없는 것도 아니므로, 법인세 과세표준결정이나 손금불산입처분은 항고소송의 대상이 되는 행정처분이라고는 할 수 없다(대판 1996. 9. 24, 95누12842).

㉯ ○

> ❶ 변상금 부과처분은 행정처분이다(대판 2000. 1. 14, 99두9735).
> ❷ 국유재산 '무단점유자에 대한 변상금 부과처분'은 관리청이 우월적 지위에서 행한 것으로서 행정처분이다.

국유재산법 제51조(현 제72조) 제1항은 국유재산의 무단점유자에 대하여는 대부 또는 사용·수익허가 등을 받은 경우에 납부하여야 할 대부료 또는 사용료 상당액 외에도 그 징벌적 의미에서 국가 측이 일방적으로 그 2할 상당액을 추가하여 변상금을 징수토록 하고 있으며 동조 제2항은 변상금의 체납시 국세징수법에 의하여 강제징수토록 하고 있는 점 등에 비추어 보면 국유재산의 관리청이 그 무단점유자에 대하여 하는 <u>변상금 부과처분은 순전히 사경제주체로서 행하는 사법상의 법률행위라 할 수 없고 이는 관리청이 공권력을 가진 우월적 지위에서 행한 것으로서 행정소송의 대상이 되는 행정처분이라고 보아야 한다</u>(대판 1988. 2. 23, 87누1046·1047).

㉰ ○

헌법 제64조 ② 국회는 의원의 자격을 심사하며, 의원을 징계할 수 있다.
③ 의원을 제명하려면 국회재적의원 3분의 2 이상의 찬성이 있어야 한다.
④ 제2항과 제3항의 처분에 대하여는 법원에 제소할 수 없다.

<u>지방의회의장에 대한 불신임의결은 행정처분으로서 행정소송의 대상이 된다.</u>
지방의회를 대표하고 의사를 정리하며 회의장 내의 질서를 유지하고 의회의 사무를 감독하며 위원회에 출석하여 발언할 수 있는 등의 직무권한을 가지는 지방의회의장에 대한 불신임의결은 의장의 권한을 박탈하는 행정처분의 일종으로서 항고소송의 대상이 된다(대결 1994. 10. 11, 94두23).

㉱ ×

<u>국세환급결정이나 환급신청에 대한 거부결정은 내부적 사무절차로서 항고소송의 대상이 되는 처분이 아니다</u>(대판 1994. 12. 2, 92누14250).

㉲ ×

<u>국세환급금의 충당은 납세의무자가 갖는 환급청구권의 존부나 범위 또는 소멸에 구체적이고 직접적인 영향을 미치는 처분이라기보다는 국가의 환급금채무와 조세채권이 대등액에서 소멸되는 점에서 오히려 민법상의 상계와 비슷하고,</u> 소멸대상인 조세채권이 존재하지 아니하거나 당연무효 또는 취소되는 경우에는 충당의 효력이 없는 것으로서 이러한 사유가 있는 경우에 납세의무자로서는 충당의 효력이 없음을 주장하여 언제든지 이미 결정된 국세환급금의 반환을 청구할 수 있다(대판 2019. 6. 13, 2016다239888).

21 [정답] ②

㉮ ×

<u>구 「민원사무처리에 관한 법률」 제19조 제1항에서 정한 사전심사결과통보는 항고소송의 대상이 되는 행정처분에 해당하지 않는다.</u>
행정청은 사전심사결과 가능하다는 통보를 한 때에도 구 「민원사무처리에 관한 법률」 제19조 제3항에 의한 제약이 따르기는 하나 반드시 민원사항을 인용하는 처분을 해야 하는 것은 아닌 점, 행정청은 사전심사결과 불가능하다고 통보하였더라도 사전심사결과에 구애되지 않고 민원사항을 처리할 수 있으므로 불가능하다는 통보가 민원인의 권리·의무에 직접적 영향을 미친다고 볼 수 없다(대판 2014. 4. 24, 2013두7834).

㉯ ○

<u>국가인권위원회의 각하 및 기각결정은 법률상 신청권이 있는 피해자인 진정인의 권리 행사에 중대한 지장을 초래하는 것으로서 항고소송의 대상이 되는 행정처분에 해당하므로, 헌법소원의 보충성에 따라 그에 대한 다툼은 우선 행정심판이나 행정소송에 의하여야 할 것이다</u>(헌재 2015. 3. 26, 2013헌마214 등).

㉰ ○

요건을 충족하는 경우 공정거래위원회는 구 「하도급거래 공정화에 관한 법률」 제26조 제2항 후단에 따라 관계 행정기관의 장에게 해당 사업자에 대한 입찰참가자격제한 요청결정을 하게 되며, 이를 요청받은 관계 행정기관의 장은 특별한 사정이 없는 한 그 사업자에 대하여 입찰참가자격을 제한하는 처분을 해야 하므로, 사업자로서는 입찰참가자격제한 요청결정이 있으면 장차 후속처분으로 입찰참가자격이 제한될 수 있는 법률상 불이익이 존재한다. 이때 입찰참가자격제한 요청결정이 있음을 알고 있는 사업자로 하여금 입찰참가자격제한처분에 대하여만 다툴 수 있도록 하는 것보다는 그에 앞서 직접 입찰참가자격제한 요청결정의 적법성을 다툴 수 있도록 함으로써 분쟁을 조기에 근본적으로 해결하도록 하는 것이 법치행정의 원리에도 부합한다. 따라서 <u>공정거래위원회의 입찰참가자격제한 요청결정은 항고소송의 대상이 되는 처분에 해당한다</u>(대판 2023. 2. 2, 2020두48260).

㉱ ×

<u>교육부장관이 시·도교육감에게 통보한 대학입시기본계획 내의 내신성적산정지침은 항고소송의 대상인 행정처분이 아니다</u>(대판 1994. 9. 10, 94두33).

22 [정답] ③

㉮ ×

<u>당연퇴직의 인사발령은 행정소송의 대상인 행정처분이 아니다.</u>
국가공무원법 제69조에 의하면 공무원이 제33조 각 호의 1에 해당할 때에는 당연히 퇴직한다고 규정하고 있으므로, 국가공무원법상 <u>당연퇴직은 결격사유가 있을 때 법률상 당연히 퇴직하는 것이지 공무원관계를 소멸시키기 위한 별도의 행정처분을 요하는 것이 아니며, 당연퇴직의 인사발령은 법률상 당연히 발생하는 퇴직사유를 공적으로 확인하여 알려주는 이른바 관념의 통지에 불과하고 공무원의 신분을 상실시키는 새로운 형성적 행위가 아니므로 행정소송의 대상이 되는 독립한 행정처분이라고 할 수 없다</u>(대판 1995. 11. 14, 95누2036).

㉯ ○

<u>원자력법(현 원자력안전법) 제11조 제3항 소정의 부지사전승인처분은 그 자체로서 독립한 행정처분이다</u>(대판 1998. 9. 4, 97누19588).

㉰ ○

❶ <u>정보통신윤리위원회(현 방송통신심의위원회)가 특정 인터넷사이트를 청소년유해매체물로 결정한 행위는 항고소송의 대상이 되는 행정처분에 해당한다</u>(대판 2007. 6. 14, 2005두4397).
❷ <u>청소년유해매체물 결정 및 고시처분은 일반불특정 다수인을 상대방으로 하여 포장의무 등을 발생시키는 행정처분이다</u>(대판 2007. 6. 14, 2004두619).

㉑ ○

> ❶ 항고소송의 대상이 되는 행정처분이라 함은 원칙적으로 행정청의 공법상 행위로서 특정 사항에 대하여 법규에 의한 권리의 설정 또는 의무의 부담을 명하거나 기타 법률상 효과를 발생하게 하는 등으로 일반국민의 권리·의무에 직접 영향을 미치는 행위를 가리키는 것이지만, 어떠한 처분의 근거나 법적인 효과가 행정규칙에 규정되어 있다고 하더라도, 그 처분이 행정규칙의 내부적 구속력에 의하여 상대방에게 권리의 설정 또는 의무의 부담을 명하거나 기타 법적인 효과를 발생하게 하는 등으로 그 상대방의 권리·의무에 직접 영향을 미치는 행위라면, 이 경우에도 항고소송의 대상이 되는 행정처분에 해당한다.
> ❷ 공무원징계양정규칙(행정규칙)에 의한 불문경고조치는 항고소송의 대상이 되는 행정처분에 해당한다(대판 2002. 7. 26, 2001두3532).

㉒ ✕

> 정부의 수도권 소재 공공기관의 지방이전시책을 추진하는 과정에서 도지사가 도내 특정시를 공공기관이 이전할 혁신도시 최종입지로 선정한 행위는 항고소송의 대상이 되는 행정처분이 아니다(대판 2007. 11. 15, 2007두10198).

23   [정답] ①

① ○

> 금융기관의 '임원'에 대한 금융감독원장의 문책경고는 항고소송의 대상이 되는 행정처분에 해당한다.
> 금융기관의 임원에 대한 금융감독원장의 문책경고는 그 상대방에 대한 직업선택의 자유를 직접 제한하는 효과를 발생하게 하는 등 상대방의 권리·의무에 직접 영향을 미치는 행위로서 항고소송의 대상이 되는 행정처분에 해당한다(대판 2005. 2. 17, 2003두14765).

② ✕

> 자동차운송사업 양도·양수인가신청에 대하여 행정청이 내인가를 한 후 그 본인가신청이 있음에도 내인가를 취소한 경우 내인가취소는 행정처분이다.
> 위 내인가의 법적 성질이 행정행위의 일종으로 볼 수 있든 아니든 그것이 행정청의 상대방에 대한 의사표시임이 분명하고, 피고가 위 내인가를 취소함으로써 다시 본인가에 대하여 따로 인가 여부의 처분을 한다는 사정이 보이지 않는다면 위 내인가취소를 인가신청을 거부하는 처분으로 보아야 할 것이다(대판 1991. 6. 28, 90누4402).

③ ✕

> 증액경정처분은 당초 처분과 증액되는 부분을 포함하여 전체로서 하나의 과세표준과 세액을 다시 결정하는 것이어서 당초 처분은 증액경정처분에 흡수되어 독립된 존재가치를 상실하고 오직 증액경정처분만이 쟁송의 대상이 되어 납세의무자로서는 증액된 부분만이 아니라 당초 처분에서 확정된 과세표준과 세액에 대하여도 그 위법 여부를 다툴 수 있는 것이지만, 증액경정처분이 제척기간 도과 후에 이루어진 경우에는 증액 부분만이 무효로 되고 제척기간 도과 전에 있었던 당초 처분은 유효한 것이므로, 납세의무자로서는 그와 같은 증액경정처분이 있었다는 이유만으로 당초 처분에 의하여 이미 확정되었던 부분에 대하여 다시 위법 여부를 다툴 수는 없다(대판 2004. 2. 13, 2002두9971).

④ ✕

> 증액경정처분이 있는 경우 당초 처분은 증액경정처분에 흡수되어 소멸하고, 소멸한 당초 처분의 절차적 하자는 존속하는 증액경정처분에 승계되지 아니한다(대판 2010. 6. 24, 2007두16493).

24   [정답] ④

㉮ ✕ 재결에 대한 취소소송은 재결 자체에 '고유한 위법'이 있는 경우에 한해 제기할 수 있다. 이때 고유한 위법이란 원처분에는 없고 재결 자체에만 존재하는 위법을 의미하는 것으로 재결의 주체(예 권한이 없는 행정심판위원회가 행한 재결), 형식(예 문서에 의하지 않은 재결), 절차상의 위법뿐만 아니라 내용에 관한 위법도 포함된다는 것이 다수설과 판례의 태도이다.

> 행정소송법 제19조 소정의 '재결 자체에 고유한 위법'이란 원처분에는 없고 재결에만 있는 위법을 의미하며 위법·부당하게 인용재결을 한 경우도 포함된다.
> 행정소송법 제19조에서 말하는 '재결 자체에 고유한 위법'이란 원처분에는 없고 재결에만 있는 재결청의 권한 또는 구성의 위법, 재결의 절차나 형식의 위법, 내용의 위법 등을 뜻하고, 그중 내용의 위법에는 위법·부당하게 인용재결을 한 경우가 해당한다(대판 1997. 9. 12, 96누14661).

㉯ ✕

> 재결취소소송에 있어 재결 자체에 고유한 위법이 없는 경우 법원은 재결취소소송을 기각하여야 한다.
> 재결취소소송의 경우 재결 자체에 고유한 위법이 있는지 여부를 심리할 것이고, 재결 자체에 고유한 위법이 없는 경우에는 원처분의 당부와는 상관없이 당해 재결취소소송은 이를 기각하여야 한다(대판 1994. 1. 25, 93누16901).

㉰ ○

> 행정소송법 제19조에 의하면 행정심판에 대한 재결에 대하여도 그 재결 자체에 고유한 위법이 있음을 이유로 하는 경우에는 항고소송을 제기하여 그 취소를 구할 수 있고, 여기에서 말하는 '재결 자체에 고유한 위법'이란 그 재결 자체에 주체, 절차, 형식 또는 내용상의 위법이 있는 경우를 의미하는데, 행정심판청구가 부적법하지 않음에도 각하한 재결은 심판청구인의 실체심리를 받을 권리를 박탈한 것으로서 원처분에 없는 고유한 하자가 있는 경우에 해당하고, 따라서 위 재결은 취소소송의 대상이 된다(대판 2001. 7. 27, 99두2970).

㉱ ○ 감사원법은 이른바 재결주의를 취하고 있다.

> 감사원의 변상판정처분에 대하여서는 행정소송을 제기할 수 없고, 재결에 해당하는 재심의 판정에 대하여서만 감사원을 피고로 하여 행정소송을 제기할 수 있다(대판 1984. 4. 10, 84누91).

25   정답 ④

㉮ × 인용재결로 인해 비로소 불이익을 얻는 자, 예컨대 건축허가에 있어 이웃주민이 행정심판을 청구하여 건축허가처분 취소심판에 대한 인용재결이 있는 경우에는, 건축허가를 받은 자는 재결 자체에 대한 취소소송을 제기할 수밖에 없으므로 재결이 취소소송의 대상이 된다.

> 제3자효를 수반하는 행정행위에 대한 행정심판청구의 인용재결에 대하여 제3자는 재결취소를 구할 소의 이익이 있다.
> 이른바 복효적 행정행위, 특히 제3자효를 수반하는 행정행위에 대한 행정심판청구에 있어서 그 청구를 인용하는 내용의 재결로 인하여 비로소 권리이익을 침해받게 되는 자(예컨대, 제3자가 행정심판청구인인 경우의 행정처분상대방 또는 행정처분상대방이 행정심판청구인인 경우의 제3자)는 <u>재결의 당사자가 아니라고 하더라도 그 인용재결의 취소를 구하는 소를 제기할 수 있으나, 그 인용재결로 인하여 새로이 어떠한 권리이익도 침해받지 아니하는 자인 경우에는 그 재결의 취소를 구할 소의 이익이 없다</u>(대판 1995. 6. 13, 94누15592).

㉯ ×

> ❶ 징계혐의자에 대한 감봉 1월의 징계처분을 견책으로 변경한 소청결정이 재량권 남용으로 위법하다는 주장은 소청결정 자체에 고유한 위법을 주장하는 것으로 볼 수는 없다.
> ❷ 소청결정이 재량권 남용 또는 일탈로서 위법하다는 주장은 소청결정의 취소사유가 되지 않는다.
> 항고소송은 원칙적으로 당해 처분을 대상으로 하나, 당해 처분에 대한 재결 자체에 고유한 주체, 절차, 형식 또는 내용상의 위법이 있는 경우에 한하여 그 재결을 대상으로 할 수 있다고 해석되므로, <u>징계혐의자에 대한 감봉 1월의 징계처분을 견책으로 변경한 소청결정 중 그를 견책에 처한 조치는 재량권의 남용 또는 일탈로서 위법하다는 사유는 소청결정 자체에 고유한 위법을 주장하는 것으로 볼 수 없어 소청결정의 취소사유가 될 수 없다</u>(대판 1993. 8. 24, 93누5673).

㉰ ○

> 원처분의 취소를 구하는 소송에서 재결 자체의 고유한 위법사유를 주장할 수는 없다.
> 행정처분에 대한 행정심판의 재결에 이유모순의 위법이 있다는 사유는 재결처분 자체에 고유한 하자로서 재결처분의 취소를 구하는 소송에서는 그 위법사유로서 주장할 수 있으나, <u>원처분의 취소를 구하는 소송에서는 그 취소를 구할 위법사유로서 주장할 수 없다</u>(대판 1996. 2. 13, 95누8027).

㉱ ○

> 개별법률에서 재결주의를 정하는 경우에는 재결에 대해서만 제소하는 것이 허용되므로 그 논리적인 전제로서 취소소송을 제기하기 전에 행정심판을 필요적으로 경유할 것이 요구된다(헌재 2001. 6. 28, 2000헌바77).

제16회 | 소방 단원별 모의고사 정답과 해설

출제 범위: 제38강 항고소송 3(그 밖의 소송요건 및 소변경 등) ~ 제40강 항고소송 5(무효등확인소송, 부작위위법확인소송) 문제 p.336

01	02	03	04	05
②	④	①	②	②
06	07	08	09	10
②	②	②	③	④
11	12	13	14	15
①	④	③	③	③
16	17	18	19	20
①	③	④	②	④
21	22	23	24	25
②	④	④	③	④

01
정답 ②

㉮ ○

> 재결청(행정심판위원회)의 '재조사결정'에 따른 심사청구기간이나 심판청구기간 또는 행정소송의 제소기간의 기산점은 후속처분의 통지를 받은 날이 된다(대판 2010. 6. 25, 2007두12514 전합).

㉯ × 행정소송법상 소 종류변경의 경우(행정소송법 제21조의 소변경)에는 변경된 소는 처음에 소를 제기한 때에 제기된 것으로 본다(행정소송법 제21조, 제14조). 따라서 제소기간 준수 여부도 처음에 소를 제기한 때를 기준으로 한다. 그런데 행정소송법 제8조에 의해 행정소송에도 민사소송법 규정이 준용되므로 민사소송법상의 소변경이 허용된다(청구취지의 변경). 이 경우에는 민사소송법상의 소변경에 관한 원칙이 적용되므로 제소기간 준수 여부는 원칙적으로 소변경이 있은 때를 기준으로 한다.

> 청구취지의 변경이 있는 경우, 새로운 소에 대한 제소기간 준수 여부의 기준시점은 소변경시이다.
> 취소소송은 처분 등이 있음을 안 날부터 90일 이내에 제기하여야 하고, 처분 등이 있은 날부터 1년을 경과하면 제기하지 못하며(행정소송법 제20조 제1·2항), 청구취지를 변경하여 구소가 취하되고 새로운 소가 제기된 것으로 변경되었을 때에 새로운 소에 대한 제소기간의 준수 등은 원칙적으로 소의 변경이 있은 때를 기준으로 하여야 한다(대판 2004. 11. 25, 2004두7023).

㉰ ×

> 행정소송법 제8조 제2항은 "행정소송에 관하여 이 법에 특별한 규정이 없는 사항에 대하여는 법원조직법과 민사소송법 및 민사집행법의 규정을 준용한다."라고 규정하고 있고, 민사소송법 제40조 제1항은 "이송결정이 확정된 때에는 소송은 처음부터 이송받은 법원에 계속된 것으로 본다."라고 규정하고 있다. 한편 행정소송법 제21조 제1항, 제4항, 제37조, 제42조, 제14조 제4항은 행정소송 사이의 소변경이 있는 경우 처음 소를 제기한 때에 변경된 청구에 관한 소송이 제기된 것으로 보도록 규정하고 있다. 이러한 규정내용 및 취지 등에 비추어 보면, 원고가 행정소송법상 항고소송으로 제기해야 할 사건을 민사소송으로 잘못 제기한 경우에 수소법원이 그 항고소송에 대한 관할을 가지고 있지 아니하여 관할 법원에 이송하는 결정을 하였고, 그 이송결정이 확정된 후 원고가 항고소송으로 소변경을 하였다면, 그 항고소송에 대한 제소기간의 준수 여부는 원칙적으로 처음에 소를 제기한 때를 기준으로 판단하여야 한다(대판 2022. 11. 17, 2021두44425).

㉱ ○

> 처분 당시에는 취소소송의 제기가 법제상 허용되지 않아 소송을 제기할 수 없다가 위헌결정으로 인하여 비로소 취소소송을 제기할 수 있게 된 경우 객관적으로는 '위헌결정이 있은 날', 주관적으로는 '위헌결정이 있음을 안 날' 비로소 취소소송을 제기할 수 있게 되어 이때를 제소기간의 기산점으로 삼아야 한다(대판 2008. 2. 1, 2007두20997).

02
정답 ④

① ○

> (인터넷 웹사이트에 대하여 구 「청소년 보호법」에 따른 청소년유해매체물 결정 및 고시처분을 한 사안에서, 위 결정은 이해관계인이 고시가 있었음을 알았는지 여부에 관계없이 관보에 고시됨으로써 효력이 발생하고, 그가 위 결정을 통지받지 못하였다는 것이 제소기간을 준수하지 못한 것에 대한 정당한 사유가 될 수 없다고 하면서) 불특정 다수인에게 고시 또는 공고하는 경우 상대방이 고시 또는 공고사실을 현실적으로 알았는지와 무관하게 고시가 효력이 발생하는 날에 처분이 있음을 알았다고 보아야 한다.
> 통상 고시 또는 공고에 의하여 행정처분을 하는 경우에는 그 처분의 상대방이 불특정 다수인이고 그 처분의 효력이 불특정 다수인에게 일률적으로 적용되는 것이므로, 그 행정처분에 이해관계를 갖는 자가 고시 또는 공고가 있었다는 사실을 현실적으로 알았는지 여부에 관계없이 고시가 효력을 발생하는 날 행정처분이 있음을 알았다고 보아야 한다(대판 2007. 6. 14, 2004두619).

② ○

> 이미 제소기간이 지남으로써 불가쟁력이 발생하여 불복청구를 할 수 없었던 경우라면 그 이후에 행정청이 행정심판청구를 할 수 있다고 잘못 알렸다고 하더라도 그 때문에 처분상대방이 적법한 제소기간 내에 취소소송을 제기할 수 있는 기회를 상실하게 된 것은 아니므로 이러한 경우에 잘못된 안내에 따라 청구된 행정심판재결서 정본을 송달받은 날부터 다시 취소소송의 제소기간이 기산되는 것은 아니다. 불가쟁력이 발생하여 더 이상 불복청구를 할 수 없는 처분에 대하여 행정청의 잘못된 안내가 있었다고 하여 처분상대방의 불복청구권리가 새로이 생겨나거나 부활한다고 볼 수는 없기 때문이다(대판 2012. 9. 27, 2011두27247).

③ ○ 제3자는 일반적으로 처분이 있음을 바로 알 수 없는 처지에 있으므로 특별한 사정이 없는 한 정당한 사유가 있는 경우에 해당하여 1년이 경과하더라도 취소소송을 제기할 수 있다. 다만, 제3자가 어떠한 경우로든 행정처분이 있음을 안 이상 그 처분이 있음을 안 날로부터 90일 이내에 취소소송을 제기하여야 한다는 것이 판례의 입장이다(대판 1996. 9. 6, 95누16233).
④ × 소의 추가적 병합의 경우에 추가적으로 병합된 소의 제소기간은 원칙적으로 추가·변경신청이 있은 때를 기준으로 하여야 한다.

> 보충역편입처분 취소처분의 효력을 다투는 소에 공익근무요원복무중단처분, 현역병입영대상편입처분 및 현역병입영통지처분의 취소를 구하는 청구를 추가적으로 병합한 경우, 공익근무요원복무중단처분, 현역병입영대상편입처분 및 현역병입영통지처분의 취소를 구하는 소의 제소기간의 준수 여부는 각 그 청구취지의 추가·변경신청이 있은 때를 기준으로 개별적으로 판단하여야 한다(대판 2004. 12. 10, 2003두12257).

03   [정답] ①

㉮ ×

> 행정소송법 제20조【제소기간】① 취소소송은 처분 등이 있음을 안 날부터 90일 이내에 제기하여야 한다. 다만, 제18조 제1항 단서에 규정한 경우와 그 밖에 행정심판청구를 할 수 있는 경우 또는 행정청이 행정심판청구를 할 수 있다고 잘못 알린 경우에 행정심판청구가 있은 때의 기간은 재결서의 정본을 송달받은 날부터 기산한다.
> ② 취소소송은 처분 등이 있은 날부터 1년(제1항 단서의 경우는 재결이 있은 날부터 1년)을 경과하면 이를 제기하지 못한다. 다만, 정당한 사유가 있는 때에는 그러하지 아니하다.
> ③ 제1항의 규정에 의한 기간은 불변기간으로 한다.

㉯ × '처분이 있음을 안 날'이란 말 그대로 처분이 있음을 안 날이고 구체적으로 그 행정처분의 위법 여부를 판단한 날을 가리키는 것은 아니라고 봄이 판례의 입장이다.

> 행정소송법 제20조 제1항이 정한 제소기간의 기산점인 '처분 등이 있음을 안 날'이란 당해 처분 등이 있었다는 사실을 현실적으로 안 날을 의미하고, 상대방이 있는 행정처분의 경우 위 제소기간의 기산점은 행정처분이 상대방에게 고지되어 상대방이 이러한 사실을 인식함으로써 행정처분이 있다는 사실을 현실적으로 알았을 때를 의미한다(대판 2014. 9. 25, 2014두8254).

㉰ ○ 처분이 있은 날이란 상대방 있는 행정처분의 경우 행정처분이 상대방에게 도달되어 효력이 발생한 날이라는 것이 통설과 판례의 입장이다.

> 행정심판을 제기하지 아니하거나 그 재결을 거치지 아니하는 사건에 대한 제소기간을 규정한 행정소송법 제20조 제2항에서 '처분이 있은 날'이라 함은 상대방이 있는 행정처분의 경우는 특별한 규정이 없는 한 의사표시의 일반적 법리에 따라 그 행정처분이 상대방에게 고지되어 효력이 발생한 날을 말한다고 할 것이다(대판 1990. 7. 13, 90누2284).

㉱ ○

> 행정처분이 있음을 안 날부터 90일을 넘겨 행정심판을 청구하였다가 부적법하다는 이유로 각하재결을 받은 후 재결서를 송달받은 날부터 90일 내에 원래의 처분에 대하여 취소소송을 제기한 경우, 취소소송의 제소기간을 준수한 것으로 볼 수는 없다(대판 2011. 11. 24, 2011두18786).

04   [정답] ②

㉮ ×

> 국가공무원법상 직위해제처분에는 처분의 사전통지 및 의견청취 등에 관한 행정절차법 규정이 적용되지 않는다.
> 국가공무원법상 직위해제처분은 구 행정절차법 제3조 제2항 제9호, 구 행정절차법 시행령 제2조 제3호에 의하여 당해 행정작용의 성질상 행정절차를 거치기 곤란하거나 불필요하다고 인정되는 사항 또는 행정절차에 준하는 절차를 거친 사항에 해당하므로, 처분의 사전통지 및 의견청취 등에 관한 행정절차법의 규정이 별도로 적용되지 않는다(대판 2014. 5. 16, 2012두26180).

㉯ ○

> 선행 직위해제처분의 위법사유를 들어 후행 면직처분의 효력을 다툴 수 없다.
> 구 경찰공무원법 제50조 제1항에 의한 직위해제처분과 같은 제3항에 의한 면직처분은 후자가 전자의 처분을 전제로 한 것이기는 하나 각각 단계적으로 별개의 법률효과를 발생하는 행정처분이어서 선행 직위해제처분의 위법사유가 면직처분에는 승계되지 아니한다 할 것이므로 선행된 직위해제처분의 위법사유를 들어 면직처분의 효력을 다툴 수는 없다(대판 1984. 9. 11, 84누191).

㉰ ×

> 행정심판법 제27조【심판청구의 기간】① 행정심판은 처분이 있음을 알게 된 날부터 90일 이내에 청구하여야 한다.
> ⑤ 행정청이 심판청구기간을 제1항에 규정된 기간보다 긴 기간으로 잘못 알린 경우 그 잘못 알린 기간에 심판청구가 있으면 그 행정심판은 제1항에 규정된 기간에 청구된 것으로 본다.

> 행정심판법상 오고지에 관한 규정(행정심판법 제27조 제5항)은 행정소송에는 적용되지 아니한다.
> 행정처분시나 그 이후 행정청으로부터 행정심판제기기간에 관하여 법정심판청구기간보다 긴 기간으로 잘못 통지받은 경우에 보호할 신뢰이익은 그 통지받은 기간 내에 행정심판을 제기한 경우에 한하는 것이지 행정소송을 제기한 경우까지 확대된다고 할 수 없으므로, 당사자가 행정처분시나 그 이후 행정청으로부터 행정심판제기기간에 관하여 법정심판청구기간보다 긴 기간으로 잘못 통지받아 행정소송법상 법정제소기간을 도과하였다고 하더라도, 그것이 당사자가 책임질 수 없는 사유로 인한 것이라고 할 수는 없다(대판 2001. 5. 8, 2000두6916).

㉱ ○

> 행정청이 공무원에 대하여 새로운 직위해제사유에 기한 직위해제처분을 한 경우, 그 이전에 한 직위해제처분의 취소를 구할 소의 이익이 없다(대판 2003. 10. 10, 2003두5945).

㉮ ×

> ❶ 행정소송법 제20조 제1항이 정한 제소기간의 기산점인 '처분 등이 있음을 안 날'이란 당해 처분 등이 있었다는 사실을 현실적으로 안 날을 의미하고, 상대방이 있는 행정처분의 경우 위 제소기간의 기산점은 행정처분이 상대방에게 고지되어 상대방이 이러한 사실을 인식함으로써 행정처분이 있다는 사실을 현실적으로 알았을 때를 의미한다.
> ❷ 처분의 상대방인 甲이 통보서를 송달받기 전에 정보공개를 청구하여 위 사건 처분을 하는 내용의 통보서를 비롯한 일체의 서류를 교부받음으로써 적어도 그 무렵에는 처분이 있음을 알았더라도, 동 처분이 원고에게 고지되어 원고가 이러한 사실을 인식함으로써 처분이 있다는 사실을 현실적으로 알았을 때 행정소송법 제20조 제1항이 정한 제소기간이 진행된다(대판 2014. 9. 25, 2014두8254).

05
[정답] ②

㉮ ○

> 행정심판전치주의가 적용되는 경우에 행정심판을 거치지 않고 소제기를 하였더라도 사실심변론종결 전까지 행정심판을 거친 경우 하자는 치유된 것으로 볼 수 있다(대판 1987. 4. 28, 86누29).

㉯ ○ 무효등확인소송은 개별법에서 필요적(예외적) 행정심판전치주의를 규정하고 있는 경우에도 그 적용을 받지 아니한다. 따라서 행정심판전치주의가 적용되는 경우에도 무효등확인소송을 제기함에 있어서는 행정심판을 거치지 않아도 된다. 다만, 무효선언적 의미의 취소소송에는 필요적(예외적) 행정심판전치주의가 적용되므로 행정심판을 필요적으로 거치도록 하고 있는 개별법 규정이 있는 경우에, 무효사유의 하자가 있는 처분에 대해 취소소송을 제기하여 다투는 경우에는 행정심판을 거쳐야 한다. 한편, 부작위법확인소송에는 행정심판전치에 관한 규정이 준용된다.

> **행정소송법 제38조【준용규정】** ① 제9조, 제10조, 제13조 내지 제17조, 제19조, 제22조 내지 제26조, 제29조 내지 제31조 및 제33조의 규정은 무효등확인소송의 경우에 준용한다.
> ② 제9조, 제10조, 제13조 내지 제19조, 제20조, 제25조 내지 제27조, 제29조 내지 제31조, 제33조 및 제34조의 규정은 부작위법확인소송의 경우에 준용한다.
>
> **제18조【행정심판과의 관계】** ① 취소소송은 법령의 규정에 의하여 당해 처분에 대한 행정심판을 제기할 수 있는 경우에도 이를 거치지 아니하고 제기할 수 있다. 다만, 다른 법률에 당해 처분에 대한 행정심판의 재결을 거치지 아니하면 취소소송을 제기할 수 없다는 규정이 있는 때에는 그러하지 아니하다.

㉰ × 국가공무원법, 지방공무원법, 교육공무원법, 관세법, 국세기본법, 지방세기본법, 도로교통법, 특허법 등의 개별법은 필요적 전치를 규정하고 있다. 따라서 국세 부과처분 취소소송에는 필요적 행정심판전치주의가 적용된다. 한편, 행정심판의 전치 여부는 소송요건에 해당하며, 소송요건이 결여되면 법원은 본안의 심리를 거부하는 소각하판결을 하게 된다.

> **국세기본법 제56조【다른 법률과의 관계】** ② 제55조에 규정된 위법한 처분에 대한 행정소송은 행정소송법 제18조 제1항 본문, 제2항 및 제3항에도 불구하고 이 법에 따른 심사청구 또는 심판청구와 그에 대한 결정을 거치지 아니하면 제기할 수 없다.

㉱ ×

> ❶ 제기기간을 도과한 행정심판청구의 부적법을 간과한 채 행정청이 실질적 재결을 한 경우, 행정소송의 전치요건은 충족된 것으로 볼 수 없다(대판 1990. 10. 12, 90누2383).
> ❷ 행정처분의 취소를 구하는 항고소송의 전심절차인 행정심판청구가 기간 도과로 인하여 부적법한 경우에는 행정소송 역시 전치의 요건을 충족치 못한 것이 되어 부적법 각하를 면치 못하는 것이고, 이 점은 행정청이 행정심판의 제기기간을 도과한 부적법한 심판에 대하여 그 부적법을 간과한 채 실질적 재결을 하였다 하더라도 달라지는 것이 아니다(대판 1991. 6. 25, 90누8091).

㉲ × 항고소송에 있어서 원고는 사실심의 변론종결시까지는 새로운 사유를 주장할 수 있으므로 전심절차(행정심판절차)에서 주장하지 아니한 처분의 위법사유도 소송절차가 사실심변론종결 전이라면 소송절차에서 주장할 수 있으며, 이 경우 그 처분에 대하여 별도의 전심절차를 거쳐야 하는 것은 아니라는 것이 판례의 입장이다.

> 항고소송에 있어서 원고는 전심절차(행정심판)에서 주장하지 아니한 공격·방어방법을 소송절차에서 주장할 수 있고 법원은 이를 심리하여 행정처분의 적법 여부를 판단할 수 있는 것이므로, 원고가 전심절차에서 주장하지 아니한 처분의 위법사유를 소송절차에서 새롭게 주장하였다고 하여 다시 그 처분에 대하여 별도의 전심절차를 거쳐야 하는 것은 아니다(대판 1996. 6. 14, 96누754).

㉳ × 필요적 행정심판전치주의가 적용되는 경우 그 요건을 구비하였는지 여부는 소송요건으로서 법원의 직권조사사항이다.

06
[정답] ②

㉮㉱ × ㉯㉰ ○

> **행정소송법 제18조【행정심판과의 관계】** ① 취소소송은 법령의 규정에 의하여 당해 처분에 대한 행정심판을 제기할 수 있는 경우에도 이를 거치지 아니하고 제기할 수 있다. 다만, 다른 법률에 당해 처분에 대한 행정심판의 재결을 거치지 아니하면 취소소송을 제기할 수 없다는 규정이 있는 때에는 그러하지 아니하다.
> ② 제1항 단서의 경우에도 다음 각 호의 1에 해당하는 사유가 있는 때에는 행정심판의 재결을 거치지 아니하고 취소소송을 제기할 수 있다.
> 1. 행정심판청구가 있은 날로부터 60일이 지나도 재결이 없는 때(㉱)
> 2. 처분의 집행 또는 절차의 속행으로 생길 중대한 손해를 예방하여야 할 긴급한 필요가 있는 때(㉮)
> 3. 법령의 규정에 의한 행정심판기관이 의결 또는 재결을 하지 못할 사유가 있는 때
> 4. 그 밖의 정당한 사유가 있는 때
> ③ 제1항 단서의 경우에 다음 각 호의 1에 해당하는 사유가 있는 때에는 행정심판을 제기함이 없이 취소소송을 제기할 수 있다.
> 1. 동종사건에 관하여 이미 행정심판의 기각재결이 있은 때
> 2. 서로 내용상 관련되는 처분 또는 같은 목적을 위하여 단계적으로 진행되는 처분 중 어느 하나가 이미 행정심판의 재결을 거친 때(㉯)
> 3. 행정청이 사실심의 변론종결 후 소송의 대상인 처분을 변경하여 당해 변경된 처분에 관하여 소를 제기하는 때(㉰)
> 4. 처분을 행한 행정청이 행정심판을 거칠 필요가 없다고 잘못 알린 때

07 정답 ②

① ○

> 일정한 납부기한을 정한 과징금 부과처분에 대한 집행정지결정이 내려진 경우 그 집행정지기간 동안 납부기간은 진행되지 않는다. 일정한 납부기한을 정한 과징금 부과처분에 대하여 '회복하기 어려운 손해'를 예방하기 위하여 긴급한 필요가 있고 달리 공공복리에 중대한 영향을 미치지 아니한다는 이유로 집행정지결정이 내려졌다면 그 집행정지기간 동안은 과징금 부과처분에서 정한 과징금의 납부기간은 더 이상 진행되지 아니하고 집행정지결정이 당해 결정의 주문에 표시된 시기의 도래로 인하여 실효되면 그때부터 당초의 과징금 부과처분에서 정한 기간(집행정지결정 당시 이미 일부 진행되었다면 그 나머지 기간)이 다시 진행하는 것으로 보아야 한다(대판 2003. 7. 11, 2002다48023).

② × 행정처분의 효력정지나 집행정지를 구하는 신청 사건에서는 행정처분 자체의 적법 여부를 판단할 것이 아니고 행정처분의 효력이나 집행 등을 정지시킬 필요가 있는지 여부, 즉 행정소송법 제23조 제2항에서 정한 요건의 존부만이 판단대상이 된다.

> 행정소송법 제23조 제2항에서 정한 요건을 결여하였다는 이유로 효력정지신청을 기각한 결정에 대하여, 행정처분 자체의 적법 여부를 가지고 불복사유로 삼을 수는 없다(대결 2011. 4. 21, 2010무111 전합).

③ ○

> 보조금 교부결정의 일부를 취소한 행정청의 처분에 대한 효력정지결정의 효력이 소멸하여 보조금 교부결정취소처분의 효력이 되살아난 경우, 원칙적으로 취소처분에 의하여 취소된 부분의 보조사업에 대하여 효력정지기간 동안 교부된 보조금의 반환을 명하여야 한다. 행정소송법 제23조에 의한 효력정지결정의 효력은 결정주문에서 정한 시기까지 존속하고 그 시기의 도래와 동시에 효력이 당연히 소멸하므로, 보조금 교부결정의 일부를 취소한 행정청의 처분에 대하여 법원이 효력정지결정을 하면서 주문에서 그 법원에 계속 중인 본안소송의 판결선고시까지 처분의 효력을 정지한다고 선언하였을 경우, 본안소송의 판결선고에 의하여 그 정지결정의 효력은 소멸하고 이와 동시에 당초의 보조금 교부결정취소처분의 효력이 당연히 되살아난다고 할 것이다. 따라서 효력정지결정의 효력이 소멸하여 보조금 교부결정취소처분의 효력이 되살아난 경우, 특별한 사정이 없는 한 행정청으로서는 구 「보조금의 예산 및 관리에 관한 법률」 제31조 제1항에 따라 그 취소처분에 의하여 취소된 부분의 보조사업에 대하여 효력정지기간 동안 교부된 보조금의 반환을 명하여야 할 것이다(대판 2017. 7. 11, 2013두25498).

④ ○ 집행정지는 본안소송이 계속되어야 하므로 본안소송이 취하되면 집행정지결정은 당연히 소멸하며, 별도의 취소조치는 필요 없다.

> 집행정지결정 후에라도 본안소송이 취하되어 소송의 계속이 인정되지 않으면 집행정지결정은 당연히 그 효력이 소멸한다. 행정처분의 집행정지는 행정처분집행부정지의 원칙에 대한 예외로서 인정되는 일시적인 응급처분이라 할 것이므로 집행정지결정을 하려면 이에 대한 본안소송이 법원에 제기되어 계속 중임을 요건으로 하는 것이므로 집행정지결정을 한 후에라도 본안소송이 취하되어 소송이 계속하지 아니한 것으로 되면 집행정지결정은 당연히 그 효력이 소멸되는 것이고 별도의 취소조치를 필요로 하는 것이 아니다(대판 1975. 11. 11, 75누97).

08 정답 ②

① × 행정심판법에서는 임시처분에 관한 규정을 두고 있으나 행정소송법에서는 임시처분에 관한 규정을 두고 있지 않다.

> **행정심판법 제31조【임시처분】**① 위원회는 처분 또는 부작위가 위법·부당하다고 상당히 의심되는 경우로서 처분 또는 부작위 때문에 당사자가 받을 우려가 있는 중대한 불이익이나 당사자에게 생길 급박한 위험을 막기 위하여 임시지위를 정하여야 할 필요가 있는 경우에는 직권으로 또는 당사자의 신청에 의하여 임시처분을 결정할 수 있다.

② ○

> **행정소송법 제23조【집행정지】**② 취소소송이 제기된 경우에 처분 등이나 그 집행 또는 절차의 속행으로 인하여 생길 회복하기 어려운 손해를 예방하기 위하여 긴급한 필요가 있다고 인정할 때에는 본안이 계속되고 있는 법원은 당사자의 신청 또는 직권에 의하여 처분 등의 효력이나 그 집행 또는 절차의 속행의 전부 또는 일부의 정지(이하 '집행정지'라 한다)를 결정할 수 있다. 다만, 처분의 효력 정지는 처분 등의 집행 또는 절차의 속행을 정지함으로써 목적을 달성할 수 있는 경우에는 허용되지 아니한다.

③ × 집행정지의 적극적 요건은 신청인에게 주장·소명책임이 있지만, 소극적 요건은 행정청에 그 책임이 있다.

> 행정소송법 제23조 제3항에서 집행정지의 요건으로 규정하고 있는 '공공복리에 중대한 영향을 미칠 우려'가 없을 것이라고 할 때의 '공공복리'는 그 처분의 집행과 관련된 구체적이고도 개별적인 공익을 말하는 것으로서 이러한 집행정지의 소극적 요건에 대한 주장·소명책임은 행정청에게 있다(대결 1999. 12. 20, 99무42).

④ × 행정소송법에서는 명문규정이 없어 민사집행법상 가처분을 준용할 수 있는지가 문제되는데, 대법원은 민사집행법상의 가처분에 대한 규정이 항고소송에서는 준용되지 않는다고 본다.

> ❶ 항고소송의 대상이 되는 행정처분의 효력이나 집행 혹은 절차의 속행 등의 정지를 구하는 신청은 행정소송법상 집행정지신청의 방법으로서만 가능할 뿐 민사소송법상 가처분의 방법으로는 허용될 수 없다(대결 2009. 11. 2, 2009마596).
> ❷ 민사소송법상의 가처분으로써 행정행위의 금지를 구할 수 없다. 민사소송법상의 보전처분은 민사판결절차에 의하여 보호받을 수 있는 권리에 관한 것이므로, 민사소송법상의 가처분으로써 행정청의 어떠한 행정행위의 금지를 구하는 것은 허용될 수 없다 할 것이다(대결 1992. 7. 6, 92마54).

09 정답 ③

①② ○

> 행정소송법 제23조에 따른 집행정지결정의 효력은 결정 주문에서 정한 종기까지 존속하고, 그 종기가 도래하면 당연히 소멸한다. 따라서 효력기간이 정해져 있는 제재적 행정처분에 대한 취소소송에서 법원이 본안소송의 판결선고시까지 집행정지결정을 하면, 처분에서 정해 둔 효력기간(집행정지결정 당시 이미 일부 집행되었다면 그 나머지 기간)은 판결선고시까지 진행하지 않다가 판결이 선고되면 그때 집행정지결정의 효력이 소멸함과 동시에 처분의 효력이 당연히 부활하여 처분에서 정한 효력기간이 다시 진행한다(①). 이는

처분에서 효력기간의 시기와 종기를 정해 두었는데, 그 시기와 종기가 집행정지기간 중에 모두 경과한 경우에도 특별한 사정이 없는 한 마찬가지이다(②)(대판 2022. 2. 11, 2021두40720).

③ × ④ ○

제재처분에 대한 행정쟁송절차에서 처분에 대해 집행정지결정이 이루어졌더라도 본안에서 해당 처분이 최종적으로 적법한 것으로 확정되어 집행정지결정이 실효되고 제재처분을 다시 집행할 수 있게 되면, 처분청으로서는 당초 집행정지결정이 없었던 경우와 동등한 수준으로 해당 제재처분이 집행되도록 필요한 조치를 취하여야 한다(③). 집행정지는 행정쟁송절차에서 실효적 권리구제를 확보하기 위한 잠정적 조치일 뿐이므로, 본안 확정판결로 해당 제재처분이 적법하다는 점이 확인되었다면 제재처분의 상대방이 잠정적 집행정지를 통해 집행정지가 이루어지지 않은 경우와 비교하여 제재를 덜 받게 되는 결과가 초래되도록 해서는 안 된다. 반대로, 처분상대방이 집행정지결정을 받지 못했으나 본안소송에서 해당 제재처분이 위법하다는 것이 확인되어 취소하는 판결이 확정되면, 처분청은 그 제재처분으로 처분상대방에게 초래된 불이익한 결과를 제거하기 위하여 필요한 조치를 취하여야 한다(④)(대판 2020. 9. 3, 2020두34070).

10   [정답] ④

㉮ ○

행정소송법 제23조【집행정지】② 취소소송이 제기된 경우에 처분 등이나 그 집행 또는 절차의 속행으로 인하여 생길 회복하기 어려운 손해를 예방하기 위하여 긴급한 필요가 있다고 인정할 때에는 본안이 계속되고 있는 법원은 당사자의 신청 또는 직권에 의하여(㉯) 처분 등의 효력이나 그 집행 또는 절차의 속행의 전부 또는 일부의 정지(이하 '집행정지'라 한다)를 결정할 수 있다. 다만, 처분의 효력정지는 처분 등의 집행 또는 절차의 속행을 정지함으로써 목적을 달성할 수 있는 경우에는 허용되지 아니한다.

산업기능요원 편입 당시 지정업체의 해당 분야에 종사하지 아니하였음을 이유로 한 산업기능요원편입취소처분에 대한 집행정지의 경우, 그 절차의 속행정지 외에 처분 자체에 대한 효력정지는 허용되지 않는다(대결 2000. 1. 8, 2000무35).

㉯ × 거부처분의 경우 집행정지는 허용되지 않는다.

행정청의 거부처분의 효력정지를 구할 이익은 없다.
신청에 대한 거부처분의 효력을 정지하더라도 거부처분이 없었던 것과 같은 상태, 즉 거부처분이 있기 전의 신청시의 상태로 되돌아가는 데에 불과하고 행정청에 신청에 따른 처분을 하여야 할 의무가 생기는 것이 아니므로, 거부처분의 효력정지는 그 거부처분으로 인하여 신청인에게 생길 손해를 방지하는 데 아무런 보탬이 되지 아니하여 그 효력정지를 구할 이익이 없다(대결 1995. 6. 21, 95두26).

㉰ × 집행정지는 본안소송이 취소소송이나 무효등확인소송인 경우에만 허용되고, 부작위위법확인소송의 경우에는 허용되지 않는다(행정소송법 제23조(집행정지), 제38조(준용규정) 참조).

행정소송법 제38조【준용규정】① 제9조, 제10조, 제13조 내지 제17조, 제19조, 제22조 내지 제26조, 제29조 내지 제31조 및 제33조의 규정은 무효등확인소송의 경우에 준용한다.

② 제9조, 제10조, 제13조 내지 제19조, 제20조, 제25조 내지 제27조, 제29조 내지 제31조, 제33조 및 제34조의 규정은 부작위위법확인소송의 경우에 준용한다.

㉱ × 행정소송법 제23조(위 ㉮ 해설 조문 참조)에서 집행정지는 당사자의 신청 또는 법원의 직권에 의해 할 수 있다고 규정하고 있다.

㉲ × 법원의 집행정지결정이나 집행정지신청기각결정 또는 집행정지결정취소결정에 대해서는 즉시항고할 수 있다. 다만, 이 경우 집행정지결정에 대한 즉시항고는 그 즉시항고의 대상인 결정의 집행을 정지하는 효력이 없다(집행정지결정에 대해 즉시항고를 하더라도 집행정지결정은 유효하다는 의미이다).

행정소송법 제23조【집행정지】⑤ 제2항의 규정에 의한 집행정지의 결정 또는 기각의 결정에 대하여는 즉시항고할 수 있다. 이 경우 집행정지의 결정에 대한 즉시항고에는 결정의 집행을 정지하는 효력이 없다.

㉳ ○ 집행정지는 가구제이므로 본안문제인 행정처분 자체의 적법 여부는 그 판단대상이 되지 아니하는 것이 원칙이다. 그러나 집행정지는 인용판결의 실효성을 확보하기 위하여 인정되는 것이며 처분의 취소가능성이 없음에도 집행정지를 인정하는 것은 집행정지제도의 취지에 반하므로 본안청구가 이유 없음이 명백하지 않아야 한다는 것도 집행정지의 요건에 포함된다.

신청인의 본안청구가 이유 없음이 명백하지 않아야 한다는 것이 집행정지의 요건에 포함된다(대결 1997. 4. 28, 96두75).

11   [정답] ①

㉮ ○

행정소송에서 쟁송의 대상이 되는 행정처분의 존부는 소송요건으로서 직권조사사항이고, 자백의 대상이 될 수 없는 것이므로, 설사 그 존재를 당사자들이 다투지 아니한다 하더라도 그 존부에 관하여 의심이 있는 경우에는 이를 직권으로 밝혀 보아야 한다(대판 2004. 12. 24, 2003두15195).

㉯ ×

행정처분의 직접상대방이 아닌 제3자라 하더라도 당해 행정처분으로 인하여 법률상 보호되는 이익을 침해당한 경우에는 그 처분의 취소나 무효확인을 구하는 행정소송을 제기하여 그 당부의 판단을 받을 자격, 즉 원고적격이 있고, 여기에서 말하는 법률상 보호되는 이익은 당해처분의 근거법규 및 관련 법규에 의하여 보호되는 개별적·직접적·구체적 이익을 말하며, 원고적격은 소송요건의 하나이므로 사실심변론종결시는 물론 상고심에서도 존속하여야 하고 이를 흠결하면 부적법한 소가 된다(대판 2007. 4. 12, 2004두7924).

㉰ ○

❶ 행정처분에 있어 수개의 처분사유 중 일부가 적법하지 않다고 하더라도 다른 처분사유로써 그 처분의 정당성이 인정되는 경우에는 그 처분을 위법하다고 할 수 없다(대판 2013. 10. 24, 2013두963).

❷ 수개의 징계사유 중 일부가 인정되지 않더라도 인정되는 다른 징계사유만으로도 당해 징계처분의 타당성을 인정하기에 충분한 경우에는 그 징계처분을 유지하여도 위법하지 아니하다(대판 2002. 9. 24, 2002두6620).

㉣ ✕

> 어떠한 처분에 법령상 근거가 있는지, 행정절차법에서 정한 처분절차를 준수하였는지는 본안에서 당해 처분이 적법한가를 판단하는 단계에서 고려할 요소이지, 소송요건심사단계에서 고려할 요소가 아니다(대판 2016. 8. 30, 2015두60617).

12 [정답] ④

① ✕ 대법원의 업무부담을 덜기 위해 일정한 사유가 있어야만 상고가 가능한바 이를 상고이유라고 한다. 이와 관련하여 '당사자의 주장이 있었음'에도 법원이 이에 대해 판단을 하지 않아 판결에 영향을 미친 경우에는 이른바 판단유탈(판단을 빠뜨린 것)로 상고이유가 될 수 있다. 그런데 원고적격, 소의 이익 등 소송요건의 존재 여부는 직권조사사항이므로 이에 대한 판단 여부는 법원의 직권에 속하는 것일 뿐이다. 따라서 이러한 사항에 관한 당사자의 주장에 대해 판단을 하지 않았다고 하여 판단유탈의 상고이유로 삼을 수는 없다는 것이 판례의 입장이다.

> 해당 처분을 다툴 법률상 이익이 있는지 여부는 직권조사사항으로 이에 관한 당사자의 주장은 직권발동을 촉구하는 의미밖에 없으므로, 원심법원이 이에 관하여 판단하지 않았다고 하여 판단유탈의 상고이유로 삼을 수 없다(대판 2017. 3. 9, 2013두16852).

② ✕ 처분청의 처분권한 유무는 '처분의 위법성'과 관련된 것으로 소송요건이 아니므로 법원의 직권조사사항이 아니다.

> 행정소송에 있어서 처분청의 처분권한 유무는 직권조사사항이 아니다(대판 1997. 6. 19, 95누8669 전합).

③ ✕

> **행정소송법 제26조【직권심리】** 법원은 필요하다고 인정할 때에는 직권으로 증거조사를 할 수 있고, 당사자가 주장하지 아니한 사실에 대하여도 판단할 수 있다.

④ ○

> 명의신탁등기 과징금과 장기미등기 과징금은 위반행위의 태양, 부과요건, 근거조항을 달리하므로, 그 각 과징금 부과처분의 사유는 상호 간에 기본적 사실관계의 동일성이 있다고 할 수 없다. 그러므로 그중 어느 하나의 처분사유에 의한 과징금 부과처분에 대하여 당해 처분사유가 아닌 다른 처분사유가 존재한다는 이유로 적법하다고 판단하는 것은 특별한 사정이 없는 한 행정소송법상 직권심사주의의 한계를 넘는 것으로 허용될 수 없다(대판 2017. 5. 17, 2016두53050).

13 [정답] ③

㉮ ✕ 처분사유에 관한 증명책임은 피고행정청에 있다. 거부처분 취소소송에서도 그 처분사유에 관한 증명책임은 피고행정청에 있다.

> 결혼이민(F-6 다.목) 체류자격을 신청한 외국인에 대하여 행정청이 그 요건을 충족하지 못하였다는 이유로 거부처분을 하는 경우에는 '그 요건을 갖추지 못하였다는 판단', 다시 말해 '혼인파탄의 주된 귀책사유가 국민인 배우자에게 있지 않다는 판단' 자체가 처분사유가 된다. 부부가 혼인파탄에 이르게 된 여러 사정들은 그와 같은 판단의 근거가 되는 기초사실 내지 평가요소에 해당한다. 결혼이민(F-6 다.목) 체류자격 거부처분 취소소송에서 원고와 피고행정청은 각자 자신에게 유리한 평가요소들을 적극적으로 주장 · 증명하여야 하며, 수소법원은 증명된 평가요소들을 종합하여 혼인파탄의 주된 귀책사유가 누구에게 있는지를 판단하여야 한다. 수소법원이 '혼인파탄의 주된 귀책사유가 국민인 배우자에게 있다'고 판단하게 되는 경우에는, 해당 결혼이민(F-6 다.목) 체류자격 거부처분은 위법하여 취소되어야 할 것이므로, 이러한 의미에서 결혼이민(F-6 다.목) 체류자격 거부처분 취소소송에서도 그 처분사유에 관한 증명책임은 피고행정청에게 있다고 보아야 한다(대판 2019. 7. 4, 2018두66869).

㉯ ✕

> 행정처분이 재량권을 일탈하였다는 것에 대한 입증책임은 처분의 효력을 다투는 원고에게 있다.
> 자유재량에 의한 행정처분이 그 재량권의 한계를 벗어난 것이어서 위법하다는 점은 그 행정처분의 효력을 다투는 자가 이를 주장 · 입증하여야 하고 처분청이 그 재량권의 행사가 정당한 것이었다는 점까지 주장 · 입증할 필요는 없다고 할 것이다(대판 1987. 12. 8, 87누861).

🔖 **비교판례**

> 항고소송에서 행정처분의 적법성에 관한 입증책임은 피고인 행정청에 있고, 이와 상반되는 주장과 입증은 그 상대방인 원고에게 책임이 있다.
> 민사소송법의 규정이 준용되는 행정소송에서 입증책임은 원칙적으로 민사소송의 일반원칙에 따라 당사자 간에 분배되고 항고소송의 경우에는 그 특성에 따라 당해 처분의 적법성을 주장하는 피고에게 그 적법사유에 대한 입증책임이 있다 할 것인바, 피고가 주장하는 당해 처분의 적법성이 합리적으로 수긍할 수 있는 일응의 입증이 있는 경우에는 그 처분은 정당하다 할 것이며, 이와 상반되는 주장과 입증은 그 상대방인 원고에게 그 책임이 돌아간다고 할 것이다(대판 1984. 7. 24, 84누124).

㉰ ○

> 국민에게 일정한 이득과 권리를 취득하게 한 종전 행정처분을 취소할 수 있는 경우 및 취소하여야 할 필요성에 대한 증명책임의 소재는 행정청에게 있다.
> 일정한 행정처분으로 국민이 일정한 이익과 권리를 취득하였을 경우에 종전 행정처분을 취소하는 행정처분은 이미 취득한 국민의 기존 이익과 권리를 박탈하는 별개의 행정처분으로 취소될 행정처분에 하자 또는 취소해야 할 공공의 필요가 있어야 하고, 나아가 행정처분에 하자 등이 있다고 하더라도 취소해야 할 공익상 필요와 취소로 당사자가 입게 될 기득권과 신뢰보호 및 법률생활안정의 침해 등 불이익을 비교 · 교량한 후 공익상 필요가 당사자가 입을 불이익을 정당화할 만큼 강한 경우에 한하여 취소할 수 있는 것이며, 하자나 취소해야 할 필요성에 관한 증명책임은 기존 이익과 권리를 침해하는 처분을 한 행정청에 있다(대판 2012. 3. 29, 2011두23375).

㉱ ✕ 소송요건은 직권조사사항이지만 법원이 직권으로 조사하더라도 그 요건사실의 존부가 불분명한 경우 입증책임의 문제가 생긴다. 이때 소송요건의 존부가 불분명한 경우에는 소송요건을 흠결한 부적법한 소로 취급되어 소송을 청구한 원고에게 불이익하게 판단될 것이므로 입증책임은 원고에게 있다는 것이 통설의 입장이다.

(마) ○

❶ 등기우편의 경우 특별한 사정이 없는 한 도달을 추정한다.
❷ 다만, 수취인이 주민등록지에 실제로 거주하지 아니하는 등 특별한 사정이 있는 경우 도달이 추정되지 않으므로 행정청이 도달사실을 입증하여야 한다.

우편물이 등기취급의 방법으로 발송된 경우, 특별한 사정이 없는 한, 그 무렵 수취인에게 배달되었다고 보아도 좋을 것이나, 수취인이나 그 가족이 주민등록지에 실제로 거주하고 있지 아니하면서 전입신고만을 해 둔 경우에는 그 사실만으로써 주민등록지 거주자에게 송달수령의 권한을 위임하였다고 보기는 어려울 뿐 아니라 수취인이 주민등록지에 실제로 거주하지 아니하는 경우에도 우편물이 수취인에게 도달하였다고 추정할 수는 없고, 따라서 이러한 경우에는 우편물의 도달사실을 과세관청이 입증해야 할 것이고, 수취인이나 그 가족이 주민등록지에 실제로 거주하고 있지 아니하면서 전입신고만을 해 두었고, 그 밖에 주민등록지 거주자에게 송달수령의 권한을 위임하였다고 보기 어려운 사정이 인정된다면, 등기우편으로 발송된 납세고지서(현 납부고지서)가 반송된 사실이 인정되지 아니한다 하여 납세의무자에게 송달된 것이라고 볼 수는 없다(대판 1998. 2. 13, 97누8977).

14   정답 ③

① ○

행정처분의 취소를 구하는 항고소송에서 처분청이 처분 당시에 적시한 구체적 사실을 변경하지 아니하는 범위 내에서 단지 그 처분의 근거법령만을 추가·변경하거나 당초의 처분사유를 구체적으로 표시하는 것에 불과한 경우, 새로운 처분사유의 추가·변경이 아니다(허용된다는 의미이다)(대판 2007. 2. 8, 2006두4899).

② ○

주유소 영업허가의 불허가사유로 처음에 내세운 "행정청의 허가기준에 맞지 않는다."라는 사유를 후에 '이격거리에 관한 허가기준 위배'라는 사유로 변경한 경우는 동일성이 인정된다(대판 1989. 7. 25, 88누11926).

③ ✕

토지형질변경 불허가처분의 당초의 처분사유인 "국립공원에 인접한 미개발지의 합리적인 이용대책 수립시까지 그 허가를 유보한다."라는 사유와 그 처분의 취소소송에서 추가하여 주장한 처분사유인 '국립공원 주변의 환경·풍치·미관 등을 크게 손상시킬 우려가 있으므로 공공목적상 원형유지의 필요가 있는 곳으로서 형질변경허가 금지대상'이라는 사유는 기본적 사실관계에 있어서 동일성이 인정된다(대판 2001. 9. 28, 2000두8684).

④ ○

입찰참가자격을 제한시킨 당초의 처분사유인 정당한 이유 없이 계약을 이행하지 않은 사실과 항고소송에서 새로 주장한 계약의 이행과 관련하여 관계 공무원에게 뇌물을 준 사실은 기본적 사실관계의 동일성이 없다(대판 1999. 3. 9, 98두18565).

15   정답 ③

① ○

행정처분의 적법성과 효력을 다투는 항고소송에서는 처분청이 당초 처분의 근거로 삼은 사유와 기본적 사실관계의 동일성이 인정되지 않는 별개의 사유를 주장하는 것은 원칙적으로 허용되지 않는다(이를 '처분사유 추가·변경 제한 법리'라고 한다). 여기서 기본적 사실관계의 동일성 유무는 처분사유를 법률적으로 평가하기 이전의 구체적인 사실에 착안하여 그 기초가 되는 사회적 사실관계가 기본적인 점에서 동일한지에 따라 판단하는 것이 원칙이고, 행정청이 처분 당시에 제시한 구체적 사실을 변경하지 않는 범위 내에서 단지 처분의 근거법령만을 추가·변경하거나 당초의 처분사유를 구체적으로 표시하는 것에 불과한 경우에는 새로운 처분사유를 추가하거나 변경하는 것이라고 볼 수 없다. 그러나 사회적 사실관계의 기본적 동일성이 인정되는 경우라고 하더라도 그에 대한 규범적 평가와 처분의 근거법령의 변경으로, 예를 들어 기속행위가 재량행위로 변경되는 경우와 같이, 당초 처분의 내용을 변경할 필요성이 제기되는 경우에는 해당 처분을 취소한 후 처분청으로 하여금 다시 처분절차를 거쳐 새로운 처분을 하도록 하여야 할 것이지 당초 처분의 내용을 그대로 유지한 채 근거법령만 추가·변경하는 것은 허용될 수 없다(대판 2024. 11. 28, 2023두61349).

② ○

행정처분의 취소를 구하는 항고소송에서는 처분청이 당초 처분의 근거로 제시한 사유와 기본적 사실관계에서 동일성이 없는 별개의 사실을 들어 처분사유로 주장할 수 없다. 피고는 이 사건 소송에서 '이 사건 산업단지 안에 새로운 폐기물시설부지를 마련할 시급한 필요가 없다'는 점을 이 사건 거부처분의 사유로 추가하였다. 그러나 피고가 당초 처분의 근거로 제시한 사유가 실질적인 내용이 없다고 보는 이상, 위 추가사유는 그와 기본적 사실관계가 동일한지 여부를 판단할 대상조차 없는 것이므로, 결국 소송단계에서 처분사유를 추가하여 주장할 수 없다(대판 2017. 8. 29, 2016두44186).

③ ✕ 처분사유 자체가 아니라 처분사유의 근거가 되는 기초사실 내지 평가요소에 지나지 않는 사정은 추가로 주장할 수 있다는 것이 판례의 입장이다.

구 국적법 제5조 각 호 사유 중 일부를 갖추지 못하였다는 이유로 행정청이 귀화신청을 받아들이지 않는 처분을 한 경우, '그 각 호 사유 중 일부를 갖추지 못하였다는 판단' 자체가 처분의 사유이다. 외국인 甲이 법무부장관에게 귀화신청을 하였으나 법무부장관이 심사를 거쳐 '품행 미단정'을 불허사유로 국적법상의 요건을 갖추지 못하였다며 신청을 받아들이지 않는 처분을 하였는데, 법무부장관이 甲을 '품행 미단정'이라고 판단한 이유에 대하여 제1심 변론절차에서 자동차관리법 위반죄로 기소유예를 받은 전력 등을 고려하였다고 주장하였다가 원심 변론절차에서 불법체류한 전력이 있다는 추가적인 사정까지 고려하였다고 주장한 사안에서, 법무부장관이 원심에서 추가로 제시한 불법체류 전력 등의 제반 사정은 처분사유의 근거가 되는 기초사실 내지 평가요소에 지나지 않으므로, 추가로 주장할 수 있다(대판 2018. 12. 13, 2016두31616).

④ ○

원심은, 피고(편저자 주 : 미래창조과학부장관)가 원고의 정보공개청구에 대하여 별다른 이유를 제시하지 않은 채 이동통신요금과 관련한 총괄원가액수만을 공개한 것은, 이 사건 원가 관련 정보에 대하여 비공개결정을 하면서 비공개이유를 명시하지 않은 경우에 해당하여 위법하다고 판단하면서, 피고가 이 사건 소송에서 비로소 이 사건 원가 관련 정보가 법인의 영업상 비밀에 해당한다는 비공개사유를 주장하는 것은, 그 기본적 사실관계가 동일하다고 볼 수 없는 사유를 추가하는 것이어서 허용될 수 없다고 판단하였는바, 원심의 위와 같은 판단은 정당하다(대판 2018. 4. 12. 2014두5477).

16 [정답] ①

① ○ 일부취소가 가능한 경우에는 원칙상 전부취소를 하여서는 안 되며 일부취소를 하여야 한다.

외형상 하나의 행정처분이라 하더라도 가분성이 있거나 그 처분대상의 일부가 특정될 수 있다면 그 일부만의 취소도 가능하고 그 일부의 취소는 당해 취소 부분에 관하여 효력이 생긴다(대판 2012. 3. 29, 2011두9263).

② ×

❶ 수개의 위반행위에 대하여 하나의 과징금 납부명령을 하였는데 수개의 위반행위 중 일부의 위반행위만이 위법하나 소송상 그 일부의 위반행위를 기초로 한 과징금액을 산정할 수 있는 자료가 없는 경우에는 하나의 과징금 납부명령 전부를 취소할 수밖에 없다(대판 2004. 10. 14, 2001두2881).

❷ 공정거래위원회가 부당한 공동행위에 대한 과징금을 부과함에 있어 여러 개의 위반행위에 대하여 하나의 과징금 납부명령을 하였으나 여러 개의 위반행위 중 일부의 위반행위에 대한 과징금 부과만이 위법하고 소송상 그 일부의 위반행위를 기초로 한 과징금액을 산정할 수 있는 자료가 있는 경우에는, 하나의 과징금 납부명령일지라도 그 일부의 위반행위에 대한 과징금액에 해당하는 부분만을 취소하여야 한다(대판 2009. 10. 29, 2009두11218 ; 대판 2019. 1. 31, 2013두14726).

❸ 공정거래위원회의 법 위반사실 공표명령이 하나의 조항으로 이루어졌으나 그 대상이 된 사업자의 광고행위와 표시행위로 인한 각 법위 반사실이 별개로 특정될 수 있는 경우, 그중 하나의 법 위반사실이 인정되지 않는다고 하여 법 위반사실 공표명령 전부를 취소할 수는 없다(일부취소를 하여야 한다).
외형상 하나의 행정처분이라 하더라도 가분성이 있거나 그 처분대상의 일부가 특정될 수 있다면 일부만의 취소도 가능하고 그 일부의 취소는 당해 취소 부분에 관하여만 효력이 생기는 것인바, 공정거래위원회가 사업자에 대하여 행한 법 위반사실 공표명령은 비록 하나의 조항으로 이루어진 것이라고 하여도 그 대상이 된 사업자의 광고행위와 표시행위로 인한 각 법 위반사실은 별개로 특정될 수 있어 위 각 법 위반사실에 대한 독립적인 공표명령이 경합된 것으로 보아야 할 것이므로, 이 중 표시행위에 대한 법 위반사실이 인정되지 아니하는 경우에 그 부분에 대한 공표명령의 효력만을 취소할 수 있을 뿐, 공표명령 전부를 취소할 수 있는 것은 아니다(대판 2000. 12. 12, 99두12243).

③ ×

자동차운수사업면허조건 등을 위반한 사업자에 대하여 행정청이 행정제재수단으로 사업정지를 명할 것인지, 과징금을 부과할 것인지, 과징금을 부과하기로 한다면 그 금액은 얼마로 할 것인지에 관하여 재량권이 부여되었다 할 것이므로 과징금 부과처분이 법이 정한 한도액을 초과하여 위법할 경우 법원으로서는 그 전부를 취소할 수밖에 없고, 그 한도액을 초과한 부분이나 법원이 적정하다고 인정되는 부분을 초과한 부분만을 취소할 수 없다(대판 1998. 4. 10, 98두2270).

④ ×

행정청이 여러 개의 위반행위에 대하여 하나의 제재처분을 하였으나, 위반행위별로 제재처분의 내용을 구분하는 것이 가능하고 여러 개의 위반행위 중 일부의 위반행위에 대한 제재처분 부분만이 위법하다면, 법원은 그 제재처분 중 위법성이 인정되는 부분만 취소하여야 하고 그 제재처분 전부를 취소하여서는 아니 된다(대판 2020. 5. 14, 2019두63515).

17 [정답] ③

㉮ ○ 처분이 위법하여 원고의 청구가 이유 있다고 인정하는 경우에도 처분 등을 취소하는 것이 현저히 공공복리에 적합하지 아니하다고 인정하는 때에는 법원은 원고의 청구를 기각할 수 있는바, 이를 사정판결이라 한다. 즉, 사정판결은 기각판결이다.

행정소송법 제28조【사정판결】 ① 원고의 청구가 이유 있다고 인정하는 경우에도 처분 등을 취소하는 것이 현저히 공공복리에 적합하지 아니하다고 인정하는 때에는 법원은 원고의 청구를 기각할 수 있다. 이 경우 법원은 그 판결의 주문에서 그 처분 등이 위법함을 명시하여야 한다.

㉯ ×

법원은 직권으로 사정판결을 할 수 있다.
사정판결을 할 필요가 있다고 인정하는 때에는 당사자의 명백한 주장이 없는 경우에도 일건 기록에 나타난 사실을 기초로 하여 직권으로 사정판결을 할 수 있다(대판 1995. 7. 28, 95누4629).

㉰ ○ 취소소송에서 위법성은 처분시를 기준으로 판단한다고 함이 통설과 판례의 입장이므로, 사정판결에서도 처분의 위법성 판단의 기준시는 처분시가 된다. 그러나 사정판결의 필요성 판단은 사정판결제도의 취지에 비추어 처분의 위법성 판단과는 달리 판결시(변론종결시)를 기준으로 하여야 한다.

㉱ ○ 사정판결을 하는 경우 법원은 판결의 주문에서 그 처분 등이 위법함을 명시하여야 하며(행정소송법 제28조 제1항 후단), 그 처분 등의 위법성에 대하여 기판력이 발생한다.

㉲ × 사정판결은 취소소송에만 인정되고 무효확인소송과 부작위위법확인소송, 당사자소송에는 사정판결이 인정되지 않는다.

무효확인소송에서는 사정판결을 할 수 없다.
당연무효의 행정처분을 소송목적물로 하는 행정소송에서는 존치시킬 효력이 있는 행정행위가 없기 때문에 행정소송법 제28조 소정의 사정판결을 할 수 없다(대판 1996. 3. 22, 95누5509).

행정소송법 제28조【사정판결】 ① 원고의 청구가 이유 있다고 인정하는 경우에도 처분 등을 취소하는 것이 현저히 공공복리에 적합하지 아니하다고 인정하는 때에는 법원은 원고의 청구를 기각할 수 있다. 이 경우 법원은 그 판결의 주문에서 그 처분 등이 위법함을 명시하여야 한다.

> **제38조【준용규정】** ① 제9조, 제10조, 제13조 내지 제17조 제19조, 제22조 내지 제26조, 제29조 내지 제31조 및 제33조의 규정은 무효등확인소송의 경우에 준용한다.
> ② 제9조, 제10조, 제13조 내지 제19조, 제20조, 제25조 내지 제27조, 제29조 내지 제31조, 제33조 및 제34조의 규정은 부작위법확인소송의 경우에 준용한다.
>
> **제44조【준용규정】** ① 제14조 내지 제17조, 제22조, 제25조, 제26조, 제30조 제1항, 제32조 및 제33조의 규정은 당사자소송의 경우에 준용한다.

18 [정답] ④

㉮ ○

> **행정소송법 제29조【취소판결 등의 효력】** ① 처분 등을 취소하는 확정판결은 제3자에 대하여도 효력이 있다.

㉯ ○

> 행정처분 취소확정판결은 형성력이 있으므로 행정청의 별도 취소절차 없이도 처분의 효력은 소멸한다.
> 행정처분을 취소한다는 확정판결이 있으면 그 취소판결의 형성력에 의하여 당해 행정처분의 취소나 취소통지 등의 별도의 절차를 요하지 아니하고 당연히 취소의 효과가 발생한다고 할 것이고 별도로 취소의 절차를 취할 필요는 없을 것이다(대판 1991. 10. 11, 90누5443).

㉰ ○

> 과세처분 취소판결의 확정 후에 한 당초 과세처분의 경정처분은 무효이다.
> 과세처분을 취소하는 판결이 확정되면 그 과세처분은 처분시에 소급하여 소멸하므로 그 뒤에 과세관청에서 그 과세처분을 경정하는 경정처분을 하였다면 이는 존재하지 않는 과세처분을 경정한 것으로서 그 하자가 중대하고 명백한 당연무효의 처분이다(대판 1989. 5. 9, 88다카16096).

㉱ × 취소판결의 기속력이란 처분 등을 취소하는 확정판결이 그 사건에 관하여 당사자인 행정청과 그 밖의 관계 행정청을 기속하는 효력을 말하는데, 취소판결이 확정되면 행정청은 확정판결에 저촉되는 행위를 하여서는 안 될 의무를 진다. 즉, 행정청은 동일한 사실관계 아래에서 동일한 당사자에 대하여 동일한 내용의 처분 등을 반복하여서는 안 된다.

> **행정소송법 제30조【취소판결 등의 기속력】** ① 처분 등을 취소하는 확정판결은 그 사건에 관하여 당사자인 행정청과 그 밖의 관계 행정청을 기속한다.

㉲ ○ 기속력의 내용으로서 행정청은 결과제거의무를 부담하기도 한다. 예컨대, 압류처분이 취소되면 행정청은 압류재산을 반환하여야 하는 경우와 같이, 처분의 취소판결이 확정되면 행정청은 위법한 처분에 의해 초래된 상태를 제거할 의무를 진다.

> 어떤 행정처분을 위법하다고 판단하여 취소하는 판결이 확정되면 행정청은 취소판결의 기속력에 따라 그 판결에서 확인된 위법사유를 배제한 상태에서 다시 처분을 하거나 그 밖에 위법한 결과를 제거하는 조치를 할 의무가 있다(대판 2020. 4. 9, 2019두49953).

㉳ × 기속력의 시간적 범위는 처분시를 기준으로 하기 때문에 거부처분에 대해 이를 취소하는 확정판결이 있은 후에도 처분 당시 이후 발생한 새로운 사유를 이유로 처분청이 다시 거부하는 것은 기속력에 위반되지 않는다.

> 거부처분 취소의 확정판결을 받은 행정청이 사실심변론종결 이후 발생한 새로운 사유를 내세워 다시 이전의 신청에 대하여 거부처분을 한 경우 이러한 처분은 행정소송법 제30조 제2항에 규정된 재처분에 해당한다(기속력에 반하는 처분이 아니라는 의미이다)(대판 1999. 12. 28, 98두1895).

19 [정답] ②

㉮ ○ 취소판결의 취소의 효과는 처분시로 소급하므로 영업정지처분이 행정쟁송절차에 의해 취소되었다면 처음부터 영업정지명령은 없었던 것으로 된다. 따라서 甲은 영업정지명령을 위반한 것이 아니다.

> 「도시 및 주거환경정비법」상 주택재개발사업조합의 조합설립인가처분이 법원의 재판에 의하여 취소된 경우, 주택재개발사업조합이 조합설립인가처분 취소 전에 「도시 및 주거환경정비법」상 적법한 행정주체 또는 사업시행자로서 한 결의 등 처분은 소급하여 효력을 상실한다(대판 2012. 3. 29, 2008다95885).

㉯ × 기속력은 판결의 주문과 이유에서 적시된 개개의 위법사유에만 미치므로 처분시에 존재한 원래의 처분과 기본적 사실관계에 동일성이 없는 다른 사유를 들어 동일한 처분을 하더라도 반복금지의무에 위반되지 않는다.

> 종전 처분 후 발생한 새로운 사유를 내세워 다시 거부처분을 하는 것은 처분 등을 취소하는 확정판결의 기속력에 위배되지 않는다(대판 2011. 10. 27, 2011두14401).

㉰ × 처분에 대한 취소판결 후 동 처분으로 인한 손해에 대해 국가배상청구소송을 제기한 경우와 같이 전소의 소송물이 후소의 선결문제로 되는 경우에도 기판력이 작용한다.

> 취소확정판결의 '기속력'은 취소청구가 인용된 판결에서 인정되는 것으로서 당사자인 행정청과 그 밖의 관계 행정청에게 확정판결의 취지에 따라 행동하여야 할 의무를 지우는 작용을 한다. 이에 비하여 행정소송법 제8조 제2항에 의하여 행정소송에 준용되는 민사소송법 제216조, 제218조가 규정하고 있는 '기판력'이란 기판력 있는 전소 판결의 소송물과 동일한 후소를 허용하지 않음과 동시에, 후소의 소송물이 전소의 소송물과 동일하지는 않더라도 전소의 소송물에 관한 판단이 후소의 선결문제가 되거나 모순관계에 있을 때에는 후소에서 전소 판결의 판단과 다른 주장을 하는 것을 허용하지 않는 작용을 한다(대판 2016. 3. 24, 2015두48235).

㉱ ○ 특정의 행정처분이 절차나 형식상의 위법사유로 인하여 취소된 경우에는 그 확정판결의 기속력은 그 취소사유로 된 절차나 형식의 위법에 한하여 미치기 때문에 행정청은 절차상의 하자를 보완하여 다시 새로운 동일한 내용의 처분을 할 수 있다. 예컨대, 청문을 거치지 않았다는 이유로 취소판결이 확정된 경우 행정청은 청문을 거쳐 다시 동일한 내용의 처분을 할 수도 있다.

> 과세처분시 납세고지서에 절차 내지 형식의 위법을 이유로 과세처분을 취소하는 판결이 확정된 경우에 그 확정판결의 기판력(편저자 주 : 기속력)은 확정판결에 적시된 절차 내지 형식의 위법사유에 한하여 미친다고 할 것이므로 과세처분 취소소송의 확정판결에 적시

된 위법사유를 보완하여 새로 이행한 과세처분은 종전의 과세처분과는 별개의 처분으로서 확정판결의 기판력(편저자 주 : 기속력)에 저촉되지 않는다(대판 1986. 11. 11, 85누231).

20 [정답] ④

① ○

행정청이 관련 법령에 근거하여 행한 공사중지명령의 상대방이 명령의 취소를 구한 소송에서 패소함으로써 그 명령이 적법한 것으로 이미 확정되었다면, 이후 이러한 공사중지명령의 상대방은 그 명령의 해제신청을 거부한 처분의 취소를 구하는 소송에서 그 명령의 적법성을 다툴 수 없다. 그와 같은 공사중지명령에 대하여 그 명령의 상대방이 해제를 구하기 위해서는 명령의 내용 자체로 또는 성질상으로 명령 이후에 원인사유가 해소되었음이 인정되어야 한다(대판 2014. 11. 27, 2014두37665).

② ○

과세처분 취소청구를 기각하는 판결이 확정되면 그 처분이 적법하다는 점에 관하여 기판력이 생기고 그 후 원고가 다시 이를 무효라 하여 그 무효확인을 소구할 수는 없는 것이어서, 과세처분의 취소소송에서 청구가 기각된 확정판결의 기판력은 그 과세처분의 무효확인을 구하는 소송에도 미친다(대판 1996. 6. 25, 95누1880).

③ ○ 취소소송에서는 소송수행의 편의상 권리주체인 국가·공공단체가 아닌 처분행정청을 피고로 하는 것에 불과하기 때문에 그 판결의 기판력은 피고인 처분행정청이 속하는 국가나 공공단체에도 미친다.

처분청을 피고로 한 과세처분 취소소송의 기판력은 당해 처분이 귀속하는 국가 또는 공공단체에 미친다.
과세처분 취소소송의 피고는 처분청이므로 행정청을 피고로 하는 취소소송의 기판력은 당해 처분이 귀속하는 국가 또는 공공단체에 미친다(대판 1998. 7. 24, 98다10854).

④ × 취소소송의 소송물은 '처분의 위법성 일반'이라는 것이 판례의 입장이다. 이에 따르면 처분에 대한 청구기각판결이 확정된 경우 그 처분은 위법하지 않은 것이 된다(즉, 적법한 처분으로 인정된다). 따라서 청구기각판결이 확정된 이후에 제기되는 취소소송에서 그 처분의 위법성을 주장하는 것은 확정판결과 모순되는 주장을 하는 것으로 판결의 기판력에 저촉되어 허용되지 않는다.

21 [정답] ②

㉮ ○ 甲은 제1심 수소법원에 이른바 간접강제결정을 신청할 수 있다.

행정소송법 제34조【거부처분 취소판결의 간접강제】① 행정청이 제30조 제2항의 규정에 의한 처분을 하지 아니하는 때에는 제1심 수소법원은 당사자의 신청에 의하여 결정으로써 상당한 기간을 정하고 행정청이 그 기간 내에 이행하지 아니하는 때에는 그 지연기간에 따라 일정한 배상을 할 것을 명하거나 즉시 손해배상을 할 것을 명할 수 있다.

㉯㉱ ×

❶ 행정소송법 제34조 소정의 간접강제결정에 기한 배상금의 성질은 확정판결의 취지에 따른 재처분의 지연에 대한 제재나 손해배상이 아니고 재처분의 이행에 관한 심리적 강제수단에 불과한 것으로 보아야 한다(㉯).

❷ 확정판결의 취지에 따른 재처분이 간접강제결정에서 정한 의무이행기한이 경과한 후에 이루어진 경우, 간접강제결정에 기한 배상금의 추심은 허용되지 않는다(㉱)(대판 2004. 1. 15, 2002두2444).

㉰ ○

거부처분에 대한 취소의 확정판결이 있음에도 행정청이 아무런 재처분을 하지 아니하거나, 재처분을 하였다 하더라도 그것이 종전 거부처분에 대한 취소의 확정판결의 기속력에 반하는 등 당연무효라면 이는 아무런 재처분을 하지 아니한 때와 마찬가지이므로, 이러한 경우에는 행정소송법 제30조 제2항, 제34조 제1항 등에 의한 간접강제신청에 필요한 요건을 갖춘 것으로 보아야 한다(대결 2002. 12. 11, 2002무22).

㉲ × 무효확인소송에서는 취소소송의 재처분의무에 관한 규정은 준용되나 간접강제에 관한 규정은 준용되지 않는다.

행정소송법에는 간접강제를 준용한다는 규정이 없으므로 무효확인소송에는 간접강제가 인정되지 않는다.
행정소송법 제38조 제1항이 무효확인판결에 관해 취소판결에 관한 규정을 준용함에 있어서 같은 법 제30조 제2항을 준용한다고 규정하면서도 같은 법 제34조는 이를 준용한다는 규정을 두지 않고 있으므로, 행정처분에 대하여 무효확인판결이 내려진 경우에는 그 행정처분이 거부처분인 경우에도 행정청에 판결의 취지에 따른 재처분의무가 인정될 뿐 그에 대하여 간접강제까지 허용되는 것은 아니다(대결 1998. 12. 24, 98무37).

행정소송법 제30조【취소판결 등의 기속력】② 판결에 의하여 취소되는 처분이 당사자의 신청을 거부하는 것을 내용으로 하는 경우에는 그 처분을 행한 행정청은 판결의 취지에 따라 다시 이전의 신청에 대한 처분을 하여야 한다.

제34조【거부처분 취소판결의 간접강제】① 행정청이 제30조 제2항의 규정에 의한 처분을 하지 아니하는 때에는 제1심 수소법원은 당사자의 신청에 의하여 결정으로써 상당한 기간을 정하고 행정청이 그 기간 내에 이행하지 아니하는 때에는 그 지연기간에 따라 일정한 배상을 할 것을 명하거나 즉시 손해배상을 할 것을 명할 수 있다.

제38조【준용규정】① 제9조, 제10조, 제13조 내지 제17조, 제19조, 제22조 내지 제26조, 제29조 내지 제31조 및 제33조의 규정은 무효등확인소송의 경우에 준용한다.

22 [정답] ④

㉮ × 무효인 행정행위는 불가쟁력이 발생하지 않으므로 쟁송제기기간의 제한을 받지 않아 언제든지 무효확인소송을 제기할 수 있다. 한편, 무효사유에 대해서 무효소송을 제기하는 경우에는 제소기간의 제한을 받지 않으나 이를 취소소송의 형식으로 다투는 경우, 이른바 무효선언을 구하는 의미의 취소소송에 있어서는 제소기간을 준수하여야 한다.

당연무효를 선언하는 의미의 취소청구소송(무효선언적 의미의 취소소송)을 제기함에 있어서는 제소기간의 제한이 있다.
행정처분의 당연무효를 선언하는 의미에서 그 취소를 구하는 행정소송을 제기하는 경우에는 전치절차와 그 제소기간의 준수 등 취소소송의 제소요건을 갖추어야 한다(대판 1987. 6. 9, 87누219).

㉮ ✕

> 동일한 행정처분에 대하여 무효확인의 소를 제기하였다가 그 후 그 처분의 취소를 구하는 소를 추가적으로 병합한 경우, 주된 청구인 무효확인의 소가 적법한 제소기간 내에 제기되었다면 추가로 병합된 취소청구의 소도 적법하게 제기된 것으로 볼 수 있다(대판 2005. 12. 23, 2005두3554).

㉯ ○

> ❶ 행정처분의 무효확인을 구하는 소에는 원고가 그 처분의 취소를 구하지 아니한다고 밝히지 아니한 이상 그 처분이 만약 당연무효가 아니라면 그 취소를 구하는 취지도 포함되어 있는 것으로 보아야 한다(대판 1994. 12. 23, 94누477).
> ❷ 행정처분의 무효확인을 구하는 청구에는 특별한 사정이 없는 한 그 처분의 취소를 구하는 취지까지도 포함되어 있다고 볼 수는 있으나 위와 같은 경우에 취소청구를 인용하려면 먼저 취소를 구하는 항고소송으로서의 제소요건을 구비한 경우에 한한다(대판 1986. 9. 23, 85누838).

㉰ ○ 당사자가 취소소송을 제기하였으나 법원의 심리 결과 그 처분이 중대·명백한 하자가 있어 무효사유에 해당하는 경우 법원은 어떠한 판결을 해야 하는지가 문제된다. 이 경우 통설과 판례는 이른바 무효선언적 의미의 취소판결을 할 수 있다는 입장이다. 다만, 이러한 경우는 형식적으로는 취소소송으로 제기되었으므로 취소소송의 소송요건, 예컨대 필요적(예외적) 행정심판전치주의, 제소기간 등의 요건을 준수하여야만 한다는 것이 통설과 판례의 입장이다.

23 [정답] ④

① ○

> 무효확인소송에서는 원고가 처분이 무효라는 것을 입증해야 한다. 행정처분의 당연무효를 구하는 소송에 있어서는 그 무효를 구하는 사람(원고)에게 그 행정처분에 존재하는 하자가 중대하고 명백하다는 것을 주장·입증할 책임이 있다(대판 1984. 2. 28, 82누154).

② ○ 부작위가 위법하다는 것을 구할 확인의 이익이 있어야 하므로 부작위위법확인판결을 받는다 하더라도 원고의 권리와 이익을 보호받는 것이 불가능하게 되었다면 소의 이익이 없다.

> (지방자치단체가 노동운동이 허용되는 사실상의 노무에 종사하는 공무원의 구체적 범위를 조례를 통해 규정하지 않고 있는 것에 대해 버스전용차로 통행 위반 단속업무에 종사하는 자가 부작위위법확인의 소를 제기하였으나 상고심 계속 중에 정년퇴직한 경우, 위 조례를 제정하지 아니한 부작위가 위법하다는 확인을 구할 소의 이익이 상실되었다고 판단하면서) 당사자의 신청이 있은 이후 당사자에게 생긴 사정의 변화로 인하여 부작위가 위법하다는 확인을 받는다고 하더라도 종국적으로 침해되거나 방해받은 권리와 이익을 보호·구제받는 것이 불가능하게 된 경우, 그 부작위가 위법하다는 확인을 구할 이익은 없다(대판 2002. 6. 28, 2000두4750).

③ ○

> 거부처분이 있는 경우 부작위위법확인소송을 제기할 수는 없다. 행정청이 당사자의 신청에 대하여 거부처분을 한 경우에는 항고소송의 대상인 위법한 부작위가 있다고 볼 수 없어 그 부작위위법확인의 소는 부적법하다(대판 1998. 1. 23, 96누12641).

④ ✕

> 행정처분의 근거법률에 의하여 보호되는 직접적이고 구체적인 이익이 있는 경우에는 행정소송법 제35조에 규정된 '무효확인을 구할 법률상 이익'이 있다고 보아야 하고, 이와 별도로 무효확인소송의 보충성이 요구되는 것은 아니므로 행정처분의 무효를 전제로 한 이행소송 등과 같은 직접적인 구제수단이 있는지 여부를 따질 필요가 없다고 해석함이 상당하다(대판 2008. 3. 20, 2007두6342 전합).

24 [정답] ③

① ✕ 통설과 판례의 입장인 절차적 심리설은 부작위위법확인소송에서는 그 심리범위가 부작위의 위법 여부에만 국한된다고 본다. 즉, 부작위위법확인소송은 의무이행소송과는 달리 행정청의 부작위가 위법한 것임을 확인하는 소송으로서 법원은 부작위의 위법 여부를 확인하는 데 그칠 뿐, 행정청이 행할 처분의 구체적 내용까지는 심리·판단할 수 없다고 한다. 따라서 인용판결의 경우에도 행정청은 신청에 대한 가부의 응답만 하여도 판결의 취지에 따른 것이 된다. 즉, 부작위위법확인소송의 인용판결이 내려진 경우 행정청이 신청에 대한 거부처분을 하여도 인용판결의 기속력을 위반한 것이 되지 않는다. 이 설이 판례의 입장이다. 이는 재량행위, 기속행위를 불문하고 동일하므로 부작위위법확인소송의 인용판결의 경우 신청의 대상이 기속행위인 경우에도 행정청은 거부처분을 할 수 있으며 동 처분의 기속력에 따른 처분의무를 이행한 것으로 본다.

② ✕ 부작위위법확인판결에는 취소판결의 제3자효와 기속력에 관한 규정 및 간접강제에 관한 규정이 준용된다.

> **행정소송법 제38조【준용규정】** ① 제9조, 제10조, 제13조 내지 제17조, 제19조, 제22조 내지 제26조, 제29조 내지 제31조 및 제33조의 규정은 무효등확인소송의 경우에 준용한다.
> ② 제9조, 제10조, 제13조 내지 제19조, 제20조, 제25조 내지 제27조, 제29조 내지 제31조, 제33조 및 제34조의 규정은 부작위위법확인소송의 경우에 준용한다.
> **제44조【준용규정】** ① 제14조 내지 제17조, 제22조, 제25조, 제26조, 제30조 제1항, 제32조 및 제33조의 규정은 당사자소송의 경우에 준용한다.
> **제29조【취소판결 등의 효력】** ① 처분 등을 취소하는 확정판결은 제3자에 대하여도 효력이 있다.
> **제30조【취소판결 등의 기속력】** ① 처분 등을 취소하는 확정판결은 그 사건에 관하여 당사자인 행정청과 그 밖의 관계 행정청을 기속한다.
> ② 판결에 의하여 취소되는 처분이 당사자의 신청을 거부하는 것을 내용으로 하는 경우에는 그 처분을 행한 행정청은 판결의 취지에 따라 다시 이전의 신청에 대한 처분을 하여야 한다.
> **제34조【거부처분 취소판결의 간접강제】** ① 행정청이 제30조 제2항의 규정에 의한 처분을 하지 아니하는 때에는 제1심 수소법원은 당사자의 신청에 의하여 결정으로써 상당한 기간을 정하고 행정청이 그 기간 내에 이행하지 아니하는 때에는 그 지연기간에 따라 일정한 배상을 할 것을 명하거나 즉시 손해배상을 할 것을 명할 수 있다.

③ ○ 처분변경으로 인한 소변경에 관한 규정은 무효등확인소송과 당사자소송의 경우는 준용이 되나, 처분이 없는 부작위위법확인소송의 경우에는 개념상 적용될 수 없기 때문에 준용되지 않는다.

> **행정소송법 제38조【준용규정】** ① 제9조, 제10조, 제13조 내지 제17조, 제19조, 제22조 내지 제26조, 제29조 내지 제31조 및 제33조의 규정은 무효등확인소송의 경우에 준용한다.
> ② 제9조, 제10조, 제13조 내지 제19조, 제20조, 제25조 내지 제27조, 제29조 내지 제31조, 제33조 및 제34조의 규정은 부작위위법확인소송의 경우에 준용한다.
>
> **제22조【처분변경으로 인한 소의 변경】** ① 법원은 행정청이 소송의 대상인 처분을 소가 제기된 후 변경한 때에는 원고의 신청에 의하여 결정으로써 청구의 취지 또는 원인의 변경을 허가할 수 있다.

④ ×

> 4급 공무원이 당해 지방자치단체 인사위원회의 심의를 거쳐 3급 승진대상자로 결정되고 임용권자가 그 사실을 대내외에 공표한 경우, 그 공무원에게 승진임용신청권이 있다.
> 지방공무원법 제8조, 제38조 제1항, 지방공무원임용령 제38조의3의 각 규정을 종합하면, 2급 내지 4급 공무원의 승진임용은 임용권자가 행정실적·능력·경력·전공분야·인품 및 적성 등을 고려하여 하되 인사위원회의 사전심의를 거치도록 하고 있는바, 4급 공무원이 당해 지방자치단체 인사위원회의 심의를 거쳐 3급 승진대상자로 결정되고 임용권자가 그 사실을 대내외에 공표까지 하였다면, 그 공무원은 승진임용에 관한 법률상 이익을 가진 자로서 임용권자에 대하여 3급 승진임용신청을 할 조리상의 권리가 있다(대판 2008. 4. 10, 2007두18611).

25

정답 ④

① ○

> 행정심판 등 전심절차를 거친 경우에는 행정소송법 제20조가 정한 제소기간 내에 부작위위법확인의 소를 제기하여야 한다.
> 부작위위법확인의 소는 부작위상태가 계속되는 한 그 위법의 확인을 구할 이익이 있다고 보아야 하므로 원칙적으로 제소기간의 제한을 받지 않는다. 그러나 행정소송법 제38조 제2항이 제소기간을 규정한 같은 법 제20조를 부작위위법확인소송에 준용하고 있는 점에 비추어 보면, 행정심판 등 전심절차를 거친 경우에는 행정소송법 제20조가 정한 제소기간 내에 부작위위법확인의 소를 제기하여야 한다(대판 2009. 7. 23, 2008두10560).

② ○

> ❶ 행정청이 행한 공사중지명령의 상대방은 그 명령 이후에 그 원인사유가 소멸하였음을 들어 행정청에 대하여 공사중지명령의 철회를 요구할 수 있는 조리상 신청권이 있다.
> ❷ 행정청이 행한 공사중지명령의 상대방이 그 명령 이후에 그 원인사유가 소멸하였음을 들어 행정청에 대하여 공사중지명령의 철회를 신청하였으나 행정청이 이에 대하여 아무런 응답을 하지 않고 있는 경우, 그러한 행정청의 부작위는 그 자체로 위법하다 (대판 2005. 4. 14, 2003두7590).

③ ○ 부작위위법확인소송의 대상은 행정소송법의 조문을 고려할 때 '처분'의 부작위이지 '입법'의 부작위는 아니다. 따라서 행정입법부작위의 경우 부작위위법확인소송의 대상이 되지 않는다는 것이 판례의 입장이다.

> 추상적인 법령의 제정 여부 등은 부작위위법확인소송의 대상이 될 수 없다.
> 행정소송은 구체적 사건에 대한 법률상 분쟁을 법에 의하여 해결함으로써 법적 안정을 기하자는 것이므로 부작위위법확인소송의 대상이 될 수 있는 것은 구체적 권리·의무에 관한 분쟁이어야 하고 추상적인 법령에 관하여 제정의 여부 등은 그 자체로서 국민의 구체적인 권리·의무에 직접적 변동을 초래하는 것이 아니어서 그 소송의 대상이 될 수 없다(대판 1992. 5. 8, 91누11261).

> **행정소송법 제2조【정의】** ① 이 법에서 사용하는 용어의 정의는 다음과 같다.
> 2. '부작위'라 함은 행정청이 당사자의 신청에 대하여 상당한 기간 내에 일정한 처분을 하여야 할 법률상 의무가 있음에도 불구하고 이를 하지 아니하는 것을 말한다.
>
> **제4조【항고소송】** 항고소송은 다음과 같이 구분한다.
> 3. 부작위위법확인소송 : 행정청의 부작위가 위법하다는 것을 확인하는 소송

④ × 판례에 따르면 부작위위법확인소송에서 인용판결이 확정된 경우, 행정청은 '처분'을 하면 되므로 거부처분을 한 경우에도 판결의 취지에 따른 것이 된다.

2026 써니 행정법총론 소방 단원별 모의고사

옳은 지문 워크북
제1~16회

제1회 | 옳은 지문

01

㉮-1 형식적 의미의 행정, 입법, 사법 개념은 어느 '기관'에서 행한 작용인가라는 '기관'을 중심으로 그 개념을 파악하는 것인 반면에, 실질적 의미의 행정, 입법, 사법 개념은 '성질'과 '기능'을 중심으로 그 개념을 파악하는 입장이다.

㉮-2 국회사무총장의 직원임명은 형식적 의미의 입법, 실질적 의미의 행정에 해당한다.

㉯ 집회의 금지통지는 형식적 의미의 행정, 실질적 의미의 행정에 해당한다.

㉰ 행정심판의 재결은 형식적 의미의 행정, 실질적 의미의 사법에 해당한다.

㉱ 시행령의 제정은 형식적 의미의 행정, 실질적 의미의 입법에 해당한다.

㉲ 지방공무원의 임명은 형식적 의미의 행정, 실질적 의미의 행정에 해당한다.

㉳ 일반법관의 임명은 형식적 의미의 사법, 실질적 의미의 행정에 해당한다.

㉴ 조세강제징수는 형식적 의미의 행정, 실질적 의미의 행정에 해당한다.

02

①-1 대통령의 긴급재정·경제명령은 국가긴급권의 일종으로서 고도의 정치적 결단에 의하여 발동되는 행위이고 그 결단을 존중하여야 할 필요성이 있는 행위, 이른바 통치행위에 속한다.

①-2 대통령의 금융실명제에 관한 긴급재정·경제명령은 통치행위라 하더라도 그것이 국민의 기본권 침해와 직접 관련되는 경우에는 헌법재판소의 심판대상이 된다.

② 대통령의 개성공단 운영 전면중단조치는 국가안보와 관련된 대통령의 의사결정을 포함하고, 그러한 의사결정은 고도의 정치적 결단을 요하는 문제이기는 하나, 그것이 기본권 제한과 관련된 경우에는 그 한도 내에서 헌법소원심판의 대상이 될 수 있다.

③ 대통령의 비상계엄의 선포나 확대행위는 고도의 정치적·군사적 성격을 지니고 있는 행위라 할 것이나, 비상계엄의 선포나 확대가 국헌문란의 목적을 달성하기 위해 행해진 경우에는 법원은 그 자체가 범죄행위에 해당하는지 여부에 대해서 심사할 수 있다.

④ 서훈취소행위는 대통령이 국가원수로서 행하는 행위라고 하더라도 법원이 사법심사를 자제하여야 할 고도의 정치성을 띤 행위(통치행위)라고 볼 수 없다.

03

① 국군의 외국 파견결정은 고도의 정치적 결단을 요하는 문제로서 헌법재판소가 사법적 기준만으로 이를 심판하는 것은 자제되어야 한다(통치행위 인정).

② 대통령의 사면권 행사는 형의 선고의 효력 또는 공소권을 상실시키거나 형의 집행을 면제시키는 국가원수의 고유한 권한을 의미하며, 사법부의 판단을 변경하는 제도로서 권력분립의 원리에 대한 예외에 해당한다.

③ 신행정수도건설이나 수도이전의 문제에 관한 대통령의 의사결정은 고도의 정치적 결단을 요하므로 사법심사를 자제함이 바람직하지만, 그것이 국민의 기본권 침해와 직접 관련되는 경우에는 헌법재판소의 심판대상이 될 수 있다.

④-1 남북정상회담 개최는 고도의 정치적 성격을 지니고 있는 행위이므로 그 당부를 심판하는 것은 사법권의 내재적·본질적 한계를 넘어서는 것이다.

④-2 남북정상회담의 개최과정에서 재정경제부장관(현 기획재정부장관)에게 신고하지 아니하거나 통일부장관의 협력사업승인을 얻지 아니한 채 대북송금한 행위 자체는 헌법상 법치국가의 원리와 법 앞에 평등원칙 등에 비추어 볼 때 사법심사의 대상이 된다.

04

① 국가가 국민의 생명·신체의 안전에 대한 보호의무를 다하지 않았는지 여부를 헌법재판소가 심사할 때에는 국가가 이를 보호하기 위하여 적어도 적절하고 효율적인 최소한의 보호조치를 취하였는가 하는 '과소보호금지원칙'의 위반 여부를 기준으로 삼는다.

②-1 국가계약의 본질적인 내용은 사인 간의 계약과 다를 바가 없어 법령에 특별한 규정이 있는 경우를 제외하고는 사법의 규정 내지 법원리가 그대로 적용된다.

②-2 구 「국가를 당사자로 하는 계약에 관한 법률」상의 요건과 절차를 거치지 않고 체결한 국가와 사인 간의 사법상 계약은 무효이다.

③-1 개인택시운송사업자에게 운전면허취소사유가 있으나 그에 따른 운전면허취소처분이 이루어지지 않은 경우 관할 관청이 개인택시운송사업면허를 취소할 수는 없다.

③-2 개인택시운송사업자가 음주운전을 하다가 사망한 경우 망인의 운전면허를 취소하는 것은 불가능하고, 음주운전 그 자체는 개인택시운송사업면허의 취소사유가 될 수는 없으므로, 음주운전을 이유로 한 개인택시운송사업면허의 취소처분은 위법하다.

④ 어떠한 사안을 국회가 형식적 법률로 직접 규정할 필요성은 규율대상이 국민의 기본권 및 기본적 의무와 관련한 중요성을 가질수록, 그에 관한 공개적 토론의 필요성 또는 상충하는 이익 사이의 조정 필요성이 클수록 더 증대된다.

05

㉮ 행정권의 발동에는 조직법적 근거가 반드시 필요하므로 법률유보의 원칙에서 말하는 법적 근거는 조직규범 외에 작용규범(권한규범, 근거규범)을 의미한다.

㉯ 예산은 일종의 법규범이고 법률과 마찬가지로 국회의 의결을 거쳐 제정되지만 법률과 달리 국가기관만을 구속할 뿐 일반국민을 구속하지 않는다.

㉰-1 법률유보의 원칙은 '법률에 의한' 규율만을 뜻하는 것이 아니라 '법률에 근거한' 규율을 요청하는 것이므로 기본권 제한의 형식이 반드시 법률의 형식일 필요는 없고 법률에 근거를 두면서 헌법 제75조가 요구하는 위임의 구체성과 명확성을 구비하기만 하면 위임입법에 의하여도 기본권 제한을 할 수 있다.

㉰-2 기본권 제한에 관한 법률유보의 원칙은 '법률에 근거한 규율'을 요청하는 것이므로, 그 형식이 반드시 법률일 필요는 없다 하더라도 법률상의 근거는 있어야 한다 할 것이다. 따라서 모법의 위임범위를 벗어난 하위법령에 의한 기본권 제한은 법률의 근거가 없는 것으로 법률유보의 원칙에 위반된다.

㉱ 중요사항유보설을 취하는 판례에 따르면 오늘날 법률유보의 원칙은 단순히 행정작용이 법률에 근거를 두기만 하면 충분한 것이 아니라 국민의 기본권 실현에 관련된 영역에 있어서는 국민의 대표자인 입법자가 스스로 그 본질적 사항에 대하여 결정하여야 한다는 요구인 의회유보원칙까지 내포하고 있는 것으로 본다.

06

① 지방의회의원에 대하여 유급보좌인력을 두는 것은 지방의회의원의 신분·지위 및 그 처우에 관한 현행 법령상의 제도에 중대한 변경을 초래하는 것으로서, 이는 개별지방의회의 조례로써 규정할 사항이 아니라 국회의 법률로써 규정하여야 할 입법사항이다.

② 납세의무자에게 조세의 납부의무뿐만 아니라 스스로 과세표준과 세액을 계산하여 신고하여야 하는 의무까지 부과하는 경우, 신고의무 불이행에 따른 불이익 등은 납세의무를 구성하는 기본적·본질적 내용으로서 법률로 정하여야 한다.

③ 토지 등 소유자가 도시환경정비사업을 시행하는 경우 사업시행인가 신청시 요구되는 토지 등 소유자의 동의정족수를 정하는 것은 국민의 권리와 의무의 형성에 관한 기본적이고 본질적인 사항이므로, 이를 토지 등 소유자가 자치적으로 정하여 운영하는 규약에 정하도록 한 것은 법률유보의 원칙에 위반된다.

④ 텔레비전방송수신료의 징수업무를 한국방송공사가 직접 수행할 것인지, 제3자에게 위탁할 것인지, 위탁한다면 누구에게 위탁하도록 할 것인지는 징수업무 처리의 효율성 등을 감안하여 결정할 수 있는 사항으로서 국민의 기본권 제한에 관한 본질적인 사항이라고 볼 수 없다.

07

㉮-1 법률의 유보에 있어서 법률은 원칙적으로 국회에서 법률제정의 절차에 따라 만들어진 형식적 의미의 법률을 의미한다.

㉮-2 따라서 국회의 의결을 거치지 않은 명령이나 불문법원으로서의 관습법은 법률유보의 원칙에서 말하는 '법률'에 포함되지 않는다.

㉯ 헌법상 법치주의의 한 내용인 법률유보의 원칙은 국민의 기본권 실현에 관련된 영역에 있어서 국가 행정권의 행사에 관하여 적용되는 것이지, 기본권 규범과 관련 없는 경우까지 준수되도록 요청되는 것은 아니라 할 것이다.

㉰-1 공법상 계약은 당사자의 자유로운 의사합치를 요소로 한다는 점과 행정지도는 행정지도에 따를 것인지가 상대방의 임의적 결정에 달려 있는 비권력적 사실행위라는 점에서 법률의 근거 없이 가능하다는 것이 일반적 견해이다.

㉰-2 그러나 공법상 계약과 행정지도 모두 행정작용인 이상 법률우위의 원칙을 지켜야 하므로 비례의 원칙을 포함한 행정법의 일반원칙을 위반하지 않아야 한다.

㉱ 병의 복무기간은 국방의무의 본질적 내용에 관한 것이어서, 이는 반드시 법률로 정하여야 할 입법사항에 속한다.

08

①-1 법률이나 국가의 중앙행정관청이 제정한 명령(대통령령, 총리령, 부령)은 대한민국의 전 영토에 걸쳐 효력을 가지고, 지방자치단체의 조례·규칙은 당해 자치단체의 구역 내에서만 효력을 가지는 것이 원칙이다.

①-2 다만, 이러한 원칙에 대한 예외로 국가의 법률 또는 명령이면서 영토 내의 일부 지역 내에서만 적용되는 경우가 있는데, 「제주특별자치도 설치 및 국제자유도시 조성을 위한 특별법」, 수도권정비계획법 등이 그 예이다.

②-1 헌법에 의하여 체결·공포된 조약과 일반적으로 승인된 국제법규는 국내법과 같은 효력을 가진다.

②-2 「남북 사이의 화해와 불가침 및 교류협력에 관한 합의서」는 국가 간의 조약이 아니므로 국내법과 동일한 효력이 없다.

③-1 헌법재판소에 의한 법률의 위헌결정은 법원과 그 밖의 국가기관 및 지방자치단체를 기속하여 행정법의 법원(法源)으로서의 성격을 갖는다.

③-2 다만, 헌법재판소의 법률해석에 대법원이나 각급 법원이 구속되는 것은 아니다.

④-1 법령 등을 공포한 날부터 시행하는 경우에는 공포한 날을 시행일로 한다.

④-2 법령 등을 공포한 날부터 일정 기간이 경과한 날부터 시행하는 경우 법령을 공포한 날을 첫날에 산입하지 아니한다.

④-3 법령 등을 공포한 날부터 일정 기간이 경과한 날부터 시행하는 경우 그 기간의 말일이 토요일 또는 공휴일인 때에는 그 말일로 기간이 만료한다.

09

①-1 지방자치단체가 제정한 조례가 「1994년 관세 및 무역에 관한 일반협정(GATT)」에 위반되는 경우 그 조례는 무효이다.

①-2 학교급식을 위해 국내 우수농산물을 사용하는 자에게 식재료나 구입비의 일부를 지원하는 것 등을 내용으로 하는 지방자치단체의 조례안은 「1994년 관세 및 무역에 관한 일반협정(GATT)」에 위반되어 그 효력이 없다.

② 관습법은 성문법의 결여시 성문법을 보충하는 한도에서 적용될 뿐 성문법을 개정 또는 폐지하는 효력은 없다.

㉢-1 WTO 협정은 국가와 국가 사이의 권리·의무관계를 설정하는 국제협정으로, 그 내용 및 성질에 비추어 이와 관련한 법적 분쟁은 위 WTO 분쟁해결기구에서 해결하는 것이 원칙이고, 사인에 대하여는 WTO 협정의 직접효력이 미치지 아니한다.

㉢-2 회원국 정부의 반덤핑 부과처분이 WTO 협정 위반이라는 이유만으로 사인(私人)이 직접 국내 법원에 그 처분의 취소를 구하는 소를 제기할 수 없으며, 협정 위반을 처분의 독립된 취소사유로 주장할 수는 없다.

㉣-1 상급법원 재판에서의 판단은 해당 사건에 관하여 하급심을 기속한다.

㉣-2 대법원의 판례가 법률해석의 일반적인 기준을 제시한 경우에 유사한 사건을 재판하는 하급심법원의 법관은 판례의 견해를 존중하여 재판하여야 하는 것이나, 판례가 사안이 서로 다른 사건을 재판하는 하급심법원을 직접 기속하는 효력이 있는 것은 아니다.

10

㉮-1 부진정소급적용은 엄밀한 의미에서의 소급적용이 아니어서 소급적용금지의 원칙이 적용되지 않으므로, 법규효력발생일 이전에 발생하여 법령의 시행일에도 종결되지 않고 계속되는 사실관계 또는 법률관계에는 새로운 법령을 적용함이 원칙이다.

㉮-2 과세연도 진행 중에 세율 등을 인상하는 세법을 제정하여 당해 연도에 적용하는 것은 부진정소급으로서 원칙적으로 허용된다.

㉯-1 진정소급입법은 개인의 신뢰보호와 법적 안정성을 내용으로 하는 법치국가원리에 의하여 특단의 사정이 없는 한 헌법적으로 허용되지 아니하는 것이 원칙이다.

㉯-2 일반적으로 ㉠ 국민이 소급입법을 예상할 수 있었거나 ㉡ 법적 상태가 불확실하고 혼란스러워 보호할 만한 신뢰이익이 적은 경우, ㉢ 소급입법에 의한 당사자의 손실이 없거나 아주 경미한 경우 그리고 ㉣ 신뢰보호의 요청에 우선하는 심히 중대한 공익상의 사유가 소급입법을 정당화하는 경우 등에는 예외적으로 진정소급입법이 허용된다.

㉰ 부진정소급입법은 원칙적으로 허용되지만, 소급효를 요구하는 공익상의 사유와 신뢰보호의 요청 사이의 교량과정에서 신뢰보호의 관점이 입법자의 형성권에 제한을 가하게 된다.

㉱ 어떠한 법률조항에 대하여 헌법재판소가 헌법불합치결정을 하여 그 법률조항을 합헌적으로 개정 또는 폐지하는 임무를 입법자의 형성재량에 맡긴 이상, 그 개선입법의 소급적용 여부와 소급적용의 범위는 원칙적으로 입법자의 재량에 달린 것이다.

11

㉮-1 헌법개정·법률·조약·대통령령·총리령 및 부령의 공포와 헌법개정안·예산 및 예산 외 국고부담계약의 공고는 관보에 게재함으로써 한다.

㉮-2 국회법에 따라 하는 국회의장의 법률 공포는 서울특별시에서 발행되는 둘 이상의 일간신문에 게재함으로써 한다.

㉯ 조례와 규칙의 공포는 해당 지방자치단체의 공보에 게재하는 방법으로 한다. 다만, 지방의회의 의장이 조례를 공포하는 경우에는 공보나 일간신문에 게재하거나 게시판에 게시한다.

㉰ 관보의 내용 해석 및 적용 시기 등에 대하여 종이관보와 전자관보는 동일한 효력을 가진다.

㉱-1 법령의 전부개정은 기존법령을 폐지하고 새로운 법령을 제정하는 것과 마찬가지여서 특별한 사정이 없는 한 새로운 법령이 효력을 발생한 이후의 행위에 대하여는 기존법령의 본칙은 물론 부칙의 경과규정도 모두 실효된다.

㉱-2 법령이 일부개정된 경우에는 기존법령 부칙의 경과규정을 개정 또는 삭제하거나 이를 대체하는 별도의 규정을 두는 등의 특별한 조치가 없는 한 개정법령에 다시 경과규정을 두지 않았다고 하여 기존법령 부칙의 경과규정이 당연히 실효되는 것은 아니다.

12

㉮-1 대통령령, 총리령 및 부령은 특별한 규정이 없으면 공포한 날부터 20일이 경과함으로써 효력을 발생한다.

㉮-2 조례와 규칙은 특별한 규정이 없으면 공포한 날부터 20일이 지나면 효력을 발생한다.

㉮-3 국민의 권리 제한 또는 의무 부과와 직접 관련되는 법률, 대통령령, 총리령 및 부령은 긴급히 시행해야 할 특별한 사유가 있는 경우를 제외하고는 공포일부터 적어도 30일이 경과한 날부터 시행되게 해야 한다.

㉯ 법령 등을 공포한 날부터 시행하는 경우 공포한 날을 시행일로 한다.

㉰ 법령 등을 공포한 날부터 일정 기간이 경과한 날부터 시행하는 경우 법령을 공포한 날을 첫날에 산입하지 아니한다.

㉱ 법령 등을 공포한 날부터 일정 기간이 경과한 날부터 시행하는 경우 그 기간의 말일이 토요일 또는 공휴일인 때에 그 말일로 기간이 만료한다.

13

① 관습법으로 인정되었더라도 사회구성원들이 그러한 관행의 법적 구속력에 대해 더 이상 확신을 갖지 않게 되었다면, 그러한 관습법은 더 이상 법적 효력을 가질 수 없다.

②-1 소급적용금지의 원칙은 진정소급적용에만 적용될 뿐 부진정소급적용에는 적용되지 않는다.

②-2 신법의 효력발생일에 진행 중인 사건에는 신법을 적용함이 원칙이다.

②-3 법령불소급의 원칙은 법령의 효력발생 전에 완성된 요건사실에 대하여 당해 법령을 적용할 수 없다는 의미일 뿐, 계속 중인 사실이나 그 이후에 발생한 요건사실에 대한 법령적용까지를 제한하는 것은 아니다.

③-1 진정소급입법은 개인의 신뢰보호와 법적 안정성을 내용으로 하는 법치국가원리에 의하여 특단의 사정이 없는 한 헌법적으로 허용되지 아니하는 것이 원칙이다.

③-2 일반적으로 ㉠ 국민이 소급입법을 예상할 수 있었거나 ㉡ 법적 상태가 불확실하고 혼란스러워 보호할 만한 신뢰이익이 적은 경우와 ㉢ 소급입법에 의한 당사자의 손실이 없거나 아주 경미한 경우 그리고 ㉣ 신뢰보호의 요청에 우선하는 심히 중대한 공익상의 사유가 소급입법을 정당화하는 경우 등에는 예외적으로 진정소급입법이 허용된다.

④ 대학이 성적불량을 이유로 학생에 대하여 징계처분을 하는 경우에 있어서 수강신청이 있은 후 징계요건을 완화하는 학칙개정이 이루어지고 이어 당해 시험이 실시되어 그 개정학칙에 따라 징계처분을 한 경우라면 이는 이른바 부진정소급효에 관한 것으로서 구 학칙의 존속에 관한 학생의 신뢰보호가 대학당국의 학칙개정의 목적 달성보다 더 중요하다고 인정되는 특별한 사정이 없는 한 위법이라고 할 수 없다.

14

① 폐기물처리업 사업계획에 대한 적정통보 중에는 토지에 대한 형질변경신청을 허가하는 취지의 공적 견해표명이 있다고 볼 수 없다.

② 폐기물처리업에 대하여 관할 관청의 사전적정통보를 받고 막대한 비용을 들여 허가요건을 갖춘 다음 허가신청을 하였음에도 청소업자의 난립으로 효율적인 청소업무의 수행에 지장이 있다는 이유로 한 불허가처분은 신뢰보호의 원칙 및 비례의 원칙에 반하는 것으로서 재량권을 남용한 위법한 처분이다.

③ 자동차운수사업법(현 「여객자동차 운수사업법」) 제31조 제1항 제5호 소정의 중대한 교통사고를 이유로 사고로부터 1년 10개월 후에야 사고택시에 대하여 한 운송사업면허의 취소는 신뢰보호의 원칙에 위반되지 않는 적법한 처분이다.

④ 도시계획구역 내 생산녹지로 답(畓)인 토지에 대하여 종교회관 건립을 이용목적으로 하는 토지거래계약의 허가를 받으면서 담당공무원이 관련 법규상 허용된다 하여 이를 신뢰하고 건축준비를 하였으나, 그 후 토지형질변경허가신청을 불허가한 것은 신뢰보호의 원칙에 반한다.

15

① 행정청은 공익 또는 제3자의 이익을 현저히 해칠 우려가 있는 경우를 제외하고는 행정에 대한 국민의 정당하고 합리적인 신뢰를 보호하여야 한다.

② 문화관광부장관(현 문화체육관광부장관)이 지방자치단체장에게 한 사업승인가능성에 대한 회신은 사업신청자인 민원인에 대한 공적 견해표명으로 볼 수 없다.

③ 헌법재판소의 위헌결정은 개인에 대해 공적인 견해를 표명한 것이라고 볼 수 없다.

④ 행정청의 확약 또는 공적인 의사표명이 있은 후 사실적·법률적 상태가 변경되었다면, 그와 같은 확약 또는 공적인 의사표명은 행정청의 별다른 의사표시를 기다리지 않고 실효된다.

16

① 선행조치는 반드시 법적인 효력을 갖는 형식으로 행해질 필요는 없다. 선행조치에는 법령, 행정행위, 확약, 행정지도 등 사실행위, 기타 국민이 신뢰를 가지게 될 일체의 조치가 포함되며 명시적·묵시적 표시, 적극적·소극적 조치를 불문한다.

②-1 행정규칙인 재량준칙의 공표만으로는 신청인이 보호가치 있는 신뢰를 갖게 되었다고 볼 수 없다.

②-2 행정청 내부의 사무처리준칙에 해당하는 농림사업시행지침서가 공표되었다고 하여 사업자로 선정되기를 희망하는 자가 당해 지침에 명시된 요건을 충족할 경우 사업자로 선정되어 사업자금 지원 등의 혜택을 받을 수 있다는 보호가치 있는 신뢰를 가지게 된다고 볼 수 없다.

③ 병무청 담당부서의 담당공무원에게 공적 견해의 표명을 구하는 정식의 서면질의 등을 하지 아니한 채 총무과 민원팀장에 불과한 공무원이 민원봉사차원에서 상담에 응하여 안내한 것을 신뢰한 경우, 신뢰보호원칙이 적용되지 아니한다.

④ 과세관청이 납세의무자에게 부가가치세 면세사업자용 사업자등록증을 교부하였다고 하더라도 그가 영위하는 사업에 관하여 부가가치세를 과세하지 아니함을 시사하는 언동이나 공적인 견해를 표명한 것으로 볼 수 없다.

17

①-1 법적으로 혼인한 상태가 아닌 대한민국 국적인 부와 중화인민공화국 국적인 모 사이에서 출생한 자에 대해 행정청이 공신력 있는 주민등록번호와 이에 따른 주민등록증을 부여한 행위는 대한민국 국적을 취득하였다는 공적인 견해의 표명을 한 것이라고 볼 수 있다.

①-2 법적으로 혼인한 상태가 아닌 대한민국 국적인 부와 중화인민공화국 국적인 모 사이에 출생한 甲과 乙이 출생신고에 따라 주민등록번호를 부여받고 가족관계등록부에 등록되었으며 각각 17세 때 주민등록증을 발급받았는데, 관할 행정청이 '외국인 모와의 혼인외자 출생신고'라며 가족관계등록부를 말소하고 출입국관리 행정청이 부모들에게 甲과 乙에 대한 국적 취득절차를 안내하였음에도 이를 진행하지 않다가 성년이 된 후 국적법 제20조에 따라 국적보유판정을 신청하였으나, 법무부장관이 대한민국 국적 보유자가 아니라는 이유로 甲과 乙에게 국적비보유판정을 하는 것은 정당화될 수 없다.

②-1 공적 견해나 의사는 명시적 또는 묵시적으로 표시되어야 한다.

②-2 추상적인 질의에 대한 일반적 견해표명은 공적 견해의 표명으로 볼 수 없다.

③ 「개발이익환수에 관한 법률」에 정한 개발사업을 시행하기 전에, 행정청이 민원예비심사에 대하여 관련 부서 의견으로 '저촉사항 없음'이라고 기재하였다는 사정만으로 이후의 개발부담금 부과처분에 관하여 신뢰보호의 원칙을 적용하기 위한 요건인, 신뢰의 대상이 되는 공적인 견해표명을 한 것이라고는 보기 어렵다.

④-1 행정상 법률관계에 있어서 특정의 사항에 대해 신뢰보호의 원칙상 처분청이 그와 배치되는 조치를 할 수 없다고 할 수 있을 정도의 행정관행이 성립되었다고 하려면 상당한 기간에 걸쳐 그 사항에 대해 동일한 처분을 하였다는 객관적 사실이 존재할 뿐만 아니라, 처분청이 그 사항에 관해 다른 내용의 처분을 할 수 있음을 알면서도 어떤 특별한 사정 때문에 그러한 처분을 하지 않는다는 의사가 있고 이와 같은 의사가 명시적 또는 묵시적으로 표시되어야 한다.

④-2 단순히 착오로 어떠한 처분을 계속한 경우는 행정관행이 성립한 경우에 해당되지 않는다 할 것이고, 따라서 처분청이 추후 오류를 발견하여 합리적인 방법으로 변경하는 것은 신뢰보호의 원칙에 위배되지 않는다.

18

㉮ 신뢰보호원칙의 근거는 법치주의의 원리인 법적 안정성의 원리에서 찾는 것이 일반적이다.

㉯ 공적 견해표명이 있었는지의 여부를 판단하는 데 있어 반드시 행정조직상의 형식적인 권한분장에 구애될 것은 아니고, 담당자의 조직상의 지위와 임무, 당해 언동을 하게 된 구체적인 경위 및 상대방의 신뢰가능성 등에 비추어 실질에 의하여 판단하여야 한다.

㉰-1 신뢰보호원칙은 행정청이 공적 견해를 표명할 당시의 사정이 그대로 유지됨을 전제로 적용되는 것이 원칙이다.

㉣-2 공적 견해표명 당시의 사정이 사후에 변경된 경우에는 특별한 사정이 없는 한 행정청이 그 견해표명에 반하는 처분을 하더라도 신뢰보호원칙에 위반된다고 할 수 없다.

㉤ 행정청이 앞서 표명한 공적인 견해에 반하는 행정처분을 함으로써 달성하려는 공익이 행정청의 공적 견해표명을 신뢰한 개인이 그 행정처분으로 인하여 입게 되는 이익의 침해를 정당화할 수 있을 정도로 강한 경우, 신뢰보호원칙을 들어 그 행정처분이 위법하다고 할 수 없다.

19

①-1 신뢰보호의 원칙이 성립하기 위해서는 선행조치에 관한 관계인의 신뢰가 보호가치 있는 것이어야 하므로 상대방 등에게 귀책사유가 있어서는 안 된다.

①-2 이때 귀책사유란 행정청의 견해표명의 하자가 상대방의 사실은폐나 기타 사위의 방법에 의한 신청행위 등 부정행위뿐만 아니라 부정행위가 없다고 하더라도 선행조치에 하자가 있음을 알았거나 하자를 중대한 과실로 알지 못한 경우 등을 포함한다.

② 과세관청이 질의회신 등을 통하여 어떤 견해를 표명하였다고 하더라도 그것이 중요한 사실관계와 법적인 쟁점을 제대로 드러내지 아니한 채 질의한 데 따른 것이라면 공적인 견해표명에 의하여 정당한 기대를 가지게 할 만한 신뢰가 부여된 경우라고 볼 수 없다.

③ 운전면허취소사유에 해당하는 음주운전을 적발한 경찰관의 소속 경찰서장이 사무착오로 위반자에게 운전면허정지처분을 한 상태에서 위반자의 주소지 관할 경찰청장이 위반자에게 운전면허취소처분을 한 것은 신뢰보호의 원칙에 반한다.

④ 과세관청이 납세자에게 신뢰의 대상이 되는 공적 견해표명을 하였다는 사실은 납세자가 입증하여야 한다.

20

① 국립공원 관리권한을 가진 행정청이 실제의 공원구역과 다르게 경계측량 및 표지를 설치한 십수 년 후 착오를 발견하여 지형도를 수정한 경우, 그 조치는 신뢰보호의 원칙 또는 행정의 자기구속의 법리에 반하는 것이라 할 수 없다.

② 음주운전으로 인한 운전면허취소처분의 재량권 일탈·남용 여부 판단 시, 운전면허의 취소로 입게 될 당사자의 불이익보다 음주운전으로 인한 교통사고를 방지하여야 하는 일반예방적 측면이 더 강조되어야 한다.

③-1 행정법상 신청을 할 수 없게 한 장애사유를 행정청이 만든 경우에 행정청이 원인이 된 장애사유를 근거로 그러한 신청을 인정하지 않는 것은 신의성실의 원칙에 반하여 허용될 수 없다.

③-2 직업능력개발훈련과정인정제한처분에 대한 쟁송절차에서 해당 제한처분이 위법한 것으로 판단되어 취소되거나 당연무효로 확인된 경우, 사업주가 해당 제한처분 때문에 관계 법령이 정한 기한 내에 하지 못했던 훈련과정인정신청과 훈련비용지원신청을 사후적으로 할 수 있는 기회를 주어야 한다.

③-3 또 이러한 경우, 사업주가 그 인정제한기간에 실제로 실시한 직업능력개발훈련과정의 비용에 대하여 사후적으로 지원신청을 하는 경우, 관할 관청이 사업주가 해당 훈련과정에 대하여 미리 훈련과정인정을 받아 두지 않았다는 형식적인 이유만으로 훈련비용지원을 거부할 수 없다.

④ 과세관청이 비과세대상에 해당하는 것으로 잘못 알고 일단 비과세결정을 하였으나 그 후 과세표준과 세액의 탈루 또는 오류가 있는 것을 발견한 때에는, 이를 조사하여 다시 경정결정을 할 수 있다.

21

①-1 개인의 신뢰이익에 대한 보호가치는 ⊙ 법령에 따른 개인의 행위가 국가에 의하여 일정 방향으로 유인된 신뢰의 행사인지, ⓒ 아니면 단지 법률이 부여한 기회를 활용한 것으로서 원칙적으로 사적 위험부담의 범위에 속하는 것인지 여부에 따라 달라진다.

①-2 법률에 따른 개인의 행위가 단지 법률이 반사적으로 부여하는 기회의 활용을 넘어서 국가에 의하여 일정 방향으로 유인된 것이라면 특별히 보호가치가 있는 신뢰이익이 인정될 수 있다.

② 지방공무원 임용신청 당시 잘못 기재된 호적상 출생연월일을 생년월일로 기재하고, 이에 근거한 공무원인사기록카드의 생년월일 기재에 대하여 처음 임용된 때부터 약 36년 동안 전혀 이의를 제기하지 않다가, 정년을 1년 3개월 앞두고 호적상 출생연월일을 정정한 후 그 출생연월일을 기준으로 정년의 연장을 요구하는 것은 신의성실의 원칙에 반하지 않는다.

③ 권한 행사의 기회가 있음에도 불구하고 장기간 권한을 행사하지 아니하여 국민이 그 권한이 행사되지 아니할 것으로 믿을 만한 정당한 사유가 있는 경우에는 행정청은 그 권한을 행사해서는 아니 된다. 다만, 공익 또는 제3자의 이익을 현저히 해칠 우려가 있는 경우는 예외로 한다.

④ 어떤 행정처분이 실효의 법리를 위반하여 위법한 것이라고 하더라도, 이러한 하자의 존부는 개별·구체적인 사정을 심리한 후에야 판단할 수 있는 사항이어서 객관적으로 명백한 것이라고 할 수 없으므로, 이는 행정처분의 취소사유에 해당할 뿐 당연무효사유는 아니다.

22

㉮ 근로복지공단의 요양불승인처분에 대한 취소소송을 제기하여 승소확정판결을 받은 근로자가 요양으로 인하여 취업하지 못한 기간의 휴업급여를 청구한 경우, 그 휴업급여청구권이 시효완성으로 소멸하였다는 근로복지공단의 항변은 신의성실의 원칙에 반하여 허용될 수 없다.

㉯ 행정청이 착오로 인하여 국적이탈을 이유로 주민등록을 말소한 행위는 법령에 따라 국적이탈이 처리되었다는 견해를 표명한 것으로 보아야 하며, 상대방이 이러한 주민등록말소를 통하여 자신의 국적이탈이 적법하게 처리된 것으로 신뢰하였다면 이는 보호할 가치 있는 신뢰에 해당한다.

㉰ 법원이 하는 과태료재판에는 원칙적으로 행정소송에서와 같은 신뢰보호의 원칙이 적용되지 않는다.

㉱ 같은 정도의 비위를 저지른 자들 사이에 있어서도 그 직무의 특성 등에 비추어, 개전의 정이 있는지 여부에 따라 징계의 종류의 선택과 양정에 있어서 차별적으로 취급하는 것은 사안의 성질에 따른 합리적 차별로서 이를 자의적 취급이라고 할 수 없는 것이어서 평등원칙 내지 형평에 반하지 아니한다.

23

①-1 비례의 원칙은 법치국가원리에서 당연히 파생되는 헌법상의 기본원리로서, 모든 국가작용에 적용된다.

①-2 행정기본법 제10조는 "행정작용은 ㉠ 행정목적을 달성하는 데 유효하고 적절하여야 하고, ㉡ 행정목적을 달성하는 데 필요한 최소한도에 그쳐야 하며, ㉢ 행정작용으로 인한 국민의 이익침해가 그 행정작용이 의도하는 공익보다 크지 아니하여야 한다."라고 비례의 원칙에 대하여 규정하고 있다.

② 수입녹용 중 일정 성분이 기준치를 0.5% 초과하였다는 이유로 수입녹용 전부에 대해 전량폐기 또는 반송처리를 지시한 처분이 비례의 원칙을 위반한 것이 아니다.

③ 지방의회의 조사·감사를 위해 채택된 증인의 불출석 등에 대한 과태료를 그 사회적 신분에 따라 차등 부과할 것을 규정한 조례는 헌법상 평등원칙에 위배되어 무효이다.

④ 실권의 법리는 법의 일반원리인 신의성실의 원칙에 바탕을 둔 파생원칙으로, 공법관계 가운데 관리관계는 물론이고 권력관계에도 적용되어야 한다.

24

㉮ 신뢰보호의 원칙과 관련하여, 위법한 행정행위도 선행조치가 될 수 있다.

㉯ 단 1회 훈령에 위반하여 요정출입을 하다가 적발된 경우 이에 대해 파면처분을 한 것은 비례의 원칙에 어긋난 것이다.

㉰-1 평등의 원칙은 헌법과 행정기본법에 명문으로 규정되어 있다.

㉰-2 일반직 직원의 정년을 58세로 규정하면서 전화교환직렬 직원만은 정년을 53세로 규정하여 5년간의 정년차등을 둔 것은 평등의 원칙에 위배되지 않는다.

㉱ 청원경찰의 인원감축을 위하여 초등학교 졸업 이하 학력소지자 집단과 중학교 중퇴 이상 학력소지자 집단으로 나누어 집단별로 같은 감원비율의 인원을 선정한 것은 평등의 원칙에 위반된다.

㉲ 자기구속의 원칙은 평등의 원칙이나 신뢰보호의 원칙을 근거로 인정되며, 재량권 행사의 준칙인 규칙이 그 정한 바에 따라 되풀이 시행되어 행정관행이 이루어지면 행정기관은 그 상대방에 대한 관계에서 그 규칙에 따라야 할 자기구속을 당하게 되고, 그러한 경우에는 대외적인 구속력을 가지게 된다.

25

㉮ 신뢰보호원칙의 근거에 대해 신의칙설, 사회국가원리설, 법적 안정성설이 대립하는데, 통설은 법치주의의 원리인 법적 안정성에서 그 근거를 찾고 있다.

㉯-1 신뢰보호원칙이 성립하기 위하여서는 선행조치에 관한 관계인의 신뢰가 보호가치 있는 것이어야 하므로 상대방 등에게 귀책사유가 있어서는 안 된다.

㉯-2 이때의 귀책사유란 행정청의 견해표명의 하자가 상대방의 사실은폐나 기타 사기 등의 방법에 의한 신청행위 등 부정행위뿐만 아니라 부정행위가 없다고 하더라도 선행조치에 하자가 있음을 알았거나 하자를 과실로 알지 못한 경우 등을 포함한다.

㉰-1 판례에 따르면 귀책사유의 유무는 상대방과 그로부터 신청행위를 위임받은 수임인 등 관계자 모두를 기준으로 판단하여야 한다.

㉰-2 따라서 행정행위의 상대방인 건축주뿐만 아니라 그로부터 위임을 받은 건축설계사 등 관계자에게 귀책사유가 있는 경우에도 신뢰보호의 원칙이 적용되지 아니한다.

제 2 회 | 옳은 지문

문제 p.29

01

㉮ 위법한 행정처분이 수차례에 걸쳐 반복적으로 행하여졌다 하더라도 그러한 처분이 위법한 것인 때에는 행정청에 대하여 자기구속력을 갖게 된다고 할 수 없다.

㉯ 자기구속의 원칙이 적용되기 위해서는 선례가 필요하다는 것이 다수설과 판례의 입장이다.

㉰ 위법한 행정행위를 취소하려고 하는 경우 행정행위의 상대방이 신뢰보호의 원칙을 주장하면 행정의 법률적합성의 원칙과 충돌하는 문제가 발생하는데, 이때에는 양자의 이익을 비교·형량하여야 한다.

㉱ 도로점용허가는 특허행위로서 상대방의 신청 또는 동의를 요하는 쌍방적 행정행위이며, 권리를 설정하여 주는 행위로서 재량행위이다.

02

① 개발제한구역 훼손부담금의 부과율을 규정함에 있어서 전기공급시설 등과는 달리 집단에너지공급시설에 차등을 두는 것은 헌법상 평등의 원칙에 위반된다.

② LPG는 석유에 비하여 화재 및 폭발의 위험성이 훨씬 커서 주택 및 근린생활시설이 들어설 지역에 LPG충전소의 설치금지는 불가피하다 할 것이고, 석유와 LPG의 차이를 고려하여 연구단지 내 녹지구역에 LPG충전소의 설치를 금지한 것은 합리적 이유에 근거한 것이므로 LPG충전소를 금지하는 시행령 규정이 평등원칙에 위배된다고 볼 수 없다.

③-1 세무조사가 과세자료의 수집 또는 신고내용의 정확성 검증이라는 본연의 목적이 아니라 부정한 목적을 위하여 행하여진 것이라면 이는 세무조사에 중대한 위법사유가 있는 경우에 해당한다.

③-2 이 경우 위법한 세무조사에 의하여 수집된 과세자료를 기초로 한 과세처분 역시 위법하다.

④ 입법예고를 통해 법령안의 내용을 국민에게 예고한 적이 있다고 하더라도 그것이 법령으로 확정되지 아니한 이상 국가가 이해관계자들에게 위 법령안에 관련된 사항을 약속하였다고 볼 수 없으며, 이러한 사정만으로 어떠한 신뢰를 부여하였다고 볼 수도 없다.

03

① 정구장시설 설치의 도시계획결정을 청소년수련시설 설치의 도시계획으로 변경한 경우, 사업시행자로 지정받을 것을 예상하고 정구장 설계비용 등을 지출한 자의 신뢰이익을 침해한 것으로 볼 수는 없다.

② 재량준칙이 공표된 것만으로는 자기구속의 원칙이 적용될 수 없고 재량준칙이 되풀이 시행되어 행정관행이 성립한 경우에 자기구속의 원칙이 적용될 수 있다.

③ 고속국도 관리청이 고속도로 부지와 접도구역에 송유관 매설을 허가하면서 상대방과 체결한 협약에 따라 송유관시설을 이전하게 될 경우 그 비용을 상대방에게 부담하도록 한 부관은 부당결부금지원칙에 반하지 않는다.

④-1 지방자치단체장이 사업자에게 주택사업계획승인을 하면서 그 주택사업과는 아무런 관련이 없는 토지를 기부채납하도록 하는 부관은 부당결부금지의 원칙에 위반되어 위법하다.

④-2 부당결부금지의 원칙에 위반한 위법한 부관이라도 그 하자가 중대하고 명백하지 않은 경우 당연무효사유라고 볼 수 없다.

04

① 동일한 사유에 관하여 보다 무거운 면허취소처분을 하기 위하여 이미 행하여진 가벼운 면허정지처분을 취소하는 것은 선행처분에 대한 당사자의 신뢰 및 법적 안정성을 크게 저해하는 것이 되어 허용될 수 없다.

② 한 사람이 여러 종류의 자동차운전면허를 취득하는 경우뿐 아니라 이를 취소함에 있어서도 서로 별개의 것으로 취급하는 것이 원칙이지만, 제1종 보통면허로 운전할 수 있는 차량을 음주운전한 경우에 이와 관련된 면허인 제1종 대형면허와 원동기장치 자전거면허까지 취소할 수 있다.

③ 행정청이 여러 종류의 자동차운전면허를 취득한 자에 대해 그 운전면허를 취소하는 경우, 취소사유가 특정 면허에 관한 것이 아니고 다른 면허와 공통된 것이거나 운전면허를 받은 사람에 관한 것일 경우에는 여러 면허를 전부 취소할 수 있다.

④ 이륜자동차로서 제2종 소형면허를 가진 사람만이 운전할 수 있는 오토바이를 음주운전한 사유만 가지고서는 제1종 대형면허나 보통면허의 취소나 정지를 할 수 없다.

05

① 구 예산회계법상 입찰보증금의 국고귀속조치는 국가가 사법상 재산권의 주체로서 행위하는 것으로 이에 관한 분쟁은 민사소송으로 한다.

② 수도법에 의하여 지방자치단체인 수도사업자가 그 수돗물의 공급을 받는 자에게 하는 수도료의 부과·징수와 이에 따른 수도료의 납부관계는 공법상의 권리·의무관계이므로, 이에 관한 분쟁은 행정소송의 대상이다.

③ 한국공항공단이 그 행정재산의 관리청으로부터 국유재산관리사무의 위임을 받거나 국유재산관리의 위탁을 받지 않은 이상, 한국공항공단이 무상사용허가를 받은 행정재산에 대하여 하는 전대행위는 통상의 사인 간의 임대차와 다를 바 없으므로 사법상의 행위이다.

④ 한국전력공사가 한국방송공사로부터 수신료의 징수업무를 위탁받아 자신의 고유업무와 관련된 고지행위와 결합하여 수신료를 징수할 권한이 있는지 여부를 다투는 소송은 공법상의 법률관계를 대상으로 하는 것으로서 당사자소송에 의하여야 한다.

06

① 귀속재산처리법에 의하여 귀속재산을 매각하는 것은 행정처분이지 사법상의 매매가 아니다.
② 농지개량조합과 그 직원(조합원을 의미한다)의 관계는 공법상의 특별권력관계로서 농지개량조합이 조합직원에 대하여 행한 징계처분은 행정소송의 대상이다.
③ 국가를 당사자로 하는 계약이나 「공공기관 운영에 관한 법률」의 적용대상인 공기업이 일방당사자가 되는 계약(공공계약)은 국가 또는 공기업이 사경제주체로서 상대방과 대등한 위치에서 체결하는 사법상 계약으로서 사적 자치와 계약자유의 원칙을 비롯한 사법의 원리가 원칙적으로 적용된다.
④-1 사법인(私法人)인 학교법인과 학생의 재학관계는 사법상 계약에 따른 법률관계에 해당한다.
④-2 지방자치단체가 학교법인이 설립한 사립중학교에 의무교육대상자에 대한 교육을 위탁한 때에 그 학교법인과 해당 사립중학교에 재학 중인 학생의 재학관계도 사법상 계약에 따른 법률관계에 해당한다.

07

① 국가가 수익자인 수요기관을 위하여 국민을 계약상대자로 하여 체결하는 요청조달계약에는 다른 법률에 특별한 규정이 없는 한 당연히 「국가를 당사자로 하는 계약에 관한 법률」이 적용된다.
②-1 한국증권거래소는 일반사인인 증권회사를 회원으로 설립되어 유가증권시장의 개설과 유가증권의 상장, 매매거래, 공시 등에 관한 업무에 종사하는 기관으로서, 그 기본적인 성격은 민법상 사단법인에 준하는 것이다.
②-2 한국증권거래소의 상장폐지결정 및 상장폐지확정결정은 사법상의 계약관계를 해소하려는 일방적인 의사표시라고 봄이 상당하다고 할 것이다. 따라서 한국증권거래소의 상장폐지확정결정은 헌법소원의 대상이 되는 공권력의 행사에 해당하지 아니한다.
③-1 공유재산의 관리청이 행하는 행정재산의 사용・수익에 대한 허가는 관리청이 공권력을 가진 우월적 지위에서 행하는 행정처분으로서 특정인에게 행정재산을 사용할 수 있는 권리를 설정하여 주는 강학상 특허에 해당한다.
③-2 국유재산의 관리청이 행정재산의 사용・수익을 허가한 다음, 사용・수익하는 자에 대하여 한 사용료의 부과는 우월적 지위에서 행한 것으로서 행정처분에 해당한다.
④ 국유잡종재산(현 일반재산) 대부행위의 법적 성질은 사법상 계약이고, 그 대부료 납부고지의 법적 성질은 사법상의 이행청구에 불과하다.

08

㉮ 국가나 지방자치단체에 근무하는 청원경찰에 대한 징계처분의 시정을 구하는 소는 행정소송의 대상이지 민사소송의 대상이 아니다.
㉯ 사립중학교에 대한 중학교 의무교육의 위탁관계는 관련 법령에 의하여 정해지는 공법적 관계이다.
㉰ 「공익사업을 위한 토지 등의 취득 및 보상에 관한 법률」에 의한 협의 취득은 사법(私法)상의 법률행위이다.
㉱ 낙찰자 결정의 법적 성질은 입찰과 낙찰행위가 있은 후에 더 나아가 본계약을 따로 체결한다는 취지로서 (사법상) 계약의 예약에 해당한다.

09

① 개발부담금 부과처분이 취소된 경우, 그 과오납금에 대한 부당이득반환청구의 법률관계는 사법관계이다.
② 「공익사업을 위한 토지 등의 취득 및 보상에 관한 법률」상 환매권의 존부에 관한 확인을 구하는 소송과 환매금액의 증감을 구하는 소송은 민사소송에 해당한다.
③ 지방자치단체의 관할 구역 내에 있는 각급 학교에서 학교회계직원으로 근무하는 것을 내용으로 하는 근로계약은 사법상 계약이다.
④ 국립의료원 부설주차장 위탁관리용역운영계약은 계약이라는 용어에도 불구하고 행정재산의 사용허가로서 강학상 특허에 해당한다.

10

① 지방자치단체가 사인과 체결한 시설(자원회수시설) 위탁운영협약은 지방자치단체가 사인인 회사 등에 위 시설의 운영을 위탁하고 그 위탁운영비용을 지급하는 것을 내용으로 하는 용역계약으로서 상호 대등한 입장에서 당사자의 합의에 따라 체결한 사법상 계약에 해당한다.
② 교육부장관(당시 문교부장관)의 권한을 재위임받은 공립교육기관의 장에 의하여 공립유치원의 임용기간을 정한 전임강사로 임용되어 지방자치단체로부터 보수를 지급받으면서 공무원복무규정을 적용받고 사실상 유치원교사의 업무를 담당하여 온 유치원교사의 자격이 있는 자에 대한 해임처분의 시정 및 수령지체된 보수의 지급을 구하는 소송은 행정소송의 대상이다.
③ 국유일반재산의 대부료 등의 징수에 관하여는 국세징수법 규정을 준용한 간이하고 경제적인 특별구제절차가 마련되어 있으므로, 특별한 사정이 없는 한 민사소송의 방법으로 대부료 등의 지급을 구하는 것은 허용되지 아니한다.
④ 서울특별시립무용단원이 가지는 지위가 공무원과 유사한 것이라면, 서울특별시립무용단 단원의 위촉은 공법상의 계약이라고 할 것이고, 따라서 그 단원의 해촉에 대하여는 공법상의 당사자소송으로 그 무효확인을 청구할 수 있다.

11

㉮ 공무수탁사인은 수탁받은 공무를 수행하는 범위 내에서 행정주체이고, 행정절차법이나 행정소송법에서는 행정청이다.
㉯ 법령에 의하여 공무를 위탁받은 공무수탁사인이 행한 처분에 대하여 항고소송을 제기하는 경우 피고는 공무수탁사인이 된다.
㉰ 「도시 및 주거환경정비법」상 주택재건축정비사업조합은 공법인으로서 그 목적범위 내에서 행정주체로서의 지위를 갖는다.
㉱ 「공익사업을 위한 토지 등의 취득 및 보상에 관한 법률」상 토지수용권을 행사하는 사인은 공무수탁사인에 해당된다.
㉲ 원천징수의무자가 비록 과세관청과 같은 행정청이더라도 그의 원천징수행위는 법령에서 규정된 징수 및 납부의무를 이행하기 위한 것에 불과한 것이지, 공권력 행사로서의 행정처분을 한 경우에 해당되지 아니한다.

⑭-1 공무수탁사인과 공무를 위탁한 행정주체는 특별행정법관계의 일종인 **특별감독관계**에 놓이게 된다고 볼 수 있다.
⑭-2 이 경우 **국가가 공무수탁사인의 공무수탁사무수행을 감독하는 경우** 수탁사무수행의 합법성뿐만 아니라 **합목적성(타당성)**까지도 감독할 수 있다.

12

㉮-1 오늘날의 통설은 공권의 성립요건으로 강행법규에 의한 의무 부과, 관련 법규의 사익보호성의 두 가지 요건을 들고 있다.
㉮-2 현행 행정소송법 구조하에서는 공권이 성립되기 위해서 법률에 소구가능성이 규정되어 있을 필요는 없다.
㉯-1 행정개입청구권 또한 개인적 공권이므로 일반적인 공권의 성립요건과 동일하게 관련 법규가 사익을 보호하고 있어야 한다.
㉯-2 관련 법규가 공익만을 보호하고 있는 경우 개인이 얻는 이익은 공권이 아닌 반사적 이익에 불과하다.
㉰-1 행정심판법에는 부작위위법확인심판에 관한 규정이 없다.
㉰-2 판례는 의무이행소송을 인정하지 않는다.
㉰-3 행정청의 부작위가 문제되는 경우 행정심판으로는 **의무이행심판**을 제기하여야 하고, 행정소송으로는 **부작위위법확인소송**을 제기하여야 한다.
㉱ 부작위에 대한 의무이행심판의 경우에는 청구기간의 제한이 없다.
㉲ 재량행위의 경우에는 재량이 영(0)으로 수축하게 되면 무하자재량행사청구권이 행정개입청구권으로 전환된다.

13

① 개인적 공권은 처분의 근거법률규정의 해석에 의해 도출되는 것이 일반적이지만 공법상 계약을 통해서도 당연히 성립될 수 있다. 그 밖에 불문법인 **관습법, 조리** 등에 의해서도 성립될 수 있다.
②-1 구 산림법령상 채석허가를 받은 자가 사망한 경우, 상속인이 그 지위를 승계한다.
②-2 산림을 무단형질변경한 자가 사망한 경우, 원상회복명령에 따른 복구의무는 타인이 대신하여 행할 수 있는 의무로서 일신전속적 성질을 갖는 것이 아니므로 당해 토지의 소유권 또는 점유권을 승계한 상속인이 그 복구의무를 부담한다.
③ 환경영향평가대상지역 밖에 거주하는 주민에게 헌법상의 환경권 또는 환경정책기본법에 근거하여 공유수면매립면허처분과 농지개량사업시행인가처분의 무효확인을 구할 원고적격이 없다.
④-1 환경영향평가에 관한 자연공원법령 및 환경영향평가법령의 규정들의 취지는 환경공익을 보호하려는 데에 그치는 것이 아니라 환경영향평가대상지역 안의 주민들이 개발 전과 비교하여 수인한도를 넘는 환경침해를 받지 아니하고 쾌적한 환경에서 생활할 수 있는 개별적 이익까지 보호하는 데 있다.
④-2 국립공원 용화집단시설지구개발사업으로 인하여 직접적이고 중대한 환경피해를 입으리라고 예상되는 환경영향평가대상지역 안의 주민에게 환경영향평가대상사업에 관한 변경승인 및 허가처분의 취소를 구할 원고적격이 있다.

14

㉮-1 헌법상의 기본권 중 그 자체로 구체적인 내용을 갖고 있어 법률에 의해 구체화되지 않아도 법률관계에 직접 적용될 수 있는 경우에는 행정법상 개인적 공권이 된다.
㉮-2 소극적 방어권인 헌법상의 자유권적 기본권은 법률규정이 없다고 하더라도 **직접 개인적 공권**으로 성립될 수도 있다.
㉯ 행정소송에 있어서 소권은 개인의 국가에 대한 공권이므로 당사자의 합의로써 이를 포기할 수 없다.
㉰-1 **경원관계**에 있는 경우에는 각 경원자에 대한 인·허가 등이 배타적인 관계에 있으므로 자신의 권익을 구제하기 위해서는 **타인에 대한 인·허가** 등을 취소할 법률상 이익이 있다.
㉰-2 경원관계에서 경원자에 대한 수익적 처분의 취소를 구하지 않고 자신에 대한 거부처분만의 취소를 구하는 것도 허용된다.
㉱ 헌법 제32조 제1항상의 근로의 권리는 사회적 기본권으로서 국가에 대하여 직접 일자리를 청구하거나 일자리에 갈음하는 생계비의 지급청구권을 의미하는 것이 아니라 고용증진을 위한 사회적·경제적 정책을 요구할 수 있는 권리에 그치며, 근로의 권리로부터 국가에 대한 직접적인 직장존속청구권이 도출되는 것도 아니다.
㉲ 석탄산업법 시행령상 재해위로금청구권은 개인의 공권으로서 그 공익적 성격에 비추어 **당사자의 합의에 의하여** 이를 미리 포기할 수 없다.

15

㉮ 사회권적 기본권의 성격을 갖는 공무원연금수급권은 헌법규정만으로는 이를 실현할 수 없고 그 구체적인 내용, 즉 수급요건, 수급권자의 범위 및 급여금액 등은 법률에 의하여 비로소 확정된다.
㉯ 일반적으로 면허 등의 수익적 행정처분의 근거가 되는 법률이 해당 업자들 사이의 과당경쟁으로 인한 경영의 불합리를 방지하는 것도 목적으로 하는 경우 이미 같은 종류의 면허 등을 받아 영업을 하고 있는 기존의 업자는 경업자에 대하여 이루어진 면허 등 행정처분의 상대방이 아니라 하더라도 당해 행정처분의 취소를 구할 법률상 이익이 있다.
㉰ 기존 시내버스업자로서는 다른 운송사업자가 운행하고 있는 기존 시외버스를 시내버스로 전환함을 허용하는 사업계획변경인가처분의 취소를 구할 법률상 이익이 있다.
㉱ 일반적인 시민생활에 있어 도로를 이용만 하는 사람은 도로용도폐지를 다툴 법률상 이익이 없다.
㉲ 무하자재량행사청구권과 행정개입청구권도 개인적 공권의 일종이므로, 그 권리가 성립하기 위해서는 법규의 사익보호성 요건이 필요하다.

16

①-1 사관생도는 군 장교를 배출하기 위하여 국가가 모든 재정을 부담하는 특수교육기관인 육군3사관학교의 구성원으로서, 학교에 입학한 날에 육군 사관생도의 병적에 편입하고 준사관에 준하는 대우를 받는 특수한 신분관계에 있다.
①-2 따라서 그 존립목적을 달성하기 위하여 필요한 한도 내에서 **일반 국민보다 상대적으로 기본권이 더 제한**될 수 있으나, 그러한 경우에도 법률유보원칙, 과잉금지원칙 등 기본권 제한의 헌법상 원칙들을 지켜야 한다.

② 조세법률주의의 원칙상 과세요건이거나 비과세요건 또는 조세감면요건을 막론하고 조세법규의 해석은 특별한 사정이 없는 한 법문대로 해석할 것이고, 합리적 이유 없이 확장해석하거나 유추해석하는 것은 허용되지 아니하고, 특히 감면요건 규정 가운데에 명백히 특혜규정이라고 볼 수 있는 것은 엄격하게 해석하는 것이 조세공평의 원칙에도 부합한다.

③ 군인의 복무에 관한 사항을 규율할 권한을 대통령령에 위임하는 경우에는 대통령령으로 규정될 내용 및 범위에 관한 기본적인 사항을 다소 광범위하게 위임하였다 하더라도 포괄위임금지의 원칙에 위배된다고 볼 수 없다.

④ 특별행정법관계(특별권력관계)의 구성원에 대한 기본권 제한도 헌법 규정 또는 헌법 제37조 제2항의 기본권 제한의 원칙에 따라 법률에 근거하여서만 가능하다.

17

㉮ 울레(Ule)의 견해에 따르면 상급자의 하급자에 대한 서류작성명령은 직무명령으로서 특별권력관계의 목표를 실현하는 데 필요한 관계로서 내부질서를 유지하기 위한 관계인 경영관계에 해당하므로 사법심사의 대상이 되지 않는다.

㉯ 현행 헌법은 이른바 특별한 신분을 가진 자, 예컨대 일반직 공무원, 군인 등에 대해 기본권 제한에 대한 특례를 인정하고 있다.

㉰ 구청장과 동장의 관계는 이른바 행정상의 특별권력관계에 해당되며, 이러한 특별권력관계에 있어서도 위법한 특별권력의 발동으로 말미암아 권리를 침해당한 자는 행정소송법의 규정에 따라 그 위법한 처분의 취소를 구할 수 있다.

㉱ 서울특별시지하철공사의 임원과 직원의 근무관계의 성질은 공법상의 특별권력관계라고는 볼 수 없고 사법관계에 속한다.

18

① 행정에 관한 기간의 계산에 관하여는 행정기본법 또는 다른 법령 등에 특별한 규정이 있는 경우를 제외하고는 민법을 준용하며, 원칙적으로 초일은 산입하지 아니한다.

② 법령 등에서 국민의 권익을 제한하는 경우, 권익이 제한되거나 의무가 지속되는 기간의 말일이 토요일 또는 공휴일인 경우에는 국민에게 불리한 경우가 아니라면 기간은 그날로 만료한다.

③ 국가재정법의 소멸시효 규정은 금전급부의 발생원인에 관하여는 아무런 제한을 두지 않으므로, 사법상 행위에서 발생한 금전채권에도 5년의 소멸시효가 적용된다.

④ 제3자가 체납자가 납부하여야 할 체납액을 체납자의 명의로 납부한 경우에는 원칙적으로 체납자의 조세채무에 대한 명의로 납부한 경우에는 원칙적으로 체납자의 조세채무에 대한 만족을 얻어 소멸한다. 따라서 국가가 체납액을 납부받은 것에 법률상 원인이 없다고 할 수 없고, 제3자는 국가에 대하여 부당이득반환을 청구할 수 없다.

19

① 사무처리의 긴급성으로 인하여 사인이 해양경찰의 직접적인 지휘를 받아 방제작업을 하였다면, 그 사인은 국가에 대하여 사무를 처리하며 지출한 필요비 내지 유익비의 상환을 청구할 수 있다.

② 국립대학의 기성회가 기성회비를 납부받은 것은 '법률상 원인 없이' 타인의 재산으로 이익을 얻은 경우에 해당한다고 볼 수 없다.

③-1 공용폐지의 의사표시는 묵시적인 방법으로도 가능하나 행정재산이 본래의 용도에 제공되지 않는 상태에 있다는 사정만으로는 묵시적인 공용폐지의 의사표시가 있다고 볼 수 없다.

③-2 또한 공용폐지의 의사표시는 적법한 것이어야 하는바, 행정재산은 공용폐지가 되지 아니한 상태에서는 사법상 거래의 대상이 될 수 없으므로 관재당국이 착오로 행정재산을 다른 재산과 교환하였다 하여 그러한 사정만으로 적법한 공용폐지의 의사표시가 있다고 볼 수도 없다.

④ 원래의 행정재산이 공용폐지되어 취득시효의 대상이 된다는 입증책임은 시효취득을 주장하는 자에게 있다.

20

① 행정에 관한 기간의 계산에 관하여는 행정기본법 또는 다른 법령 등에 특별한 규정이 있는 경우를 제외하고는 민법을 준용한다.

② 법령 등 또는 처분에서 국민의 권익을 제한하거나 의무를 부과하는 경우 권익이 제한되거나 의무가 지속되는 기간을 계산할 때에 기간을 일, 주, 월 또는 연으로 정한 경우에는 기간의 첫날을 산입한다. 다만, 그러한 기준을 따르는 것이 국민에게 불리한 경우에는 그러하지 않다.

③ 행정에 관한 나이는 다른 법령 등에 특별한 규정이 있는 경우를 제외하고는 출생일을 산입하여 만(滿) 나이로 계산하고, 연수(年數)로 표시한다. 다만, 1세에 이르지 아니한 경우에는 월수(月數)로 표시할 수 있다.

④ 법령 등 또는 처분에서 국민의 권익을 제한하거나 의무를 부과하는 경우 권익이 제한되거나 의무가 지속되는 기간을 계산할 때에 그 기간의 말일이 토요일 또는 공휴일인 경우에 기간은 그 날로 만료한다.

21

① 변상금 부과처분이 당연무효인 경우 그 변상금 부과처분에 의하여 납부자가 납부하거나 징수당한 오납금은 지방자치단체가 법률상 원인 없이 취득한 부당이득에 해당하고, 그러한 오납금에 대한 납부자의 부당이득반환청구권의 소멸시효는 변상금의 납부 또는 징수시부터 진행한다.

②-1 소멸시효는 객관적으로 권리가 발생하여 그 권리를 행사할 수 있는 때로부터 진행하고 그 권리를 행사할 수 없는 동안만은 진행하지 아니하는데, 여기서 권리를 행사할 수 없는 경우라 함은 그 권리 행사에 법률상의 장애사유가 있는 경우를 말한다.

②-2 변상금 부과처분에 대한 취소소송이 진행 중이라도 그 부과권자로서는 위법한 처분을 스스로 취소하고 그 하자를 보완하여 다시 적법한 부과처분을 할 수도 있는 것이어서 그 권리 행사에 법률상의 장애사유가 있는 경우에 해당한다고 할 수 없으므로, 그 처분에 대한 취소소송이 진행되는 동안에도 그 부과권의 소멸시효가 진행된다.

③ 구 예산회계법 제98조에 의한 납입고지가 있으면 시효중단의 효력이 발생하고, 이러한 납입고지에 의한 시효중단의 효력은 그 납입고지에 의한 부과처분이 취소되더라도 상실되지 않는다.

④ 세무공무원이 국세징수법에 따라 체납자의 가옥·선박·창고 및 기타의 장소를 수색하였으나 압류할 목적물을 찾아내지 못하여 압류를 실행하지 못하고 수색조서를 작성하는 데 그친 경우에도 소멸시효중단의 효력이 있다.

22

㉮ 소멸시효완성 후에 부과된 부과처분은 납세의무 없는 자에 대하여 부과처분을 한 것으로서 그와 같은 하자는 중대하고 명백하여 그 처분의 효력은 당연무효이다.

㉯ 일정한 권리에 관하여 법률이 규정한 존속기간을 뜻하는 제척기간은 권리관계를 조속히 확정시키기 위하여 권리의 행사에 중대한 제한을 가하는 것이어서 모법인 법률에 의한 위임이 없는 한 시행령이 함부로 제척기간을 규정할 수는 없다.

㉰ 추상적 권리 행사에 관한 제척기간은 권리자의 권리 행사 태만 여부를 고려하지 않으며, 또 당사자의 신청만으로 추상적 권리가 실현되므로 기간 진행의 중단·정지를 상정하기 어렵다.

㉱ 소멸시효는 권리를 행사할 수 있는 때를 기산점으로 하고, 제척기간은 권리가 발생한 때를 기산점으로 한다.

23

㉮-1 자기완결적 신고의 경우 적법한 신고가 있으면 행정청의 수리 여부와 무관하게 신고서가 접수기관에 도달한 때 신고의무가 이행된 것으로 본다.

㉮-2 적법한 신고가 있은 후라면 행정청이 수리를 하지 않았더라도 신고의 대상이 되는 행위를 한 것이 행정벌의 대상이 되지 않는다.

㉯ 신청에 형식적 요건의 하자가 있는 경우 그 하자의 보완이 가능함에도 보완을 요구하지 않고 바로 거부하였다면 그 거부는 재량권의 범위를 벗어난 것으로서 위법하다.

㉰ 건축신고는 자기완결적 신고이지만, 건축법에 따른 건축신고를 반려하는 행위는 장차 있을지도 모르는 위험에서 미리 벗어날 수 있도록 길을 열어 주고 위법한 건축물의 양산과 그 철거를 둘러싼 분쟁을 조기에 근본적으로 해결할 수 있게 하여야 한다는 점에서 항고소송의 대상이 된다.

㉱ 법령 등으로 정하는 바에 따라 행정청에 일정한 사항을 통지하여야 하는 신고로서 법률에 신고의 수리가 필요하다고 명시되어 있는 경우(행정기관의 내부업무처리절차로서 수리를 규정한 경우는 제외한다)에는 행정청이 수리하여야 효력이 발생한다.

24

① 사직원 제출자의 내심의 의사가 사직할 뜻이 없었더라도 민법상 비진의의사표시의 무효에 관한 규정이 적용되지 않으므로 그 사직원을 받아들인 의원면직처분을 당연무효라 볼 수는 없다.

② 공무원이 한 사직 의사표시의 철회나 취소는 그에 터 잡은 의원면직처분이 있을 때까지 할 수 있는 것이고, 일단 면직처분이 있고 난 이후에는 철회나 취소할 여지가 없다.

③-1 공무원이 감사기관이나 상급관청 등의 강박에 의하여 사직서를 제출한 경우, 사직의 의사표시는 그 강박의 정도에 따라 무효 또는 취소가 된다.

③-2 사직서의 제출이 감사기관이나 상급관청 등의 강박에 의한 경우에는 그 정도가 의사결정의 자유를 박탈할 정도에 이른 것이라면 그 의사표시가 무효로 될 것이다.

④ 영업장 면적이 신고사항이 아니었다가 법령개정으로 변경신고사항이 된 경우, 영업장 면적 변경행위를 한 후 변경신고를 하지 않은 채 영업을 계속하면 처벌대상이 된다.

25

㉮-1 납골당설치신고는 이른바 '수리를 요하는 신고'라 할 것이므로 이에 대한 행정청의 수리처분이 있어야만 신고한 대로 납골당을 설치할 수 있다.

㉮-2 수리를 요하는 신고에서 수리란 신고를 유효한 것으로 판단하고 법령에 의하여 처리할 의사로 이를 수령하는 수동적 행위이므로 수리 행위에 신고필증 교부 등 행위가 꼭 필요한 것은 아니다.

㉯ 의료법에 따른 정신과의원 개설신고는 수리를 요하는 신고로서 의료법에 따라 정신과의원을 개설하려는 자가 법령에 규정되어 있는 요건을 갖추어 개설신고를 한 경우 행정청은 법령에서 정한 요건 이외의 사유를 들어 의원급 의료기관 개설신고의 수리를 거부할 수는 없다.

㉰ 구 수산업법 제44조 소정의 어업신고는 수리를 요하는 신고로서 적법한 신고가 있는 경우에도 관할 행정청이 수리를 거부한 경우에는 신고의 효과가 발생하지 않는다.

㉱-1 자기완결적 신고의 경우 적법한 신고가 있으면 행정청의 수리 여부와 무관하게 신고서가 접수기관에 도달한 때 신고의무가 이행된 것으로 본다.

㉱-2 「체육시설의 설치·이용에 관한 법률」 제18조에 의한 골프장이용료 변경신고서는 그 신고 자체가 위법하거나 그 신고에 무효사유가 없는 한 이것이 도지사에게 제출하여 접수된 때에 신고가 있었다고 볼 것이고, 도지사의 수리행위가 있어야만 신고가 있었다고 볼 것은 아니다.

제 3 회 | 옳은 지문

01

㉮ 체육시설의 회원을 모집하고자 하는 자의 '회원모집계획서 제출'은 수리를 요하는 신고이며 이에 대한 시·도지사 등의 검토결과 통보는 수리행위로서 행정처분에 해당한다.

㉯-1 원격평생교육신고의 반려행위는 항고소송의 대상이 되는 행정처분이다.

㉯-2 통신매체를 이용하여 학습비를 받고 불특정 다수인에게 원격평생교육을 실시하기 위해 구 평생교육법 제22조 등에서 정한 형식적 요건을 모두 갖추어 신고한 경우, 행정청은 신고대상이 된 교육이나 학습이 공익적 기준에 적합하지 않는다는 등의 실체적 사유를 들어 신고수리를 거부할 수 없다.

㉰ 장기요양기관의 폐업신고와 노인의료복지시설의 폐지신고는 행정청이 그 신고를 수리하였다고 하더라도, 신고서 위조 등의 사유가 있어 신고행위 자체가 효력이 없다면, 그 수리행위는 유효한 대상이 없는 것으로서, 수리행위 자체에 중대·명백한 하자가 있는지를 따질 것도 없이 당연히 무효이다.

㉱-1 신청에 대한 보완요구의 대상이 되는 흠은 원칙적으로 형식적·절차적 요건상의 흠을 의미하나, 민원인의 단순한 착오나 일시적인 사정에 의한 실질적인 요건의 흠도 포함된다.

㉱-2 건축불허가처분을 하면서 그 사유의 하나로 실체적 요건인 소방시설과 관련된 소방서장의 건축부동의 의견을 들고 있으나 그 보완이 가능한 경우에 보완을 요구하지 아니한 채 곧바로 건축허가신청을 거부하였다면 위법하다.

02

㉮ 식품위생법에 따른 일반음식점영업신고의 요건을 갖춘 신고라고 하더라도, 그 영업신고를 한 당해 건축물이 건축법 소정의 허가를 받지 아니한 무허가건물이라면 적법한 신고라고 할 수 없다.

㉯ 건축허가권자는 건축신고가 건축법, 「국토의 계획 및 이용에 관한 법률」 등 관계 법령에서 정하는 명시적인 제한에 배치되지 않는 경우에도 건축을 허용하지 않아야 할 중대한 공익상 필요가 있는 경우에는 건축신고의 수리를 거부할 수 있다.

㉰-1 인·허가 의제효과를 수반하는 건축신고는 일반적인 건축신고와는 달리 행정청이 그 실체적 요건에 관한 심사를 한 후 수리하여야 하는 이른바 '수리를 요하는 신고'에 해당한다.

㉰-2 「국토의 계획 및 이용에 관한 법률」상의 개발행위허가로 의제되는 건축신고가 개발행위허가의 기준을 갖추지 못한 경우, 행정청이 수리를 거부할 수 있다.

㉱-1 주민등록전입신고에 대하여 시장은 그 수리 여부를 심사할 수 있다.

㉱-2 시장 등의 주민등록전입신고 수리 여부에 대한 심사는 주민등록법의 입법목적의 범위 내에서 제한적으로 이루어져야 할 것이다.

㉱-3 투기나 이주대책 요구 등을 방지할 목적으로 주민등록전입신고를 거부하는 것은 주민등록법의 입법목적과 취지 등에 비추어 허용될 수 없다.

03

①-1 건축주 등으로서는 착공신고가 반려될 경우, 당해 건축물의 착공을 개시하면 시정명령, 이행강제금, 벌금의 대상이 되거나 당해 건축물을 사용하여 행할 행위의 허가가 거부될 우려가 있어 불안정한 지위에 놓이게 된다.

①-2 행정청의 건축법상 착공신고 반려행위는 항고소송의 대상이 되는 처분이다.

②-1 행정청이 법령이 정한 요건 이외의 사유를 들어 수리를 거부하는 것은 법령의 목적에 비추어 이를 거부해야 할 중대한 공익상의 필요가 있다는 등 특별한 사정이 있는 경우에 한한다.

②-2 기존에 다른 사람이 숙박업 신고를 한 적이 있더라도 새로 숙박업을 하려는 자가 그 시설 등의 소유권 등 정당한 사용권한을 취득하여 법령에서 정한 요건을 갖추어 신고하였다면, 행정청으로서는 특별한 사정이 없는 한 이를 수리하여야 하고, 단지 해당 시설 등에 관한 기존의 숙박업 신고가 외관상 남아 있다는 이유만으로 이를 거부할 수 없다.

③ 구 유통산업발전법에 따른 대규모점포의 개설 등록은 이른바 '수리를 요하는 신고'로서 행정처분에 해당한다.

④-1 수리를 요하는 신고의 경우 신고의 수리 또는 거부는 항고소송의 대상이 되는 처분이다.

④-2 구 「체육시설의 설치·이용에 관한 법률」에 의한 영업양수신고나 문화체육관광부령으로 정하는 체육시설업의 시설기준에 따른 필수시설인수신고를 수리하는 관계 행정청의 행위는 항고소송의 대상이 되는 행정처분이다.

04

㉮ 행정절차법에 따르면 법령 등에서 행정청에 대하여 일정한 사항을 통지함으로써 의무가 끝나는 신고의 경우 요건을 갖춘 경우에는 신고서가 접수기관에 도달된 때에 신고의무가 이행된 것으로 본다.

㉯-1 행정절차법에서 규정하고 있는 신고는 자기완결적 신고이다.

㉯-2 자기완결적 신고의 경우 부적법한 신고임에도 행정청이 이를 수리한 경우 신고의 법적 효과는 발생하지 않는다.

㉰ 구 관광진흥법에 의한 지위승계신고를 수리하는 허가관청의 행위는 단순히 양도·양수인 사이에 이미 발생한 사법상 사업양도의 법률효과에 의하여 양수인이 그 영업을 승계하였다는 사실의 신고를 접수하는 행위에 그치는 것이 아니라, 영업허가자의 변경이라는 법률효과를 발생시키는 행위이다.

㉔ 납세의무자가 특별소비세를 자진납부하였다면 과세관청이 이를 수령한 행위는 단순한 사실행위에 불과하고 확인적 과세처분으로 볼 수 없다.

05

① 일반적인 건축신고와는 달리 건축법 제14조 제2항에 의한 인·허가 의제효과를 수반하는 건축신고는 행정청이 그 실체적 요건에 관한 심사를 한 후 수리하여야 하는 이른바 '수리를 요하는 신고'에 해당한다.

② 의료법 시행규칙 제22조 제3항 소정의 신고증 교부는 신고사실의 확인행위로서 신고필증의 교부가 없다 하여 개설신고의 효력을 부정할 수 없다.

③-1 부가가치세법상의 사업자등록은 과세관청으로 하여금 부가가치세의 납세의무자를 파악하고 그 과세자료를 확보하게 하려는 데 입법취지가 있는 것으로서, 이는 단순한 사업사실의 신고로서 사업자가 소관 세무서장에게 소정의 사업자등록신청서를 제출함으로써 성립되는 것이다.

③-2 부가가치세법상의 사업자등록은 단순한 사업사실의 신고로서 과세관청이 직권으로 등록을 말소한 행위는 행정처분이 아니다.

④ 구 노인복지법에 의한 유료노인복지주택의 설치신고를 받은 행정관청은 유료노인복지주택의 시설 및 운영기준이 위 법령에 부합하는지와 아울러 그 유료노인복지주택이 적법한 입소대상자에게 분양되었는지와 설치신고 당시 부적격자들이 입소하고 있지는 않은지까지 심사하여 그 신고의 수리 여부를 결정할 수 있다.

06

①-1 납골당설치신고는 이른바 '수리를 요하는 신고'라 할 것이므로 이에 대한 행정청의 수리처분이 있어야만 신고한 대로 납골당을 설치할 수 있다.

①-2 수리를 요하는 신고에서 수리란 신고를 유효한 것으로 판단하고 법령에 의하여 처리할 의사로 이를 수령하는 수동적 행위이므로 수리행위에 신고필증 교부 등 행위가 꼭 필요한 것은 아니다.

②-1 축산물위생관리법상 축산물판매업에 대한 신고는 자기완결적 신고이다.

②-2 부적법한 신고가 있었다면 그 신고를 행정청이 수리하였더라도 신고의 효과가 발생하지 않는다.

③ 악취방지법상의 악취배출시설 설치·운영신고는 수리를 요하는 신고로서 대도시의 장 등 관할 행정청은 악취배출시설 설치·운영신고의 수리 여부를 심사할 권한이 있다.

④ 건축법상 신고를 함으로써 건축허가를 받은 것으로 간주되는 경우에는 건축을 하고자 하는 자가 적법한 요건을 갖춘 신고만 하면 행정청의 수리행위 등 별다른 조치를 기다릴 필요 없이 건축을 할 수 있다.

07

㉠ 사실상 영업이 양도·양수되었지만 아직 승계신고 및 수리처분이 있기 이전인 경우, 양수인의 영업 중 발생한 위반행위에 대한 행정적인 책임은 영업허가자인 양도인에게 귀속된다.

㉡ 채석허가를 받은 자에 대한 관할 행정청의 채석허가취소처분에 대하여, 수허가자의 지위를 양수한 양수인에게 그 취소처분의 취소를 구할 법률상 이익이 있다.

㉢-1 채석허가 수허가자 명의변경신고는 행정청이 수리한 경우에 비로소 신고의 효력이 발생하는 행위요건적 신고(수리를 요하는 신고)로서 사인의 공법행위에 해당한다.

㉢-2 사인의 공법행위는 공권력 발동행위가 아니므로 행정행위에 인정되고 있는 특수한 효력(구속력)인 공정력, 집행력 등이 인정되지 않는다.

㉣ 행정절차법은 사인의 공법행위 중 자기완결적 신고에 관한 규정을 두고 있다.

08

㉮-1 구 고용보험법 제70조 제2항에서 정한 육아휴직급여 신청기간은 추상적 권리의 행사에 관한 '제척기간'이라고 봄이 타당하다.

㉮-2 육아휴직급여 신청기간을 정한 구 고용보험법 조항은 강행규정으로 훈시규정이라고 볼 수 없다.

㉯ 행정절차법 제17조 제5항이 행정청으로 하여금 신청에 대하여 거부처분을 하기 전에 반드시 신청인에게 신청의 내용이나 처분의 실체적 발급요건에 관한 사항까지 보완할 기회를 부여하여야 할 의무를 정한 것은 아니다.

㉰ 행정청은 신청에 구비서류의 미비 등 흠이 있는 경우에는 보완에 필요한 상당한 기간을 정하여 지체 없이 신청인에게 보완을 요구하여야 한다.

㉱-1 행정청에 처분을 구하는 신청은 문서로 하여야 한다. 다만, 다른 법령 등에 특별한 규정이 있는 경우와 행정청이 미리 다른 방법을 정하여 공시한 경우에는 그러하지 아니하다.

㉱-2 제1항에 따라 처분을 신청할 때 전자문서로 하는 경우에는 행정청의 컴퓨터 등에 입력된 때에 신청한 것으로 본다.

09

①-1 행정규칙의 제정에는 법적 근거가 필요하지 않다.

①-2 법규명령은 공포함으로써 성립하지만, 행정규칙은 공포라는 형식이 필요한 것은 아니다.

②-1 집행명령은 위임명령과 달리 새로운 국민의 권리·의무에 관한 사항을 규정하는 것이 아니므로 개별적·구체적 법적 근거는 필요하지 않다.

②-2 위임명령은 위임된 범위 내에서는 새로이 국민의 권리·의무에 관한 사항을 규정할 수 있으나, 집행명령은 새로이 국민의 권리·의무에 관한 사항을 규정할 수는 없다.

③-1 헌법은 법률의 위임을 받아 발할 수 있는 법규명령으로 대통령령, 총리령과 부령 등을 열거하고 있는데, 헌법이 인정하고 있는 위임입법의 형식은 예시적인 것으로 보아야 한다.

③-2 법률이 일정한 사항을 행정규칙에 위임하더라도 그 행정규칙은 위임된 사항만을 규율할 수 있으므로 국회 입법의 원칙에 반하지 않으나, 고시와 같은 행정규칙에 위임하는 것은 전문적·기술적 사항이나 경미한 사항으로서 업무의 성질상 위임이 불가피한 사항에 한정된다.

④-1 포괄위임금지와 관련하여 법률의 위임은 구체적으로 범위를 정하여 이루어져야 하고, 요구되는 구체성의 정도는 규율 대상의 종류와 성격에 따라서는 달라질 수 있는데, 국민의 기본권을 제한하거나 침해할 소지가 있는 사항에 관한 위임에 있어서는 구체성 내지 명확성이 보다 엄격하게 요구된다.

④-2 포괄위임금지와 관련하여 법률의 위임은 구체적으로 범위를 정하여 이루어져야 하고, 구체성의 요구의 정도는 규제대상의 종류와 성격에 따라 달라진다고 할 것인데, 급부행정영역에서는 기본권 침해영역보다는 구체성의 요구가 다소 약화되어도 무방하다.

10

①-1 법규명령이 법률에서 위임받은 사항에 관하여 대강을 정하고 그 중의 특정 사항을 범위를 정하여 하위법령에 다시 위임하는 것은 허용된다.

①-2 법규명령이 법률에서 위임받은 사항을 전혀 규정하지 않고 재위임하는 것은 수권법의 내용변경을 초래하는 것이 되므로 허용되지 아니한다.

② 법률이 특정 사안과 관련하여 시행령에 위임을 한 경우 법률의 위임 규정 자체가 그 의미내용을 정확하게 알 수 있는 용어를 사용하여 위임의 한계를 분명히 하고 있는데도 시행령이 위임규정에서 사용하고 있는 용어의 의미를 넘어 그 범위를 확장하거나 축소함으로써 위임내용을 구체화하는 단계를 벗어나 새로운 입법을 한 것으로 평가할 수 있다면, 이는 위임의 한계를 일탈한 것으로서 허용되지 않는다.

③ 대통령령으로 규정한 내용이 헌법에 위반될 경우라도 그 대통령령의 규정이 위헌으로 되는 것은 별론으로 하고 그로 인하여 정당하고 적법하게 입법권을 위임한 수권법률조항까지 위헌으로 되는 것은 아니다.

④ 대통령령을 제정하려는 경우에는 법제처 심사와 국무회의 심의를 거쳐야 하며, 총리령과 부령을 제정하려는 경우에는 국무회의 심의를 거칠 필요는 없고 법제처의 심사를 거치면 된다.

11

㉮ (중학교 의무교육의 단계적 실시에 관해 대통령령에 위임한 것과 관련하여) 다양한 사실관계를 규율하거나 사실관계가 수시로 변화할 수 있는 사안에 대해서는 그 성격상 위임의 명확성의 요건이 좀 더 완화될 수 있다.

㉯ 행정각부의 장이 정하는 고시가 비록 법령에 근거를 둔 것이라고 하더라도 그 규정내용이 법령의 위임범위를 벗어난 것일 경우에는 법규명령으로서의 대외적 구속력을 인정할 여지는 없다.

㉰ 법률의 시행령이나 시행규칙의 내용이 모법의 입법취지와 관련 조항 전체를 유기적·체계적으로 살펴보아 모법의 해석상 가능한 것을 명시한 것에 지나지 아니하거나 모법 조항의 취지에 근거하여 이를 구체화하기 위한 것인 때에는, 모법에 이에 관하여 직접 위임하는 규정을 두지 아니하였다고 하더라도 이를 무효라고 볼 수는 없다.

㉱-1 법률이 공법적 단체 등의 정관에 자치법적 사항을 위임한 경우 헌법 제75조가 정하는 포괄위임입법금지원칙은 적용되지 않는다.

㉱-2 법률이 공법적 단체 등의 정관에 자치법적 사항을 위임한 경우 국민의 권리·의무에 관한 기본적이고 본질적인 사항까지 정관에 위임할 수는 없으며, 국회가 정해야 한다.

㉱-3 「도시 및 주거환경정비법」 제28조 제4항 본문이 사업시행인가 신청시의 동의요건을 조합의 정관에 포괄적으로 위임하고 있다고 하더라도 헌법 제75조가 정하는 포괄위임입법금지의 원칙이 적용되지 아니하므로 이에 위배된다고 할 수 없다.

12

① 입법부가 법률로써 행정부에게 특정한 사항을 위임했음에도 불구하고 행정부가 정당한 이유 없이 이를 이행하지 않는다면 권력분립의 원칙과 법치국가 내지 법치행정의 원칙에 위배되는 것으로서 위법함과 동시에 위헌적인 것이 된다.

② 행정권의 행정입법 등 법집행의무는 헌법적 의무라고 보아야 할 것이나, 하위행정입법의 제정 없이 상위법령의 규정만으로도 집행이 이루어질 수 있는 경우라면 하위행정입법을 하여야 할 헌법적 작위의무는 인정되지 아니한다.

③ 행정입법을 제정할 법적 의무가 있는 경우 입법의 거부나 부작위는 공권력의 불행사에 해당하여 헌법소원의 대상이 될 수 있다.

④-1 법률에서 군법무관의 보수의 구체적 내용을 시행령에 위임했음에도 불구하고 행정부가 정당한 이유 없이 시행령을 제정하지 않은 경우 이는 헌법소원을 통한 구제의 대상이 될 수 있고, 국가배상의 대상이 될 수도 있다.

④-2 입법부가 법률로써 행정부에게 군법무관의 보수의 구체적 내용을 시행령에 위임했음에도 불구하고 행정부가 정당한 이유 없이 시행령을 제정하지 않은 경우 불법행위에 해당하여 보수청구권이 침해된 군법무관에게 손해배상청구권이 인정될 수 있다.

13

㉮-1 법률이 해당 법률의 집행에 관한 특정한 사항을 부령에 위임하고 있음에도 관계 행정기관이 그에 따른 부령을 제정하지 않는 경우, 관계 행정기관의 입법부작위에 대해 행정소송법상의 부작위위법확인소송으로는 다툴 수 없다.

㉮-2 구체적 권리·의무에 관한 분쟁이 아닌 추상적인 법령에 관하여 제정의 여부 등은 그 자체로서 국민의 구체적인 권리·의무에 직접적 변동을 초래하는 것이 아니어서 부작위위법확인소송의 대상이 될 수 없다.

㉯ 부진정입법부작위를 대상으로 헌법소원을 제기하려면 불완전한 행정입법규정 자체의 헌법 위반을 내세워 적극적인 헌법소원을 제기하여야 하며, 이 경우 헌법재판소법 소정의 제소기간의 제한은 적용된다.

㉰-1 국회가 법률로 행정청에 특정한 사항을 위임했음에도 불구하고 행정청이 정당한 이유 없이 이를 이행하지 않는다면 권력분립의 원칙과 법치국가 또는 법치행정의 원칙에 위배되는 것으로서 위법함과 동시에 위헌적인 것이 되고, 이는 행정청이 법률에서 대통령령으로 정하도록 위임받은 사항을 전혀 입법하지 않은 경우는 물론 그 법률이 위임한 사항을 불충분하게 규정함으로써 법률이 위임한 행정입법의무를 제대로 이행하지 않은 경우도 마찬가지로 국가배상법 제2조 제1항에서 정한 요건이 인정되면 국가배상책임이 인정될 수 있다.

㉣-2 국가배상법 제2조 제5항이 생명, 신체의 침해에 따른 위자료의 지급을 규정하고 있을 뿐이라 하더라도, 이는 생명, 신체 외의 다른 권리의 침해에 따른 위자료의 지급의무를 배제하는 것이라고 볼 수 없다. 장애인의 접근권이 침해된 경우에도 그로 인하여 장애인이 입게 되는 정신적 손해에 대한 국가의 위자료 지급의무가 배제되지 않는다.

㉤ 입법부가 행정부에 시행령의 제정이나 개정을 위임하면서 제시하고 있는 기준이 일의적이지 않고 구체적인 시행시기나 그 내용에 대하여 행정부에 광범위한 재량을 부여한 경우에, 행정부가 법의 위임기준에 따른 행정입법을 이행하려 노력하였으나 이를 이행하는 것이 헌법상의 평등원칙 위반 등의 문제를 야기할 수 밖에 없어 행정입법을 지체하고 있다면, 이러한 경우 역시 행정부가 위임입법에 따른 시행명령을 제정하지 못한 것에 정당한 이유가 있다고 할 것이다.

14

①-1 전결과 같은 행정권한의 내부위임은 법령상 처분권자인 행정관청이 내부적인 사무처리의 편의를 도모하기 위하여 그의 보조기관 또는 하급행정관청으로 하여금 그의 권한을 사실상 행사하게 하는 것으로서 법률이 위임을 허용하지 않는 경우에도 인정된다.

①-2 행정권한의 위임은 권한의 법적인 귀속을 변경하는 것이므로 법률이 위임을 허용하고 있는 경우에 한하여 인정된다.

①-3 전결(專決)과 같은 행정권한의 내부위임은 행정권한의 위임과 달리 법률의 근거를 요하지 않는다.

② 행정관청 내부의 사무처리규정에 불과한 전결규정에 위반하여 원래의 전결권자 아닌 보조기관 등이 처분권자인 행정관청의 이름으로 행정처분을 하였다고 하더라도 그 처분이 권한 없는 자에 의하여 행하여진 무효의 처분이라고는 할 수 없다.

③ 구「청소년 보호법 시행령」제40조 [별표 6]의 위반행위의 종별에 따른 과징금처분기준은 법규명령이기는 하나, 같은 유형의 위반행위라 하더라도 여러 요소를 종합적으로 고려하여 사안에 따라 적정한 과징금의 액수를 정하여야 할 것이어서 그 수액은 정액이 아니라 최고한도액이므로, 행정청은 그 한도 내에서 다른 과징금액을 결정할 재량권이 있다.

④-1 시행령이 헌법이나 법률에 위반된다는 사정이 있다고 하더라도 그 시행령의 규정을 위헌 또는 위법하여 무효라고 선언한 대법원의 판결이 선고되지 아니한 상태에서는 그 시행령 규정의 위헌 내지 위법 여부가 해석상 다툼의 여지가 없을 정도로 명백하였다고 인정되지 아니하는 이상 이러한 시행령에 근거한 행정처분의 하자는 취소사유에 해당할 뿐이고 무효사유가 된다고 볼 수 없다.

④-2 위헌·위법한 시행령의 무효를 선언한 대법원 판결이 없는 상태에서 그러한 시행령에 근거하여 이루어진 처분은 원칙적으로 당연무효라고 할 수 없다.

15

① 특정 사안과 관련하여 법률에서 하위법령에 위임을 한 경우에 하위법령이 위임의 한계를 준수하고 있는지 여부를 판단할 때에는, 하위법령이 규정한 내용이 입법자가 형식적 법률로 스스로 규율하여야 하는 본질적 사항으로서 의회유보의 원칙이 지켜져야 할 영역인지를 고려하여야 한다.

② 하자 있는 행정행위가 무효 또는 취소할 수 있는 행위가 되는 것과 달리, 하자 있는 법규명령은 무효가 된다는 것이 통설적 견해이다.

③ 보건사회부장관이 정한 1994년도 노인복지사업지침은 노령수당의 지급대상자를 '70세 이상'의 생활보호대상자로 규정함으로써 구 노인복지법령에서 '65세 이상'의 자로 규정한 노령수당의 지급대상자를 부당하게 축소·조정하였으므로 그 부분은 법령의 위임한계를 벗어난 것이다.

④ 위임근거인 산업재해보상보험법 시행령 [별표 3] '업무상 질병에 대한 구체적인 인정 기준'이 예시적 규정에 불과한 경우, 그 위임에 따른 고용노동부 고시는 대외적으로 국민과 법원을 구속하는 효력이 있는 규범이라고 볼 수는 없고, 행정내부적으로 업무처리지침이나 법령의 해석·적용 기준을 정해 주는 행정규칙이라고 보아야 한다.

16

㉠ 법령의 규정이 특정 행정기관에게 법령 내용의 구체적 사항을 정할 수 있는 권한을 부여하면서 권한 행사의 절차나 방법을 특정하지 아니한 경우, 수임행정기관은 행정규칙이나 규정형식으로 법령내용이 될 사항을 구체적으로 정할 수 있으며, 이 경우 행정규칙 등은 당해 법령의 위임한계를 벗어나지 않는 한 대외적 구속력이 있는 법규명령으로서 효력을 가지게 된다.

㉡ 법령의 직접적인 위임에 따라 수임행정기관이 그 법령을 시행하는 데 필요한 구체적인 사항을 정한 것이라면, 그 제정형식이 고시, 훈령, 예규 등과 같은 행정규칙이더라도 그것이 상위법령의 위임한계를 벗어나지 아니하는 한, 그 법령과 결합하여 직접적인 대외적 구속력을 가진다.

㉢ 소득세법 시행령의 위임에 따라 그 위임의 한계 내에서 국세청장이 국세청 훈령으로 재산제세조사사무처리규정을 정하여 투기거래 유형을 열거한 경우, 그 재산제세조사사무처리규정은 그 형식은 행정규칙으로 되어 있으나 위 소득세법 시행령의 규정을 보충하는 기능을 가지면서 그와 결합하여 법규명령으로서의 효력을 가진다.

㉣ 이른바 법령보충규칙, 즉 행정규칙 형식의 법규명령도 법규명령에 해당하므로 포괄적 위임금지 등 위임입법의 한계를 준수하여야 한다.

㉤ 법령보충규칙은 상위법령과 결합하여 법규성을 가지나 그 자체가 법령은 아니고 행정규칙에 지나지 않으므로 적당한 방법으로 일반인에게 표시 또는 통보함으로써 효력이 발생한다.

17

㉠ '재판의 전제'란 구체적 사건이 법원에 계속 중이어야 하고, 위헌·위법인지가 문제된 경우에는 규정의 특정 조항이 해당 소송 사건의 재판에 적용되는 것이어야 하며, 그 조항이 위헌·위법인지에 따라 그 사건을 담당하는 법원이 다른 판단을 하게 되는 경우를 말한다.

㉡-1 대법원은 유신헌법상의 대통령이 발동하는 긴급조치는 국회가 관여하는 것이 아니므로 법률이라고 볼 수 없으므로 최종적으로 대법원이 심사할 수 있다고 판시한 바 있다.

㉡-2 헌법재판소는 위헌법률심사의 대상이 되는 '법률'인지 여부는 그 제정 형식이나 명칭이 아니라 규범의 효력을 기준으로 판단하여야 한다고 보면서 법률과 동일한 효력을 가지는 유신헌법상의 긴급조치의 위헌 여부 심사권은 헌법재판소에 전속한다고 본다.

18

① 구법의 위임에 의한 유효한 법규명령이 법개정으로 위임의 근거가 없어지게 되면 그때부터 무효인 법규명령이 된다.

② 법규명령의 위임의 근거가 되는 법률에 대하여 위헌결정이 선고되면 그 위임규정에 근거하여 제정된 법규명령도 원칙적으로 효력을 상실한다.

③ 법률의 시행령이 형사처벌에 관한 사항을 규정하면서 법률의 명시적인 위임범위를 벗어나 처벌의 대상을 확장하는 경우 그러한 시행령은 위임입법의 한계를 벗어난 것으로서 무효이다.

④-1 상위법령의 시행에 필요한 세부적 사항을 정하기 위하여 행정관청이 일반적 직권에 의하여 제정하는 이른바 집행명령은 근거법령인 상위법령이 폐지되면 특별한 규정이 없는 이상 실효된다.

④-2 상위법령이 개정된 경우 집행명령은 개정법령과 성질상 모순, 저촉되지 아니하고 개정된 상위법령의 시행에 필요한 사항을 규정하고 있는 이상 상위법령의 개정에도 불구하고 당연히 실효되지 아니하고 개정법령의 시행을 위한 집행명령이 제정, 발효될 때까지는 여전히 그 효력을 유지한다.

㉠ 조례가 집행행위의 개입 없이도 그 자체로서 직접 국민의 구체적인 권리·의무나 법적 이익에 영향을 미치는 등의 법률상 효과를 발생하는 경우 그 조례는 항고소송의 대상이 되는 행정처분에 해당한다.

㉡ 법규명령 등이 별도의 집행행위를 기다리지 않고 직접 기본권을 침해하는 것인 때에는 명령·규칙에 대한 대법원의 최종심사권에도 불구하고 헌법소원심판의 대상이 될 수 있다는 것이 헌법재판소의 입장이다.

19

①-1 법령의 위임이 없음에도 법령에 규정된 처분요건에 해당하는 사항을 부령에서 변경하여 규정한 경우 그 부령의 규정은 국민에 대한 대외적 구속력이 없다.

①-2 법령의 위임이 없음에도 법령에 규정된 처분요건에 해당하는 사항을 부령에서 변경하여 규정한 경우에는 어떤 행정처분이 그와 같은 부령의 규정이 정한 요건에 부합한다고 하여 적법한 것이라고 할 수는 없다.

② 어느 시행령의 규정이 모법에 저촉되는지의 여부가 명백하지 아니하는 경우에는 모법과 시행령의 다른 규정들과 그 입법취지 등을 종합적으로 살펴 모법에 합치된다는 해석도 가능한 경우라면 그 규정을 모법위반으로 무효라고 선언하여서는 안 된다.

③ 형벌법규의 위임은 특히 긴급한 필요가 있거나 미리 법률로써 자세히 정할 수 없는 부득이한 사정이 있는 경우에 한하여 수권법률이 처벌대상인 행위를 예측할 수 있을 정도로 구체적으로 정하고, 형벌의 종류 및 그 상한과 폭을 명확히 규정하는 것을 조건으로 허용된다.

④-1 법률이 공법적 단체 등의 정관에 자치법적 사항을 위임한 경우 포괄위임입법금지의 원칙은 원칙적으로 적용되지 않는다.

④-2 법률이 공법적 단체 등의 정관에 자치법적 사항을 위임한 경우, 국민의 권리·의무에 관련되는 기본적이고 본질적인 사항은 반드시 국회가 정하여야 한다는 법률유보 내지 의회유보의 원칙은 지켜져야 한다.

20

㉮ 법외노조 통보는 적법하게 설립된 노동조합의 법적 지위를 박탈하는 중대한 침익적 처분으로서 원칙적으로 국민의 대표자인 입법자가 스스로 형식적 법률로써 규정하여야 할 사항이고, 행정입법으로 이를 규정하기 위하여는 반드시 법률의 명시적이고 구체적인 위임이 있어야 한다.

㉯ 법률의 위임에 의하여 효력을 갖는 법규명령의 경우, 구법에 위임의 근거가 없어 무효였더라도 사후에 법개정으로 위임의 근거가 부여되면 그때부터는 유효한 법규명령이 된다.

㉰ 자치조례에 대한 법률의 위임은 법규명령에 대한 법률의 위임과 같이 반드시 구체적으로 범위를 정하여야 할 필요가 없으며 포괄적인 것으로 족하다.

㉱ 법률의 시행령은 모법인 법률에 의하여 위임받은 사항이나 법률이 규정한 범위 내에서 법률을 현실적으로 집행하는 데 필요한 세부적인 사항만을 규정할 수 있을 뿐, 법률에 의한 위임이 없는 한 법률이 규정한 개인의 권리·의무에 관한 내용을 변경·보충하거나 법률에 규정되지 아니한 새로운 내용을 규정할 수는 없다.

21

㉮ 주택건설촉진법 시행령 [별표 1] 처분기준은 주택건설촉진법의 위임규정에 터 잡은 규정형식상 대통령령이므로, 대외적으로 국민이나 법원을 구속하는 힘이 있는 법규명령에 해당한다.

㉯ 명령·규칙 또는 처분이 헌법이나 법률에 위반되는 여부가 재판의 전제가 된 경우 각급 법원은 이를 심사할 권한을 가진다.

㉰ 법원이 법률 하위의 법규명령이 위헌·위법인지를 심사하여 위헌·위법으로 선언하는 심판대상은, 특별한 사정이 없는 한 원칙적으로 해당 법규명령의 규정 중 재판의 전제성이 인정되는 조항에 한정된다.

㉱ 대법원이 법규명령이 위헌·위법이라고 판단하는 경우 당해 법규명령은 일반적으로 그 효력을 상실하는 것은 아니고, 당해 사건에 한하여 그 법규명령이 적용되지 않는다는 것이 통설의 입장이다.

㉲ 행정소송에 대한 대법원판결에 의하여 법규명령이 헌법 또는 법률에 위반된다는 것이 확정된 경우에는 대법원은 지체 없이 그 사유를 행정안전부장관에게 통보하여야 한다.

22

① 재량권이 인정되는 영역에서 재량권 행사의 기준이 되는 지침은 일종의 행정규칙으로서(재량준칙), 행정규칙을 제정하는 경우에는 법률의 근거가 필요 없다는 것이 일반적 견해이다.

② 상급행정기관이 하급행정기관에 대하여 업무처리지침이나 법령의 해석·적용에 관한 기준을 정하여 발하는 이른바 행정규칙은 일반적으로 행정조직 내부에서만 효력을 가질 뿐 대외적인 구속력을 갖는 것은 아니다.

③ 「국토의 계획 및 이용에 관한 법률 시행령」에 따라 국토교통부장관이 국토교통부훈령으로 정한 '개발행위허가운영지침'은 세부적인 검토기준으로 이 지침의 법적 성격은 행정규칙에 불과하여 대외적 구속력이 없다.

④ 행정기관 내부의 사무처리준칙에 불과한 행정규칙은 공포되어야 하는 것은 아니므로 특별한 규정이 없는 한, 수명기관에 도달된 때부터 효력이 발생한다.

23

㉮ 행정청에 「국토의 계획 및 이용에 관한 법률 시행령」에서 정한 토지이용의무를 위반한 자에게 부과할 이행강제금 부과기준과 다른 이행강제금액을 결정할 재량권은 없다.

㉯ 법령보충적 행정규칙 또는 재량준칙이 그 정한 바에 따라 되풀이 시행되어 행정관행이 이룩되게 되면, 평등의 원칙이나 신뢰보호의 원칙에 따라 행정기관은 그 상대방에 대한 관계에서 그 규칙에 따라야 할 자기구속을 당하게 되는 경우에는 대외적인 구속력을 가지게 되며, 이러한 경우에는 헌법소원의 대상이 될 수도 있다.

㉰ 판례는 종래부터 법령의 위임을 받아 부령으로 정한 제재적 행정처분의 기준을 행정규칙으로 보고, 대통령령으로 정한 제재적 행정처분의 기준은 법규명령으로 보는 경향이 있다.

㉱ 시외버스운송사업의 사업계획변경기준 등에 관한 구 「여객자동차 운수사업법 시행규칙」은 대외적 구속력이 있는 법규명령에 해당한다.

24

①-1 행정처분이 법규성이 없는 내부지침 등의 규정에 위배된다고 하더라도 그 이유만으로 처분이 위법하게 되는 것은 아니고, 내부지침 등에서 정한 요건에 부합한다고 하여 반드시 그 처분이 적법한 것이라고 할 수도 없다.

①-2 처분의 적법 여부는 그러한 내부지침 등에서 정한 요건에 합치하는지 여부가 아니라 일반국민에 대하여 구속력을 가지는 법률 등 법규성이 있는 관계 법령의 규정을 기준으로 판단하여야 한다.

② 상위법령의 위임규정에서 특정하여 정한 권한 행사의 절차나 방식에 위배하여 상위법령에서 세부사항 등을 시행규칙으로 정하도록 위임하였음에도 이를 고시 등 행정규칙으로 정한 경우, 그 행정규칙은 대외적 구속력을 가지는 법규명령으로서 효력이 인정될 수 없다.

③ 법령보충적 행정규칙은 상위법령과 결합하여 법규성을 가지나 그 자체가 법규명령은 아니므로 적당한 방법으로 일반인에게 표시 또는 통보함으로써 효력이 발생한다.

④-1 행정규칙의 내용이 상위법령에 반하는 것이라면 법치국가원리에서 파생되는 법질서의 통일성과 모순금지의 원칙에 따라 그것은 법질서상 당연무효이고, 행정내부적 효력도 인정될 수 없다.

④-2 이러한 경우 법원은 해당 행정규칙이 법질서상 부존재하는 것으로 취급하여 행정기관이 한 조치의 당부를 상위법령의 규정과 입법목적 등에 따라서 판단하여야 한다.

25

㉮ 식품위생법에 따른 식품위생법 시행규칙 [별표 23] 행정처분기준은 행정기관 내부의 사무처리준칙을 규정한 것에 불과한 것으로서 보건복지부장관이 관계 행정기관 및 직원에 대하여 직무권한 행사의 지침을 정하여 주기 위하여 발한 강학상 행정규칙의 성질을 가진다.

㉯ 식품위생법 시행규칙의 행정처분기준이 객관적 합리성을 결여하였다는 특별한 사정이 없는 한 이를 존중하여야 한다.

㉰ 제재적 행정처분이 그 처분에서 정한 제재기간의 경과로 인하여 그 효과가 소멸되었다 하더라도 그 처분이 후행처분의 가중적 요건사실이 되는 경우 선행처분의 취소를 구할 소의 이익이 있다.

㉱ 식품위생법에 따른 식품위생법 시행규칙 [별표 23] 행정처분기준은 강학상 행정규칙의 성질을 가지는데, 행정규칙은 내부적으로는 구속력이 있으므로 하급행정기관은 행정규칙을 준수할 의무가 있으며, 이를 위반할 경우 징계책임이나 징계벌을 받을 수 있다.

㉲ 대통령령인 식품위생법 시행령으로 제재적 처분의 기준을 정한 경우, 대통령령형식으로 정해진 제재적 처분기준은 법규명령으로서 그와 같은 처분의 기준은 대외적으로 국민이나 법원을 구속한다.

제 4 회 | 옳은 지문

01

㉮-1 행정행위는 외부적으로 직접적인 법적 효과를 발생시키는 행위이다.
㉮-2 행정조직 내에서 이루어지는 직무명령과 같은 행정조직의 내부행위는 행정행위가 아니다.
㉯-1 행정행위는 개별적·구체적 성격을 갖는 것이 일반적이지만 일반적·구체적 성격을 갖는 행위(이른바 일반처분)도 행정행위에 해당한다.
㉯-2 횡단보도설치행위는 수범자가 일반적이지만 장소적으로 특정된 것으로 구체적 성격(시간적 또는 장소적으로 특정)을 갖는다. 따라서 행정행위에 해당한다.
㉰ 국립공원지정처분에 따라 공원관리청이 행한 경계측량 및 표지 설치 등은 공원구역의 효율적인 보호·관리를 위하여 이미 확정된 경계를 인식·파악하는 사실상의 행위로 행정처분이 아니다.
㉱ 도로의 보수공사를 하는 것은 사실행위에 불과하다.

02

①-1 법률행위적 행정행위란 행정청의 의사표시(효과의사)를 구성요소로 하고 그 표시된 효과의사의 내용에 따라 법적 효과가 발생하는 행위를 말한다.
①-2 준법률행위적 행정행위란 행정청의 의사표시(효과의사) 이외의 정신작용(판단, 인식)을 구성요소로 하고 행정청의 의사와는 무관하게 법규가 정한 바에 따라 법적 효과가 발생하는 행위를 의미한다.
② 주류거래를 중지하여 줄 것을 요청한 행위는 행정지도로서 비권력적 사실행위에 해당하며 그 자체로는 법적인 효과를 발생시키지 않는다.
③-1 행정행위가 공법상의 행위라는 것은 그 행위의 근거가 공법적이라는 것이지 그 행위의 효과가 공권이어야 한다는 의미는 아니다.
③-2 행정청이 특정인에게 사권인 어업권을 설정한 경우, 이는 공법인 수산업법에 근거한 행위로서 공법적 행위이다.
③-3 따라서 비록 어업권은 사권의 성질을 가지지만 어업권을 설정하는 행위는 행정행위에 해당한다.
④ 수형자의 서신을 교도소장이 검열하는 행위는 권력적 사실행위로 행정행위에 해당하지 않으나, 행정심판이나 행정소송의 대상이 되는 행정처분으로 볼 수 있다.

03

① 주류판매업면허는 강학상의 허가로 해석되므로 주세법에 열거된 면허 제한사유에 해당하지 아니하는 한 면허관청으로서는 임의로 그 면허를 거부할 수 없다.
② 주된 인·허가가 기속행위인 경우라도 의제되는 인·허가가 재량행위인 경우에는 인·허가가 의제되는 한도 내에서 재량행위로 보아야 한다.
③ 처분의 근거법령이 행정청에 처분의 요건과 효과 판단에 일정한 재량을 부여하였는데도, 행정청이 자신에게 재량권이 없다고 오인한 나머지 처분으로 달성하려는 공익과 그로써 처분상대방이 입게 되는 불이익의 내용과 정도를 전혀 비교·형량하지 않은 채 처분을 하였다면, 이는 재량권 불행사로서 그 자체로 재량권 일탈·남용으로 해당 처분을 취소하여야 할 위법사유가 된다.
④-1 구 국민건강보험법에 따른 요양기관업무정지처분은 요양기관의 업무 자체에 대한 것으로서 대물적 처분이다.
④-2 속임수나 그 밖의 부당한 방법으로 보험자에게 요양급여비용을 부담하게 한 요양기관이 폐업한 경우, 그 요양기관 및 폐업 후 그 요양기관의 개설자가 새로 개설한 요양기관에 대하여 대물적 처분인 업무정지처분을 할 수는 없다.

04

① 출입국관리법상 체류자격 변경허가는 설권적 처분(특허)의 성격을 가지며 허가권자는 허가 여부를 결정할 재량을 가진다.
② 야생동·식물보호법(현 「야생생물 보호 및 관리에 관한 법률」)에 의한 용도변경승인행위 및 용도변경의 불가피성 판단에 필요한 기준을 정하는 행위는 재량행위이다.
③ 난민인정에 관한 신청을 받은 행정청은 원칙적으로 법령이 정한 난민요건에 해당하는지를 심사하여 난민인정 여부를 결정할 수 있을 뿐이고, 법령이 정한 난민요건과 무관한 다른 사유만을 들어 난민인정을 거부할 수는 없다.
④ 복합민원에 있어서 필요한 인·허가를 일괄하여 신청하지 아니하고 그중 어느 하나의 인·허가만을 신청한 경우, 근거법령에서 다른 법령상의 인·허가에 관한 규정을 원용하고 있거나 그 대상 행위가 다른 법령에 의하여 절대적으로 금지되고 있어 그 실현이 객관적으로 불가능한 것이 명백한 때에는 이를 고려하여 그 인·허가 여부를 결정할 수 있다.

05

①-1 행정행위가 그 재량성의 유무 및 범위와 관련하여 이른바 기속행위 내지 기속재량행위와 재량행위 내지 자유재량행위로 구분된다고 할 때, 그 구분은 당해 행위의 근거가 된 법규의 체재·형식과 그 문언, 당해 행위가 속하는 행정 분야의 주된 목적과 특성, 당해 행위 자체의 개별적 성질과 유형 등을 모두 고려하여 판단하여야 한다.

①-2 대기환경보전법상 배출시설설치허가는 기속행위이다.

②-1 기속행위에 대한 사법심사는 그 법규에 대한 원칙적인 기속성으로 인하여 법원이 사실인정과 관련 법규의 해석·적용을 통하여 일정한 결론을 도출한 후 그 결론에 비추어 행정청이 한 판단의 적법 여부를 독자의 입장에서 판정하는 방식에 의한다.

②-2 재량행위에 대한 사법심사는 행정청의 재량에 기한 공익판단의 여지를 감안하여 법원이 독자의 결론을 도출함이 없이 당해 행위에 재량권의 일탈·남용이 있는지 여부만을 심사한다.

③ 「가축분뇨의 관리 및 이용에 관한 법률」에 따른 가축분뇨 처리방법 변경허가는 허가권자의 재량행위에 해당한다.

④ 재외동포에 대한 사증발급은 행정청의 재량행위에 해당한다.

06

① 국가공무원법상 복직명령은 기속행위이므로, 국가공무원이 휴직사유가 소멸하였음을 이유로 복직신청을 한 경우 임용권자는 지체 없이 복직명령을 하여야 한다.

②-1 민원사무를 처리하는 행정기관이 민원1회방문처리제를 시행하는 절차의 일환으로 민원사항의 심의·조정 등을 위한 민원조정위원회를 개최하면서 민원인에게 회의일정 등을 사전에 통지하지 아니하였다는 사정이 있다고 하여, 민원사항에 대한 행정기관의 장의 거부처분에 취소사유에 이를 정도의 흠이 존재한다고 볼 수 없다.

②-2 민원사무를 처리하는 행정기관이 민원1회방문처리제를 시행하는 절차의 일환으로 민원사항의 심의·조정 등을 위한 민원조정위원회를 개최하면서 민원인에게 회의일정 등을 사전에 통지하지 않았는데, 이러한 민원조정위원회의 심의 후 민원사항에 대한 행정기관의 장이 재량행위인 거부처분을 한 경우 민원조정위원회의 심의과정에서 고려대상에 마땅히 포함시켜야 할 사항을 누락하는 등 재량권의 불행사 또는 해태로 볼 수 있는 구체적 사정이 있다면, 그 거부처분은 재량권을 일탈·남용한 것으로서 위법하다.

③-1 처분상대방에게 법령에서 정한 임의적 감경사유가 있는 경우에, 행정청이 감경사유까지 고려하고도 감경하지 않은 채 개별처분기준에서 정한 상한으로 처분을 하였을지라도 재량권을 일탈·남용하였다고 단정할 수는 없다.

③-2 행정청이 제재처분 양정을 하면서 공익과 사익의 형량을 전혀 하지 않았거나 이익형량의 고려대상에 마땅히 포함하여야 할 사항을 누락한 경우 또는 이익형량을 하였으나 정당성·객관성이 결여된 경우에는 그 제재처분은 재량권을 일탈·남용한 것이다.

④-1 마을버스운송사업면허의 허용 여부는 기술적·전문적인 판단을 요하는 분야로서 행정청의 재량에 속하는 것이고, 마을버스 한정면허시 확정되는 마을버스노선을 정함에 있어서도 기존 일반노선버스의 노선과의 중복 허용 정도에 대한 판단도 행정청의 재량에 속한다.

④-2 「여객자동차 운수사업법」에 의한 개인택시운송사업의 면허는 특정인에게 권리나 이익을 부여하는 행정청의 재량행위이다.

④-3 「여객자동차 운수사업법」과 그 시행규칙의 범위 내에서 면허를 위하여 필요한 기준을 정하는 것은 행정청의 재량에 속하는 것이므로, 행정청이 개인택시운송사업의 면허를 하면서 택시운전경력이 버스 등 다른 차종의 운전경력보다 개인택시의 운전업무에 더 유용할 수 있다는 점 등을 고려하여 택시의 운전경력을 다소 우대하는 경우 이를 객관적으로 합리적이 아니라거나 타당하지 않다고 볼 수는 없다.

07

① 재량권의 일탈 또는 남용은 법원의 심사대상이 된다(행정소송법 제27조). 그러나 재량권의 한계 내에서의 행정청의 판단, 즉 합목적성 내지 공익성의 판단 등은 위법의 문제가 아니라 당·부당의 문제로서 행정심판의 대상은 되지만 법원의 심사대상은 되지 않는다.

② 「건설기술 진흥법」에서 규정한 벌점 부과처분은 부과 여부에 관한 한 행정청의 재량이 인정되지 않는 기속행위이다.

③ 「여객자동차 운수사업법」에 따르면, 여객자동차 운수사업자가 거짓이나 부정한 방법으로 지급받은 보조금에 대한 국토교통부장관 또는 시·도지사의 환수처분은 기속행위이다.

④ 귀화신청인이 구 국적법 제5조 각 호에서 정한 귀화요건을 갖추지 못한 경우 법무부장관은 귀화 허부에 관한 재량권을 행사할 여지없이 귀화불허처분을 하여야 한다.

08

㉮㉯-1 재량과 판단여지를 구별하는 견해에 따르면 판단여지는 법률요건의 포섭단계에서, 재량은 법률효과의 결정 내지 선택에 존재하는 것으로 양자를 구별하고 있다.

㉮㉯-2 재량과 판단여지를 구별하는 견해에 따르면 요건 부분에 불확정 개념이 사용되면 판단여지가 인정될 수 있는 것이다.

㉰ 대법원은 판단여지와 재량을 구별하지 않는 입장에서 교과서검정과 같이 판단여지가 인정될 수 있는 경우에도 재량심사에 의하여 판단하고 있다.

㉱ 공무원임용을 위한 면접전형에서 임용신청자의 능력이나 적격성 등에 관한 판단은 면접위원의 자유재량에 속한다.

09

①-1 하천법상의 하천점용허가는 특정인에게 하천이용권이라는 독점적 권리를 설정하여 주는 처분에 해당하므로, 그러한 점용허가를 받은 자는 일반인에게는 허용되지 않는 특별한 공물사용권을 설정받아 일정기간 이를 배타적으로 사용할 수 있다.

①-2 하천점용허가에 따라 해당 하천을 점용할 수 있는 권리는 특허에 의한 공물사용권의 일종이다.

②-1 상업지역에서의 유흥주점영업허가는 예방적 금지의 해제인 강학상 허가이다.

②-2 학교환경위생정화구역 내에서의 유흥주점영업허가는 억제적 금지의 해제인 예외적 허가로, 재량행위이다.

③ 법령상 토사채취의 제한지역에 해당하는 경우는 물론이고 그러한 제한지역에 해당하지 않더라도 허가관청은 토사채취허가신청 대상 토지의 형상과 위치 및 그 주위의 상황 등을 고려하여 국토 및 자연의 유지와 환경보전 등 중대한 공익상 필요가 있다고 인정될 때에는 그 허가를 거부할 수 있다.

④ 도로교통법상 술에 취한 상태에 있다고 인정할 만한 상당한 이유가 있음에도 불구하고 경찰공무원의 측정에 응하지 아니한 때에는 필요적으로 운전면허를 취소하도록 되어 있으므로 도로교통법상 요건에 해당하였음을 이유로 한 운전면허취소처분에 있어서 재량권의 일탈 또는 남용의 문제는 생길 수 없다.

10

① 한의사면허는 경찰금지를 해제하는 명령적 행위로서 강학상 허가에 해당하고, 한약조제시험을 통하여 약사에게 한약조제권을 인정함으로써 한의사들의 영업상 이익이 감소되었다고 하더라도 이러한 이익은 사실상 이익에 불과하므로, 약사법이나 의료법 등의 법률에 의하여 보호되는 이익이라고 볼 수 없다.

② 금지의 해제라는 점에서는 개발제한구역 내의 건축허가와 도로교통법상의 운전면허는 동일하나, 개발제한구역 내의 건축허가는 억제적 금지의 해제에 해당하는 반면, 도로교통법상의 운전면허는 예방적 금지의 해제에 해당한다.

③ 개축허가신청에 대하여 행정청이 착오로 신청과 다른 대수선 및 용도변경허가를 하였다 하더라도 취소 등 적법한 조치 없이 그 허가의 효력을 부인할 수 없다.

④ 허가의 효과는 허가를 한 행정청의 관할 구역 내에서만 미치는 것이 원칙이지만, 예컨대 운전면허와 같이 허가의 성질상 관할 구역 외에까지 그 효과가 미치는 경우도 있다.

11

①-1 건축허가권자는 건축허가신청이 관련 법령의 요건을 구비한 경우 원칙적으로 건축허가를 하여야 하고, 중대한 공익상의 필요가 없는데도 관계 법령에서 정하는 제한사유 이외의 사유를 들어 요건을 갖춘 자에 대한 허가를 거부할 수는 없다.

①-2 건축허가는 행정관청이 건축행정상 목적을 수행하기 위하여 수허가자에게 일반적으로 행정관청의 허가 없이는 건축행위를 하여서는 안 된다는 상대적 금지를 관계 법규에 적합한 일정한 경우에 해제하여 줌으로써 일정한 건축행위를 하여도 좋다는 자유를 회복시켜 주는 행정처분이다.

② 건축허가는 대물적 성질을 갖는 것이어서 행정청은 허가를 할 때에 건축주 또는 토지 소유자가 누구인지 등 인적 요소에 관하여는 형식적 심사만 한다.

③ 도로법과 건축법에서 각 규정하고 있는 건축허가는 그 허가권자의 허가를 받도록 한 목적 등이 같지 아니하므로, 구 도로법 제50조 제1항에 의하여 접도구역으로 지정된 지역 안에 있는 건물에 관하여 같은 법조 제4·5항에 의하여 도로관리청으로부터 개축허가를 받았다고 하더라도 구 건축법 제5조 제1항에 의한 건축허가를 다시 받아야 한다.

④ 자기 비용과 노력으로 건물을 신축한 자와 건축허가서에 건축주로 기재된 자가 다른 경우, 자기 비용과 노력으로 건물을 신축한 자는 그 건축허가가 타인의 명의로 된 여부에 관계없이 소유권을 취득한다.

12

㉮-1 허가 등의 행정처분은 원칙적으로 처분시의 법령과 허가기준에 의하여 처리되어야 하므로, 건축허가신청 후 건축허가기준에 관한 관계 법령이 신청인에게 불리하게 개정된 경우에도 법령 등에 특별한 규정이 있거나 처분 당시의 법령 등을 적용하기 곤란한 특별한 사정이 있는 경우를 제외하고는 변경된 허가기준, 즉 처분 당시의 법령 등에 따라서 처분을 하여야 한다.

㉮-2 허가신청 후 허가기준이 변경된 경우에는 원칙적으로 신청시가 아닌 처분시의 법령과 기준에 의해 처리되어야 한다.

㉯ 식품위생법상 일반음식점영업허가는 성질상 일반적 금지의 해제에 불과하므로 허가권자는 허가신청이 법에서 정한 요건을 구비한 때에는 허가하여야 하고 관계 법령에서 정하는 제한사유 외에 공공복리 등의 사유를 들어 허가신청을 거부할 수는 없다.

㉰ 건축허가는 일반적으로 기속행위이나, 「국토의 계획 및 이용에 관한 법률」에 의하여 지정된 도시지역 안에서 토지의 형질변경행위를 수반하는 건축허가처럼 기속행위인 허가가 재량행위인 허가를 포함하는 경우에는 그 한도 내에서 재량행위가 된다.

㉱-1 담배 일반소매인으로 지정되어 영업을 하고 있는 기존업자의 신규 구내소매인에 대한 이익은 반사적 이익으로서 기존업자는 신규 구내소매인 지정처분의 취소를 구할 원고적격이 없다.

㉱-2 담배 일반소매인으로 지정되어 영업을 하고 있는 기존업자의 신규 일반소매인에 대한 이익은 단순한 사실상의 반사적 이익이 아니라 법률상 보호되는 이익으로서 기존 일반소매인이 신규 일반소매인 지정처분의 취소를 구할 원고적격이 있다.

13

①-1 기부금품모집규제법상 기부금품모집허가는 강학상 허가이다.

①-2 허가는 그 근거가 된 법령에 의한 금지를 해제할 뿐이고 다른 법령에 의한 금지까지 해제되지는 않는 것이 원칙이다.

①-3 허가는 기속행위인 것이 일반적이나 공익상 필요가 있다고 인정되어 허가 여부에 대한 이익형량이 요구되는 경우(산림훼손허가, 숙박시설에 대한 건축허가, 입목벌채허가 등)에는 재량행위로 본다.

①-4 법령의 근거 없이 행정권이 독자적으로 허가요건을 추가하는 것은 원칙적으로 허용되지 않는다.

②-1 공유수면의 점용·사용허가는 강학상 특허에 해당한다.

②-2 특허는 그 개념상 허가와 달리 불특정인에 대해서는 행해질 수 없고 특정인에 대해서만 가능하다.

②-3 행정행위로서의 특허는 항상 상대방의 신청이 있어야 한다(다만, 법규특허는 성질상 신청을 전제로 하지 않는다).

②-4 양립할 수 없는 이중의 특허가 행해진 경우 후행특허는 무효가 된다.

③-1 '조합설립추진위원회' 구성승인처분은 조합의 설립을 위한 주체인 추진위원회의 구성행위를 보충하여 그 효력을 부여하는 처분, 즉 강학상 인가에 해당한다.

③-2 인가는 법률행위를 대상으로 하고 사실행위에 대한 인가란 있을 수 없으며, 인가의 대상인 법률행위는 사법(私法)행위인 경우도 있으나 공법(公法)행위인 경우도 있다.

③-3 인가는 효력발생요건으로서 인가를 받지 않으면 기본행위는 효력이 발생하지 않는다.

③-4 기본행위에 하자가 있는 경우 인가를 받았다 하여도 그 하자가 치유되는 것은 아니다.

④-1 불법광고물의 철거명령은 작위하명으로서, 하명을 하기 위해서는 법률의 근거가 있어야 한다.

④-2 하명의 대상은 사실행위가 일반적이나, 법률행위인 경우도 있다.

④-3 하명에 위반한 행위는 행정강제나 행정벌의 대상은 되지만 그 사법(私法)상 효력은 유효함이 원칙이다.

④-4 하명은 특정인에 대해서뿐만 아니라 불특정 다수인에 대해서 행해지는 경우도 있다.

14

㉮-1 귀화허가는 외국인에게 대한민국 국적을 부여함으로써 국민으로서의 법적 지위를 포괄적으로 설정하는 행위(특허)에 해당한다.

㉮-2 법무부장관은 귀화신청인이 법률이 정하는 귀화요건을 갖추었다고 하더라도 귀화를 허가할 것인지 여부에 관하여 재량권을 가진다.

㉯ 토지거래허가는 허가 전의 유동적 무효 상태에 있는 법률행위의 효력을 완성시켜 주는 인가적 성질을 띠는 것으로, 강학상 인가이다.

㉰ 관세법상 보세구역의 설영특허는 보세구역의 설치, 경영에 관한 권리를 설정하는 이른바 공기업의 특허로서 그 특허의 부여 여부 또는 기간 갱신은 행정청의 자유재량에 속한다.

㉱ 산림훼손(산림형질변경) 금지 또는 제한지역에 해당하지 않더라도 중대한 공익상 필요가 있다고 인정될 때에는 허가관청은 산림훼손허가(산림형질변경허가)를 거부할 수 있고, 그 경우 법규에 명문의 근거가 없더라도 거부처분을 할 수 있다.

15

㉮-1 행정기본법에 따르면 주된 인·허가 행정청은 주된 인·허가를 하기 전에 관련 인·허가에 관하여 미리 관련 인·허가 행정청과 협의하여야 한다.

㉮-2 협의가 된 사항에 대해서는 주된 인·허가를 받았을 때 관련 인·허가를 받은 것으로 본다.

㉯-1 인·허가 의제제도의 경우 절차는 집중되므로 주된 허가에 규정된 절차만 거치면 충분하다.

㉯-2 행정기본법은 개별법률에서 인·허가 의제시 관련 인·허가에 필요한 심의, 의견청취 등 절차를 거친다는 명시적인 규정을 둔 경우에만 이를 거치도록 하고 있다.

㉯-3 실체적 요건은 집중되지 않으므로 의제되는 법률에 규정된 요건까지 모두 구비된 경우에 한하여 주된 허가가 가능하다.

㉯-4 주택건설사업계획의 승인신청을 받은 행정청은 주택법상 허가요건뿐만 아니라 산지관리법상 산지전용허가요건도 충족하는 경우에 한하여 주택건설사업계획을 승인할 수 있다.

㉰ 주된 인·허가에 관한 사항을 규정하고 있는 甲법률에서 주된 인·허가가 있으면 乙법률에 의한 인·허가를 받은 것으로 의제한다는 규정을 둔 경우에는, 주된 인·허가가 있으면 乙법률에 의한 인·허가가 있는 것으로 보는 데 그치는 것이고, 그에서 더 나아가 乙법률에 의하여 인·허가를 받았음을 전제로 한 乙법률의 모든 규정들까지 적용되는 것은 아니다.

㉱ 건축불허가처분을 하면서 그 처분사유로 건축불허가사유뿐만 아니라 형질변경불허가사유나 농지전용불허가사유를 들고 있다고 하여 그 건축불허가처분 외에 별개로 형질변경불허가처분이나 농지전용불허가처분이 존재하는 것이 아니다.

㉲ 건축불허가처분을 받은 사람은 그 건축불허가처분에 관한 쟁송에서 건축법상의 건축불허가사유뿐만 아니라 도시계획법상의 형질변경불허가사유나 농지법상의 농지전용불허가사유에 관하여도 다툴 수 있는 것이지, 그 건축불허가처분에 관한 쟁송과는 별개로 형질변경불허가처분이나 농지전용불허가처분에 관한 쟁송을 제기하여 이를 다투어야 하는 것은 아니다.

16

㉮ 인·허가 의제가 인정되기 위해서는 법률에 근거가 있어야 한다.

㉯ 주된 인·허가(창업사업계획승인)로 의제된 인·허가(산지전용허가)는 통상적인 인·허가와 동일한 효력을 가지므로, 의제된 인·허가의 취소나 철회가 허용되며, 의제된 인·허가의 직권취소나 철회는 항고소송의 대상이 되는 처분에 해당한다.

㉰ 주택건설사업계획승인처분에 따라 의제된 지구단위계획결정에 하자가 있음을 이해관계인이 다투고자 하는 경우, 주된 처분(주택건설사업계획승인처분)이 아니라 의제된 인·허가(지구단위계획결정)를 항고소송의 대상으로 삼아야 한다.

㉱ 지구단위계획결정이 의제되려면 주택법에 의한 관계 행정청과의 협의절차 외에 「국토의 계획 및 이용에 관한 법률」상 지구단위계획 입안을 위한 주민의견청취절차를 별도로 거쳐야 하는 것은 아니다.

17

㉮-1 인·허가 의제제도는 목적사업의 원활한 수행을 위해 행정절차를 간소화하고자 하는 데 그 취지가 있는 것이므로 주된 인·허가에 의해 의제되는 인·허가는 원칙적으로 주된 인·허가로 인한 사업을 시행하는 데 필요한 범위 내에서만 그 효력이 유지된다고 보아야 한다.

㉮-2 주된 인·허가에 의해 의제되는 인·허가는 주된 인·허가로 인한 사업이 완료된 이후에는 효력이 없다.

㉯ 어떤 개발사업의 시행과 관련하여 인·허가의 근거법령에서 절차간소화를 위하여 관련 인·허가를 의제 처리할 수 있는 근거규정을 둔 경우, 원칙적으로 사업시행자가 인·허가를 신청하면서 반드시 관련 인·허가 의제 처리를 신청할 의무가 있는 것은 아니다.

㉰ 인·허가 의제를 받으려면 주된 인·허가를 신청할 때 관련 인·허가에 필요한 서류를 함께 제출하여야 한다. 다만, 불가피한 사유로 함께 제출할 수 없는 경우에는 주된 인·허가 행정청이 별도로 정하는 기한까지 제출할 수 있다.

㉱ 인·허가 의제는 주된 인·허가가 있으면 다른 법률에 의한 인·허가가 있는 것으로 보는 데 그치고, 거기에서 더 나아가 다른 법률에 의하여 인·허가를 받았음을 전제로 하는 그 다른 법률의 모든 규정들까지 적용되는 것은 아니다.

18

㉮ 양도인의 위법행위로 양도인에게 이미 제재처분이 내려진 경우에 영업정지 등 그 제재처분의 효력은 양수인에게 당연히 이전된다.

㉯ 개인택시운송사업의 양도·양수가 있고 그에 대한 인가가 있은 후라도 행정청은 그 양도·양수 이전에 있었던 양도인에 대한 운송사업면허취소사유를 들어 양수인의 운송사업면허를 취소할 수 있다.

㉰ 행정청은 개인택시운송사업의 양도·양수에 대한 인가를 한 후에도 그 양도·양수 이전에 있었던 양도인에 대한 운송사업면허취소사유를 들어 양수인의 운송사업면허를 취소할 수 있는데, 설령 양도·양수 당시에는 양도인에 대한 운송사업면허취소사유가 현실적으로 발생하지 않은 경우라도 그 원인 되는 사실이 이미 존재하였다면, 관할 관청으로서는 그 후 발생한 운송사업면허취소사유에 기하여 양수인의 사업면허를 취소할 수 있다.

㉱ 회사가 분할된 경우, 원칙적으로 신설회사에 대하여 분할하는 회사의 분할 전 법 위반행위를 이유로 과징금을 부과할 수 없다.

㉲ 석유판매업허가는 소위 대물적 허가의 성질을 갖는 것이어서 양수인이 석유판매업의 양수 후 허가관청으로부터 석유판매업허가를 다시 받았다고 하더라도 양도인의 지위승계가 부정되는 것이 아니므로 양도인의 귀책사유를 이유로 양수인에게 제재조치를 취할 수 있다.

㉳-1 불법증차 차량을 양수한 경우 양수인은 불법증차 차량이라는 물적 자산과 그에 대한 운송사업자로서의 책임까지 포괄적으로 승계하므로 관할 행정청은 양수인의 선의·악의를 불문하고 양수인에 대하여 불법증차 차량에 관하여 지급된 유가보조금의 반환을 명할 수 있다.

㉳-2 다만, 그에 따른 양수인의 책임범위는 지위승계 후 발생한 유가보조금 부정수급액에 한정되는 것이지 지위승계 전에 발생한 유가보조금 부정수급액까지 포함하는 것은 아니다.

19

①-1 식품위생법상 지위승계신고는 이른바 수리를 요하는 신고이다.

①-2 행정기본법은 수리를 요하는 신고에 대해 규정하고 있다.

② 수리를 요하는 신고에서 행정청의 수리 또는 수리의 거부는 준법률행위적 행정행위의 일종으로 항고소송의 대상인 처분에 해당한다.

③ 수리대상인 기본행위가 존재하지 않거나 무효인 때에는 수리를 하였더라도 그 수리는 당연무효가 된다는 것이 통설과 판례의 입장이다.

④-1 판례는, 인가의 경우 기본행위가 무효임을 이유로 인가처분에 대한 무효확인을 구하는 것은 소의 이익이 없다고 보았으나, 수리처분의 경우 기본행위가 무효임을 이유로 수리처분의 무효확인을 구할 이익이 있다고 보고 있다.

④-2 따라서 사업의 양도행위가 무효라고 주장하는 양도자가 양도·양수행위의 무효를 구함이 없이 사업양도·양수에 따른 허가관청의 지위승계신고수리처분의 무효확인을 구할 법률상 이익이 있다.

20

㉮-1 영업자지위승계신고를 수리하는 처분은 종전의 영업자의 권익을 제한하는 처분이다.

㉮-2 따라서 종전의 영업자는 그 처분에 대하여 직접 그 상대가 되는 자에 해당하고, 행정청으로서는 위 신고를 수리하는 처분을 함에 있어서 행정절차법 규정 소정의 당사자인 종전의 영업자에 대하여 사전통지 등의 행정절차를 실시하고 처분을 하여야 한다.

㉯ 지위승계신고와 같은 행위요건적 신고의 경우 신고만으로는 아무런 법적 효과가 발생하지 않고, 신고의 수리가 있어야 완전한 법적 효과가 발생한다.

㉰-1 대물적 처분(대물적 허가 등)의 경우 명문규정이 없더라도 영업양도가 가능하며 이 경우 양도인의 위법행위를 이유로 양수인에게 제재를 할 수 있다.

㉰-2 석유판매업허가는 대물적 허가로서 양도가 가능하므로 석유판매업이 양도된 경우, 양도인의 귀책사유로 양수인에게 제재를 가할 수 있다.

21

㉮-1 종전 허가가 기한의 도래로 실효한 이상 종전 허가의 유효기간이 지나서 신청한 기간연장은 그에 대한 종전 허가처분을 전제로 하여 단순히 그 유효기간을 연장하여 주는 행정처분을 구하는 것이라기보다는 종전 허가처분과는 별도의 새로운 허가를 내용으로 하는 행정처분을 구하는 것이다.

㉮-2 이러한 경우 허가권자는 이를 새로운 허가신청으로 보아 법의 관계 규정에 의하여 허가요건의 적합 여부를 새로이 판단하여 그 허가 여부를 결정하여야 할 것이다.

㉯-1 허가의 갱신은 신규허가가 아니라 기존허가가 동일성을 유지한 채로 지속되는 것에 불과하다.

㉯-2 따라서 갱신 전의 위법사유가 있는 경우 이러한 사유는 갱신 후에도 승계되므로 행정청은 갱신 전의 위법사유를 들어 갱신 후에도 제재조치를 취할 수 있다.

㉰㉱-1 허가에 붙은 기한이 허가된 사업의 성질상 부당하게 짧은 경우에는 이를 그 허가 자체의 존속기간이 아니라 그 허가조건의 존속기간으로 보아 그 기한이 도래함으로써 그 조건의 개정을 고려한다는 뜻으로 해석할 수 있다.

㉰㉱-2 그와 같은 경우라 하더라도 그 허가기간이 연장되기 위하여는 그 종기가 도래하기 전에 그 허가기간의 연장에 관한 신청이 있어야 하며, 만일 그러한 연장신청이 없는 상태에서 허가기간이 만료하였다면 그 허가의 효력은 상실된다.

㉲ 허가에 붙은 당초의 기한이 상당 기간 연장되어 허가된 사업의 성질상 부당하게 짧은 경우에 해당하지 아니하게 된 경우, 관계 법령의 규정에 따라 허가 여부의 재량권을 가진 행정청이 기간연장을 불허가하는 것은 가능하다.

22

㉮-1 「도시 및 주거환경정비법」 등 관련 법령에 근거하여 행하는 조합설립인가처분은 단순히 사인들의 조합설립행위에 대한 보충행위로서의 성질을 갖는 것에 그치는 것이 아니라 법령상 요건을 갖출 경우 「도시 및 주거환경정비법」상 주택재건축사업을 시행할 수 있는 권한을 갖는 행정주체(공법인)로서의 지위를 부여하는 일종의 설권적 처분의 성격을 갖는다.

㉮-2 '조합설립추진위원회' 구성승인처분은 조합의 설립을 위한 주체인 추진위원회의 구성행위를 보충하여 그 효력을 부여하는 처분(인가)이다.

㉯ 도시환경정비사업조합이 수립한 사업시행계획을 인가하는 행정청의 행위의 법적 성질은 인가이다.

㉰-1 행정청의 조합설립인가처분이 있은 후에 조합설립결의에 하자가 있음을 이유로 소송을 제기하는 경우라면 조합설립인가처분에 대한 항고소송을 제기하여야 한다.

㉰-2 조합설립인가처분이 있은 후에 조합설립결의의 하자를 이유로 그 결의 부분만을 따로 떼어 내어 무효등확인의 소를 제기하는 것은 허용될 수 없다.

㉱ 기본행위인 사업시행계획이 무효인 경우 그에 대한 인가처분이 있다고 하더라도 그 기본행위인 사업시행계획이 유효한 것으로 될 수 없다.

㉲-1 기본행위인 사업시행계획에는 하자가 없는데 보충행위인 인가처분에 고유한 하자가 있다면 그 인가처분의 무효확인이나 취소를 구하여야 할 것이다.

㉲-2 인가처분에는 고유한 하자가 없는데 사업시행계획에 하자가 있다면 사업시행계획의 무효확인이나 취소를 구하여야 할 것이지 사업시행계획의 무효를 주장하면서 곧바로 그에 대한 인가처분의 무효확인이나 취소를 구하여서는 아니 된다.

㉳ 「도시 및 주거환경정비법」상의 주택재건축정비사업조합을 상대로 관리처분계획안에 대한 조합총회결의의 효력을 다투는 소송의 법적 성질은 행정소송법상 당사자소송이다.

㉴ 「도시 및 주거환경정비법」상의 주택재건축정비사업조합이 동법에 따라 수립한 관리처분계획에 대해 관할 행정청의 인가·고시가 있은 후에는, 항고소송으로 관리처분계획의 취소 또는 무효확인을 구하여야 하고 그 관리처분계획안에 대한 총회결의의 무효확인을 구할 수는 없다.

23

㉮ 특허청장의 상표사용권설정등록행위는 사인 간의 법률관계의 존부를 공적으로 증명하는 준법률행위적 행정행위(공증)이다.

㉯ 선거에 있어 당선인 결정은 준법률적 행정행위 중 확인행위에 해당한다.

㉰ 소득세 부과를 위한 소득금액결정은 준법률행위적 행정행위 중 확인에 해당한다.

㉱ 건설업면허증 및 건설업면허수첩의 재교부는 건설업의 면허를 받았다고 하는 특정 사실에 대하여 형식적으로 그것을 증명하고 공적인 증거력을 부여하는 행정행위(강학상 공증)이다.

24

①-1 광업허가, 구 수도권대기환경특별법 제14조 제1항에서 정한 대기오염물질 총량관리사업장 설치의 허가 또는 변경허가는 특허에 해당한다.

①-2 건축허가는 허가에 해당한다.

② 행정재산에 대한 사용허가, 토지 등 소유자들이 조합을 따로 설립하지 않고 직접 시행하는 도시환경정비사업에서 사업시행인가, 어업면허는 모두 특허에 해당한다.

③-1 행정심판의 재결은 확인에 해당한다.

③-2 주류판매업면허는 강학상 허가에 해당한다.

③-3 발명특허는 확인에 해당한다.

④-1 자동차관리법상 사업자단체조합의 설립인가는 강학상 인가에 해당한다.

④-2 행려병자의 유류품처분, 강제징수절차에서 압류재산의 공매처분은 대리에 해당한다.

25

①-1 허가대상건축물의 양수인이 형식적 요건을 갖추어 적법하게건축주 명의변경을 신고한 때에는 그 신고를 수리하여야지 실체적인 이유를 내세워 신고의 수리를 거부할 수 없다.

①-2 다만, 건축물의 소유권을 둘러싸고 소송이 계속 중이어서 판결로 소유권의 귀속이 확정될 때까지 건축주명의변경신고의 수리를 거부함은 상당하다.

②-1 가설건축물 존치기간을 연장하려는 건축주 등이 법령에 규정되어 있는 제반 서류와 요건을 갖추어 행정청에 연장신고를 한 때에는 행정청은 원칙적으로 이를 수리하여 신고필증을 교부하여야 하고, 법령에서 정한 요건 이외의 사유를 들어 수리를 거부할 수는 없다.

②-2 따라서 행정청으로서는 법령에서 요구하고 있지도 아니한 '대지사용승낙서' 등의 서류가 제출되지 아니하였거나, 대지소유권자의 사용승낙이 없다는 등의 사유를 들어 가설건축물 존치기간 연장신고의 수리를 거부하여서는 아니 된다.

③ 개발촉진지구 안에서 시행되는 지역개발사업에 관한 지정권자의 실시계획승인처분은 설권적 처분의 성격을 가진 독립된 행정처분이다.

④ 재단법인의 임원취임을 인가할 것인지 여부는 주무관청의 권한에 속하는 사항으로서, 임원취임승인신청에 대하여 주무관청은 이에 기속되어 이를 당연히 승인(인가)하여야 하는 것은 아니다(재단법인 임원취임인가는 재량행위).

제 5 회 | 옳은 지문

01

㉠-1 재단법인의 정관변경허가는 학문상으로 인가에 해당한다.
㉠-2 주류판매업면허, 유흥주점영업허가는 강학상 허가에 해당한다.
㉡ 인가는 보충적 행위이므로 직권으로 행해질 수는 없고 항상 상대방의 신청을 요건으로 한다.
㉢-1 형성적 행정행위로는 특허, 인가, 대리가 있고 명령적 행정행위로는 하명, 허가, 면제가 있다.
㉢-2 재단법인의 정관변경허가는 인가로서, 형성적 행정행위에 해당한다.
㉣ 기본행위가 적법하고 인가에만 하자가 있는 경우 인가를 다툴 수 있다.
㉤ 반면에 기본행위에 하자가 있는 경우 기본행위를 다투어야 하며, 기본행위의 하자를 이유로 인가처분의 취소 또는 무효를 소송으로 다툴 이익은 없다.

02

㉠ 학교법인의 이사장·이사·감사 등에 대한 관할청의 임원취임승인행위는 인가로서 보충적 법률행위이다.
㉡-1 기본행위가 성립하지 않거나 무효인 경우에 인가를 받더라도 기본행위가 유효로 되는 것은 아니며 인가 역시 무효로 된다. 즉, 인가는 기본행위의 하자를 치유하지 않는다.
㉡-2 기본행위인 학교법인의 이사선임행위가 불성립 또는 무효인 경우에는 비록 그에 대한 감독청의 취임승인이 있었다 하여도 선임행위가 유효한 것으로 될 수는 없다.
㉡-3 재단법인의 정관변경시 정관변경결의의 하자가 있는 경우 주무부장관의 인가가 있어도 정관변경결의가 유효한 것으로 될 수 없다.
㉢ 인가는 보충성을 가지는 것으로 상대방의 신청을 수정하여 인가하는 이른바 수정인가는 허용되지 않는다.

03

① 도로점용허가는 특정인에게 일정한 내용의 공물사용권을 설정하는 설권행위(특허)로서 재량행위이다.
② 국립의료원 부설주차장에 관한 위탁관리용역운영계약은 계약이라는 용어에도 불구하고 행정재산의 사용허가로서 강학상 특허에 해당한다.
③ 개인택시운송사업면허는 특허로서 특별한 규정이 없는 한 재량행위이다.
④ 구 「수도권 대기환경개선에 관한 특별법」에서 정한 대기오염물질 총량관리사업장 설치의 허가 또는 변경허가는 특정인에게 인구가 밀집되고 대기오염이 심각하다고 인정되는 수도권 대기관리권역에서 총량관리대상 오염물질을 일정량을 초과하여 배출할 수 있는 특정한 권리를 설정하여 주는 행위로서 그 처분의 여부 및 내용의 결정은 행정청의 재량에 속한다.

04

① 대기환경보전법상 배출시설설치허가는 기속행위이다.
② 토지 등 소유자들이 조합을 따로 설립하지 않고 직접 시행하는 도시환경정비사업에서 사업시행인가처분은 단순히 사업시행계획에 대한 보충행위로서의 성질을 가지는 것이 아니라 행정주체로서의 지위를 부여하는 일종의 설권적 처분의 성격을 가진다.
③ 자동차관리법상 자동차관리사업자로 구성하는 사업자단체인 조합 또는 협회의 설립인가처분은 국토해양부장관(현 국토교통부장관) 또는 시·도지사가 자동차관리사업자들의 단체결성행위를 보충하여 효력을 완성시키는 처분(인가)에 해당한다.
④ 구 공유수면관리법에 따른 공유수면의 점용·사용허가는 특정인에게 공유수면이용권이라는 독점적 권리를 설정하여 주는 처분으로서 그 처분의 여부 및 내용의 결정은 원칙적으로 행정청의 재량에 속한다고 할 것이다.

05

① 「친일반민족행위자 재산의 국가귀속에 관한 특별법」에 따른 친일반민족행위자재산조사위원회의 친일재산국가귀속결정은 확인행위로서 준법률행위적 행정행위에 해당한다.
②-1 확인은 특정한 사실 또는 법률관계에 관하여 의문이 있는 경우에 행정청이 그 존부 또는 정부를 판단하는 준법률행위적 행정행위이다.
②-2 확인의 예로 국가시험합격자·당선인 결정, 도로·하천구역 결정, 행정심판의 재결, 발명특허, 친일재산 국가귀속결정, 교과서 검정, 국가유공자등록결정, 장애등급결정, 준공검사처분, 민주화운동관련자결정, 소득세 부과를 위한 소득금액의 결정 등이 있다.
③ 국가공무원법상 당연퇴직의 결격사유가 있어 행하여진 당연퇴직의 인사발령은 관념의 통지에 불과하여 항고소송의 대상이 되는 처분에 해당하지 않는다.
④-1 허가대상건축물의 양수인이 형식적 요건을 갖추어 적법하게 건축주명의변경을 신고한 때에는 그 신고를 수리하여야지 실체적인 이유를 내세워 신고의 수리를 거부할 수 없다.
④-2 다만, 건축물의 소유권을 둘러싸고 소송이 계속 중이어서 판결로 소유권의 귀속이 확정될 때까지 건축주명의변경신고의 수리를 거부함은 상당하다.

06

①-1 준공검사처분은 건축허가를 받아 건축한 건물이 건축허가사항대로 건축행정목적에 적합한가의 여부를 확인하는 행위이다.
①-2 건축허가관청은 특단의 사정이 없는 한 건축허가내용대로 완공된 건축물의 준공을 거부할 수 없다.

② 국민건강보험공단이 甲 등에게 한 '직장가입자 자격상실 및 자격변동 안내' 통보 및 '사업장 직권탈퇴에 따른 가입자 자격상실 안내' 통보는 항고소송의 대상이 되는 처분이 아니다.
③ 수리대상인 기본행위가 존재하지 않거나 무효인 때에는 수리를 하였더라도 그 수리는 당연무효가 된다는 것이 통설과 판례의 입장이다.
④ 지적공부 소관청의 지목변경신청 반려행위는 항고소송의 대상이 되는 행정처분에 해당한다.

07

① 주택재건축사업시행인가는 재량행위로서 이에 대하여 법령상의 제한에 근거하지 않더라도 공익상 필요 등에 의하여 필요한 범위 내에서 조건(부담)을 부과할 수 있다.
②-1 부진정일부취소소송이란 부관이 붙은 행정행위 전체를 소송대상으로 하되 실질적으로는 부관만의 취소를 구하는 형태의 소송을 말하는 바, 우리 판례는 부담 이외의 부관에 대해 부진정일부취소소송을 인정하고 있지 않다.
②-2 즉, 부담을 제외한 나머지 부관에 대해서는 부관이 붙은 행정행위 전체의 취소를 통하여 부관을 다툴 수 있을 뿐, 부관만의 취소를 구할 수는 없다.
③-1 객관적으로 처분상대방이 이행할 가능성이 없는 조건을 붙여 행정처분을 하는 것은 법치행정의 원칙상 허용될 수 없다.
③-2 하나 이상의 필지의 일부를 하나의 대지로 삼으려는 건축허가신청에서 토지분할이 관계 법령상 제한에 해당되어 명백히 불가능하다고 판단되는 경우, 건축행정청은 토지분할 조건부 건축허가를 거부하여야 한다.
④ 기선선망어업의 허가를 하면서 운반선, 등선 등 부속선을 사용할 수 없도록 제한한 부관은 그 어업허가의 목적 달성을 사실상 어렵게 하여 그 본질적 효력을 해하는 것이므로 위법하다.

08

①-1 법정부관은 행정청의 의사에 기하여 붙여지는 본래의 의미에서 행정행위의 부관은 아니므로, 부관의 한계에 관한 일반원칙이 적용되지 않는다.
①-2 고시에 정한 허가기준에 따라 보존음료수 제조업의 허가에 붙여진 전량수출 또는 주한외국인에 대한 판매에 한한다는 내용의 조건은 이른바 법정부관으로서 행정행위에 부관을 붙일 수 있는 한계에 관한 일반적인 원칙이 적용되지는 않는다.
② 행정청이 종교단체에 대하여 기본재산전환인가를 함에 있어 인가조건을 부과하고 그 불이행시 인가를 취소할 수 있도록 한 경우, 인가조건의 의미는 철회권을 유보한 것이다.
③④-1 부담의 이행으로서 하게 된 사법상 매매 등의 법률행위는 부담을 붙인 행정처분과는 별개의 사법(私法)상 법률행위이다.
③④-2 따라서 행정처분에 붙인 부담인 부관이 무효가 되더라도 그 부담의 이행으로 한 사법상 법률행위가 당연히 무효가 되는 것은 아니다.
③④-3 또한 행정처분에 붙인 부담인 부관에 제소기간 도과로 불가쟁력이 생긴 경우에도 그 부담의 이행으로 한 사법상 법률행위는 별개의 법률행위이므로 그 효력을 다툴 수 있다.

09

①-1 부담부 행정행위는 처음부터 행정행위의 효력이 발생하는 데 반하여, 정지조건부 행정행위는 조건의 성취가 있어야 비로소 행정행위의 효력이 발생한다는 점에서 구별된다.
①-2 부담부 영업허가는 아직 부담의 이행이 없다고 해도 허가의 효력이 발생한 상태이므로 그때 행한 영업이 무허가영업행위가 되지는 않으나, 정지조건 성취 전에 정지조건부 영업허가로 허가받은 영업을 한다면 무허가영업행위가 된다.
②-1 부담부 행정행위는 부담을 이행하지 않더라도 당연히 그 효력이 소멸되지는 않고 행정청이 철회함으로써 행정행위의 효력이 소멸된다.
②-2 해제조건의 경우 조건이 성취되면 행정행위는 당연히 효력이 소멸된다.
③-1 행정행위의 효과의 발생 또는 소멸을 장래 도래할 것이 확실한 사실에 의존시키는 부관을 기한이라 하며, 행정행위의 효과의 발생 또는 소멸을 장래 발생이 불확실한 사실에 의존시키는 부관을 해제조건이라고 한다.
③-2 종기인 기한이 도래하면 주된 행정행위는 행정청의 특별한 의사표시 없이도 당연히 효력을 상실(실효)한다는 점에서 해제조건이 성취된 경우의 효과와 동일하다.
④ 부담과 조건의 구별이 명확하지 않은 경우에 행정청의 의사가 불분명하다면 최소침해의 원칙에 따라 상대방에게 유리한 부담으로 보아야 한다.

10

① 부담은 행정청이 행정처분을 하면서 일방적으로 부가할 수도 있지만 부담을 부가하기 이전에 상대방과 협의하여 부담의 내용을 협약의 형식으로 미리 정한 다음 행정처분을 하면서 이를 부가할 수도 있다.
② 행정처분에 이미 부담이 부가되어 있는 상태에서 그 의무의 범위 또는 내용 등을 변경하는 부관의 사후변경은, 법률에 명문규정이 있거나 그 변경이 미리 유보되어 있는 경우 또는 상대방의 동의가 있는 경우에 한하여 허용되는 것이 원칙이지만, 사정변경으로 인하여 당초에 부담을 부가한 목적을 달성할 수 없게 된 경우에도 그 목적 달성에 필요한 범위 내에서 예외적으로 허용된다.
③-1 행정청은 처분에 재량이 있는 경우에는 부관(조건, 기한, 부담, 철회권의 유보 등을 말한다)을 붙일 수 있다.
③-2 행정청은 처분에 재량이 없는 경우에는 법률에 근거가 있는 경우에 부관을 붙일 수 있다.
④ 재량행위에는 법령상 근거가 없더라도 그 내용이 적법하고 이행 가능하며 비례의 원칙 및 평등의 원칙에 적합하고 행정처분의 본질적 효력을 해하지 아니하는 한도 내에서 부관을 붙일 수 있다.

11

① 토지소유자가 토지형질변경행위허가에 붙은 기부채납의 부관에 따라 토지를 국가나 지방자치단체에 기부채납(증여)한 경우, 기부채납의 부관이 당연무효이거나 취소되지 아니한 이상 토지소유자는 위 부관으로 인하여 증여계약의 중요 부분에 착오가 있음을 이유로 증여계약을 취소할 수 없다.

② 기부채납은 기부자가 그의 소유재산을 지방자치단체의 공유재산으로 증여하는 의사표시를 하고 지방자치단체는 이를 승낙하는 채납의 의사표시를 함으로써 성립하는 증여계약이다.
③ 행정청이 한 공유수면매립준공인가 중 공유수면매립지 일부에 대하여 한 국가귀속처분은 매립준공인가를 함에 있어서 매립의 면허를 받은 자의 매립지에 대한 소유권취득을 규정한 공유수면매립법 제14조의 효과 일부를 배제하는 부관을 붙인 것이므로 이러한 행정행위의 부관에 대하여는 독립하여 행정소송의 대상으로 삼을 수 없다.
④-1 재량행위에는 법령의 근거가 없어도 부관을 붙일 수 있으나, 기속행위에는 법령에 근거가 없는 한 부관을 붙일 수 없고, 붙였다고 하더라도 무효이다(따라서 이행할 의무가 없다).
④-2 건축허가를 하면서 일정 토지를 기부채납하도록 한 허가조건은 기속행위 내지 기속적 재량행위인 건축허가에 붙인 부담이거나 또는 법령상 아무런 근거가 없는 부관이어서 무효이다.

12

㉮-1 행정처분과 실제적 관련성이 없어 부관으로 붙일 수 없는 부담을 사법상 계약의 형식으로 행정처분의 상대방에게 부과할 수는 없다.
㉮-2 공무원이 공법상의 제한을 회피할 목적으로 행정처분의 상대방과 사이에 사법상 계약을 체결하는 형식을 취하였다면 이는 법치행정의 원리에 반하는 것으로서 위법하다.
㉯ 행정행위의 부관으로 철회권의 유보가 되어 있는 경우라 하더라도 그 철회권의 행사에 대해서는 행정행위의 철회의 제한에 관한 일반원리가 적용된다.
㉰ 사도개설허가를 하면서 '공사기간을 준수할 것을 명'하였는바, 이러한 부관은 부담이므로 사도개설허가에서 정해진 공사기간 내에 사도로 준공검사를 받지 못한 경우라도 사도개설허가가 당연히 실효되는 것은 아니다.
㉱ 행정행위의 부관은 부담인 경우를 제외하고는 독립하여 행정소송의 대상이 될 수 없는바, 기부채납받은 행정재산에 대한 사용·수익허가에서 공유재산의 관리청이 정한 사용·수익허가의 기간은 그 허가의 효력을 제한하기 위한 행정행위의 부관으로서 이러한 사용·수익허가의 기간에 대해서는 독립하여 행정소송을 제기할 수 없다.

13

㉮ 도로점용허가의 점용기간은 행정행위의 본질적인 요소에 해당한다고 볼 것이어서 부관인 점용기간을 정함에 있어서 위법사유가 있다면 이로써 도로점용허가처분 전부가 위법하게 된다.
㉯ 부담은 그 자체로서 독립하여 행정쟁송의 대상이 될 수 있다.
㉰ 부담이 아닌 부관은 독립하여 행정소송의 대상이 될 수 없으므로 부담이 아닌 부관의 취소를 구하는 소송이 제기되면 법원은 각하판결을 하여야 한다.
㉱ 어업면허처분을 함에 있어 그 면허의 유효기간을 1년으로 정한 경우, 해당 면허의 유효기간은 행정행위의 부관이라 할 것이고, 이러한 행정행위의 부관은 독립하여 행정소송의 대상이 될 수 없는 것이므로 해당 어업면허처분 중 그 면허유효기간만의 취소를 구하는 청구는 허용될 수 없다.

14

① 처분을 하면서 소송이나 보상에 관한 부제소특약을 붙인 경우 부제소특약에 관한 부분은 개인적 공권인 소권을 당사자의 합의로 포기하는 것으로서 허용될 수 없다.
②-1 재량행위의 경우 법률에 근거규정이 없더라도 부관을 부가할 수 있다.
②-2 기속행위의 경우 법률에 근거규정이 없는 한 부관을 붙일 수는 없고 붙였다 하더라도 무효가 된다.
②-3 건축허가를 하면서 일정 토지를 기부채납하도록 한 허가조건은 기속행위 내지 기속적 재량행위인 건축허가에 붙인 부담이거나 또는 법령상 아무런 근거가 없는 부관이어서 무효이다.
③ 임시이사를 선임하면서 그 임기를 '후임 정식이사가 선임될 때까지'로 기재한 것은 법정부관일 뿐 본래 의미의 행정처분 부관이라고 볼 수 없으므로, 후임 정식이사가 선임되었음을 이유로 임시이사를 해임하는 행정처분을 해야만 비로소 임시이사의 지위가 상실되는 효과가 발생한다.
④ 행정청이 행정처분을 하면서 논리적으로 당연히 수반되어야 하는 의사표시를 명시적으로 하지 않았다고 하더라도, 그것이 행정청의 추단적 의사에도 부합하고 상대방도 이를 알 수 있는 경우에는 행정처분에 위와 같은 의사표시가 묵시적으로 포함되어 있다고 볼 수 있다.

15

① 부관은 ㉠ 해당 처분의 목적에 위배되지 아니할 것, ㉡ 해당 처분과 실질적인 관련이 있을 것, ㉢ 해당 처분의 목적을 달성하기 위하여 필요한 최소한의 범위일 것이라는 요건에 적합하여야 한다.
② 수익적 행정행위에는 법령에 특별한 근거규정이 없더라도 부관을 붙일 수 있다.
③-1 甲이 행정청에 대해 A국으로부터의 쇠고기 수입허가를 신청하였는데, 행정청이 甲에 대해 B국으로부터의 쇠고기 수입허가를 부여하는 것은 이른바 수정부담에 해당한다.
③-2 수정부담은 부관과 구별되는 것으로서 수정된 행정행위 내지 수정허가로 보는 것이 다수설의 입장이다.
④ 행정청이 수익적 행정처분을 하면서 사전에 상대방과 체결한 협약상의 의무를 부담으로 부가하였는데 부담의 전제가 된 주된 행정처분의 근거법령이 개정되어 행정청이 더 이상 부관을 붙일 수 없게 된 경우라도, 곧바로 위법하게 되거나 협약의 효력이 소멸하는 것은 아니다.

16

① 일반적으로 보조금 교부결정에 관해서는 행정청에 광범위한 재량이 부여되어 있고, 행정청은 보조금 교부결정을 할 때 법령과 예산에서 정하는 보조금의 교부목적을 달성하는 데에 필요한 조건을 붙일 수 있다.
② 공익법인의 기본재산처분허가는 인가로서 이러한 경우에도 부관을 붙일 수 있다.
③ 기부채납받은 공원시설의 사용·수익허가에서 그 허가기간은 행정행위의 본질적 요소에 해당하므로, 부관인 허가기간에 위법사유가 있다면 이로써 공원시설의 사용·수익허가 전부가 위법하게 된다.

④ 건축허가를 하면서 일정 토지를 기부채납하도록 한 허가조건의 효력이 무효라고 하더라도, 무효인 허가조건을 유효한 것으로 믿고 토지를 증여하였다면 이는 동기의 착오에 불과하여 그 소유권이전등기의 말소를 청구할 수는 없다.

17

①-1 산림형질변경허가는 재량행위이다.

①-2 재량행위의 경우 법률에 명시적인 근거규정이 없더라도 부관을 부가할 수가 있다.

②-1 해제조건이 성취되거나 종기가 도래한 경우 주된 행정행위의 효력은 당연히 소멸(즉, 실효)된다.

②-2 반면에 상대방이 부담을 이행하지 않은 경우 주된 행정행위는 당연히 실효되는 것이 아니며, 주된 행정행위의 철회사유가 될 뿐이다.

②-3 부담의 불이행으로 행정행위를 철회하는 경우에도 철회를 함으로써 달성되는 공익 등과 상대방의 불이익 등의 이익형량을 하여야 하는 등 철회권 제한의 법리가 적용된다.

③ 철회권 유보의 경우, 유보사유의 발생을 이유로 철회시 상대방은 철회가능성을 예상할 수 있으므로 원칙적으로 신뢰보호원칙에 기한 철회의 제한을 주장하거나 철회로 인한 손실보상을 요구할 수 없다.

④ 철회권이 유보된 경우라도 행정행위의 철회의 제한에 관한 일반원리(비례의 원칙 등)가 적용된다는 것이 통설과 판례의 입장이다.

18

① 행정의사가 외부에 표시되어 행정청이 자유롭게 취소·철회할 수 없는 구속을 받게 되는 시점에 처분이 성립하고, 그 성립 여부는 행정청이 행정의사를 공식적인 방법으로 외부에 표시하였는지를 기준으로 판단하여야 한다.

②-1 보통우편의 경우 도달이 추정되지 않는다.

②-2 등기우편의 경우 특별한 사정이 없는 한 도달을 추정한다.

③ 등기에 의한 우편송달의 경우 수취인이 주민등록지에 실제로 거주하지 아니하는 등 특별한 사정이 있는 경우 도달이 추정되지 않으므로 행정청이 도달사실을 입증하여야 한다.

④ 망인에 대한 서훈취소는 유족에 대한 것이 아니므로 유족에 대한 통지에 의해서만 성립하여 효력이 발생한다고 볼 수 없고, 그 결정이 처분권자의 의사에 따라 상당한 방법으로 대외적으로 표시됨으로써 행정행위로서 성립하여 효력이 발생한다고 보아야 한다.

19

㉮ 행정처분의 효력발생요건으로서의 도달은 상대방이 그 내용을 현실적으로 알 필요까지는 없고 알 수 있는 상태에 놓여짐으로써 충분하다.

㉯-1 구 「청소년 보호법」에 따른 청소년유해매체물결정·고시처분은 행정처분이다.

㉯-2 정보통신윤리위원회(현 방송통신심의위원회)가 특정 인터넷 웹사이트를 청소년유해매체물로 결정하고 청소년보호위원회가 효력발생시기를 명시하여 고시함으로써 그 명시된 시점에 효력이 발생하였다.

㉯-3 정보통신윤리위원회와 청소년보호위원회가 위 처분이 있었음을 위 웹사이트 운영자에게 제대로 통지하지 아니하였다고 하여 그 효력 자체가 발생하지 아니한 것으로 볼 수는 없다.

㉰-1 상대방 있는 행정처분은 상대방에게 고지되어야 원칙적으로 효력이 발생한다.

㉰-2 상대방 있는 행정처분이 상대방에게 고지되지 않았으나 상대방이 다른 경로를 통해 행정처분의 내용을 알게 된 경우라도, 행정처분의 효력이 발생하는 것은 아니다.

㉱ 법무부장관의 입국금지결정이 공식적인 방법으로 외부에 표시된 것이 아니라 단지 그 정보를 내부전산망인 '출입국관리정보시스템'에 입력하여 관리한 것에 지나지 않는 경우라면, 해당 입국금지결정은 항고소송의 대상이 될 수 있는 처분에 해당하지 않는다.

20

①-1 정보통신망을 이용한 송달은 송달받을 자가 동의하는 경우에만 한다.

①-2 이 경우 송달받을 자는 송달받을 전자우편주소 등을 지정하여야 한다.

②-1 교부에 의한 송달은 수령확인서를 받고 문서를 교부함으로써 한다.

②-2 송달하는 장소에서 송달받을 자를 만나지 못한 경우에는 그 사무원·피용자 또는 동거인으로서 사리를 분별할 지능이 있는 사람에게 문서를 교부할 수 있다.

②-3 다만, 문서를 송달받을 자 또는 그 사무원 등이 정당한 사유 없이 송달받기를 거부하는 때에는 그 사실을 수령확인서에 적고, 문서를 송달할 장소에 놓아둘 수 있다(이른바 유치송달).

③ 송달받을 자의 주소 등을 통상적인 방법으로 확인할 수 없는 경우와 송달이 불가능한 경우 중 어느 하나에 해당하는 경우에는 송달받을 자가 알기 쉽도록 관보, 공보, 게시판, 일간신문 중 하나 이상에 공고하고 인터넷에도 공고하여야 한다.

④ 행정청은 국내에 주소·거소·영업소 또는 사무소가 없는 외국사업자에 대하여 우편송달의 방법으로 문서를 송달할 수 있다.

21

㉮ 송달은 다른 법령 등에 특별한 규정이 있는 경우를 제외하고는 해당 문서가 송달받을 자에게 도달됨으로써 그 효력이 발생한다.

㉯ 정보통신망을 이용하여 전자문서로 송달하는 경우에는 송달받을 자가 지정한 컴퓨터 등에 입력된 때에 도달된 것으로 본다.

㉰ 납세고지서(현 납부고지서)의 교부송달 및 우편송달에 있어서 반드시 납세의무자 또는 그와 일정한 관계에 있는 사람의 현실적인 수령행위를 전제로 하는 것이고 납세자가 과세처분의 내용을 이미 알고 있는 경우에도 납세고지서 송달이 필요하다.

㉱ 상대방이 부당하게 등기취급 우편물의 수취를 거부함으로써 우편물의 내용을 알 수 있는 객관적 상태의 형성을 방해한 경우, 그러한 상태가 형성되지 아니하였다는 사정만으로 발송인의 의사표시 효력을 부정할 수는 없으며, 이 경우 수취거부시에 행정청의 의사표시 효력이 발생한 것으로 보아야 한다.

22

㉮ 새로운 법령 등은 법령 등에 특별한 규정이 있는 경우를 제외하고는 그 법령 등의 효력발생 전에 완성되거나 종결된 사실관계 또는 법률관계에 대해서는 적용되지 아니한다.

㉯-1 처분의 근거법령이 개정되어 신청시와 처분시의 법령이 달라진 경우 행정처분은 원칙적으로 처분 당시 시행되는 개정법령과 그에 정한 기준에 따른다.

㉯-2 다만, 개정 전 법령을 적용한다는 경과규정을 두는 경우, 신청시의 법령을 적용하여 신청에 대한 처분을 하여야 한다.

㉰ 법령 등을 위반한 행위의 성립과 이에 대한 제재처분은 법령 등에 특별한 규정이 있는 경우를 제외하고는 법령 등을 위반한 행위 당시의 법령 등에 따른다.

㉱ 다만, 법령 등을 위반한 행위 후 법령 등의 변경에 의하여 그 행위가 법령 등을 위반한 행위에 해당하지 아니하거나 제재처분기준이 가벼워진 경우로서 해당 법령 등에 특별한 규정이 없는 경우에는 변경된 법령 등을 적용한다.

㉲ 개정된 산업재해보상보험법 시행령의 시행 전에 장해급여지급청구권을 취득한 근로자의 장해등급을 결정함에 있어 행정청은 원칙적으로 그 지급사유 발생 당시의 법령에 따라야 한다.

23

①②-1 조세 부과처분을 취소하는 행정판결이 확정된 경우 부과처분의 효력은 처분시에 소급하여 효력을 잃게 되므로 확정된 행정판결은 조세포탈에 대한 무죄를 인정할 명백한 증거에 해당한다.

①②-2 조세포탈에 관하여 유죄의 확정판결이 있은 후, 그 조세 부과처분을 취소하는 행정소송판결이 확정된 경우 형사소송법 소정의 재심사유에 해당한다.

③ 공정력은 행정행위의 적법성 추정과는 무관하며 단지 행정행위를 잠정적으로 유효한 것으로 통용시키는 효력에 불과하므로 공정력의 유무와 입증책임은 무관하다는 것이 통설의 입장이다.

④-1 시정명령 위반죄가 성립하기 위해서는 시정명령의 적법성이 전제되어야 한다.

④-2 시정명령이 무효가 아니라도 시정명령이 위법한 명령이라면 취소사유라 하더라도 시정명령 위반죄는 성립하지 않는다.

④-3 한편, 형사법원은 시정명령이 당연무효가 아니라면 그 명령을 취소할 수는 없으나 시정명령의 적법 여부는 심사할 수 있다.

24

㉮ 어느 행정처분이 당연무효임을 전제로 하여 민사소송을 제기한 때에는 그 행정처분의 당연무효인지의 여부가 선결문제이므로, 민사법원은 이를 심사하여 그 행정처분의 하자가 중대하고 명백하여 당연무효라고 인정될 경우에는 이를 전제로 하여 판단할 수 있다.

㉯㉰-1 형사소송에서 위법성 확인이 범죄구성요건으로 선결문제인 경우, 형사법원은 행정행위의 위법성에 대해서는 심사할 수 있다.

㉯㉰-2 소하천정비법에 따라 행정청으로부터 시정명령을 받은 사람이 이를 위반한 경우, 그로 인하여 같은 법에서 정한 처벌을 하기 위해서는 그 시정명령이 적법하여야 하고, 시정명령이 당연무효가 아니라도 위법하다고 인정되는 한 그 위반죄가 성립될 수 없다.

㉱-1 ㉯㉰에 반해, 행정행위가 당연무효가 아닌 한 행정행위의 효력을 부인하는 것이 형사소송에서 선결문제가 된 경우 형사법원은 공정력으로 인해 효력을 부인할 수 없다.

㉱-2 연령미달의 결격자인 피고인이 소외인(자신의 형)의 이름으로 운전면허시험에 응시, 합격하여 교부받은 운전면허는 당연무효가 아니고 도로교통법 제65조 제3호의 사유에 해당함에 불과하여 취소되지 않는 한 유효하므로 피고인의 운전행위는 무면허운전에 해당하지 아니한다.

㉲ ㉱와 비교하여 운전면허취소처분을 받은 사람이 자동차를 운전하였으나 운전면허취소처분의 원인이 된 교통사고 또는 법규 위반에 대하여 범죄사실의 증명이 없는 때에 해당한다는 이유로 무죄판결이 확정된 경우, 취소처분이 취소되지 않았더라도 도로교통법에 규정된 무면허운전의 죄로 처벌할 수는 없다.

25

① 불가쟁력이 발생한 행정행위에 대해 처분청은 불가변력이 발생하지 않는 한 처분을 직권취소할 수 있다.

② 불가쟁력이 발생한 행정행위로 손해를 입은 국민은 그 위법성을 들어 국가배상청구를 할 수 있다.

③ 재결에 대하여 불복절차를 취하지 아니함으로써 그 재결에 대하여 더 이상 다툴 수 없게 된 경우, 그 재결이 당연무효이거나 취소되지 않는 한 기업자가 이미 보상금을 지급받은 자에 대하여 민사소송으로 그 보상금을 부당이득이라 하여 반환을 구할 수 없다.

④-1 일반적으로 행정처분이나 행정심판재결이 불복기간의 경과로 인하여 확정될 경우 그 확정력은, 그 처분으로 인하여 법률상 이익을 침해받은 자가 당해 처분이나 재결의 효력을 더 이상 다툴 수 없다는 의미일 뿐이다.

④-2 즉, 그 확정력에는 판결에 있어서와 같은 기판력이 인정되는 것은 아니어서 그 처분의 기초가 된 사실관계나 법률적 판단이 확정되고 당사자들이나 법원이 이에 기속되어 모순되는 주장이나 판단을 할 수 없게 되는 것은 아니다.

④-3 따라서 산업재해요양보상급여취소처분이 쟁송기간의 경과로 더 이상 다툴 수 없게 된 경우에도 요양급여청구권의 부존재가 확정된 것은 아니므로 다시 요양급여청구를 할 수 있다.

제 6 회 | 옳은 지문

문제 p.115

01

①-1 일반적으로 행정처분이나 행정심판재결이 불복기간의 경과로 인하여 확정될 경우 그 확정력은, 그 처분으로 인하여 법률상 이익을 침해받은 자가 당해 처분이나 재결의 효력을 더 이상 다툴 수 없다는 의미일 뿐이다.

①-2 또한 그 확정력에는 판결에 있어서와 같은 기판력이 인정되는 것은 아니어서 그 처분의 기초가 된 사실관계나 법률적 판단이 확정되고 당사자들이나 법원이 이에 기속되어 모순되는 주장이나 판단을 할 수 없게 되는 것은 아니다.

② 제소기간이 지남으로써 불가쟁력이 발생한 행정행위에 대한 행정심판 및 행정소송의 제기는 부적법한 것으로 각하되나, 처분청은 불가변력이 발생하지 않는 한 처분을 직권취소할 수 있다.

③ 불가변력은 행정행위를 한 행정청이 당해 행정행위를 직권으로 취소 또는 변경할 수 없게 하는 힘으로, 실질적 확정력 또는 실체적 존속력이라고도 한다.

④-1 불가쟁력은 행정행위의 상대방 및 이해관계인에 대한 구속력인 반면, 불가변력은 처분청 등 행정기관에 대한 구속력으로 볼 수 있다.

④-2 성질 면에 있어서는 불가쟁력이 절차법적 효력인 반면, 불가변력은 실체법적 효력이라고도 한다.

02

㉮-1 일반적으로 행정처분이나 행정심판재결이 불복기간의 경과로 인하여 확정될 경우 그 확정력은, 그 처분으로 인하여 법률상 이익을 침해받은 자가 당해 처분이나 재결의 효력을 더 이상 다툴 수 없다는 의미일 뿐이다.

㉮-2 따라서 그 확정력에는 판결에 있어서와 같은 기판력이 인정되는 것은 아니어서 그 처분의 기초가 된 사실관계나 법률적 판단이 확정되고 당사자들이나 법원이 이에 기속되어 모순되는 주장이나 판단을 할 수 없게 되는 것은 아니다.

㉯ 불가변력은 해당 행정행위에만 인정되므로 동종의 행위라도 그 대상을 달리하는 경우에는 인정되지 않는다.

㉰-1 불가변력이 발생한 행위는 처분청이라 할지라도 처분을 직권으로 취소 또는 철회할 수 없다.

㉰-2 행정심판의 재결은 확인행위로서 불가변력이 발생하며 불가변력은 실질적 존속력이라고도 한다.

㉱ 무효인 행정행위는 쟁송제기기간의 제한을 받지 않으므로 불가쟁력이 발생하지 않으며 불가쟁력은 형식적 존속력이라고도 한다.

03

① 무효인 처분에는 공정력이 인정되지 않으므로 민사법원도 공매처분이 무효임을 전제로 판결을 할 수 있다.

②-1 공매처분의 하자가 취소사유라면 취소되기 전까지는 일단 유효하므로, 민사법원은 공정력으로 인해 공매처분의 효력을 부인할 수 없다.

②-2 따라서 소유권이전등기는 법률상 원인이 있는 것(공매처분이 효력이 있다)이 되므로 민사법원은 소유권이전등기말소청구를 기각할 것이다.

③-1 민사법원은 처분의 위법성을 심사할 수는 있다.

③-2 손해배상청구는 처분의 위법성이 인정되면 충분하고 처분이 취소될 필요는 없으므로 공매처분의 위법성을 이유로 손해배상청구소송을 제기하는 경우 민사법원인 수소법원은 손해배상청구를 인용할 수 있다.

④-1 항고소송으로 무효확인소송을 제기하는 경우 무효확인소송의 '보충성'이 요구되는 것은 아니다.

④-2 행정소송법 제35조에 규정된 '무효확인을 구할 법률상 이익'이 있는지를 판단할 때 행정처분의 무효를 전제로 한 이행소송 등과 같은 직접적인 구제수단이 있는지를 따져 볼 필요가 없다.

04

㉮-1 행정처분이 아무리 위법하다고 하여도 그 하자가 중대하고 명백하여 당연무효라고 보아야 할 사유가 있는 경우를 제외하고는 아무도 그 하자를 이유로 그 효과를 부정하지 못하는데, 이를 행정행위의 공정력이라고 한다.

㉮-2 행정기본법에 따르면, 처분은 권한이 있는 기관이 취소 또는 철회하거나 기간의 경과 등으로 소멸되기 전까지는 유효한 것으로 통용된다. 다만, 무효인 처분은 처음부터 그 효력이 발생하지 아니한다.

㉯ 행정행위의 하자가 취소사유에 불과한 때에는 그 처분이 취소되지 않는 한 처분의 효력을 부정하여 그로 인한 이득을 법률상 원인 없는 이득이라고 말할 수 없다.

㉰ 사위 기타 부정한 방법으로 수입면허를 받았다 하더라도 그 수입면허가 당연무효가 아닌 한 관세법 소정의 무면허수입죄가 성립될 수 없다.

㉱ 행정처분의 취소판결이 있어야만 그 행정처분이 위법임을 이유로 손해배상청구를 할 수 있는 것은 아니다.

05

① 민사소송에 있어서 어느 행정처분의 당연무효 여부가 선결문제로 되는 때에는 이를 판단하여 당연무효임을 전제로 판결할 수 있고 반드시 행정소송 등의 절차에 의하여 그 취소나 무효확인을 받아야 하는 것은 아니다.

②-1 요양급여비용청구권과 의사소견서 발급비용청구권은 공단의 지급결정에 의하여 구체적인 권리가 발생한다고 보아야 한다.

②-2 따라서 요양급여비용 지급결정이 취소되지 않았다면, 요양급여비용 지급결정이 당연무효라는 등의 특별한 사정이 없는 한 그 결정에 따라 지급된 요양급여비용이 법률상 원인 없는 이득이라고 할 수 없고, 국민건강보험공단의 요양기관에 대한 요양급여비용 상당 부당이득반환청구권도 성립하지 않는다(의사소견서 발급비용청구권도 마찬가지).

③ 제소기간이 이미 도과하여 불가쟁력이 생긴 행정처분에 대하여는 개별법규에서 그 변경을 요구할 신청권을 규정하고 있거나 관계 법령의 해석상 그러한 신청권이 인정될 수 있는 등 특별한 사정이 없는 이상, 국민에게 그 행정처분의 변경을 구할 신청권이 없다.

④-1 행정행위의 자력집행력(강제력)이란 행정행위에 의해 부과된 의무를 상대방이 이행하지 않는 경우에 행정청이 스스로 강제력을 발동하여 그 의무를 실현시키는 힘을 말한다.

④-2 모든 행정행위가 집행력을 가지는 것이 아니라 개념상 상대방에게 어떤 의무를 부과하는 하명행위에 인정된다.

④-3 자력집행력을 인정하기 위해서는 하명의 근거 외에 별도의 법률적 근거가 필요하다는 것이 통설의 입장이다.

06

① 행정청이 사전환경성검토협의를 거쳐야 할 대상사업에 관하여 법의 해석을 잘못한 나머지 세부용도지역이 지정되지 않은 개발사업부지에 대하여 사전환경성검토협의를 할지 여부를 결정하는 절차를 생략한 채 행한 승인 등의 처분은 그 하자가 중대한 하자라고 할 수 있으나, 객관적으로 명백하다고 할 수는 없어 무효가 아니다.

② 구 학교보건법상 학교환경위생정화구역의 금지행위 및 시설의 해제 여부에 관한 행정처분을 함에 있어 학교환경위생정화위원회의 심의를 누락한 행정처분에는 취소사유가 있다.

③ 「국방·군사시설 사업에 관한 법률」 및 구 산림법에서 보전임지를 다른 용도로 이용하기 위한 사업에 대하여 승인 등 처분을 하기 전에 미리 산림청장과 협의를 하라고 규정한 경우, 그 의미는 자문을 구하라는 것이지 그 의견을 따라 처분을 하라는 의미는 아니므로, 이러한 협의를 거치지 아니한 승인처분은 당연무효가 아니다.

④-1 선행처분인 도시계획시설사업시행자 지정처분이 처분요건을 충족하지 못하여 당연무효인 경우, 후행처분인 도시계획시설사업의 시행자가 작성한 실시계획을 인가하는 처분도 무효이다.

④-2 국토의 계획 및 이용에 관한 법령이 정한 도시계획시설사업의 대상토지의 소유와 동의요건을 갖추지 못하였는데도 사업시행자로 지정한 경우, 하자가 중대하고 명백하다.

07

㉮ 부동산을 양도한 사실이 없는 자에 대한 양도소득세 부과처분은 당연무효이다.

㉯ 적법한 권한위임 없이 세관출장소장이 행한 관세 부과처분은 그 하자가 중대하나 객관적으로 명백하다고 할 수 없어 당연무효는 아니다.

㉰-1 행정청이 어느 법률관계나 사실관계에 대하여 그 법률의 규정을 적용할 수 없다는 법리가 명백히 밝혀져 그 해석에 다툼의 여지가 없음에도 불구하고 행정청이 그 규정을 적용하여 처분을 한 때에는 그 하자가 중대하고 명백하다.

㉰-2 그러나 그 법률관계나 사실관계에 대하여 그 법률의 규정을 적용할 수 없다는 법리가 명백히 밝혀지지 아니하여 그 해석에 다툼의 여지가 있는 때에는 행정관청이 이를 잘못 해석하여 행정처분을 하였더라도 이는 그 처분요건사실을 오인한 것에 불과하여 그 하자가 명백하다고 할 수 없다.

㉰-3 또한 행정청이 법령규정의 문언상 처분요건의 의미가 분명함에도 합리적인 근거 없이 그 의미를 잘못 해석한 결과, 처분요건이 충족되지 아니한 상태에서 해당 처분을 한 경우에는 그 하자가 명백하다.

㉱ 내부위임을 받은 자는 자기의 명의로 처분을 할 권한이 없으므로 내부위임을 받은 자가 자신의 명의로 처분을 한 경우 이는 당연무효이다.

08

㉮ 구 「개발이익환수에 관한 법률」 시행 당시, 납부의무자가 아닌 조합원에 대하여 행한 개발부담금 부과처분은 무효이다.

㉯ 행정절차법에 정한 청문제도의 취지상 행정처분의 근거법령 등에서 청문의 실시를 규정하고 있는 경우 청문절차를 결여한 처분은 위법하나 당연무효인 것은 아니다.

㉰-1 체납자 등에 대한 공매통지는 공매의 절차적 요건에 해당하므로, 체납자 등에게 공매통지를 하지 않았거나 적법하지 않은 공매통지를 한 경우 그 공매처분은 위법하다.

㉰-2 다만, 체납자 등에 대한 공매통지 없이 한 공매처분이 당연무효가 되는 것은 아니다.

㉱ 구 주민등록법에 규정한 최고·공고의 절차를 거치지 아니하고 행한 주민등록말소처분은 무효가 아니다.

09

① 조세채권의 소멸시효기간이 완성된 후에 부과한 과세처분은 무효이다.

② 구 환경영향평가법상 환경영향평가를 실시하여야 할 사업에 대하여 환경영향평가를 거치지 않고 행한 승인 등의 처분은 당연무효이다.

③ 행정청이 아닌 음주운전을 단속한 경찰관 자신의 명의로 행한 운전면허정지처분의 효력은 권한 없는 자의 행위로서 원칙적으로 무효이다.

④ 임면권자가 아닌 국가정보원장이 5급 이상의 국가정보원 직원에 대하여 한 의원면직처분은 당연무효가 아니다.

10

① 입지선정위원회의 구성방법과 절차가 주민대표나 주민대표 추천에 의한 전문가의 참여 없이 이루어지는 등 위법한 경우, 입지선정위원회는 의결기관으로서 그러한 의결에 터 잡아 이루어진 폐기물처리시설 입지결정처분의 하자는 중대한 것이고 객관적으로도 명백하므로 무효사유에 해당한다.

② 신청에 의한 처분의 경우에 신청에 대하여 일단 거부처분이 행해지면 그 거부처분이 적법한 절차에 의하여 취소되지 않는 한, 사유를 추가하여 거부처분을 반복하는 것은 존재하지도 않는 신청에 대한 거부처분으로서 당연무효이다.

③ 어느 법률관계나 사실관계에 대하여 어느 법령의 규정을 적용하여 과세처분을 한 경우에 그 법률관계나 사실관계에 대하여는 그 법령의 규정을 적용할 수 없다는 법리가 명백히 밝혀져서 해석에 다툼의 여지가 없음에도 과세관청이 그 법령의 규정을 적용하여 과세처분을 하였다면 그 하자는 중대하고도 명백하다.

④ 구 환경영향평가법상 환경영향평가를 실시하여야 할 사업에 대하여 환경영향평가를 거쳤으나 그 환경영향평가의 내용이 부실한 경우, 그 부실의 정도가 환경영향평가를 하지 아니한 것과 다를 바 없는 정도의 것이 아닌 이상, 그 부실로 인하여 당연히 당해 승인 등 처분이 위법하게 되는 것은 아니다.

11

① 행정청이 사전에 교통영향평가를 거치지 아니한 채 '건축허가 전까지 교통영향평가 심의필증을 교부받을 것'을 부관으로 붙여서 한 '실시계획변경 승인 및 공사시행변경 인가처분'은 중대하고 명백한 흠이 있다고 할 수 없어 무효로 보기 어렵다.

②-1 절차상의 하자가 있는 경우 그것만으로도 처분은 위법하게 된다.

②-2 경찰공무원에 대한 징계위원회의 심의과정에 감경사유에 해당하는 공적 사항이 제시되지 아니한 경우에는 그 징계양정이 결과적으로 적정한지와 상관없이 이는 관계 법령이 정한 징계절차를 지키지 않은 것으로서 위법하다.

③-1 귀속재산을 불하받은 자가 사망한 후에 그 수불하자에 대하여 한 불하취소처분은 사망자에 대한 행정처분이므로 무효이다.

③-2 다만, 그 취소처분을 수불하자의 상속인에게 송달한 때에는 송달시에 그 상속인에 대하여 다시 그 불하처분을 취소한다는 새로운 행정처분을 한 것이다.

④-1 재결서에 의하지 아니한 행정심판의 재결과 같이, 법률상 문서를 요건으로 하고 있는 행정행위가 그러한 문서에 의하지 아니한 경우에는 무효이다.

④-2 행정절차법 제24조에서는 행정청이 처분을 할 때에는 다른 법령 등에 특별한 규정이 있는 경우를 제외하고는 문서로 하여야 한다고 규정하고 있다.

④-3 담당소방공무원이 행정처분인 소방시설불량사항에 관한 시정보완명령을 건물소유자에게 구술로 고지한 것은 행정절차법 제24조(처분의 방식)를 위반한 것으로 하자가 중대하고 명백하여 당연무효이다.

12

㉮-1 판례에 따르면 예산의 편성에 절차상 하자가 있다는 사정만으로 예산을 집행하는 처분에 취소사유에 이를 정도의 하자가 존재한다고 보기 어렵다.

㉮-2 즉, 국가재정법령에 규정된 예비타당성조사를 실시하지 않은 하자는 원칙적으로 예산 자체의 하자일 뿐이므로, 그로써 곧바로 하천공사시행계획 및 각 실시계획승인처분의 하자가 된다고 할 수 없다.

㉯-1 시·도지사의 인사교류안의 작성과 그에 의한 인사교류의 권고가 선행되지 아니하면 인사교류를 실시할 수 없다.

㉯-2 도지사의 인사교류안의 작성과 그에 따른 인사교류의 권고가 전혀 이루어지지 않은 상태에서 행하여진 인사교류로서 타 지방공무원으로 전출을 명한 처분은 그 하자가 중대한 것으로서 객관적으로 명백하여 당연무효라 할 것이다.

㉰ 과세관청이 과세예고통지 후 과세전적부심사청구나 그에 대한 결정이 있기 전에 과세처분을 한 경우, 원칙적으로 절차상 하자가 중대·명백하여 과세처분은 무효가 된다.

㉱ 소청심사위원회가 소청 사건을 심사할 때에는 소청인 또는 대리인에게 진술 기회를 주어야 하는데 진술 기회를 주지 않고 내린 결정은 무효로 한다.

13

①-1 원칙적으로 하자 있는 행정행위의 치유는 행정행위의 성질이나 법치주의의 관점에서 볼 때 허용되지 않는다.

①-2 예외적으로 행정행위의 무용한 반복을 피하고 당사자의 법적 안정성을 위해 이를 허용하는 때에도 국민의 권리나 이익을 침해하지 않는 범위에서 구체적 사정에 따라 합목적적으로 인정하여야 한다.

② 하자 있는 행정행위라도 하자가 이미 치유되었거나 다른 적법한 행위로 전환된 경우에는 취소의 대상이 되지 않는다.

③-1 판례는 이유제시(부기)의 하자치유와 관련하여 늦어도 처분에 대한 불복 여부의 결정 및 불복신청에 편의를 줄 수 있는 상당한 기간 내에 하여야 한다고 보고 있는바, 쟁송제기전설을 취하고 있다.

③-2 과세처분의 세액산출근거가 누락된 하자가 있었던 경우, 상고심의 계류 중에 세액산출근거의 통지가 있었다고 하여도 이로써 과세처분의 하자가 치유될 수는 없다.

④-1 면허취소처분을 하는 경우 처분의 근거와 위반사실을 적시해야 하며, 이를 빠뜨린 경우 위법하다.

④-2 취소처분의 근거와 위반사실의 적시를 빠뜨린 하자는 피처분자가 처분 당시 그 취지를 알고 있었다거나 그 후 알게 되었다 하여도 치유될 수 없다.

14

① 과세관청이 과세처분에 앞서 납세자에게 보낸 세무조사결과통지 등에 납세고지서의 필요적 기재사항이 제대로 기재되어 있어 납세의무자가 처분에 대한 불복 여부의 결정 및 불복신청에 전혀 지장을 받지 않았음이 명백하다면, 이로써 납세고지서의 하자가 보완되거나 치유될 수 있다.

② 재건축조합설립인가처분 당시 토지소유자 등의 동의율을 충족하지 못한 하자는 후에 토지소유자 등의 추가동의서가 제출되었다는 사정만으로 치유될 수 없다.

③ 행정청이 청문서 도달기간을 다소 어겼다 하더라도 영업자가 이에 대하여 이의하지 아니한 채 스스로 청문일에 출석하여 그 의견을 진술하고 변명하는 등 방어의 기회를 충분히 가졌다면 청문서 도달기간을 준수하지 아니한 하자는 치유되었다고 봄이 상당하다.

④-1 무효인 처분에 대해서는 하자의 치유가 인정되지 않는다.

④-2 징계처분이 중대하고 명백한 흠 때문에 당연무효의 것이라면 징계처분을 받은 자가 이를 용인하였다 하여 그 흠이 치유되는 것은 아니다.

15

①-1 판례는 하명처분과 집행처분 사이에는 하자의 승계를 인정하지 않고, 집행처분이나 징수처분 사이에는 하자의 승계를 인정하고 있다.

①-2 이행강제금은 시정명령 자체의 이행을 목적으로 하므로 시정명령과 이행강제금 부과처분 사이에는 하자가 승계된다고 보아야 한다.

②-1 2개 이상의 후행처분이 연속적 또는 단계적으로 이루어지는 경우 선행처분과 후행처분이 서로 합하여 1개의 법률효과를 완성할 때에는 선행처분에 하자가 있으면 그 하자는 후행처분에 승계된다.

②-2 이러한 경우에는 선행처분에 불가쟁력이 생겨 그 효력을 다툴 수 없게 되더라도 선행처분의 하자를 이유로 후행처분의 효력을 다툴 수 있다.

③-1 선행처분과 후행처분이 서로 독립하여 별개의 법률효과를 발생시키는 경우에는 선행처분에 불가쟁력이 생겨 그 효력을 다툴 수 없게 되면 선행처분의 하자가 중대하고 명백하여 선행처분이 당연무효인 경우를 제외하고는 원칙적으로 특별한 사정이 없는 한 선행처분의 하자를 이유로 후행처분의 효력을 다툴 수 없다.

③-2 다만, 그 경우에도 선행처분의 불가쟁력이나 구속력이 그로 인하여 불이익을 입게 되는 자에게 수인한도를 넘는 가혹함을 가져오고, 그 결과가 당사자에게 예측 가능한 것이 아니라면, 국민의 재판받을 권리를 보장하고 있는 헌법의 이념에 비추어 선행처분의 후행처분에 대한 구속력을 인정할 수 없다.

④-1 선행행위가 무효인 경우에는 당사자는 선행행위의 무효를 언제나 주장할 수 있고 또한 선행행위의 무효는 당연히 후행행위에 승계되어 후행행위도 무효로 된다.

④-2 적법한 건축물에 대한 철거명령은 당연무효이고, 그 후행행위인 대집행계고처분 역시 당연무효이다.

16

㉮ 개별토지가격결정에 대하여 한 재조사청구에 따른 감액 조정에 대하여 더 이상 다투지 아니한 경우, 이를 기초로 한 양도소득세 부과처분 취소소송에서 다시 개별토지가격결정의 위법을 당해 과세처분의 위법사유로 주장할 수 없다.

㉯ 개별공시지가결정과 이에 근거한 개발부담금 부과처분 사이에는 하자의 승계가 인정된다.

㉰ 건물철거명령과 같이 의무를 명하는 행위와 계고 간에는 의무 부과행위가 당연무효가 아닌 한 하자의 승계가 인정되지 않는다는 것이 통설과 판례의 입장이다.

㉱ 수용보상금의 증액을 구하는 소송에서 선행처분으로서 그 수용대상 토지가격 산정의 기초가 된 비교표준지공시지가결정의 위법을 독립한 사유로 주장할 수 있다.

17

㉮ 도시계획결정과 수용재결처분 사이에는 하자의 승계가 인정되지 않는다.

㉯ 보충역편입처분과 공익근무요원소집처분 사이에는 하자의 승계가 인정되지 않는다.

㉰ 선행처분인 소득금액변동통지에 하자가 존재하더라도 당연무효사유에 해당하지 않는 한 후행처분인 징수처분에 그대로 승계되지 않는다.

㉱ 「도시 및 주거환경정비법」상 사업시행계획에 관한 취소사유인 하자는 관리처분계획에 승계되지 않는다.

㉲ 공인중개사업무정지처분과 업무정지기간 중의 중개업무를 사유로 한 중개사무소의 개설등록취소처분은 하자가 승계되지 않는다.

18

①③-1 처분 후 처분의 근거법률에 대해 위헌결정이 있는 경우, 행정처분의 하자는 헌법재판소의 위헌결정이 있기 전에는 객관적으로 명백한 것이라고 할 수는 없으므로 취소사유에 불과할 뿐 당연무효는 아니다.

①③-2 한편, 법률에 대해 위헌결정이 내려진 후에 이러한 법률을 근거로 행정처분이 행해진 경우에는 이러한 행정처분은 하자가 중대하고 명백하여 당연무효가 된다.

② 헌법재판소는 행정처분 자체의 효력이 쟁송기간 경과 후에도 존속 중인 경우, 그 행정처분이 위헌법률에 근거한 것이고 그 목적 달성을 위해 필요한 후행 행정처분이 아직 이루어지지 않았다면 그 하자가 중대하여 구제가 필요한 경우에는 쟁송기간 경과 후라도 무효확인을 구할 수 있다고 본다.

④ 조세 부과의 근거가 되었던 법률규정이 위헌으로 선언된 경우, 비록 그에 기한 과세처분이 위헌결정 전에 이루어졌고, 과세처분에 대한 제소기간이 이미 경과하여 조세채권이 확정되었으며, 조세채권의 집행을 위한 체납처분의 근거규정 자체에 대하여는 따로 위헌결정이 내려진 바 없다고 하더라도, 위헌결정 이후에 조세채권의 집행을 위한 새로운 체납처분에 착수하거나 이를 속행하는 것은 더 이상 허용되지 않고 나아가 이러한 위헌결정의 효력에 위배하여 이루어진 체납처분은 그 사유만으로 하자가 중대하고 객관적으로 명백하여 당연무효라고 보아야 한다.

19

㉮-1 법적 안정성의 유지나 당사자의 신뢰보호를 위하여 불가피한 경우에는 위헌결정의 소급효가 제한된다.

㉮-2 위헌결정의 효력은 그 미치는 범위가 무한정일 수는 없고 다른 법리에 의하여 그 소급효를 제한하는 것까지 부정되는 것은 아니다.

㉯-1 대법원에 따르면 위헌결정의 효력은 그 결정 이후에 당해 법률이 재판의 전제가 되었음을 이유로 법원에 제소된 일반사건에도 미친다.

㉯-2 다만, 이미 취소소송의 제기기간을 경과하여 확정력(불가쟁력)이 발생한 행정처분에는 위헌결정의 소급효가 미치지 않는다.

㉰ 헌법재판소의 위헌결정의 효력은 ㉠ 위헌제청을 한 당해 사건은 물론 ㉡ 위헌제청신청은 아니하였지만 당해 법률 또는 법률의 조항이 재판의 전제가 되어 법원에 계속 중인 사건뿐만 아니라, ㉢ 위헌결정 이후에 위와 같은 이유로 제소된 일반사건에도 미친다.

㉱-1 위헌법률에 기한 행정처분의 집행이나 집행력을 유지하기 위한 행위는 위헌결정의 기속력에 위반되어 허용되지 않는다.

㉱-2 조세 부과의 근거가 되었던 법률규정이 위헌으로 선언된 경우, 조세채권의 집행을 위한 체납처분의 근거규정 자체에 대하여는 따로 위헌결정이 내려진 바 없다고 하더라도, 위헌결정 이후에 조세채권의 집행을 위한 새로운 체납처분에 착수하거나 이를 속행하는 것은 더 이상 허용되지 않는다.

㉱-3 과세처분 이후 조세부과의 근거가 되었던 법률규정에 대하여 위헌결정이 내려진 경우, 그 조세채권의 집행을 위한 체납처분(현 강제징수)은 당연무효가 된다.

20

㉮-1 행정청은 적법한 처분이 ㉠ 법률에서 정한 철회사유에 해당하게 된 경우, ㉡ 법령 등의 변경이나 사정변경으로 처분을 더 이상 존속시킬 필요가 없게 된 경우, ㉢ 중대한 공익을 위하여 필요한 경우에는 그 처분의 전부 또는 일부를 장래를 향하여 철회할 수 있다.

㉮-2 행정청은 처분을 철회하려는 경우에는 철회로 인하여 당사자가 입게 될 불이익을 철회로 달성되는 공익과 비교·형량하여야 한다.

㉯ 당사자가 처분의 위법성을 알고 있었거나 중대한 과실로 알지 못한 경우, 행정청이 그 처분을 취소하기 위하여 취소로 인하여 당사자가 입게 될 불이익을 취소로 달성되는 공익과 비교·형량하지 않아도 된다.

㉰-1 수익적 행정처분을 취소 또는 철회하는 경우에는 비록 취소 등의 사유가 있다고 하더라도 기득권의 침해를 정당화할 만한 중대한 공익상의 필요 또는 제3자의 이익보호의 필요가 있는 때에 한하여 상대방이 받는 불이익과 비교·교량하여 결정하여야 한다.

㉰-2 수익적 행정처분을 취소 또는 철회하는 처분으로 인하여 공익상의 필요보다 상대방이 받게 되는 불이익 등이 막대한 경우에는 재량권의 한계를 일탈한 것으로서 그 자체가 위법하다.

㉱ 부담적 행정행위의 철회는 상대방에게 이익을 가져다주는 것이므로 원칙적으로 특별한 제한 없이 자유롭다.

21

① 처분에 대한 취소소송이 진행 중이라도 그 부과권자로서는 위법한 처분을 스스로 취소하고 그 하자를 보완하여 다시 적법한 부과처분을 할 수도 있다.

② 행정청이 직권취소를 할 수 있다는 사정만으로 이해관계인인 제3자에게 행정청에 대한 직권취소청구권이 부여된 것으로 볼 수 없다.

③ 수익적 행정처분에 대한 취소권 등의 행사는 기득권의 침해를 정당화할 만한 중대한 공익상의 필요 또는 제3자의 이익보호의 필요가 있는 때에 한하여 허용될 수 있다는 법리는, 처분청이 수익적 행정처분을 직권으로 취소·철회하는 경우에 적용되는 법리일 뿐 쟁송취소의 경우에는 적용되지 않는다.

④ 건축허가가 취소되기 전에 공사에 착수하였다면 허가권자는 그 착수기간이 지났다고 하더라도 건축허가를 취소하여야 할 특별한 공익상 필요가 인정되지 않는 한 건축허가를 취소할 수 없다.

22

㉮ 권한 없는 행정기관이 한 당연무효인 행정처분을 취소할 수 있는 권한은 해당 행정처분을 한 처분청이 가지고, 당해 행정처분을 할 수 있는 적법한 권한을 가지는 행정청에 그 취소권이 귀속되는 것이 아니다.

㉯ 산업재해보상보험법상 각종 보험급여지급결정을 변경 또는 취소하는 처분이 적법한 경우, 그에 터 잡은 징수처분도 적법하다고 판단하여야 하는 것은 아니다.

㉰ 과세관청이 조세 부과의 취소를 다시 취소함으로써 원부과처분을 소생시킬 수 없다.

㉱-1 광업권취소처분 후 새로운 이해관계인이 생기기 전에는 취소처분을 취소하여 광업권을 회복시킬 수 있다.

㉱-2 광업권취소처분을 한 후 광업권 설정의 선출원이 있는 경우에는 취소처분을 취소하여 광업권을 복구시키는 조치는 적법하지 않다.

㉲ 운전면허취소처분을 받은 후 자동차를 운전하였으나 운전면허취소처분이 행정쟁송절차에 의하여 취소된 경우, 무면허운전이 성립되지 않는다.

23

① 처분청은 별도의 법적 근거가 없더라도 처분을 직권으로 취소할 수 있다. 이는 수익적 행정행위의 경우에도 마찬가지이다.

② 처분청은 별도의 법적 근거가 없다 하더라도 원래의 처분을 그대로 존속시킬 필요가 없게 된 사정변경이 생겼거나 또는 중대한 공익상의 필요가 발생한 경우에는 행정행위를 철회하거나 변경할 수 있다는 것이 판례의 입장이다.

③ 행정행위의 직권취소와 철회는 행정청의 의사표시가 필요하나, 행정행위의 실효는 행정청의 의사표시와 무관하게 당연히 효력이 소멸한다.

④-1 행정행위의 취소는 일단 유효하게 성립한 행정행위를 그 행정행위의 성립 당시에 존재하였던 하자가 있음을 이유로 소급하여 그 효력을 소멸시키는 별도의 행정처분이다.

④-2 행정행위의 철회는 적법요건을 구비하여 완전히 효력을 발하고 있는 행정행위가 성립된 이후에 새로이 발생한 철회사유를 이유로 그 행위의 효력의 전부 또는 일부를 장래에 향해 소멸시키는 행정처분이다.

④-3 행정행위의 취소사유는 행정행위의 성립 당시에 존재하였던 하자를 말하고, 철회사유는 행정행위가 성립된 이후에 새로이 발생한 것으로서 행정행위의 효력을 존속시킬 수 없는 사유를 말한다.

24

㉮ 도로점용허가는 일반사용과 별도로 도로의 특정 부분에 대하여 특별사용권을 설정하는 설권행위로서 재량행위이다.

㉯㉰-1 도로점용허가 중 특별사용의 필요가 없는 부분은 위법하다. 이러한 경우 도로점용허가를 한 도로관리청은 위와 같은 흠이 있다는 이유로 유효하게 성립한 도로점용허가 중 특별사용의 필요가 없는 부분을 직권취소할 수 있음이 원칙이다.

㉯㉰-2 이 경우 행정청이 소급적 직권취소를 하려면 이를 취소하여야 할 공익상 필요와 그 취소로 인하여 당사자가 입을 기득권 및 신뢰보호와 법률생활 안정의 침해 등 불이익을 비교·교량한 후 공익상 필요가 당사자의 기득권 침해 등 불이익을 정당화할 수 있을 만큼 강한 경우여야 한다.

㉯㉰-3 도로관리청이 도로점용허가 중 특별사용의 필요가 없는 부분을 소급적으로 직권취소하였다면, 도로관리청은 이미 징수한 점용료 중 취소된 부분의 점용면적에 해당하는 점용료를 반환하여야 한다.

㉱㉲-1 행정청은 행정소송이 계속되고 있는 때에도 직권으로 그 처분을 변경할 수 있다.

㉱㉲-2 점용료 부과처분에 취소사유에 해당하는 흠이 있는 경우 도로관리청으로서는 당초 처분 자체를 취소하고 흠을 보완하여 새로운 부과처분을 하거나, 흠 있는 부분에 해당하는 점용료를 감액하는 처분을 할 수 있다.

㉱㉲-3 흠 있는 부분에 해당하는 점용료를 감액하는 처분은 당초 처분 자체를 일부취소하는 변경처분에 해당하고, 그 실질은 종래의 위법한 부분을 제거하는 것으로서 흠의 치유와는 차이가 있다.

25

①-1 건축허가는 대물적 성질을 갖는 것이어서 행정청으로서는 허가를 할 때에 건축주 또는 토지소유자가 누구인지 등 인적 요소에 관하여는 형식적 심사만 한다.

①-2 건축주가 토지소유자로부터 토지사용승낙서를 받아 토지 위에 건축물을 건축하는 대물적 성질의 건축허가를 받았다가 착공 전 건축주의 귀책사유로 해당 토지를 사용할 권리를 상실한 경우, 토지소유자가 건축허가의 철회를 신청할 수 있으며, 따라서 토지소유자의 건축허가 철회신청을 거부한 행위는 항고소송의 대상이 된다.

② 체육지도자가 금고 이상의 형의 집행유예를 선고받은 후 집행유예기간이 경과하는 등의 사유로 자격취소처분 이전에 결격사유가 해소된 경우에도 행정청은 체육지도자의 자격을 취소하여야 한다.

③ 행정청이 평가인증이 이루어진 이후에 새로이 발생한 사유를 들어 영유아보육법 제30조 제5항에 따라 평가인증을 철회하는 처분을 하면서도, 평가인증의 효력을 과거로 소급하여 상실시키기 위해서는, 특별한 사정이 없는 한 영유아보육법 제30조 제5항과는 별도의 법적 근거가 필요하다.

④ 부담부 행정행위에 있어서 처분의 상대방이 부담을 이행하지 아니한 경우에 처분행정청으로서는 당해 처분을 철회할 수 있다.

제 7 회 | 옳은 지문

01

① 어업권면허에 선행하는 우선순위결정은 행정청이 우선권자로 결정된 자의 신청이 있으면 어업권면허처분을 하겠다는 것을 약속하는 행위로서 강학상 확약에 불과하고 행정처분은 아니어서 공정력이나 불가쟁력과 같은 효력은 인정되지 않는다.
② 행정청은 확약을 한 후에 확약의 내용을 이행할 수 없을 정도로 법령 등이나 사정이 변경되었거나 확약이 위법하여 확약을 이행할 수 없는 경우에는 지체 없이 당사자에게 그 사실을 통지하여야 한다.
③ 행정청은 다른 행정청과의 협의 등의 절차를 거쳐야 하는 처분에 대하여 확약을 하려는 경우에는 확약을 하기 전에 그 절차를 거쳐야 한다.
④ 확약은 문서로 하여야 한다.

02

① 확약을 허용하는 명문규정이 없더라도 본처분권한에 확약에 대한 권한이 포함되어 있다고 보아 별도의 명문규정이 없더라도 확약을 할 수 있다는 것이 다수설의 입장이다.
② 어업권면허에 선행하는 우선순위결정은 강학상 확약에 불과하고 행정처분은 아니다.
③ 행정청의 확약 또는 공적인 의사표명이 있은 후 사실적·법률적 상태가 변경되었다면 확약은 행정청의 별다른 의사표시를 기다리지 않고 실효된다.
④ 우선순위결정이 잘못되었다는 이유로 종전의 어업권면허처분이 취소되면 행정청은 종전의 우선순위결정을 무시하고 다시 우선순위를 결정한 다음 새로운 우선순위결정에 기하여 새로운 어업권면허를 할 수 있다.

03

①② 행정청은 확약을 한 후에 확약의 내용을 이행할 수 없을 정도로 법령 등이나 사정이 변경된 경우 또는 확약이 위법한 경우에는 확약에 기속되지 않는다.
③ 행정청이 상대방에게 장차 어떤 처분을 하겠다고 확약 또는 공적인 의사표명을 하였다고 하더라도, 그 자체에서 상대방으로 하여금 언제까지 처분의 발령을 신청하도록 유효기간을 두었는데도 그 기간 내에 상대방의 신청이 없었다거나 확약 또는 공적인 의사표명이 있은 후에 사실적·법률적 상태가 변경되었다면, 그와 같은 확약 또는 공적인 의사표명은 행정청의 별다른 의사표시를 기다리지 않고 실효된다.
④ 재량행위는 물론 기속행위도 법적 근거 없이 확약이 가능하다는 것이 통설의 입장이다.

04

㉮-1 가행정행위는 불가변력이 발생하지 않기 때문에 신뢰보호의 원칙이 적용된다고 보기 어렵다.
㉮-2 가행정행위는 침해행정뿐만 아니라 보조금 지급과 같은 급부행정 영역에도 행해질 수 있다.
㉯-1 폐기물처리업의 허가에 앞서 행하는 사업계획서에 대한 적정·부적정통보는 행정처분에 해당한다.
㉯-2 폐기물관리법상의 사업계획에 대한 적정통보가 있는 경우 폐기물사업의 허가단계에서는 나머지 허가요건만을 심사한다(예비결정의 구속력을 긍정한 판례).
㉰ 사전결정(예비결정)은 비록 제한적인 효력을 가지지만 상대방의 권리·의무에 영향을 주는 법적 효과를 가진다는 점에서 그 자체로 하나의 완결된 행정행위라는 것이 통설이다.
㉱-1 주택건설사업계획승인은 재량행위로서 주택건설사업계획의 사전결정이 있다 하더라도 여전히 재량행위이다.
㉱-2 주택건설사업계획승인을 함에 있어 비록 사전결정을 하였다고 하더라도 사전결정에 기속되지 않고 사익과 공익을 비교·형량하여 그 승인 여부를 결정할 수 있다(예비결정의 구속력을 부정한 판례).
㉲-1 원자력법(현 원자력안전법) 소정의 부지사전승인처분은 그 자체로서 독립한 행정처분이다.
㉲-2 그러나 부지사전승인처분 후 건설허가처분이 있게 되면 부지사전승인처분은 건설허가처분에 흡수되어 독립된 존재가치를 상실함으로써 건설허가처분만이 소송의 대상이 된다.

05

① 이미 고시된 실시계획에 포함된 상세계획으로 관리되는 토지 위의 건물의 용도를 상세계획 승인권자의 변경승인 없이 임의로 판매시설에서 상세계획에 반하는 일반목욕장으로 변경한 사안에서, 행정청이 그 영업신고를 수리하지 않고 영업소를 폐쇄한 처분은 적법하다.
② 국·공립대학의 총장직선제 개선 여부를 재정지원 평가요소로 반영하고 이를 개선하지 않을 경우 다음 연도에 지원금을 삭감 또는 환수하도록 규정한 교육부장관의 '대학교육역량강화사업 기본계획'은 헌법소원의 대상이 되는 공권력 행사에 해당하지 않는다.
③ 환지계획인가 후에 수정하고자 하는 내용에 대하여 토지소유자 등 이해관계인의 공람절차를 다시 거치지 아니한 채 수정된 내용에 따라 한 환지예정지지정처분은 당연무효이다.
④ 도시관리계획결정·고시와 그 도면에 특정 토지가 도시관리계획에 포함되지 않았음이 명백한데도 도시관리계획을 집행하기 위한 후속 계획이나 처분에서 그 토지가 도시관리계획에 포함된 것처럼 표시되어 있는 경우, 이것은 실질적으로 도시관리계획결정을 변경하는 것에 해당하여 구 「국토의 계획 및 이용에 관한 법률」에서 정한 도시관리계획변경절차를 거치지 않는 한 당연무효이다.

06

㉮ 환지계획은 환지예정지 지정이나 환지처분의 근거가 될 뿐 그 자체가 직접 토지소유자 등의 법률상 지위를 변동시키거나 또는 환지예정지 지정이나 환지처분과는 다른 고유한 법률효과를 수반하는 것이 아니어서 항고소송의 대상이 되는 처분에 해당하지 않는다.

㉯ 구「도시 및 주거환경정비법」에 따른 주택재건축정비사업조합이 행정주체의 지위에서 수립한 사업시행계획이 인가·고시를 통해 확정된 경우, 이는 이해관계인에 대한 구속적 행정계획으로서 독립된 행정처분에 해당한다.

㉰-1 구 도시계획법(현「국토의 계획 및 이용에 관한 법률」) 소정의 도시기본계획은 도시계획입안의 지침이 되는 것에 불과할 뿐 일반국민에 대한 직접적인 구속력이 없다.

㉰-2 구 도시계획법 및 지방자치단체의 도시계획조례에서 말하는 도시기본계획은 행정청에 대한 직접적인 구속력이 없다.

㉱ 도시계획의 입안에 있어 공고 및 공람절차에 하자가 있는 도시계획결정은 위법하다.

07

㉮ 일정한 행정처분을 구하는 신청을 할 수 있는 법률상 지위에 있는 자의 국토이용계획변경신청을 거부하는 것이 실질적으로 당해 행정처분 자체를 거부하는 결과가 되는 경우에는 예외적으로 그 신청인에게 국토이용계획변경을 신청할 권리가 인정된다.

㉯ 장기미집행 도시계획시설결정의 실효제도는 입법자가 새로운 제도를 마련함에 따라 얻게 되는 법률에 기한 권리일 뿐 헌법상 재산권으로부터 당연히 도출되는 권리는 아니다.

㉰-1 산업단지개발계획상 산업단지 안의 토지소유자로서 산업단지개발계획에 적합한 시설을 설치하여 입주하려는 자에게 산업단지지정권자 또는 그로부터 권한을 위임받은 기관에 대하여 산업단지개발계획의 변경을 요청할 수 있는 법규상 또는 조리상 신청권이 있다.

㉰-2 이러한 신청에 대한 거부행위는 항고소송의 대상이 되는 행정처분에 해당한다.

㉱-1 '권한 있는' 행정청이 수립한 후행 도시계획에 선행 도시계획과 서로 양립할 수 없는 내용이 포함되어 있다면 특별한 사정이 없는 한 선행 도시계획은 후행 도시계획과 같은 내용으로 변경된 것으로 볼 수 있다.

㉱-2 후행 도시계획의 결정을 하는 행정청이 선행 도시계획의 결정·변경 등에 관한 '권한을 가지고 있지 아니한 경우' 선행 도시계획과 양립할 수 없는 내용이 포함된 후행 도시계획결정은 무효이다.

08

①-1 구 도시계획법 소정의 도시기본계획은 도시계획입안의 지침이 되는 것에 불과할 뿐 일반국민에 대한 직접적인 구속력은 없다.

①-2 구 도시계획법 및 지방자치단체의 도시계획조례에서 말하는 도시기본계획은 행정청에 대한 직접적인 구속력은 없다.

② 도시기본계획은 국민에 대해서 직접적인 구속력이 없으므로 처분이 아니다.

③-1 행정계획이 행정활동의 지침으로서만의 성격에 그치거나 행정조직 내부에서의 효력만을 가질 때에는 항고소송의 대상이 되는 처분에 해당하지 않는다.

③-2 '4대강 살리기 마스터플랜' 등은 행정기관 내부에서 사업의 기본방향을 제시하는 계획일 뿐 국민의 권리·의무에 직접 영향을 미치는 것이 아니어서, 행정처분에 해당하지 않는다.

④-1 행정계획에 광범위한 형성의 자유, 즉 계획재량이 인정된다 하더라도 이러한 재량 역시 법령 등을 위반할 수가 없으며, 공익과 사익 간, 공익 상호 간 및 사익 상호 간의 정당한 비교·교량(형량)이 행해질 것이 요구되는데, 이를 형량명령이라 한다.

④-2 행정주체가 구체적인 행정계획을 입안·결정할 때 가지는 형성의 자유의 한계에 관한 법리(형량명령)는 주민의 입안제안 또는 변경신청을 받아들여 도시관리계획결정을 하거나 도시계획시설을 변경할 것인지를 결정할 때에도 동일하게 적용된다.

09

㉮ 행정청이 적법한 절차를 거쳐 도시계획결정 등의 처분을 하였다고 하더라도 이를 관보에 게재하여 고시하지 아니한 이상 대외적으로는 아무런 효력이 발생하지 아니한다.

㉯-1 도시계획구역 내 토지 등을 소유하고 있는 사람과 같이 도시계획시설결정에 이해관계가 있는 주민에게는 도시계획시설입안권자에게 도시시설계획의 입안 내지 변경을 요구할 수 있는 법규상 또는 조리상의 신청권이 있다.

㉯-2 이러한 신청에 대한 거부행위는 항고소송의 대상이 되는 행정처분에 해당한다.

㉰-1 행정주체가 가지는 이와 같은 형성의 자유는 무제한적인 것이 아니라 그 행정계획에 관련되는 자들의 이익을 공익과 사익 사이에서는 물론이고 공익 상호 간과 사익 상호 간에도 정당하게 비교·형량하여야 한다는 제한이 있는 것이고, 행정주체가 행정계획을 입안·결정함에 있어서 이익형량을 전혀 행하지 아니하거나, 이익형량의 고려대상에 마땅히 포함시켜야 할 사항을 누락한 경우 또는 이익형량을 하였으나 정당성과 객관성이 결여된 경우에는 그 행정계획결정은 형량에 하자가 있어 위법하다.

㉰-2 행정주체가 행정계획을 입안·결정함에 있어서 이익형량을 전혀 행하지 아니하거나 이익형량의 고려대상에 마땅히 포함시켜야 할 사항을 누락한 경우 또는 이익형량을 하였으나 정당성·객관성이 결여된 경우에는 그 행정계획결정은 재량권을 일탈·남용한 것으로서 위법하다.

㉱ 비구속적 행정계획안이나 행정지침이라도 국민의 기본권에 직접적으로 영향을 끼치고, 앞으로 법령의 뒷받침에 의하여 그대로 실시될 것이 틀림없을 것으로 예상될 수 있을 때에는, 공권력행위로서 예외적으로 헌법소원의 대상이 될 수 있다.

10

㉮-1 행정청은 법령 등을 위반하지 아니하는 범위에서 행정목적을 달성하기 위하여 필요한 경우에는 공법상 법률관계에 관한 계약(공법상 계약)을 체결할 수 있다.

㉮-2 이 경우 계약의 목적 및 내용을 명확하게 적은 계약서를 작성하여야 한다.

㉯ 공법상 계약의 경우 행정주체(국가, 공공단체 등)와 사인 간에 성립하는 형태가 일반적이나, 국가와 공공단체 또는 공공단체 상호 간에 특정 행정사무의 처리를 위해 합의하는 행정주체 간의 계약도 가능하다.

㉰-1 KAI(한국항공우주산업)와 체결한 '한국형 헬기 개발사업에 대한 물품·용역협약'은 공법상 계약이다.
㉰-2 국가 산하 중앙행정기관인 방위사업청과 개발협약을 체결한 상대방이 협약을 이행하는 과정에서 환율변동 및 물가상승 등 외부적 요인으로 발생한 초과비용지급에 대한 소송은 행정소송에 의한다.
㉱ 지방자치단체가 사인과 체결한 시설(자원회수시설) 위탁운영협약은 지방자치단체가 사인인 회사 등에 자원회수시설의 운영을 위탁하고 그 위탁운영비용을 지급하는 것을 내용으로 하는 용역계약으로서 상호 대등한 입장에서 당사자의 합의에 따라 체결한 사법상 계약에 해당한다.

11

㉮ 행정청이 자신과 상대방 사이의 법률관계를 일방적인 의사표시로 종료시켰다고 하더라도 곧바로 의사표시가 행정청으로서 공권력을 행사하여 행하는 행정처분이라고 단정할 수는 없다.
㉯ 중소기업 정보화지원사업을 위한 협약의 해지 및 그에 따른 환수통보는 공법상 계약에 따라 행정청이 대등한 당사자의 지위에서 하는 의사표시로 보아야 하고, 이를 행정처분에 해당한다고 볼 수는 없다.
㉰ 지방계약직 공무원에 대하여 특별한 약정이 없는 한 지방공무원법 등에 정한 징계절차에 의하지 않고 보수를 삭감할 수 없다.
㉱ 민간투자사업상 실시협약은 공법상 계약이다.

12

㉮ 행정절차법은 공법상 계약에 관한 규정을 두고 있지 않으나 행정기본법은 공법상 계약에 관한 일반조항을 두고 있다.
㉯ 시립무용단원의 해촉은 공법상 계약의 해지이므로 공법상 당사자소송으로 무효확인을 청구할 수 있다.
㉰-1 법률우위의 원칙은 행정의 전 영역에 적용되므로 공법상 계약에도 법률우위의 원칙은 적용된다.
㉰-2 다만, 법률유보의 원칙은 공법상 계약에 적용되지 않으므로 공법상 계약은 법률의 근거가 없어도 가능하다는 것이 행정기본법 제정 전의 일반적 견해였다.
㉰-3 행정기본법에 따르면 행정청은 법령 등을 위반하지 아니하는 범위에서 행정목적을 달성하기 위하여 필요한 경우에는 공법상 법률관계에 관한 계약(이하 '공법상 계약'이라 한다)을 체결할 수 있다. 이 경우 계약의 목적 및 내용을 명확하게 적은 계약서를 작성하여야 한다.
㉱-1 공법상 계약의 경우 적어도 계약당사자의 일방은 행정주체이어야 하며, 행정주체에는 공무를 수탁받은 사인도 포함된다.
㉱-2 순수 사인 간의 공법상 계약은 개념상 성립하기 어렵다.
㉲ 행정청은 공법상 계약의 상대방을 선정하고 계약내용을 정할 때 공법상 계약의 공공성과 제3자의 이해관계를 고려하여야 한다.

13

㉮ 지방전문직 공무원 채용계약에서 정한 채용기간이 만료한 경우 채용계약을 갱신하거나 채용기간을 연장할 것인지 여부는 지방자치단체장의 재량이다.

㉯-1 공법상 계약은 행정행위와는 달리 공정력이 인정되지 않는다.
㉯-2 하자 있는 공법상 계약은 무효라는 것이 다수설의 입장이다.
㉰ 계약직 공무원에 대한 채용계약해지의 의사표시는 행정처분이 아니므로 행정처분과 같이 행정절차법에 의하여 근거와 이유를 제시하여야 하는 것은 아니다.
㉱-1 공법상 계약에는 공정력이 인정되지 않는다.
㉱-2 공법상 계약은 자력집행력이 없으므로 상대방의 의무불이행이 있더라도 원칙적으로 행정청은 스스로 의무를 실현할 수는 없고 법원의 판결을 받아 계약내용을 실현할 수 있다.

14

①-1 행정기본법은 "행정청은 법률로 정하는 바에 따라 완전히 자동화된 시스템(인공지능기술을 적용한 시스템을 포함한다)으로 처분을 할 수 있다."라고 하여 자동적 처분을 규정하였다.
①-2 다만, 행정기본법은 "처분에 재량이 있는 경우는 그러하지 아니하다."라고 하여 기속행위의 경우에만 자동적 처분이 허용됨을 규정하고 있다.
② 종전의 영업을 자진폐업한 이상 행정행위는 실효되었으므로 이후에 다시 영업허가신청을 하는 것은 새로운 영업허가의 신청이다.
③ 마약류수용자에 대한 소변채취는 권력적 사실행위로서 헌법소원의 대상이 되는 공권력 행사에 해당한다.
④ 공정거래위원회가 부당한 공동행위를 한 사업자에게 과징금 부과처분(선행처분)을 한 뒤, 다시 자진신고 등을 이유로 과징금 감면처분(후행처분)을 한 경우 선행처분은 후행처분에 흡수되어 소멸하므로, 취소를 구하여야 할 처분은 후행처분이다.

15

㉮ 행정지도를 하는 자는 그 상대방에게 행정지도의 취지 및 내용과 신분을 밝혀야 한다.
㉯ 행정지도가 말로 이루어지는 경우 상대방이 행정지도의 취지, 내용 및 신분에 관한 사항을 적은 서면의 교부를 요구하면 그 행정지도를 하는 자는 직무수행에 특별한 지장이 없으면 이를 교부하여야 한다.
㉰ 행정지도의 상대방은 해당 행정지도의 방식·내용 등에 관하여 행정기관에 의견제출을 할 수 있다.
㉱ 행정지도는 반드시 문서로 해야 하는 것은 아니며 말로도 할 수 있다.
㉲ 행정지도는 행정소송법상 처분이 아니므로 행정지도에 대해 취소소송이 제기된 경우 법원은 부적법 각하판결을 한다.
㉳ 행정기관은 상대방이 행정지도에 따르지 아니하였다는 것을 이유로 불이익한 조치를 하여서는 아니 된다.

16

㉮ 행정절차법에는 행정지도의 원칙, 방식 등에 관한 규정을 두고 있다.
㉯ 행정기관이 같은 행정목적을 실현하기 위해 다수인을 대상으로 행정지도를 하려는 경우에는 특별한 사정이 없으면, 행정지도에 공통적인 내용이 되는 사항을 공표하여야 한다.

- ㉰ 국가배상법이 정한 국가배상요건인 '공무원의 직무행위'에 행정지도와 같은 비권력적 작용도 포함된다.
- ㉱ 금융위원회 위원장이 시중은행을 상대로 투기지역·투기과열지구 내 초고가아파트(시가 15억원 초과)에 대한 주택구입용 주택담보대출을 금지한 조치(행정지도)는 규제적·구속적 성격을 갖는 행정지도로서 헌법소원의 대상이 되는 공권력 행사에 해당된다.

17

① 적법한 행정지도로 인정되기 위하여는 우선 그 목적이 적법한 것으로 인정될 수 있어야 할 것이므로, 주식매각의 종용이 정당한 법률적 근거 없이 자의적으로 주주에게 제재를 가하는 것이라면 이 점에서 벌써 행정지도의 영역을 벗어난 것이라고 보아야 할 것이다.

②-1 행정지도가 단순한 행정지도의 한계를 넘어 규제적·구속적 성격을 상당히 강하게 갖는 것이라면 헌법소원의 대상이 되는 공권력 행사라고 볼 수 있다.

②-2 교육인적자원부장관(현 교육부장관)의 국·공립대학총장들에 대한 학칙시정요구는 헌법소원의 대상이 되는 공권력 행사에 해당한다.

③-1 위법한 행정지도에 따라 행한 사인의 행위는 법령에 명시적으로 정하지 않는 한 그 위법행위가 정당화될 수 없다.

③-2 토지거래계약신고에 관한 행정관청의 위법한 관행에 따라 토지의 매매가격을 허위로 신고한 행위라 하더라도 위법성이 조각되지 않아 형사처벌의 대상이 된다.

④ 행정지도가 강제성을 띠지 않은 비권력적 작용으로서 행정지도의 한계를 일탈하지 아니하였다면, 그로 인하여 상대방에게 어떤 손해가 발생하였다 하더라도 행정기관은 그에 대한 손해배상책임이 없다.

18

㉮-1 행정청은 신청인의 편의를 위하여 처분의 처리기간을 종류별로 미리 정하여 공표하여야 한다.

㉮-2 행정청이 처리기간이 지나 처분을 하였더라도 이를 처분을 취소할 절차상 하자로 볼 수 없다.

㉯-1 행정절차법에 따르면, 행정청이 처분을 할 때에는 다른 법령 등에 특별한 규정이 있는 경우를 제외하고는 문서로 하여야 하며, ㉠ 당사자 등의 동의가 있는 경우나 ㉡ 당사자가 전자문서로 처분을 신청한 경우에는 전자문서로 할 수 있다.

㉯-2 다만, 위 ㉯-1에도 불구하고 공공의 안전 또는 복리를 위하여 긴급히 처분을 할 필요가 있거나 사안이 경미한 경우에는 말, 전화, 휴대전화를 이용한 문자전송, 팩스 또는 전자우편 등 문서가 아닌 방법으로 처분을 할 수 있다. 이 경우 당사자가 요청하면 지체 없이 처분에 관한 문서를 주어야 한다.

㉰-1 행정청이 문서에 의하여 처분을 한 경우 원칙적으로 그 처분서의 문언에 따라 어떤 처분을 하였는지를 확정하여야 한다.

㉰-2 다만, 그 처분서의 문언만으로는 행정청이 어떤 처분을 하였는지 불분명하다는 등 특별한 사정이 있는 때에는 처분경위, 처분청의 진정한 의사, 처분을 전후한 상대방의 태도 등 다른 사정을 고려하여 처분서의 문언과 달리 그 처분의 내용을 해석할 수도 있다.

㉱ 행정절차법에 따르면, 행정청이 처분을 할 때에는 당사자에게 그 처분에 관하여 행정심판 및 행정소송을 제기할 수 있는지 여부, 그 밖에 불복을 할 수 있는지 여부, 청구절차 및 청구기간, 그 밖에 필요한 사항을 알려야 한다.

19

㉮ '국회 또는 지방의회의 의결을 거치거나 동의 또는 승인을 받아 행하는 사항'에 대해서는 행정절차법을 적용하지 아니한다.

㉯ '헌법재판소의 심판을 거쳐 행하는 사항', '감사원이 감사위원회의의 결정을 거쳐 행하는 사항', '각급 선거관리위원회의 의결을 거쳐 행하는 사항'에 대해서는 행정절차법을 적용하지 아니한다.

㉰ 심사청구, 해양안전심판, 조세심판, 특허심판, 행정심판, 그 밖의 불복절차에 따른 사항에 대해서는 행정절차법을 적용하지 아니한다.

㉱ 병역법에 따른 징집·소집에 대해서는 행정절차법을 적용하지 아니한다.

20

㉮-1 행정절차법상 군인사법령에 의하여 진급예정자명단에 포함된 자에 대하여 의견제출의 기회를 부여하지 아니한 채 진급선발을 취소하는 처분을 한 것은 절차상 하자가 있어 위법하다.

㉮-2 공무원 인사 관계 법령에 의한 처분에 관한 사항 중 성질상 행정절차를 거치기 곤란하거나 불필요하다고 인정되는 처분이나 행정절차에 준하는 절차를 거치도록 하고 있는 처분의 경우에만 행정절차법의 적용이 배제된다.

㉯-1 행정절차법 시행령 제2조 제8호는 '학교·연수원 등에서 교육·훈련의 목적을 달성하기 위하여 학생·연수생들을 대상으로 하는 사항'을 행정절차법의 적용이 제외되는 경우로 규정하고 있다.

㉯-2 그러나 육군3사관학교의 사관생도에 대한 퇴학처분과 같이 신분을 박탈하는 징계처분은 행정절차법의 적용이 배제된다고 할 수 없다.

㉰-1 행정절차법에 따르면 '공정거래위원회의 의결·결정을 거쳐 행하는 사항'에는 행정절차법의 적용이 제외된다.

㉰-2 따라서 공정거래위원회의 시정조치 및 과징금 납부명령에 행정절차법 소정의 의견청취절차 생략사유가 존재한다고 하더라도, 공정거래위원회는 행정절차법을 적용하여 의견청취절차를 생략할 수는 없다.

㉱ 산업기능요원 편입취소처분은 행정절차법의 적용이 배제되는 사항인 행정절차법 제3조 제2항 제9호, 같은 법 시행령 제2조 제1호에서 규정하는 '병역법에 의한 소집에 관한 사항'에 해당하지 않는다(즉, 행정절차법이 적용된다).

㉲ (행정안전부장관이 「대통령기록물 관리에 관한 법률」에서 5년 임기의 별정직 공무원으로 규정한 대통령기록관장으로 임용된 원고를 직권면직한 사건에서) 사전통지를 하지 않고 의견제출의 기회를 주지 아니한 별정직 공무원에 대한 직권면직처분은 행정절차법 제21조 제1항, 제22조 제3항을 위반한 절차상 하자가 있어 위법하다.

㉳ 구 국적법 제5조 각 호와 같이 귀화는 요건이 항목별로 구분되어 구체적으로 규정되어 있다. 그리고 성질상 행정절차를 거치기 곤란하거나 거칠 필요가 없다고 인정되어 처분의 이유제시 등을 규정한 행정절차법이 적용되지 않는다.

21

① 일반적으로 행정의사가 외부에 표시되어 행정청이 자유롭게 취소·철회할 수 없는 구속을 받게 되는 시점에 처분이 성립한다.

② 병무청장의 요청에 따라 법무부장관이 미국 시민권을 취득한 甲의 입국을 금지하는 결정을 하고 그 정보를 내부전산망인 '출입국관리정보시스템'에 입력하였으나 甲에게는 통보하지 않은 사안에서, 법무부장관이 출입국관리법 제11조 제1항 제3호 또는 제4호, 출입국관리법 시행령 제14조 제1항, 제2항에 따라 행한 입국금지결정은 법무부장관의 의사가 공식적인 방법으로 외부에 표시된 것이 아니라 단지 그 정보를 내부전산망인 '출입국관리정보시스템'에 입력하여 관리한 것에 지나지 않으므로, 항고소송의 대상이 될 수 있는 '처분'에 해당하지 않는다.

③-1 행정청이 처분을 할 때에는 원칙적으로 문서 또는 일정한 요건을 갖춘 전자문서로 하여야 한다는 행정절차법의 규정은 처분내용의 명확성을 확보하고 처분의 존부에 관한 다툼을 방지하여 처분상대방의 권익을 보호하기 위한 것이므로, 이를 위반한 처분은 하자가 중대·명백하여 무효이다.

③-2 재외공관장이 처분서를 작성해 주지 않고 전화로 사증발급이 불허되었다고 통보한 것은 행정절차법상 처분의 방식에 관한 규정을 위반한 것으로서 하자가 중대·명백하여 무효이다.

④ 외국인의 사증발급신청에 대한 거부처분은 당사자에게 의무를 부과하거나 적극적으로 권익을 제한하는 처분이 아니므로, 행정절차법에 따른 '처분의 사전통지'의 대상은 아니다.

22

㉮-1 행정절차법에 따르면, 다수의 당사자 등이 공동으로 행정절차에 관한 행위를 하는 때에는 대표자를 선정할 수 있다.

㉮-2 이 경우 대표자는 각자 그를 대표자로 선정한 당사자 등을 위하여 행정절차에 관한 모든 행위를 할 수 있지만, 행정절차를 끝맺는 행위에 대하여는 당사자 등의 동의를 받아야 할 수 있다.

㉯ 대표자가 있는 경우에는 당사자 등은 그 대표자를 통하여서만 행정절차에 관한 행위를 할 수 있다.

㉰-1 다수의 당사자 등이 공동으로 행정절차에 관한 행위를 할 때에는 대표자를 선정할 수 있다.

㉰-2 행정청은 당사자 등이 대표자를 선정하지 아니하거나 대표자가 지나치게 많아 행정절차가 지연될 우려가 있는 경우에는 그 이유를 들어 상당한 기간 내에 3인 이내의 대표자를 선정할 것을 요청할 수 있다.

㉰-3 이 경우 당사자 등이 그 요청에 따르지 아니하였을 때에는 행정청이 직접 대표자를 선정할 수 있다.

㉱ 다수의 대표자가 있는 경우 그중 1인에 대한 행정청의 행위는 모든 당사자 등에게 효력이 있다. 다만, 행정청의 통지는 대표자 모두에게 하여야 그 효력이 있다.

㉲ 행정절차법에 따르면, 당사자 등은 ㉠ 당사자 등의 배우자, 직계존속·비속 또는 형제자매, ㉡ 당사자 등이 법인 등인 경우 그 임원 또는 직원, ㉢ 변호사, ㉣ 행정청 또는 청문 주재자(청문의 경우만 해당한다)의 허가를 받은 자, ㉤ 법령 등에 따라 해당 사안에 대하여 대리인이 될 수 있는 자를 대리인으로 선임할 수 있다.

23

㉮㉰-1 행정청은 필요한 처분기준을 해당 처분의 성질에 비추어 되도록 구체적으로 정하여 공표하여야 한다. 처분기준을 변경하는 경우에도 또한 변경된 처분기준을 다시 공표하여야 한다.

㉮㉰-2 다만, 처분기준을 공표하는 것이 해당 처분의 성질상 현저히 곤란하거나 공공의 안전 또는 복리를 현저히 해치는 것으로 인정될 만한 상당한 이유가 있는 경우에는 처분기준을 공표하지 아니할 수 있다.

㉯ 행정절차법상 처분기준의 설정·공표의 규정은 침해적 처분과 수익적 처분에 공통적으로 적용된다.

㉱-1 행정절차법에 따라 공표된 처분기준이 명확하지 않은 경우, 당사자 등은 해당 행정청에 그 해석 또는 설명을 요청할 수 있다.

㉱-2 이 때, 해당 행정청은 특별한 사정이 없으면 그 요청에 따라야 한다.

24

㉮ 처분의 성질상 처분기준을 미리 공표하는 경우 행정목적을 달성할 수 없게 되거나 행정청에 일정한 범위 내에서 재량권을 부여함으로써 구체적인 사안에서 개별적인 사정을 고려하여 탄력적으로 처분이 이루어지도록 하는 것이 오히려 공공의 안전 또는 복리에 더 적합한 경우에는 행정절차법 제20조 제2항에 따라 처분기준을 따로 공표하지 않거나 개략적으로만 공표할 수도 있다.

㉯㉰-1 행정절차법에 따라 정하여 공표한 처분기준은, 그것이 해당 처분의 근거법령에서 구체적 위임을 받아 제정·공포되었다는 특별한 사정이 없는 한, 원칙적으로 대외적 구속력이 없는 행정규칙에 해당하는 것으로 보아야 한다.

㉯㉰-2 행정청이 행정절차법 제20조 제1항의 처분기준 사전공표의무를 위반하여 미리 공표하지 아니한 기준을 적용하여 처분을 하였다고 하더라도, 그러한 사정만으로 곧바로 해당 처분에 취소사유에 이를 정도의 흠이 존재한다고 볼 수 없다.

㉱ 사전에 공표한 심사기준을 심사대상기간이 이미 경과하였거나 상당부분 경과한 시점에서 처분상대방의 갱신 여부를 좌우할 정도로 중대하게 변경하는 것은 중대한 공익상 필요가 인정되거나 관계 법령이 제·개정되었다는 등의 특별한 사정이 없는 한, 허용되지 않는다.

25

㉮ 행정절차법은 주로 절차적 규정으로 구성되나 신뢰보호의 원칙, 신의성실의 원칙 등 일부 실체적 규정도 갖고 있다.

㉯ 행정절차법은 처분, 신고, 확약, 위반사실 등의 공표, 행정계획, 행정상 입법예고, 행정예고, 행정지도의 절차에 관하여 명문규정을 두고 있으나, 공법상 계약, 행정조사절차 등에 관하여는 규정하지 않고 있다.

㉰-1 헌법재판소는 행정절차의 헌법적 근거를 헌법 제12조의 적법절차원리에서 찾고 있다.

㉰-2 헌법 제12조의 적법절차원리는 형사절차뿐만 아니라 입법·행정 등 국가의 모든 공권력작용에 적용된다.

㉱ 행정절차법의 적용이 제외되는 공무원 인사 관계 법령에 의한 처분에 관한 사항이란 성질상 행정절차를 거치기 곤란하거나 불필요하다고 인정되는 처분이나 행정절차에 준하는 절차를 거치도록 하고 있는 처분에 관한 사항만을 말하는 것으로 보아야 한다.

제 8 회 | 옳은 지문

01

㉮ 행정청에 처분을 구하는 신청은 문서로 함이 원칙이며, 전자문서로 하는 경우에는 행정청의 컴퓨터 등에 입력된 때에 신청한 것으로 본다.

㉯ 행정청은 신청에 구비서류의 미비 등 흠이 있는 경우에는 보완에 필요한 상당한 기간을 정하여 지체 없이 신청인에게 보완을 요구하여야 한다.

㉰ 행정청은 신청인의 편의를 위하여 다른 행정청에 신청을 접수하게 할 수 있다.

㉱-1 신청인은 신청서가 접수된 후에도 처분이 있기 전까지는 신청한 내용을 보완하거나 변경 또는 취하할 수 있다.

㉱-2 다만, 다른 법령 등에 특별한 규정이 있거나 그 신청의 성질상 보완·변경하거나 취하할 수 없는 경우에는 내용을 보완하거나 변경 또는 취하할 수 없다.

02

① 신청인이 신청에 앞서 행정청의 허가업무담당자에게 신청서의 내용에 대한 검토를 요청한 것만으로는 다른 특별한 사정이 없는 한 명시적이고 확정적인 신청의 의사표시가 있었다고 하기 어렵다.

② 영업허가신청에 대해 사전통지를 하지 않고 수익적 처분인 영업허가를 발급하였다고 하여 절차상 하자가 있는 것으로 볼 수 없다.

③ 행정청이 당사자와 사이에 도시계획사업의 시행과 관련한 협약을 체결하면서 관계 법령 및 행정절차법에 규정된 청문의 실시 등 의견청취절차를 배제하는 조항을 둔 경우, 청문을 실시하지 않아도 되는 예외적인 경우에 해당한다고 볼 수 없다.

④ 행정청이 구 관광진흥법 또는 구 「체육시설의 설치·이용에 관한 법률」의 규정에 의하여 유원시설업자 또는 체육시설업자 지위승계신고를 수리하는 처분을 하는 경우, 종전 유원시설업자 또는 체육시설업자에 대하여 행정절차법 제21조 제1항 등에서 정한 처분의 사전통지 등 절차를 거쳐야 한다.

03

㉮-1 영업시간 제한 등 처분의 대상인 대규모점포 중 개설자의 직영매장 이외에 개설자로부터 임차하여 운영하는 임대매장이 병존하는 경우에는, 점포 개설자를 상대로 거치면 충분하고, 그 밖에 임차인들을 상대로 별도의 사전통지 등 절차를 거칠 필요가 없다.

㉮-2 대형마트 영업시간 제한 등 처분시 그 처분의 상대방은 대규모점포 개설자이다.

㉯ 대통령의 한국방송공사 사장의 해임처분과정에서 상대방인 한국방송공사 사장이 처분내용을 사전에 통지받거나 그에 대한 의견제출기회 등을 받지 못했고 해임처분시 법적 근거 및 구체적 해임사유를 제시받지 못한 경우, 그 해임처분은 행정절차법에 위배되어 위법하지만 절차나 처분형식의 하자가 중대하고 명백하다고 볼 수 없어 당연무효가 아닌 취소사유에 해당한다.

㉰ 절차상 하자는 재량행위뿐만 아니라 기속행위의 경우에도 독자적 위법사유로 인정된다.

㉱ 교도소장이 아닌 일반교도관 등에 의하여 징벌내용이 고지됨으로써 절차상의 하자가 있는 징벌처분에 대해 국가배상책임을 부정하면서 징벌처분이 위법하다는 이유로 국가배상책임을 인정하기 위하여는 징벌절차의 진행경과, 징벌내용 및 그 집행경과 등 제반 사정을 종합적으로 고려하여 징벌처분이 객관적 정당성을 상실하고 이로 인하여 손해의 전보책임을 국가에게 부담시켜야 할 실질적인 이유가 있다고 인정되어야 한다.

04

㉮ 하나의 납세고지서로 본세와 여러 가산세를 함께 부과하는 경우에 납세고지서에 가산세의 종류와 세액의 산출근거 등을 따로 구별하지 않고 가산세의 합계액만을 기재하였다면 그 부과처분은 위법하다.

㉯ 적법절차의 원칙은 헌법의 기본원리이고 행정절차법은 행정절차에 관한 일반법적 성격을 가지기는 하지만, 행정절차법이 모든 행정작용에 적용되는 것은 아니다.

㉰ 구 「산업집적활성화 및 공장설립에 관한 법률」에 따른 입주변경계약 취소는 행정청인 관리권자로부터 관리업무를 위탁받은 산업단지관리공단이 우월적 지위에서 입주기업체들에게 일정한 법률상 효과를 발생하게 하는 것으로서 항고소송의 대상이 되는 행정처분에 해당하며, 원칙적으로 행정절차법이 적용된다.

㉱ 공무원 인사 관계 법령에 의한 처분에 관한 사항이라 하더라도 전부에 대하여 행정절차법의 적용이 배제되는 것이 아니라, 성질상 행정절차를 거치기 곤란하거나 불필요하다고 인정되는 처분이나 행정절차에 준하는 절차를 거치도록 하고 있는 처분의 경우에만 행정절차법의 적용이 배제된다.

05

① 행정청의 관할이 분명하지 아니한 경우에는 해당 행정청을 공통으로 감독하는 상급행정청이 그 관할을 결정하며, 공통으로 감독하는 상급행정청이 없는 경우에는 각 상급행정청이 협의하여 그 관할을 결정한다.

② 행정응원에 드는 비용은 응원을 요청한 행정청이 부담하며, 그 부담금액 및 부담방법은 응원을 요청한 행정청과 응원을 하는 행정청이 협의하여 결정한다.

③ 행정청은 신청에 구비서류의 미비 등 흠이 있는 경우에는 보완에 필요한 상당한 기간을 정하여 지체 없이 신청인에게 보완을 요구하여야 한다.

④ 처분청이 행정절차법상 고지절차에 관한 규정에 따른 고지의무를 이행하지 아니하였다고 하더라도 경우에 따라 행정심판의 제기기간이 연장될 수 있음에 그칠 뿐, 그 때문에 심판의 대상이 되는 행정처분이 위법하다고 할 수는 없다.

06

㉮ 대표자는 각자 그를 대표자로 선정한 당사자 등을 위하여 행정절차에 관한 모든 행위를 할 수 있다. 다만, 행정절차를 끝맺는 행위에 대하여는 당사자 등의 동의를 받아야 한다.

㉯-1 행정청은 징계와 같은 불이익처분절차에서 징계심의대상자가 선임한 변호사가 징계위원회에 출석하여 징계심의대상자를 위하여 필요한 의견을 진술하는 것을 원칙적으로 거부할 수 없다.

㉯-2 육군3사관학교의 사관생도에 대한 징계절차에서 징계심의대상자가 대리인으로 선임한 변호사가 징계위원회의 심의에 출석하여 진술하려고 하였음에도, 징계권자나 그 소속 직원이 변호사가 징계위원회의 심의에 출석하는 것을 막았다면 징계위원회의 심의 · 의결의 절차적 정당성이 상실되어 그 징계의결에 따른 징계처분은 위법하여 원칙적으로 취소되어야 한다.

㉰-1 법령 등을 제정 · 개정 또는 폐지(입법)하려는 경우에는 해당 입법안을 마련한 행정청은 이를 예고하여야 한다.

㉰-2 다만, ㉠ 신속한 국민의 권리보호 또는 예측곤란한 특별한 사정의 발생 등으로 입법이 긴급을 요하는 경우, ㉡ 상위법령 등의 단순한 집행을 위한 경우, ㉢ 입법내용이 국민의 권리 · 의무 또는 일상생활과 관련이 없는 경우, ㉣ 단순한 표현 · 자구를 변경하는 경우 등 입법내용의 성질상 예고의 필요가 없거나 곤란하다고 판단되는 경우, ㉤ 예고함이 공공의 안전 또는 복리를 현저히 해칠 우려가 있는 경우에는 예고를 하지 아니할 수 있다.

㉱ 입법예고기간은 예고할 때 정하되, 특별한 사정이 없으면 40일(자치법규는 20일) 이상으로 한다.

07

㉮-1 행정청은 당사자에게 의무를 부과하거나 권익을 제한하는 처분을 하는 경우에는 미리 처분하려는 원인이 되는 사실과 처분의 내용 및 법적 근거 및 이에 대한 의견을 제출할 수 있다는 뜻과 의견제출기한 등을 당사자 등에게 통지하여야 한다.

㉮-2 이 경우 의견제출에 필요한 기간은 10일 이상으로 고려하여 정하여야 한다.

㉮-3 행정청은 당사자에게 의무를 부과하거나 권익을 제한하는 처분을 할 때 청문이나 공청회를 개최하는 경우 외에는 특별한 사정이 없는 한 의견제출의 기회를 주어야 한다.

㉯ 행정절차법에 따르면 당사자에게 의무를 부과하거나 권익을 제한하는 처분을 하는 경우에도, 법령 등에서 요구된 자격이 없거나 없어지게 되면 반드시 일정한 처분을 하여야 하는 경우에 그 자격이 없거나 없어지게 된 사실이 법원의 재판 등에 의하여 객관적으로 증명된 경우에는 사전통지를 할 필요는 없다.

㉰-1 행정절차법 시행령 제13조 제2호에서 정한 '법원의 재판 또는 준사법적 절차를 거치는 행정기관의 결정 등에 따라 처분의 전제가 되는 사실이 객관적으로 증명되어 처분에 따른 의견청취가 불필요하다고 인정되는 경우'는 법원의 재판 등에 따라 처분의 전제가 되는 사실이 객관적으로 증명되면 행정청이 반드시 일정한 처분을 해야 하는 경우 등 의견청취가 행정청의 처분 여부나 그 수위 결정에 영향을 미치지 못하는 경우를 의미한다.

㉰-2 처분의 전제가 되는 '일부' 사실만 증명된 경우이거나 의견청취에 따라 행정청의 처분 여부나 처분 수위가 달라질 수 있는 경우라면 의견청취의 예외사유에 해당하지 않는다.

㉱ 건축법상의 공사중지명령에 대한 사전통지를 하고 의견제출의 기회를 준다면 많은 액수의 손실보상금을 기대하여 공사를 강행할 우려가 있다는 사정은 사전통지를 하지 않아도 되는 예외사유에 해당하지 않는다.

08

㉮㉯-1 행정절차법에 따르면, 행정청은 처분을 할 때에는 ㉠ 신청내용을 모두 그대로 인정하는 처분인 경우, ㉡ 단순 · 반복적인 처분 또는 경미한 처분으로서 당사자가 그 이유를 명백히 알 수 있는 경우, ㉢ 긴급히 처분을 할 필요가 있는 경우를 제외하고는 당사자에게 그 근거와 이유를 제시하여야 한다.

㉮㉯-2 위 ㉡, ㉢의 경우, 처분 후 당사자가 요청하는 경우에는 그 근거와 이유를 제시하여야 한다.

㉰ 처분 당시 당사자가 어떠한 근거와 이유로 처분이 이루어진 것인지 충분히 알 수 있어서 그에 불복하여 행정구제절차로 나아가는 데에 별다른 지장이 없었던 것으로 인정되는 경우에는 처분서에 처분의 근거와 이유가 구체적으로 명시되어 있지 않았다고 하더라도, 그 처분이 위법하다고 볼 수 없다.

㉱-1 처분을 할 때 상대방(피처분자)이 그 취지를 알고 있었다거나 그 후 알게 되었다는 사정은 이유제시의 생략사유가 아니다.

㉱-2 따라서 피처분자가 처분 당시 그 취지를 알고 있었다거나 그 후 알게 되었다 하여도 취소처분의 근거와 위반사실의 적시를 빠뜨린 하자는 치유될 수 없다.

09

①-1 교육부장관이 부적격사유가 없는 후보자들 사이에서 어떤 후보자를 상대적으로 더욱 적합하다고 판단하여 국립대학교의 총장으로 임용제청을 하였다면, 그러한 임용제청행위 자체로서 이유제시의무를 다한 것이라고 보아야 한다.

①-2 이 경우 교육부장관에게 개별심사항목이나 고려요소에 대한 평가결과를 더 자세히 밝힐 의무까지는 없다.

② 행정절차법은 행정청이 처분을 하는 때에는 당사자에게 그 근거와 이유를 제시하도록 이유제시원칙을 규정하고 있는데, 상대방에게 부담을 주는 행정처분의 경우뿐만 아니라 수익적 행정행위의 거부에도 원칙적으로 이유제시를 하여야 한다.

③④-1 일반적으로 당사자가 근거규정 등을 명시하여 신청하는 인·허가 등을 거부하는 처분을 함에 있어 당사자가 그 근거를 알 수 있을 정도로 상당한 이유를 제시한 경우에는 당해 처분의 근거 및 이유를 구체적으로 명시하지 않았더라도 처분이 위법하다고 할 수 없다.

③④-2 행정청이 토지형질변경허가신청을 불허하는 근거규정으로 '도시계획법 시행령 제20조'를 명시하지 아니하고 '도시계획법'이라고만 기재하였으나, 신청인이 자신의 신청이 개발제한구역의 지정목적에 현저히 지장을 초래하는 것이라는 이유로 구 도시계획법 시행령에 따라 불허된 것임을 알 수 있었던 경우, 그 불허처분이 위법하지 않다.

10

① 판례에 의하면 '고시' 등 불특정 다수인을 상대로 의무를 부과하거나 권익을 제한하는 처분은 성질상 상대방을 특정할 수 없으므로 그 상대방에게 의견제출의 기회를 주어야 하는 것은 아니다.

② 사전통지의무가 면제되는 경우에는 의견청취의무도 면제된다.

③ 행정청이 침해적 행정처분을 하면서 당사자에게 사전통지를 하거나 의견제출의 기회를 주지 아니하였다면, 사전통지나 의견제출의 예외적인 경우에 해당하지 아니하는 한, 그 처분은 위법하여 취소를 면할 수 없다.

④ 행정청이 온천지구임을 간과하여 지하수 개발·이용신고를 수리하였다가 행정절차법상의 사전통지를 하거나 의견제출의 기회를 주지 아니한 채 그 신고수리처분을 취소하고 원상복구명령의 처분을 한 경우, 행정지도방식에 의한 사전고지나 그에 따른 당사자의 자진폐공(편저자 주 : 원상복구)의 약속 등의 사유만으로는 사전통지 등을 하지 않아도 되는 행정절차법 소정의 예외의 경우에 해당한다고 볼 수 없어 그 처분은 위법하다.

11

① 도로구역을 결정하거나 변경할 경우 이를 고시에 의하도록 하면서, 그 도면을 일반인이 열람할 수 있도록 한 점 등을 종합하여 보면, 도로구역을 변경한 처분은 행정절차법 제21조 제1항의 사전통지나 제22조 제3항의 의견청취의 대상이 되는 처분은 아니라고 할 것이다.

②-1 평가인증취소처분은 보조금 지급이 중단되는 등 상대방의 권익을 제한하는 처분에 해당하며, 보조금 반환명령과는 전혀 별개의 절차에 해당한다.

②-2 보조금 반환명령 당시 사전통지 및 의견제출의 기회가 부여되었다 하더라도 그 사정만으로 평가인증취소처분이 행정절차법에서 정하고 있는 사전통지 등을 하지 아니하여도 되는 예외사유에 해당한다고 볼 수 없다.

③ 국가에 대한 행정처분을 함에 있어서도 사전통지, 의견청취, 이유제시와 관련한 행정절차법이 그대로 적용된다고 보아야 한다.

④ 구 군인사법상 보직해임처분은 구 행정절차법 제3조 제2항 제9호, 같은 법 시행령 제2조 제3호에 의하여 당해 행정작용의 성질상 행정절차를 거치기 곤란하거나 불필요하다고 인정되는 사항 또는 행정절차에 준하는 절차를 거친 사항에 해당하므로, 처분의 근거와 이유제시 등에 관한 구 행정절차법의 규정이 별도로 적용되지 아니한다.

12

① 무단으로 용도변경된 건물에 대해 건물주에게 시정명령이 있을 것과 불이행시 이행강제금이 부과될 것이라는 점을 설명하였더라도 바로 다음 날 시정명령을 내렸다면, 현장조사에서 원고가 위반사실을 시인하였다거나 위반경위를 진술한 것만으로는 의견제출에 필요한 상당한 기간을 고려하여 정한 의견제출기한을 부여하였다고 볼 수 없고, 이것은 사전통지나 의견제출의 예외적인 사유에 해당하지 않는다.

②-1 행정청은 청문절차에서 개진된 의견에 기속되지 않는다.

②-2 광업법에서 처분청이 광업용 토지수용을 위한 사업인정을 하고자 할 때에 토지소유자와 토지에 관한 권리를 가진 자의 의견을 들어야 한다고 한 것은 그 사업인정 여부를 결정함에 있어서 소유자나 기타 권리자가 의견을 반영할 기회를 주어 이를 참작하도록 하고자 하는 데 있을 뿐, 처분청이 그 의견에 기속되는 것은 아니다.

③ 정규임용처분을 취소하는 처분은 성질상 행정절차를 거치는 것이 불필요하여 행정절차법의 적용이 배제되는 경우에 해당하지 않으므로, 그 처분을 하면서 사전통지를 하거나 의견제출의 기회를 부여하지 않은 것은 위법하다.

④ 종전 행정절차법은 의견청취절차 중에서 청문절차에만 문서열람청구권을 인정하고 있었으나 2022년 개정 행정절차법은 의견제출의 경우에도 문서열람청구권을 인정하고 있다.

13

① 행정청은 ㉠ 인·허가 등의 취소, ㉡ 신분·자격의 박탈, ㉢ 법인이나 조합 등의 설립허가취소의 처분을 하는 경우 청문을 한다.

②-1 행정청은 ㉠ 다수 국민의 이해가 상충되는 처분, ㉡ 다수 국민에게 불편이나 부담을 주는 처분, ㉢ 그 밖에 전문적이고 공정한 청문을 위하여 행정청이 청문 주재자를 2명 이상으로 선정할 필요가 있다고 인정하는 처분을 하려는 경우에는 청문 주재자를 2명 이상으로 선정할 수 있다.

②-2 이 경우 선정된 청문 주재자 중 1명이 청문 주재자를 대표한다.

③ 행정청은 처분 후 1년 이내에 당사자 등이 요청하는 경우에는 청문·공청회 또는 의견제출을 위하여 제출받은 서류나 그 밖의 물건을 반환하여야 한다.

④ 행정청이 당사자에게 의무를 부과하거나 권익을 제한하는 처분을 하는 경우, 당사자가 명백히 의견진술의 기회를 포기한다는 뜻을 표시한 때에는 의견청취절차를 생략할 수 있다.

14

①-1 '의견청취가 현저히 곤란하거나 명백히 불필요하다고 인정될 만한 상당한 이유가 있는지'는 당해 처분의 성질에 비추어 판단하여야 하는 것이지 청문통지서의 반송, 청문일의 불출석 등에 의해 판단할 것은 아니다.

①-2 행정처분의 상대방에 대한 청문통지서가 반송되었다거나, 행정처분의 상대방이 청문일시에 불출석하였다는 이유로 청문을 실시하지 아니하고 한 침해적 행정처분은 위법하다.

② 행정청은 당사자에게 의무를 부과하거나 권익을 제한하는 처분을 할 때 청문이나 공청회를 개최하는 경우 외에는 특별한 사정이 없는 한 의견제출의 기회를 주어야 한다.

③ 사회복지시설에 대하여 특별감사를 실시한 후 행한 감사결과 지적사항에 대한 시정지시는 그 성질상 당사자의 사전의견청취가 불필요하다고 볼 상당한 이유가 인정되는 경우에 해당한다.

④ 지급정지사유기간 중 퇴직연금수급자에게 지급된 퇴직연금의 환수결정은 당사자에게 의무를 부과하는 처분이기는 하나, 관련 법령에 따라 당연히 환수금액이 정해지는 것이므로, 퇴직연금의 환수결정에 앞서 당사자에게 의견진술의 기회를 주지 아니하여도 행정절차법 제22조 제3항이나 신의칙에 어긋나지 아니한다.

15

㉮ 처분상대방이 청문일시에 불출석한 경우는 청문을 실시하지 않아도 되는 예외적 사유가 아니다.

㉯ 청문 주재자는 당사자 등의 전부 또는 일부가 정당한 사유 없이 청문 기일에 출석하지 아니한 경우에는 이들에게 다시 의견진술 및 증거제출의 기회를 주지 아니하고 청문을 마칠 수 있다.

㉰ 실체적인 하자가 없이 절차상의 하자만으로도 독자적인 취소사유가 된다는 것이 통설과 판례의 입장이다.

㉱ 당사자 등은 청문조서의 내용을 열람·확인할 수 있으며, 이의가 있을 때에는 그 정정을 요구할 수 있다.

㉲ 행정청은 ㉠ 인·허가 등의 취소, ㉡ 신분·자격의 박탈, ㉢ 법인이나 조합 등의 설립허가취소의 처분을 하는 경우 청문을 한다.

16

㉮ 행정청이 당사자에게 의무를 부과하거나 권익을 제한하는 처분을 할 때 청문이나 공청회를 거치지 않은 경우에는 당사자에게 의견제출의 기회를 주어야 한다.

㉯-1 행정절차법상 사전통지와 의견청취절차의 예외와 관련하여, 의견청취가 현저히 곤란하거나 명백히 불필요하다고 인정될 만한 상당한 이유가 있는지의 여부는 처분상대방에게 청문통지서가 반송되었거나 처분상대방이 청문일에 불출석하였다는 이유 등에 의해 판단할 것은 아니다.

㉯-2 행정처분의 상대방에 대한 청문통지서가 반송되었다거나, 행정처분의 상대방이 청문일시에 불출석하였다는 이유로 청문을 실시하지 아니하고 한 침해적 행정처분은 위법하다.

㉰-1 당사자 등은 청문의 통지가 있는 날부터 청문이 끝날 때까지 행정청에 해당 사안의 조사결과에 관한 문서와 그 밖에 해당 처분과 관련되는 문서의 열람 또는 복사를 요청할 수 있다.

㉰-2 이 경우 행정청은 다른 법령에 따라 공개가 제한되는 경우를 제외하고는 그 요청을 거부할 수 없다.

㉱ 행정청은 ㉠ 인·허가 등의 취소, ㉡ 신분·자격의 박탈, ㉢ 법인이나 조합 등의 설립허가취소의 처분을 하는 경우 청문을 한다.

17

㉮-1 행정청은 일반적인 공청회와 병행하여서만 정보통신망을 이용한 공청회(온라인공청회)를 실시할 수 있다.

㉮-2 위 ㉮-1에도 불구하고 ㉠ 국민의 생명·신체·재산의 보호 등 국민의 안전 또는 권익보호 등의 이유로 일반적인 공청회를 개최하기 어려운 경우, ㉡ 일반적인 공청회가 행정청이 책임질 수 없는 사유로 개최되지 못하거나 개최는 되었으나 정상적으로 진행되지 못하고 무산된 횟수가 3회 이상인 경우, ㉢ 행정청이 널리 의견을 수렴하기 위하여 온라인공청회를 단독으로 개최할 필요가 있다고 인정하는 경우에는 온라인공청회를 단독으로 개최할 수 있다.

㉯ 행정청은 처분을 할 때에 공청회, 온라인공청회 및 정보통신망 등을 통하여 제시된 사실 및 의견이 상당한 이유가 있다고 인정하는 경우에는 이를 반영하여야 한다.

㉰-1 묘지공원과 화장장의 후보지를 선정하는 과정에서 서울특별시, 비영리법인, 일반기업 등이 공동발족한 협의체인 추모공원건립추진협의회가 후보지 주민들의 의견을 청취하기 위하여 그 명의로 개최한 공청회는 행정청이 도시계획시설결정을 하면서 개최한 공청회가 아니다.

㉰-2 따라서 위 공청회의 개최에 관하여 행정절차법에서 정한 절차를 준수하여야 하는 것은 아니다.

㉱-1 행정청이 공청회를 개최하고자 하는 경우에는 공청회 개최 14일 전까지 제목, 일시 및 장소, 주요 내용 등을 당사자 등에게 통지하고 관보, 공보, 인터넷 홈페이지 또는 일간신문 등에 공고하는 등의 방법으로 널리 알려야 한다.

㉱-2 다만, 공청회 개최를 알린 후 예정대로 개최하지 못하여 새로 일시 및 장소 등을 정한 경우에는 공청회 개최 7일 전까지 알려야 한다.

18

①-1 정보공개청구권은 알권리의 한 요소를 이루며, 이러한 알권리는 헌법 제21조상 표현의 자유에서 도출된다는 것이 헌법재판소의 입장이다.

①-2 따라서 정보공개청구권은 이를 인정하는 법률규정이 존재하지 않는 경우에도 알권리에 근거하여 인정된다.

② 국민의 '알권리', 즉 정보에의 접근·수집·처리의 자유는 자유권적 성질과 청구권적 성질을 공유하는 것으로서 헌법 제21조에 의해 직접 보장되는 권리이다.

③-1 지방자치단체는 그 내용이 주민의 권리 제한 또는 의무 부과에 관한 사항이거나 벌칙에 관한 사항이 아닌 한 법률의 위임이 없더라도 조례를 제정할 수 있다.

③-2 그런데 정보공개조례는 주민의 권리 제한, 의무 부과에 관한 조례가 아니므로 지방자치단체는 그 소관 사무에 관하여 법률의 위임이 없더라도 법령의 범위에서(법령을 위반하지 않는 한) 정보공개에 관한 조례를 정할 수 있다.

③-3 청주시의회에서 의결한 청주시 행정정보공개조례안은 주민의 권리를 제한하거나 의무를 부과하는 조례라고는 단정할 수 없어 그 제정에 있어서 반드시 법률의 개별적 위임이 따로 필요한 것은 아니다.

④ 어느 법인이 「공공기관의 정보공개에 관한 법률」에 따라 정보를 공개할 의무가 있는 '특별법에 의하여 설립된 특수법인'에 해당하는지 여부는, 법인에게 부여된 업무 등을 고려하여 개별적으로 판단하여야 한다.

19

① 정보공개를 요구받은 공공기관은 법률 제 몇 호의 비공개사유에 해당하는지를 주장·입증하여야 하며, 개괄적 사유만을 들어 공개를 거부할 수 없다.

② 정보공개청구권자가 공개를 청구하는 정보와 어떤 관련성을 가질 것을 요구하거나 정보공개청구의 목적에 특별한 제한을 두고 있지 아니하므로 정보공개청구권자의 권리구제가능성 등은 정보의 공개 여부 결정에 아무런 영향을 미치지 못한다.

③-1 구 「공공기관의 정보공개에 관한 법률」에서 정한 '당해 정보에 포함되어 있는 이름·주민등록번호 등 개인에 관한 사항으로서 공개될 경우 개인의 사생활의 비밀 또는 자유를 침해할 우려가 있다고 인정되는 정보'는 이름·주민등록번호 등 정보 형식이나 유형을 기준으로 비공개대상정보에 해당하는지를 판단하는 '개인식별정보'에 한정되지 않는다.

③-2 즉, '개인식별정보'뿐만 아니라 그 외에 정보의 내용을 구체적으로 살펴 '개인에 관한 사항의 공개로 개인의 내밀한 내용의 비밀 등이 알려지게 되고, 그 결과 인격적·정신적 내면생활에 지장을 초래하거나 자유로운 사생활을 영위할 수 없게 될 위험성이 있는 정보'도 포함된다.

④ 실제로는 해당 정보를 취득 또는 활용할 의사가 전혀 없이 정보공개제도를 이용하여 사회통념상 용인될 수 없는 부당한 이득을 얻으려 하거나, 오로지 공공기관의 담당공무원을 괴롭힐 목적으로 정보공개청구를 하는 경우처럼 권리 남용에 해당하는 것이 명백한 경우, 정보공개청구권의 행사를 허용하여야 하는 것은 아니다.

20

①-1 정보의 공개에 관하여는 다른 법률에 특별한 규정이 있는 경우에는 「공공기관의 정보공개에 관한 법률」의 적용이 배제되는바 형사소송법 제59조의2(재판확정기록의 열람·등사)는 구 「공공기관의 정보공개에 관한 법률」 제4조 제1항에서 정한 '정보의 공개에 관하여 다른 법률에 특별한 규정이 있는 경우'에 해당한다.

①-2 따라서 형사재판확정기록의 공개에 관하여는 「공공기관의 정보공개에 관한 법률」에 의한 공개청구가 허용되지 아니한다.

② 지방자치단체의 업무추진비 세부항목별 집행내역 및 그에 관한 증빙서류에 포함된 개인에 관한 정보는 '공개하는 것이 공익을 위하여 필요하다고 인정되는 정보'에 해당하지 않으므로, 비공개대상이다.

③ 사면대상자들의 사면실시건의서와 그와 관련된 국무회의 안건자료에 관한 정보는 구 「공공기관의 정보공개에 관한 법률」에서 정한 비공개사유에 해당하지 않는다(공개대상).

④-1 교육공무원법 제13·14조의 위임에 따라 제정된 「교육공무원 승진규정」은 정보공개에 관한 사항에 관하여 구체적인 법률의 위임에 따라 제정된 명령이라고 할 수 없다.

④-2 따라서 교육공무원의 근무성적평정의 결과를 공개하지 아니한다고 규정하고 있는 「교육공무원 승진규정」 제26조를 근거로 정보공개청구를 거부하는 것은 위법하다(공개대상).

21

㉮ 도시공원위원회의 회의 관련 자료 및 회의록은 시장 등의 결정의 대외적 공표행위가 있은 후에는 이를 의사결정과정이나 내부검토과정에 있는 사항이라고 할 수 없고 위 위원회의 회의 관련 자료 및 회의록을 공개하더라도 업무의 공정한 수행에 지장을 초래할 염려가 없으므로 공개대상이 된다.

㉯ 외국인은 ㉠ 국내에 일정한 주소를 두고 거주하거나, ㉡ 학술·연구를 위하여 일시적으로 체류하거나, ㉢ 국내에 사무소를 두고 있는 법인 또는 단체에 해당하는 경우에 정보공개청구권자가 될 수 있다.

㉰ '한국증권업협회(현 금융투자협회)'는 「공공기관의 정보공개에 관한 법률 시행령」 제2조 제4호의 '특별법에 의하여 설립된 특수법인'에 해당한다고 보기 어렵다(한국증권업협회는 「공공기관의 정보공개에 관한 법률」상의 공공기관이 아니다).

㉱ 국가나 지방자치단체로부터 보조금을 받는 사회복지법인과 사회복지사업을 하는 비영리법인은 「공공기관의 정보공개에 관한 법률」상의 공공기관에 해당한다.

22

㉮-1 지방자치단체는 그 내용이 주민의 권리 제한 또는 의무 부과에 관한 사항이거나 벌칙에 관한 사항이 아닌 한 법률의 위임이 없더라도 조례를 제정할 수 있다.

㉮-2 그런데 정보공개조례는 주민의 권리 제한, 의무 부과에 관한 조례가 아니므로 지방자치단체는 그 소관 사무에 관하여 법률의 위임이 없더라도 법령의 범위에서(법령을 위반하지 않는 한) 정보공개에 관한 조례를 정할 수 있다.

㉮-3 청주시의회에서 의결한 청주시 행정정보공개조례안은 주민의 권리를 제한하거나 의무를 부과하는 조례라고는 단정할 수 없어 그 제정에 있어서 반드시 법률의 개별적 위임이 따로 필요한 것은 아니다.

㉯ 교육법에 따른 각급 학교(예 사립유치원, 국·공립초등학교, 사립초등학교 등)는 「공공기관의 정보공개에 관한 법률」상 공공기관에 해당한다.

㉰-1 모든 국민은 정보의 공개를 청구할 권리를 가진다.

㉰-2 정보공개청구권을 가지는 국민에는 자연인, 법인, 법인격 없는 사단 등이 모두 포함되며 법인, 법인격 없는 사단 등의 경우에는 설립목적을 불문한다.

㉱ 알권리에서 파생되는 정부의 공개의무는, 특별한 사정이 없는 한 특정의 정보에 대한 공개청구가 있는 경우에야 비로소 존재한다.

23

㉮-1 「공공기관의 정보공개에 관한 법률」상 정보공개청구권자인 '모든 국민'에는 자연인 외에 법인, 권리능력 없는 사단·재단도 포함되며 법인, 법인격 없는 사단 등의 경우에는 설립목적을 불문한다.

㉮-2 다만, 지방자치단체는 정보공개의무자에 해당할 뿐 정보공개청구권자인 국민에는 해당하지 않는다.

㉯ 정보공개청구권자는 이해관계 유무와 관계없이 정보공개를 청구할 수 있고 정보공개청구에 대해 거부처분을 받은 경우 그 자체만으로 정보공개거부처분의 취소를 구할 법률상 이익이 있다.

㉰ 사립대학교도 국·공립대학교와 같이 「공공기관의 정보공개에 관한 법률」상의 공공기관에 해당한다.

㉱ 공공기관이 공개를 구하는 정보의 폐기 등으로 인해 보유·관리하고 있지 아니한 경우, 정보공개거부처분의 취소를 구할 법률상 이익이 없다.

㉲ 공공기관이 보유·관리하고 있는 정보가 제3자와 관련이 있는 경우, 제3자가 비공개를 요청하였다고 하여 「공공기관의 정보공개에 관한 법률」상 정보의 비공개사유에 해당하는 것은 아니다.

24

㉮ 「공공기관의 정보공개에 관한 법률」에서 정하고 있는 비공개대상정보 중 '다른 법률 또는 법률에서 위임한 명령(국회규칙·대법원규칙·헌법재판소규칙·중앙선거관리위원회규칙·대통령령 및 조례로 한정한다)에 따라 비밀이나 비공개사항으로 규정된 정보'에서의 '법률에서 위임한 명령'은 정보의 공개에 관하여 법률의 구체적인 위임 아래 제정된 법규명령(위임명령)을 의미한다.

㉯ (형식은 법무부령인) 검찰보존사무규칙의 법적 성질은 행정규칙으로서 그 규칙에서 불기소사건기록 등의 열람·등사를 제한하는 것은 구 「공공기관의 정보공개에 관한 법률」상 '다른 법률 또는 법률에 의한 명령에 의하여 비공개사항으로 규정된 경우'에 해당하지 않는다.

㉰ 학교폭력대책자치위원회 회의록은 「공공기관의 정보공개에 관한 법률」상 비공개대상정보에 해당한다.

㉱ 외교부장관이 '2015. 12. 28. 일본군위안부 피해자 합의와 관련하여 한일 외교장관 공동 발표문의 문안을 도출하기 위하여 진행한 협의·협상에서 일본군과 관헌에 의한 위안부 강제연행의 존부 및 사실인정 문제에 대해 협의한 협상 관련 외교부장관 생산 문서'에 대한 정보공개청구에 대해 "공개청구정보가 「공공기관의 정보공개에 관한 법률」 제9조 제1항 제2호에 해당한다."는 이유로 비공개결정을 한 것은 적법하다.

㉲ 보안관찰법상 보안관찰처분 관련 통계자료는 공개될 경우 국가의 중대한 이익을 해할 우려가 있는 정보 등에 해당한다(비공개대상).

25

①-1 법인 등이 거래하는 금융기관의 계좌번호에 관한 정보는 법인 등의 영업상 비밀에 관한 사항으로서 공개될 경우 법인 등의 정당한 이익을 현저히 해할 우려가 있다고 인정되는 정보에 해당한다(비공개대상).

①-2 법인 등의 상호, 단체명, 영업소명, 사업자등록번호 등에 관한 정보는 법인 등의 영업상 비밀에 관한 사항으로서 공개될 경우 법인 등의 정당한 이익을 현저히 해할 우려가 있다고 인정되는 정보에 해당하지 아니한다(공개대상).

② 공공기관은 공개대상정보의 양이 너무 많아 정상적인 업무수행에 현저한 지장을 초래할 우려가 있는 경우에는 해당 정보를 일정 기간별로 나누어 제공하거나 사본·복제물의 교부 또는 열람과 병행하여 제공할 수 있다.

③ 공공기관이 공개청구의 대상이 된 정보를 공개는 하되, 청구인이 신청한 공개방법 이외의 방법으로 공개하기로 하는 결정을 한 것은 정보공개청구 중 정보공개방법에 관한 부분에 대하여 일부 거부처분을 한 것이고, 청구인은 그에 대하여 항고소송으로 다툴 수 있다.

④ 법원이 행정기관의 정보공개거부처분의 위법 여부를 심리한 결과 공개를 거부한 정보에 비공개사유에 해당하는 부분과 그렇지 않은 부분이 혼합되어 있고, 공개청구의 취지에 어긋나지 않는 범위 안에서 두 부분을 분리할 수 있음을 인정할 수 있을 때에는 공개가 가능한 정보에 국한하여 일부취소를 명할 수 있다.

제 9 회 | 옳은 지문

문제 p.181

01

① 「공공기관의 정보공개에 관한 법률」에서 말하는 공개대상정보는 정보 그 자체가 아닌 「공공기관의 정보공개에 관한 법률」 제2조 제1호에서 예시하고 있는 매체 등에 기록된 사항을 의미한다.

② '진행 중인 재판에 관련된 정보'에 해당한다는 사유로 정보공개를 거부하기 위해서는 반드시 그 정보가 진행 중인 재판의 소송기록 자체에 포함된 내용일 필요는 없다.

③ 「공공기관의 정보공개에 관한 법률」상의 '진행 중인 재판에 관련된 정보'란 재판에 관련된 일체의 정보가 그에 해당하는 것은 아니고 진행 중인 재판의 심리 또는 재판결과에 구체적으로 영향을 미칠 위험이 있는 정보에 한정된다고 보는 것이 타당하다.

④-1 공공기관은 정보의 공개를 결정한 경우에는 공개의 일시 및 장소 등을 분명히 밝혀 청구인에게 통지하여야 한다.

④-2 공공기관은 공개하는 경우에 그 정보의 원본이 더럽혀지거나 파손될 우려가 있거나 그 밖에 상당한 이유가 있다고 인정할 때에는 그 정보의 사본·복제물을 공개할 수 있다.

02

㉮ 공개될 경우 부동산 투기, 매점매석 등으로 특정인에게 이익 또는 불이익을 줄 우려가 있다고 인정되는 정보는 공개하지 아니할 수 있다.

㉯ 한국방송공사는 「공공기관의 정보공개에 관한 법률 시행령」 제2조 제4호의 '특별법에 의하여 설립된 특수법인'으로서 정보공개의무가 있는 공공기관에 해당한다.

㉰ 공공기관은 전자적 형태로 보유·관리하는 정보에 대하여 청구인이 전자적 형태로 공개하여 줄 것을 요청하는 경우에는 그 정보의 성질상 현저히 곤란한 경우를 제외하고는 청구인의 요청에 따라야 한다.

㉱-1 정보의 공개 및 우송 등에 드는 비용은 실비의 범위에서 청구인이 부담한다.

㉱-2 공개를 청구하는 정보의 사용목적이 공공복리의 유지·증진을 위하여 필요하다고 인정되는 경우에는 비용을 감면할 수 있다.

03

① 공무원이 '직무와 관련 없이' 개인적인 자격으로 간담회·연찬회 등 행사에 참석하고 금품을 수령한 정보는 「공공기관의 정보공개에 관한 법률」에서 정한 '공개하는 것이 공익을 위하여 필요하다고 인정되는 정보'에 해당하지 않는다(비공개대상).

② 독립유공자서훈 공적심사위원회의 심의·의결 과정 및 내용을 기재한 회의록은 「공공기관의 정보공개에 관한 법률」 제9조 제1항 제5호에서 정한 '공개될 경우 업무의 공정한 수행에 현저한 지장을 초래한다고 인정할 만한 상당한 이유가 있는 정보'에 해당한다.

③ 의사결정과정에 제공된 회의 관련 자료나 의사결정과정이 기록된 회의록 등은 의사가 결정되거나 의사가 집행된 경우에는 더 이상 의사결정과정에 있는 사항 그 자체라고는 할 수 없으나, 의사결정과정에 있는 사항에 준하는 사항으로서 비공개대상정보에 포함될 수 있다.

④ 불기소처분기록이나 내사기록 중 피의자신문조서 등 조서에 기재된 피의자 등의 인적 사항 이외의 진술내용이 개인의 사생활의 비밀 또는 자유를 침해할 우려가 인정되는 경우 「공공기관의 정보공개에 관한 법률」 제9조 제1항 제6호 본문에서 정한 비공개대상정보에 해당한다.

04

㉮-1 모든 국민(자연인뿐만 아니라 법인, 법인격 없는 사단·재단도 포함)은 정보의 공개를 청구할 권리를 가진다.

㉮-2 또한 단체의 경우는 설립목적을 불문하므로, 시민단체 등은 이해관계 유무와 관계없이 정보공개를 청구할 수 있다.

㉯ 정보의 공개를 청구하는 자는 청구인의 성명·주민등록번호, 공개를 청구하는 정보의 내용 및 공개방법 등 일정한 사항을 기재한 정보공개청구서를 제출하거나 말로써 정보의 공개를 청구할 수 있다.

㉰-1 공공기관은 정보공개의 청구를 받은 날부터 10일 이내에 공개 여부를 결정하여야 한다.

㉰-2 공공기관은 부득이한 사유로 청구를 받은 날부터 10일 이내에 공개 여부를 결정할 수 없을 때에는 그 기간이 끝나는 날의 다음 날부터 기산하여 10일의 범위에서 공개 여부 결정기간을 연장할 수 있다.

㉱-1 공공기관은 정보의 비공개결정을 한 경우에는 그 사실을 청구인에게 지체 없이 문서로 통지하여야 한다.

㉱-2 이 경우 「공공기관의 정보공개에 관한 법률」 제9조 제1항 각 호 중 어느 규정에 해당하는 비공개대상정보인지를 포함한 비공개이유와 불복(不服)의 방법 및 절차를 구체적으로 밝혀야 한다.

㉲ 정보의 비공개결정은 전자문서로 통지할 수 있다는 것이 판례의 입장이다.

05

① 외국 또는 외국기관으로부터 비공개를 전제로 정보를 입수하였다는 이유만으로 이를 공개할 경우 업무의 공정한 수행에 현저한 지장을 받을 것이라고 단정할 수는 없다.

② 「공공기관의 정보공개에 관한 법률」 제9조 제1항 제5호에서 정한 '공개될 경우 업무의 공정한 수행에 현저한 지장을 초래한다고 인정할 만한 상당한 이유가 있는 경우'란 공개될 경우 업무의 공정한 수행이 객관적으로 현저하게 지장을 받을 것이라는 고도의 개연성이 존재하는 경우를 의미한다.

③ 의사결정과정 또는 내부검토과정을 이유로 비공개할 경우에는 의사결정과정 및 내부검토과정이 종료되면 청구인에게 이를 통지하여야 한다.

제9회 243

④ ㉠ 정보공개를 청구하여 정보공개 여부에 대한 결정의 통지를 받은 자가 정당한 사유 없이 해당 정보의 공개를 다시 청구하는 경우, ㉡ 정보공개청구가 민원으로 처리되었으나 다시 같은 청구를 하는 경우 공공기관은 종전 청구와의 내용적 유사성과 관련성 등을 고려하여 해당 정보공개청구를 종결처리할 수 있다.

06

①-1 정보공개청구서에 청구대상정보를 기재함에 있어서는 사회일반인의 관점에서 청구대상정보의 내용과 범위를 확정할 수 있을 정도로 특정함을 요한다.

①-2 공개를 청구한 정보의 내용이 '대한주택공사의 특정 공공택지에 관한 수용가, 택지조성원가, 분양가, 건설원가 등 및 관련 자료 일체'인 경우, '관련 자료 일체' 부분은 그 내용과 범위가 정보공개청구대상정보로서 특정되었다고 보기 어렵다.

② 정보공개를 청구하는 자가 공공기관에 대해 정보의 사본 또는 출력물의 교부방법으로 공개방법을 선택하여 정보공개청구를 한 경우, 공개청구를 받은 공공기관은 원칙적으로 공개방법을 선택할 재량권이 없다.

③ 정보공개에 관한 정책수립 및 제도개선에 관한 사항, 정보공개에 관한 기준수립에 관한 사항, 공공기관의 정보공개 운영실태 평가 및 그 결과처리에 관한 사항, 그 밖에 정보공개에 관하여 대통령령으로 정하는 사항을 심의·조정하기 위하여 행정안전부장관 소속으로 정보공개위원회를 둔다.

④-1 정보공개청구에 대한 공공기관의 정보공개의 거부는 항고소송의 대상이 되는 처분이다.

④-2 정보공개거부처분 취소소송의 피고도 일반적인 항고소송과 동일하게 행정청이 피고적격을 가지며, 정보공개심의회가 피고가 되는 것은 아니다.

07

㉮ 공공기관은 공개청구된 공개대상정보의 전부 또는 일부가 제3자와 관련이 있다고 인정할 때에는 그 사실을 제3자에게 지체 없이 통지하여야 하며, 필요한 경우에는 그의 의견을 들을 수 있다.

㉯ 「공공기관의 정보공개에 관한 법률」 제11조 제3항에 따라 공개청구된 사실을 통지받은 제3자는 그 통지를 받은 날부터 3일 이내에 해당 공공기관에 대하여 자신과 관련된 정보를 공개하지 아니할 것을 요청할 수 있다.

㉰ 청구인이 정보공개와 관련한 공공기관의 비공개결정 또는 부분공개결정에 대하여 불복이 있거나 정보공개청구 후 20일이 경과하도록 정보공개결정이 없는 때에는 공공기관으로부터 정보공개 여부의 결정통지를 받은 날 또는 정보공개청구 후 20일이 경과한 날부터 30일 이내에 해당 공공기관에 문서로 이의신청을 할 수 있다.

㉱-1 「공공기관의 정보공개에 관한 법률」상 정보공개청구인은 정보공개청구에 대해 공공기관의 비공개결정이 있는 경우 이의신청절차를 거치지 않고 곧바로 행정심판을 청구할 수 있다.

㉱-2 이의신청절차를 거친 경우라도 행정심판이 제한되는 것은 아니다.

㉲ 위 ㉯에 따른 제3자의 비공개요청에도 불구하고 공공기관이 공개결정을 할 때에는 공개결정이유와 공개실시일을 분명히 밝혀 지체 없이 문서로 통지하여야 한다.

㉳ 공공기관은 ㉲에 따른 정보의 공개결정일과 공개실시일 사이에 최소한 30일의 간격을 두어야 한다.

08

㉮ 판례에 따르면 공개청구의 대상이 되는 정보가 이미 다른 사람에게 공개되어 널리 알려져 있다거나 인터넷이나 관보 등을 통하여 공개되어 인터넷 검색이나 도서관에서의 열람 등을 통하여 쉽게 알 수 있다고 하여도 소의 이익이 없다고 할 수 없고 비공개결정이 정당화될 수도 없다.

㉯-1 「공공기관의 정보공개에 관한 법률」에 따르면, 공개청구한 정보가 비공개대상정보에 해당하는 부분과 공개 가능한 부분이 혼합되어 있는 경우로서 공개청구의 취지에 어긋나지 아니하는 범위에서 두 부분을 분리할 수 있는 경우에는 비공개대상정보에 해당하는 부분을 제외하고 공개하여야 한다.

㉯-2 따라서 공개를 거부한 정보에 비공개대상정보에 해당하는 부분과 공개가 가능한 부분이 구별되고 이를 분리할 수 있는 경우 법원은 공개가 가능한 정보에 관한 부분만을 취소하여야 한다.

㉯-3 이 경우 판결의 주문에 행정청의 거부처분 중 공개가 가능한 정보에 관한 부분만을 취소한다고 표시하여야 한다.

㉰ 재판장은 필요하다고 인정할 때에는 당사자를 참여시키지 아니하고 제출된 공개청구정보를 비공개로 열람·심사할 수 있다.

㉱ 청구인이 정보공개거부처분의 취소를 구하는 소송에서 공공기관이 청구정보를 증거 등으로 법원에 제출하여 법원을 통하여 그 사본을 청구인에게 교부 또는 송달되게 하여 결과적으로 청구인에게 정보를 공개하는 셈이 되었다고 하더라도, 이러한 우회적인 방법은 「공공기관의 정보공개에 관한 법률」이 예정하고 있지 아니한 방법으로서 「공공기관의 정보공개에 관한 법률」에 의한 공개라고 볼 수는 없으므로, 당해 정보의 비공개결정의 취소를 구할 소의 이익은 소멸되지 않는다.

09

①-1 공공기관이 공개청구의 대상이 된 정보를 청구인이 신청한 공개방법 이외의 방법으로 공개하기로 하는 결정을 한 경우, 이는 정보공개방법에 관한 부분에 대하여 일부 거부처분을 한 것이다.

①-2 따라서 청구인은 이에 대하여 항고소송으로 다툴 수 있다.

②③-1 정보공개제도와 관련하여 정보를 공공기관이 보유·관리하고 있을 상당한 개연성이 있다는 점에 대하여 원칙적으로 공개청구자에게 증명책임이 있다.

②③-2 정보공개제도와 관련하여 공개를 구하는 정보를 공공기관이 한 때 보유·관리하였으나 후에 그 정보가 담긴 문서 등이 폐기되어 존재하지 않게 된 것이라면 그 정보를 더 이상 보유·관리하고 있지 아니하다는 점에 대한 증명책임은 공공기관에 있다.

④ 공공기관은 정보공개청구가 ㉠ 공개청구된 정보가 공공기관이 보유·관리하지 아니하는 정보인 경우나 ㉡ 공개청구의 내용이 진정·질의 등으로 「공공기관의 정보공개에 관한 법률」에 따른 정보공개청구로 보기 어려운 경우 「민원처리에 관한 법률」에 따른 민원으로 처리할 수 있는 경우에는 민원으로 처리할 수 있다.

10

① 공공기관의 정보공개에 관한 법률상 공개청구의 대상이 되는 정보란 공공기관이 직무상 작성 또는 취득하여 현재 보유·관리하고 있는 문서에 한정되는 것이기는 하나, 그 문서가 반드시 원본일 필요는 없다.

② 연구목적으로 '2002학년도부터 2005학년도까지의 대학수학능력시험 원데이터'의 정보공개를 청구하는 경우, 그 공개로 대학수학능력시험 업무의 공정한 수행이 객관적으로 현저하게 지장을 받을 것이라는 고도의 개연성이 존재한다고 볼 수 없으므로 그 정보는 「공공기관의 정보공개에 관한 법률」상의 비공개대상정보에 해당하지 않는다.

③-1 교도소에 수용 중이던 재소자가 담당 교도관들을 상대로 가혹행위를 이유로 형사고소 및 민사소송을 제기하면서 그 증명자료 확보를 위해 정보공개를 요청한 '근무보고서'는 비공개대상정보에 해당하지 않는다.

③-2 교도소에 수용 중이던 재소자가 담당교도관들을 상대로 가혹행위를 이유로 형사고소 및 민사소송을 제기하면서 그 증명자료 확보를 위해 정보공개를 요청한 '징벌위원회 회의록' 중 비공개 심사·의결 부분은 「공공기관의 정보공개에 관한 법률」상의 비공개사유에 해당하는 반면, 재소자의 진술, 위원장 및 위원들과 재소자 사이의 문답 등 징벌절차 진행 부분은 동법상의 비공개사유에 해당하지 않는다.

④ 사법시험 응시자가 자신의 제2차 시험 답안지에 대한 열람청구를 한 경우 답안지 열람은 사법시험업무의 수행에 현저한 지장을 초래한다고 볼 수 없어 그 답안지는 정보공개의 대상이 된다.

11

㉮-1 국가배상법상의 직무행위에는 권력적 작용뿐만 아니라 비권력적 공행정작용(관리작용)도 포함된다.

㉮-2 명단공표는 국가배상법상의 직무행위에 해당하므로 위법한 공표에 의해 명예·신용 등이 침해된 경우에는 행정상 손해배상을 청구할 수 있다.

㉯ 명단공표란 행정법상의 의무 위반 또는 불이행이 있는 경우에, 그 의무 위반자 또는 불이행자의 성명, 위반사실 등을 일반에게 공개하여 명예 또는 신용의 침해를 위협함으로써 심리적 압박을 가하여 행정법상의 의무이행을 간접적으로 확보하는 강제수단을 말한다.

㉰-1 명단공표는 행정의 새로운 실효성 확보수단에 해당한다.

㉰-2 행정절차법은 '위반사실 등 공표'에 관한 규정을 두고 있다.

㉰-3 명단공표에 관하여 국세징수법상 고액·상습체납자의 명단공개규정 등 개별법에도 근거가 있다.

㉰-4 다수설은 명단공표의 법적 근거 필요 여부에 대하여 공표에 의해 상대방에게 인격권·프라이버시권 등의 침해를 가져올 우려가 있으므로 원칙적으로 법적 근거가 필요하다고 본다.

㉱-1 행정상 공표로 인한 명예훼손의 경우 적시된 사실의 내용이 진실이라는 증명이 없더라도 국가기관이 공표 당시 이를 진실이라고 믿었고, 또한 그렇게 믿을 만한 상당한 이유가 있다면 위법성이 없다.

㉱-2 다만, 상당한 이유의 존부의 판단에 있어서는 공권력의 광범위한 사실조사능력 등을 고려할 때 사인의 행위에 의한 경우보다는 훨씬 더 엄격한 기준이 요구된다.

㉲-1 관할 지방병무청장이 병역의무기피를 이유로 그 인적 사항 등을 공개할 대상자를 1차로 결정하고 그에 이어 병무청장의 최종 공개결정이 있는 경우, 항고소송의 대상이 되는 행정처분은 병무청장의 최종 공개결정으로 보아야 한다.

㉲-2 이 경우 지방병무청장의 1차 공개결정이 별도로 항고소송의 대상이 되는 것은 아니다.

12

① 가산세는 세법에서 규정하는 의무의 성실한 이행을 확보하기 위하여 세법에 따라 산출한 본세액에 가산하여 징수하는 독립된 조세로서, 본세에 감면사유가 인정된다고 하여 가산세도 감면대상에 포함되는 것이 아니다.

②-1 가산세를 부과함에 있어 고의·과실은 고려되지 않는다.

②-2 다만, 의무불이행에 정당한 사유가 있는 경우에는 가산세를 부과할 수 없다.

③ 세법상 가산세는 과세권 행사 및 조세채권 실현을 용이하게 하기 위하여 납세자가 정당한 이유 없이 법에 규정된 신고, 납세 등의 의무를 위반한 경우에 개별세법에 따라 부과하는 행정상 제재로서, 납세자의 고의·과실은 고려되지 않고 법령의 부지·착오 등은 그 의무 위반을 탓할 수 없는 정당한 사유에 해당하지 않는다.

④ 납세의무자가 세무공무원의 잘못된 설명만을 믿고 신고납부의무를 불이행하였다 하더라도 그것이 관계 법령에 어긋나는 것임이 명백한 경우 '정당한 사유'가 있다고 할 수 없다.

13

① 행정청은 법령 등의 위반행위가 종료된 날부터 5년이 지나면 해당 위반행위에 대하여 제재처분(인·허가의 정지·취소·철회, 등록말소, 영업소 폐쇄와 정지를 갈음하는 과징금 부과를 말한다)을 할 수 없다.

②③ ㉠ 거짓이나 그 밖의 부정한 방법으로 인·허가를 받거나 신고를 한 경우, ㉡ 당사자가 인·허가나 신고의 위법성을 알고 있었거나 중대한 과실로 알지 못한 경우, ㉢ 정당한 사유 없이 행정청의 조사·출입·검사를 기피·방해·거부하여 제척기간이 지난 경우, ㉣ 제재처분을 하지 아니하면 국민의 안전·생명 또는 환경을 심각하게 해치거나 해칠 우려가 있는 경우에는 제척기간을 적용하지 않는다.

④ 행정청은 행정심판의 재결이나 법원의 판결에 따라 제재처분이 취소·철회된 경우에는 재결이나 판결이 확정된 날부터 1년(합의제 행정기관은 2년)이 지나기 전까지는 그 취지에 따른 새로운 제재처분을 할 수 있다.

14

㉮ 「독점규제 및 공정거래에 관한 법률」에 의한 시정명령의 내용은 과거의 위반행위에 대한 중지는 물론 가까운 장래에 반복될 우려가 있는 동일한 유형의 행위의 반복금지까지 명할 수 있는 것으로 보아야 한다.

㉯ 위법건축물에 대한 단전 및 전화통화 단절조치 요청행위는 권고적 성격에 불과한 것으로 항고소송의 대상이 되는 행정처분이 아니다.

㉰-1 시정명령이란 행정법령의 위반행위로 초래된 위법상태의 제거 내지 시정을 명하는 행정행위를 말하는 것으로, 그 위법행위의 결과가 더 이상 존재하지 않는다면 시정명령을 할 수 없다.

㉰-2 판례는 구 「하도급거래 공정화에 관한 법률」 제13조 등의 위반행위가 있었으나 그 결과가 더 이상 존재하지 않는 경우, 같은 법 제25조 제1항에 의한 시정명령을 할 수 없다고 본다.

㉱ 관할청이 시정을 요구하면서 부여한 기간이 너무 불합리하거나 부당하지 않는 한 단기간이라는 이유만으로 그 시정 요구가 위법하다고 볼 수는 없다.

15

㉮㉯-1 행정청은 위반사실 등의 공표를 할 때에는 특별한 사정이 없는 한 미리 당사자에게 그 사실을 통지하고 의견제출의 기회를 주어야 한다.

㉮㉯-2 다만, ㉠ 공공의 안전 또는 복리를 위하여 긴급히 공표를 할 필요가 있는 경우, ㉡ 해당 공표의 성질상 의견청취가 현저히 곤란하거나 명백히 불필요하다고 인정될 만한 타당한 이유가 있는 경우, ㉢ 당사자가 의견진술의 기회를 포기한다는 뜻을 명백히 밝힌 경우에는 그러하지 아니하다.

㉮㉯-3 의견제출 기회를 받은 당사자는 공표 전에 관할 행정청에 서면이나 말 또는 정보통신망을 이용하여 의견을 제출할 수 있다.

㉰ 행정청은 공표된 내용이 사실과 다른 것으로 밝혀지거나 공표에 포함된 처분이 취소된 경우에는 그 내용을 정정하여, 정정한 내용을 지체 없이 해당 공표와 같은 방법으로 공표된 기간 이상 공표하여야 한다. 다만, 당사자가 원하지 아니하면 공표하지 아니할 수 있다.

㉱ 청소년 성매수자에 대한 신상공개를 규정한 「청소년의 성보호에 관한 법률」 규정은 이중처벌금지의 원칙에 위반되지 않는다.

16

㉮-1 과징금의 임의적 감경사유가 있는 경우에, 행정청이 감경사유까지 고려하고도 과징금을 감경하지 않은 채 개별처분기준에서 정한 상한으로 처분을 한 경우에는 재량권을 일탈·남용하였다고 단정할 수는 없다.

㉮-2 그러나 행정청이 감경사유를 전혀 고려하지 않았거나, 감경사유에 해당하지 않는다고 오인하여 개별처분기준에서 정한 상한으로 처분을 한 경우에는 마땅히 고려대상에 포함하여야 할 사항을 누락하였거나 고려대상에 관한 사실을 오인한 경우에 해당하여 재량권을 일탈·남용한 위법한 처분이 된다.

㉯-1 과징금은 법이 규정한 범위 내에서 그 부과처분 당시까지 부과관청이 확인한 사실을 기초로 일의적으로 확정되어야 할 것이다.

㉯-2 부과관청이 과징금을 부과하면서 추후에 부과금 산정기준이 되는 새로운 자료가 나올 경우에는 과징금액이 변경될 수도 있다고 유보한다든지, 실제로 추후에 새로운 자료가 나왔다고 하여 새로운 부과처분을 할 수는 없다.

㉰-1 「부동산 실권리자명의 등기에 관한 법률」 및 동법 시행령상 명의신탁자에 대한 과징금 부과처분의 법적 성질은 기속행위이다.

㉰-2 명의신탁이 조세를 포탈하거나 법령에 의한 제한을 회피할 목적이 아닌 경우에 한하여 그 과징금을 일정한 범위 내에서 감경할 수 있을 뿐이지 그에 대하여 과징금 부과처분을 하지 않거나 과징금을 전액 감면할 수 있는 것은 아니다.

㉱-1 관할 행정청이 여객자동차운송사업자의 여러 가지 위반행위를 인지한 경우, 인지한 여러 가지 위반행위 중 일부에 대해서만 우선 과징금 부과처분을 하고 나머지에 대해서 차후에 별도의 과징금 부과처분을 하는 것은 다른 특별한 사정이 없는 한 허용되지 않는다.

㉱-2 관할 행정청이 여객자동차운송사업자가 범한 여러 가지 위반행위 중 일부만 인지하여 과징금 부과처분을 하였는데 그 후 과징금 부과처분 시점 이전에 이루어진 다른 위반행위를 인지하여 이에 대하여 별도의 과징금 부과처분을 하게 되는 경우에도 종전 과징금 부과처분의 대상이 된 위반행위와 추가 과징금 부과처분의 대상이 된 위반행위에 대하여 일괄하여 하나의 과징금 부과처분을 하는 경우와의 형평을 고려하여 추가 과징금 부과처분의 처분양정이 이루어져야 한다.

17

㉮ 과징금 부과처분은 원칙적으로 위반자의 고의·과실을 요하지 않으나, 위반자의 의무해태를 탓할 수 없는 정당한 사유가 있는 등의 특별한 사정이 있는 경우에는 이를 부과할 수 없다.

㉯ '의무 위반을 탓할 수 없는 정당한 사유'가 있는지를 판단할 때에는 본인이나 그 대표자의 주관적인 인식을 기준으로 하는 것이 아니라, 그의 가족, 대리인, 피용인 등과 같이 본인에게 책임을 객관적으로 귀속시킬 수 있는 관계자 모두를 기준으로 판단하여야 한다.

㉰-1 과징금은 재산권의 직접적인 침해를 가져오는 것이므로 법률의 구체적 근거가 있는 경우에만 부과할 수 있다.

㉰-2 과징금 부과처분은 통상 재량행위에 해당한다.

㉱ 과징금채무는 대체적 급부가 가능한 의무이므로 과징금을 부과받은 자가 사망한 경우 그 상속인에게 포괄승계된다.

18

① 재량행위인 과징금 부과처분이 법이 정한 한도액을 초과하여 위법할 경우 법원은 그 전부를 취소할 수밖에 없고, 그 한도액을 초과한 부분이나 법원이 적정하다고 인정되는 부분을 초과한 부분만을 취소할 수 없다.

② 과징금 부과처분은 제재적 행정처분으로서 행정목적의 달성을 위하여 행정법규 위반이라는 객관적 사실에 착안하여 가하는 제재이므로 반드시 현실적인 행위자가 아니라도 법령상 책임자로 규정된 자에게 부과될 수 있다.

③④-1 구 「독점규제 및 공정거래에 관한 법률」에 의한 부당내부거래에 대한 과징금은 부당내부거래 억지라는 행정목적을 실현하기 위하여 그 위반행위에 대하여 제재를 가하는 행정상의 제재금으로서의 기본적 성격에 부당이득환수적 요소도 부가되어 있는 것이고, 이를 두고 헌법 제13조 제1항에서 금지하는 국가형벌권 행사로서의 '처벌'에 해당한다고는 할 수 없다.

③④-2 과징금과 형사처벌을 병과하더라도 이중처벌금지원칙에 위반된다고 볼 수 없다.

19

㉮㉰-1 행정기본법상 제재처분은 법령 등에 따른 의무를 위반하거나 이행하지 아니하였음을 이유로 당사자에게 의무를 부과하거나 권익을 제한하는 처분을 말한다. 다만, 행정상 강제는 제외한다.

㉮㉰-2 제재처분의 근거가 되는 법률에는 제재처분의 주체, 사유, 유형 및 상한을 명확하게 규정하여야 한다. 이 경우 제재처분의 유형 및 상한을 정할 때에는 해당 위반행위의 특수성 및 유사한 위반행위와의 형평성 등을 종합적으로 고려하여야 한다.

㉯-1 행정청은 법령 등의 위반행위가 종료된 날부터 5년이 지나면 해당 위반행위에 대하여 제재처분(인·허가의 정지·취소·철회, 등록말소, 영업소 폐쇄와 정지를 갈음하는 과징금 부과를 말한다)을 할 수 없다.

㉯-2 다만, ㉠ 거짓이나 그 밖의 부정한 방법으로 인·허가를 받거나 신고를 한 경우, ㉡ 당사자가 인·허가나 신고의 위법성을 알고 있었거나 중대한 과실로 알지 못한 경우, ㉢ 정당한 사유 없이 행정청의 조사·출입·검사를 기피·방해·거부하여 제척기간이 지난 경우, ㉣ 제재처분을 하지 아니하면 국민의 안전·생명 또는 환경을 심각하게 해치거나 해칠 우려가 있는 경우에는 위반행위가 종료된 날부터 5년이 지난 후에도 제재처분을 할 수 있다.

㉰ 행정청은 이행강제금을 부과하기 전에 미리 의무자에게 적절한 이행기간을 정하여 그 기한까지 행정상 의무를 이행하지 아니하면 이행강제금을 부과한다는 뜻을 문서로 계고하여야 한다.

㉱ 직접강제는 행정대집행이나 이행강제금 부과의 방법으로는 행정상 의무이행을 확보할 수 없거나 그 실현이 불가능한 경우에 실시하여야 한다.

㉲-1 행정상의 강제징수는 국민이 국가 등 행정주체에 대해 부담하고 있는 행정법상의 금전급부의무를 불이행하고 있는 경우에 행정청이 의무자의 재산에 실력을 가하여 의무의 이행이 있었던 것과 같은 상태를 실현하는 행정작용을 말한다.

㉲-2 국세 납부의무불이행에 따른 영업의 인·허가의 거부·정지는 관허사업의 제한으로서 새로운 의무이행 확보수단에 해당한다.

㉳ 즉시강제를 실시하기 위하여 현장에 파견되는 집행책임자는 그가 집행책임자임을 표시하는 증표를 보여주어야 하며, 즉시강제의 이유와 내용을 고지하여야 한다.

20

①②-1 행정대집행의 대상이 되는 대체적 작위의무는 사법(私法)상 의무가 아니라 공법(公法)상 의무이어야 한다.

①②-2 한편, 이때의 작위의무는 행정처분뿐만 아니라 법령(조례 포함)에 의해 직접 부과될 수도 있다.

③-1 부작위의무 위반행위에 대하여 대체적 작위의무로 전환하는 규정을 두고 있지 않는 경우, 부작위의무로부터 그 의무를 위반함으로써 생긴 결과를 시정하기 위한 작위의무를 당연히 끌어낼 수는 없다.

③-2 또한 부작위의무의 근거규정인 금지규정으로부터 작위의무, 즉 위반결과의 시정을 명하는 권한이 당연히 추론되는 것도 아니다.

③-3 즉, 부작위의무 위반의 경우 작위의무를 끌어내기 위해서는(작위의무로 전환하기 위해서는) 별도의 명문규정이 있어야 한다.

④ 관계 법령을 위반하여 장례식장 영업을 하고 있는 자의 장례식장 사용중지의무는 비대체적 부작위의무로서 행정대집행법 제2조의 규정에 의한 대집행의 대상이 되지 않는다.

21

①-1 선행행위가 부존재하거나 무효인 경우에는 그 하자는 당연히 후행행위에 승계되어 후행행위도 무효로 된다.

①-2 건축법 제69조(현 제79조) 등과 같은 부작위의무 위반행위에 대하여 대체적 작위의무로 전환하는 규정을 두고 있지 아니하므로 금지규정으로부터 그 위반결과의 시정을 명하는 원상복구명령을 할 수 있는 권한이 도출되는 것은 아니다.

①-3 결국 행정청의 원상복구명령은 권한 없는 자의 처분으로 무효에 해당하고 원상복구명령이 당연무효인 이상 후행처분인 계고처분 역시 무효로 된다.

② 피수용자 등이 사업시행자에 대하여 부담하는 수용대상 토지의 인도의무는 비대체적 의무로서 행정대집행법에 의한 대집행의 대상이 되지 않는다.

③ 구 「공공용지의 취득 및 손실보상에 관한 특례법」에 의한 협의취득시 건물소유자가 매매대상 건물에 대한 철거의무를 부담하겠다는 취지의 약정을 한 경우, 그 철거의무는 사법상 의무이므로 행정대집행법에 의한 대집행의 대상이 되지 않는다.

④-1 계고는 준법률행위적 행정행위인 통지로서 처분성이 있다.

④-2 다만, 제2·3차의 계고처분은 새로운 철거의무를 부과한 것이 아니고, 대집행기한의 연기통지에 불과하므로 행정처분이 아니다.

22

㉮ 대집행요건을 구비하였는지에 관한 주장 및 입증책임은 처분행정청에 있다.

㉯-1 대집행의 주체는 대집행의 대상이 되는 의무를 부과한 행정청, 즉 당해 행정청이다.

㉯-2 대집행의 실행을 제3자(공공단체 또는 사인)에게 위탁하는 것도 가능하다.

㉯-3 이 경우 위탁을 받아 대집행을 실행하는 제3자는 대집행의 주체가 아니라 행정보조자의 지위를 갖는다.

㉰ 계고서라는 명칭의 1장의 문서로써, 일정 기간 내에 위법건축물의 자진철거를 명함과 동시에 그 소정 기한 내에 자진철거를 하지 아니할 때에는 대집행할 뜻을 미리 계고한 경우라도 철거명령 및 계고처분은 적법하다.

㉱ 행정청은 해가 지기 전에 대집행을 착수한 경우 또는 해가 뜬 후부터 지기 전까지 대집행을 하는 경우에는 대집행의 목적 달성이 불가능한 경우 등에 해당하면 해가 진 후에도 대집행을 할 수 있다.

23

㉮ 한국토지공사(현 한국토지주택공사)는 「공익사업을 위한 토지 등의 취득 및 보상에 관한 법률」, 구 한국토지공사법 및 동법 시행령의 위탁에 의하여 대집행을 수권받은 자로서 공무인 대집행을 실시함에 따르는 권리·의무 및 책임이 귀속되는 행정주체의 지위에 있다고 볼 것이지 지방자치단체 등의 기관으로서 국가배상법 제2조 소정의 공무원에 해당한다고 볼 것은 아니다.

㉯ 법률(법률의 위임에 의한 명령, 지방자치단체의 조례를 포함한다)에 의하여 직접 명령되었거나 법률에 의거한 행정청의 명령에 의한 행위로서 타인이 대신하여 행할 수 있는 행위를 의무자가 이행하지 아니하는 경우 다른 수단으로써 그 이행을 확보하기 곤란하고 또한 그 불이행을 방치함이 심히 공익을 해할 것으로 인정될 때에는 당해 행정청은 스스로 의무자가 하여야 할 행위를 하거나 또는 제3자로 하여금 이를 하게 하여 그 비용을 의무자로부터 징수할 수 있다.

㉰ 대법원에 따르면 아무런 권원 없이 국유재산에 설치한 시설물에 대하여 행정청이 행정대집행을 할 수 있음에도 민사소송의 방법으로 그 시설물의 철거를 구하는 것은 허용되지 않는다.

㉱ 제3자가 아무런 권원 없이 국유재산에 설치한 시설물에 대해 행정청이 행정대집행을 실시하지 않는 경우 국유재산에 대한 사용청구권을 가진 사인은 국가를 대위하여 민사소송으로 그 시설물의 철거를 구할 수 있다.

㉲-1 대한주택공사가 법령에 의하여 대집행권한을 위탁받아 공무인 대집행을 실시하기 위하여 지출한 비용은 행정대집행법절차에 따라 국세징수법의 예에 의하여 징수할 수 있다.

㉲-2 대한주택공사가 법령에 의하여 대집행권한을 위탁받아 공무인 대집행을 실시하기 위하여 지출한 비용을 행정대집행법절차에 따라 징수할 수 있음에도 민사소송절차에 의하여 그 비용의 상환을 청구할 수는 없다.

24

㉮ 행정대집행법에 따르면 비상시 또는 위험이 절박한 경우에 있어서 대집행의 급속한 실시를 요하여 계고 및 대집행영장에 의한 통지를 할 여유가 없을 때에는 그 수속을 거치지 아니하고 대집행을 할 수 있다.

㉯-1 부작위의무로부터 그 의무를 위반함으로써 생긴 결과를 시정하기 위한 작위의무를 당연히 끌어낼 수는 없으며, 또 위 금지규정으로부터 작위의무, 즉 위반결과의 시정을 명하는 권한이 당연히 추론되는 것도 아니다.

㉯-2 부작위의무 위반의 경우 작위의무를 끌어내기 위해서는(작위의무로 전환하기 위하여서는) 별도의 명문규정이 있어야 한다.

㉰ 건축법에 위반하여 증·개축함으로써 철거의무가 있더라도 행정대집행법 제2조에 의하여 그 철거의무를 대집행하기 위한 계고처분을 하려면 다른 방법으로는 그 이행의 확보가 어렵고, 그 불이행을 방치함이 심히 공익을 해하는 것으로 인정되는 경우에 한한다.

㉱ 위법한 건물의 공유자 1인에 대한 계고처분은 다른 공유자에 대하여는 그 효력이 없다.

㉲ 공유재산의 점유자가 그 공유재산에 관하여 대부계약 외 달리 정당한 권원이 있다는 자료가 없는 경우 그 대부계약이 적법하게 해지된 이상 그 점유자의 공유재산에 대한 점유는 정당한 이유 없는 점유라 할 것이고, 따라서 지방자치단체의 장은 지방재정법 제85조에 의하여 행정대집행의 방법으로 그 지상물을 철거시킬 수 있다.

25

①-1 부작위의무(허가 없이 공작물을 설치하지 아니할 의무) 및 수인의무(예방접종·건강진단을 받을 의무)를 위반한 경우에는 원칙적으로 대집행의 대상이 되지 않는다.

①-2 하천유수인용행위를 중단할 것과 이를 불이행할 경우 행정대집행법에 의하여 대집행하겠다는 내용의 계고처분은 부작위의무에 대한 대집행계고처분으로서 위법하다.

②-1 대집행의 대상이 되는 의무는 대체적인 작위의무에 한정된다.

②-2 따라서 비대체적 작위의무(병역의무, 증인의 출석의무 등 타인이 대신할 수 없는 의무)의 경우에는 대집행을 할 수 없다.

②-3 토지·건물의 점유이전의무는 토지·건물을 점유하고 있는 사람의 퇴거를 필요로 하는데, 이는 대체적 작위의무라고 할 수 없으므로 대집행의 대상이 될 수 없다.

②-4 마찬가지로 도시공원시설 점유자의 퇴거 및 명도의무는 대체적 작위의무가 아니므로 대집행의 대상이 되지 않는다.

③ 계고시 상당한 기간을 부여하지 않은 경우 대집행영장으로 대집행의 시기를 늦추었다 하더라도 대집행계고처분은 상당한 이행기한을 정하여 한 것이 아니므로 위법하다.

④-1 행정청이 대집행의 계고를 할 때에는 의무자가 이행하여야 할 행위와 의무불이행시 대집행할 행위의 내용과 범위가 구체적으로 특정되어야 한다.

④-2 다만, 특정 여부는 반드시 대집행계고서만으로 판단할 것은 아니고 그 처분 전후에 송달된 문서나 기타 사정을 종합하여 행위의 내용이 특정되거나 대집행의무자가 그 이행의무의 범위를 알 수 있을 정도면 족하다.

제10회 | 옳은 지문

01

① 건물의 점유자가 철거의무자일 때에는 건물철거의무에 퇴거의무도 포함되어 있는 것이어서 별도로 퇴거를 명하는 집행권원이 필요하지 않다.

② 행정청이 건물소유자들을 상대로 건물철거 대집행을 실시하기에 앞서, 건물소유자들을 건물에서 퇴거시키기 위해 별도로 퇴거를 구하는 민사소송은 부적법하다.

③ 행정청이 행정대집행의 방법으로 건물철거의무의 이행을 실현할 수 있는 경우에는 건물철거 대집행과정에서 부수적으로 건물의 점유자들에 대한 퇴거조치를 할 수 있다.

④ 행정청이 행정대집행의 방법으로 건물철거의무의 이행을 실현할 수 있는 경우, 점유자들이 적법한 행정대집행을 위력을 행사하여 방해한다면 필요한 경우에는 「경찰관 직무집행법」에 근거한 위험발생방지조치 또는 형법상 공무집행방해죄의 범행방지 내지 현행범체포의 차원에서 경찰의 도움을 받을 수도 있다.

02

①-1 건축법상 이행강제금은 일정한 기한까지 의무를 이행하지 않을 때에는 일정한 금전적 부담을 과할 뜻을 미리 계고함으로써 의무자에게 심리적 압박을 주어 장래에 그 의무를 이행하게 하려는 행정상 간접적인 강제집행수단이다.

①-2 장래의 의무이행의 확보를 위한 강제수단으로, 과벌에 해당하지 않는다. 따라서 이중처벌금지의 원칙이 적용되지 않는다.

②-1 이행강제금 부과처분에 대해 비송사건절차법에 의한 특별한 불복절차가 마련되어 있는 경우 그 이행강제금 부과처분은 항고소송의 대상이 되는 행정처분이 아니다.

②-2 농지법 제62조 제1항에 따른 이행강제금 부과처분에 불복하는 경우에는 비송사건절차법에 따른 재판절차가 적용되어야 하고, 이행강제금 부과처분을 하면서 재결청에 행정심판을 청구하거나 관할 행정법원에 행정소송을 할 수 있다고 잘못 안내하거나 행정심판위원회가 각하재결이 아닌 기각재결을 하면서 관할 법원에 행정소송을 할 수 있다고 잘못 안내하였다고 하더라도 행정소송법상 항고소송의 대상은 될 수 없다.

③ 시정명령을 받은 의무자가 그 시정명령의 취지에 부합하는 의무를 이행하기 위한 정당한 방법으로 행정청에 신청 또는 신고를 하였으나 행정청이 위법하게 이를 거부 또는 반려함으로써 결국 그 처분이 취소된 경우, 특별한 사정이 없는 한 그 시정명령의 불이행을 이유로 이행강제금을 부과할 수는 없다.

④ 행정청은 의무자가 행정상 의무를 이행할 때까지 이행강제금을 반복하여 부과할 수 있지만, 의무자가 의무를 이행하면 새로운 이행강제금의 부과를 즉시 중지하되, 이미 부과한 이행강제금은 징수하여야 한다.

03

①-1 이행강제금은 금전의 징수가 목적이 아니라 의무이행을 촉구하기 위한 것이므로 일단 의무이행이 있으면 비록 시정명령에서 정한 기간을 지나서 이행한 경우라도 이행강제금을 부과할 수 없다.

①-2 따라서 건축법상 시정명령을 받은 의무자가 이행강제금이 부과되기 전에 그 의무를 이행한 경우에는 비록 시정명령에서 정한 기간을 지나서 이행한 경우라도 이행강제금을 부과할 수 없다.

② 헌법재판소에 따르면 행정청은 대집행과 이행강제금을 선택적으로 활용할 수 있다고 할 것이며, 이처럼 그 합리적인 재량에 의해 선택하여 활용하는 이상 중첩적인 제재에 해당한다고 볼 수 없다.

③-1 건축법 제78조에 의한 무허가 건축행위에 대한 형사처벌과 건축법 제83조 제1항에 의한 시정명령 위반에 대한 이행강제금의 부과는 그 처벌 내지 제재대상이 되는 기본적 사실관계로서의 행위를 달리한다.

③-2 따라서 헌법 제13조 제1항이 금지하는 이중처벌에 해당한다고 할 수 없다.

④ 건축법에 의하면 허가권자는 시정명령을 받은 자가 이를 이행하면 새로운 이행강제금의 부과를 즉시 중지하되, 이미 부과된 이행강제금은 징수하여야 한다.

04

㉮-1 이행강제금은 금전의 징수가 목적이 아니라 의무이행을 촉구하기 위한 것이므로 일단 의무이행이 있으면 비록 시정명령에서 정한 기간을 지나서 이행한 경우라도 이행강제금을 부과할 수 없다.

㉮-2 따라서 건축법상 시정명령을 받은 의무자가 이행강제금이 부과되기 전에 그 의무를 이행한 경우에는 비록 시정명령에서 정한 기간을 지나서 이행한 경우라도 이행강제금을 부과할 수 없다.

㉯ 건축법상 이행강제금 납부의 최초 독촉은 항고소송의 대상이 되는 행정처분에 해당한다.

㉰-1 건축법상의 이행강제금은 간접강제의 일종으로서 그 이행강제금 납부의무는 상속인에게 승계될 수 없는 일신전속적인 성질의 것이므로 이미 사망한 사람에게 이행강제금을 부과하는 내용의 처분이나 결정은 당연무효이다.

㉰-2 구 건축법상 이행강제금을 부과받은 사람이 재판절차가 개시된 이후에 사망한 경우, 재판절차는 종료된다.

㉱ 헌법재판소에 따르면 행정청은 대집행과 이행강제금을 선택적으로 활용할 수 있으며, 합리적인 재량에 의해 선택하여 활용하는 이상 중첩적인 제재에 해당하지 않는다.

05

㉮-1 「개발제한구역법」상 이행강제금의 부과·징수를 위한 계고는 시정명령을 불이행한 경우에 취할 수 있는 절차라 할 것이다.

㉮-2 따라서 이행강제금을 부과·징수할 때마다 그에 앞서 시정명령 절차를 다시 거쳐야 할 필요는 없다.

㉯ 이행강제금 부과처분에 대한 불복방법에 관하여 개별법에 아무런 규정을 두고 있지 않은 경우에는 행정심판 또는 행정소송을 제기할 수 있다.

㉰-1 건축법상의 이행강제금은 간접강제의 일종으로서 그 이행강제금 납부의무는 상속인에게 승계될 수 없는 일신전속적인 성질의 것이므로 이미 사망한 사람에게 이행강제금을 부과하는 내용의 처분이나 결정은 당연무효이다.

㉰-2 구 건축법상 이행강제금을 부과받은 사람이 재판절차가 개시된 이후에 사망한 경우, 재판절차는 종료된다.

㉱-1 이행강제금은 간접적인 행정상 강제집행수단이고, 노동위원회가 근로기준법에 따라 이행강제금을 부과하는 경우 그 30일 전까지 하여야 하는 이행강제금 부과예고는 계고이다.

㉱-2 사용자가 이행하여야 할 행정법상 의무의 내용을 초과하는 것을 '불이행 내용'으로 기재한 이행강제금 부과예고서에 의하여 이행강제금 부과예고를 한 다음 이를 이행하지 않았다는 이유로 이행강제금을 부과하였다면, 초과한 정도가 근소하다는 등의 특별한 사정이 없는 한 이행강제금 부과예고는 이행강제금제도의 취지에 반하는 것으로서 위법하고, 이에 터 잡은 이행강제금 부과처분 역시 위법하다.

㉲-1 건축주 등이 장기간 시정명령을 이행하지 아니하였으나 그 기간 중에 시정명령의 이행기회가 제공되지 아니하였다가 뒤늦게 이행기회가 제공된 경우, 이행기회가 제공되지 아니한 과거의 기간에 대한 이행강제금까지 한꺼번에 부과할 수는 없다.

㉲-2 ㉲-1을 위반하여 이루어진 이행강제금 부과처분의 하자는 중대하고 명백하다.

06

① 압류처분에 앞서 독촉절차를 거치지 아니하였다 하더라도 압류처분을 무효로 할 만큼 중대하고도 명백한 하자라고 볼 수 없다.

② 납세자가 아닌 제3자의 재산을 대상으로 한 압류처분은 당연무효이다.

③-1 체납자 등에 대한 공매통지는 공매의 절차적 요건에 해당하므로, 체납자 등에게 공매통지를 하지 않았거나 적법하지 않은 공매통지를 한 경우 그 공매처분은 위법하다.

③-2 다만, 체납자 등은 자신에 대한 공매통지의 하자만을 공매처분의 위법사유로 주장할 수 있을 뿐 다른 권리자에 대한 공매통지의 하자를 들어 공매처분의 위법사유로 주장하는 것은 허용되지 않는다.

④ 국세기본법에 의하면 강제징수절차에 불복하는 당사자는 심사청구 또는 심판청구를 거친 후 행정소송을 제기하여야 한다.

07

㉮ 판례에 따르면 세무공무원이 국세의 징수를 위해 납세자의 재산을 압류하는 경우 그 재산의 가액이 징수할 국세액을 초과한다 하여 위 압류가 당연무효의 처분이라고는 할 수 없다.

㉯-1 국세징수법상 공매통지 자체는 원칙적으로 항고소송의 대상이 되는 행정처분이 아니다.

㉯-2 따라서 특별한 사정이 없는 한 체납자 등은 공매통지의 결여나 위법을 들어 공매처분의 취소 등을 구할 수 있는 것이지 공매통지 자체를 항고소송의 대상으로 삼아 그 취소 등을 구할 수는 없다.

㉰-1 체납자 등에 대한 공매통지는 공매의 절차적 요건에 해당하므로, 체납자 등에게 공매통지를 하지 않았거나 적법하지 않은 공매통지를 한 경우 그 공매처분은 위법하다.

㉰-2 다만, 체납자 등에 대한 공매통지 없이 한 공매처분이 당연무효가 되는 것은 아니다.

㉱ 한국자산공사(현 한국자산관리공사)가 부동산을 인터넷을 통하여 재공매(입찰)하기로 한 결정 자체는 내부적인 의사결정에 불과하여 항고소송의 대상이 되는 행정처분이라고 볼 수 없다.

㉲ 공매는 공법상 행정처분으로서 공매에 의하여 재산을 매수한 자가 그 공매처분이 취소된 경우 그 취소처분의 위법을 주장하여 행정소송을 제기할 법률상의 이익이 있다.

08

㉮㉯㉰-1 행정상 강제집행에는 대집행, 이행강제금(집행벌), 직접강제, 강제징수가 있다.

㉮㉯㉰-2 구 「음반·비디오물 및 게임물에 관한 법률」상 불법게임물에 대한 수거 및 폐기조치, 「감염병의 예방 및 관리에 관한 법률」상 감염병환자의 강제입원, 소방기본법상 소방활동에 방해가 되는 물건 등에 대한 강제처분 등은 행정상 즉시강제에 해당한다.

㉱㉲ 식품위생법상 영업소 폐쇄명령을 받은 후 계속하여 영업을 하는 경우에 행하는 영업소 폐쇄조치, 출입국관리법상 각종 의무를 위반한 자에 대한 강제퇴거조치 등은 행정상 강제집행 중 직접강제에 해당한다.

09

①-1 행정상 강제집행은 의무의 존재 및 그의 불이행을 전제로 한다는 점에서, 이것을 전제로 하지 않고 급박한 경우에 즉시 행하여지는 행정상 즉시강제와 구별된다.

①-2 행정상 강제집행의 종류로는 대집행·강제징수·직접강제·이행강제금(집행벌)이 있고 즉시강제는 포함되지 않는다.

② 행정상 즉시강제는 엄격한 실정법상의 근거를 필요로 할 뿐만 아니라, 발동에 있어서는 법규의 범위 안에서도 다시 행정상의 장해가 목전에 급박하고, 다른 수단으로는 행정목적을 달성할 수 없는 경우이어야 하며, 이러한 경우에도 그 행사는 필요 최소한도에 그쳐야 함을 내용으로 하는 조리상의 한계에 기속된다.

③ 국가는 경찰관의 적법한 직무집행으로 인하여 ㉠ 손실발생의 원인에 대하여 책임이 없는 자가 생명·신체 또는 재산상의 손실을 입은 경우(손실발생의 원인에 대하여 책임이 없는 자가 경찰관의 직무집행에 자발적으로 협조하거나 물건을 제공하여 생명·신체 또는 재산상의 손실을 입은 경우를 포함), ㉡ 손실발생의 원인에 대하여 책임이 있는 자가 자신의 책임에 상응하는 정도를 초과하는 생명·신체 또는 재산상의 손실을 입은 경우에 해당하는 손실을 입은 자에 대하여 정당한 보상을 하여야 한다.

④-1 대법원에 따르면 사전영장주의는 행정상 즉시강제를 포함한 인신의 자유를 제한하는 모든 국가작용의 영역에서 존중되어야 하나 사전영장주의를 고수하다가는 도저히 그 목적을 달성할 수 없는 지극히 예외적인 경우에만 형사절차에서와 같은 예외가 인정된다.

④-2 헌법재판소에 따르면 행정상 즉시강제와 관련하여 급박한 상황에 대처하기 위한 것으로 그 불가피성과 정당성이 충분히 인정되는 경우에 헌법상 영장주의에 반하지 않는다.

10

① 행정상 즉시강제는 법치국가의 요청인 예측가능성과 법적 안정성에 반하고 기본권 침해의 소지가 큰 권력작용이므로 행정강제는 행정상 강제집행을 원칙으로 하고 행정상 즉시강제는 예외적으로 인정되어야 한다.

② 관계 행정청이 등급분류를 받지 아니하거나 등급분류를 받은 게임물과 다른 내용의 게임물을 발견한 경우 관계 공무원으로 하여금 이를 수거·폐기하게 할 수 있도록 한 구 「음반·비디오물 및 게임물에 관한 법률」의 조항은 급박한 상황에 대처하기 위한 것으로서 그 불가피성과 정당성이 충분히 인정되는 경우이므로, 이 사건 법률조항이 비록 영장 없는 수거를 인정한다고 하더라도 이를 두고 헌법상 영장주의에 위배되는 것으로는 볼 수 없다는 것이 헌법재판소의 입장이다.

③ 즉시강제는 다른 수단으로 행정목적을 달성할 수 없는 경우에만 허용되며, 이 경우에도 최소한으로 실시하여야 한다.

④ 술에 취한 상태로 인해 자기 또는 타인의 생명·신체와 재산에 위해를 미칠 우려가 있는 피구호자에 대한 보호조치는 경찰행정상 즉시강제에 해당한다.

11

㉮ 행정조사는 조사목적을 달성하는 데 필요한 최소한의 범위 안에서 실시하여야 하며, 다른 목적 등을 위해 조사권을 남용하여서는 아니 된다.

㉯㉰-1 행정기관은 개별법령 등에서 행정조사를 규정하고 있는 경우에 한하여 행정조사를 실시할 수 있다.

㉯㉰-2 그러나 조사대상자의 자발적인 협조를 얻어 실시하는 행정조사의 경우 행정기관은 법령에 근거가 없더라도 조사를 할 수 있다.

㉯㉰-3 개별법령 등에서 행정조사를 규정하고 있는 경우에도 행정기관이 행정조사기본법 제5조 단서에서 정한 '조사대상자의 자발적인 협조를 얻어 실시하는 행정조사'를 실시할 수 있다.

㉯㉰-4 자발적인 협조에 따라 실시하는 행정조사에 대해 조사대상자가 조사에 응할 것인지에 대한 응답을 하지 아니하는 경우 법령 등에 특별한 규정이 없는 한 조사를 거부한 것으로 본다.

㉱ 행정조사는 원칙적으로 법령 등 또는 행정조사운영계획으로 정하는 바에 따라 정기적으로 실시한다.

㉲-1 조세·형사·행형 및 보안처분에 관한 사항 등 행정조사기본법 제3조 제2항 각 호에 해당하는 경우, 행정조사기본법을 적용하지 않는다.

㉲-2 그러한 경우에도 행정조사의 기본원칙, 행정조사의 근거, 정보통신수단을 통한 행정조사에 관한 규정은 적용된다.

12

①-1 헌법 제12조 제1항에서 규정하고 있는 적법절차의 원칙은 형사소송절차에 국한되지 아니하고 모든 국가작용 전반에 대하여 적용된다.

①-2 세무공무원의 세무조사권의 행사에서도 적법절차의 원칙은 마땅히 준수되어야 한다.

② 행정청이 현장조사를 실시하는 과정에서 조사상대방으로부터 구체적인 위반사실을 자인하는 내용의 확인서를 작성받았다면, 그 확인서가 작성자의 의사에 반하여 강제로 작성되었거나 또는 내용의 미비 등으로 구체적인 사실에 대한 증명자료로 삼기 어렵다는 등의 특별한 사정이 없는 한 그 확인서의 증거가치를 쉽게 부정할 수 없다.

③ 조사대상자는 법률·회계 등에 대하여 전문지식이 있는 관계 전문가로 하여금 행정조사를 받는 과정에 입회하게 하거나 의견을 진술하게 할 수 있다.

④-1 조사대상자와 조사원은 조사과정을 방해하지 아니하는 범위 안에서 행정조사의 과정을 녹음하거나 녹화할 수 있다.

④-2 녹음과 녹화의 범위 등은 상호 협의하여 정하여야 한다.

13

①②-1 행정조사의 한 단계인 시료채취가 행정규칙에 정한 절차를 위반하였더라도 그러한 사정만으로 곧바로 그에 기초하여 내려진 행정처분이 위법하다고 볼 수는 없고, 그 위법의 여부는 관계 법령의 규정 내용과 취지 등에 비추어 그 절차상 하자가 채취된 시료를 객관적인 자료로 활용할 수 없을 정도로 중대한지에 따라 판단되어야 한다.

①②-2 다만, 이때에도 시료의 채취와 보존, 검사방법의 적법성 또는 적절성이 담보되어 시료를 객관적인 자료로 활용할 수 있고 그에 따른 실험결과를 믿을 수 있다는 사정은 원칙적으로 행정청이 증명한다.

③④-1 세무공무원의 조사행위가 실질적으로 납세자 등으로 하여금 질문에 대답하고 검사를 수인하도록 함으로써 납세자의 영업의 자유 등에 영향을 미치는 경우, '현지확인'의 절차에 따른 것이더라도 구 국세기본법 제81조의4 제2항에 따라 재조사가 금지되는 '세무조사'에 해당한다.

③④-2 다만, 납세자 등이 대답하거나 수인할 의무가 없고 납세자의 영업의 자유 등을 침해하거나 세무조사권이 남용될 염려가 없는 조사행위까지 재조사가 금지되는 '세무조사'에 해당하는 것은 아니다.

14

①-1 판례에 따르면 세무조사가 과세자료의 수집 또는 신고내용의 정확성 검증이라는 본연의 목적이 아니라 부정한 목적을 위하여 행하여진 것이라면 이는 세무조사에 중대한 위법사유가 있는 경우에 해당한다.

①-2 이 경우 위법한 세무조사에 의하여 수집된 과세자료를 기초로 한 과세처분 역시 위법하다.

② 행정조사를 실시하고자 하는 행정기관의 장은 원칙적으로 '출석요구서 등'을 조사개시 7일 전까지 조사대상자에게 서면으로 통지하여야 한다.

③-1 우편물 통관검사절차에서 이루어지는 우편물의 개봉, 시료채취, 성분분석 등의 검사는 수출입물품에 대한 적정한 통관 등을 목적으로 한 행정조사의 성격을 가지는 것으로서 수사기관의 강제처분이라고 할 수 없다.

③-2 따라서 압수·수색영장 없이 우편물의 개봉, 시료채취, 성분분석 등 검사가 진행되었다 하더라도 특별한 사정이 없는 한 위법하다고 볼 수 없다.

④-1 수출입물품을 검사하는 과정에서 마약류가 감추어져 있다고 밝혀지거나 그러한 의심이 드는 경우, 「마약류 불법거래 방지에 관한 특례법」 제4조 제1항에 따라 검사의 요청으로 세관장이 행하는 조치에는 영장주의원칙이 적용된다.

④-2 「마약류 불법거래 방지에 관한 특례법」 조항에 따른 조치의 일환으로 특정한 수출입물품을 개봉하여 검사하고 그 내용물의 점유를 취득한 행위가 범죄수사인 압수 또는 수색에 해당하므로 사전 또는 사후에 영장을 받아야 한다.

15

① 행정기관은 조사목적에 적합하도록 조사대상자를 선정하여 행정조사를 실시하여야 한다.

② 다른 법률에 따르지 아니하고는 행정조사의 대상자 또는 행정조사의 내용을 공표하거나 직무상 알게 된 비밀을 누설하여서는 아니 된다.

③ 행정조사는 법령 등의 위반에 대한 처벌을 하는 데 중점을 두기보다는 법령 등을 준수하도록 유도하는 데 중점을 두어야 한다.

④ 행정기관은 행정조사를 통하여 알게 된 정보를 다른 법률에 따라 내부에서 이용하거나 다른 기관에 제공하는 경우를 제외하고는 원래의 조사목적 이외의 용도로 이용하거나 타인에게 제공하여서는 아니 된다.

16

① 서로 다른 행정기관이 대통령령으로 정하는 분야에 대하여 동일한 조사대상자에게 행정조사를 실시하는 경우에는 공동조사를 하여야 한다.

② 음주운전 여부에 대한 조사과정에서 운전자 본인의 동의를 받지 아니하고 또한 법원의 영장도 없이 채혈조사를 한 결과를 근거로 한 운전면허 정지·취소처분은 특별한 사정이 없는 한 위법한 처분이다.

③-1 정기조사 또는 수시조사를 실시한 행정기관의 장은 동일한 사안에 대하여 동일한 조사대상자를 재조사하여서는 아니 된다.

③-2 다만, 당해 행정기관이 이미 조사를 받은 조사대상자에 대하여 위법행위가 의심되는 새로운 증거를 확보한 경우에는 그러하지 아니하다.

④ 진술거부권은 현재 피의자나 피고인으로서 수사 또는 공판절차에 계속 중인 자뿐만 아니라 장차 피의자나 피고인이 될 자에게도 보장되며, 형사절차뿐 아니라 행정절차나 국회에서의 조사절차 등에서도 보장된다. 또한 진술거부권은 고문 등 폭행에 의한 강요는 물론 법률로써도 진술을 강요당하지 아니함을 의미한다.

17

㉮ 어떠한 위반행위에 대해 행정형벌을 과할 것인가, 행정질서벌을 과할 것인가는 기본적으로 입법재량에 속하는 문제라고 봄이 헌법재판소의 입장이다.

㉯ 초등학교 교장이 도교육위원회의 지시에 따라 교과내용으로 되어 있는 꽃양귀비를 교과식물로 비치하기 위하여 양귀비 종자를 사서 교무실 앞 화단에 심은 것이라면 이는 죄가 되지 아니하는 것으로 오인한 행위로서 그 오인에 정당한 이유가 있는 경우에 해당한다.

㉰-1 양벌규정에 의한 영업주의 처벌은 종업원의 처벌에 종속하는 것이 아니라 독립하여 그 자신의 종업원에 대한 선임·감독상의 과실로 인하여 처벌되는 것이다.

㉰-2 따라서 종업원의 범죄성립이나 처벌이 영업주 처벌의 전제조건이 될 필요는 없다.

㉱ 운행정지처분의 사유가 된 사실관계로 자동차운송사업자가 이미 형사처벌을 받은 바 있다 하여도 자동차운수사업법을 근거로 한 운행정지처분이 일사부재리의 원칙에 위반되지 않는다.

18

① 양벌규정을 규정하고 있는 법률이 그 해석상 종업원의 선임·감독상의 주의의무를 다하여 아무런 잘못이 없는 경우까지도 법인에게 형벌을 부과하도록 한다면, 이는 법치국가의 원리 및 죄형법정주의로부터 도출되는 책임주의원칙에 반하여 헌법에 위반된다.

② 허가를 담당하는 공무원이 허가를 요하지 않는다고 잘못 알려준 것을 믿은 것은 자기의 행위가 죄가 되지 않는 것으로 오인한 데 정당한 이유가 있는 경우에 해당하여 처벌할 수 없다.

③ 과태료와 형사처벌은 성질이나 목적을 달리하는 별개의 것이므로 행정법상의 질서벌인 과태료를 납부한 후 형사처벌을 한다고 하여 일사부재리의 원칙에 위반되는 것이라고 할 수 없다는 것이 대법원의 입장이다.

④-1 일정한 법규 위반사실이 행정처분의 전제사실이자 형사법규의 위반사실이 되는 경우에 동일한 행위에 관하여 독립적으로 행정처분이나 형벌을 부과하거나 이를 병과할 수 있다.

④-2 법규가 예외적으로 형사소추선행원칙을 규정하고 있지 않은 이상 형사판결확정에 앞서 일정한 위반사실을 들어 행정처분을 하였다고 하여 절차적 위반이 있다고 할 수 없다.

19

① 행정범의 경우에는 과실행위를 처벌한다는 명문규정이 없는 경우에도 그 법률규정 중에 과실행위를 처벌한다는 명백한 취지를 알 수 있다면 과실행위에 행정형벌을 부과할 수 있다.

② 「개인정보 보호법」에 따르면, 죄형법정주의의 원칙상 '법인격 없는 공공기관'을 「개인정보 보호법」 소정의 양벌규정에 의하여 처벌할 수 없고, 그 경우 행위자 역시 양벌규정으로 처벌할 수 없다.

③ 양벌규정에 의한 법인의 처벌은 어디까지나 형벌의 일종으로서 행정적 제재처분이나 민사상 불법행위책임과는 성격을 달리한다.

④-1 법인대표자의 행위는 법인의 행위로 볼 수 있고, 결국 법인대표자의 법규 위반행위에 대한 법인의 책임은 법인 자신의 법규 위반행위로 평가될 수 있는 행위에 대한 법인의 직접책임이다.

④-2 법인대표자의 범죄행위에 대하여는 법인이 책임을 부담하는 것은 책임주의원칙에 위배되지 않는다.

20

㉮㉳-1 지방자치단체 소속 공무원이 지방자치단체 고유의 자치사무를 처리하면서 위반행위를 한 경우 지방자치단체도 양벌규정에 따라 처벌대상이 되는 법인에 해당한다.

㉮㉳-2 지방자치단체 소속 공무원이 압축트럭 청소차를 운전하여 고속도로를 운행하던 중 제한축중을 초과 적재 운행함으로써 도로관리청의 차량운행제한을 위반한 사안에서, 해당 지방자치단체는 도로법상 양벌규정에 따른 처벌대상이 된다.

㉮㉳-3 반면, 지방자치단체 소속 공무원이 기관위임사무를 처리하면서 위반행위를 한 경우 해당 지방자치단체는 양벌규정에 따른 처벌대상이 될 수 없다.

㉮㉳-4 지방자치단체 소속 공무원이 지정항만순찰 등의 업무를 위해 관할관청의 승인 없이 개조한 승합차를 운행함으로써 구 자동차관리법을 위반한 경우, 해당 지방자치단체는 구 자동차관리법상 양벌규정에 따른 처벌대상이 될 수 없다.

㉯ 행정형벌은 형법상의 벌을 과하는 것이므로 원칙적으로 형법총칙이 적용된다.

㉰ 양벌규정에 의한 영업주의 처벌은 종업원의 처벌에 종속하는 것이 아니라 독립하여 그 자신의 종업원에 대한 선임·감독상의 과실로 인하여 처벌되는 것이다.

㉱-1 행정형벌을 부과하기 위해서도 상대방의 고의 또는 과실이 있어야 한다.

㉱-2 즉, 행정상의 단속을 주안으로 하는 법규라 하더라도 명문규정이 있거나 해석상 과실범도 벌할 뜻이 명확한 경우를 제외하고는 형법의 원칙에 따라 고의가 있어야 벌할 수 있다.

㉲ 행정형벌도 죄형법정주의의 대상이 된다는 것이 헌법재판소의 입장이다.

21

㉮ 지방국세청장 또는 세무서장이 조세범칙행위에 대하여 형사고발을 한 후에 동일한 조세범칙행위에 대하여 통고처분을 하였더라도, 이는 법적 권한 소멸 후에 이루어진 것으로서 특별한 사정이 없는 한 효력이 없다.

㉯㉱-1 도로교통법 제118조(현 제163조)에서 규정하는 경찰서장의 통고처분은 행정소송의 대상이 되는 행정처분이 아니다.

㉯㉱-2 따라서 통고처분에 대하여 이의가 있는 경우에는 통고처분에 따른 범칙금의 납부를 이행하지 아니함으로써 경찰서장의 즉결심판청구에 의하여 법원의 심판을 받을 수 있다.

㉰-1 범칙금의 납부에 확정판결에 준하는 효력이 인정됨에 따라 다시 벌 받지 아니하게 되는 행위사실은 범칙금 통고의 이유에 기재된 당해 범칙행위 자체 및 그 범칙행위와 동일성이 인정되는 범칙행위에 한정된다고 해석함이 상당하다.

㉰-2 따라서 범칙행위와 같은 일시, 장소에서 이루어진 행위라 하더라도 범칙행위의 동일성을 벗어난 형사범죄행위에 대하여는 범칙금의 납부에 따라 확정판결의 효력에 준하는 효력이 미치지 아니한다.

㉲ 통고처분을 받은 자가 통고처분의 내용을 이행하지 않으면 권한행정청은 일정 기간 내에 고발할 수 있고, 그에 따라 형사소송절차로 이행된다.

22

㉮ 통고처분은 상대방의 임의의 승복을 그 발효요건으로 하기 때문에 그 자체만으로는 통고이행을 강제하거나 상대방에게 아무런 권리·의무를 형성하지 않는다.

㉯ 헌법재판소에 따르면 통고처분에 대하여 이의가 있으면 통고내용을 이행하지 않음으로써 고발되어 형사재판절차에서 통고처분의 위법·부당함을 다툴 수 있기 때문에 행정심판이나 행정소송의 대상에서 통고처분을 제외하고 있는 관세법 조항은 법관에 의한 재판받을 권리를 침해하지 않는다.

㉰ 통고처분의 법정기간 내에 공소시효가 완성되는 것을 막기 위해 관세법, 「조세범 처벌절차법」 등에서 통고처분은 공소시효를 정지시킨다는 명문규정을 두고 있다.

㉱ 통고처분을 받은 자가 통고된 내용을 이행한 경우에는 확정판결과 동일한 효력이 발생하여 절차는 종료되며 일사부재리의 원칙이 적용되어 다시 형사소추할 수 없다.

㉲ 조세범과 관련하여, 통고처분을 받은 자가 송달받은 날부터 15일 내에 통고된 내용을 이행하지 않으면 통고처분은 당연히 그 효력을 상실하고 세무서장의 고발절차에 의하여 통상의 형사소송절차로 이행된다.

㉳-1 판례에 따르면 통고처분을 할 것인지의 여부는 관세청장 또는 세관장의 재량에 맡겨져 있다.

㉳-2 따라서 관세청장 또는 세관장이 관세범에 대하여 통고처분을 하지 아니한 채 고발하였다는 것만으로 그 고발 및 이에 기한 공소의 제기가 부적법하게 되는 것은 아니다.

23

㉮ 2인 이상이 질서위반행위에 가담한 경우에는 각자가 질서위반행위를 한 것으로 본다.

㉯ 신분에 의하여 과태료를 감경 또는 가중하거나 과태료를 부과하지 않는 경우에는 그 신분의 효과는 신분이 없는 자에게는 미치지 아니한다.

㉰ 신분에 의하여 성립하는 질서위반행위에 신분이 없는 자가 가담한 경우에는 신분이 없는 자에 대하여도 질서위반행위가 성립한다.

㉱ 질서위반행위규제법상 과태료 부과처분은 당사자가 납부기한까지 과태료를 납부하지 않았다고 하여 효력을 상실하는 것이 아니라 이의제기를 한 경우에 그 효력이 상실된다.

24

① 원칙적으로 질서위반행위의 성립과 과태료처분은 행위시의 법률에 따른다.

② 질서위반행위규제법은 대한민국 영역 밖에서 질서위반행위를 한 대한민국의 국민에게도 적용된다.

③ 질서위반행위규제법에 따르면 자신의 행위가 위법하지 아니한 것으로 오인하고 행한 질서위반행위는 그 오인에 정당한 이유가 있는 때에 한하여 과태료를 부과하지 않는다.

④ 행정청은 당사자가 납부기한까지 과태료를 납부하지 아니한 때에는 납부기한을 경과한 날부터 체납된 과태료에 대하여 100분의 3에 상당하는 가산금을 징수한다.

25

① 14세가 되지 아니한 자의 질서위반행위는 과태료를 부과하지 않는다. 다만, 다른 법률에 특별한 규정이 있는 경우에는 부과할 수 있다.

②-1 심신장애로 인하여 행위의 옳고 그름을 판단할 능력이 없거나 그 판단에 따른 행위를 할 능력이 없는 자의 질서위반행위는 과태료를 부과하지 않는다.

②-2 심신장애로 인하여 행위의 옳고 그름을 판단할 능력이 미약한 자의 질서위반행위는 과태료를 감경한다.

②-3 스스로 심신장애상태를 일으켜 질서위반행위를 한 자에 대하여는 적용하지 않는다.

③ 행정청은 질서위반행위가 종료된 날(다수인이 질서위반행위에 가담한 경우에는 최종행위가 종료된 날을 말한다)부터 5년이 경과한 경우에는 해당 질서위반행위에 대하여 과태료를 부과할 수 없다.

④ 질서위반행위에 대하여 과태료를 부과하는 근거법령이 개정되어 행위시의 법률에 의하면 과태료 부과대상이었지만 재판시의 법률에 의하면 부과대상이 아니게 된 때에는 개정법률의 부칙 등에서 행위시의 법률을 적용하도록 명시하는 등 특별한 사정이 없는 한 재판시의 법률을 적용하여야 하므로 과태료를 부과할 수 없다.

제11회 | 옳은 지문

01

①-1 행정청의 과태료 부과에 불복하는 당사자는 과태료 부과통지를 받은 날부터 60일 이내에 해당 행정청에 서면으로 이의제기를 할 수 있다.

①-2 이의제기가 있는 경우, 행정청의 과태료 부과처분은 그 효력을 상실한다.

②-1 과태료 부과는 행정소송의 대상이 되는 행정처분이라고 볼 수 없다.

②-2 수도 조례 및 하수도 사용 조례에 기한 과태료의 부과 여부 및 그 당부는 최종적으로 질서위반행위규제법에 의한 절차에 의하여 판단되어야 한다고 할 것이므로, 그 과태료 부과처분은 행정청을 피고로 하는 행정소송의 대상이 되는 행정처분이라고 볼 수 없다.

③ 과태료 사건은 다른 법령에 특별한 규정이 있는 경우를 제외하고는 당사자의 주소지의 지방법원 또는 그 지원의 관할로 한다.

④-1 검사는 과태료를 최초 부과한 행정청에 대하여 과태료재판의 집행을 위탁할 수 있고, 위탁을 받은 행정청은 국세 또는 지방세 체납처분의 예에 따라 집행한다.

④-2 지방자치단체의 장이 이에 따라 집행을 위탁받은 경우에는 그 집행한 금원은 당해 지방자치단체의 수입으로 한다.

02

① 하나의 행위가 2 이상의 질서위반행위에 해당하는 경우에는 각 질서위반행위에 대하여 정한 과태료 중 가장 중한 과태료를 부과한다.

② 다수인이 질서위반행위에 가담한 경우에는 최종행위가 종료한 날로부터 5년이 경과한 경우에는 해당 질서위반행위에 대하여 과태료를 부과할 수 없다.

③ 과태료는 당사자가 과태료 부과처분에 대하여 이의를 제기하지 아니한 채 이의제기기한이 종료한 후 사망한 경우, 그 상속재산에 대하여 집행할 수 있다.

④ 행정청은 당사자가 의견제출기한 이내에 과태료를 자진하여 납부하고자 하는 경우에는 대통령령으로 정하는 바에 따라 과태료를 감경할 수 있다.

03

㉮ 과태료를 부과하기 위해서는 고의 또는 과실이 있어야 한다.

㉯ 행정청의 과태료 부과에 불복하는 당사자는 과태료 부과통지를 받은 날부터 60일 이내에 해당 행정청에 서면으로 이의제기를 할 수 있다.

㉰ 과태료의 부과·징수, 재판 및 집행 등의 절차에 관한 다른 법률의 규정 중 질서위반행위규제법의 규정에 저촉되는 것은 질서위반행위규제법으로 정하는 바에 따른다.

㉱ 질서위반행위규제법에 따르면 질서위반행위 후 법률이 변경되어 그 행위가 질서위반행위에 해당하지 아니하게 되거나 과태료가 변경되기 전의 법률보다 가볍게 된 때에는 법률에 특별한 규정이 없는 한 변경된 법률을 적용한다.

04

① 과태료는 행정상의 질서유지를 위한 행정질서벌에 해당할 뿐 형벌이라고 할 수 없어 죄형법정주의의 규율대상에 해당하지 않는다는 것이 헌법재판소의 입장이다.

② 대통령령으로 정하는 사법(私法)상·소송법상 의무를 위반하여 과태료를 부과하는 행위, 대통령령으로 정하는 법률에 따른 징계사유에 해당하여 과태료를 부과하는 행위는 질서위반행위규제법상 질서위반행위에 해당하지 않는다.

③-1 과태료재판은 이유를 붙인 결정으로써 한다.

③-2 당사자와 검사는 과태료재판에 대하여 즉시항고를 할 수 있으며, 이 경우 항고는 집행정지의 효력이 있다.

④ 법인의 대표자, 법인 또는 개인의 대리인·사용인 및 그 밖의 종업원이 업무에 관하여 법인 또는 그 개인에게 부과된 법률상의 의무를 위반한 때에는 법인 또는 그 개인에게 과태료를 부과한다.

05

㉮ 질서위반행위를 한 자가 자신의 책임 없는 사유로 위반행위에 이르렀다고 주장하는 경우 법원은 그 내용을 살펴 행위자에게 고의나 과실이 있는지를 따져보아야 한다.

㉯ 행정청의 과태료 부과처분이나 법원의 과태료재판이 확정된 후 5년간 과태료를 징수하지 아니하거나 집행하지 아니하면 시효로 인하여 소멸한다.

㉰-1 과태료재판은 검사의 명령으로써 집행한다.

㉰-2 이 경우 그 명령은 집행력 있는 집행권원과 동일한 효력이 있다.

㉱-1 질서위반행위규제법에서 말하는 '질서위반행위'란 법률(지방자치단체의 조례 포함)상 의무를 위반하여 과태료를 부과하는 행위다.

㉱-2 따라서 과태료 부과의 근거가 법률이 아니라 조례에 규정된 것에 불과하더라도 이러한 조례도 과태료 부과의 근거법령이 될 수 있다.

㉲ 질서위반행위규제법에 따르면 법률(조례 포함)에 따르지 아니하고는 어떤 행위도 질서위반행위로 과태료를 부과하지 아니한다.

㉳-1 검사는 과태료를 최초 부과한 행정청에 대하여 과태료재판의 집행을 위탁할 수 있고, 위탁을 받은 행정청은 국세 또는 지방세 체납처분의 예에 따라 집행한다.

㉳-2 지방자치단체의 장이 위 ㉳-1에 따라 집행을 위탁받은 경우에는 그 집행한 금원(金員)은 당해 지방자치단체의 수입으로 한다.

㉔-1 과태료 부과처분에 대하여 이의제기가 있는 경우, 행정청의 과태료 부과처분은 그 효력을 상실한다.

㉔-2 이의제기를 받은 행정청은 이의제기를 받은 날부터 14일 이내에 이에 대한 의견 및 증빙서류를 첨부하여 관할 법원에 통보하여야 한다.

㉔-3 과태료 사건은 다른 법령에 특별한 규정이 있는 경우를 제외하고는 당사자(질서위반행위를 한 자연인 또는 법인 등)의 주소지의 지방법원 또는 그 지원의 관할로 한다.

06

① 행정상의 단속을 주안으로 하는 법규라 하더라도 명문규정이 있거나 해석상 과실범도 벌할 뜻이 명확한 경우가 아닌 한 형법에 따라 원칙적으로 고의가 있어야 벌할 수 있다.

② 행정청이 질서위반행위에 대하여 과태료를 부과하고자 하는 때에는 당사자에게 대통령령으로 정하는 사항을 미리 통지하고, 10일 이상의 기간을 정하여 의견을 제출할 기회를 주어야 한다.

③ 경찰서장이 범칙행위에 대하여 통고처분을 한 이상, 범칙자의 절차적 지위를 보장하기 위하여 통고처분에서 정한 범칙금 납부기간까지는 원칙적으로 경찰서장은 즉결심판을 청구할 수 없고, 검사도 동일한 범칙행위에 대하여 공소를 제기할 수 없다.

④-1 과징금은 부당내부거래 억제라는 행정목적을 실현하기 위하여 그 위반행위에 대하여 가하는 행정상 제재금의 기본적 성격에 부당이득 환수적 요소가 부가된 것으로 이를 두고 국가형벌권 행사로서의 처벌에 해당한다고 할 수는 없다.

④-2 따라서 과징금과 형사처벌을 병과하더라도 이중처벌금지원칙에 위반된다고 볼 수 없다.

07

①-1 국가배상법에 따르면 외국인이 피해자인 경우에는 해당 국가와 상호보증이 있을 때에만 국가배상청구권이 인정된다.

①-2 상호보증은 반드시 당사국과의 조약이 체결되어 있을 필요는 없으며, 당해 외국에서 구체적으로 우리나라 국민에게 국가배상청구를 인정한 사례가 없더라도 실제로 인정될 것이라고 기대할 수 있는 상태이면 충분하다.

② 국가배상법에 따르면 생명·신체의 침해로 인한 국가배상을 받을 권리는 양도하거나 압류하지 못한다.

③ 국가배상법 제2조 제1항을 적용할 때 피해자가 손해를 입은 동시에 이익을 얻은 경우 손해배상액에서 그 이익에 상당하는 금액을 빼야 한다.

④ 손실보상과 손해배상은 근거규정과 요건·효과를 달리하는 것으로서 각 요건이 충족되는 경우 성립하는 손실보상청구권과 손해배상청구권은 별개의 청구권이기는 하나, 실질적으로 같은 내용의 손해에 관하여 양자의 청구권이 동시에 성립하더라도 어느 하나만을 선택적으로 행사할 수 있을 뿐이고, 양자의 청구권을 동시에 행사할 수는 없다.

08

㉮ 통장이 전입신고서에 확인인을 찍는 행위는 공무를 위탁받아 실질적으로 공무를 수행하는 것이라고 보아야 하므로, 통장은 그 업무범위 내에서 국가배상법상 공무원에 해당한다.

㉯ 국가나 지방자치단체에 근무하는 청원경찰은 국가배상법상 공무원에 해당한다.

㉰ 대한변호사협회의 장은 국가로부터 위탁받은 공행정사무인 '변호사등록에 관한 사무'를 수행하는 범위 내에서는 국가배상법 제2조에서 정한 공무원에 해당한다.

㉱ 「의용소방대 설치 및 운영에 관한 법률」에 따라 소방서장이 임명한 의용소방대원은 국가배상법상 공무원에 해당하지 않는다.

㉲ 법령에 의해 대집행권한을 위탁받은 한국토지공사(현 한국토지주택공사)는 국가배상법 제2조에서 말하는 공무원이 아니라 행정주체에 해당한다.

09

㉮-1 국회의 입법행위는 입법내용이 헌법의 문언에 명백히 위배됨에도 국회가 '굳이 당해 입법을 한 것'과 같은 특수한 경우가 아닌 한, 국가배상법 제2조 제1항 소정의 위법행위에 해당하지 않는다.

㉮-2 국가가 일정한 사항에 관하여 헌법에 의하여 부과되는 '구체적인 입법의무'를 부담하고 있음에도 불구하고 그 입법에 필요한 상당한 기간이 경과하도록 고의 또는 과실로 이러한 입법의무를 이행하지 아니하는 등 극히 예외적인 사정이 인정되는 사안에 한정하여 국가배상법 소정의 배상책임이 인정될 수 있다.

㉮-3 국가에게 일정한 사항에 관하여 헌법에 의하여 부과되는 '구체적인 입법의무' 자체가 인정되지 않는 경우에는 국회의원의 입법부작위에 대해 부작위로 인한 불법행위가 성립할 여지가 없다.

㉯ 어떠한 행정처분이 위법하다고 할지라도 그 자체만으로 곧바로 그 행정처분이 공무원의 고의 또는 과실로 인한 불법행위를 구성한다고 단정할 수는 없고, 공무원의 고의 또는 과실의 유무에 대하여는 국가배상법 제2조 제1항상 별도의 판단을 요한다.

㉰ 국가배상책임에 있어서 '법령 위반'은 엄격한 의미의 법령 위반뿐 아니라 인권존중, 권력남용금지, 신의성실과 같이 공무원으로서 마땅히 지켜야 할 준칙이나 규범을 지키지 아니하고 위반한 경우를 포함하여 널리 그 행위가 객관적인 정당성을 결여하고 있음을 뜻한다.

㉱ 신청인이 손해를 입게 될 것이 분명하다고 할 수 있어 신청인을 위하여도 당해 행정처분을 거부할 것이 요구되는 경우라면 수익적 행정처분도 국가배상법의 위법한 처분이 될 수 있다.

10

㉮ 국가배상법 제2조의 요건과 관련하여, 법령에 대한 해석이 복잡하고 미묘하여 워낙 어렵고, 이에 대한 학설과 판례조차 귀일되어 있지 않는 등의 특별한 사정이 없는 한 일반적으로 공무원이 관계 법규를 알지 못하거나 필요한 지식을 갖추지 못하고 법규의 해석을 그르쳐 행정처분을 하였다면 그가 법률전문가가 아닌 행정직 공무원이라고 하여도 과실이 인정될 수 있다.

㉯ 법령의 해석이 복잡하고 미묘하여 어렵고, 학설과 판례가 통일되지 않을 때에 공무원이 신중을 기해 그중 어느 한 설을 취하여 처리한 경우에는 그 해석이 결과적으로 위법한 것이었다 하더라도 국가배상법상 공무원의 과실을 인정할 수 없다.

㉰ 국회의 입법행위는 그 입법내용이 헌법의 문언에 명백히 위배됨에도 국회가 '굳이' 당해 입법을 한 것과 같은 특수한 경우가 아닌 한, 국가배상법 제2조 제1항 소정의 위법행위에 해당하지 않는다.

㉱-1 국가배상법상 공무원에는 국가공무원법상의 공무원뿐 아니라 널리 공무를 위탁받아 실질적으로 그에 종사하는 모든 자가 포함된다.

㉱-2 사인이 공무를 위탁받아 공무를 수행하면 공무의 위탁이 일시적이고 한정적이라고 할지라도 국가배상법상의 공무원에 해당한다.

③ 일반적으로 국가기관이 자신이 관리·운영하는 홈페이지에 게시된 글에 대하여 정부의 정책에 찬성하는 내용인지, 반대하는 내용인지에 따라 선별적으로 삭제 여부를 결정하는 것은 특별한 사정이 없는 한 국민의 기본권인 표현의 자유와 자유민주적 기본질서에 배치되므로 허용되지 않는다.

④ 국가나 지방자치단체가 행정절차를 진행하는 과정에서 주민들의 의견제출 등 절차적 권리를 보장하지 않은 위법이 있어서 그 후 이를 시정하여 절차를 다시 진행한 경우, 이러한 조치로도 주민들의 절차적 권리 침해로 인한 정신적 고통이 여전히 남아 있다고 볼 특별한 사정이 있다면 국가나 지방자치단체는 그 정신적 고통으로 인한 손해를 배상할 책임이 있고, 이때 특별한 사정이 있다는 사실에 대한 주장·증명책임은 이를 청구하는 주민들에게 있다.

11

① 상급자가 전입신병인 하급자에게 암기사항에 관하여 교육하던 중 훈계하다가 도가 지나쳐 폭행한 경우에 국가배상법상 직무집행성이 인정된다.

②-1 행정청의 처분을 구하는 신청에 대하여 처분 여부 결정이 상당 기간 지체되었다고 하여 곧바로 공무원의 고의 또는 과실에 의한 불법행위를 구성한다고 단정할 수는 없다.

②-2 행정처분의 담당공무원이 보통 일반의 공무원을 표준으로 하여 볼 때 객관적 주의의무를 결하여 처분 여부 결정을 지체함으로써 객관적 정당성을 상실하였다고 인정될 정도에 이른 경우에 비로소 국가배상법 제2조가 정한 국가배상책임의 요건을 충족한다.

③-1 공무원에 대한 전보인사가 법령이 정한 기준과 원칙에 위배되거나 인사권을 다소 부적절하게 행사한 것으로 볼 여지가 있다 하더라도 그러한 사유만으로 그 전보인사가 당연히 불법행위를 구성한다고 볼 수는 없다.

③-2 인사권자가 당해 공무원에 대한 보복감정 등 다른 의도를 가지고 인사재량권을 일탈·남용하여 객관적 정당성을 상실하였음이 명백한 경우 등 전보인사가 우리의 건전한 사회통념이나 사회상규상 도저히 용인될 수 없음이 분명한 경우에, 그 전보인사는 위법하게 상대방에게 정신적 고통을 가하는 것이 되어 당해 공무원에 대한 관계에서 불법행위를 구성한다.

④ 주민등록사무를 담당하는 공무원이 개명과 같은 사유로 주민등록상 성명을 정정한 경우, 본적지 관할 관청에 그 변경사항을 통보할 직무상 의무가 있으며, 그러한 의무에는 사익보호성이 인정된다.

12

① 도로개설 등 공사로 인한 무허가건물의 강제철거와 관련하여 이루어지는 지방자치단체의 철거건물소유자에 대한 시영아파트 분양권 부여 및 세입자에 대한 지원대책 등의 업무는 지방자치단체의 공권력 행사 기타 공행정작용과 관련된 활동으로 볼 것이지 단순한 사경제주체로서 하는 활동이라고는 볼 수 없다.

② 국세가 확정되기 전에 보전압류를 한 후 보전압류에 의하여 징수하려는 국세의 전부 또는 일부가 확정되지 못하였다면, 보전압류로 인하여 납세자가 입은 손해에 대하여 특별한 반증이 없는 한 과세관청의 담당공무원에게 고의 또는 과실이 있다고 사실상 추정된다.

13

㉮-1 공무원의 직무집행상의 과실이라 함은 공무원이 그 직무를 수행함에 있어 당해 직무를 담당하는 평균인이 보통(통상) 갖추어야 할 주의의무를 게을리한 것을 말한다.

㉮-2 한편, 가해공무원의 고의 또는 과실 여부가 소송에서 다투어지는 경우 입증책임은 피해자인 원고에게 있다는 것이 통설과 판례의 입장이다.

㉯ 어떠한 행정처분이 후에 항고소송에서 취소되었다고 할지라도 그 기판력에 의하여 당해 행정처분이 곧바로 공무원의 고의 또는 과실로 인한 것으로서 불법행위를 구성한다고 단정할 수는 없는 것이고, 그 행정처분의 담당공무원이 보통 일반의 공무원을 표준으로 하여 볼 때 객관적 주의의무를 결하여 그 행정처분이 객관적 정당성을 상실하였다고 인정될 정도에 이른 경우에 국가배상법 제2조 소정의 국가배상책임의 요건을 충족한다.

㉰ 위헌·무효임이 명백한 긴급조치 제9호의 발령부터 적용·집행에 이르는 수사, 재판 등 일련의 국가작용으로 인한 손해에 대해 공무원의 직무행위가 객관적 정당성을 상실한 것으로 위법하여 국가배상책임이 인정된다.

㉱-1 형사상 범죄를 구성하지 아니하는 침해행위도 민사상 불법행위를 구성할 수 있다는 것이 판례의 입장이다.

㉱-2 이에 따르면 경찰관이 범인을 제압하는 과정에서 총기를 사용하여 범인을 사망에 이르게 한 경우 형사상 무죄판결이 확정되더라도 국가배상책임은 인정될 수 있다.

14

① 행위 자체의 외관이 객관적으로 관찰하여 공무원의 직무행위로 보일 때에는 그것이 실질적으로 직무행위가 아니거나 또는 행위자에게 주관적으로 공무집행의 의사가 없었다고 하더라도 그 행위는 '직무를 집행함에 당하여' 한 것으로 보아야 한다.

②-1 재판에 대해 불복절차가 마련되어 있는 경우에는 특별한 사정이 없는 한 불복절차를 통해 재판의 잘못을 시정할 수 있으므로 국가배상청구권이 원칙적으로 부정된다.

②-2 재판에 대해 불복절차가 마련되어 있지 않은 경우에는 국가배상 이외의 방법으로는 권리 등을 회복할 방법이 없으므로 배상책임의 요건이 충족되는 한 국가배상책임이 인정된다.

③-1 헌법재판관이 청구기간 내에 제기된 헌법소원심판청구 사건에서 청구기간을 오인하여 각하결정을 한 경우, 이에 대한 불복절차 내지 시정절차가 없는 때에는 국가배상책임이 인정된다.

③-2 헌법재판소 재판관의 위법한 직무집행의 결과 잘못된 각하결정을 함으로써 원고로 하여금 본안판단을 받을 기회를 상실하게 한 이상, 설령 본안판단을 하였더라도 어차피 청구가 기각되었을 것이라는 사정이 있다고 하더라도, 정신상 고통에 대하여는 위자료를 지급할 의무가 있다.

④-1 국가배상법 제2조 제1항의 '직무를 집행함에 당하여'라 함은 직접 공무원의 직무집행행위이거나 그와 밀접한 관련이 있는 행위를 포함하고, 이를 판단함에 있어서는 행위 자체의 외관을 객관적으로 관찰하여 공무원의 직무행위로 보여질 때에는 비록 그것이 실질적으로 직무행위가 아니거나 또는 행위자로서는 주관적으로 공무집행의 의사가 없었다고 하더라도 그 행위는 공무원이 '직무를 집행함에 당하여' 한 것으로 보아야 한다.

④-2 인사업무 담당공무원이 다른 공무원의 공무원증 등을 위조한 경우 그러한 행위가 실질적으로는 직무행위에 속하지 아니한다고 할지라도 외관상으로 국가배상법 제2조 제1항의 직무집행관련성이 인정된다.

15

㉮-1 민법과는 달리 국가배상법에는 사용자면책사유와 관련한 규정이 존재하지 않는다.

㉮-2 따라서 국가나 지방자치단체가 공무원의 선임 및 사무감독에 상당한 주의를 한 경우에도 그 배상책임을 면할 수 없다.

㉯-1 위법과 고의·과실은 별개의 개념이다.

㉯-2 따라서 공무원이 행정규칙에 따라 처분을 한 경우 결과적으로 그 처분이 재량을 일탈·남용하여 위법하게 되었다고 하더라도 그 처분을 행한 공무원에게 직무집행상의 과실이 있다고 할 수는 없다.

㉰ 규제권한을 행사하지 않은 것이 직무상 의무를 위반한 것으로 되어 위법한 것으로 평가되는 경우 과실도 인정된다.

㉱ 행정청이 확립된 법령의 해석에 어긋나는 견해를 고집하여 계속하여 위법한 행정처분을 하거나 이에 준하는 행위로 평가될 수 있는 불이익을 처분상대방에게 주는 경우, 손해배상책임이 있다.

16

① 헌법은 '국가 또는 공공단체'를 배상책임자로 규정하고 있으나, 국가배상법은 '국가 또는 지방자치단체'로 규정하고 있다.

② 국가배상법이 정한 배상청구의 요건인 공무원의 직무에는 권력적 작용만이 아니라 행정지도와 같은 비권력적 작용도 포함되며, 행정주체가 사경제주체로서 하는 활동만이 제외된다.

③-1 공법인이 국가로부터 위탁받은 공행정사무를 집행하는 과정에서 공법인의 임직원이나 피용인이 고의 또는 과실로 법령을 위반하여 타인에게 손해를 입힌 경우에는, 공법인은 위탁받은 공행정사무에 관한 행정주체의 지위에서 배상책임을 부담하여야 한다.

③-2 그러나 공법인의 임직원이나 피용인은 실질적인 의미에서 공무를 수행한 사람으로서 국가배상법 제2조에서 정한 공무원에 해당하므로 고의 또는 중과실이 있는 경우에만 배상책임을 부담하고 경과실이 있는 경우에는 배상책임을 면한다.

④ 공무원의 중과실이란 공무원에게 통상 요구되는 정도의 상당한 주의를 하지 않더라도 약간의 주의를 한다면 손쉽게 위법·유해한 결과를 예견할 수 있는 경우임에도 만연히 이를 간과한 경우와 같이, 거의 고의에 가까운 현저한 주의를 결여한 상태를 의미한다.

17

① 행정상 손해배상과 관련하여 판례에 따르면, 공무원의 직무집행이 법령이 정한 요건과 절차에 따라 이루어진 것이라면, 그 과정에서 개인의 권리가 침해되는 일이 생긴다고 하여 곧바로 직무집행의 법령적합성은 부정되는 것은 아니다(즉, 손해배상청구권이 인정되지 않는다).

② 공무원에게 부과된 직무상 의무의 내용이 단순히 공공일반의 이익을 위한 것이거나 행정기관 내부의 질서를 규율하기 위한 것이라면, 공무원이 그와 같은 직무상 의무를 위반함으로 인하여 손해가 발생하더라도 국가배상책임이 인정되지 않는다.

③ 인증신제품 구매의무는 공공일반의 이익을 도모하기 위한 것이고, 공공기관이 구매의무를 이행한 결과 신제품 인증을 받은 자가 재산상 이익을 얻게 되더라도 이는 반사적 이익에 불과할 뿐이므로 공공기관이 구 산업기술혁신 촉진법령에 따른 인증신제품 구매의무를 위반하였다고 하더라도 신제품 인증을 받은 자에 대하여 국가배상책임을 지는 것은 아니다.

④-1 국가 또는 지방자치단체라 할지라도 공권력의 행사가 아니고 단순한 사경제의 주체로 활동하였을 경우에는 그 손해배상책임에 국가배상법이 적용될 수 없고 민법상의 사용자책임 등이 인정된다.

④-2 국가의 철도운행사업은 국가가 공권력의 행사로서 하는 것이 아니고 사경제적 작용이므로, 이로 인한 사고에 공무원이 간여하였더라도 국가배상법이 아닌 일반 민법의 규정에 따라야 한다.

④-3 공공의 영조물인 철도시설물의 설치 또는 관리의 하자로 인한 불법행위를 원인으로 하여 국가배상청구를 하는 경우, 국가배상법이 적용된다.

18

㉮ 성폭력범죄의 수사를 담당하거나 수사에 관여하는 경찰관이 피해자의 인적 사항 등을 공개 또는 누설함으로써 피해자가 손해를 입은 경우, 국가배상책임이 인정된다.

㉯ 경찰권의 발동 여부는 원칙적으로 경찰관의 재량권한에 속하나 구체적인 사정에 따라 권한을 행사하여 필요한 조치를 취하지 아니한 것이 현저히 불합리하다고 인정되는 경우 권한 불행사는 직무상 의무를 위반한 것이 되어 위법하다.

㉰ 국가배상법 제2조 제1항에 따른 국가배상책임이 성립하려면 공무원의 직무집행이 위법하다는 점만으로는 부족하고 공무원의 위법한 직무집행으로 타인의 권리·이익이 침해되어 구체적 손해가 발생하여야 한다.

㉱-1 공무원의 부작위로 인한 국가배상책임을 인정하려면 공무원의 작위로 인한 국가배상책임을 인정하는 경우와 마찬가지로 '공무원이 직무를 집행하면서 고의 또는 과실로 법령을 위반하여 타인에게 손해를 입힌 때'라는 국가배상법 제2조 제1항의 요건이 충족되어야 한다.

㉱-2 공무원의 부작위가 공무원으로서 마땅히 지켜야 할 준칙이나 규범을 위반한 경우를 포함하여 널리 객관적인 정당성이 없는 경우, 그 부작위는 '법령을 위반'하는 경우에 해당한다.

㉎-3 한편, 판례는 국민의 생명과 재산을 보호해야 한다는 국가의 임무에 비추어 사람의 생명, 신체, 재산 등 중요한 법익에 급박하고 현저한 위험이 존재하는 등 일정한 경우 형식적 의미의 법령에 명시적으로 작위의무가 규정되어 있지 않은 경우라도 위험방지의 작위의무를 인정하고 있다.

㉎-4 형식적 의미의 법령에 근거가 없더라도 작위의무를 인정할 수 있는 일정한 경우에 해당한다면, 국가배상법상 책임이 인정될 수 있다.

19

㉮ 甲이 乙과 동일한 이름으로 개명허가를 받은 것처럼 호적등본을 위조하여 주민등록상 성명을 위법하게 정정하고, 乙명의의 주민등록증을 발급받아 乙의 부동산에 관하여 근저당권설정등기를 마친 경우, 주민등록사무를 담당하는 공무원이 개명으로 인한 주민등록상 성명정정을 본적지 관할 관청에 통보하지 아니한 직무상 의무 위배행위와 乙과 같은 이름으로 개명허가를 받은 듯이 호적등본을 위조하여 주민등록상 성명을 위법하게 정정한 甲이 乙의 부동산에 관하여 불법적으로 근저당권설정등기를 경료함으로써 乙이 입은 손해 사이에는 상당인과관계가 있다.

㉯ 「금융위원회의 설치 등에 관한 법률」의 입법취지 등에 비추어 볼 때 금융감독원에 금융기관에 대한 검사·감독의무를 부과한 법령의 목적이 금융상품에 투자한 투자자 개인의 이익을 직접 보호하기 위한 것이라고 할 수 없으므로, 피고 금융감독원 및 그 직원들의 위법한 직무집행과 해당 저축은행의 후순위 사채에 투자한 원고들이 입은 손해 사이에 상당인과관계가 없다.

㉰ 국가 또는 지방자치단체가 법령이 정하는 상수원수 수질기준 유지의무를 다하지 못하고, 법령이 정하는 고도의 정수처리방법이 아닌 일반적 정수처리방법으로 수돗물을 생산·공급하였다는 사유만으로 그 수돗물을 마신 개인에 대하여 손해배상책임을 부담하지는 않는다.

㉱-1 공직선거법이 후보자가 되고자 하는 자와 그 소속 정당에게 전과기록을 조회할 권리를 부여하고 수사기관에 회보의무를 부과한 것은 단순히 유권자의 알권리 보호 등 공공일반의 이익만을 위한 것이 아니라 후보자가 되고자 하는 자나 그 소속 정당의 개별적 이익까지 보호하기 위한 것이다.

㉱-2 따라서 공무원이 내부전산망을 통해 후보자가 되고자 하는 자에 대한 범죄경력자료를 조회하여 금고형 이상의 전과가 있음을 확인하고도 공직선거후보자용 범죄경력조회 회보서에 이를 기재하지 않은 경우, 국가는 후보자가 되고자 하는 자가 속한 정당에 대해 국가배상책임뿐만 아니라 공무원 개인의 배상책임을 인정한다.

20

① 불법행위를 이유로 배상하여야 할 손해는 현실로 입은 확실한 손해에 한정된다.

②-1 행정절차를 진행하는 과정에서 주민들의 의견제출 등 절차적 권리를 보장하지 않은 위법이 있더라도 절차적 권리 침해로 인한 정신적 고통에 대한 배상은 인정되지 않는다.

②-2 다만, 주민들의 절차적 권리 침해로 인한 정신적 고통이 여전히 남아 있다고 볼 특별한 사정이 있는 경우, 국가나 지방자치단체는 그로 인한 손해를 배상할 책임이 있다.

③-1 절차상의 위법도 국가배상법상 법령 위반에 해당한다.

③-2 따라서 절차상 위법한 가해행위와 손해 사이에 상당인과관계가 있다면 국가배상책임이 인정된다.

③-3 경매담당공무원이 이해관계인에 대한 기일통지를 잘못한 것이 원인이 되어 경락허가결정이 취소되었다면, 그 사이 경락대금을 완납하고 소유권이전등기를 마친 경락인에 대하여 국가배상책임이 인정된다.

④ 국가배상법상의 손해배상청구권은 상대방이 손해 및 가해자를 안 날로부터 3년간 이를 행사하지 아니하면 시효로 인하여 소멸한다.

21

① 음주운전으로 적발된 주취운전자가 도로 밖으로 차량을 이동하겠다며 단속경찰관으로부터 보관 중이던 차량열쇠를 반환받아 몰래 차량을 운전하여 가던 중 사고를 일으킨 경우, 국가배상책임이 인정된다.

② 육군중사가 훈련에 대비하여 개인 소유의 오토바이를 운전하여 사전 정찰차훈련지역 일대를 돌아보고 귀대하다가 교통사고를 일으킨 경우, 오토바이의 운전행위는 국가배상법상 직무집행행위에 해당한다.

③-1 유흥주점에 감금된 채 윤락을 강요받으며 생활하던 여종업원들이 유흥주점에 화재가 났을 때 미처 피신하지 못하고 유독가스에 질식해 사망한 경우, 지방자치단체의 담당공무원이 위 유흥주점의 용도변경, 무허가영업 및 시설기준에 위배된 개축에 대하여 시정명령 등 식품위생법상 취하여야 할 조치를 게을리한 직무상 의무 위반행위와 종업원들의 사망 사이에는 상당인과관계가 없다.

③-2 이와 비교하여, 소방공무원이 화재 전 유흥주점에 대하여 구 소방법상 시정조치를 명하지 않은 직무상 의무 위반행위와 종업원들의 사망 사이에는 상당인과관계가 있다.

④ 공무원의 불법행위로 손해를 입은 피해자의 국가배상청구권의 소멸시효기간이 지났으나 국가가 소멸시효완성을 주장하는 것이 신의성실의 원칙에 반하는 권리남용으로 허용될 수 없어 배상책임을 이행한 경우에는, 그 소멸시효완성 주장이 권리남용에 해당하게 된 원인행위와 관련하여 해당 공무원이 그 원인이 되는 행위를 적극적으로 주도하였다는 등의 특별한 사정이 없는 한, 국가가 해당 공무원에게 구상권을 행사하는 것은 신의칙상 허용되지 않는다고 봄이 상당하다.

22

① 국가배상법 제3조상 손해배상기준은 배상심의회의 배상금지급기준을 정함에 있어 하나의 기준을 정한 것에 불과하므로 구체적인 경우 배상금액은 증감이 가능하다는 것이 통설과 판례의 입장이다.

② 국가 등은 가해공무원의 직무내용, 당해 불법행위의 상황 등 제반 사정을 참작하여 손해의 공평한 분담이라는 견지에서 신의칙상 상당하다고 인정되는 한도 내에서만 해당 공무원에 대하여 구상권을 행사할 수 있다.

③ 국가사무가 지방자치단체장에게 기관위임된 경우, 국가는 사무귀속자로서 배상책임을 부담하고 지방자치단체장이 속한 지방자치단체는 비용부담자로서 배상책임을 부담한다.

④-1 국가배상법 제9조는 배상심의회에 배상신청을 하지 않고도 손해배상청구소송을 제기할 수 있다고 하여 임의적 결정전치주의를 채택하고 있다.

④-2 한편, 국가배상법에 의한 배상심의회의 결정은 행정처분이 아니라는 것이 판례의 입장이다.

23

- ㉮-1 국가배상법상 배상책임의 주체는 국가 또는 지방자치단체이다.
- ㉮-2 즉, 항고소송과 달리 행정청이 피고가 되는 것이 아니다.
- ㉮-3 따라서 피해자는 국가 또는 지방자치단체를 피고로 하여 손해배상청구소송을 제기하여야 한다.
- ㉯ 국가사무가 지방자치단체장에게 기관위임이 된 경우, 국가는 사무귀속자로서 배상책임을 부담하고 지방자치단체장이 속한 지방자치단체는 비용부담자로서 배상책임을 부담한다.
- ㉰ 공무원에게 고의 또는 중과실이 있다면 손해를 배상한 국가 또는 지방자치단체는 그 공무원에게 구상권을 행사할 수 있다.
- ㉱-1 공무원에게 고의 또는 중과실이 있다면 피해자는 공무원 개인을 상대로 민사상 손해배상청구를 할 수 있다.
- ㉱-2 그러나 공무원에게 경과실만 있을 경우에는 공무원 개인은 손해배상책임을 부담하지 아니한다.
- ㉲㉳-1 판례에 따르면 경과실이 있는 공무원이 피해자에 대한 손해배상책임을 부담하지 아니함에도 피해자에게 손해를 배상하였다면 그것은 채무자 아닌 사람이 타인의 채무를 변제한 경우에 해당하고 이는 민법 제469조의 '제3자의 변제' 또는 민법 제744조의 '도의관념에 적합한 비채변제'에 해당하여 피해자는 공무원에 대하여 이를 반환할 의무가 없다.
- ㉲㉳-2 그에 따라 피해자의 국가에 대한 손해배상청구권이 소멸하여 국가는 자신의 출연 없이 채무를 면하게 되므로 피해자에게 손해를 직접 배상한 경과실이 있는 공무원은 원칙적으로 국가에 대하여 구상권을 취득한다.

24

- ① 영조물이 안전성을 갖추었는지 여부는 영조물의 설치자 또는 관리자가 그 영조물의 위험성에 비례하여 사회통념상 일반적으로 요구되는 정도의 방호조치의무를 다하였는지를 기준으로 판단하여야 하고, 아울러 그 설치자 또는 관리자의 재정적·인적·물적 제약 등도 고려하여야 한다.
- ②-1 국가배상법 제5조 제1항 소정의 '공공의 영조물'은 국가 또는 지방자치단체에 의하여 특정 공공의 목적에 공여된 유체물 내지 물적 설비를 말한다.
- ②-2 이러한 영조물에는 국가 또는 지방자치단체가 소유권, 임차권, 그 밖의 권한에 기하여 관리하고 있는 경우를 의미할 뿐만 아니라 사실상의 관리를 하고 있는 경우도 포함된다.
- ③ 국가배상법 제5조의 책임요건 중 영조물에는 일반공중이 이용하는 공공용물뿐만 아니라 행정주체 자신의 사용에 제공되는 공용물도 포함된다.
- ④ 국가배상법 제5조 제1항의 '영조물의 설치 또는 관리의 하자'는 영조물이 그 용도에 따라 갖추어야 할 안전성을 갖추지 못한 상태를 말하는데, 여기서 안전성을 갖추지 못한 상태란 영조물을 구성하는 물적 시설 그 자체에 있는 물리적·외형적 흠결이나 불비로 인하여 그 이용자에게 위해를 끼칠 위험성이 있는 경우뿐만 아니라 그 영조물이 공공의 목적에 이용됨에 있어 그 이용상태 및 정도가 일정한 한도를 초과하여 제3자에게 사회통념상 참을 수 없는 피해를 입히는 경우까지 포함한다.

25

- ㉮-1 국가배상법 제5조와 민법 제758조를 비교하면, 민법은 점유자의 면책규정을 두고 있으나 국가배상법은 점유자의 면책규정을 두고 있지 않다.
- ㉮-2 또한 민법은 공작물의 하자에 대해 규정하고 있으나 국가배상법은 자연공물을 포함한 영조물의 하자에 대해 규정하고 있으므로, 국가배상법이 민법보다 책임대상이 넓다.
- ㉯ 지방자치단체가 옹벽시설공사를 업체에게 주어 공사를 시행하다가 사고가 일어난 경우, 옹벽이 공사 중이고 아직 완성되지 아니하여 일반 공중의 이용에 제공되지 않았다면 국가배상법 제5조 제1항의 영조물에 해당한다고 할 수 없다.
- ㉰-1 도로의 설치·관리상의 하자는 도로의 위치 등 장소적인 조건, 도로의 구조, 교통량, 사고시에 있어서의 교통사정 등 도로의 이용상황과 본래의 이용목적 등 제반 사정과 물적 결함의 위치, 형상 등을 종합적으로 고려하여 사회통념에 따라 구체적으로 판단하여야 한다.
- ㉰-2 따라서 (강설의 특성(통상 광범위한 지역에 걸치며, 일시에 나타나고 시간이 경과하면 소멸하는 점 등), 기상적 요인과 지리적 요인, 이에 따른 도로의 상대적 안전성을 고려하면) '겨울철 산간지역에 위치한 도로'에 강설로 생긴 빙판을 그대로 방치하고 도로상황에 대한 경고나 위험표지판을 설치하지 않았다는 사정만으로 도로관리상의 하자가 있다고 볼 수 없다.
- ㉰-3 한편, '고속도로'의 경우에 있어서는 도로관리자가 도로의 구조, 기상예보 등을 고려하여 사전에 충분한 인적·물적 설비를 갖추어 강설 시 신속한 제설작업을 하고 나아가 필요한 경우 제때에 교통통제조치를 취함으로써 고속도로로서의 기본적인 기능을 유지하거나 신속히 회복할 수 있도록 하는 관리의무가 있다. 이에 따라 판례는 폭설로 차량 운전자 등이 고속도로에서 장시간 고립된 사안에서, 고속도로의 관리자가 고립구간의 교통정체를 충분히 예견할 수 있었음에도 교통제한 및 운행정지 등 필요한 조치를 충실히 이행하지 아니하였으므로 고속도로의 관리상 하자가 있다고 보았다.
- ㉱ 고등학교 3학년 학생이 학교건물의 3층 난간을 넘어 흡연을 하던 중 실족하여 사망한 경우, 이와 같은 이례적인 사고가 있을 것을 예상하여 복도나 화장실 창문에 난간으로의 출입을 막기 위하여 출입금지장치나 추락위험을 알리는 경고표지판을 설치할 의무는 없으므로 학교시설의 설치·관리상의 하자가 없다.

제12회 | 옳은 지문

01

① 국가배상법 제5조에서 말하는 '공공의 영조물'이란 본래적 의미의 영조물이 아니라 강학상 공물(일반공중이 사용하는 공공용물, 행정주체가 직접 사용하는 공용물, 인공공물·자연공물을 모두 포함), 즉 직접 행정목적에 제공된 유체물 내지 물적 설비를 의미한다.

② 국가배상법 제5조의 공공의 영조물이란 공유나 사유임을 불문하고 행정주체에 의하여 특정 공공의 목적에 공여된 유체물 또는 물적 설비를 의미한다.

③ 국가배상법 제5조의 영조물의 설치·관리상의 하자로 인한 책임은 무과실책임이고 나아가 민법 제758조의 공작물의 점유자의 책임과는 달리 면책사유도 규정되어 있지 않으므로, 국가 또는 지방자치단체는 영조물의 설치·관리상의 하자로 인하여 타인에게 손해를 가한 경우에 그 손해의 방지에 필요한 주의를 해태하지 아니하였다 하여 면책을 주장할 수 없다.

④ 객관적으로 보아 시간적·장소적으로 영조물의 기능상 결함으로 인한 손해발생의 예견가능성과 회피가능성이 없는 경우, 즉 그 영조물의 결함이 영조물의 설치·관리자의 관리행위가 미칠 수 없는 상황 아래에 있는 경우임이 입증되는 경우라면 영조물의 설치·관리상의 하자를 인정할 수 없다.

02

① 영조물이 그 설치 및 관리에 있어 완전무결한 상태를 유지할 정도의 고도의 안전성을 갖추지 아니하였다고 하여 하자가 있다고 단정할 수는 없고, 영조물 이용자의 상식적이고 질서 있는 이용방법을 기대한 상대적인 안전성을 갖추는 것으로 족하다.

② 국가나 지방자치단체가 손해를 배상할 책임이 있는 경우에 공무원의 선임·감독 또는 영조물의 설치·관리를 맡은 자와 공무원의 봉급·급여, 그 밖의 비용 또는 영조물의 설치·관리비용을 부담하는 자가 동일하지 아니하면 그 비용을 부담하는 자도 손해를 배상하여야 한다.

③ 경찰공무원인 피해자가 구 공무원연금법의 규정에 따라 공무상 요양비를 지급받는 것은 국가배상법 제2조 제1항 단서에서 정한 '다른 법령의 규정'에 따라 보상을 지급받는 것에 해당하지 않는다.

④ 군복무 중 사망한 망인의 유족이 국가배상을 받은 경우 국가는 사망보상금에서 소극적 손해배상금 상당액을 공제할 수 있을 뿐, 이를 넘어 정신적 손해배상금 상당액까지 공제할 수는 없다.

03

① 국가배상법 제5조의 책임과 관련하여, 손해의 원인에 대하여 책임을 질 자가 따로 있으면 국가나 지방자치단체는 그 자에게 구상할 수 있다.

② 지방자치단체의 장인 시장이 국도의 관리청이 되었더라도 이는 시장이 국가로부터 관리업무를 위임받아 국가행정기관의 지위에서 집행하는 것이므로 국가는 도로관리상의 하자로 인한 손해배상책임을 면할 수 없다.

③ 지방자치단체의 장이 설치하여 관할 지방경찰청장(현 시·도경찰청장)에게 관리권한이 위임된 교통신호기 고장으로 사고가 발생한 경우 지방자치단체는 사무귀속자로서 손해배상책임을 지고, 국가는 경찰관 등에게 봉급을 지급하는 비용부담자로서 국가배상책임을 진다.

④ 소음 등을 포함한 공해 등의 위험지역으로 이주하여 들어가 거주하는 경우와 같이 위험의 존재를 인식하거나 과실로 인식하지 못하고 이주한 경우에는 손해배상액의 산정에 있어 형평의 원칙상 과실상계에 준하여 감경 또는 면제사유로 고려하여야 한다.

04

① 노선인정 기타 공용지정을 갖추지 못하였으나 사실상 군민의 통행에 제공되고 있던 도로는 국가배상법 제5조에 의한 영조물에 해당하지 않는다.

②-1 국가배상법 제5조 제1항에 정해진 영조물의 설치 또는 관리의 하자를 판단함에 있어서는 영조물이 완전무결한 상태에 있지 아니하고 그 기능상 어떠한 결함이 있다는 것만으로 영조물의 설치 또는 관리에 하자가 있다고 할 수 없고, 영조물의 위험성에 비례하여 사회통념상 일반적으로 요구되는 정도의 방호조치의무를 다하였는지를 기준으로 삼아야 한다.

②-2 따라서 객관적으로 보아 시간적·장소적으로 영조물의 기능상 결함으로 인한 손해발생의 예견가능성과 회피가능성이 없는 경우, 즉 그 영조물의 결함이 영조물의 설치·관리자의 관리행위가 미칠 수 없는 상황 아래에 있는 경우임이 입증되는 경우라면 영조물의 설치·관리상의 하자를 인정할 수 없다.

③-1 국가배상법상 배상청구권의 요건(영조물일 것, 설치 또는 관리에 하자가 있을 것, 손해가 발생할 것 등)은 배상청구권의 존재를 주장하는 피해자인 원고가 입증책임을 진다.

③-2 상대방의 권리 행사를 방해하는 사실인 면책사유는 배상책임자인 영조물의 관리주체가 입증책임을 진다.

③-3 따라서 하자가 있다는 입증책임은 원고가, 손해발생의 예견가능성과 회피가능성이 없다는 입증책임은 관리주체가 진다.

④ 가변차로에 설치된 2개의 신호등에서 서로 모순되는 신호가 들어오는 오작동이 발생하였고 그 고장이 현재의 기술수준상 부득이한 것이라 하더라도 그와 같은 사정만으로 영조물의 하자가 면책되는 것은 아니다.

05

㉮-1 국가배상법 제5조의 공공의 영조물이란 본래적 의미의 영조물이 아니라 강학상 공물을 의미한다.

㉮-2 이러한 공물은 국가나 지방자치단체가 관리하는 물건을 의미하는데, 이때 '관리'는 소유권 등 권원에 의한 것뿐 아니라 사실상 관리하는 것도 포함된다.

㉮-3 사(私)소유물이라도 국가 또는 지방자치단체가 관리하는 공물인 이상 국가배상법상 영조물에 해당한다.

㉯-1 예산사정, 즉 재정적 제약은 면책사유가 아니다.

㉯-2 재정사정은 안전성을 요구하는 데 대한 정도의 문제로서 참작사유에는 해당할지언정 안전성을 결정지을 절대적 요건에는 해당하지 않는다.

㉰ 판례는 집중호우로 제방도로가 유실되면서 그곳을 걸어가던 보행자가 강물에 휩쓸려 익사한 경우, 사고 당일의 집중호우가 50년 빈도의 최대강우량에 해당한다는 사실만으로 불가항력에 기인한 것으로 볼 수 없다는 이유로 제방도로의 설치·관리상의 하자를 인정한다.

㉱ 이미 존재하는 하천의 제방이 계획홍수위를 넘고 있다면 그 하천은 용도에 따라 통상 갖추어야 할 안전성을 갖추고 있다고 보아야 한다.

06

① 경찰공무원이 경찰서 숙직실에서 취침하던 중 사망한 경우, 숙직실은 전투·훈련과 관련된 시설이 아니므로 경찰공무원이라 하더라도 국가배상청구권을 행사할 수 있다.

②-1 현역병 입영 후 경비교도로 전임된 자는 국가배상법 제2조 제1항 단서에서 규정한 이중배상금지가 적용되는 군인이 아니다.

②-2 공익근무요원도 소집되어 군에 복무하지 않는 한 이중배상금지가 적용되는 군인이 아니다.

③ 직무집행과 관련하여 공상을 입은 군인 등이 먼저 국가배상법에 따라 손해배상금을 지급받은 다음 「보훈보상대상자 지원에 관한 법률」이 정한 보상금 등 보훈급여금의 지급을 청구하는 경우, 국가배상법에 따라 손해배상을 받았다는 사정을 들어 보상금 등 보훈급여금의 지급을 거부할 수 없다.

④ (경찰공무원이 낙석사고 현장 주변 교통정리를 위하여 사고현장 부근으로 이동하던 중 대형 낙석이 순찰차를 덮쳐 사망한 사안에서) 경찰공무원 등이 '전투·훈련 등 직무집행과 관련하여' 순직 등을 한 경우 국가배상법 및 민법에 의한 손해배상책임을 청구할 수 없다고 정한 국가배상법 제2조 제1항 단서의 면책조항은 전투·훈련 또는 이에 준하는 직무집행뿐만 아니라 '일반직무집행'에 관하여도 국가나 지방자치단체의 배상책임을 제한하는 것이다.

07

㉮ 군복무 중 사망한 군인 등의 유족이 국가배상법에 따른 손해배상금을 지급받은 경우, 군인연금법에서 정한 사망보상금을 지급받을 수 없다.

㉯ 이중배상금지에 관한 규정은 다른 법령에 의한 보상금청구권이 발생한 이상 실제로 보상금청구권을 행사하였는지 또는 행사하고 있는지 여부에 관계없이 적용된다고 보아야 하고 보상금청구권이 시효로 소멸된 경우에도 적용된다.

㉰ 대법원에 따르면 민간인과 직무집행 중인 군인 등의 공동불법행위로 인하여 직무집행 중인 다른 군인 등이 피해를 입은 경우, 민간인은 자신의 부담 부분에 한하여 손해를 배상하고, 만약 민간인이 피해군인 등에게 자신의 귀책 부분을 넘어서 배상한 경우 국가 등에게 구상권을 행사할 수 없다.

㉱ 헌법재판소에 따르면 국가배상법 제2조 제1항 단서 중 군인에 관련되는 부분은 국가에 대하여 구상권을 행사하는 것을 허용하지 아니한다고 해석하는 한, 헌법에 위반된다(편저자 주 : 구상권을 행사할 수 있다는 의미이다).

08

① 헌법 제23조 제3항에서는 '공공필요에 의한 재산권의 수용·사용 또는 제한 및 그에 대한 보상은 법률로써' 하여야 한다고 규정하고 있는바, 여기서의 법률은 국회제정의 형식적 의미의 법률을 의미하므로 법률의 근거 없이 명령 또는 조례로 수용을 할 수는 없다.

②-1 헌법 제23조 제3항은 "공공필요에 의한 재산권의 수용·사용 또는 제한 및 그에 대한 보상은 법률로써 하되, 정당한 보상을 지급하여야 한다."라고 규정하고 있다.

②-2 헌법 제23조 제3항은 보상청구권의 근거에 관하여서뿐만 아니라 보상의 기준과 방법에 관하여서도 법률의 규정에 유보하고 있는 것으로 보아야 한다는 것이 판례의 입장이다.

③ 헌법 제23조 제3항을 불가분조항이라고 보는 견해(이른바 위헌무효설)에 따르면 법률이 재산권 침해를 규정하면서 보상에 관해 규정하지 않으면 그 법률은 위헌·무효의 법률이며, 이에 근거한 재산권 침해행위는 위법행위가 된다.

④-1 헌법 제23조 제3항을 국민에 대한 직접적인 효력이 있는 규정으로 보는 견해(직접효력설)에 따르면 헌법 제23조 제3항의 재산권 수용·사용·제한규정과 보상규정을 불가분조항으로 보지 않는다.

④-2 또한 직접효력설은 만일 법률에 당연히 있어야 할 보상규정이 없는 경우에는 직접 헌법규정에 근거하여 보상을 청구할 수 있다고 본다.

09

㉮ 헌법재판소에 따르면 개발제한구역지정으로 인한 개발가능성의 소멸과 그에 따른 지가의 하락이나 지가상승률의 상대적 감소는 토지소유자가 감수하여야 하는 사회적 제약의 범주에 속하는 것(합헌적인 것)이다.

㉯ 이의신청에 대한 재결에 대하여 법정기간 이내에 소송이 제기되지 아니하거나 그 밖의 사유로 이의신청에 대한 재결이 확정된 때에는 민사소송법상의 확정판결이 있은 것으로 보며, 재결서 정본은 집행력 있는 판결의 정본과 동일한 효력을 가진다.

㉰ 대법원에 따르면 특별한 희생이 발생하였음에도 법률에 직접적으로 손실보상청구를 인정하는 명문규정이 없는 경우에도, 관련 법령을 유추적용하여 손실보상을 하여야 한다.

㉱ 개발제한구역지정으로 인하여 토지를 종래의 목적으로도 사용할 수 없거나 또는 더 이상 법적으로 허용된 토지이용의 방법이 없기 때문에 실질적으로 토지의 사용·수익을 전혀 할 수 없는 경우에는 토지소유자가 수인해야 하는 사회적 제약의 한계를 넘는 것으로 보아야 한다.

10

① ②-1 판례에 따르면 구 토지수용법 제51조가 규정하고 있는 '영업상의 손실'이란 수용의 대상이 된 토지·건물 등을 이용하여 영업을 하다가 그 토지·건물 등이 수용됨으로 인하여 영업을 할 수 없거나 제한을 받게 됨으로 인하여 생기는 직접적인 손실을 말하는 것이다.

① ②-2 따라서 영업을 하기 위하여 투자한 비용이나 영업을 통하여 얻을 것으로 기대되는 이익은 손실보상의 대상이 아니다.

③-1 손실보상이 인정되기 위해서는 침해의 가능성만으로 충분하지 않고, 실질적이고 현실적인 피해가 발생하여야 하며, 공익사업과 손실 사이에 상당인과관계가 있어야 한다.

③-2 따라서 공유수면매립면허의 고시가 있다고 하여 반드시 그 사업이 시행되고 그로 인하여 손실이 발생한다고 할 수 없으므로, 매립면허고시 이후 매립공사가 실행되어 관행어업권자에게 실질적이고 현실적인 피해가 발생한 경우에만 구 공유수면매립법에서 정하는 손실보상청구권이 발생한다.

④ 하나의 재결에서 피보상자별로 여러 가지의 토지, 물건, 권리 또는 영업의 손실에 관하여 심리·판단이 이루어졌을 때, 피보상자 또는 사업시행자가 반드시 재결 전부에 관하여 불복하여야 하는 것은 아니며, 여러 보상항목들 중 일부에 관해서만 불복하는 경우에는 그 부분에 관해서만 개별적으로 불복의 사유를 주장하여 행정소송을 제기할 수 있다.

11

①-1 토지에 대한 보상액은 가격시점에서의 현실적인 이용상황과 일반적인 이용방법에 의한 객관적 상황을 고려하여 산정한다.

①-2 다만, 일시적인 이용상황과 토지소유자나 관계인이 갖는 주관적 가치 및 특별한 용도에 사용할 것을 전제로 한 경우 등은 고려하지 아니한다.

② 토지수용보상액 산정시 당해 공공사업의 시행을 직접목적으로 하는 계획의 승인·고시로 인한 가격변동은 고려하여서는 안 된다.

③-1 사업손실(간접손실)은 공공사업의 시행 또는 완성 후의 시설이 간접적으로 사업지 밖의 타인의 재산권에 가하는 손실이다.

③-2 판례에 따르면 간접적인 영업손실도 일정한 요건을 갖춘 경우 헌법 제23조 제3항에 규정한 손실보상의 대상이 된다.

③-3 공공사업의 시행으로 인하여 사업지구 밖에서 수산제조업에 대한 간접손실이 발생하리라는 것을 쉽게 예견할 수 있고 그 손실의 범위도 구체적으로 특정할 수 있는 경우라면, 보상에 관한 명문규정이 없더라도 그 손실의 보상에 관하여 구 「공공용지의 취득 및 손실보상에 관한 특례법 시행규칙」의 간접보상규정을 유추적용할 수 있다.

④ 공공용물에 대한 일반사용이 적법한 개발행위로 인해 제한됨으로써 입는 불이익은 손실보상의 대상이 되는 특별한 희생이 아니다.

12

① 토지수용법(현 「공익사업을 위한 토지 등의 취득 및 보상에 관한 법률」)상의 사업인정 고시 이전에 건축된 지장물인 건물은 통상 적법한 건축허가를 받았는지 여부에 관계없이 손실보상의 대상이 된다.

② 지가상승의 기대와 같은 기대이익 또는 영업을 통하여 얻을 것으로 기대되는 이익은 현존하는 구체적인 재산가치로 볼 수 없으므로 손실보상의 대상이 되지 않는다.

③-1 토지의 문화적·학술적 가치는 특별한 사정이 없는 한 손실보상의 대상이 될 수 없다.

③-2 철새 도래지로서 자연·문화적인 학술가치를 지녔다고 할지라도 특별한 사정이 없는 한 그 토지의 부동산으로서의 경제적·재산적 가치를 높여주는 것이 아니므로, 그 토지는 손실보상의 대상이 될 수 없다.

④-1 손실보상이 인정되기 위해서는 침해의 가능성만으로 충분하지 않고, 실질적이고 현실적인 피해가 발생하여야 하며, 공익사업과 손실 사이에 상당인과관계가 있어야 한다.

④-2 따라서 공유수면매립면허의 고시가 있다고 하여 반드시 그 사업이 시행되고 그로 인하여 손실이 발생한다고 할 수 없으므로, 매립면허고시 이후 매립공사가 실행되어 관행어업권자에게 실질적이고 현실적인 피해가 발생한 경우에만 구 공유수면매립법에서 정하는 손실보상청구권이 발생한다.

13

① 공익사업의 시행으로 지가가 상승하여 발생하는 개발이익은 궁극적으로는 국민 모두에게 귀속되어야 할 성질의 것이므로 이는 완전보상의 범위에 포함되는 피수용토지의 객관적 가치 내지 피수용자의 손실이라고는 볼 수 없다.

②-1 토지수용으로 인한 손실보상액을 산정함에 있어서 '당해 사업'으로 인한 개발이익은 피수용자의 객관적 재산가치에 포함되지 아니하므로 개발이익을 배제하는 것은 정당하다.

②-2 토지수용으로 인한 손실보상액 산정에 있어 '당해 공공사업'과는 상관없는 '다른 사업'의 시행으로 인한 개발이익을 배제하여서는 안 된다.

③ 협의에 의한 경우에는 협의 성립 당시의 가격을, 재결에 의한 경우에는 수용 또는 사용의 재결 당시의 가격을 기준으로 보상액을 산정한다.

④ 국토교통부가 2008. 8. 26. 언론을 통해 전국 5곳에 국가산업단지를 새로 조성한다는 내용을 발표한 것은 「공익사업을 위한 토지 등의 취득 및 보상에 관한 법률」 제70조 제5항에서 정한 '공익사업의 계획 또는 시행의 공고·고시'에 해당하지 않는다.

14

㉮-1 전통적 판례는 손실보상의 원인행위가 비록 공법적인 것이라 할지라도 손실의 내용이 사권이라면 그 손실보상청구권을 사권이라고 보았으나 최근에는 공권으로 보는 판례도 나타나고 있다.

㉮-2 구 하천법상 하천구역 편입토지 보상에 대한 손실보상청구권의 법적 성질은 공법상 권리로서 이에 따른 손실보상금의 지급을 구하거나 손실보상청구권의 확인을 구하는 소송은 당사자소송이다.

㉯-1 공공필요건을 충족한다면 민간기업도 수용의 주체가 될 수 있다.

㉯-2 헌법재판소에 의하면 민간기업을 수용의 주체로 규정한 「산업입지 및 개발에 관한 법률」 제22조 제1항은 공공필요건을 충족하므로 헌법 제23조 제3항에 위반되지 않는다.

㉰-1 「공익사업을 위한 토지 등의 취득 및 보상에 관한 법률」에 의하면 사업인정고시가 된 후 사업시행자가 토지를 사용하는 기간이 3년 이상인 경우 등에는 토지소유자는 토지수용위원회에 토지의 수용을 청구할 수 있다.

㉰-2 이러한 사용토지에 대한 수용청구권은 형성권의 성질을 가진다.

㉰-3 토지소유자의 토지수용청구를 받아들이지 아니한 토지수용위원회의 재결에 대하여 토지소유자가 불복하여 제기하는 소송은 「공익사업을 위한 토지 등의 취득 및 보상에 관한 법률」 제85조 제2항에 규정되어 있는 '보상금의 증감에 관한 소송'에 해당하고, 피고는 토지수용위원회가 아니라 사업시행자로 하여야 한다.

㉱ 「공익사업을 위한 토지 등의 취득 및 보상에 관한 법률」에 의한 보상을 하면서 손실보상금에 관한 당사자 간의 합의가 성립한 경우 그 합의내용이 같은 법에서 정하는 손실보상기준에 맞지 않는다고 하더라도 특별한 사정이 없는 한 그 기준에 따른 손실보상금청구를 추가로 할 수는 없다.

15

① 생활대책은 헌법 제23조 제3항에 규정된 정당한 보상에 포함되는 것이라기보다는 생활보상의 일환으로서 국가의 정책적인 배려에 의하여 마련된 제도라는 것이 헌법재판소의 입장이다.

②-1 사업시행자 스스로 공익사업의 원활한 시행을 위하여 생활대책을 수립·실시할 수 있도록 하는 내부규정을 두고 이에 따라 생활대책대상자 선정기준을 마련하여 생활대책을 수립·실시하는 경우, 생활대책대상자 선정기준에 해당하는 자는 사업시행자에게 생활대책대상자 선정 여부의 확인·결정을 신청할 수 있는 권리를 가진다.

②-2 따라서 생활대책대상자 선정기준에 해당하는 자가 자신을 생활대책대상자에서 제외하거나 선정을 거부한 사업시행자를 상대로 항고소송을 제기할 수 있다는 것이 대법원의 입장이다.

③ 생활대책에 관한 분명한 근거규정을 두고 있지는 않으나, 생활대책을 수립·실시할 수 있도록 하는 내부규정을 두고 있고 내부규정에 따라 생활대책대상자 선정기준을 마련하여 생활대책을 수립·실시하는 경우 이러한 생활대책 역시 헌법 제23조 제3항에 따른 정당한 보상에 포함되는 것으로 보아야 한다는 것이 대법원의 입장이다.

④-1 세입자에 대한 주거이전비 보상청구권은 공법상의 권리이다.

④-2 구 「공익사업을 위한 토지 등의 취득 및 보상에 관한 법률」에 따른 주거용 건축물 세입자의 주거이전비 보상청구소송은 당사자소송에 의하여야 한다.

16

① 공법상의 제한을 받는 토지의 수용보상액을 산정함에 있어서는 그 공법상의 제한이 당해 공공사업의 시행을 직접목적으로 하여 가하여진 경우에는 그 제한을 받지 아니하는 상태로 평가하여야 한다.

② 토지에 대한 보상액은 가격시점에서의 현실적인 이용상황과 일반적인 이용방법에 의한 객관적 상황을 고려하여 산정하되, 일시적인 이용상황과 토지소유자나 관계인이 갖는 주관적 가치 및 특별한 용도에 사용할 것을 전제로 한 경우 등은 고려하지 아니한다.

③ 하천법 제50조에 의한 하천수 사용권은 「공익사업을 위한 토지 등의 취득 및 보상에 관한 법률」 제76조 제1항이 손실보상의 대상으로 규정하고 있는 '물의 사용에 관한 권리'에 해당한다.

④-1 공공사업의 시행 결과 공공사업의 기업지 밖에서 발생한 간접손실에 대하여 사업시행자와 협의가 이루어지지 아니하고, 그 보상에 관한 명문의 법령이 없는 경우, 피해자는 「공공용지의 취득 및 손실보상에 관한 특례법 시행규칙」상 손실보상에 관한 규정을 유추적용하여 사업시행자에게 보상을 청구할 수 있다.

④-2 공유수면매립사업으로 인하여 수산업협동조합이 관계 법령에 의해 대상지역에서 독점적 지위가 부여되어 있던 위탁판매사업을 중단하게 된 경우, 그로 인한 위탁판매수수료 수입상실에 대해 명문규정이 없더라도 「공공용지의 취득 및 손실보상에 관한 특례법 시행규칙」을 유추적용하여 손실보상을 청구할 수 있다.

17

㉮-1 공익사업시행지구 밖 영업손실보상의 요건인 '공익사업의 시행으로 인한 그 밖의 부득이한 사유로 일정 기간 동안 휴업이 불가피한 경우'란 공익사업의 시행 또는 시행 당시 발생한 사유로 휴업이 불가피한 경우만을 의미하는 것이 아니라 공익사업의 시행 결과, 즉 그 공익사업의 시행으로 설치되는 시설의 형태·구조·사용 등에 기인하여 휴업이 불가피한 경우도 포함된다.

㉮-2 따라서 공익사업인 고속철도 건설사업시행 후의 고속철도 운행에 따른 소음, 진동 등으로 인하여 고속철도 인근에서 양잠업을 영위하던 원고에게 발생한 손실에 관하여 「공익사업을 위한 토지 등의 취득 및 보상에 관한 법률」에 따라 손실보상청구를 할 수 있다.

㉯-1 영업을 폐지하거나 휴업함에 따른 영업손실은 영업이익과 시설의 이전비용 등을 고려하여 보상하여야 한다.

㉯-2 영업손실에 관한 보상에서 영업의 폐지와 휴업의 구별기준은 실제로 이전하였는지가 아니라 영업을 다른 장소로 이전하는 것이 가능한지에 달려 있다.

㉰ 공익사업으로 인하여 영업을 폐지(편저자 주 : 폐업)하거나 휴업하는 자가 「공익사업을 위한 토지 등의 취득 및 보상에 관한 법률」상 재결절차를 거치지 않은 채 사업시행자를 상대로 영업손실보상청구소송을 제기할 수는 없다.

㉱ 「공익사업을 위한 토지 등의 취득 및 보상에 관한 법률」상 공익사업에 해당하고 원고들의 영업이 해당 공익사업으로 폐업하거나 휴업하게 된 것이어서 공익사업을 위한 토지 등의 취득 및 보상에 관한 법령에서 정한 영업손실보상대상에 해당하면, 사업인정고시가 없더라도 피고는 원고들에게 영업손실을 보상할 의무가 있다.

18

①-1 동일한 토지소유자에 속하는 일단의 토지 일부가 취득됨으로써 잔여지의 가격이 감소한 때에는 잔여지를 종래의 목적으로 사용하는 것이 가능한 경우라도 잔여지손실보상청구를 할 수 있다.

①-2 잔여지를 종래의 목적에 사용하는 것이 불가능하거나 현저히 곤란한 경우이어야만 잔여지손실보상청구를 할 수 있는 것은 아니다.

② 「공익사업을 위한 토지 등의 취득 및 보상에 관한 법률 시행령」 제40조 제3항 제2호의 '공익사업을 위한 관계 법령에 의한 고시 등이 있은 날' 당시 주거용 건물이 아니었던 건물이 그 후 주거용으로 용도변경된 경우, 이주대책대상이 되는 주거용 건축물이 아니다.

③ 일반공중의 이용에 제공되는 해수욕장의 백사장 일부를 관할 시의 특별한 허락 없이 어선을 양육·정박시켜 이용해 온 어선어업자들이 적법한 백사장 개발행위로 인해 백사장 이용을 제한받는 불이익은, 그러한 백사장의 사용은 다른 개인의 자유이용과 국가 또는 지방자치단체 등의 공공목적을 위한 개발 또는 관리·보존행위를 방해하지 않는 범위 내에서만 허용되므로, 손실보상의 대상이 되는 특별한 손실에 해당하지 않는다.

④-1 공법상 제한이 당해 공공사업의 시행을 직접목적으로 하여 가하여진 경우가 아니라면 그러한 제한을 받는 상태 그대로 평가하여야 한다.

④-2 문화재보호구역의 확대지정이 당해 공공사업인 택지개발사업의 시행을 직접목적으로 하여 이루어진 것이 아님이 명백하므로 토지의 수용보상액은 그러한 공법상 제한을 받는 상태대로 평가하여야 한다.

19

㉮-1 「공익사업을 위한 토지 등의 취득 및 보상에 관한 법률」에 따르면 동일한 소유자에게 속하는 일단의 토지의 일부가 협의에 의하여 매수되거나 수용됨으로 인하여 잔여지를 종래의 목적에 사용하는 것이 현저히 곤란할 때에는 해당 토지소유자는 사업시행자에게 잔여지를 매수하여 줄 것을 청구할 수 있으며, 사업인정 이후에는 관할 토지수용위원회에 수용을 청구할 수 있다.

㉮-2 이 경우 수용의 청구는 매수에 관한 협의가 성립되지 아니한 경우에만 할 수 있으며, 사업완료일까지 하여야 한다.

㉯-1 잔여지수용청구권은 잔여지를 수용하는 토지수용위원회의 재결이 없더라도 그 청구에 의하여 수용의 효과가 발생하는 형성권적 성질을 가진다.

㉯-2 따라서 잔여지수용청구를 받아들이지 않은 토지수용위원회의 재결에 대하여 토지소유자가 불복하여 제기하는 소송의 성질은 보상금의 증감에 관한 소송에 해당한다.

㉯-3 「공익사업을 위한 토지 등의 취득 및 보상에 관한 법률」에 따르면 보상금의 증감에 관한 소송인 경우 그 소송을 제기하는 자가 토지소유자 또는 관계인일 때에는 사업시행자를, 사업시행자일 때에는 토지소유자 또는 관계인을 각각 피고로 한다.

㉯-4 따라서 보상금증감소송은 이른바 형식적 당사자소송에 속한다.

㉰ 「공익사업을 위한 토지 등의 취득 및 보상에 관한 법률」상 보상의 대상이 되는 자는 공익사업에 필요한 토지의 소유자 및 관계인이 되는 바, 여기서의 관계인에는 수거·철거권 등 실질적 처분권을 가지는 자도 포함된다.

㉱ 「공익사업을 위한 토지 등의 취득 및 보상에 관한 법률」에 의한 보상합의는 공공기관이 사경제주체로서 행하는 사법상 계약의 실질을 가진다.

20

㉮ 공익사업에 필요한 토지 등의 취득 또는 사용으로 인하여 토지소유자나 관계인이 입은 손실은 사업시행자가 보상하여야 한다.

㉯-1 손실보상은 토지소유자나 관계인에게 개인별로 하여야 한다.

㉯-2 다만, 개인별로 보상액을 산정할 수 없을 때에는 그러하지 아니하다.

㉰ 「공익사업을 위한 토지 등의 취득 및 보상에 관한 법률」상 손실보상과 관련하여, 손실보상은 현금보상이 원칙이나 일정한 경우에는 채권이나 현물로 보상할 수 있다.

㉱ 사업시행자는 동일한 사업지역에 보상시기를 달리하는 동일인 소유의 토지 등이 여러 개 있는 경우 토지소유자나 관계인이 요구할 때에는 한꺼번에 보상금을 지급하도록 하여야 한다.

㉲ 「공익사업을 위한 토지 등의 취득 및 보상에 관한 법률」에 따르면 사업시행자는 동일한 소유자에게 속하는 일단(一團)의 토지의 일부를 취득하거나 사용하는 경우 해당 공익사업의 시행으로 인하여 잔여지(殘餘地)의 가격이 증가하거나 그 밖의 이익이 발생하였더라도 그 이익을 취득 또는 사용으로 인한 손실과 상계(相計)할 수 없다.

21

① 「공익사업을 위한 토지 등의 취득 및 보상에 관한 법률」의 규정에 의한 사업인정처분은 공익사업을 토지 등을 수용 또는 사용할 사업으로 결정하는 것으로서 단순한 확인행위가 아니라 형성행위이다.

② 사업시행자에게 해당 공익사업을 수행할 의사와 능력이 있어야 한다는 것도 사업인정의 한 요건이라고 보아야 한다.

③ 사업시행자가 사업인정고시가 된 날부터 1년 이내에 재결신청을 하지 아니한 경우에는 사업인정고시가 된 날부터 1년이 되는 날의 다음 날에 사업인정은 그 효력을 상실한다.

④ 사업인정과 수용재결 사이에는 하자가 승계되지 않는 것이 원칙이다.

22

① 「공익사업을 위한 토지 등의 취득 및 보상에 관한 법률」 제30조 제1항에서 정한 '협의가 성립되지 아니한 때'에는, 토지소유자 등이 손실보상대상에 해당한다고 주장하며 보상을 요구하는데도 사업시행자가 손실보상대상에 해당하지 않는다며 보상대상에서 이를 제외한 채 협의를 하지 않아 결국 협의가 성립하지 않은 경우도 포함된다.

② 토지수용위원회는 사업시행자, 토지소유자 또는 관계인이 신청한 범위에서 재결하여야 한다. 다만, 손실보상의 경우에는 증액재결을 할 수 있다.

③ 「공익사업을 위한 토지 등의 취득 및 보상에 관한 법률」상 토지수용위원회의 수용재결 후 토지소유자 등과 사업시행자가 다시 협의하여 토지 등의 취득이나 사용 및 그에 대한 보상에 관하여 임의로 계약을 체결할 수 있다.

④ 재결에 계산상 또는 기재상의 잘못이나 그 밖에 이와 비슷한 잘못이 있는 것이 명백할 때에는 토지수용위원회는 직권으로 또는 당사자의 신청에 의하여 경정재결을 할 수 있다.

23

㉮ 이주대책은 헌법 제23조 제3항에 규정된 정당한 보상에 포함되는 것이라기보다는 이에 부가하여 이주자들에게 종전의 생활상태를 회복시키기 위한 생활보상의 일환으로서 국가의 정책적인 배려에 의하여 마련된 제도라는 것이 헌법재판소의 입장이다.

㉯-1 이주대책의 실시 여부는 '입법자'의 입법정책적 재량의 영역에 속한다는 것이 헌법재판소의 입장이다.

㉯-2 따라서 「공익사업을 위한 토지 등의 취득 및 보상에 관한 법률 시행령」 제40조 제3항(현 제5항) 제3호가 이주대책의 대상자에서 세입자를 제외하고 있는 것은 세입자의 재산권을 침해하지 않는다.

㉰ 사업시행자의 이주대책 수립·실시의무를 정하고 있는 구 「공익사업을 위한 토지 등의 취득 및 보상에 관한 법률」 제78조 제1항과 이주대책의 내용을 정하고 있는 같은 조 제4항 본문은 당사자의 합의 또는 사업시행자의 재량에 의하여 적용을 배제할 수 없는 강행법규이다.

㉱-1 도시개발사업의 사업시행자는 이주대책기준을 정하여 이주대책대상자 중에서 이주대책을 수립·실시하여야 할 자를 선정하여 그들에게 공급할 택지 또는 주택의 내용이나 수량을 정할 수 있고, 이를 정하는 데 재량권을 가진다.

㉱-2 구 공공용지의 취득 및 손실보상에 관한 특례법령에 따라 실시되는 이주대책은 공공사업의 시행으로 생활근거를 상실하게 되는 자를 위하여 이주자에게 이주정착지의 택지를 분양하도록 하는 것으로서 사업시행자는 특별공급대상자의 선정 등에 있어서 재량권을 가진다.

㉲ 「공익사업을 위한 토지 등의 취득 및 보상에 관한 법률」 제78조 규정만으로 이주자에게 이주대책상의 택지분양권이나 아파트입주권 등을 받을 수 있는 구체적인 권리(수분양권)가 직접 발생하는 것이 아니라 사업시행자가 이주대책대상자로 확인·결정하여야만 비로소 구체적인 수분양권이 발생하게 된다.

24

㉮ 수용재결에 대한 이의신청은 임의적 절차에 불과하므로, 수용재결에 대해 취소소송으로 다투기 위해서는 중앙토지수용위원회의 이의재결을 거쳐야 하는 것은 아니다.

㉯ 이의신청 또는 재결에 불복한 행정소송의 제기는 사업의 진행 및 토지의 수용 또는 사용을 정지시키지 아니한다.

㉰ 토지소유자 등이 수용재결에 불복하여 이의신청을 거친 후 취소소송을 제기하는 경우 피고적격을 가지는 자는 수용재결을 한 토지수용위원회이며 소송대상은 수용재결이 된다(원처분주의).

㉱ 토지소유자가 손실보상금의 증액을 구하는 행정소송을 제기하는 경우 이러한 소송은 이른바 형식적 당사자소송이다. 따라서 토지수용위원회가 아니라 사업시행자를 피고로 하여야 한다.

㉲ 보상금증감소송은 재결에 불복할 때에는 재결서를 받은 날부터 90일 이내에, 이의신청을 거쳤을 때에는 이의신청에 대한 재결서를 받은 날부터 60일 이내에 제기할 수 있다.

25

①-1 손해배상은 가해행위와 상당인과관계가 있는 손해를 대상으로 하지만 결과제거청구권은 위법한 공행정작용으로 인한 직접적 결과의 제거만을 대상으로 하고, 간접적인 결과의 제거는 결과제거청구권과 관련이 없다.

①-2 또한 결과제거청구는 원래의 상태 또는 동일한 가치의 상태로 회복함이 사실상 가능하며, 법적으로 허용되고 또한 의무자에게 기대 가능한 것을 내용으로 하여야 한다.

② 결과제거청구권이 성립하기 위해서 '가해행위의 위법'은 있어야 하나, '가해자의 고의·과실'은 있지 않아도 된다.

③ 결과제거청구소송은 당사자소송으로 제기하여야 한다는 것이 일반적 견해이다.

④-1 민법상의 과실상계에 관한 규정은 공법상 결과제거청구권에 유추 적용될 수 있다.

④-2 따라서 피해자의 과실이 위법상태 발생에 기여한 경우에는 그 과실에 비례하여 결과제거청구권이 제한되거나 상실된다.

제13회 | 옳은 지문

01

㉮ 행정심판법은 행정심판의 종류로서 취소심판, 무효등확인심판, 의무이행심판에 관한 규정을 두고 있으며 당사자심판, 부작위위법확인심판과 기관심판에 관한 규정은 두고 있지 않다.

㉯ 행정심판법 제3조 제2항에서 "대통령의 처분 또는 부작위에 대하여는 다른 법률에서 행정심판을 청구할 수 있도록 정한 경우 외에는 행정심판을 청구할 수 없다."라고 규정하여 대통령의 처분 등에 대해서는 원칙적으로 행정심판을 청구할 수 없다.

㉰ 행정심판법에 따르면, 다른 법률에서 특별행정심판이나 행정심판법에 따른 행정심판절차에 대한 특례를 정한 경우에도 그 법률에서 규정하지 아니한 사항에 관하여는 행정심판법에서 정하는 바에 따른다.

㉱-1 사안의 전문성과 특수성을 살리기 위하여 특히 필요한 경우, 다른 법률로 행정심판법에 따른 행정심판을 갈음하는 특별한 행정불복절차를 둘 수 있다.

㉱-2 공무원연금법상 공무원연금급여 재심위원회에 대한 심사청구제도는 특별행정심판에 해당한다.

02

①-1 과세처분에 관한 이의신청절차에서 과세관청이 이의신청사유가 옳다고 인정하여 과세처분을 직권취소한 후, 특별한 사유 없이 이를 번복하여 종전 처분과 동일한 내용의 처분을 할 수는 없다.

①-2 즉, 이의신청에 따른 직권취소에도 특별한 사정이 없는 한 번복할 수 없는 불가변력이 인정된다.

②-1 행정심판청구를 엄격한 형식을 요하지 않는 서면행위로 보아 청구서의 형식을 다 갖추지 않았더라도 권리 등을 침해당한 자로부터 처분의 취소 등을 구하는 서면이 제출된 경우, 표제 등을 불문하고 행정심판의 청구로 볼 수 있다.

②-2 따라서 처분에 대한 취소를 구하는 서면이 제출된 경우 비록 진정서라는 표제하에 제출되었다 하더라도 행정심판청구로 볼 수 있다.

③ 이의신청을 제기하여야 할 사람이 처분청에 표제를 '행정심판청구서'로 한 서류를 제출한 경우라 할지라도 서류의 내용에 이의신청요건에 맞는 불복취지와 사유가 충분히 기재되어 있다면 표제에도 불구하고 이를 처분에 대한 이의신청으로 볼 수 있다.

④ 행정심판에서는 행정소송과 달리 원처분을 적극적으로 변경할 수 있다.

03

㉮ 행정심판을 청구하려는 자는 심판청구서를 작성하여 피청구인이나 위원회에 제출하여야 한다. 이 경우 피청구인의 수만큼 심판청구서 부본을 함께 제출하여야 한다.

㉯ 선정대표자는 다른 청구인들을 위하여 그 사건에 관한 모든 행위를 할 수 있다. 다만, 심판청구를 취하하려면 다른 청구인들의 동의를 받아야 하며, 이 경우 동의받은 사실을 서면으로 소명하여야 한다.

㉰ 선정대표자가 선정되면 다른 청구인들은 그 선정대표자를 통해서만 그 사건에 관한 행위를 할 수 있다.

㉱ 행정심판절차에서 청구인들이 '당사자가 아닌 자'를 선정대표자로 선정하였다면 행정심판법 제11조(현 제15조)에 위반되어 그 선정행위는 무효이다.

㉲-1 여러 명의 청구인이 공동으로 행정심판청구를 할 때에는 청구인들 중에서 3명 이하의 선정대표자를 선정할 수 있다.

㉲-2 청구인들이 선정대표자를 선정하지 아니한 경우에 행정심판위원회는 필요하다고 인정하면 청구인들에게 선정대표자를 선정할 것을 권고할 수 있다.

04

㉮-1 행정기본법은 행정청의 '처분에 대한 이의신청'을 일반적으로 규정하고 있다.

㉮-2 행정청의 처분(행정심판법에 따른 행정심판의 대상이 되는 처분)에 이의가 있는 당사자는 처분을 받은 날부터 30일 이내에 해당 행정청에 이의신청을 할 수 있다.

㉯-1 행정청은 이의신청을 받으면 그 신청을 받은 날부터 14일 이내에 그 이의신청에 대한 결과를 신청인에게 통지하여야 한다.

㉯-2 다만, 부득이한 사유로 14일 이내에 통지할 수 없는 경우에는 그 기간을 만료일 다음 날부터 기산하여 10일의 범위에서 한 차례 연장할 수 있으며, 연장사유를 신청인에게 통지하여야 한다.

㉰ 행정기본법상 이의신청을 한 경우에도 그 이의신청과 관계없이 행정심판법에 따른 행정심판 또는 행정소송법에 따른 행정소송을 제기할 수 있다.

㉱ 행정기본법상 이의신청에 대한 결과를 통지받은 후 행정심판 또는 행정소송을 제기하려는 자는 그 결과를 통지받은 날(통지기간 내에 결과를 통지받지 못한 경우에는 같은 항에 따른 통지기간이 만료되는 날의 다음 날을 말한다)부터 90일 이내에 행정심판 또는 행정소송을 제기할 수 있다.

㉲ ㉠ 공무원 인사 관계 법령에 따른 징계 등 처분에 관한 사항, ㉡ 국가인권위원회법 제30조에 따른 진정에 대한 국가인권위원회의 결정, ㉢ 노동위원회법 제2조의2에 따라 노동위원회의 의결을 거쳐 행하는 사항, ㉣ 형사, 행형 및 보안처분 관계 법령에 따라 행하는 사항, ㉤ 외국인의 출입국·난민인정·귀화·국적회복에 관한 사항, ㉥ 과태료 부과 및 징수에 관한 사항에 대하여는 행정기본법상의 이의신청규정이 적용되지 않는다.

05

㉮-1 행정기본법은 불가쟁력이 발생하여 행정쟁송으로 다툴 수 없는 처분도 특별한 사정이 있는 경우 다툴 수 있도록 '처분의 재심사'를 일반적으로 규정하고 있다.

㉮-2 당사자는 처분(제재처분 및 행정상 강제 제외)이 행정심판, 행정소송 및 그 밖의 쟁송을 통하여 다툴 수 없게 된 경우(법원의 확정판결이 있는 경우 제외)라도 ㉠ 처분의 근거가 된 사실관계 또는 법률관계가 추후에 당사자에게 유리하게 바뀐 경우, ㉡ 당사자에게 유리한 결정을 가져다주었을 새로운 증거가 있는 경우, ㉢ 민사소송법 제451조에 따른 재심사유에 준하는 사유가 발생한 경우 등 대통령령으로 정하는 경우에 해당하는 경우에는 해당 처분을 한 행정청에 처분을 취소·철회하거나 변경하여 줄 것을 신청할 수 있다.

㉯ 처분의 재심사를 청구할 수 있는 당사자는 처분의 상대방을 말하며, 처분으로 법률상 이익이 침해된 제3자는 포함되지 않는다.

㉰ 처분의 재심사신청은 해당 처분의 절차, 행정심판, 행정소송 및 그 밖의 쟁송에서 당사자가 중대한 과실 없이 재심사신청사유를 주장하지 못한 경우에만 할 수 있다.

㉱-1 재심사신청을 받은 행정청은 특별한 사정이 없으면 신청을 받은 날부터 90일 이내에 처분의 재심사결과(재심사 여부와 처분의 유지·취소·철회·변경 등에 대한 결정을 포함한다)를 신청인에게 통지하여야 한다.

㉱-2 처분을 유지하는 재심사결과에 대하여는 행정심판, 행정소송 및 그 밖의 쟁송수단을 통하여 불복할 수 없다.

06

① 처분에 관한 법원의 확정판결이 있는 경우, 그러한 처분은 재심사의 대상에서 제외된다.

② 처분의 재심사신청은 당사자가 처분의 재심사사유를 안 날부터 60일 이내에 하여야 한다. 다만, 처분이 있은 날부터 5년이 지나면 신청할 수 없다.

③ 행정청의 행정기본법 제18조에 따른 취소와 제19조에 따른 철회는 처분의 재심사에 의하여 영향을 받지 아니한다. 따라서 행정청은 처분의 재심사와 별도로 취소 또는 철회를 할 수 있다.

④ 공무원 인사 관계 법령에 의한 징계 등 처분에 관한 사항에 대하여는 행정기본법상의 처분의 재심사규정이 적용되지 않는다.

07

① 행정심판청구의 대상과 관계되는 권리나 이익을 양수한 자는 위원회의 허가를 받아 청구인의 지위를 승계할 수 있다.

② 청구인이 피청구인을 잘못 지정한 경우에는 행정심판위원회는 직권으로 또는 당사자의 신청에 의하여 결정으로써 피청구인을 경정할 수 있다.

③-1 행정심판의 결과에 이해관계가 있는 제3자나 행정청은 해당 심판청구에 대한 행정심판위원회나 소위원회의 의결이 있기 전까지 행정심판위원회의 허가를 받아 그 사건에 대하여 심판참가를 할 수 있다(신청에 의한 참가).

③-2 행정심판위원회는 필요하다고 인정하면 행정심판결과에 이해관계가 있는 제3자나 행정청에 심판에 참가할 것을 요구할 수 있다(요구에 의한 참가).

④ 참가인은 행정심판절차에서 당사자가 할 수 있는 심판절차상의 행위를 할 수 있다.

08

㉮ 행정심판위원회는 제기된 행정심판을 심리·재결하는 기능을 하는 합의제 행정청이다.

㉯ 국민권익위원회에 설치되는 중앙행정심판위원회는 위원장 1명을 포함하여 70명 이내의 위원으로 구성하되 위원 중 상임위원은 4명 이내로 한다.

㉰ 중앙행정심판위원회의 위원장은 국민권익위원회의 부위원장 중 1명이 되며, 위원장이 없거나 부득이한 사유로 직무를 수행할 수 없거나 위원장이 필요하다고 인정하는 경우에는 상임위원(상임으로 재직한 기간이 긴 위원 순서로, 재직기간이 같은 경우에는 연장자 순서로 한다)이 위원장의 직무를 대행한다.

㉱-1 중앙행정심판위원회의 비상임위원은 일정한 요건을 갖춘 사람 중에서 중앙행정심판위원회 위원장의 제청으로 국무총리가 성별을 고려하여 위촉한다.

㉱-2 중앙행정심판위원회의 회의(소위원회 회의는 제외)는 위원장, 상임위원 및 위원장이 회의마다 지정하는 비상임위원을 포함하여 총 9명으로 구성한다.

09

㉮ 행정심판법에 따르면 중앙행정심판위원회는 심판청구 사건 중 도로교통법에 따른 자동차운전면허행정처분에 관한 사건(소위원회가 중앙행정심판위원회에서 심리·의결하도록 결정한 사건 제외)을 심리·의결하게 하기 위하여 4명의 위원으로 구성하는 소위원회를 둘 수 있다.

㉯ 행정심판법에 따르면 관계 행정기관의 장이 특별행정심판 또는 행정심판법에 따른 행정심판절차에 대한 특례를 신설하거나 변경하는 법령을 제정·개정할 때에는 미리 중앙행정심판위원회와 협의하여야 한다.

㉰ 행정심판법에 따르면 시·도의 관할 구역에 있는 둘 이상의 지방자치단체(시·군·자치구를 말한다)·공공법인 등이 공동으로 설립한 행정청의 처분 또는 부작위에 대한 심판청구에 대하여는 시·도지사 소속으로 두는 행정심판위원회에서 심리·재결한다.

㉱ 행정심판법에 따르면, ㉠ 감사원, 국가정보원장, 그 밖에 대통령령으로 정하는 대통령 소속 기관의 장, ㉡ 국회사무총장·법원행정처장·헌법재판소사무처장 및 중앙선거관리위원회사무총장, ㉢ 국가인권위원회, 그 밖에 지위·성격의 독립성과 특수성 등이 인정되어 대통령령으로 정하는 행정청 또는 그 소속 행정청의 처분 또는 부작위에 대한 행정심판의 청구에 대하여는 위의 각 행정청에 두는 행정심판위원회에서 심리·재결한다.

20

① 항고소송에서 행정청이 처분의 근거사유를 추가하거나 변경하기 위한 요건인 '기본적 사실관계의 동일성'은 행정심판단계에서도 적용된다.

②-1 행정심판의 심리는 구술심리나 서면심리로 한다.

②-2 다만, 행정심판의 심리에 있어 당사자가 구술심리를 신청한 때에는 행정심판위원회는 서면심리만으로 결정할 수 있다고 인정하는 경우를 제외하고는 구술심리를 하여야 한다.

③ 행정심판에 있어서 행정처분의 위법·부당 여부는 원칙적으로 처분시를 기준으로 판단하여야 할 것이나, 행정심판위원회는 처분 당시 존재하였거나 행정청에 제출되었던 자료뿐만 아니라, 재결 당시까지 제출된 모든 자료를 종합하여 처분 당시 존재하였던 객관적 사실을 확정하고 그 사실에 기초하여 처분의 위법·부당 여부를 판단할 수 있다.

④-1 행정심판법에 따르면 재결은 피청구인 또는 행정심판위원회가 심판청구서를 받은 날부터 60일 이내에 하여야 한다.

④-2 다만, 부득이한 사정이 있는 경우에는 위원장이 직권으로 30일을 연장할 수 있다.

21

① 의무이행심판은 처분을 신청한 자로서 행정청의 거부처분 또는 부작위에 대하여 일정한 처분을 구할 법률상 이익이 있는 자가 청구할 수 있다.

②-1 무효등확인심판과 부작위에 대한 의무이행심판은 청구기간의 제한이 없다.

②-2 사정재결은 취소심판과 의무이행심판에서만 가능하며 무효등확인심판에서는 인정되지 않는다.

③-1 행정심판위원회는 취소심판청구가 이유 있다고 인정하는 경우에도 이를 인용하는 것이 공공복리에 크게 위배된다고 인정하면 그 심판청구를 기각하는 재결, 즉 사정재결을 할 수 있다.

③-2 이 경우 행정심판위원회는 재결의 주문에서 그 처분 또는 부작위가 위법하거나 부당하다는 것을 구체적으로 밝혀야 한다.

③-3 행정심판위원회는 사정재결을 할 때에는 청구인에 대하여 상당한 구제방법을 취하거나 상당한 구제방법을 취할 것을 피청구인에게 명할 수 있다.

④ 사정재결은 취소심판과 의무이행심판에서만 가능하며 무효등확인심판에서는 인정되지 않는다.

22

①-1 의무이행소송, 예방적 부작위소송, 작위의무확인소송 등을 무명항고소송이라고 하며, 판례는 이를 인정하고 있지 않다.

①-2 행정소송법상 이행판결을 구하는 소송이나 행정청이 한 것과 같은 효과가 있는 처분을 직접 행하도록 하는 형성판결을 구하는 소송은 허용되지 않는다.

②-1 예방적 부작위소송, 이른바 금지청구소송은 허용되지 않는다는 것이 판례의 입장이다.

②-2 신축건물의 준공처분을 하여서는 아니 된다는 내용의 부작위를 구하는 청구는 허용되지 않는다.

③-1 공무원의 연가보상비청구권은 공무원이 연가를 실시하지 아니하는 등 법령상 정해진 요건이 충족되면 그 자체만으로 지급기준일 또는 보수지급기관의 장이 정한 지급일에 구체적으로 발생하고 행정청의 지급결정에 의하여 비로소 발생하는 것은 아니다.

③-2 행정청의 연가보상비부지급행위는 항고소송의 대상이 되는 처분이 아니다.

④ 공법상 당사자소송의 경우 그 청구의 기초가 바뀌지 아니하는 한도 안에서 민사소송으로 소변경이 가능하다.

23

㉮ 국가의 부가가치세 환급세액 지급의무는 부당이득반환의무가 아니라 조세정책적 관점에서 인정되는 공법상 의무이므로, 납세의무자의 부가가치세 환급세액 지급청구는 당사자소송의 절차에 따라야 한다.

㉯ 지방자치단체가 보조금지급결정을 하면서 일정 기한 내에 보조금을 반환하도록 하는 교부조건을 부가한 경우, 보조금을 교부받은 사업자에 대한 지방자치단체의 보조금반환청구는 당사자소송의 대상이다.

㉰-1 구 공무원연금법상의 퇴직급여는 공무원연금관리공단의 지급결정으로 구체적 권리가 발생하는 것이므로 공무원연금관리공단의 급여결정은 행정처분으로서 이에 대해서는 항고소송을 제기하여야 한다.

㉰-2 반면, 공무원연금관리공단이 연금지급결정 후 공무원연금법령의 개정에 따라 퇴직연금 중 일부금액에 대하여 지급거부의 의사표시를 한 경우, 그 의사표시는 항고소송의 대상이 되는 행정처분이 아니다.

㉱ 「산업기술혁신 촉진법」상 산업기술개발사업에 관하여 체결된 협약(편저자 주 : 공법상 계약)에 따라 집행된 사업비 정산금 반환채무의 존부에 대한 분쟁은 공법상 당사자소송의 대상이다.

24

① 판례에 따르면 「국토의 계획 및 이용에 관한 법률」에 따라 사업시행자가 토지소유자를 상대로 토지의 일시사용에 대한 동의의 의사표시를 구하는 소는 당사자소송에 해당한다.

② 국방부장관의 인정에 의하여 퇴역연금을 지급받아 오던 중 군인보수법 및 공무원보수규정에 의한 호봉이나 봉급액의 개정 등으로 퇴역연금액이 변경된 경우에는 법령의 개정에 따라 당연히 개정규정에 따른 퇴역연금액이 확정되는 것이므로, 직접 국가를 상대로 정당한 퇴역연금액과 결정, 통지된 퇴역연금액과의 차액의 지급을 구하는 공법상 당사자소송을 제기하는 방법으로 다툴 수 있다.

③-1 판례에 따르면 행정청과 관내 택시회사들 사이에서 일정 대수를 감차하기로 약정한 합의는 「여객자동차 운수사업법」 제4조 제3항이 정한 '면허조건'을 원고들의 동의하에 사후적으로 부가한 것이다.

③-2 일부 택시회사들이 위와 같은 합의를 이행하지 않는다는 이유로 행정청이 그 택시회사들에 대하여 한 직권감차명령은 행정청이 우월적 지위에서 「여객자동차 운수사업법」 제85조 제1항 제38호에 따라 상대방에게 일정한 법적 효과를 발생하게 하는 것이므로 항고소송의 대상이 되는 처분에 해당한다.

④ 읍·면장에 의한 이장의 임명 및 면직은 행정처분이 아닌 공법상 계약 및 그 계약을 해지하는 의사표시이다.

25

- ㉮-1 국가 또는 공공단체의 기관이 법률에 위반되는 행위를 한 때에 직접 자기의 법률상 이익과 관계없이 그 시정을 구하기 위하여 제기하는 소송은 민중소송이다.
- ㉮-2 국가 또는 공공단체의 기관 상호 간에 있어서의 권한의 존부 또는 그 행사에 관한 다툼이 있을 때에 이에 대하여 제기하는 소송은 기관소송이다.
- ㉯-1 처분 등을 원인으로 하는 법률관계에 관한 소송은 당사자소송이다.
- ㉯-2 당사자소송과 항고소송은 주관적 소송이며, 민중소송과 기관소송은 객관적 소송이다.
- ㉰ 기관소송은 개인의 권리구제를 목적으로 하는 소송이 아니고 객관적 소송의 일종이므로 민중소송과 동일하게 개별법에서 특별히 인정하는 경우에 한하여 허용된다(기관소송법정주의).
- ㉱ 기관소송은 법률이 특별히 규정한 자에 한하여 원고적격이 있다.
- ㉲-1 기관소송의 재판관할은 대법원이 제1심법원이면서 종심법원(최종적 법원)이 된다.
- ㉲-2 한편 국가기관 상호 간, 지방자치단체 상호 간, 국가기관과 지방자치단체 상호 간의 다툼은 헌법재판소의 권한쟁의심판대상이므로 기관소송을 제기할 수 없다.
- ㉳ 행정소송법에 따르면 민중소송 또는 기관소송의 경우 개별법에 특별한 규정이 없으면 ㉠ 처분 등의 취소를 구하는 소송에는 그 성질에 반하지 않는 한 취소소송에 관한 규정을 준용하고, ㉡ 처분 등의 효력 유무 또는 존재 여부나 부작위의 위법확인을 구하는 소송에는 그 성질에 반하지 않는 한 각각 무효등확인소송 또는 부작위위법확인소송에 관한 규정을 준용하며, 위의 ㉠과 ㉡에 해당하지 않는 소송에는 그 성질에 반하지 않는 한 당사자소송에 관한 규정을 준용한다.

제14회 | 옳은 지문

01

㉮-1 당사자소송으로서 법률관계 확인청구소송을 제기하는 경우, 확인의 이익(즉시확정의 이익)이 요구된다.

㉮-2 공법상 계약의 무효확인을 구하는 당사자소송의 청구는 다른 직접적인 구제방법이 있는 이상 확인의 이익, 즉 소송요건을 구비하지 못한 위법한 소송이 된다.

㉯-1 당사자소송은 항고소송과 달리 행정청을 피고로 하지 않고 국가·공공단체, 그 밖의 권리주체를 피고로 한다.

㉯-2 여기서의 권리주체는 행정주체에 한정되지 않으므로 사인(私人)을 피고로 하는 당사자소송도 가능하다.

㉰ 국가를 당사자 또는 참가인으로 하는 소송에서는 법무부장관이 국가를 대표하고, 지방자치단체를 당사자로 하는 소송에서는 지방자치단체의 장이 해당 지방자치단체를 대표한다.

㉱-1 행정소송법에 따르면 당사자소송의 토지관할에 관해서는 취소소송의 규정이 준용되므로 피고의 소재지를 관할하는 행정법원이 관할 법원이 된다.

㉱-2 행정소송법 제40조는 국가 또는 공공단체가 피고인 경우에는 당해 소송과 구체적인 관계가 있는 '관계 행정청의 소재지'를 피고의 소재지로 보아 그 행정청의 소재지를 관할하는 행정법원을 관할 법원으로 보는 특칙을 두고 있다.

㉲-1 당사자소송에 관하여 법령(개별법을 의미)에 제소기간이 정하여져 있는 때에는 그 기간은 불변기간으로 한다.

㉲-2 행정소송법에는 당사자소송의 제기기간에 관한 제한이 없으며 취소소송의 제소기간도 적용되지 않는다.

㉳-1 납세의무부존재확인의 소는 공법상의 법률관계 그 자체를 다투는 소송으로서 당사자소송에 해당한다.

㉳-2 납세의무부존재확인청구소송의 경우 과세처분청이 아닌 그 법률관계의 한쪽 당사자인 국가·공공단체 그 밖의 권리주체에게 피고적격이 있다.

02

㉮ 조세 부과처분이 당연무효임을 전제로 하여 이미 납부한 세금의 반환을 청구하는 것은 민사상의 부당이득반환청구로서 민사소송절차에 따라야 한다.

㉯ 사업주가 당연가입자가 되는 고용보험 및 산재보험에서 보험료 납부의무부존재확인의 소는 공법상의 법률관계 그 자체를 다투는 소송으로서 공법상 당사자소송이다.

㉰ 광주민주화운동 관련 보상금지급에 관한 권리는 보상심의위원회의 결정에 의하여 비로소 성립하는 것이 아니라 법에 의하여 구체적 권리가 발생한 것이므로 당사자소송을 제기하여야 한다.

㉱ 환매권의 존부에 관한 확인을 구하는 소송 및 구 「공익사업을 위한 토지의 취득 및 보상에 관한 법률」 제91조 제4항에 따라 환매금액의 증감을 구하는 소송 역시 민사소송에 해당한다.

㉲ 폐광대책비의 일종으로 폐광된 광산에서 업무상 재해를 입은 근로자에게 지급하는 재해위로금 청구는 당사자소송의 대상이다.

03

㉮-1 공무원연금법령상 급여를 받으려고 하는 자는 우선 관계 법령에 따라 공무원연금공단에 급여지급을 신청하여 공무원연금공단이 이를 거부하거나 일부 금액만 인정하는 급여지급결정을 하는 경우, 비로소 급여청구권이 발생하며 그 결정을 대상으로 항고소송을 제기하는 등으로 구체적 권리를 인정받아야 한다.

㉮-2 구체적인 권리가 발생하지 않은 상태에서 곧바로 공무원연금공단을 상대로 한 당사자소송으로 권리의 확인이나 급여의 지급을 소구하는 것은 허용되지 아니한다.

㉯-1 사회보장수급권은 관계 법령에서 정한 실체법적 요건을 충족시키는 객관적 사정이 발생하면 추상적인 급부청구권의 형태로 발생하고, 관계 법령에서 정한 절차·방법·기준에 따라 관할 행정청에 지급 신청을 하여 관할 행정청이 지급결정을 하면 그때 비로소 구체적인 수급권으로 전환된다.

㉯-2 급부를 받으려고 하는 사람은 우선 관계 법령에 따라 행정청에 그 지급을 신청하여 행정청이 거부하거나 일부 금액만 지급하는 결정을 하는 경우 그 결정에 대하여 항고소송을 제기하여 취소 또는 무효확인판결을 받아 그 기속력에 따른 재처분을 통하여 구체적인 권리를 인정받아야 한다.

㉯-3 사회보장수급권의 경우 구체적인 권리가 발생하지 않은 상태에서 곧바로 행정청이 속한 국가나 지방자치단체 등을 상대로 한 당사자소송이나 민사소송으로 급부의 지급을 소구하는 것은 허용되지 않는다.

㉰ 공무원연금관리공단이 공무원연금법령의 개정사실과 퇴직연금수급자가 퇴직연금 중 일부 금액의 지급정지대상자가 되었다는 사실을 통보한 경우, 위 통보는 항고소송의 대상이 되는 처분이 아니다.

㉱ 공무원연금공단의 인정에 의해 퇴직연금을 지급받아 오던 중 공무원연금법령 개정 등으로 퇴직연금 중 일부 금액에 대해 지급이 정지된 경우, 미지급퇴직연금에 대한 지급청구권은 공법상 권리로서 그의 지급을 구하는 소송은 당사자소송이다.

04

㉮-1 '민주화운동 관련자 명예회복 및 보상심의위원회'에서 심의·결정을 받아야만 비로소 보상금 등의 지급대상자로 확정될 수 있다.

㉮-2 '민주화운동 관련자 명예회복 및 보상심의위원회'의 보상금 등의 지급대상자에 관한 결정은 국민의 권리·의무에 직접 영향을 미치는 행정처분이며, 보상금지급신청을 기각하는 결정에 대한 불복을 구하는 소송은 취소소송이다.

㉯-1 공무원연금법령상 급여를 받으려고 하는 자는 우선 관계 법령에 따라 공무원연금공단에 급여지급을 신청하여 공무원연금공단이 이를 거부하거나 일부 금액만 인정하는 급여지급결정을 하는 경우 그 결정을 대상으로 항고소송을 제기하는 등으로 구체적 권리를 인정받아야 한다.

㉯-2 구체적인 권리가 발생하지 않은 상태에서 곧바로 공무원연금공단을 상대로 한 당사자소송으로 권리의 확인이나 급여의 지급을 소구하는 것은 허용되지 아니한다.

㉰-1 법관이 이미 수령한 명예퇴직수당액이 구 「법관 및 법원공무원 명예퇴직수당 등 지급규칙」 제4조 [별표 1]에서 정한 정당한 수당액에 미치지 못한다고 주장하며 차액의 지급을 신청한 것에 대하여 법원행정처장이 거부하는 의사를 표시한 경우, 해당 의사표시를 행정처분으로 볼 수 없다.

㉰-2 명예퇴직한 법관이 미지급 명예퇴직수당액의 지급을 구하는 경우, 소송형태는 당사자소송이다.

㉱ 당사자소송에 대하여는 행정소송법 제23조 제2항의 집행정지에 관한 규정이 준용되지 아니하므로, 행정소송법 제8조 제2항에 따라 민사집행법상 가처분에 관한 규정이 준용된다.

㉲ 판례에 따르면 공법상 당사자소송에서 재산권의 청구를 인용하는 판결을 하는 경우, 가집행선고를 할 수 있다.

05

㉮ 원고가 위탁운영기간 만료일까지 공립어린이집 원장 지위에 있다는 확인을 구하고 있는 사안에서, 공립어린이집 위탁운영기간이 만료된 경우라면 소의 이익이 없다.

㉯ 당사자소송의 원고가 피고를 잘못 지정하여 피고경정신청을 한 경우 법원은 결정으로써 피고의 경정을 허가할 수 있다.

㉰ 본래의 당사자소송이 부적법하여 각하되면 그에 병합된 관련청구소송도 소송요건을 흠결하여 부적합하므로 각하되어야 한다.

㉱ "법원은 필요하다고 인정할 때에는 직권으로 증거조사를 할 수 있고, 당사자가 주장하지 아니한 사실에 대하여도 판단할 수 있다."라고 규정하고 있는 행정소송법 제26조는 당사자소송에도 준용된다.

06

① 시립합창단원의 위촉은 공법상 근로관계에 해당하므로 시립합창단원에 대한 재위촉 거부를 항고소송의 대상이 되는 불합격처분이라고 할 수는 없다.

②-1 「도시 및 주거환경정비법」상의 주택재건축정비사업조합을 상대로 관리처분계획안에 대한 조합총회결의의 효력을 다투는 소송의 법적 성질은 행정소송법상 당사자소송이다.

②-2 「도시 및 주거환경정비법」상의 주택재건축정비사업조합이 같은 법 제48조에 따라 수립한 관리처분계획에 대하여 관할 행정청의 인가·고시가 있은 후에는 항고소송의 방법으로 관리처분계획의 취소 또는 무효확인을 구하여야 하고, 관리처분계획안에 대한 총회결의의 무효확인을 구할 수는 없다.

③ 구 「도시 및 주거환경정비법」상 재개발조합과 조합장 또는 조합임원 사이의 선임·해임 등을 둘러싼 법률관계는 사법상의 법률관계로서 그 조합장 또는 조합임원의 지위를 다투는 소송은 민사소송에 의하여야 한다.

④ 재개발조합을 상대로 조합원자격 유무에 관한 확인을 구하는 소송은 공법상 당사자소송이다.

07

①-1 민중소송은 국가 또는 공공단체의 기관이 법률에 위반되는 행위를 한 때에 직접 자기의 법률상 이익과 관계없이 그 시정을 구하기 위하여 제기하는 소송을 말한다.

①-2 기관소송은 국가 또는 공공단체의 기관 상호 간에 있어서의 권한의 존부 또는 그 행사에 관한 다툼이 있을 때에 이에 대하여 제기하는 소송을 말한다. 다만, 헌법재판소법 제2조의 규정에 의하여 헌법재판소의 관장사항으로 되는 소송은 제외한다.

② 민중소송과 기관소송은 법률이 정한 경우에 법률에 정한 자에 한하여 제기할 수 있다.

③ 행정청이 주민의 여론을 조사하는 행위에 대하여는 근거법상 소로써 그 시정을 구할 수 있는 규정이 없으므로 민중소송의 대상이 아니다.

④ 민중소송 또는 기관소송으로써 처분 등의 취소를 구하는 소송에는 그 성질에 반하지 아니하는 한 취소소송에 관한 규정을 준용한다.

08

① 행정소송법에 따르면 원칙적으로 취소소송의 제1심 관할 법원은 피고의 소재지를 관할하는 행정법원으로 한다.

② 그럼에도 불구하고 중앙행정기관, 중앙행정기관의 부속기관과 합의제행정기관 또는 그 장에 대하여 취소소송을 제기하는 경우에는 대법원 소재지를 관할하는 행정법원에 제기할 수 있다.

③ 국가의 사무를 위임 또는 위탁받은 공공단체 또는 그 장이 피고인 경우에도 대법원 소재지를 관할하는 행정법원에 제기할 수 있다.

④ 토지의 수용 기타 부동산 또는 특정의 장소에 관계되는 처분 등에 대한 취소소송은 그 부동산 또는 장소의 소재지를 관할하는 행정법원에 이를 제기할 수 있다.

09

① 행정소송법상 당사자소송에 해당하는 소송을 민사소송으로 제기한 경우, 그러한 소송은 행정법원의 전속관할에 속하므로 관할 법원에 이송하여야 한다.

② 민사소송으로 제기할 사안을 당사자소송으로 제기하여 관할 위반이 되었더라도 피고가 관할 위반이라고 항변하지 아니하고 본안에 대하여 변론을 한 경우에는 법원에 변론관할이 생긴다.

③ 원고가 고의 또는 중대한 과실 없이 행정소송으로 제기하여야 할 사건을 민사소송으로 잘못 제기한 경우, 수소법원으로서는 만약 그 행정소송에 대한 관할도 같이 가지고 있다면 이를 행정소송으로 심리·판단하여야 한다.

④ 당사자소송으로 제기해야 할 사건을 민사소송으로 잘못 제기한 경우, 수소법원이 행정소송에 대한 관할을 가지고 있지 않다면 당해 소송이 당사자소송으로서의 소송요건을 갖추지 못하였음이 명백하지 않는 한 당사자소송의 관할 법원으로 이송하여야 한다.

10

① 행정소송법에 따르면 취소소송과 관련청구소송(㉠ 당해 처분 등과 관련되는 손해배상·부당이득반환·원상회복 등 청구소송, ㉡ 당해 처분 등과 관련되는 취소소송)이 각각 다른 법원에 계속되고 있는 경우 관련청구소송이 계속된 법원이 상당하다고 인정하는 때에는 당사자의 신청 또는 직권으로 이를 취소소송이 계속된 법원으로 이송할 수 있다.

② 행정처분에 대한 무효확인과 취소청구는 서로 양립할 수 없는 청구로서 주위적·예비적 청구로서만 병합이 가능하고 선택적 청구의 병합이나 단순병합은 불가능하다.

③-1 행정소송법 제10조에 의한 관련청구소송의 병합은 본래의 취소소송이 적법할 것을 요건으로 하는 것이다.

③-2 본래의 취소소송이 부적법하여 각하되면 그에 병합된 청구도 소송요건을 흠결한 부적합한 것으로서 각하되어야 한다.

④ 행정처분의 취소를 구하는 취소소송에 당해 처분의 취소를 선결문제로 하는 부당이득반환청구가 병합된 경우, 그 청구의 인용을 위하여는 그 소송절차에서 판결에 의해 당해 처분이 취소되면 충분하고 그 처분의 취소가 확정되어야 할 필요는 없다.

11

㉮ 미얀마 국적의 甲이 위명(僞名)인 乙 명의의 여권으로 대한민국에 입국한 뒤 乙 명의로 난민신청을 하였으나 법무부장관이 乙 명의를 사용한 甲을 직접 면담하여 조사한 후 甲에 대하여 난민불인정처분을 한 사안에서의 그 처분의 취소를 구하는 甲은 행정소송의 원고적격을 가지는 자에 해당한다.

㉯ 학교법인의 임시이사선임처분에 대한 취소소송 제기 후 소송 계속 중 임시이사가 교체되어 새로운 임시이사가 선임된 경우, 당초의 임시이사선임처분의 취소를 구할 소의 이익이 있다(위법한 처분이 반복될 가능성이 있어서 소의 이익을 인정한 판결).

㉰ 제3자의 접견허가신청에 대한 교도소장의 거부처분에 있어서 접견권이 침해되었다고 주장하는 구속된 피고인은 행정소송상 원고적격이 인정된다.

㉱ 대학입학고사 불합격처분의 취소를 구하는 소송 계속 중 당해 연도의 입학시기가 지났다 하더라도 다음 연도의 입학시기에 입학할 수 있으므로 소의 이익이 있다.

㉲ 개발제한구역 중 일부취락을 개발제한구역에서 해제하는 내용의 도시관리계획변경결정에 대하여, 개발제한구역 해제대상에서 누락된 토지의 소유자는 도시관리계획변경결정의 취소를 구할 법률상 이익이 없다.

12

① 국가는 국토이용계획과 관련한 기관위임사무의 처리에 관하여 위법하거나 부당하다고 인정될 때 직권취소할 수 있으므로 지방자치단체의 장을 상대로 취소소송을 제기할 수 없다.

② (국민권익위원회가 소방청장에게 인사와 관련하여 부당한 지시를 한 사실이 인정된다며 이를 취소할 것을 요구하기로 의결하고 그 내용을 통지하자 소방청장이 국민권익위원회 조치요구의 취소를 구하는 소송을 제기한 사안에서) 처분성이 인정되는 국민권익위원회의 조치요구에 불복하고자 하는 소방청장으로서는 조치요구의 취소를 구하는 항고소송을 제기하는 것이 유효·적절한 수단으로 볼 수 있으므로 소방청장이 예외적으로 당사자능력과 원고적격을 가진다.

③④-1 행정처분의 직접상대방이 아닌 제3자라 하더라도 당해 행정처분으로 인하여 법률상 보호되는 이익을 침해당한 경우에는 취소소송을 제기하여 그 당부의 판단을 받을 자격이 있다.

③④-2 여기에서 말하는 법률상 보호되는 이익은 당해 처분의 근거법규 및 관련 법규에 의하여 보호되는 개별적·직접적·구체적 이익이 있는 경우를 말한다.

③④-3 다만, 공익보호의 결과로 국민일반이 공통적으로 가지는 일반적·간접적·추상적 이익과 같이 사실적·경제적 이해관계를 갖는 데 불과한 경우는 여기에 포함되지 아니한다.

13

①-1 상수원보호구역 설정의 근거가 되는 규정이 보호하고자 하는 것은 상수원의 확보와 수질보전일 뿐이고, 그 상수원에서 급수를 받고 있는 지역주민들이 가지는 상수원의 오염을 막아 양질의 급수를 받을 이익은 상수원의 확보와 수질보호라는 공공의 이익이 달성됨에 따라 반사적으로 얻게 되는 이익에 불과하다.

①-2 상수원보호구역의 인근주민은 상수원보호구역지정해제를 다툴 원고적격이 없다.

② 법령이 특정한 행정기관으로 하여금 다른 행정기관에 제재적 조치를 취할 수 있도록 하면서, 그에 따르지 않으면 그 행정기관에 과태료 등을 부과할 수 있도록 정하는 경우, 권리구제나 권리보호의 필요성이 인정된다면 예외적으로 그 제재적 조치의 상대방인 행정기관에게 항고소송의 원고적격을 인정할 수 있다.

③-1 관할청의 임원취임승인행위는 학교법인의 임원선임행위의 법률상 효력을 완성하게 하는 보충적 법률행위이다.

③-2 관할청이 학교법인의 임원취임승인신청에 대하여 이를 반려하거나 거부하는 경우 학교법인에 의하여 임원으로 선임된 사람은 관할청의 임원취임승인신청 반려처분을 다툴 수 있는 원고적격이 있다.

④ 행정처분의 근거법규 또는 관련 법규에 그 처분으로써 이루어지는 행위 등 사업으로 인하여 환경상 침해를 받으리라고 예상되는 영향권의 범위가 구체적으로 규정되어 있는 경우에는, 그 영향권 내의 주민들은 특단의 사정이 없는 한 환경상 이익에 대한 침해 또는 침해 우려가 있는 것으로 사실상 추정되어 원고적격이 인정된다.

14

㉮ 환경부장관이 생태·자연도 1등급으로 지정되었던 지역을 2등급 또는 3등급으로 변경하는 내용의 생태·자연도 수정·보완을 고시하자, 인근주민 甲이 생태·자연도 등급변경처분의 무효확인을 청구한 경우, 1등급 권역의 인근주민들이 가지는 이익은 환경보호라는 공공의 이익이 달성됨에 따라 반사적으로 얻게 되는 이익에 불과하므로 甲은 무효확인을 구할 원고적격이 없다.

㉯ 사단법인 대한의사협회는 국민건강보험법상 요양급여행위, 요양급여비용의 청구 및 지급과 관련하여 직접적인 법률관계를 가지지 않으므로, 보건복지부 고시인「건강보험요양급여행위 및 그 상대가치점수 개정」의 취소를 구할 원고적격이 없다.

㉰-1「약제급여·비급여목록 및 급여상한금액표」는 처분에 해당한다.

㉰-2 위 ㉯와 비교하여, 제약회사는 보건복지부 고시인「약제급여·비급여목록 및 급여상한금액표」로 인하여 자신이 제조·공급하는 약제의 상한금액이 인하됨에 따라 법률상 이익이 침해당할 경우, 그 고시의 취소를 구할 원고적격이 있다.

㉱ 면허나 인·허가 등의 수익적 행정처분의 근거가 되는 법률이 해당 업자들 사이의 과당경쟁으로 인한 경영의 불합리를 방지하는 것도 목적으로 하고 있는 경우, 기존의 업자는 경업자에 대하여 이루어진 면허나 인·허가 등 행정처분의 취소를 구할 당사자적격이 있다.

15

①-1 국가나 지방자치단체가 행정처분의 상대방인 경우에는 해당 처분을 다툴 원고적격이 있다.

①-2 구 건축법에서 정한 건축협의의 취소는 처분에 해당한다.

①-3 지방자치단체인 원고가 이를 다툴 실효적 해결수단이 없는 이상, 원고는 건축물 소재지 관할 허가권자인 지방자치단체의 장을 상대로 항고소송을 통해 건축협의취소의 취소를 구할 수 있다.

② 건축허가가 건축법 소정의 이격거리를 두지 아니하고 건축물을 건축하도록 되어 있어 위법하다 하더라도 건축이 완료된 경우에는 그 건축허가를 받은 대지와 접한 대지의 소유자인 원고가 해당 건축물 등의 철거를 구하는 데 있어서도 건축허가처분의 취소가 필요한 것이 아니므로 건축허가처분의 취소를 구할 법률상 이익이 없다.

③ 현역입영대상자가 현역병입영통지처분을 받고 현실적으로 입영을 하였다고 하더라도, 입영 이후의 법률관계에 영향을 미치고 있는 현역병입영통지처분의 취소를 구할 소의 이익이 있다.

④ 퇴학처분을 받은 후 고등학교 졸업학력 검정고시에 합격하였더라도 고등학교 졸업이 대학입학자격이나 학력인정의 의미밖에 없다고는 할 수 없고, 고등학교 졸업학력 검정고시에 합격하였다 하여 고등학교 학생의 신분과 명예가 회복될 수 없는 것이므로 퇴학처분을 받은 자는 퇴학처분의 취소를 구할 소송상의 이익이 있다.

16

① 공매 등의 절차에 따라 문화체육관광부령으로 정하는 주요한 유원시설업시설의 전부 또는 체육시설업의 시설기준에 따른 필수시설을 인수함으로써 그 유원시설업자 또는 체육시설업자의 지위를 승계한 자가 관계 행정청에 이를 신고하여 행정청이 이를 수리하는 경우에는 종전의 유원시설업자에 대한 허가는 그 효력을 잃고, 종전의 체육시설업자는 적법한 신고를 마친 체육시설업자로서의 지위를 부인당할 불안정한 상태에 놓이게 되므로 수리처분의 취소를 구할 법률상 이익이 있다.

② 조합설립추진위원회의 구성에 동의하지 아니한 정비구역 내의 토지 등 소유자도 조합설립추진위원회 설립승인처분에 대하여 같은 법에 의하여 보호되는 직접적이고 구체적인 이익을 향유하므로 그 설립승인처분의 취소소송을 제기할 원고적격이 있다.

③ 예탁금회원제 골프장의 기존회원은 골프장운영자가 사업계획의 승인을 받을 때 정한 예정인원을 초과하여 회원을 모집하는 내용의 회원모집계획서에 대한 시·도지사의 검토결과 통보의 취소를 구할 법률상의 이익이 있다고 보아야 한다.

④ 교육감이 사립학교법인의 이사장 및 학교장에게 소속 직원들의 유사경력 호봉환산이 과다하게 반영되었다는 이유로 호봉이 과다하게 산정된 직원들의 호봉정정에 따른 급여 환수명령 등을 한 경우, 이는 사립학교 직원들의 법률상 보호되는 이익을 침해한 경우에 해당하므로 직원들은 그 명령을 다툴 개별적·직접적·구체적 이해관계가 있다.

17

① 공장설립승인처분이 위법하다는 이유로 쟁송취소되었다고 하더라도 그 승인처분에 기초한 공장건축허가처분이 잔존하는 이상, 인근주민들은 여전히 공장건축허가처분의 취소를 구할 법률상 이익이 있다.

②「석탄수급조정에 관한 임시조치법」소정의 석탄가공업에 관한 허가는 사업경영의 권리를 설정하는 형성적 행정행위가 아니라 질서유지와 공공복리를 위한 금지를 해제하는 명령적 행정행위여서 그 허가를 받은 자는 영업자유를 회복하는 데 불과하고 독점적 영업권을 부여받은 것이 아니기 때문에 기존허가를 받은 원고들이 신규허가로 인하여 영업상 이익이 감소된다 하더라도 이는 원고들의 반사적 이익을 침해하는 것에 지나지 아니하므로 원고들은 신규허가처분에 대하여 행정소송을 제기할 법률상 이익이 없다.

③ 경업자에 대한 행정처분이 경업자에게 불리한 내용이라면 그와 경쟁관계에 있는 기존업자에게는 특별한 사정이 없는 한 유리할 것이므로 기존업자가 그 행정처분의 무효확인 또는 취소를 구할 이익(편저자 주 : 협의의 소 이익)은 없다고 보아야 한다.

④ 인가·허가 등 수익적 행정처분을 신청한 여러 사람이 서로 경원관계에 있는 경우, 허가 등 처분을 받지 못한 사람은 원칙적으로 자신에 대한 거부처분의 취소를 구할 원고적격과 소의 이익이 있다.

18

① -1 일반적으로 법인의 주주는 당해 법인에 대한 행정처분에 관하여 사실상이나 간접적인 이해관계를 가질 뿐이어서 스스로 그 처분의 취소를 구할 원고적격이 없는 것이 원칙이다.

① -2 하지만 그 처분으로 인하여 궁극적으로 주식이 소각되거나 주주의 법인에 대한 권리가 소멸하는 등 주주의 지위에 중대한 영향을 초래하게 되는데도 그 처분의 성질상 당해 법인이 이를 다툴 것을 기대할 수 없고 달리 주주의 지위를 보전할 구제방법이 없는 경우에는 주주도 그 처분에 관하여 직접적이고 구체적인 법률상 이해관계를 가진다고 보이므로 그 취소를 구할 원고적격이 있다.

② 〔재단법인 한국연구재단이 ○○대학교 총장에게 연구개발비의 부당집행을 이유로 '해양생물 유래 고부가식품·향장·한약 기초소재 개발 인력양성사업에 대한 2단계 두뇌한국(BK)21 사업'협약을 해지하고 연구팀장 甲에 대한 국가연구개발사업의 3년간 참여제한 등을 명하는 통보를 하자 甲이 통보의 취소를 청구한 사안에서〕 甲은 위 사업에 관한 협약의 해지통보의 효력을 다툴 법률상 이익이 있다.

③ 운전기사의 합승행위를 이유로 소속 운수회사에 대하여 과징금 부과처분이 있는 경우 회사 내부규정에 의하여 과징금을 부담하도록 되어 있는 당해 운전기사는 그 과징금 부과처분의 취소를 구할 이익이 없다.

④ 원천징수의무자에 대한 소득금액변동통지는 원천납세의무의 존부나 범위와 같은 원천납세의무자의 권리나 법률상 지위에 어떠한 영향을 준다고 할 수 없으므로 소득처분에 따른 소득의 귀속자는 법인에 대한 소득금액변동통지의 취소를 구할 법률상 이익이 없다.

19

① 자연인이 아닌 재단법인인 ○○수녀원은 쾌적한 환경에서 생활할 수 있는 이익을 향수할 수 있는 주체가 아니므로 이를 침해받는다는 이유로 공유수면매립목적 변경승인처분의 무효확인을 구할 원고적격이 없다.

② 건축사 업무정지처분을 받은 후 새로운 업무정지처분을 받음이 없이 1년이 경과하여 실제로 가중된 제재처분을 받을 우려가 없게 된 경우 (건축사법에는 업무정지처분을 연 2회 이상 받는 경우 가중처분하도록 되어 있다), 업무정지처분에서 정한 정지기간이 경과한 후에 업무정지처분의 취소를 구할 법률상 이익은 없다.

③ -1 행정처분의 무효확인 또는 취소를 구하는 소가 제소 당시에는 소의 이익이 있어 적법하였는데, 소송 계속 중 해당 행정처분이 기간의 경과 등으로 그 효력이 소멸한 때에 처분이 취소되어도 원상회복이 불가능하다고 보이는 경우라도 그 행정처분과 동일한 사유로 위법한 처분이 반복될 위험성이 있어 행정처분의 위법성 확인 내지 불분명한 법률문제에 대한 해명이 필요한 경우에는 예외적으로 그 처분의 취소를 구할 소의 이익을 인정할 수 있다.

③ -2 여기에서 '그 행정처분과 동일한 사유로 위법한 처분이 반복될 위험성이 있는 경우'란 불분명한 법률문제에 대한 해명이 필요한 상황에 대한 대표적인 예시일 뿐이며, 반드시 '해당 사건의 동일한 소송당사자 사이에서' 반복될 위험이 있는 경우만을 의미하는 것은 아니다.

④ 도시개발사업의 공사 등이 완료되고 원상회복이 사회통념상 불가능하게 되었더라도, 도시개발사업의 시행에 따른 도시계획변경결정처분과 도시개발구역지정처분 및 도시개발사업실시계획인가처분의 취소를 구할 법률상 이익이 있다.

20

㉮ 공장등록이 취소된 후 그 공장시설물이 철거되었고 다시 복구를 통하여 공장을 운영할 수 없는 상태라 하더라도 대도시 안의 공장을 지방으로 이전할 경우 조세감면 및 우선입주 등의 혜택이 관계 법률에 보장되어 있다면, 공장등록취소처분의 취소를 구할 법률상 이익이 인정된다.

㉯ 구 「도시 및 주거환경정비법」상 조합설립추진위원회 구성승인처분을 다투는 소송 계속 중 조합설립인가처분이 이루어진 경우 조합설립추진위원회 구성승인처분에 대하여 취소 또는 무효확인을 구할 법률상 이익은 없다.

㉰ 구 토지구획정리사업법에 의한 환지처분은 사업시행자가 환지계획구역의 전부에 대하여 구획정리사업에 관한 공사를 완료한 후 환지계획에 따라 환지교부 등을 하는 처분으로서, 일단 공고되어 효력을 발생하게 된 이후에는 환지 전체의 절차를 처음부터 다시 밟지 않는 한 그 일부만을 따로 떼어 환지처분을 변경할 길이 없으므로, 환지확정처분의 일부에 대하여 취소나 무효확인을 구할 법률상 이익은 없다.

㉱ 현역병입영대상자로 병역처분을 받은 자가 그 취소소송 중 모병에 응하여 현역병으로 자진입대한 경우, 그 처분의 위법을 다툴 실제적 효용 내지 이익이 없다는 이유로 소의 이익이 없다.

21

① 「도시 및 주거환경정비법」상 이전고시가 효력을 발생한 후 조합원 등이 관리처분계획에 대한 인가처분의 취소 또는 무효확인을 구할 법률상 이익은 없다.

② 거부처분이 재결에서 취소된 경우 재결에 따른 후속처분이 아니라 그 재결의 취소를 구하는 것은 실효적이고 직접적인 권리구제수단이 될 수 없어 분쟁해결의 유효적절한 수단이라고 할 수 없으므로 법률상 이익이 없다.

③ -1 행정청이 주택재건축사업조합설립인가처분을 한 후 구 「도시 및 주거환경정비법 시행령」에서 정하는 경미한 사항의 변경에 대하여 조합설립변경인가 형식으로 처분을 한 경우, 당초 조합설립인가처분을 다툴 소의 이익이 소멸하는 것은 아니다.

③ -2 주택재건축사업조합이 새로 조합설립인가처분을 받는 것과 동일한 요건과 절차를 거쳐 조합설립변경인가처분을 받는 경우, 당초 조합설립인가처분의 유효를 전제로 후속행위를 하였다면 특별한 사정이 없는 한 당초 조합설립인가처분의 무효확인을 구할 소의 이익이 소멸하는 것은 아니다.

④ -1 교육부장관이 사학분쟁조정위원회의 심의를 거쳐 학교법인의 이사와 임시이사를 선임한 데 대하여 대학교 교수협의회와 총학생회는 이사선임처분을 다툴 법률상 이익을 가진다.

④ -2 학교의 직원으로 구성된 노동조합이 교육받을 권리나 학문의 자유를 실현하는 수단으로서 직접 기능한다고 볼 수는 없으므로, 전국대학노동조합의 대학교지부는 이사선임처분을 다툴 법률상 이익이 없다.

22

㉮ 구 주택법상 입주자나 입주예정자는 사용검사처분의 취소를 구할 법률상 이익이 없다.

㉯ 일반면허를 받은 시외버스운송사업자에 대한 사업계획변경인가처분으로 인하여 노선 및 운행계통의 일부 중복으로 기존에 한정면허를 받은 시외버스운송사업자의 수익감소가 예상되는 경우, 기존의 한정면허를 받은 시외버스운송사업자는 일반면허 시외버스운송사업자에 대한 사업계획변경인가처분의 취소를 구할 법률상 이익이 있다.

㉰-1 환경영향평가구역 안의 주민이 아니더라도 그 영향권 내에서 농작물을 경작하는 등 현실적으로 환경상 이익을 향유하는 사람도 환경상 이익에 대한 침해 또는 침해우려가 있는 것으로 사실상 추정되어 원고적격이 인정된다.

㉰-2 단지 그 영향권 내의 건물·토지를 소유하거나 환경상 이익을 일시적으로 향유하는데 그치는 사람은 원고적격이 인정되지 않는다.

㉱ 주택건설사업의 양수인이 사업주체의 변경승인신청을 한 이후에 행정청이 양도인에 대하여 그 사업계획변경승인의 전제로 되는 사업계획승인을 취소하는 처분을 한 경우, 양수인은 위 처분의 취소를 구할 법률상의 이익을 가진다.

㉲ 도시계획사업의 시행으로 인한 토지수용에 의하여 토지에 대한 소유권을 상실한 자는 도시계획결정이 당연무효라고 볼 만한 특별한 사정이 없는 한 도시계획결정의 취소를 청구할 법률상의 이익이 없다.

23

㉮ 소송 계속 중 처분청이 다툼의 대상이 되는 행정처분을 직권으로 취소하면 그 처분은 효력을 상실하여 더 이상 존재하지 않는 것이므로, 존재하지 않는 처분을 대상으로 한 항고소송은 원칙적으로 소의 이익이 소멸하여 부적법하다.

㉯ 해임처분 무효확인 또는 취소소송 계속 중 해당 공무원의 임기가 만료되어 해임처분의 무효확인 또는 취소로 지위를 회복할 수 없다고 할지라도, 그 무효확인 또는 취소로 해임처분일부터 임기만료일까지 기간에 대한 보수지급을 구할 수 있는 경우에는 해임처분의 무효확인 또는 취소를 구할 법률상 이익이 있다.

㉰ 선행처분과 후행처분이 단계적인 일련의 절차로 연속하여 행하여져 후행처분이 선행처분의 적법함을 전제로 이루어짐에 따라 선행처분의 하자가 후행처분에 승계된다고 볼 수 있어 이미 소를 제기하여 다투고 있는 선행처분의 위법성을 확인하여 줄 필요가 있는 경우에는 여전히 그 처분의 취소를 구할 법률상 이익이 있다.

㉱ 원고가 처분이 위법하다는 점에 대한 판결을 받아 피고에 대한 손해배상청구소송에서 이를 원용할 수 있는 이익은 사실적·경제적 이익에 불과하여 소의 이익에 해당하지 않는다.

24

①-1 법무사의 사무원채용승인신청에 대하여 소속 지방법무사회가 '채용승인을 거부'하는 조치 또는 일단 채용승인을 하였다가 법무사규칙을 근거로 '채용승인을 취소'하는 조치는 '처분'에 해당한다.

①-2 채용승인취소조치에 대하여 처분상대방인 법무사뿐만 아니라 그 때문에 사무원이 될 수 없게 된 사람에게도 항고소송을 제기할 원고적격이 인정된다.

②③④-1 국적법상 귀화불허가처분이나 출입국관리법상 체류자격변경 불허가처분, 강제퇴거명령 등을 다투는 외국인은 대한민국에 적법하게 입국하여 상당한 기간을 체류한 사람이므로, 이미 대한민국과의 실질적 관련성 내지 대한민국에서 법적으로 보호가치 있는 이해관계를 형성한 경우이어서, 해당 처분의 취소를 구할 법률상 이익이 인정된다.

②③④-2 반면, 사증발급거부처분을 다투는 외국인의 경우에는 대한민국과의 실질적 관련성 내지 대한민국에서 법적으로 보호가치 있는 이해관계를 형성한 경우는 아니어서 원칙적으로 그 거부처분의 취소를 구할 법률상 이익이 인정되지 않는다.

②③④-3 다만, 외국인이라고 하더라도 대한민국과의 실질적 관련성 내지 법적으로 보호가치가 있는 이해관계를 형성한 경우에는 사증발급거부처분의 취소를 구할 원고적격이 인정된다.

25

㉮-1 제재적 행정처분이 그 처분에서 정한 제재기간의 경과로 인하여 그 효과가 소멸되었다 하더라도 그 처분이 후행처분의 가중적 요건사실이 되는 경우 선행처분의 취소를 구할 소의 이익이 있다.

㉮-2 부령형식의 제재적 처분기준에서 가중사유로 규정한 경우, 그 기준의 성격이 법규명령인지와 상관없이 가중사유가 행정규칙에 규정된 경우에도 소의 이익이 있다.

㉯ 상등병에서 병장으로의 진급요건을 갖춘 자에 대하여 그 진급처분을 행하지 아니한 상태에서 예비역으로 편입하는 처분을 한 경우, 진급처분부작위위법을 이유로 예비역편입처분 취소를 구할 소의 이익이 없다.

㉰ (종교적 신념을 이유로 국립대학교 입학전형 면접시험 일정변경을 요구한 사안에서) 일정변경 거부행위가 있은 후 이와 관련하여 불합격처분이 있게 되면 거부행위는 불합격처분에 흡수되어 불합격처분만이 쟁송의 대상이 되고, 해당 거부행위의 취소를 구하는 부분은 소의 이익이 없어 부적법하게 된다.

㉱ 행정처분이 수익적인 처분이거나 신청에 의하여 신청내용대로 이루어진 처분인 경우에는 처분상대방의 권리나 법률상 보호되는 이익이 침해되었다고 볼 수 없으므로 달리 특별한 사정이 없는 한 처분상대방은 그 취소를 구할 이익이 없다.

제15회 | 옳은 지문

01

- ㉮-1 항고소송의 피고적격을 가진 자는 원칙적으로 처분 등을 행한 행정청, 즉 처분청이 된다.
- ㉮-2 이때 처분청은 국가 또는 공공단체 등의 의사를 결정하여 외부적으로 표시할 수 있는 기관을 의미한다.
- ㉮-3 따라서 대외적으로 의사를 표시할 수 있는 기관이 아닌 내부기관(예 징계위원회)은 실질적인 의사가 그 기관에 의하여 결정되더라도 피고적격을 갖지 못한다.
- ㉯ 행정처분을 하게 된 연유가 상급행정청이나 타행정청의 지시나 통보에 의한 것이라 하여도, 취소소송에서의 피고는 원칙적으로 행정처분 등을 외부적으로 그의 명의로 행한 행정청이 된다.
- ㉰ 공무수탁사인이 자기의 이름으로 처분을 한 경우 위임행정청이 아니라 공무수탁사인이 피고가 된다.
- ㉱-1 대리권을 수여받은 데 불과하여 자신의 명의로는 처분할 권한이 없는 행정청이 그 대리관계를 밝힘이 없이 그 자신의 명의로 행정처분을 하였다면 처분명의자인 당해 행정청이 항고소송의 피고가 되어야 하는 것이 원칙이다.
- ㉱-2 비록 대리관계를 명시적으로 밝히지는 아니하였다 하더라도 처분명의자가 피대리행정청 산하의 행정기관으로서 실제로 피대리행정청으로부터 대리권한을 수여받아 피대리행정청을 대리한다는 의사로 행정처분을 하였고 처분명의자는 물론 그 상대방도 그 행정처분이 피대리행정청을 대리하여 한 것임을 알고서 이를 받아들인 예외적인 경우에는 피대리행정청이 피고가 되어야 한다.
- ㉲ 〔국무회의에서 건국훈장 독립장이 수여된 망인에 대한 서훈취소를 의결하고 대통령이 결재함으로써 서훈취소가 결정된 후 국가보훈처장(현 국가보훈부장관)이 망인의 유족 甲에게 '독립유공자서훈취소결정통보'를 하자 甲이 국가보훈처장을 상대로 서훈취소결정의 무효확인 등의 소를 제기한 사안에서〕 甲이 서훈취소처분을 행한 행정청(대통령)이 아니라 국가보훈처장을 상대로 제기하였다면 피고를 잘못 지정한 경우에 해당한다.

02

피고적격의 특수한 경우

구분	피고적격을 가진 자
공무원 등에 대한 징계, 기타 불이익처분의 처분청이 대통령인 경우	소속 장관
대법원장의 경우	법원행정처장
국회의장의 경우	국회사무총장
헌법재판소장의 경우	헌법재판소사무처장
처분 후 그 권한이 승계된 경우	승계한 행정청
처분 후 처분청이 없게 된 경우	그 사무가 귀속되는 국가 또는 공공단체
합의제 행정청의 경우	합의제 행정청 단, 중앙노동위원회의 경우는 중앙노동위원회 위원장
권한이 위임·위탁된 경우	수임청·수탁청
내부위임과 대리의 경우	각각 위임청·피대리청 단, 자신의 단독명의로 권한을 행사한 경우는 실제로 처분을 한 하급행정청
처분청과 통지한 자가 다른 경우	처분청
처분적 조례의 경우	지방자치단체의 장 단, 교육·학예에 관한 조례의 경우는 교육감
지방의회의원의 제명 등 의결의 경우	지방의회

03

- ①②-1 원고가 피고를 잘못 지정한 때에는 법원은 원고의 신청에 의하여 결정으로써 피고의 경정을 허가할 수 있다.
- ①②-2 당사자소송에도 취소소송의 피고경정에 관한 규정이 준용된다.
- ①②-3 원고가 피고를 잘못 지정한 경우, 피고경정은 사실심변론종결시까지 허용된다.
- ③ 행정소송에서 피고를 잘못 지정한 경우, 법원이 석명권을 행사하여 원고로 하여금 피고경정하게 하지 않고 바로 소를 각하한 것은 위법하다.
- ④ 조례가 항고소송의 대상이 되는 행정처분에 해당되는 경우, 피고적격은 공포권자인 지방자치단체의 장에게 있다.

04

㉮㉯-1 내부위임과 대리에서는 권한이 수임자와 대리청에 이전되지 않는다.

㉮㉯-2 처분명의도 위임자와 피대리청(원래의 행정청)의 명의로 하게 되며, 각각 위임청과 피대리청이 피고가 된다.

㉮㉯-3 대리 또는 내부위임을 받은 하급행정청이 자신의 명의로 권한을 행사한 경우 피고는 실제로 처분을 한 하급행정청이 된다.

㉮㉯-4 권한의 내부위임이 있는 경우 내부수임기관이 착오 등으로 원처분청의 명의가 아닌 자기 명의로 처분을 하였다면, 내부수임기관이 그 처분에 대한 항고소송의 피고가 된다.

㉰ 처분청과 통지한 자가 다른 경우에는, 처분청이 피고가 된다.

㉱ 처분 후 처분이나 재결을 한 행정청이 없게 된 경우라면 그 처분 등에 관한 사무가 귀속되는 국가 또는 공공단체가 피고가 된다.

㉲ 권한이 위임·위탁된 때에는 위임을 받은 수임청, 위탁을 받은 수탁청이 자신의 명의로 처분을 하게 되므로 취소소송의 피고도 수임청·수탁청이 된다.

05

㉮ 법원은 소송의 결과에 따라 권리 또는 이익의 침해를 받을 제3자가 있는 경우에는 당사자 또는 제3자의 신청 또는 직권에 의하여 결정으로써 그 제3자를 소송에 참가시킬 수 있다.

㉯ 특정 소송 사건에서 당사자 일방을 보조하기 위해 보조참가를 하려면 당해 소송의 결과에 대하여 이해관계가 있어야 하고, 여기서 말하는 이해관계는 사실상·경제상 또는 감정상의 이해관계가 아닌 법률상의 이해관계를 가리킨다.

㉰ 피참가인의 소송행위는 모두의 이익을 위하여서만 효력을 가지고, 보조참가인에게 불이익이 되는 것은 효력이 없으므로, 참가인이 상소를 할 경우에 피참가인이 상소취하나 상소포기를 할 수는 없다.

㉱ 타인 사이의 항고소송에서 소송의 결과에 관하여 이해관계가 있다고 주장하면서 민사소송법 제71조에 의한 보조참가를 할 수 있는 제3자는 민사소송법상의 당사자능력 및 소송능력을 갖춘 자이어야 하므로 그러한 당사자능력 및 소송능력이 없는 행정청으로서는 민사소송법상의 보조참가를 할 수는 없고, 다만 행정소송법 제17조 제1항에 의한 소송참가를 할 수 있을 뿐이다.

06

㉮-1 감사원법상 징계요구 자체만으로는 징계요구대상 공무원의 권리·의무에 직접적인 변동을 초래하지 아니하므로 항고소송의 대상이 되는 처분이 아니다.

㉮-2 감사원법에 따라 공무원에 대한 감사원의 징계요구와 그 징계요구에 대한 재심의결정은 항고소송의 대상이 되는 행정처분이라고 할 수 없다.

㉯ 대학 교원의 신규채용에 있어서 유일한 면접심사대상자로 선정되어 심사단계 중 대부분의 단계를 통과한 경우 이러한 자는 임용신청권이 있으므로 임용거부조치는 행정처분에 해당한다.

㉰-1 어떠한 고시가 일반적·추상적 성격을 가질 때에는 법규명령 또는 행정규칙에 해당할 것이지만, 다른 집행행위의 매개 없이 그 자체로서 직접 국민의 구체적인 권리·의무나 법률관계를 규율하는 성격을 가질 때에는 항고소송의 대상이 되는 행정처분에 해당한다.

㉰-2 보건복지부 고시인 「약제급여·비급여목록 및 급여상한금액표」는 다른 집행행위의 매개 없이 그 자체로서 국민건강보험가입자, 국민건강보험공단, 요양기관 등의 법률관계를 직접 규율하는 성격을 가지므로 항고소송의 대상이 되는 행정처분에 해당한다.

㉱ 구 「남녀차별금지 및 구제에 관한 법률」상 국가인권위원회의 성희롱결정 및 시정조치의 권고는 행정소송의 대상이 되는 행정처분에 해당한다.

07

①-1 근로복지공단이 사업주에 대하여 하는 '개별사업장의 사업종류변경결정'은 행정청이 행하는 구체적 사실에 관한 법집행으로서의 공권력의 행사인 '처분'에 해당한다.

①-2 근로복지공단의 사업종류변경결정에 따라 국민건강보험공단이 사업주에 대하여 하는 각각의 산재보험료 부과처분도 항고소송의 대상인 처분에 해당한다.

② 「사회기반시설에 대한 민간투자법」상의 민간투자시설사업의 사업시행자 지정처분은 항고소송의 대상이 되는 행정처분이다.

③ 방위사업법령 및 국방전력발전업무훈령에 따른 연구개발확인서 발급은 사업관리기관이 개발업체에게 수의계약의 방식으로 국방조달계약을 체결할 수 있는 지위가 있음을 인정해주는 확인적 행정행위로서 공권력의 행사인 처분에 해당하고, 연구개발확인서 발급거부는 신청에 따른 처분발급을 거부하는 거부처분에 해당한다.

④ 지방자치단체의 장이 「공유재산 및 물품 관리법」에 근거하여 기부채납 및 사용·수익허가방식으로 민간투자사업을 추진하는 과정에서 사업시행자를 지정하기 위한 전 단계에서 공모제안을 받아 일정한 심사를 거쳐 우선협상대상자를 선정하는 행위와 이미 선정된 우선협상대상자를 그 지위에서 배제하는 행위는 항고소송의 대상이 되는 행정처분이다.

08

① 상대방의 권리를 제한하는 행위라 하더라도 행정청 또는 그 소속 기관이나 권한을 위임받은 공공단체 등의 행위가 아닌 한 이를 행정처분이라고 할 수 없다.

② 행정소송법 제2조의 처분의 개념 정의에는 해당한다고 하더라도 그 처분의 근거법률에서 행정소송 이외의 다른 절차에 의하여 불복할 것을 예정하고 있는 처분은 항고소송의 대상이 될 수 없다.

③ 국가보훈처장(현 국가보훈부장관)이 유족에게 한 '망인에 대한 서훈취소통지'는 항고소송의 대상이 되는 처분이 아니다.

④-1 국회의원에 대한 징계처분에 대하여는 헌법 제64조 제4항이 법원에 제소할 수 없다고 규정하고 있으므로 행정소송의 대상이 되지 아니한다.

④-2 지방의회 의원제명의결은 행정처분으로서 행정소송의 대상이 된다.

09

㉮ 공정거래위원회의 '표준약관 사용권장행위'는 항고소송의 대상이 되는 행정처분이다.

㉯ 공정거래위원회의 검찰에 대한 고발조치 및 고발의결은 행정기관 상호 간의 행위에 불과하므로 항고소송의 대상이 되는 행정처분이 아니다.

㉰ 공정거래위원회가 「표시·광고의 공정화에 관한 법률」에 위반하여 허위광고를 하였다는 이유로 한 경고는 항고소송의 대상이 되는 행정처분이다.

㉱ 친일반민족행위자재산조사위원회의 재산조사개시결정은 항고소송의 대상이 되는 행정처분이다.

㉲ 공무원이 소속 장관으로부터 받은 '서면에 의한 경고'는 국가공무원법상의 징계처분이나 행정소송의 대상이 되는 행정처분이라고 할 수 없다.

10

①-1 입찰참가자격제한이 법적 근거에 따른 경우 처분에 해당한다. 다만, 입찰참가자격제한조치가 계약상의 의사표시인 경우에는 항고소송의 대상이 되는 처분이 아니다.

①-2 공기업·준정부기관이 법령 또는 계약에 근거하여 선택적으로 입찰참가자격제한조치를 할 수 있는 경우, 계약상대방에 대한 입찰참가자격제한조치가 법령에 근거한 행정처분인지 아니면 계약에 근거한 권리 행사인지는 원칙적으로 의사표시의 해석문제이다.

①-3 공기업·준정부기관이 법령에 근거를 둔 행정처분으로서의 입찰참가자격제한조치를 한 것인지 아니면 계약에 근거한 권리 행사로서의 입찰참가자격제한조치를 한 것인지가 여전히 불분명한 경우에는, 그에 대한 불복방법선택에 중대한 이해관계를 가지는 그 조치상대방의 인식가능성 내지 예측가능성을 중요하게 고려하여 규범적으로 이를 확정함이 타당하다.

② 재단법인 한국연구재단이 연구개발비의 부당집행을 이유로 '두뇌한국(BK)21 사업'협약의 해지를 통보한 사안에서, 과학기술기본법령상 사업협약의 해지통보는 행정청이 우월적 지위에서 연구개발비의 회수 및 관련자에 대한 국가연구개발사업 참여제한 등의 법률상 효과를 발생시키는 행정처분에 해당한다.

③-1 기존의 행정처분을 변경하는 내용의 행정처분이 따르는 경우, 후속처분이 종전 처분을 완전히 대체하는 것이거나 그 주요 부분을 실질적으로 변경하는 내용인 경우에는 특별한 사정이 없는 한 종전 처분은 그 효력을 상실하고 후속처분만이 항고소송의 대상이 된다.

③-2 그러나 후속처분의 내용이 종전처분의 유효를 전제로 그 내용 중 일부만을 추가·철회·변경하는 것이고 그 추가·철회·변경된 부분이 그 내용과 성질상 나머지 부분과 불가분적인 것이 아닌 경우에는, 후속처분에도 불구하고 종전 처분이 여전히 항고소송의 대상이 된다.

④-1 과세표준과 세액을 감액하는 경정처분에 대해서 그 감액경정처분으로도 아직 취소되지 아니하고 남아 있는 부분을 다투는 경우, 항고소송의 대상은 당초의 부과처분 중 경정처분에 의하여 아직 취소되지 않고 남은 부분이다.

④-2 이 경우 적법한 전심절차를 거쳤는지 여부, 제소기간의 준수 여부도 당초 처분을 기준으로 판단하여야 한다.

11

①-ⓐ 정부 간 항공노선의 개설에 관한 잠정협정 및 비밀양해각서와 건설교통부(현 국토교통부) 내부지침에 의한 항공노선에 대한 운수권배분처분은 행정처분이다.

①-ⓑ-1 검사의 공소제기에 대하여는 형사소송절차에 의하여서만 다툴 수 있으므로 행정소송의 대상이 되는 처분이 아니다.

①-ⓑ-2 검사의 불기소결정에 대해서도 별도의 불복절차가 있으므로 항고소송을 제기할 수 없다.

②-ⓐ 교육공무원법상 승진후보자명부에 의한 승진심사방식으로 행해지는 승진임용에서 승진후보자명부에 포함되어 있던 후보자를 승진임용 인사발령에서 제외하는 행위는 처분에 해당한다.

②-ⓑ 교육부장관이 대학에서 추천한 복수의 총장 후보자들 전부 또는 일부를 임용제청에서 제외하는 행위는 항고소송의 대상이 되는 처분에 해당한다.

③-ⓐ 한국마사회가 조교사 또는 기수의 면허를 부여하거나 취소하는 것은 일반사법상의 법률관계에서 이루어지는 단체 내부에서의 징계 내지 제재처분일 뿐 행정처분이 아니다.

③-ⓑ 과거에 법률에 의해 당연퇴직된 공무원의 복직 또는 재임용신청에 대한 행정청의 거부행위는 당연퇴직의 효과가 계속하여 존재한다는 것을 알려주는 일종의 안내에 불과하여 당연퇴직된 공무원의 실체상 권리관계에 직접적인 변동을 일으키는 것으로 볼 수 없으므로, 항고소송의 대상이 되는 행정처분에 해당하지 아니한다.

④-ⓐ 병역법에 따른 군의관의 신체등위판정은 처분에 해당하지 않는다.

④-ⓑ 건축계획심의신청에 대한 반려처분은 항고소송의 대상이 되는 행정처분에 해당한다.

12

① 공기업·준정부기관이 입찰을 거쳐 계약을 체결한 상대방에 대해 「공공기관의 운영에 관한 법률」 제39조 제2항 등에 따라 계약조건 위반을 이유로 입찰참가자격제한처분을 하기 위해서는 입찰공고와 계약서에 미리 계약조건과 그 계약조건을 위반할 경우 입찰참가자격제한을 받을 수 있다는 사실을 모두 명시하여야 한다.

② 시험승진후보자명부에서의 삭제행위는 결국 그 명부에 등재된 자에 대한 승진 여부를 결정하기 위한 행정청 내부의 준비과정에 불과하고, 그 자체가 어떠한 권리나 의무를 설정하거나 법률상 이익에 직접적인 변동을 초래하는 별도의 행정처분이 된다고 할 수 없다.

③ 방송통신위원회가 JTBC에 대해 행한 고지방송명령은 권고적 효력만을 가지는 비권력적 사실행위에 해당할 뿐, 항고소송의 대상이 되는 행정처분에 해당하지 않는다.

④ 구 국세징수법상 가산금 또는 중가산금의 고지는 법률규정에 의하여 당연히 발생하는 것이므로 항고소송의 대상이 되는 처분이 아니다.

13

㉠ (여객자동차 운송사업자 甲주식회사가 시내버스 노선을 운행하면서 환승요금할인, 청소년요금할인을 시행한 데에 따른 손실을 보전해 달라며 도지사와 ○○시장에게 보조금 지급신청을 하였으나, 도지사가 甲주식회사와 ○○시장에게 "甲주식회사의 보조금 지급신청을 받아들일 수 없음은 기존에 회신한 바와 같고, ○○시에서는 적의 조치하여 주기 바란다."는 취지로 통보한 사안에서) 도지사의 위 통보는 甲주식회사의 권리·의무에 직접적인 영향을 주는 것이라고 할 수 없어 항고소송의 대상이 되는 처분으로 볼 수 없다.

㉡ 검찰총장이 대검찰청 내부규정에 근거하여 검사에 대하여 하는 '경고조치'는 검사의 권리·의무에 영향을 미치는 행위로서 항고소송의 대상이 되는 처분이다.

㉢ 코로나바이러스감염증-19의 예방을 위해 음식점 및 PC방 운영자 등에게 영업시간을 제한하거나 이용자 간 거리를 둘 의무를 부여하는 서울특별시 고시는, 관내 음식점 및 PC방의 관리자·운영자들에게 일정한 방역수칙을 준수할 의무를 부과하는 것으로서 항고소송의 대상인 행정처분에 해당한다.

㉣ 금융감독원장이 종합금융주식회사의 '전 대표이사'에게 '문책경고장'을 보낸 행위는 항고소송의 대상이 되는 행정처분이 아니다.

14

① 과세관청의 세무조사결정은 납세의무자의 권리·의무에 직접 영향을 미치는 공권력의 행사에 따른 행정작용으로서 되는 행정처분이다.

② 「진실·화해를 위한 과거사정리 기본법」에 따른 진실·화해를 위한 과거사정리위원회의 진실규명결정은 항고소송의 대상이 되는 행정처분에 해당한다.

③ 교도소장이 수형자를 '접견내용 녹음·녹화 및 접견시 교도관 참여대상자'로 지정한 행위는 수형자의 구체적 권리·의무에 직접적 변동을 가져오는 행정청의 공법상 행위로서 항고소송의 대상이 되는 처분에 해당한다.

④ 공법인인 총포·화약안전기술협회의 '회비 납부통지'는 '부담금 부과처분'으로서 항고소송의 대상이 되는 행정처분에 해당한다.

15

㉠-1 과세관청의 원천징수의무자인 법인에 대한 소득금액변동통지는 항고소송의 대상이 되는 행정처분이다.

㉠-2 소득의 귀속자에 대한 소득금액변동통지는 원천납세의무자인 소득귀속자의 법률상 지위에 직접적인 법률적 변동을 가져오는 것이 아니므로, 항고소송의 대상이 되는 행정처분이라고 볼 수 없다.

㉡ 구 「산업집적활성화 및 공장설립에 관한 법률」에 따른 입주변경계약취소는 행정청인 관리권자로부터 관리업무를 위탁받은 산업단지관리공단이 우월적 지위에서 입주기업체들에게 일정한 법률상 효과를 발생하게 하는 것으로서 항고소송의 대상이 되는 행정처분에 해당한다.

㉢ 피고(편저자 주 : 조달청장)가 사법상 계약인 물품구매(제조)계약 추가특수조건에 근거하여 한 나라장터 종합쇼핑몰 거래정지조치는 비록 추가특수조건이라는 사법상 계약에 근거한 것이기는 하지만 행정청인 피고가 행하는 구체적 사실에 관한 법집행으로서의 공권력의 행사로서 그 상대방인 원고의 권리·의무에 직접 영향을 미치므로 항고소송의 대상에 해당한다.

㉣ 지방세의 결손처분은 국세의 결손처분과 마찬가지로 더 이상 납세의무가 소멸하는 사유가 아니라 체납처분을 종료하는 의미만을 가지게 되었고, 결손처분의 취소 역시 국민의 권리와 의무에 영향을 미치는 행정처분이 아니라 과거에 종료되었던 체납처분절차를 다시 시작한다는 행정절차로서의 의미만을 가지게 되었다고 할 것이다.

16

①-1 보건복지부장관이 2024. 2. 6. 2025학년도 전체 의대정원을 2,000명 증원할 것이라고 발표한 행위(증원발표)는 항고소송의 대상이 되는 처분으로 보기 어렵다.

①-2 그러나 교육부장관이 2024. 3. 20. 2025학년도 전체 의대정원을 2,000명 증원하여 각 대학별로 배정(증원배정)한 것은 항고소송의 대상이 되는 처분으로 볼 여지가 크다.

②-1 토지 등 소유자들이 그 사업을 위한 조합을 따로 설립하지 않고 직접 시행하는 도시환경정비사업에서 사업시행인가처분은 단순히 사업시행계획에 대한 보충행위로서의 성질을 가지는 것이 아니라 구 「도시 및 주거환경정비법」상 정비사업을 시행할 수 있는 권한을 가지는 행정주체로서의 지위를 부여하는 일종의 설권적 처분의 성격을 가진다.

②-2 조합을 따로 설립하지 아니하고 도시환경정비사업을 직접 시행하려는 토지 등 소유자들은 시장·군수로부터 사업시행인가를 받기 전에는 행정주체로서의 지위를 가지지 못한다. 따라서 그가 작성한 사업시행계획은 인가처분의 요건 중 하나에 불과하고 항고소송의 대상이 되는 독립된 행정처분에 해당하지 아니한다고 할 것이다.

③ 고속도로 건설공사에 편입되는 토지소유자들을 대위하여 토지면적등록 정정신청을 하였으나 행정청이 이를 반려하였다면 이는 항고소송의 대상이 되는 행정처분에 해당한다.

④ 토지대장에 그 소유자명의가 변경된다고 하여도 이로 인하여 당해 토지에 대한 실체상의 권리관계에 변동을 가져올 수 없고 토지소유권이 지적공부의 기재만에 의하여 증명되는 것도 아니므로, 행정청이 토지대장의 소유자명의변경신청을 거부한 행위는 항고소송의 대상이 되는 행정처분이 아니다.

17

㉠ 지적공부 소관청의 지목변경신청 반려행위는 항고소송의 대상이 되는 행정처분이다.

㉡ 건축물대장 소관청의 용도변경신청 거부행위는 국민의 권리관계에 영향을 미치는 것으로서 항고소송의 대상이 되는 행정처분에 해당한다.

㉢ 건축물대장은 건축물에 대한 공법상의 법률관계에 영향을 미칠 뿐만 아니라, 건축물의 소유권을 제대로 행사하기 위한 전제요건으로서 건축물소유자의 실체적 권리관계에 밀접하게 관련되어 있으므로, 행정청이 건축물에 관한 건축물대장을 직권말소한 행위는 항고소송의 대상이 되는 행정처분에 해당한다.

㉣-1 무허가건물을 무허가건물관리대장에 등재하거나 등재된 내용을 변경 또는 삭제하는 행위로 인하여 당해 무허가건물에 대한 실체상의 권리관계에 변동을 가져오는 것이 아니다.

㉣-2 따라서 무허가건물을 무허가건물관리대장에서 삭제하는 행위는 항고소송의 대상이 되는 행정처분에 해당하지 않는다.

㉤ 행정청이 건축물대장의 작성신청을 거부(반려)한 행위는 항고소송의 대상이 되는 행정처분에 해당한다.

18

①-1 국민의 적극적 행위신청에 대한 행정청의 거부행위가 항고소송의 대상이 되는 행정처분이 되기 위해서는 국민에게 법규상 또는 조리상의 신청권이 있어야 한다.

①-2 즉, 신청권이 없는 거부행위는 항고소송의 대상적격이 없어 부적법 각하된다.

②-1 거부처분의 처분성을 인정하기 위한 전제요건이 되는 신청권의 존부는, 구체적 사건에서 신청인이 누구인가를 고려하지 않고 관계 법규의 해석에 의하여 일반국민에게 그러한 신청권을 인정하고 있는 가를 살펴 추상적으로 결정되는 것이다.

②-2 이러한 신청권은 신청인이 그 신청에 따른 단순한 응답을 받을 권리를 넘어서 신청의 인용이라는 만족적 결과를 얻을 권리를 의미하는 것은 아니다.

③ 거부가 처분이 되기 위한 요건으로 '신청인의 법률관계에 어떤 변동을 일으키는 것'의 의미는 신청인의 실체상의 권리관계에 직접적인 변동을 일으키는 것은 물론, 그렇지 않다 하더라도 신청인이 실체상의 권리자로서 권리를 행사함에 중대한 지장을 초래하는 것도 포함한다.

④ 피해자의 의사와 무관하게 주민등록번호가 유출된 경우에는 조리상 주민등록번호의 변경을 요구할 신청권을 인정함이 타당하고, 구청장의 주민등록번호 변경신청 거부행위는 항고소송의 대상이 되는 행정처분에 해당한다.

19

㉮ 거부처분 이후 동일한 내용의 새로운 신청에 대하여 다시 거부한 경우, 새로운 거부처분이 있는 것으로 볼 수 있다.

㉯ 업무상 재해를 당한 甲의 요양급여신청에 대하여 근로복지공단이 요양승인처분을 하면서 사업주를 乙주식회사로 보아 요양승인사실을 통지하자, 乙주식회사가 甲이 자신의 근로자가 아니라고 주장하면서 사업주변경신청을 하였으나 근로복지공단이 거부통지를 한 경우, 이러한 거부통지는 항고소송의 대상이 되는 행정처분에 해당하지 않는다.

㉰-1 기간제로 임용되어 임용기간이 만료된 국·공립대학의 조교수는 재임용 여부에 관하여 합리적인 기준에 의한 공정한 심사를 요구할 법규상 또는 조리상 신청권을 가진다.

㉰-2 따라서 대학 교원의 임용권자가 임용기간이 만료된 조교수에 대하여 재임용을 거부하는 취지로 한 임용기간만료의 통지는 행정소송의 대상이 되는 처분에 해당한다.

㉱-1 문화재보호구역 내에 있는 토지소유자 등으로서는 위 보호구역의 지정해제를 요구할 수 있는 법규상 또는 조리상의 신청권이 있다.

㉱-2 문화재보호구역 내 토지소유자의 문화재보호구역 지정해제신청에 대한 행정청의 거부행위는 항고소송의 대상이 되는 행정처분에 해당한다.

20

㉮ 법인세 과세표준결정이나 손금불산입처분은 법인세 과세처분에 앞선 결정으로서 그로 인하여 바로 과세처분의 효력이 발생하는 것이 아니고 이에 의한 법인세 과세처분이 있을 때에 그 부과처분을 다툴 수 있는 방법이 없는 것도 아니므로, 법인세 과세표준결정이나 손금불산입처분은 항고소송의 대상이 되는 행정처분이라고는 할 수 없다.

㉯ 국유재산 '무단점유자에 대한 변상금 부과처분'은 관리청이 우월적 지위에서 행한 것으로서 행정처분이다.

㉰ 지방의회의장에 대한 불신임의결은 의장의 권한을 박탈하는 행정처분의 일종으로서 항고소송의 대상이 된다.

㉱ 국세환급결정이나 환급신청에 대한 거부결정은 내부적 사무절차로서 항고소송의 대상이 되는 처분이 아니다.

㉲ 조세환급금의 충당은 납세의무자가 갖는 환급청구권의 존부나 범위 또는 소멸에 구체적이고 직접적인 영향을 미치는 처분이라기보다는 국가의 환급금채무와 조세채권이 대등액에서 소멸되는 점에서 오히려 민법상의 상계와 비슷하다.

21

㉮ 구 「민원사무처리에 관한 법률」 제19조 제1항에서 정한 사전심사결과통보는 항고소송의 대상이 되는 행정처분에 해당하지 않는다.

㉯ 국가인권위원회의 각하 및 기각결정은 법률상 신청권이 있는 피해자인 진정인의 권리 행사에 중대한 지장을 초래하는 것으로서 항고소송의 대상이 되는 행정처분에 해당한다.

㉰ 공정거래위원회가 구 「하도급거래 공정화에 관한 법률」에 따라 관계 행정기관의 장에게 한 원사업자 또는 수급사업자에 대한 입찰참가자격제한 요청결정을 하는 경우, 이를 요청받은 관계 행정기관의 장은 특별한 사정이 없는 한 그 사업자에 대하여 입찰참가자격을 제한하는 처분을 하여야 하고 이에 따라 사업자로서는 장차 후속처분으로 입찰참가자격이 제한될 수 있는 법률상 불이익이 존재하므로, 입찰참가자격제한 요청결정은 항고소송의 대상이 되는 처분에 해당한다.

㉱ 교육부장관이 시·도교육감에게 통보한 대학입시기본계획 내의 내신성적산정지침은 항고소송의 대상인 행정처분에 해당하지 않는다.

22

㉮ 국가공무원법상 당연퇴직의 인사발령은 행정소송의 대상인 행정처분이 아니다.

㉯ 원자력법(현 원자력안전법)상 원자로시설부지사전승인처분은 그 자체로서 독립한 행정처분이다.

㉰-1 정보통신윤리위원회가 특정 인터넷사이트를 청소년유해매체물로 결정한 행위는 행정처분이다.

㉰-2 청소년유해매체물 결정 및 고시처분은 일반불특정 다수인을 상대방으로 하여 포장의무 등을 발생시키는 행정처분이다.

㉱ 공무원징계양정규칙에 의한 불문경고조치는 행정처분이다.

㉲ 혁신도시 입지선정을 위한 사항 등을 규정하고 있을 뿐 혁신도시입지 후보지에 관련된 지역주민 등의 권리·의무에 직접 영향을 미치는 규정을 두고 있지 않으므로, 도지사가 도내 특정시를 공공기관이 이전할 혁신도시 최종입지로 선정한 행위는 행정처분이 아니다.

23

① 금융기관의 '임원'에 대한 금융감독원장의 문책경고는 항고소송의 대상이 되는 행정처분에 해당한다.
② 자동차운송사업 양도·양수인가신청에 대하여 행정청이 내인가를 한 후 그 본인가신청이 있음에도 내인가를 취소한 경우 내인가취소는 행정처분이다.
③ 증액경정처분이 있는 경우 원칙적으로는 당초 신고나 결정에 대한 불복기간의 경과 여부 등에 관계없이 증액경정처분만이 항고소송의 대상이 되고 납세의무자는 그 항고소송에서 당초 신고나 결정에 대한 위법사유를 주장할 수 있다.
④ 증액경정처분이 있는 경우 당초 처분은 증액경정처분에 흡수되어 소멸하고, 소멸한 당초 처분의 절차적 하자는 존속하는 증액경정처분에 승계되지 아니한다.

24

㉮ 재결취소소송의 대상이 되는 재결의 고유한 위법에는 주체·형식·절차상의 위법은 물론, 내용상의 위법도 포함된다.
㉯ 재결 자체에 고유한 위법이 없는 경우에는 원처분의 당부와는 상관없이 당해 재결취소소송은 이를 기각하여야 한다.
㉰ 행정심판청구가 부적법하지 않음에도 각하한 재결은 심판청구인의 실체심리를 받을 권리를 박탈한 것으로서 원처분에 없는 고유한 하자가 있는 경우에 해당하고, 취소소송의 대상이 된다.
㉱ 감사원의 변상판정처분에 대해서는 행정소송을 제기할 수 없고, 재결에 해당하는 재심의 판정에 대해서만 감사원을 피고로 하여 행정소송을 제기할 수 있다.

25

㉮ 이른바 복효적 행정행위, 특히 제3자효를 수반하는 행정행위에 대한 행정심판청구에 있어서 그 청구를 인용하는 내용의 재결로 인하여 비로소 권리이익을 침해받게 되는 자는, 재결의 당사자가 아니라고 하더라도 그 인용재결의 취소를 구하는 소를 제기할 수 있다.
㉯-1 행정소송법은 원처분주의를 채택하고 있으므로 재결에 대한 취소소송은 재결 자체에 '고유한 위법'이 있는 경우에 한해 제기할 수 있고, 그렇지 않은 경우에는 원처분을 대상으로 소송을 제기하여야 한다.
㉯-2 징계혐의자에 대한 감봉 1월의 징계처분을 견책으로 변경한 소청결정이 재량 남용으로 위법하다는 주장은 소청결정 자체에 고유한 위법을 주장하는 것으로 볼 수 없어 소청결정의 취소사유가 될 수 없다.
㉰ 행정처분에 대한 행정심판의 재결에 이유모순의 위법이 있다는 사유는 재결처분 자체에 고유한 하자로서 재결처분의 취소를 구하는 소송에서는 그 위법사유로서 주장할 수 있으나, 원처분의 취소를 구하는 소송에서는 그 취소를 구할 위법사유로서 주장할 수 없다.
㉱ 개별법률에서 재결주의를 정하는 경우에는 재결에 대해서만 제소하는 것이 허용되므로 그 논리적인 전제로서 취소소송을 제기하기 전에 행정심판을 필요적으로 경유할 것이 요구된다.

제 16 회 | 옳은 지문

01

㉮ 재결청(행정심판위원회)의 '재조사결정'에 따른 심사청구기간이나 심판청구기간 또는 행정소송의 제소기간의 기산점은 재조사결정이 있는 날이 아니라 후속처분의 통지를 받은 날이 된다.

㉯ 청구취지의 변경이 있는 경우, 새로운 소에 대한 제소기간 준수 여부의 기준시점은 소변경시이다.

㉰ 원고가 행정소송법상 항고소송으로 제기해야 할 사건을 민사소송으로 잘못 제기한 경우에 수소법원이 그 항고소송에 대한 관할을 가지고 있지 아니하여 관할 법원에 이송하는 결정을 하였고, 그 이송결정이 확정된 후 원고가 항고소송으로 소변경을 하였다면, 그 항고소송에 대한 제소기간의 준수 여부는 원칙적으로 처음에 소를 제기한 때를 기준으로 판단하여야 한다.

㉱ 처분 당시에는 취소소송의 제기가 법제상 허용되지 않아 소송을 제기할 수 없다가 위헌결정으로 인하여 비로소 취소소송을 제기할 수 있게 된 경우 객관적으로는 '위헌결정이 있은 날', 주관적으로는 '위헌결정이 있음을 안 날' 비로소 취소소송을 제기할 수 있게 되어 이때를 제소기간의 기산점으로 삼아야 한다.

02

① 불특정 다수인에게 고시 또는 공고하는 경우 상대방이 고시 또는 공고사실을 현실적으로 알았는지와 무관하게 고시가 효력이 발생하는 날에 처분이 있음을 알았다고 보아야 한다.

② 이미 제소기간이 지남으로써 불가쟁력이 발생하여 불복청구를 할 수 없었던 경우라면 그 이후에 행정청이 행정심판청구를 할 수 있다고 잘못 알렸다고 하더라도 그 때문에 처분상대방이 적법한 제소기간 내에 취소소송을 제기할 수 있는 기회를 상실하게 된 것은 아니므로 이러한 경우에 잘못된 안내에 따라 청구된 행정심판재결서 정본을 송달받은 날부터 다시 취소소송의 제소기간이 기산되는 것은 아니다.

③ 제3자는 일반적으로 처분이 있음을 바로 알 수 없는 처지에 있으므로 특별한 사정이 없는 한 정당한 사유가 있는 경우에 해당하여 1년이 경과하더라도 취소소송을 제기할 수 있다. 다만, 제3자가 어떠한 경위로든 행정처분이 있음을 안 이상 그 처분이 있음을 안 날로부터 90일 이내에 취소소송을 제기하여야 한다.

④ 어느 하나의 처분의 취소를 구하는 소에 당해 처분과 관련되는 처분의 취소를 구하는 청구를 추가적으로 병합한 경우, 추가적으로 병합된 소의 소제기간의 준수 여부는 그 청구취지의 추가신청이 있은 때를 기준으로 한다.

03

㉮-1 행정소송법상 취소소송은 원칙적으로 ㉠ 처분 등이 있음을 안 날부터 90일, ㉡ 처분 등이 있은 날부터 1년 이내에 제기하여야 한다.

㉮-2 위 ㉠, ㉡의 두 기간 중 어느 하나의 기간이라도 먼저 경과하면 취소소송을 제기할 수 없다.

㉯ 행정소송법상 제소기간 기산점인 '처분 등이 있음을 안 날'이란 통지, 공고 기타의 방법에 의하여 당해 처분이 있었다는 사실을 현실적으로 안 날을 의미하고 구체적으로 그 행정처분의 위법 여부를 판단한 날을 가리키는 것은 아니다.

㉰ 행정심판을 제기하지 아니하거나 그 재결을 거치지 아니하는 사건에 대한 제소기간을 규정한 행정소송법 조항에서 '처분이 있은 날'은 상대방이 있는 행정처분의 경우는 특별한 규정이 없는 한 의사표시의 일반적 법리에 따라 그 행정처분이 상대방에게 고지되어 효력이 발생한 날을 말한다.

㉱ 행정처분이 있음을 안 날부터 90일을 넘겨 행정심판을 청구하였다가 부적법하다는 이유로 각하재결을 받은 후 재결서를 송달받은 날부터 90일 내에 원래의 처분에 대하여 취소소송을 제기한 경우, 취소소송의 제소기간을 준수한 것으로 볼 수는 없다.

04

㉮ 국가공무원법상 직위해제처분은 행정작용의 성질상 행정절차를 거치기 곤란하거나 불필요하다고 인정되는 사항 또는 행정절차에 준하는 절차를 거친 사항에 해당하므로, 처분의 사전통지 및 의견청취 등에 관한 행정절차법 규정이 적용되지 않는다.

㉯ 선행 직위해제처분과 후행 직권면직처분 간에는 하자의 승계가 부정되므로 선행 직위해제처분의 위법사유를 들어 후행 면직처분의 효력을 다툴 수 없다.

㉰-1 행정심판법에 따르면 행정청이 상대방에게 심판기간을 법정심판기간보다 긴 기간으로 잘못 알린 경우 그 잘못 알린 기간에 심판청구가 있으면 그 행정심판은 법정심판기간에 청구된 것으로 본다.

㉰-2 위 ㉰-1의 행정심판법상 오고지에 관한 규정은 행정소송에는 적용되지 않는다.

㉱-1 행정청이 공무원에 대하여 새로운 직위해제사유에 기한 직위해제처분을 한 경우 그 이전에 한 직위해제처분은 묵시적으로 철회하였다고 봄이 상당하다.

㉱-2 이 경우 이전에 한 직위해제처분의 취소를 구할 소의 이익이 없다.

㉲ 처분상대방이 통보서를 송달받기 전에 정보공개를 청구하여 그 사건 처분을 하는 내용의 통보서를 비롯한 일체의 서류를 교부받음으로써 적어도 그 무렵에는 처분이 있음을 알았더라도, 동 처분이 원고에게 고지되어 원고가 이러한 사실을 인식함으로써 처분이 있다는 사실을 현실적으로 알았을 때 행정소송법 제20조 제1항이 정한 제소기간이 진행된다.

05

- ㉮ 행정심판전치주의가 적용되는 경우에 행정심판을 거치지 않고 소제기를 하였더라도 사실심변론종결 전까지 행정심판을 거친 경우 하자는 치유된 것으로 볼 수 있다.
- ㉯-1 무효등확인소송은 개별법에서 필요적(예외적) 행정심판전치주의를 규정하고 있는 경우에도 그 적용을 받지 않는다.
- ㉯-2 부작위위법확인소송에는 행정심판전치에 관한 규정이 준용된다.
- ㉰-1 국가공무원법, 지방공무원법, 교육공무원법, 관세법, 국세기본법, 지방세기본법, 도로교통법, 특허법 등의 개별법은 필요적 전치를 규정하고 있으므로, 국세 부과처분 취소소송에는 필요적 행정심판전치주의가 적용된다.
- ㉰-2 한편, 행정심판의 전치 여부는 소송요건에 해당하며, 소송요건이 결여되면 법원은 본안의 심리를 거부하는 소각하판결을 하게 된다.
- ㉱-1 행정심판전치주의의 요건을 충족하기 위하여는 행정심판청구가 적법하여야 한다.
- ㉱-2 제기기간을 도과한 행정심판청구의 부적법을 간과한 채 행정청이 실질적 재결을 한 경우라도, 행정소송의 전치요건은 충족된 것으로 볼 수 없다.
- ㉲-1 행정심판절차에서 주장하지 아니한 처분의 위법사유도 소송절차가 사실심변론종결 전이라면 소송절차에서 주장할 수 있다.
- ㉲-2 전심절차에서 주장하지 아니한 처분의 위법사유를 소송절차에서 새롭게 주장하였다고 하여 다시 그 처분에 대하여 별도의 전심절차를 거쳐야 하는 것은 아니다.
- ㉳ 필요적 행정심판전치주의가 적용되는 경우 그 요건 구비 여부는 법원의 직권조사사항이다.

06

행정심판제기는 하되 재결을 거칠 필요가 없는 경우
- ㉠ 행정심판청구가 있은 날로부터 60일이 지나도 재결이 없는 때
- ㉡ 처분의 집행 또는 절차의 속행으로 생길 중대한 손해를 예방하여야 할 긴급한 필요가 있는 때
- ㉢ 법령의 규정에 의한 행정심판기관이 의결 또는 재결을 하지 못할 사유가 있는 때
- ㉣ 그 밖의 정당한 사유가 있는 때

행정심판을 제기함이 없이 취소소송을 제기할 수 있는 경우
- ㉠ 동종사건에 관하여 이미 행정심판의 기각재결이 있은 때(동일한 행정처분에 의하여 여러 사람이 동일한 의무를 부담하는 경우 그중 한 사람이 행정심판을 제기하여 기각판결을 받은 때)
- ㉡ 서로 내용상 관련되는 처분 또는 같은 목적을 위하여 단계적으로 진행되는 처분 중 어느 하나가 이미 행정심판의 재결을 거친 때
- ㉢ 행정청이 사실심의 변론종결 후 소송의 대상인 처분을 변경하여 당해 변경된 처분에 관하여 소를 제기하는 때
- ㉣ 처분을 행한 행정청이 행정심판을 거칠 필요가 없다고 잘못 알린 때(처분청이 아닌 행정심판업무담당공무원이 잘못 알린 경우도 포함)

07

- ①-1 일정한 납부기한을 정한 과징금 부과처분에 대한 집행정지결정이 내려진 경우 그 집행정지기간 동안 납부기간은 진행되지 않는다.
- ①-2 집행정지결정이 당해 결정의 주문에 표시된 시기의 도래로 인하여 실효된 때부터 당초의 과징금 부과처분에서 정한 기간이 다시 진행하는 것으로 보아야 한다.
- ②-1 행정처분의 효력정지나 집행정지를 구하는 신청 사건에서는 행정처분 자체의 적법 여부를 판단할 것이 아니고 행정처분의 효력이나 집행 등을 정지시킬 필요가 있는지 여부, 즉 행정소송법 제23조 제2항에서 정한 요건의 존부만이 판단대상이 된다.
- ②-2 따라서 집행정지요건을 결여하였다는 이유로 효력정지신청을 기각한 결정에 대하여는, 행정처분 자체의 적법 여부를 가지고 불복사유로 삼을 수 없다.
- ③-1 행정소송법 제23조에 의한 효력정지결정의 효력은 결정주문에서 정한 시기까지 존속하고 그 시기의 도래와 동시에 효력이 당연히 소멸한다.
- ③-2 따라서 효력정지결정의 효력이 소멸하여 보조금 교부결정 취소처분의 효력이 되살아난 경우, 특별한 사정이 없는 한 행정청으로서는 구「보조금의 예산 및 관리에 관한 법률」에 따라 취소처분에 의하여 취소된 부분의 보조사업에 대하여 효력정지기간 동안 교부된 보조금의 반환을 명하여야 한다.
- ④ 집행정지는 본안소송의 계속이 그 요건이므로 본안소송이 취하되어 소송이 계속되지 아니한 것으로 되면 집행정지결정은 당연히 그 효력이 소멸되는 것이고 별도의 취소조치를 필요로 하는 것은 아니다.

08

- ① 행정심판법에서는 임시처분에 관한 규정을 두고 있으나 행정소송법에서는 임시처분에 관한 규정을 두고 있지 않다.
- ② 행정소송법상 집행정지의 대상에는 처분 등의 효력정지, 처분 등의 집행정지, 절차속행의 전부 또는 일부의 정지가 있다.
- ③-1 '공공복리에 중대한 영향을 미칠 우려가 없을 것'은 집행정지의 소극적 요건으로서, 여기서의 '공공복리'는 그 처분의 집행과 관련된 구체적이고도 개별적인 공익을 말한다.
- ③-2 집행정지의 적극적 요건은 신청인에게 주장·소명책임이 있지만, 소극적 요건은 행정청에 주장·소명책임이 있다.
- ④ 민사소송(집행)법상 가처분은 항고소송에서 허용되지 않는다.

09

- ①②-1 효력기간이 정해져 있는 제재적 행정처분에 대한 취소소송에서 법원이 본안소송의 판결선고시까지 집행정지결정을 하면, 처분에서 정해 둔 효력기간(집행정지결정 당시 이미 일부 집행되었다면 그 나머지 기간)은 판결선고시까지 진행하지 않다가 판결이 선고되면 그때 집행정지결정의 효력이 소멸함과 동시에 처분의 효력이 당연히 부활하여 처분에서 정한 효력기간이 다시 진행한다.
- ①②-2 처분에서 효력기간의 시기와 종기를 정해 두었는데, 그 시기와 종기가 집행정지기간 중에 모두 경과한 경우에도 특별한 사정이 없는 한 마찬가지이다.

③④-1 제재처분에 대한 행정쟁송절차에서 처분에 대해 집행정지결정이 이루어졌더라도 본안에서 해당 처분이 최종적으로 적법한 것으로 확정되어 집행정지결정이 실효되고 제재처분을 다시 집행할 수 있게 되면, 처분청은 당초 집행정지결정이 없었던 경우와 동등한 수준으로 해당 제재처분이 집행되도록 필요한 조치를 취하여야 한다.

③④-2 처분상대방이 집행정지결정을 받지 못했으나 본안소송에서 해당 제재처분이 위법하다는 것이 확인되어 취소하는 판결이 확정되면, 처분청은 그 제재처분으로 처분상대방에게 초래된 불이익한 결과를 제거하기 위하여 필요한 조치를 취하여야 한다.

10

㉮ 처분의 집행정지, 절차의 속행정지만으로 목적을 달성할 수 있는 경우에는 처분의 효력정지는 허용되지 않는다.

㉯ 신청에 대한 거부처분의 효력을 정지하더라도 거부처분이 있기 전의 신청시의 상태로 되돌아가는 데에 불과하므로, 거부처분의 효력정지를 구할 이익은 없다.

㉰ 집행정지는 본안소송이 취소소송이나 무효등확인소송인 경우에만 허용되고, 부작위위법확인소송의 경우에는 허용되지 않는다.

㉱ 집행정지는 당사자의 신청 또는 법원의 직권에 의해 할 수 있다.

㉲-1 법원의 집행정지결정이나 집행정지신청기각의 결정 또는 집행정지결정의 취소결정에 대해서는 즉시항고할 수 있다.

㉲-2 이 경우 집행정지의 결정에 대한 즉시항고는 그 즉시항고의 대상인 결정의 집행을 정지하는 효력이 없다(집행정지결정에 대해 즉시항고를 하더라도 집행정지결정은 유효하다는 의미).

㉳-1 행정처분의 효력·집행정지를 구하는 신청 사건의 판단대상은 행정 '처분 자체'의 적법 여부가 아니라 '집행정지요건'의 존부이다.

㉳-2 신청인의 본안청구가 이유 없음이 명백하지 않아야 한다는 것이 집행정지의 요건에 포함된다.

11

㉮-1 행정소송에서 쟁송의 대상이 되는 행정처분의 존부는 소송요건으로서 직권조사사항이고, 자백의 대상이 될 수 없는 것이다.

㉮-2 따라서 그 존재를 당사자들이 다투지 아니한다 하더라도 행정처분의 존부에 관하여 의심이 있는 경우에는 법원이 이를 직권으로 밝혀 보아야 한다.

㉯ 원고적격은 소송요건의 하나이므로 사실심변론종결시는 물론 상고심에서도 존속하여야 하고 이를 흠결하면 부적법한 소가 된다.

㉰-1 행정처분에 있어 수개의 처분사유 중 일부가 적법하지 않다고 하더라도 다른 처분사유로써 그 처분의 정당성이 인정되는 경우에는 그 처분을 위법하다고 할 수 없다.

㉰-2 따라서 수개의 징계사유 중 일부가 인정되지 않더라도 인정되는 다른 징계사유만으로도 당해 징계처분의 타당성을 인정하기에 충분한 경우에는 그 징계처분은 적법하다.

㉱ 어떠한 처분에 법령상 근거가 있는지, 행정절차법에서 정한 처분절차를 준수하였는지는 본안에서 당해 처분이 적법한가를 판단하는 단계에서 고려할 요소이지, 소송요건심사단계에서 고려할 요소가 아니다.

12

① 해당 처분을 다툴 법률상 이익이 있는지 여부는 직권조사사항으로 이에 관한 당사자의 주장은 직권발동을 촉구하는 의미밖에 없으므로, 원심법원이 이에 관하여 판단하지 않았다고 하여 판단유탈의 상고이유로 삼을 수 없다.

② 행정소송에 있어서 처분청의 처분권한 유무는 법원의 직권조사사항이 아니다.

③ 법원은 필요하다고 인정할 때에는 직권으로 증거조사를 할 수 있고, 당사자가 주장하지 아니한 사실에 대하여도 판단할 수 있다.

④ 어느 하나의 처분사유에 의한 과징금 부과처분에 대해 당해 처분사유와 통일성이 인정되지 않는 다른 처분사유가 존재한다는 이유로 적법한 처분으로 본 법원의 판단은 특별한 사정이 없는 한 행정소송법상 직권심사주의의 한계를 넘는 것으로 허용될 수 없다.

13

㉮-1 처분사유에 관한 증명책임은 피고행정청에 있다.

㉮-2 거부처분 취소소송에서도 그 처분사유에 관한 증명책임은 피고행정청에 있다.

㉯-1 행정처분이 재량권을 일탈하였다는 것에 대한 입증책임은 처분의 효력을 다투는 원고에게 있고 처분청이 그 재량권의 행사가 정당한 것이었다는 점까지 주장·입증할 필요는 없다.

㉯-2 항고소송에서 행정처분의 적법성에 관한 입증책임은 피고인 행정청에 있다.

㉰ 국민에게 일정한 이득과 권리를 취득하게 한 종전 처분을 취소할 수 있는 경우 및 취소해야 할 필요성에 대한 증명책임의 소재는 행정청에 있다.

㉱-1 소송요건은 직권조사사항이지만 법원이 직권으로 조사하더라도 그 요건사실의 존부가 불분명한 경우 입증책임의 문제가 생긴다.

㉱-2 소송요건의 존부가 불분명한 경우에는, 소송요건을 흠결한 부적법한 소로 취급되어 소송을 청구한 원고에게 불이익하게 판단될 것이므로 입증책임은 원고에게 있다는 것이 통설의 입장이다.

㉲-1 등기우편의 경우 특별한 사정이 없는 한 도달을 추정한다.

㉲-2 다만, 수취인이 주민등록지에 실제로 거주하지 아니하는 등 특별한 사정이 있는 경우 도달이 추정되지 않으므로 행정청이 도달사실을 입증하여야 한다.

14

① 행정처분의 취소를 구하는 항고소송에서 처분청이 처분 당시에 적시한 구체적 사실을 변경하지 아니하는 범위 내에서, 처분의 근거법령만을 추가·변경하거나 당초 처분사유를 구체적으로 표시하는 것에 불과한 경우, 새로운 처분사유의 추가·변경이 아니므로 원칙적으로 허용된다.

② 액화석유가스판매사업 불허가처분의 당초 처분사유인 사업허가기준에 맞지 않는다는 사유와 소송 계속 중 추가하여 주장한 사유인 이격거리 허가기준에 위반된다는 사유는, 기본적 사실관계에 있어서 동일성이 인정된다.

③ 토지형질변경 불허가처분의 당초 처분사유인 국립공원에 인접한 미개발지의 합리적인 이용대책 수립시까지 그 허가를 유보한다는 사유와 소송 계속 중 추가하여 주장한 처분사유인 국립공원 주변의 환경·풍치·미관 등을 크게 손상시킬 우려가 있다는 사유는, 기본적 사실관계에 있어서 동일성이 인정된다.

④ 입찰참가자격을 제한시킨 당초 처분사유인 정당한 이유 없이 계약을 이행하지 않은 사실과 항고소송에서 새로 주장한 계약의 이행과 관련하여 관계 공무원에게 뇌물을 준 사실은 기본적 사실관계의 동일성이 없다.

15

① 사회적 사실관계의 기본적 동일성이 인정되는 경우라고 하더라도 그에 대한 규범적 평가와 처분의 근거법령의 변경으로 당초 처분의 내용을 변경할 필요성이 제기되는 경우에는 해당 처분을 취소한 후 처분청으로 하여금 다시 처분절차를 거쳐 새로운 처분을 하도록 하여야 할 것이지 당초 처분의 내용을 그대로 유지한 채 근거법령만 추가·변경하는 것은 허용될 수 없다.

② 당초 처분의 근거로 제시한 사유가 실질적인 내용이 없다고 보는 한, 이에 대한 추가사유는 그와 기본적 사실관계가 동일한지 여부를 판단할 대상조차 없는 것이므로, 결국 소송단계에서 처분사유를 추가하여 주장할 수 없다.

③-1 처분사유 자체가 아니라 처분사유의 근거가 되는 기초사실 내지 평가요소에 지나지 않는 사정은 추가로 주장할 수 있다.

③-2 외국인 甲이 법무부장관에게 귀화신청을 하였으나 법무부장관이 '품행 미단정'을 불허사유로 국적법상의 요건을 갖추지 못하였다며 신청을 받아들이지 않는 처분을 한 경우, 법무부장관이 甲을 '품행 미단정'이라고 판단한 이유에 대하여 제1심 변론절차에서「자동차 관리법」위반죄로 기소유예를 받은 전력 등을 고려하였다고 주장한 후, 제2심 변론절차에서 불법체류 전력 등의 제반 사정을 추가로 주장한 경우 추가로 제시한 불법체류 전력 등의 제반 사정은 처분사유의 근거가 되는 기초사실 내지 평가요소에 지나지 않으므로, 추가로 주장할 수 있다.

④-1 「공공기관의 정보공개에 관한 법률」에 의하면 공공기관은 정보의 비공개결정을 한 경우 비공개이유를 구체적으로 밝혀서 청구인에게 그 사실을 통지하여야 하는데, 행정청이 이동통신요금 원가 관련 정보공개청구에 대하여 별다른 이유를 제시하지 않은 채 이동통신요금과 관련한 총괄원가액수만을 공개한 것은 비공개결정을 하면서 비공개이유를 명시하지 않은 경우에 해당하여 위법하다.

④-2 이동통신요금 원가 관련 정보공개청구에 대해 행정청이 별다른 이유를 제시하지 아니한 채 통신요금과 관련한 총괄원가액수만을 공개한 후, 정보공개거부처분 취소소송에서 원가 관련 정보가 법인의 영업상 비밀에 해당한다는 비공개사유를 주장하는 것은, 그 기본적 사실관계가 동일하다고 볼 수 없는 사유를 추가하는 것이므로 허용되지 않는다.

16

①-1 일부취소가 가능한 경우에는 원칙상 전부취소를 하여서는 안 되며 일부취소를 하여야 한다.

①-2 외형상 하나의 행정처분이라 하더라도 가분성이 있거나 그 처분대상의 일부가 특정될 수 있다면 그 일부만의 취소도 가능하고 그 일부의 취소는 당해 취소 부분에 관하여 효력이 발생한다.

②-1 수개의 위반행위에 대하여 하나의 과징금 납부명령을 하였는데 수개의 위반행위 중 일부의 위반행위만이 위법하나 소송상 그 일부의 위반행위를 기초로 한 과징금액을 산정할 수 있는 자료가 없는 경우에는 하나의 과징금 납부명령 전부를 취소할 수밖에 없다.

②-2 이와 비교하여, 공정거래위원회가 부당한 공동행위에 대한 과징금을 부과함에 있어, 여러 개의 위반행위에 대해 하나의 과징금 납부명령을 하였으나 여러 개의 위반행위 중 일부의 위반행위에 대한 과징금 부과만이 위법하고 소송상 그 일부의 위반행위를 기초로 한 과징금액을 산정할 수 있는 자료가 있는 경우, 하나의 과징금 납부명령일지라도 그 일부의 위반행위에 대한 과징금액에 해당하는 부분만을 취소하여야 한다.

③ 행정제재수단으로 사업정지를 명할 것인지, 과징금을 부과할 것인지, 과징금을 부과하기로 한다면 그 금액은 얼마로 할 것인지에 관하여 행정청에 재량권이 부여되어 있는 경우로서 과징금 부과처분이 법이 정한 한도액을 초과하여 위법할 때에는, 행정청은 과징금 최고한도액의 부과처분만으로는 적절치 않다고 여길 경우 사업정지쪽을 택할 수도 있으므로 법원은 그 전부를 취소할 수밖에 없고, 그 한도액을 초과한 부분이나 법원이 적정하다고 인정되는 부분을 초과한 부분만을 취소할 수는 없다.

④ 행정청이 여러 개의 위반행위에 대하여 하나의 제재처분을 하였으나, 위반행위별로 제재처분의 내용을 구분하는 것이 가능하고 여러 개의 위반행위 중 일부의 위반행위에 대한 제재처분 부분만이 위법하다면, 법원은 그 제재처분 중 위법성이 인정되는 부분만 취소하여야 하고 그 제재처분 전부를 취소하여서는 아니 된다.

17

㉮ 원고의 청구가 이유 있다고 인정하는 경우에도 처분 등을 취소하는 것이 현저히 공공복리에 적합하지 아니하다고 인정하는 때에는 법원은 원고의 청구를 기각할 수 있는데, 이 경우의 기각판결을 사정판결이라고 한다.

㉯ 행정소송에 있어서 법원이 사정판결을 할 필요가 있다고 인정하는 때에는 당사자의 명백한 주장이 없는 경우에도 직권으로 사정판결을 할 수 있다.

㉰ 사정판결의 경우 처분의 위법성은 처분시를 기준으로 판단하고, 사정판결의 필요성, 즉 처분 등을 취소하는 것이 현저히 공공복리에 적합하지 않은지 여부는 판결시(변론종결시)를 기준으로 판단한다.

㉱ 법원이 사정판결을 하는 경우 그 판결의 주문에서 처분 등이 위법함을 명시하여야 하며, 이로써 처분 등의 위법성에 대하여 기판력이 발생한다.

㉲-1 사정판결은 취소소송에서만 인정되고, 무효등확인소송·부작위위법확인소송·당사자소송에서는 인정되지 않는다.

㉲-2 당연무효의 행정처분을 소송목적물로 하는 행정소송에서는 존치시킬 효력이 있는 행정행위가 없기 때문에 사정판결을 할 수 없다.

써니 행정법총론 | 소방 단원별 모의고사

OMR 답안지
* 정답을 마킹해 보세요.

제1회

번호	답
01	① ② ③ ④
02	① ② ③ ④
03	① ② ③ ④
04	① ② ③ ④
05	① ② ③ ④
06	① ② ③ ④
07	① ② ③ ④
08	① ② ③ ④
09	① ② ③ ④
10	① ② ③ ④
11	① ② ③ ④
12	① ② ③ ④
13	① ② ③ ④
14	① ② ③ ④
15	① ② ③ ④
16	① ② ③ ④
17	① ② ③ ④
18	① ② ③ ④
19	① ② ③ ④
20	① ② ③ ④
21	① ② ③ ④
22	① ② ③ ④
23	① ② ③ ④
24	① ② ③ ④
25	① ② ③ ④

_____ 문항 / 25문항

제2회

번호	답
01	① ② ③ ④
02	① ② ③ ④
03	① ② ③ ④
04	① ② ③ ④
05	① ② ③ ④
06	① ② ③ ④
07	① ② ③ ④
08	① ② ③ ④
09	① ② ③ ④
10	① ② ③ ④
11	① ② ③ ④
12	① ② ③ ④
13	① ② ③ ④
14	① ② ③ ④
15	① ② ③ ④
16	① ② ③ ④
17	① ② ③ ④
18	① ② ③ ④
19	① ② ③ ④
20	① ② ③ ④
21	① ② ③ ④
22	① ② ③ ④
23	① ② ③ ④
24	① ② ③ ④
25	① ② ③ ④

_____ 문항 / 25문항

제3회

번호	답
01	① ② ③ ④
02	① ② ③ ④
03	① ② ③ ④
04	① ② ③ ④
05	① ② ③ ④
06	① ② ③ ④
07	① ② ③ ④
08	① ② ③ ④
09	① ② ③ ④
10	① ② ③ ④
11	① ② ③ ④
12	① ② ③ ④
13	① ② ③ ④
14	① ② ③ ④
15	① ② ③ ④
16	① ② ③ ④
17	① ② ③ ④
18	① ② ③ ④
19	① ② ③ ④
20	① ② ③ ④
21	① ② ③ ④
22	① ② ③ ④
23	① ② ③ ④
24	① ② ③ ④
25	① ② ③ ④

_____ 문항 / 25문항

제4회

번호	답
01	① ② ③ ④
02	① ② ③ ④
03	① ② ③ ④
04	① ② ③ ④
05	① ② ③ ④
06	① ② ③ ④
07	① ② ③ ④
08	① ② ③ ④
09	① ② ③ ④
10	① ② ③ ④
11	① ② ③ ④
12	① ② ③ ④
13	① ② ③ ④
14	① ② ③ ④
15	① ② ③ ④
16	① ② ③ ④
17	① ② ③ ④
18	① ② ③ ④
19	① ② ③ ④
20	① ② ③ ④
21	① ② ③ ④
22	① ② ③ ④
23	① ② ③ ④
24	① ② ③ ④
25	① ② ③ ④

_____ 문항 / 25문항

제5회		제6회		제7회		제8회	
01	① ② ③ ④	01	① ② ③ ④	01	① ② ③ ④	01	① ② ③ ④
02	① ② ③ ④	02	① ② ③ ④	02	① ② ③ ④	02	① ② ③ ④
03	① ② ③ ④	03	① ② ③ ④	03	① ② ③ ④	03	① ② ③ ④
04	① ② ③ ④	04	① ② ③ ④	04	① ② ③ ④	04	① ② ③ ④
05	① ② ③ ④	05	① ② ③ ④	05	① ② ③ ④	05	① ② ③ ④
06	① ② ③ ④	06	① ② ③ ④	06	① ② ③ ④	06	① ② ③ ④
07	① ② ③ ④	07	① ② ③ ④	07	① ② ③ ④	07	① ② ③ ④
08	① ② ③ ④	08	① ② ③ ④	08	① ② ③ ④	08	① ② ③ ④
09	① ② ③ ④	09	① ② ③ ④	09	① ② ③ ④	09	① ② ③ ④
10	① ② ③ ④	10	① ② ③ ④	10	① ② ③ ④	10	① ② ③ ④
11	① ② ③ ④	11	① ② ③ ④	11	① ② ③ ④	11	① ② ③ ④
12	① ② ③ ④	12	① ② ③ ④	12	① ② ③ ④	12	① ② ③ ④
13	① ② ③ ④	13	① ② ③ ④	13	① ② ③ ④	13	① ② ③ ④
14	① ② ③ ④	14	① ② ③ ④	14	① ② ③ ④	14	① ② ③ ④
15	① ② ③ ④	15	① ② ③ ④	15	① ② ③ ④	15	① ② ③ ④
16	① ② ③ ④	16	① ② ③ ④	16	① ② ③ ④	16	① ② ③ ④
17	① ② ③ ④	17	① ② ③ ④	17	① ② ③ ④	17	① ② ③ ④
18	① ② ③ ④	18	① ② ③ ④	18	① ② ③ ④	18	① ② ③ ④
19	① ② ③ ④	19	① ② ③ ④	19	① ② ③ ④	19	① ② ③ ④
20	① ② ③ ④	20	① ② ③ ④	20	① ② ③ ④	20	① ② ③ ④
21	① ② ③ ④	21	① ② ③ ④	21	① ② ③ ④	21	① ② ③ ④
22	① ② ③ ④	22	① ② ③ ④	22	① ② ③ ④	22	① ② ③ ④
23	① ② ③ ④	23	① ② ③ ④	23	① ② ③ ④	23	① ② ③ ④
24	① ② ③ ④	24	① ② ③ ④	24	① ② ③ ④	24	① ② ③ ④
25	① ② ③ ④	25	① ② ③ ④	25	① ② ③ ④	25	① ② ③ ④
_____ 문항 / 25문항		_____ 문항 / 25문항		_____ 문항 / 25문항		_____ 문항 / 25문항	

제9회		제10회		제11회		제12회	
01	① ② ③ ④	01	① ② ③ ④	01	① ② ③ ④	01	① ② ③ ④
02	① ② ③ ④	02	① ② ③ ④	02	① ② ③ ④	02	① ② ③ ④
03	① ② ③ ④	03	① ② ③ ④	03	① ② ③ ④	03	① ② ③ ④
04	① ② ③ ④	04	① ② ③ ④	04	① ② ③ ④	04	① ② ③ ④
05	① ② ③ ④	05	① ② ③ ④	05	① ② ③ ④	05	① ② ③ ④
06	① ② ③ ④	06	① ② ③ ④	06	① ② ③ ④	06	① ② ③ ④
07	① ② ③ ④	07	① ② ③ ④	07	① ② ③ ④	07	① ② ③ ④
08	① ② ③ ④	08	① ② ③ ④	08	① ② ③ ④	08	① ② ③ ④
09	① ② ③ ④	09	① ② ③ ④	09	① ② ③ ④	09	① ② ③ ④
10	① ② ③ ④	10	① ② ③ ④	10	① ② ③ ④	10	① ② ③ ④
11	① ② ③ ④	11	① ② ③ ④	11	① ② ③ ④	11	① ② ③ ④
12	① ② ③ ④	12	① ② ③ ④	12	① ② ③ ④	12	① ② ③ ④
13	① ② ③ ④	13	① ② ③ ④	13	① ② ③ ④	13	① ② ③ ④
14	① ② ③ ④	14	① ② ③ ④	14	① ② ③ ④	14	① ② ③ ④
15	① ② ③ ④	15	① ② ③ ④	15	① ② ③ ④	15	① ② ③ ④
16	① ② ③ ④	16	① ② ③ ④	16	① ② ③ ④	16	① ② ③ ④
17	① ② ③ ④	17	① ② ③ ④	17	① ② ③ ④	17	① ② ③ ④
18	① ② ③ ④	18	① ② ③ ④	18	① ② ③ ④	18	① ② ③ ④
19	① ② ③ ④	19	① ② ③ ④	19	① ② ③ ④	19	① ② ③ ④
20	① ② ③ ④	20	① ② ③ ④	20	① ② ③ ④	20	① ② ③ ④
21	① ② ③ ④	21	① ② ③ ④	21	① ② ③ ④	21	① ② ③ ④
22	① ② ③ ④	22	① ② ③ ④	22	① ② ③ ④	22	① ② ③ ④
23	① ② ③ ④	23	① ② ③ ④	23	① ② ③ ④	23	① ② ③ ④
24	① ② ③ ④	24	① ② ③ ④	24	① ② ③ ④	24	① ② ③ ④
25	① ② ③ ④	25	① ② ③ ④	25	① ② ③ ④	25	① ② ③ ④
_____ 문항 / 25문항		_____ 문항 / 25문항		_____ 문항 / 25문항		_____ 문항 / 25문항	

제13회

01	① ② ③ ④
02	① ② ③ ④
03	① ② ③ ④
04	① ② ③ ④
05	① ② ③ ④
06	① ② ③ ④
07	① ② ③ ④
08	① ② ③ ④
09	① ② ③ ④
10	① ② ③ ④
11	① ② ③ ④
12	① ② ③ ④
13	① ② ③ ④
14	① ② ③ ④
15	① ② ③ ④
16	① ② ③ ④
17	① ② ③ ④
18	① ② ③ ④
19	① ② ③ ④
20	① ② ③ ④
21	① ② ③ ④
22	① ② ③ ④
23	① ② ③ ④
24	① ② ③ ④
25	① ② ③ ④

_____ 문항 / 25문항

제14회

01	① ② ③ ④
02	① ② ③ ④
03	① ② ③ ④
04	① ② ③ ④
05	① ② ③ ④
06	① ② ③ ④
07	① ② ③ ④
08	① ② ③ ④
09	① ② ③ ④
10	① ② ③ ④
11	① ② ③ ④
12	① ② ③ ④
13	① ② ③ ④
14	① ② ③ ④
15	① ② ③ ④
16	① ② ③ ④
17	① ② ③ ④
18	① ② ③ ④
19	① ② ③ ④
20	① ② ③ ④
21	① ② ③ ④
22	① ② ③ ④
23	① ② ③ ④
24	① ② ③ ④
25	① ② ③ ④

_____ 문항 / 25문항

제15회

01	① ② ③ ④
02	① ② ③ ④
03	① ② ③ ④
04	① ② ③ ④
05	① ② ③ ④
06	① ② ③ ④
07	① ② ③ ④
08	① ② ③ ④
09	① ② ③ ④
10	① ② ③ ④
11	① ② ③ ④
12	① ② ③ ④
13	① ② ③ ④
14	① ② ③ ④
15	① ② ③ ④
16	① ② ③ ④
17	① ② ③ ④
18	① ② ③ ④
19	① ② ③ ④
20	① ② ③ ④
21	① ② ③ ④
22	① ② ③ ④
23	① ② ③ ④
24	① ② ③ ④
25	① ② ③ ④

_____ 문항 / 25문항

제16회

01	① ② ③ ④
02	① ② ③ ④
03	① ② ③ ④
04	① ② ③ ④
05	① ② ③ ④
06	① ② ③ ④
07	① ② ③ ④
08	① ② ③ ④
09	① ② ③ ④
10	① ② ③ ④
11	① ② ③ ④
12	① ② ③ ④
13	① ② ③ ④
14	① ② ③ ④
15	① ② ③ ④
16	① ② ③ ④
17	① ② ③ ④
18	① ② ③ ④
19	① ② ③ ④
20	① ② ③ ④
21	① ② ③ ④
22	① ② ③ ④
23	① ② ③ ④
24	① ② ③ ④
25	① ② ③ ④

_____ 문항 / 25문항

써니 행정법총론 | 소방 단원별 모의고사

OMR 답안지
* 정답을 마킹해 보세요.

제1회	제2회	제3회	제4회

(각 회차별 01~25번 문항, ① ② ③ ④ 마킹란)

_____ 문항 / 25문항

제5회		제6회		제7회		제8회	
01	① ② ③ ④	01	① ② ③ ④	01	① ② ③ ④	01	① ② ③ ④
02	① ② ③ ④	02	① ② ③ ④	02	① ② ③ ④	02	① ② ③ ④
03	① ② ③ ④	03	① ② ③ ④	03	① ② ③ ④	03	① ② ③ ④
04	① ② ③ ④	04	① ② ③ ④	04	① ② ③ ④	04	① ② ③ ④
05	① ② ③ ④	05	① ② ③ ④	05	① ② ③ ④	05	① ② ③ ④
06	① ② ③ ④	06	① ② ③ ④	06	① ② ③ ④	06	① ② ③ ④
07	① ② ③ ④	07	① ② ③ ④	07	① ② ③ ④	07	① ② ③ ④
08	① ② ③ ④	08	① ② ③ ④	08	① ② ③ ④	08	① ② ③ ④
09	① ② ③ ④	09	① ② ③ ④	09	① ② ③ ④	09	① ② ③ ④
10	① ② ③ ④	10	① ② ③ ④	10	① ② ③ ④	10	① ② ③ ④
11	① ② ③ ④	11	① ② ③ ④	11	① ② ③ ④	11	① ② ③ ④
12	① ② ③ ④	12	① ② ③ ④	12	① ② ③ ④	12	① ② ③ ④
13	① ② ③ ④	13	① ② ③ ④	13	① ② ③ ④	13	① ② ③ ④
14	① ② ③ ④	14	① ② ③ ④	14	① ② ③ ④	14	① ② ③ ④
15	① ② ③ ④	15	① ② ③ ④	15	① ② ③ ④	15	① ② ③ ④
16	① ② ③ ④	16	① ② ③ ④	16	① ② ③ ④	16	① ② ③ ④
17	① ② ③ ④	17	① ② ③ ④	17	① ② ③ ④	17	① ② ③ ④
18	① ② ③ ④	18	① ② ③ ④	18	① ② ③ ④	18	① ② ③ ④
19	① ② ③ ④	19	① ② ③ ④	19	① ② ③ ④	19	① ② ③ ④
20	① ② ③ ④	20	① ② ③ ④	20	① ② ③ ④	20	① ② ③ ④
21	① ② ③ ④	21	① ② ③ ④	21	① ② ③ ④	21	① ② ③ ④
22	① ② ③ ④	22	① ② ③ ④	22	① ② ③ ④	22	① ② ③ ④
23	① ② ③ ④	23	① ② ③ ④	23	① ② ③ ④	23	① ② ③ ④
24	① ② ③ ④	24	① ② ③ ④	24	① ② ③ ④	24	① ② ③ ④
25	① ② ③ ④	25	① ② ③ ④	25	① ② ③ ④	25	① ② ③ ④
_____ 문항 / 25문항		_____ 문항 / 25문항		_____ 문항 / 25문항		_____ 문항 / 25문항	

제9회		제10회		제11회		제12회	
01	① ② ③ ④	01	① ② ③ ④	01	① ② ③ ④	01	① ② ③ ④
02	① ② ③ ④	02	① ② ③ ④	02	① ② ③ ④	02	① ② ③ ④
03	① ② ③ ④	03	① ② ③ ④	03	① ② ③ ④	03	① ② ③ ④
04	① ② ③ ④	04	① ② ③ ④	04	① ② ③ ④	04	① ② ③ ④
05	① ② ③ ④	05	① ② ③ ④	05	① ② ③ ④	05	① ② ③ ④
06	① ② ③ ④	06	① ② ③ ④	06	① ② ③ ④	06	① ② ③ ④
07	① ② ③ ④	07	① ② ③ ④	07	① ② ③ ④	07	① ② ③ ④
08	① ② ③ ④	08	① ② ③ ④	08	① ② ③ ④	08	① ② ③ ④
09	① ② ③ ④	09	① ② ③ ④	09	① ② ③ ④	09	① ② ③ ④
10	① ② ③ ④	10	① ② ③ ④	10	① ② ③ ④	10	① ② ③ ④
11	① ② ③ ④	11	① ② ③ ④	11	① ② ③ ④	11	① ② ③ ④
12	① ② ③ ④	12	① ② ③ ④	12	① ② ③ ④	12	① ② ③ ④
13	① ② ③ ④	13	① ② ③ ④	13	① ② ③ ④	13	① ② ③ ④
14	① ② ③ ④	14	① ② ③ ④	14	① ② ③ ④	14	① ② ③ ④
15	① ② ③ ④	15	① ② ③ ④	15	① ② ③ ④	15	① ② ③ ④
16	① ② ③ ④	16	① ② ③ ④	16	① ② ③ ④	16	① ② ③ ④
17	① ② ③ ④	17	① ② ③ ④	17	① ② ③ ④	17	① ② ③ ④
18	① ② ③ ④	18	① ② ③ ④	18	① ② ③ ④	18	① ② ③ ④
19	① ② ③ ④	19	① ② ③ ④	19	① ② ③ ④	19	① ② ③ ④
20	① ② ③ ④	20	① ② ③ ④	20	① ② ③ ④	20	① ② ③ ④
21	① ② ③ ④	21	① ② ③ ④	21	① ② ③ ④	21	① ② ③ ④
22	① ② ③ ④	22	① ② ③ ④	22	① ② ③ ④	22	① ② ③ ④
23	① ② ③ ④	23	① ② ③ ④	23	① ② ③ ④	23	① ② ③ ④
24	① ② ③ ④	24	① ② ③ ④	24	① ② ③ ④	24	① ② ③ ④
25	① ② ③ ④	25	① ② ③ ④	25	① ② ③ ④	25	① ② ③ ④
_____ 문항 / 25문항		_____ 문항 / 25문항		_____ 문항 / 25문항		_____ 문항 / 25문항	

제13회		제14회		제15회		제16회	
01	① ② ③ ④	01	① ② ③ ④	01	① ② ③ ④	01	① ② ③ ④
02	① ② ③ ④	02	① ② ③ ④	02	① ② ③ ④	02	① ② ③ ④
03	① ② ③ ④	03	① ② ③ ④	03	① ② ③ ④	03	① ② ③ ④
04	① ② ③ ④	04	① ② ③ ④	04	① ② ③ ④	04	① ② ③ ④
05	① ② ③ ④	05	① ② ③ ④	05	① ② ③ ④	05	① ② ③ ④
06	① ② ③ ④	06	① ② ③ ④	06	① ② ③ ④	06	① ② ③ ④
07	① ② ③ ④	07	① ② ③ ④	07	① ② ③ ④	07	① ② ③ ④
08	① ② ③ ④	08	① ② ③ ④	08	① ② ③ ④	08	① ② ③ ④
09	① ② ③ ④	09	① ② ③ ④	09	① ② ③ ④	09	① ② ③ ④
10	① ② ③ ④	10	① ② ③ ④	10	① ② ③ ④	10	① ② ③ ④
11	① ② ③ ④	11	① ② ③ ④	11	① ② ③ ④	11	① ② ③ ④
12	① ② ③ ④	12	① ② ③ ④	12	① ② ③ ④	12	① ② ③ ④
13	① ② ③ ④	13	① ② ③ ④	13	① ② ③ ④	13	① ② ③ ④
14	① ② ③ ④	14	① ② ③ ④	14	① ② ③ ④	14	① ② ③ ④
15	① ② ③ ④	15	① ② ③ ④	15	① ② ③ ④	15	① ② ③ ④
16	① ② ③ ④	16	① ② ③ ④	16	① ② ③ ④	16	① ② ③ ④
17	① ② ③ ④	17	① ② ③ ④	17	① ② ③ ④	17	① ② ③ ④
18	① ② ③ ④	18	① ② ③ ④	18	① ② ③ ④	18	① ② ③ ④
19	① ② ③ ④	19	① ② ③ ④	19	① ② ③ ④	19	① ② ③ ④
20	① ② ③ ④	20	① ② ③ ④	20	① ② ③ ④	20	① ② ③ ④
21	① ② ③ ④	21	① ② ③ ④	21	① ② ③ ④	21	① ② ③ ④
22	① ② ③ ④	22	① ② ③ ④	22	① ② ③ ④	22	① ② ③ ④
23	① ② ③ ④	23	① ② ③ ④	23	① ② ③ ④	23	① ② ③ ④
24	① ② ③ ④	24	① ② ③ ④	24	① ② ③ ④	24	① ② ③ ④
25	① ② ③ ④	25	① ② ③ ④	25	① ② ③ ④	25	① ② ③ ④
_____문항 / 25문항		_____문항 / 25문항		_____문항 / 25문항		_____문항 / 25문항	

써니 행정법총론 | 소방 단원별 모의고사

OMR 답안지
* 정답을 마킹해 보세요.

제1회

문번	①	②	③	④
01	①	②	③	④
02	①	②	③	④
03	①	②	③	④
04	①	②	③	④
05	①	②	③	④
06	①	②	③	④
07	①	②	③	④
08	①	②	③	④
09	①	②	③	④
10	①	②	③	④
11	①	②	③	④
12	①	②	③	④
13	①	②	③	④
14	①	②	③	④
15	①	②	③	④
16	①	②	③	④
17	①	②	③	④
18	①	②	③	④
19	①	②	③	④
20	①	②	③	④
21	①	②	③	④
22	①	②	③	④
23	①	②	③	④
24	①	②	③	④
25	①	②	③	④

_____ 문항 / 25문항

제2회

문번	①	②	③	④
01	①	②	③	④
02	①	②	③	④
03	①	②	③	④
04	①	②	③	④
05	①	②	③	④
06	①	②	③	④
07	①	②	③	④
08	①	②	③	④
09	①	②	③	④
10	①	②	③	④
11	①	②	③	④
12	①	②	③	④
13	①	②	③	④
14	①	②	③	④
15	①	②	③	④
16	①	②	③	④
17	①	②	③	④
18	①	②	③	④
19	①	②	③	④
20	①	②	③	④
21	①	②	③	④
22	①	②	③	④
23	①	②	③	④
24	①	②	③	④
25	①	②	③	④

_____ 문항 / 25문항

제3회

문번	①	②	③	④
01	①	②	③	④
02	①	②	③	④
03	①	②	③	④
04	①	②	③	④
05	①	②	③	④
06	①	②	③	④
07	①	②	③	④
08	①	②	③	④
09	①	②	③	④
10	①	②	③	④
11	①	②	③	④
12	①	②	③	④
13	①	②	③	④
14	①	②	③	④
15	①	②	③	④
16	①	②	③	④
17	①	②	③	④
18	①	②	③	④
19	①	②	③	④
20	①	②	③	④
21	①	②	③	④
22	①	②	③	④
23	①	②	③	④
24	①	②	③	④
25	①	②	③	④

_____ 문항 / 25문항

제4회

문번	①	②	③	④
01	①	②	③	④
02	①	②	③	④
03	①	②	③	④
04	①	②	③	④
05	①	②	③	④
06	①	②	③	④
07	①	②	③	④
08	①	②	③	④
09	①	②	③	④
10	①	②	③	④
11	①	②	③	④
12	①	②	③	④
13	①	②	③	④
14	①	②	③	④
15	①	②	③	④
16	①	②	③	④
17	①	②	③	④
18	①	②	③	④
19	①	②	③	④
20	①	②	③	④
21	①	②	③	④
22	①	②	③	④
23	①	②	③	④
24	①	②	③	④
25	①	②	③	④

_____ 문항 / 25문항

제5회		제6회		제7회		제8회	
01	① ② ③ ④	01	① ② ③ ④	01	① ② ③ ④	01	① ② ③ ④
02	① ② ③ ④	02	① ② ③ ④	02	① ② ③ ④	02	① ② ③ ④
03	① ② ③ ④	03	① ② ③ ④	03	① ② ③ ④	03	① ② ③ ④
04	① ② ③ ④	04	① ② ③ ④	04	① ② ③ ④	04	① ② ③ ④
05	① ② ③ ④	05	① ② ③ ④	05	① ② ③ ④	05	① ② ③ ④
06	① ② ③ ④	06	① ② ③ ④	06	① ② ③ ④	06	① ② ③ ④
07	① ② ③ ④	07	① ② ③ ④	07	① ② ③ ④	07	① ② ③ ④
08	① ② ③ ④	08	① ② ③ ④	08	① ② ③ ④	08	① ② ③ ④
09	① ② ③ ④	09	① ② ③ ④	09	① ② ③ ④	09	① ② ③ ④
10	① ② ③ ④	10	① ② ③ ④	10	① ② ③ ④	10	① ② ③ ④
11	① ② ③ ④	11	① ② ③ ④	11	① ② ③ ④	11	① ② ③ ④
12	① ② ③ ④	12	① ② ③ ④	12	① ② ③ ④	12	① ② ③ ④
13	① ② ③ ④	13	① ② ③ ④	13	① ② ③ ④	13	① ② ③ ④
14	① ② ③ ④	14	① ② ③ ④	14	① ② ③ ④	14	① ② ③ ④
15	① ② ③ ④	15	① ② ③ ④	15	① ② ③ ④	15	① ② ③ ④
16	① ② ③ ④	16	① ② ③ ④	16	① ② ③ ④	16	① ② ③ ④
17	① ② ③ ④	17	① ② ③ ④	17	① ② ③ ④	17	① ② ③ ④
18	① ② ③ ④	18	① ② ③ ④	18	① ② ③ ④	18	① ② ③ ④
19	① ② ③ ④	19	① ② ③ ④	19	① ② ③ ④	19	① ② ③ ④
20	① ② ③ ④	20	① ② ③ ④	20	① ② ③ ④	20	① ② ③ ④
21	① ② ③ ④	21	① ② ③ ④	21	① ② ③ ④	21	① ② ③ ④
22	① ② ③ ④	22	① ② ③ ④	22	① ② ③ ④	22	① ② ③ ④
23	① ② ③ ④	23	① ② ③ ④	23	① ② ③ ④	23	① ② ③ ④
24	① ② ③ ④	24	① ② ③ ④	24	① ② ③ ④	24	① ② ③ ④
25	① ② ③ ④	25	① ② ③ ④	25	① ② ③ ④	25	① ② ③ ④
_____ 문항 / 25문항		_____ 문항 / 25문항		_____ 문항 / 25문항		_____ 문항 / 25문항	

제9회		제10회		제11회		제12회	
01	① ② ③ ④	01	① ② ③ ④	01	① ② ③ ④	01	① ② ③ ④
02	① ② ③ ④	02	① ② ③ ④	02	① ② ③ ④	02	① ② ③ ④
03	① ② ③ ④	03	① ② ③ ④	03	① ② ③ ④	03	① ② ③ ④
04	① ② ③ ④	04	① ② ③ ④	04	① ② ③ ④	04	① ② ③ ④
05	① ② ③ ④	05	① ② ③ ④	05	① ② ③ ④	05	① ② ③ ④
06	① ② ③ ④	06	① ② ③ ④	06	① ② ③ ④	06	① ② ③ ④
07	① ② ③ ④	07	① ② ③ ④	07	① ② ③ ④	07	① ② ③ ④
08	① ② ③ ④	08	① ② ③ ④	08	① ② ③ ④	08	① ② ③ ④
09	① ② ③ ④	09	① ② ③ ④	09	① ② ③ ④	09	① ② ③ ④
10	① ② ③ ④	10	① ② ③ ④	10	① ② ③ ④	10	① ② ③ ④
11	① ② ③ ④	11	① ② ③ ④	11	① ② ③ ④	11	① ② ③ ④
12	① ② ③ ④	12	① ② ③ ④	12	① ② ③ ④	12	① ② ③ ④
13	① ② ③ ④	13	① ② ③ ④	13	① ② ③ ④	13	① ② ③ ④
14	① ② ③ ④	14	① ② ③ ④	14	① ② ③ ④	14	① ② ③ ④
15	① ② ③ ④	15	① ② ③ ④	15	① ② ③ ④	15	① ② ③ ④
16	① ② ③ ④	16	① ② ③ ④	16	① ② ③ ④	16	① ② ③ ④
17	① ② ③ ④	17	① ② ③ ④	17	① ② ③ ④	17	① ② ③ ④
18	① ② ③ ④	18	① ② ③ ④	18	① ② ③ ④	18	① ② ③ ④
19	① ② ③ ④	19	① ② ③ ④	19	① ② ③ ④	19	① ② ③ ④
20	① ② ③ ④	20	① ② ③ ④	20	① ② ③ ④	20	① ② ③ ④
21	① ② ③ ④	21	① ② ③ ④	21	① ② ③ ④	21	① ② ③ ④
22	① ② ③ ④	22	① ② ③ ④	22	① ② ③ ④	22	① ② ③ ④
23	① ② ③ ④	23	① ② ③ ④	23	① ② ③ ④	23	① ② ③ ④
24	① ② ③ ④	24	① ② ③ ④	24	① ② ③ ④	24	① ② ③ ④
25	① ② ③ ④	25	① ② ③ ④	25	① ② ③ ④	25	① ② ③ ④
_____문항 / 25문항		_____문항 / 25문항		_____문항 / 25문항		_____문항 / 25문항	

제13회	
01	① ② ③ ④
02	① ② ③ ④
03	① ② ③ ④
04	① ② ③ ④
05	① ② ③ ④
06	① ② ③ ④
07	① ② ③ ④
08	① ② ③ ④
09	① ② ③ ④
10	① ② ③ ④
11	① ② ③ ④
12	① ② ③ ④
13	① ② ③ ④
14	① ② ③ ④
15	① ② ③ ④
16	① ② ③ ④
17	① ② ③ ④
18	① ② ③ ④
19	① ② ③ ④
20	① ② ③ ④
21	① ② ③ ④
22	① ② ③ ④
23	① ② ③ ④
24	① ② ③ ④
25	① ② ③ ④
_____ 문항 / 25문항	

제14회	
01	① ② ③ ④
02	① ② ③ ④
03	① ② ③ ④
04	① ② ③ ④
05	① ② ③ ④
06	① ② ③ ④
07	① ② ③ ④
08	① ② ③ ④
09	① ② ③ ④
10	① ② ③ ④
11	① ② ③ ④
12	① ② ③ ④
13	① ② ③ ④
14	① ② ③ ④
15	① ② ③ ④
16	① ② ③ ④
17	① ② ③ ④
18	① ② ③ ④
19	① ② ③ ④
20	① ② ③ ④
21	① ② ③ ④
22	① ② ③ ④
23	① ② ③ ④
24	① ② ③ ④
25	① ② ③ ④
_____ 문항 / 25문항	

제15회	
01	① ② ③ ④
02	① ② ③ ④
03	① ② ③ ④
04	① ② ③ ④
05	① ② ③ ④
06	① ② ③ ④
07	① ② ③ ④
08	① ② ③ ④
09	① ② ③ ④
10	① ② ③ ④
11	① ② ③ ④
12	① ② ③ ④
13	① ② ③ ④
14	① ② ③ ④
15	① ② ③ ④
16	① ② ③ ④
17	① ② ③ ④
18	① ② ③ ④
19	① ② ③ ④
20	① ② ③ ④
21	① ② ③ ④
22	① ② ③ ④
23	① ② ③ ④
24	① ② ③ ④
25	① ② ③ ④
_____ 문항 / 25문항	

제16회	
01	① ② ③ ④
02	① ② ③ ④
03	① ② ③ ④
04	① ② ③ ④
05	① ② ③ ④
06	① ② ③ ④
07	① ② ③ ④
08	① ② ③ ④
09	① ② ③ ④
10	① ② ③ ④
11	① ② ③ ④
12	① ② ③ ④
13	① ② ③ ④
14	① ② ③ ④
15	① ② ③ ④
16	① ② ③ ④
17	① ② ③ ④
18	① ② ③ ④
19	① ② ③ ④
20	① ② ③ ④
21	① ② ③ ④
22	① ② ③ ④
23	① ② ③ ④
24	① ② ③ ④
25	① ② ③ ④
_____ 문항 / 25문항	

한눈에 보는 빠른 정답

제1회 소방 단원별 모의고사　　　　　　　　　　　　　　나의 점수 _____ 점

빠른 정답

01	02	03	04	05	06	07	08	09	10	11	12	13	14	15	16	17	18	19	20	21	22	23	24	25
①	③	④	③	③	①	③	④	④	②	①	④	②	④	②	②	④	④	②	③	③	②	③	③	④

제2회 소방 단원별 모의고사　　　　　　　　　　　　　　나의 점수 _____ 점

빠른 정답

01	02	03	04	05	06	07	08	09	10	11	12	13	14	15	16	17	18	19	20	21	22	23	24	25
④	①	②	②	③	③	①	①	④	④	②	④	②	③	④	④	③	④	②	④	②	②	③	②	②

제3회 소방 단원별 모의고사　　　　　　　　　　　　　　나의 점수 _____ 점

빠른 정답

01	02	03	04	05	06	07	08	09	10	11	12	13	14	15	16	17	18	19	20	21	22	23	24	25
③	②	③	③	②	④	②	③	③	②	③	②	③	①	④	④	③	④	③	④	④	②	②	①	②	②

제4회 소방 단원별 모의고사　　　　　　　　　　　　　　나의 점수 _____ 점

빠른 정답

01	02	03	04	05	06	07	08	09	10	11	12	13	14	15	16	17	18	19	20	21	22	23	24	25
①	①	③	②	④	③	①	②	④	④	②	①	③	④	④	②	④	②	④	①	②	①	④	②	②

제 5 회 소방 단원별 모의고사

나의 점수 _____ 점

빠른 정답																								
01	02	03	04	05	06	07	08	09	10	11	12	13	14	15	16	17	18	19	20	21	22	23	24	25
④	③	④	④	②	②	②	③	④	③	②	③	④	②	④	②	③	②	②	②	③	③	③	④	④

제 6 회 소방 단원별 모의고사

나의 점수 _____ 점

빠른 정답																								
01	02	03	04	05	06	07	08	09	10	11	12	13	14	15	16	17	18	19	20	21	22	23	24	25
③	②	④	④	④	④	②	④	④	④	③	④	①	④	③	③	③	②	②	④	③	③	④	③	②

제 7 회 소방 단원별 모의고사

나의 점수 _____ 점

빠른 정답																								
01	02	03	04	05	06	07	08	09	10	11	12	13	14	15	16	17	18	19	20	21	22	23	24	25
④	③	③	②	②	③	①	③	③	②	①	④	②	④	③	③	③	②	④	③	①	①	②	④	④

제 8 회 소방 단원별 모의고사

나의 점수 _____ 점

빠른 정답																								
01	02	03	04	05	06	07	08	09	10	11	12	13	14	15	16	17	18	19	20	21	22	23	24	25
②	①	④	④	②	①	③	②	③	②	①	③	④	④	③	③	②	④	②	②	④	②	②	②	②

제9회 소방 단원별 모의고사

나의 점수 _____ 점

빠른 정답																								
01	02	03	04	05	06	07	08	09	10	11	12	13	14	15	16	17	18	19	20	21	22	23	24	25
②	③	③	④	④	④	④	②	①	②	④	④	④	③	④	①	③	②	②	④	③	②	③	④	④

제10회 소방 단원별 모의고사

나의 점수 _____ 점

빠른 정답																								
01	02	03	04	05	06	07	08	09	10	11	12	13	14	15	16	17	18	19	20	21	22	23	24	25
④	①	④	②	①	④	④	④	③	④	②	③	③	④	④	④	④	③	②	④	②	③	①	④	②

제11회 소방 단원별 모의고사

나의 점수 _____ 점

빠른 정답																								
01	02	03	04	05	06	07	08	09	10	11	12	13	14	15	16	17	18	19	20	21	22	23	24	25
②	④	④	④	②	②	④	④	③	④	②	③	③	①	②	②	②	③	②	②	②	④	③	①	④

제12회 소방 단원별 모의고사

나의 점수 _____ 점

빠른 정답																								
01	02	03	04	05	06	07	08	09	10	11	12	13	14	15	16	17	18	19	20	21	22	23	24	25
④	②	①	③	③	②	④	④	④	③	④	①	③	①	④	③	③	②	②	④	②	①	③	③	

제13회 소방 단원별 모의고사

나의 점수 _____점

빠른 정답																								
01	02	03	04	05	06	07	08	09	10	11	12	13	14	15	16	17	18	19	20	21	22	23	24	25
③	④	④	④	③	③	①	③	①	②	③	①	④	③	②	④	③	③	②	④	②	①	④	①	④

제14회 소방 단원별 모의고사

나의 점수 _____점

빠른 정답																								
01	02	03	04	05	06	07	08	09	10	11	12	13	14	15	16	17	18	19	20	21	22	23	24	25
③	②	①	④	④	④	①	②	④	②	③	③	②	④	③	④	③	④	④	①	④	②	③	③	①

제15회 소방 단원별 모의고사

나의 점수 _____점

빠른 정답																								
01	02	03	04	05	06	07	08	09	10	11	12	13	14	15	16	17	18	19	20	21	22	23	24	25
③	③	①	②	④	④	④	②	③	③	②	②	②	②	④	②	③	②	③	②	②	③	①	④	④

제16회 소방 단원별 모의고사

나의 점수 _____점

빠른 정답																								
01	02	03	04	05	06	07	08	09	10	11	12	13	14	15	16	17	18	19	20	21	22	23	24	25
②	④	①	②	②	②	②	③	④	①	④	③	③	③	①	③	④	②	④	②	④	④	④	③	④

MEMO

Always be, sunny!

2026 써니 행정법총론 시리즈와 함께 학습하는

필수 기출 지문 OX 애플리케이션 **써니행정법**

써니행정법 APP 특징
1. 강별, 전범위 OX 문제 풀기 지원
2. OX 문제 풀기는 강별 연속 풀기 및 랜덤 풀기, 전강 랜덤풀기 중 선택 가능
3. 문제별 즐겨찾기 저장 및 삭제 가능
4. 나의 순위, 정답률과 진도율 확인 가능
5. 최신 기출문제 제공
6. 주요 관련 법조문 바로가기 제공
7. 나의 응시시험 D-DAY 설정 기능 지원
8. 점수 초기화, PUSH 알림 등 설정 기능 지원

  구글 플레이, 앱스토어에서 다운로드 가능합니다.

2026 써니행정법 APP 이용쿠폰

<이용방법>
1. 구글 플레이 또는 앱스토어에서 [써니행정법]을 검색해 주세요.
2. '써니행정법 APP'을 다운로드해 주세요.
3. 쿠폰 입력창이 나오면 아래의 쿠폰번호를 입력해 주세요.

APP 출시 안내 바로가기

<유의사항>
1개의 쿠폰번호는 총 1대의 기기에만 등록하여 사용할 수 있습니다.
기기변경 또는 앱 삭제 시, 기존에 입력한 쿠폰번호는 재사용할 수 없습니다.

HB8B-EL4Q-6EHS-X996

최적의 학습 커뮤니티 **써니 행정법 카페**　　　소통하는 학습 유튜브 채널 **써니로TV**